Pour Charlotte,
En souvenir de nos
belles rencontres à Guelph.
Nathalie

La collection Géographie contemporaine change d'image. Le souci de renouveau de la direction des Presses de l'Université du Québec et l'attachement aux traditions du directeur de la collection ont abouti à un compromis qui rend la collection plus attrayante tout en affirmant la continuité avec sa mission, soit celle de diffuser des travaux de nature scientifique ou pédagogique qui permettent d'enrichir la réflexion géographique. Ce changement est l'occasion d'un rapide bilan. Cette collection qui, au départ, voulait remplir un vide s'est avérée féconde. Depuis 1998, plus de vingt titres ont été publiés, plusieurs ayant donné lieu à des rééditions. Analysant le monde à toutes ses échelles, du mondial au local, des travaux de chercheurs du Québec et d'ailleurs ont interrogé le territoire et les possibilités qu'il offre dans un contexte qui requiert la révision des choix de développement de nos sociétés. La collection devient ainsi ce qu'elle cherchait à être, soit une tribune en langue française pour l'analyse des territoires. La nouvelle image, plus accessible, réaffirme cet objectif. Le monde, dans sa globalité, est impensable sans des repères territoriaux qu'il importe de rendre visibles. Sans ces repères, les liens sociaux sont impossibles, la préoccupation pour le bien commun disparaît et seul l'individualisme a droit de cité. Les repères territoriaux sont nécessaires pour un développement respectueux des générations futures, certes, mais aussi des collectivités qui nous entourent et avec lesquelles nous partageons la planète. C'est ce que l'éducation géographique des citoyens rend possible et c'est le défi qui a guidé et qui continuera de guider les travaux de la collection Géographie contemporaine.

Juan-Luis Klein
Directeur de la collection

Le monde
dans
tous ses États

Presses de l'Université du Québec
Le Delta I, 2875, boulevard Laurier, bureau 450, Québec (Québec) G1V 2M2
Téléphone : 418 657-4399 – Télécopieur : 418 657-2096
Courriel : puq@puq.ca – Internet : www.puq.ca

Diffusion / Distribution :

Canada et autres pays : Prologue inc., 1650, boulevard Lionel-Bertrand, Boisbriand (Québec)
J7H 1N7 – Tél. : 450 434-0306 / 1 800 363-2864

France : Sodis, 128, av. du Maréchal de Lattre de Tassigny, 77403 Lagny, France – Tél. : 01 60 07 82 99

Afrique : Action pédagogique pour l'éducation et la formation, Angle des rues Jilali Taj Eddine
et El Ghadfa, Maârif 20100, Casablanca, Maroc – Tél. : 212 (0) 22-23-12-22

Belgique : Patrimoine SPRL, 168, rue du Noyer, 1030 Bruxelles, Belgique – Tél. : 02 7366847

Suisse : Servidis SA, Chemin des Chalets, 1279 Chavannes-de-Bogis, Suisse – Tél. : 022 960.95.32

Le monde
dans
tous ses États
Une approche géographique

Sous la direction de
JUAN-LUIS KLEIN et FRÉDÉRIC LASSERRE

2e édition
revue, augmentée et entièrement mise à jour

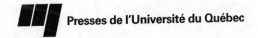 Presses de l'Université du Québec

Catalogage avant publication de Bibliothèque et Archives nationales du Québec et Bibliothèque et Archives Canada

Vedette principale au titre :

Le monde dans tous ses États : une approche géographique

2ᵉ éd.

(Géographie contemporaine)

Comprend des réf. bibliogr.

ISBN 978-2-7605-3206-9

1. Géographie humaine. 2. Géographie sociale. 3. Territorialité humaine. 4. Géographie économique. 5. Mondialisation. I. Klein, Juan-Luis. II. Lasserre, Frédéric, 1967-   . III. Collection : Géographie contemporaine.

GF41.M65 2011   304.2   C2011-941196-2

Les Presses de l'Université du Québec reconnaissent l'aide financière du gouvernement du Canada par l'entremise du Fonds du livre du Canada et du Conseil des Arts du Canada pour leurs activités d'édition.

Elles remercient également la Société de développement des entreprises culturelles (SODEC) pour son soutien financier.

Couverture   Conception : Richard Hodgson

Intérieur   Mise en forme des figures : Département de géographie, Université Laval
                    Mise en pages : Interscript

Avant-propos de la 2ᵉ édition

Ce livre, publié pour la première fois en 2006, augmenté et entièrement mis à jour en 2011, vise deux objectifs. D'une part, il sert d'appui à des cours et enseignements au sujet du monde contemporain. D'autre part, il passe en revue les enjeux et bouleversements qui traversent l'«espace-monde» contemporain. Ce concept d'«espace-monde» est la base d'une approche géographique qui fait appel à des contributions pluridisciplinaires. Le livre est constitué d'un ensemble de chapitres et de capsules, appuyés par des cartes et des tableaux. Les chapitres abordent les problèmes étudiés dans une perspective large et synthétique. Les capsules sont axées sur des aspects plus précis qui approfondissent ou illustrent les analyses plus globales présentées dans les chapitres.

Le livre est divisé en deux parties. La partie 1 présente quelques-uns des enjeux fondamentaux d'un monde en mutation qui se structure à plusieurs échelles et qui met en scène plusieurs acteurs. Cette partie aborde le contexte écologique, politique, économique et social dans lequel s'insère la construction d'un espace-monde qui interpelle la géographie à cause de la complexité et des tensions territoriales qui le traversent. La partie 2 porte sur ce que nous appelons «les continents de l'espace-monde». Ce sont les grands espaces où se met en scène la mondialisation. Pour chacun d'entre eux sont étudiés les grandes concentrations géosociales et géoéconomiques, les facteurs et contraintes physiques, les trajectoires évolutives, les différents territoires ainsi que les principaux enjeux. Deux annexes complètent l'information sur des données géographiques de base (superficie et démographie) et sur des données sur la situation socioéconomique. Deux index (des auteurs cités et de lieux) ont été ajoutés à cette deuxième édition afin de faciliter la consultation du livre.

L'analyse thématique et régionale proposée dans l'ouvrage montre que l'espace-monde est tout sauf homogène, ce qui met en relief l'importance d'une approche géographique attentive aux lieux, aux spécificités territoriales. Science du territoire, la géographie aborde le rapport de la société à l'espace. Ce rapport est à l'origine de l'ancrage territorial des collectivités humaines. Mondialisation aidant, cet ancrage territorial change. De nouveaux équilibres entre les collectivités et leur espace géographique cohabitent avec de profonds déséquilibres sociaux et écologiques, lesquels mettent au défi la capacité des décideurs et des citoyens, à tous les niveaux, du local au mondial, de prendre les décisions appropriées pour construire un monde équitable et viable.

Pour la réalisation de ce livre, nous avons compté sur la collaboration de plusieurs personnes à qui nous tenons à exprimer notre gratitude. D'abord, évidemment, nous remercions les auteurs qui ont accepté notre invitation à partager les fruits de leurs savoirs avec les lecteurs de cet ouvrage. Nous tenons aussi à souligner la contribution de Carole Tardif, Christine Champagne et Patrick Forest, qui nous ont assistés dans la rédaction de la première édition. Pour la préparation de cette deuxième édition, nous avons compté sur la précieuse collaboration de Matthieu Roy qui a fait une révision minutieuse des différents textes afin de faciliter leur mise à jour par les auteurs. Il a aussi assuré la mise à jour des deux tableaux présentés en annexe ainsi que la préparation des deux index qui enrichissent cette nouvelle version du livre.

Nous remercions aussi Karine Tessier, cartographe au LATIG (Université Laval), responsable de la production des cartes qui documentent les chapitres et capsules du livre, et André Parent, cartographe au GEOLAB (Université du Québec à Montréal), qui a réalisé la première version de certaines cartes. Nous tenons aussi à remercier les collègues qui ont accepté d'évaluer les textes et qui, dans bien de cas, ont fait des suggestions qui se sont traduites par l'enrichissement global du livre. Puis, nous remercions les étudiants qui ont utilisé ce livre dans sa première édition et qui nous ont fait des critiques pertinentes et enrichissantes qui ont contribué à son amélioration dans le cadre de cette deuxième édition.

Juan-Luis Klein et Frédéric Lasserre

Table des matières

Liste
des figures

Liste
des tableaux

Introduction

UNE PERSPECTIVE GÉOGRAPHIQUE
Pour la lecture de l'espace-monde

Juan-Luis Klein et Frédéric Lasserre

Ce livre vise à fournir les principales clés nécessaires à la compréhension des changements que traverse le monde dans son organisation économique et politique. La société-monde se déploie sur un espace-monde où les frontières nationales ne constituent plus des limites étanches, mais où d'autres facteurs complexifient des espaces qui jusqu'à un passé récent étaient délimités et compris surtout par leur appartenance étatique. Les diversités ethniques et culturelles, l'attraction économique ou sociale de pôles en compétition, l'insertion différentielle des régions et des secteurs dans l'économie mondiale, l'information et les modèles culturels exercent une influence sur les populations mondiales et sur leurs identités et constituent autant de facteurs qui structurent et restructurent les territorialités sociales dans un monde qui, bien que globalisé, n'a rien d'homogène ni d'isomorphe.

Le regard géographique

Le regard que nous proposons est essentiellement géographique. Mais qu'est-ce qu'un tel regard? Lors de l'ouverture d'un congrès tenu par l'Association des sciences régionales de langue française il y a quelques années, l'un des conférenciers-vedettes, économiste et, surtout, économètre, se réjouissait de voir la géographie présente au congrès. «Nous découvrons le territoire avec ses spécificités et ses particularités», déclara-t-il. «Nous prenons connaissance de l'explication géographique.» Et pour réaffirmer son propos, il ajouta, à la surprise de bien des géographes présents, «nous relisons Vidal de la Blache». Il aurait pu se référer aux géographes contemporains – et ils ont été nombreux au cours des dernières années – qui ont apporté un renouveau à la conceptualisation géographique et qui ont décrit et expliqué les effets de la mondialisation sur l'espace et sur le développement économique, par exemple. Mais non! Pour appuyer ses propos, il a fait référence à Vidal de La Blache, l'un des fondateurs de la géographie, pour qui cette discipline était la science des lieux.

Le retour des lieux et l'intérêt pour le territoire

Cette anecdote révèle une attitude qui est loin de constituer un fait isolé. Georges Benko et Alain Lipietz, dans l'introduction à leur ouvrage *Les régions qui gagnent*, qui présente le renouvellement des paradigmes en géographie économique, décrètent le retour du singulier, de la personnalité régionale – «à la Vidal de la Blache», précisent-ils. Bon nombre de géographes, mais aussi des spécialistes provenant d'autres sciences du social[1] ainsi que des acteurs socioéconomiques, découvrent, voire redécouvrent l'importance des lieux et des collectivités qui y résident, ce qui dénote certainement aussi bien un changement de paradigme qu'une nouvelle sensibilité face à une tendance globale dans la structuration de la société. Les sciences politiques, la sociologie, le travail social, les sciences économiques découvrent la notion de territoire et l'intègrent dans leur analyse. N'est-ce pas un paradoxe dans un contexte de mondialisation où d'aucuns ont décrété la fin des territoires?

Le retour des lieux après un long parcours

L'intérêt pour les lieux, pour les régions et pour le territoire constitue un renversement de tendance car l'histoire des sciences humaines révèle non seulement la méconnaissance mais aussi le mépris des lieux et de ce qu'ils représentent, à savoir les différences et les spécificités. N'oublions pas que cette opposition entre le global et le local a marqué l'orientation des sciences du social dès le XIXe siècle.

---

1. Nous préférons parler de «sciences du social» plutôt que de «sciences sociales» parce que plusieurs sciences qui ne sont pas toujours considérées comme des sciences sociales, ce qui est d'ailleurs le cas de la géographie pour certains auteurs, concernent néanmoins la société.

Cette opposition a été bien énoncée par le sociologue allemand F. Tönnies, auteur d'une théorie construite autour du couple *Gemeinschaft* (communauté) et *Gesellschaft* (société). Ces deux concepts représentent deux modalités antagonistes de la réalité sociale. Le concept de communauté s'appuie sur les solidarités de base entre les individus et met en œuvre les sentiments, alors que le concept de société fait intervenir la pensée, la rationalité et l'intelligence collectives. Prolongés et appliqués par des représentants de diverses disciplines, ces deux concepts servent à expliquer les transformations des relations sociales au cours de la première moitié du xxᵉ siècle, où s'opposent la ville, qui est définie comme le foyer de la modernité et du cosmopolitisme, et le rural, qui devient l'expression de la tradition, de l'homogénéité, voire du passé.

La géographie prend parti dans ce débat dès sa fondation comme discipline instituée. Confronté à la sociologie qui définissait la société en tant qu'ensemble avec des règles et une rationalité propres, Vidal de la Blache soutenait que l'espace national se composait de sous-ensembles territoriaux articulés entre eux et dont les critères de définition étaient à la fois physiques et humains. Utilisant les ressources fournies par le milieu naturel selon leur degré de connaissance technique, les collectivités humaines s'adaptent, selon lui, à leur milieu physique tout en le transformant. L'adaptation de l'homme à la nature et le degré de transformation de celle-ci par celui-là se traduisent en des genres de vie particuliers déterminant l'organisation des sociétés dans des lieux dont l'explication ne peut pas être soumise à des règles universelles. « La géographie est une science des lieux et non des hommes », décrète Vidal de la Blache, marquant ainsi l'objet de la géographie et sa place sur l'échiquier scientifique.

Or les lieux, objet d'étude des géographes, sont vite devenus, dans la perspective de la sociologie de Durkheim et, plus tard, dans celle des sciences économiques de Keynes, des poches de résistance au progrès apporté par les sociétés nationales et par les États dans la construction des phases avancées de la société moderne. Dès les années 1930, et surtout depuis l'après-guerre, la croissance économique nationale, la mise en œuvre de l'État-providence et l'homogénéisation économique et culturelle des espaces nationaux se traduisent par le triomphe de la société nationale sur les lieux. La géographie elle-même finit par tourner le dos à l'héritage de Vidal de la Blache. D'une part, les géographes anglo-saxons imprégnés de la prétendue *theoretical revolution*, c'est-à-dire de l'influence des méthodes quantitatives, implantées en géographie par des auteurs tels E. Hullman, W. Bunge, B.L. Berry et D. Harvey, se lancent dans des analyses basées sur des méthodes quantitatives complexes, adoptant des modèles géométriques, et quittent ainsi le champ de l'explication des territoires. Essayant de dépasser la description, typique de la géographie traditionnelle, plusieurs auteurs se lancent à la découverte des « lois spatiales », dans le sillon des travaux sur les places centrales que A. Lösch et W. Christaller avaient commencés dans l'Allemagne des années 1930, ce qui donne lieu à ce qui a été appelé la « nouvelle géographie ».

D'autre part, dans les années 1970, des géographes inspirés du structuralisme et de l'économie politique marxiste, tels R. Peet, J. Lévy, G. Dimeo et M. Santos, ainsi que certains géographes déçus par les insuffisances théoriques de la nouvelle géographie, tels D. Harvey et W. Bunge, développent une approche globale de l'espace où les acteurs sont déterminés ou surdéterminés par leur place dans la structure des rapports de production. Cette approche radicale inspire les tenants de ce qui est connu comme la « géographie critique ».

Ce renouveau de la géographie a un effet crucial sur son objet. L'espace, abstrait et donc généralisable, rationnel et donc gouvernable, s'érige en objet principal de la géographie, remplaçant les lieux. Cela permet la réalisation de travaux impressionnants, aussi bien dans le cas de la nouvelle géographie, à cause de la quantité d'informations analysées, que dans celui de la géographie critique, à cause de la profondeur de l'analyse théorique des rapports société-espace. Mais, dans les deux cas, le territoire et la spécificité des lieux sont évincés. La géographie n'était donc plus la science des lieux, mais elle n'était toujours pas la science des hommes. Elle devient la science de l'espace, sorte d'expression géographique de la *Gesellschaft* de Tönnies ou de la « société » durkheimienne. Autant le structuralisme avait conçu l'histoire des sociétés comme « un procès sans sujet », selon la phrase célèbre de Louis Althusser, autant la nouvelle géographie et la géographie radicale concevaient l'espace comme un univers sans lieu.

Or voici que depuis les années 1980, progressivement, la géographie et les sciences humaines en général redécouvrent les lieux, la région, le local. Mais on découvre aussi le global. En fait, cette nouvelle perspective géographique permet de voir que le local est un jalon de l'adaptation des sociétés aux nouveaux espaces économiques supranationaux. C'est que les États nationaux, qui incarnaient la société globale, le *Gesellschaft* de Tönnies, sans disparaître, ont subi un processus de soumission progressive à des règles et à des institutions de plus en plus puissantes, qui opèrent à l'échelle mondiale et qui leur imposent des normes de conduite, ce qui provoque une crise de régulation de la société, ainsi que sa restructuration. L'espace mondial s'appuie sur une société qui semble reterritorialisée, relocalisée, où le local et les lieux produisent le sens, les identités collectives, que la société ne suscite plus aussi facilement.

Trois outils méthodologiques

Alors, comment jeter un regard géographique sur ce nouvel espace-monde en structuration? Nous proposons dans cet ouvrage qu'un tel regard s'appuie sur trois outils méthodologiques: le territoire, l'échelle et la carte.

1. Le territoire médiatise le rapport de la société à l'espace et au temps. Le territoire est un espace délimité, façonné et occupé par une collectivité, qui est à la fois instrument et milieu de sa reproduction et qui agit comme ciment des liens sociaux entre les acteurs et citoyens qui la constituent. La collectivité

gère, planifie, aménage et habite le territoire, mais celui-ci provoque des perceptions et des attitudes différenciées chez les acteurs et citoyens qui l'habitent, qui conditionnent leurs interrelations ainsi que leurs façons de l'habiter, le gérer, le planifier et l'aménager.

2. L'échelle (locale, régionale, nationale, supranationale) exprime la nature et l'ampleur des interrelations entre les acteurs et habitants d'une collectivité et entre les acteurs et habitants de diverses collectivités. L'échelle nous permet de mettre l'accent sur un aspect ou un lieu ou sur plusieurs aspects et plusieurs lieux. Ce que nous proposons est que le propre du regard géographique est de combiner plusieurs échelles, ce qui permet l'analyse des lieux et leurs interrelations, ainsi que leurs différents niveaux d'imbrication.

3. Quant à la carte, qui peut prendre plusieurs formes et avoir plusieurs fonctions, elle est l'outil privilégié par l'approche géographique pour appréhender et représenter les diverses configurations territoriales qui composent l'espace-monde et pour donner à voir la complexité des échelles d'interrelations qui les façonnent.

Ce sont ces outils qui permettent de voir que l'espace-monde est traversé par une sorte de restructuration dans la répartition du pouvoir entre des instances politiques, juridiques, économiques et sociales qui œuvrent à des échelles différentes, du local au mondial, en passant par le national, donnant lieu au phénomène combiné de « métropolisation » et de « réticulation », où les inégalités reposent sur la distanciation progressive entre les secteurs connectés à la mondialisation, qui bénéficient de la « nouvelle économie », de l'« économie des connaissances », et ceux qui en sont exclus.

Pistes et enjeux pour la lecture de l'espace-monde

Les grands changements qui caractérisent le monde contemporain président donc à la structuration de nouvelles configurations socioterritoriales, où se combinent et se superposent diverses échelles. Ces changements concernent aussi bien les politiques étatiques, qui réduisent les obstacles à l'intégration et aux échanges économiques, ce qui permet une gestion du monde de plus en plus globalisée, que les technologies, lesquelles intensifient la circulation des informations, des produits, des idées et des connaissances, ce qui favorise la création et l'élargissement des réseaux sociaux et économiques. L'espace-monde est dès lors structuré sur la base de réseaux globaux et de nœuds locaux, ce qui met les instances politiques locales, régionales et, surtout, nationales au défi de mettre en œuvre de nouvelles formes de gouvernance, de façon à assurer la permanence de la démocratie. Ce défi s'exprime même par la mise en œuvre de territoires supranationaux où l'échelle de la gouvernance se rapproche de celle des enjeux dont elle s'occupe, comme dans le cas de l'Union européenne.

Une lecture globale et régionale

Les principaux bouleversements qui affectent la carte de l'espace-monde sont traités dans ce livre tant dans leur dimension globale que dans leur expression régionale. La première partie du livre, intitulée «Les enjeux et les défis de la construction de l'espace-monde», qui traite des dimensions globales de ces enjeux, aborde quatre grands thèmes : l'analyse des rapports à l'environnement, les trajectoires de la mondialisation et leurs effets sur les États-nations, les rapports entre développement et sous-développement et la métropolisation.

Ces enjeux sont traités en profondeur, en dégageant leur complexité et leur spécificité géographique, dans une deuxième partie intitulée «Les continents de l'espace-monde», qui passe en revue les différentes régions géopolitiques et géoéconomiques de la planète. Ces régions sont l'Amérique du Nord, l'Amérique latine, l'Europe, l'ex-URSS, l'Asie du Nord-Est, l'Asie du Sud-Est, l'Asie du Sud, l'Océanie, le Moyen-Orient et l'Afrique. Ces thèmes et régions sont abordés par des chapitres synthétiques suivis de capsules qui, sous forme d'études de cas ou d'analyses ponctuelles, approfondissent les principaux enjeux soulevés par les différents chapitres. Ces chapitres et capsules sont documentés par des tableaux et des cartes à jour.

Deux tableaux synthétiques portant sur les dimensions démographiques et socioéconomiques de l'espace-monde clôturent le tout et fournissent l'information nécessaire pour des analyses plus détaillées.

Les grands changements et les principaux défis

La partie thématique et la partie régionale font ressortir les principaux changements que traverse l'espace-monde, du local au global. Nous les soulignons, d'une part, parce qu'ils donnent à voir le caractère récent des transformations que le monde a connues, monde en mouvement qui pourrait bien continuer de se transformer à vive allure, et, d'autre part, parce qu'ils soulèvent de nouveaux défis de gouvernance et de structuration territoriale.

Le siècle passé a été marqué par les deux conflits mondiaux (1914-1918 et 1939-1945) qui ont conduit à l'émergence de la guerre froide, aux plus grandes tueries que l'humanité ait connues, à la redéfinition des frontières européennes. Les deux guerres mondiales ont aussi conduit à la concrétisation du projet communiste avec, dès 1917, la révolution en Russie, l'apparition de l'URSS, puis la polarisation, dès 1947, du monde politique autour d'une rivalité idéologique entre capitalisme et communisme. C'est parce que cette rivalité avait tellement structuré le monde de la seconde moitié du XXe siècle que la chute de l'URSS, en 1991, a bouleversé l'ordre mondial. Non seulement l'Union soviétique disparaissait, laissant la place à 15 nouvelles républiques indépendantes et favorisant du même coup l'apparition de conflits entre ces États parfois fragiles et aux légitimités en construction, mais sa disparition provoquait aussi la fin de l'équilibre (établi notamment par la terreur nucléaire) entre deux super-puissances. Elle entraînait aussi la fin d'une conception linéaire et téléologique de la société d'inspiration occidentale dont le marxisme ne proposait que la forme extrême.

Les États-Unis se sont retrouvés en position de puissance hégémonique. Bon nombre de conflits, attisés par des rivalités idéologiques, ont semblé momentanément résorbés dans la mouvance de la chute du communisme. Mais, les sources de ces conflits n'étant pas effacées, soit les profondes inégalités sociales internes et l'inégale répartition de la richesse mondiale, ils sont réapparus sous d'autres formes plus pragmatiques, posant de nouveaux enjeux : le contrôle des ressources naturelles, l'accès aux nouvelles technologies, l'intégration commerciale.

Le xxe siècle a aussi été marqué par la décolonisation en Afrique et en Asie, corollaire du déclin de la puissance européenne. La vague des indépendances, à partir des années 1950, a entraîné la multiplication du nombre d'États indépendants, plus ou moins capables de faire face aux défis de leur développement et aux pressions d'une mondialisation croissante. La décolonisation n'a pas résolu la question du « mal-développement » et celle de la démocratie, comme l'ont montré les révoltes demandant plus de liberté et de démocratie qui ont éclaté en Tunisie en janvier 2011 et qui se sont répandues par la suite dans tout le monde arabe.

Par ailleurs, ce qui semblait une rivalité idéologique occultait une lutte pour le contrôle du monde, plus claire aujourd'hui avec l'émergence de la Chine et d'autres puissances asiatiques, la reconstitution d'un espace d'influence de la Russie, l'Union européenne, l'émergence du Brésil appuyée par le Mercosur (Marché commun du Sud) et, bien sûr, la constitution de l'ALENA comme soutien à la stratégie mondiale des États-Unis. Par ailleurs, les États-Unis, malgré un déclin relatif de leur puissance économique et politique, n'hésitent pas à imposer leurs intérêts de façon unilatérale et militaire lorsque cela est nécessaire, devenant ainsi une sorte de gendarme du monde, comme cela a été le cas en 1991 en Irak et, de façon encore plus évidente après le 11 septembre 2001, en Afghanistan et encore en Irak.

Enfin, nous avons été témoins depuis les années 1980 de l'avènement de la mondialisation. En ce qui concerne le commerce, ce phénomène, déjà en marche pendant la guerre froide, se développe à vive allure avec l'ouverture des frontières au commerce international et à la circulation des capitaux. Certes ce phénomène n'est pas nouveau. On parle volontiers d'une première mondialisation au xixe siècle. C'est son accélération et des changements dans la nature du phénomène qui marquent le début du xxie siècle, avec la capacité des entreprises à délocaliser et à intégrer leur production sans égard aux frontières politiques, avec la généralisation des raisonnements économiques d'échelle planétaire, avec l'interdépendance croissante des sociétés pour leur développement et, surtout, avec le contrôle de l'économie mondiale par un capital financier mobile et volatil. L'hégémonie du capital financier a imposé une logique spéculative de court terme dont l'absurdité et la dangerosité ont été mises en évidence par la crise de 2008, la pire que le capitalisme ait vécue depuis celle de 1929.

Ce sont aussi les dimensions politiques, juridiques et culturelles de la mondialisation qui marquent la lecture de l'espace-monde du XXIᵉ siècle. De nouvelles puissances économiques, telles que la Chine, l'Inde et le Brésil, viennent s'ajouter aux États-Unis, au Japon et à l'Union européenne. La multipolarité économique se structure : sera-t-elle un gage de la multipolarité politique ?

Bref, le monde se transforme sous nos yeux. La mondialisation rapproche les sociétés mais ne gomme pas leurs différences, ne résout pas tous les conflits politiques, bien au contraire (Sassen, 2006). Certains perdurent, héritages de la guerre froide. D'autres conflits ou rivalités émergent, provoqués tout à la fois par le mal-développement, la déstructuration des États, les pressions qui s'exercent sur les ressources naturelles et humaines et qui sont provoquées par l'émergence de nouveaux pôles économiques, comme en Afrique des Grands Lacs, en Bolivie, au Moyen-Orient, en Asie centrale. Enfin, certains conflits traduisent peut-être les chocs et contre-chocs du refus par certains pays de l'hégémonie étasunienne, comme les relations délicates entre la Chine et les États-Unis, le programme nucléaire iranien ou l'influence croissante de l'option proposée par Chavez en Amérique latine. Pour comprendre le monde de demain, il importe de bien saisir l'ensemble des réseaux, des tensions, des problèmes du monde d'aujourd'hui.

Que faire ?

Comment maintenir, voire recréer des espaces de solidarité dans ce contexte ? D'abord en montrant et en expliquant les nouveaux enjeux géographiques observés sur la planète ainsi que les restructurations territoriales d'échelle à la fois locale et planétaire qu'ils provoquent, de façon à concevoir les espaces de gouvernance appropriés. Le repérage et la reconnaissance des nouvelles configurations territoriales qui composent l'espace-monde informent les acteurs politiques et sociaux, lesquels doivent faire face aux problèmes posés par les effets de ces restructurations. Ces effets se traduisent, d'une part, par la désagrégation et le recentrage des solidarités et des liens sociaux et, d'autre part, par le besoin de mettre en œuvre de nouveaux modes d'intervention. Les acteurs se confrontent ainsi au défi d'innover, de redéfinir des stratégies et des modes de « gouvernance territoriale », ceux-ci intégrant de plus en plus des préoccupations environnementales. Le défi consiste en la territorialisation des réseaux, en la mise en relation des acteurs de façon à créer des « systèmes territoriaux » d'innovation économique et sociale, à reconstruire les bases d'une société plurielle et solidaire et à mettre la collectivité en harmonie avec son environnement. Qui le fait ?…

Bibliographie

BADIE, B. (1995). *La fin des territoires. Essai sur le désordre international et sur l'utilité sociale du respect*, Paris, Fayard, coll. «L'espace politique».

BEAUD, M., C. DOLFUS, C. GRATALOUP, P. HUGON, G. KEBADJIAN et J. LÉVY (1999). *Mondialisation: les mots et les choses*, Paris, Éditions Karthala.

BEAUDET, P., SCHAFFER, J. et P. HASLAM (2008). *Introduction au développement international*, Ottawa, Presses de l'Université d'Ottawa.

BENKO, G. et A. LIPIETZ (dir.) (1992). *Les régions qui gagnent*, Paris, Presses Universitaires de France.

CARROUÉ, L. (2002). *Géographie de la mondialisation*, Paris, Armand Colin.

CASTELLS, M. (dir.) (2004). *The Network Society. A Cross-Cultural Perspective*, Londres, Edward Elgar.

DURAND, M.-F., J. LÉVY et D. RETAILLÉ (1992). *Le monde: espaces et systèmes*, Paris, Dalloz et Presses de la Fondation nationale des sciences politiques.

DUSSOUY, G. (2001). *Quelle géopolitique au XXIᵉ siècle?*, Bruxelles, Éditions Complexe.

KLEIN, J.-L. et S. LAURIN (dir.) (1999). *L'éducation géographique. Formation du citoyen et conscience territoriale*, 2ᵉ édition, Québec, Presses de l'Université du Québec, coll. «Géographie contemporaine».

LASSERRE, F. et A. LECHAUME (dir.) (2003). *Le territoire pensé: géographie des représentations territoriales*, Québec, Presses de l'Université du Québec, coll. «Géographie contemporaine».

LAURIN, S., J.-L. KLEIN et C. TARDIF (dir.) (2001). *Géographie et sociétés*, Québec, Presses de l'Université du Québec, coll. «Géographie contemporaine».

LÉVY, J. (1999). *Le tournant géographique: penser l'espace pour lire le monde*, Paris, Belin.

LÉVY, J. (2001). «Société-Monde» dans S. LAURIN, J.-L. Klein et C. TARDIF (dir.), *Géographie et sociétés*, Québec, Presses de l'Université du Québec.

MANZAGOL, C. (2003). *La mondialisation. Données, mécanismes et enjeux*. Paris, Armand Collin.

SASSEN, S. (2006). *A Sociology of Globalization*, New York, W.W. Norton & Company.

VELTZ, P. (1996). *Mondialisation, villes et territoires. L'économie d'archipel*, Paris, Presses Universitaires de France.

Partie
1

Les enjeux et les défis de la construction de l'espace-monde

LA CONTRAINTE PHYSIQUE
DU DÉVELOPPEMENT HUMAIN
Une perspective historique

Frédéric Lasserre

Encore de nos jours, il est possible d'entendre des réflexions selon lesquelles les Russes seraient de tempérament rude, et les Italiens de composition gaie et légère, à cause de l'influence de leur climat respectif. De telles idées sont fort anciennes. Selon Montesquieu, les peuples des pays chauds sont sensibles, charmants mais faibles; dans les pays froids, les hommes sont plus lourds, plus durs, mais plus sains et plus forts. Il avancera ainsi que:

> [...] dans les pays froids, on aura peu de sensibilité pour les plaisirs; elle sera plus grande dans les pays tempérés; dans les pays chauds, elle sera extrême... Il est évident [*sic*] que les grands corps et les fibres grossières des peuples du Nord sont moins capables de dérangement que les fibres délicates des peuples des pays chauds: l'âme y est donc moins sensible à la douleur. Il faut écorcher un Moscovite pour lui donner du sentiment. (Montesquieu, 1748)

En 1828, Victor Cousin résumait ainsi cette pensée de l'époque, dans *Introduction à l'histoire de la philosophie* :

> Oui, Messieurs, donnez-moi la carte d'un pays, sa configuration, son climat, ses eaux, ses vents et toute sa géographie physique ; donnez-moi ses productions naturelles, sa flore, sa zoologie, et je me charge de vous dire *a priori* quel sera l'homme de ce pays, et quel rôle ce pays jouera dans l'histoire, non pas accidentellement, mais nécessairement ; non pas à telle époque, mais dans toutes… (Cousin, 1828, p. 17).

De tels raccourcis présentent l'avantage de simplifier le monde et d'avancer des explications commodes pour l'appréhender, mais elles font sourire tant on mesure à quel point elles relèvent de la grossière opinion. Cette idée selon laquelle le milieu, comprenant le climat, le sol, la flore, les eaux, bref l'ensemble des interactions entre la lithosphère, l'atmosphère, la biosphère et l'hydrosphère, contraindrait les sociétés à ne pouvoir adopter qu'un seul type de comportement et de développement s'appelle le déterminisme, parce qu'elle postule que le milieu détermine entièrement les décisions des sociétés. Comment ce déterminisme s'est-il exprimé ? Si le déterminisme est invalide, faut-il pour autant en conclure que les hommes sont affranchis des contraintes du milieu et que leurs réponses à celui-ci varient à l'infini ? Quelle relation peut-on observer entre sociétés et milieu ? Voilà la question principale qui a orienté la rédaction de ce chapitre.

1.1.   Le déterminisme en géographie

Plusieurs penseurs du courant matérialiste de la géographie se sont exprimés dans la géopolitique (Lasserre et Gonon, 2002). Ils fondaient leurs réflexions sur l'idée que la dimension physique d'un territoire conditionnait, déterminait sa puissance et que le système-monde pouvait être appréhendé en fonction de modèles spatiaux qui associaient à certains lieux des avantages particuliers.

Sir Halford Mackinder (1919, p. 150) développa ainsi la fameuse théorie du *Heartland*, selon laquelle : «Qui commande à l'Europe de l'Est, commande le *Heartland* ; qui commande le *Heartland*, commande l'Île-Monde ; qui commande l'Île-Monde commande le Monde[1].» Mackinder estimait ainsi que les conditions géographiques sont déterminantes, à travers l'histoire, dans l'évolution des rapports de force entre puissances.

---

1. Pour Mackinder, l'Île-Monde correspondait approximativement à l'Europe orientale et à la Russie d'Europe.

Nicholas Spykman, professeur à l'Université Yale, a expliqué en 1938 que:

[...] puisque les caractéristiques géographiques des États sont relativement stables et inchangeables [sic], les aspirations de ces États restent les mêmes pendant des siècles; et, parce que le monde n'a pas encore atteint cette situation heureuse où les besoins de chacun n'entreront pas en conflit avec ceux d'autrui, ces aspirations sont sources de frictions. Ainsi, la géographie est-elle responsable des luttes qui se perpétuent à travers l'histoire, alors que passent gouvernements et dynasties (Spykman, 1938, p. 29; traduction libre).

D'autres géographes anglo-saxons abondent dans le même sens et concluent à un déterminisme géographique de l'histoire. En 1911, Ellen Semple publie aux États-Unis *Influences of Geographic Environment*, essai dans lequel elle s'efforce de démontrer l'influence déterminante des conditions naturelles et géographiques sur l'histoire. «L'homme ne peut pas plus être étudié scientifiquement séparément du sol qu'il laboure, ou de la terre sur laquelle il voyage, ou des mers sur lesquelles il commerce, que l'ours polaire ou le cactus du désert ne peuvent être compris indépendamment de leur milieu» (Semple, 1911, p. 22; traduction libre)[2].

J.M.R. Sauvé[3] (1994, p. 3) estime que c'est «par l'étude du milieu concret [...] qu'on peut voir jusqu'à quel point tout se tient d'une pièce dans une société donnée», autrement dit, que le milieu ou la dimension physique du cadre géographique est la déterminante principale des structures sociales, gommant ainsi la complexité de ces mêmes structures comme constructions des hommes. La dimension humaine de la politique, soit l'initiative, qu'il s'agisse de celle des gouvernements ou de celle de divers groupes sociaux, est évacuée.

Certains auteurs en arrivent à présenter des raisonnements dans lesquels le déterminisme extrême étonne. Ainsi, Sauvé (1994, p. 20-22), qui pourtant affirme se garder de ce travers en répétant à l'envi que «la géographie» exerce une influence «non pas déterministe mais déterminante», estime-t-il que les Prairies canadiennes, surtout leur partie ouest, ne peuvent devenir un foyer de développement, car «elles ne sont pas basses»: «selon la conception pratico-pratique des pouvoirs politiques et économiques propre à la géopolitique, la position la plus basse est la plus forte». Et, nous rappelle-t-il, il faut se souvenir que «les économies systématiques [sic], ou politiques, se développent à partir de la loi du moindre effort. On ne le répétera jamais assez». De son côté, Ellsworth Huntington (1951) affirme sans ciller que le christianisme est un produit du climat aride, parce que la langue liturgique utilise le vocabulaire des peuples pasteurs. Et Spykman (1938, p. 35-36), pourtant si respecté dans l'après-guerre,

---

2. «*Man can no more be scientifically studied apart from the ground which he tills, or the lands over which he travels, or the seas over which he trades, than polar bear or desert cactus can be understood apart from its habitat.*»

3. Ancien capitaine et chargé de cours à l'Université de Montréal, puis professeur au Humberside Collegiate Institute.

a pu écrire que les chutes sur le Dniepr, en gênant la navigation, ont empêché Kiev de demeurer la capitale du futur État russe unifié, et que le réseau de rivières convergeant vers Paris en faisait l'inévitable, la nécessaire capitale de la France...

Ces théoriciens du courant matérialiste de la géopolitique invoquent de façon récurrente « la » géographie. Ils se servent de cette catégorie un peu idéalisée pour expliquer la permanence, l'immuabilité des contraintes auxquelles les États ont dû faire face et, partant, la permanence, l'immuabilité des formules, des explications que l'on souhaite avancer. En postulant que le cadre d'action spatial des politiques gouvernementales est un invariant, on simplifie les hypothèses de la recherche et l'on peut déduire aisément que tout mécanisme valable ici et maintenant l'est éternellement et universellement. De nos jours, combien de fois n'a-t-on pas entendu cette réflexion de Napoléon, selon laquelle « la politique des États est dans leur géographie » ? Une telle affirmation signifie que le destin d'un pays est écrit d'avance dans sa configuration physique, et qu'il n'y a donc pas d'alternative politique, bref, que l'action des sociétés et des gouvernements ne peut aller que dans le sens déterminé par le milieu, ce qui, comme le souligne Brunet (1992, p. 196), est une stupidité totale. Alibi commode des matérialistes : cette conception mécanique de la géographie leur permet de prétendre au caractère scientifique absolu de leurs conclusions (comment contester des mécanismes qui procèdent de faits physiques, observables et indiscutables ?). « La » géographie est également l'excuse commode des politiciens : si leurs politiques fonctionnent, c'est la preuve qu'ils ont eu l'habileté d'avoir su tirer parti des éléments géographiques ; en cas d'échec, c'est le destin qui s'est imposé à eux, « c'est la faute à la géographie », comme ce l'était pour Voltaire. Cette « géographie », qui ressemble à un habillage scientifique de la fatalité, trouve son archétype dans les montagnes qualifiées d'« infranchissables » et d'« austères », mais parmi ses icônes figure également la vaste plaine russo-polonaise sans obstacle naturel, l'insularité de la Grande-Bretagne, les « masses compactes » de l'Asie et le terrible hiver russe qui endurcit les hommes, avatar de l'influence du climat sur les sociétés (Lasserre et Gonon, 2002, p. 43). On en oublierait que l'Angleterre n'a pas toujours été une puissance navale, « que les montagnes se peuplent et se traversent », et qu'elles ont même souvent joué un rôle de refuge ; que les basses plaines inondables, censées selon Sauvé (1994) devenir les centres de la puissance, sont restées peu peuplées jusqu'à l'endiguement des fleuves ; « que des frontières et des voisins changent sans bouger de place, et que l'hiver est froid pour les Russes aussi » (Brunet, 1992, p. 196).

Même si les prémisses des « géopolitologues » matérialistes, selon lesquelles le milieu détermine l'histoire des sociétés et des États, sont fausses, peut-on néanmoins envisager un lien entre milieu et sociétés ? Dans quelle mesure le cadre naturel contribue-t-il à façonner les sociétés humaines ?

1.2. Les grandes contraintes physiques face au peuplement

1.2.1. Des climats contraignants?

À la lumière des densités moyennes observables (tableau 1.1) dans les différentes zones climatiques – malheureusement selon des données anciennes –, on peut relever que certains climats imposent des limitations fortes au peuplement humain, tandis que d'autres paraissent plus favorables; certains lieux portent une importante charge humaine, en particulier les littoraux, car près de 30 % de la population mondiale vit à moins de 50 kilomètres de la mer et les deux tiers à moins de 500 kilomètres (Baudelle, 2000).

A contrario, il faut aussi relever qu'il n'est pas de région du monde qui soit inhabitée, sauf le continent antarctique: l'homme a su s'installer et s'adapter partout, même si certains milieux sont, bien évidemment, plus favorables à son développement que d'autres. L'observation des chiffres du tableau 1.1 ne nous apprend rien non plus sur les dynamiques démographiques, en particulier sur l'état de la transition démographique dans les divers pays, phénomène à la fois lié aux progrès techniques (meilleure alimentation, soins médicaux) et aux changements sociaux (baisse ultérieure de la natalité). Ce phénomène, que connaissent tous les pays du globe à des degrés divers, est le passage d'un régime démographique traditionnel, où la fécondité et la mortalité sont

Figure 1.1.
Répartition de la population mondiale

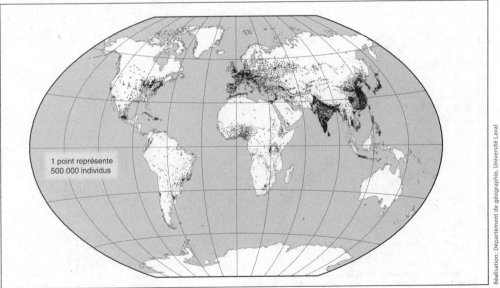

1 point représente
500 000 individus

Réalisation: Département de géographie, Université Laval

Source: Center for International Earth Science Information Network, 2008.

élevées, à un régime moderne de fécondité et mortalité beaucoup plus faibles. La décroissance de la mortalité précédant souvent la baisse de la natalité, le décalage entre les deux phénomènes induit une forte croissance démographique (figures 1.2 et 1.3).

Parmi les facteurs physiques qui imposent des contraintes majeures aux établissements humains, le froid semble la principale contrainte climatique, moins à cause des basses températures en elles-mêmes qu'à cause des faibles possibilités de croissance végétale et de la disparition de la végétation pendant plusieurs mois. Ainsi, la densité de population chute brusquement, au Canada comme en Russie, au nord de la limite

Tableau 1.1.
Densité de population par grand type de climat vers 1950 (hab./km²)

Tropical humide	Tropical sec	Semi-aride	Aride	Subtropical humide
18,4	14,4	7,9	1,9	61,1
Méditerranéen	**Tempéré humide**	**Continental humide**	**Continental sec**	**Polaire et Tibet**
41,1	60,3	15	19,8	0,6

Sources : Staszewski (1961), dans Noin (2001) et Baudelle (2000, p. 38).

Figure 1.2.
La transition démographique

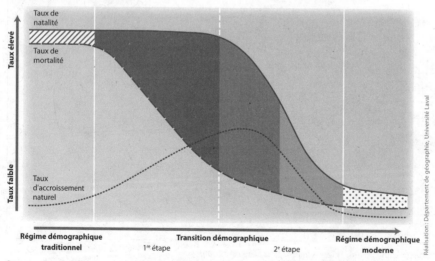

Sources : Banque d'images et de scénarios pédagogiques ; Division des Statistiques des Nations unies.

Figure 1.3.

Le phénomène de la transition démographique dans le monde

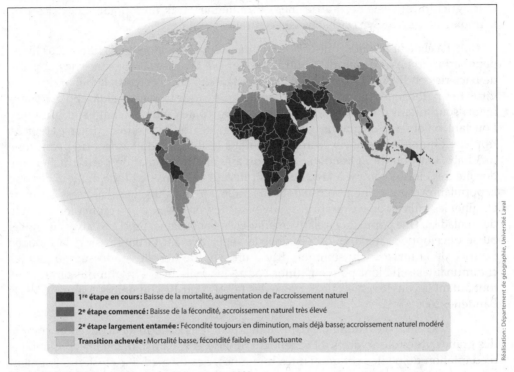

Source : Statistiques démographiques des Nations unies, 2009.

des 160 jours sans gelées, qui correspond à la limite de la céréaliculture. Des communautés se sont installées au-delà, mais leur économie est fondée sur l'élevage extensif, la chasse et la pêche, ou encore l'exploitation minière.

La sécheresse est un autre facteur climatique limitatif. De vastes espaces sont affectés par une rareté absolue d'eau, c'est-à-dire que les communautés qui y vivent éprouvent des difficultés chroniques, inhérentes au milieu, pour se procurer de l'eau. Sans eau en quantité plus abondante, l'agriculture est impossible ; ce qui restreint les possibilités économiques – sans rendre l'adaptation impossible. L'immense zone désertique qui part du Sahara jusqu'au Taklamakan chinois, en passant par les déserts de la péninsule arabique, l'Iran et l'Asie centrale, est une grande région de nomadisme parsemée d'oasis où la maîtrise de techniques de capture de l'eau et d'irrigation permet à une agriculture intensive de se développer. D'autres régions désertiques rendent impossible l'agriculture pluviale et contraignent les sociétés : Namib, Atacama, désert australien. Dès que l'eau a pu être mobilisée, même en faibles quantités, des communautés se sont installées et ont développé des techniques pour assurer la pérennité de leur agriculture : oasis nord-africaines et iraniennes, Irak mésopotamien, vallées de l'Amou Daria et du Syr Daria en Asie centrale.

La chaleur humide, que les Occidentaux apprécient lorsqu'ils fuient leur hiver, peut parfois imposer de lourdes contraintes, car elle favorise la croissance de parasites, de bactéries et de virus. La malaria, la fièvre jaune, l'onchocercose, la bilharziose, les virus très pathogènes qui se sont développés en Afrique tropicale (sida, ebola, notamment) sont autant d'exemples d'affections propres aux climats chauds et humides. Pourtant, on observe de grands contrastes de densité rurale au sein de diverses régions tropicales humides : celle-ci est très faible dans les bassins du Congo, de l'Amazone (0,3 hab./km^2) ou de l'Orénoque, alors qu'ailleurs la population peut afficher une densité très élevée, comme à Java ou dans plusieurs régions de l'Inde. En fait, dès que la population est assez nombreuse pour produire, tout en aménageant son espace pour éliminer les milieux de vie des principaux parasites, on observe une régression durable des maladies. Une population relativement dense peut drainer ainsi les eaux stagnantes où se développe la malaria, ou éliminer la végétation où vit la glossine, la mouche vectrice de la maladie du sommeil. Il y a un seuil de densité au-dessus duquel les communautés semblent pouvoir lutter contre les maladies : l'insalubrité serait ainsi tout autant la conséquence que la cause des faibles densités humaines (Gourou, 1984 ; Baudelle, 2000).

Les principales contraintes climatiques évoquées ici permettent de rendre compte des grands vides observables à l'échelle du monde. Il y a ainsi, malgré les possibilités d'adaptation de petites communautés humaines, des espaces d'exclusion faiblement colonisés, car les contraintes y sont lourdes, coûteuses à surmonter, dessinant ainsi le « monde de l'absence » (Lamarre et Pagney, 1999). Les 15 pays les moins densément peuplés du monde souffrent soit de la sécheresse (Namibie, Mauritanie, Australie, Libye, Arabie Saoudite, Tchad…), soit d'un milieu chaud et humide que n'a pu contrer un aménagement organisé (Suriname, Guyana, Gabon, République Centrafricaine, Bolivie amazonienne) (Noin, 2001, p. 51), soit du froid (Canada, Russie, Islande).

1.2.2. Le rôle du relief

Sur une carte de la population mondiale, certains vides étendus correspondent à la présence de hautes montagnes ou de hauts plateaux : Himalaya, Tibet, Tianshan, Altaï, Cordillère nord-américaine, Andes méridionales. D'une façon générale, la densité diminue avec l'altitude car les terres disponibles sont moins faciles à cultiver : sols plans moins abondants, érosion renforcée, irrigation complexe, mécanisation difficile. La haute altitude comporte des contraintes partout identiques : froid, baisse de la pression atmosphérique, hypoxie (faible disponibilité en oxygène) dont le renforcement, avec l'altitude croissante, rend physiologiquement impossible tout établissement permanent au-delà de 5 500 à 5 700 mètres environ (Dervieux *et al.*, 2003, p. 14). Mais la limite supérieure de l'habitat permanent ne coïncide pas avec la limite de résistance physiologique aux effets de l'altitude ; comme pour les hautes latitudes, elle intervient surtout par l'intermédiaire de la limitation imposée à l'agriculture par le froid. Au Tibet, on cultive l'orge jusqu'à 4 400 mètres, et l'on trouve des villages de bergers jusqu'à 4 800 mètres (George, 1959, p. 102). La limite supérieure du peuplement agricole correspond à celle de la culture des céréales et de la pomme de terre dans les Andes tropicales, soit 5 130 mètres en Bolivie, à Chacaltaya, la plus haute localité du monde. De manière générale, en milieu tempéré et subtropical, les limites supérieures du peuplement s'élèvent lorsqu'on descend vers des latitudes plus basses. De la même manière, la limite de l'habitat permanent est de 2 400 mètres dans le Haut Atlas marocain, mais de 1 900 mètres en Autriche, de 400 mètres au Vermont, de 180 mètres au Saguenay.

Cependant, il serait faux de croire que le relief correspond seulement à une contrainte, ou que les contraintes rendent parfois impraticable la mise en valeur intensive des lieux. Dans certains massifs, les routes des cols ont été développées, ce qui dément le rôle de barrière que l'on prête un peu trop vite à toute chaîne de montagnes. Le duché de Savoie, à partir du XIIᵉ siècle, a fondé son économie sur les droits de péage prélevés sur les flux commerciaux transitant par les grands cols des Alpes occidentales. En Asie, aux Philippines, au Népal, au Hebei (Chine), des pentes très raides ont été mises en valeur, sur des dénivellations parfois considérables (plus de 600 mètres), grâce à la patiente construction de terrasses, parfois irriguées – un travail considérable et toujours à recommencer en raison de l'érosion qui, sans cesse, endommage ces terrassements. Ce type d'aménagement n'est pas toujours effectué de façon durable : dans la région de l'Ordos (plateau de lœss, Chine), les terrasses sont aménagées sans mur de soutien, car le sol est facile à creuser ; mais le ruissellement provoque une forte érosion qui entaille les terrasses et provoque l'éboulement des parois verticales (Billard, 1992, p. 498-519).

Aux latitudes tropicales, les reliefs peuvent être parfois plus peuplés que les plaines voisines, parce qu'ils sont plus arrosés ou plus salubres. Le Yémen est appelé « l'Arabie heureuse » parce que ses massifs montagneux, relativement élevés (environ 2 400 mètres, maximum de 3 760 mètres), interceptent les masses d'air humide en provenance de l'océan Indien ; et dans les hauts plateaux éthiopiens, qui contrastent avec les basses terres sèches, vivent près de neuf habitants sur dix. Le peuplement supérieur des montagnes, qui ne reflète que rarement la part de celles-ci dans le territoire du pays, est parfois renforcé par la sécurité que procure leur altitude (rôle de refuge) ou par la relative facilité du défrichage (les Andes par rapport à l'Amazonie). Les empires des Incas (Andes) et des Aztèques (Mexique) se sont développés sur les reliefs et les hauts plateaux, délaissant les basses terres.

De plus, l'agriculture n'étant pas la seule activité économique, on observe parfois l'établissement de communautés liées aux activités minières au-dessus du seuil théorique d'habitabilité que l'on vient de voir, ou dont la présence permet une densification de l'œkoumène. Les moyennes montagnes européennes, par exemple, étaient parfois très peuplées : souvent hercyniennes, et richement dotées en minerais, elles ont pu porter des populations grâce à une double économie, agricole et d'extraction. La même observation peut se faire au sujet de la latitude : des établissements importants se sont constitués dans le nord du Canada, de la Russie, au Svalbard, en Alaska, fondés sur l'exploitation minière ou de gaz et de pétrole. Ainsi les villes de Mourmansk (316 000 habitants), Iakoutsk (251 000), Norilsk (208 000), Yellowknife (19 000), Anchorage (280 000)[4] ont-elles pu se développer, souvent sous l'impulsion d'une politique volontariste de l'État, comme en Union soviétique.

1.2.3. L'hydrographie et la disponibilité de l'eau

L'irrigation permet l'augmentation des rendements agricoles (les surfaces irriguées dans le monde représentent 18 % des terres cultivées aujourd'hui, mais 40 % de la production agricole en tonnage) et constitue aussi le fondement économique de la survie de certaines communautés. De plus, le réseau hydrographique peut fournir un réseau de transport qui facilite la pénétration ou les échanges – le Saint-Laurent, véritable grande porte de l'Amérique, constitue un bon exemple. Des civilisations ont fondé leur essor sur la maîtrise hydraulique de fleuves qui présentaient aussi des risques d'inondation – le fleuve étant ainsi source de vie comme de mort potentielle. Ainsi, en Mésopotamie (Tigre et Euphrate), en Égypte (Nil), dans le sous-continent indien, en Asie centrale, en Asie du Sud-Est continentale (fleuve Rouge), en Chine (rivière des Perles, Yangze et, surtout Huang He, le fleuve Jaune), des sociétés très organisées se sont constituées autour de l'exploitation des eaux, sociétés appelées « hydrauliques » par Karl Wittfogel (1974) puis Donald Worster (1985). En conséquence, certaines régions portent des densités impressionnantes, comme les vallées du Gange (1 050 hab./km²), le delta du fleuve Rouge (1 160 hab./km²), le delta du Mékong (850 hab./km²), la vallée du Huang He (490 hab./km²), le delta du Nil (1 562 hab./km²).

Cependant, tous les fleuves ne donnent pas nécessairement lieu à un peuplement important. Les rives de l'Amazone, le plus long fleuve navigable du monde (les navires de mer peuvent remonter jusqu'à Iquitos au Pérou, à plus de 4 800 kilomètres de l'embouchure), demeurent peu peuplées, tandis que les deltas du Niger ou la vallée du Zambèze, par exemple, sont demeurés relativement peu occupés.

Ces trois facteurs, climat, hydrographie et relief, peuvent parfois se combiner. Ainsi, au Kenya, on observe de fortes densités dans le quart sud-ouest du pays, lesquelles coïncident avec des reliefs relativement élevés qui jouissent de conditions climatiques favorables (précipitations supérieures, évapotranspiration moindre) et avec des sols fertiles d'origine volcanique. Dans la péninsule coréenne, le sud-ouest dispose de plaines, certes réduites mais plus étendues qu'au nord, d'un climat nettement plus clément et de précipitations plus importantes. La riziculture a pu s'y développer, permettant de

---

4. Sources : Division statistique des Nations Unis (2008) et Statistique Canada (2006).

fortes densités, tandis que dans le nord la présence de richesses minérales n'avait pas encore pu susciter une économie capable de surmonter les difficultés issues du milieu (Baudelle, 2000, p. 63).

1.3. Le rôle des sociétés

1.3.1. Le milieu n'explique pas tout

Mais, ce qui frappe l'observateur, c'est que si les contraintes du milieu sont bien réelles et orientent le développement des sociétés humaines, elles ne le déterminent pas ; autrement, à un facteur donné correspondrait une réponse universelle. Or tel n'est pas le cas ; les formes des adaptations des hommes, plus ou moins heureuses, varient considérablement. Comme l'a noté Paul Vidal de la Blache (1922), « aucune de ces causes ne peut être négligée ; aucune ne peut suffire. Tout ce qui touche à l'homme est frappé de contingence » et relève d'une combinaison particulière de multiples facteurs à un moment donné, car les choix des sociétés sont aussi influencés par des facteurs sociaux, politiques, historiques, qui ne dépendent pas de l'incidence du milieu sans pour autant relever du hasard. Ainsi, avec des climats semblables, le Royaume-Uni abrite-t-il 62 millions d'habitants contre 4,5 pour la Nouvelle-Zélande ; sur des façades océaniques subtropicales de l'est de l'Asie et de l'Amérique du Nord et du Sud, les plaines de la Pampa ou du Mississippi sont dix à vingt fois moins peuplées que celles du Huang He ou de la rivière des Perles. L'Asie méridionale et orientale tropicale est bien plus dense (230 hab./km²) que le reste du monde tropical, tandis que l'Amérique du Sud est dix fois moins peuplée, avec un œkoumène littoral et montagnard délaissant le bassin amazonien, et que l'Afrique tropicale est faiblement peuplée.

Nombreux sont ainsi les contrastes inexplicables par le seul jeu du milieu (Bethemont, 2000, p. 56). Les deltas, déjà évoqués, peuvent être fortement colonisés, comme ils peuvent abriter une population bien moindre : environ 200 hab./km² pour le delta du Gange, 100 hab./km² pour le delta de l'Irrawaddy, à comparer aux 1 160 hab./km² du fleuve Rouge ; mais ces densités sont bien supérieures à celles rencontrées dans les deltas de Nouvelle-Guinée, de l'Orénoque, du Mississippi, du Niger ou du Zambèze. « Rien, dans la nature physique, ne justifie ces différences », explique Pierre Gourou (1984).

Des forêts demeurent (quoique même les forêts d'Amazonie ou de Bornéo soient actuellement menacées) alors que d'autres ont été largement défrichées, comme la grande forêt européenne à partir du XIᵉ siècle, ou les forêts éthiopiennes à partir du XIXᵉ siècle.

L'île de Java est un bon exemple de ces contrastes de peuplement. Java, une île relativement étroite, très volcanique (plus de 70 volcans), est beaucoup plus peuplée (994 hab./km² en 2005) que les îles voisines de Sumatra (96 hab./km²), de Bornéo

(19 hab./km²), de Sulawesi (18 hab./km²), ou de l'Irian Jaya (4,2 hab./km²), qui ont pourtant des climats similaires : le milieu à lui seul ne peut expliquer de tels contrastes de développement et de densité.

Comme le résume Guy Baudelle (2000, p. 66), la qualité d'un milieu ne peut être fixée dans l'absolu. C'est la valeur attribuée par les sociétés qui y habitent ou envisagent de s'y installer qui compte, ainsi que leur capacité d'adaptation aux contraintes et aux avantages que ce milieu comporte. Le potentiel d'un milieu n'est donc ni immuable, ni identique quel que soit le lieu précis où l'on se trouve : il dépend de chaque société et de l'époque considérée.

1.3.2.   L'importance des capacités adaptatives

Les sociétés sont inégalement capables de s'adapter à tel ou tel milieu. On pense bien sûr à leur outillage, à la technologie qu'elles maîtrisent. À partir du Xᵉ siècle, l'Angleterre connut une chute brutale des prises de pêche en eau douce, principale source de protéines d'origine halieutique, à la suite des défrichages rapides et de la construction de moulins qui accrurent la turbidité des eaux de surface et modifièrent leur régime, avec une conséquence importante sur les espèces de poissons. Face à cette crise écologique, la population a réagi rapidement en développant des techniques de navigation en haute mer qui permirent l'essor des pêches jusqu'en Islande (*La Recherche*, 2005, p. 18-19). Sous d'autres cieux, le défrichage de la forêt tropicale supposait une organisation et une technologie que les Amérindiens ne maîtrisaient guère en Amérique du Sud, mais que les populations du Sud-Est asiatique connaissaient. Attention ! Cela n'est certainement pas le seul facteur, comme on va le voir.

Autre exemple de l'importance des techniques : aux Canaries, où le climat est très sec, l'agriculture est souvent pratiquée dans de petits casiers de pierre, ou encore au fond de trous en entonnoir encerclés de pierres. Le but de ces aménagements est de réduire l'évaporation provoquée par les vents secs, tout en favorisant la collecte de la rosée matinale, important complément à des précipitations rares.

De nombreuses oasis se sont développées dans les régions très arides de l'Iran grâce à la technique des *qanats*. Il s'agit de canalisations enterrées, longues parfois de plusieurs kilomètres, qui viennent capter l'eau des aquifères profonds des piémonts, pour la conduire jusqu'aux villages. Que la pente soit trop forte et l'eau érodera les canaux ; qu'elle soit trop faible et ils s'envaseront : le calcul parfait de ces pentes est d'autant plus remarquable qu'il était effectué sous terre.

Mais l'outillage, la technologie ne sont pas les seuls facteurs. De bons ingénieurs n'auraient pas pu mener à bien seuls les travaux des *qanats*, ni assurer la répartition équitable de l'eau ainsi conduite, sans une organisation sociale à même de déterminer les charges de travail de chacun dans la construction puis l'entretien des canaux et, enfin, de convenir d'un système de partage de l'eau. Ce que nous apprennent l'anthropologie, l'histoire et la géographie, c'est que l'innovation technologique est une chose, mais que sa diffusion au sein de la société, et la structuration de celle-ci, sont tout aussi importantes. Karl Wittfogel (1974) a amplement parlé du rôle d'un État fort et centralisé dans la mise en place et l'entretien d'un système efficace de gestion des crues et de l'irrigation en Égypte, en Chine, en Asie du Sud-Est. Les premières cités-États hydrauliques chinoises seraient apparues au IIe millénaire av. J.-C. dans la moyenne vallée du Huang He ; de semblables cités-royaumes se sont développées dans la vallée du Gange vers 800 av. J.-C. L'État procurait la sécurité, levait des impôts qui lui donnaient un pouvoir financier accru, organisait les travaux de construction des digues et des canaux, assurait, par la stabilité, la croissance démographique et la présence de main-d'œuvre pour réaliser ces travaux. L'État n'est d'ailleurs pas nécessaire : il peut être remplacé par des structures et des conventions qui régissent le fonctionnement de la société, ce que Pierre Gourou (1984) appelait les techniques d'encadrement : structures politiques et juridiques, mais aussi régime foncier, habitudes alimentaires, systèmes de communications, cadres villageois, religions, aptitude à l'innovation, conventions sociales, préjugés.

Ainsi, les villages de la vallée himalayenne de Hunza, au Pakistan, zone quasi désertique et aride, prospèrent malgré tout. Ces villages, de véritables oasis, constituent de réels paradoxes dans la mesure où ils ne peuvent guère exploiter l'eau de l'Indus, trop violent et encaissé. En fait, toute l'économie de ces villages est fondée sur l'entraide mutuelle et l'organisation des travaux de construction et d'entretien des canaux de conduite des eaux de fonte des glaciers environnants. Il n'y a pas ici d'autorité politique centralisée, mais un système collectif qui s'est développé afin d'assurer la maîtrise d'une ressource.

De même, le régime foncier des hauts plateaux éthiopiens, le *rist*, favorise-t-il la solidarité villageoise en instaurant la propriété collective des terres et en octroyant aux paysans des droits d'usage pour des périodes déterminées. Mais ce système n'est pas sans inconvénients, notamment parce qu'il décourage l'innovation et l'investissement des particuliers sur une terre que chacun n'est pas sûr d'exploiter à terme.

Les régions du Deccan, plateaux volcaniques du centre de l'Inde, portent des densités de l'ordre de 100 hab./km^2 grâce à l'édification de réseaux d'irrigation complexes, alors que les plateaux du Zimbabwe, où pourtant un État organisé a existé, ne connaissent que de faibles densités (environ 1,5 hab./km^2), en bonne partie du fait de l'absence d'irrigation.

Enfin, la révolution industrielle, formidable révolution technique mais aussi sociale, est apparue en Europe à la fin du XVIIIe siècle, contribuant à l'essor démographique de cette région et à la grande richesse des Occidentaux. Plusieurs sociologues et historiens, dont Max Weber (1905), ont analysé les raisons, sociales et économiques, de l'apparition du capitalisme en Europe, alors que d'autres régions, notamment la Chine, ont pendant longtemps été techniquement plus avancées. Les premiers grands voyages de découvertes ont été initiés par la Chine au début du XVe siècle, à bord de navires gigantesques pour l'époque, qui leur ont permis d'explorer l'océan Indien jusqu'aux côtes de la Tanzanie. Ce sont essentiellement des facteurs sociaux et politiques qui ont tué dans l'œuf, à cette époque, cet esprit de découverte et de commerce des explorateurs chinois.

Ainsi, les étendues vides de la Pampa frappent l'observateur. Pourtant les sols et le climat sont tout à fait propices à l'établissement d'une agriculture rentable. Dans le passé, les Amérindiens, loin des foyers d'innovation incas, y sont demeurés attachés à une économie fondée sur la chasse et la cueillette. À l'heure actuelle, l'élevage très extensif (un bovin à l'hectare) se maintient, du fait de structures foncières héritées de la colonisation qui perpétuent les vastes *latifundias*, et de coûts de production si faibles qu'ils n'incitent ni à la modernisation ni à l'intensification des exploitations, car les profits demeurent assurés.

L'étude géographique du peuplement souligne ainsi que le milieu ne détermine absolument pas, ni le caractère d'une population, ni son développement. Il constitue un ensemble de paramètres avec lesquels chaque société compose, en fonction de ses connaissances technologiques, mais aussi de ses structures sociales et politiques.

Bibliographie

BAUDELLE, G. (2000). *Géographie du peuplement*, Paris, Armand Colin.

BETHEMONT, J. (2000). *Les grands fleuves*, Paris, Armand Colin.

BILLARD, A. (1992). «Le plateau de lœss du Nord de la Chine», *Annales de Géographie*, p. 498-519.

BRUNET, R. (1992). *Champs et contrechamps. Raisons de géographe*, Paris, Belin.

COUSIN, V. (1828). *Introduction à l'histoire de la philosophie*, Paris, École normale, chapitre 8.

DERVIEUX, G. *et al.* (2003). *Le travail en haute altitude*, CNRS, document disponible à l'adresse <www.sg.cnrs.fr/drh/publi/pdf/haute-altitude.pdf>, consulté le 20 mai 2005.

DUROSELLE, J.-B. et P. RENOUVIN (1964). *Introduction à l'histoire des relations internationales*, Paris, Armand Colin.

GEORGE, P. (1952). «Sur une nouvelle présentation du déterminisme en géographie humaine», *Annales de Géographie*, vol. 61, p. 280-284.

GEORGE, P. (1959). *Questions de géographie de la population*, Cahier n° 34, INED, Paris, Presses universitaires de France.

GOUROU, P. (1984). *Riz et civilisation*, Paris, Fayard.

HUNTINGTON, E. (1951). *Principles of Human Geography*, New York, John Wiley.

LAMARRE, D. et P. PAGNEY (1999). *Climats et sociétés*, Paris, Armand Colin.

LA RECHERCHE, mars 2005, n° 384.

LASSERRE, F. et E. GONON (2002). *Espaces et enjeux: méthodes d'une géopolitique critique*, Montréal et Paris, L'Harmattan, coll. «Chaire Raoul-Dandurand/Université du Québec à Montréal».

MACKINDER, H. (1919, 1942). *Democratic Ideals and Reality*, New York, Henry Holt.

MONTESQUIEU, C. de (1748). *De l'Esprit des Lois*, Livre XIV, Chapitre II.

NOIN, D. (2001). *Géographie de la population*, Paris, Armand Colin.

SAUVÉ, J.M.R. (1994). *Géopolitique et avenir du Québec*, Montréal, Guérin.

SCHWARZ, G. (1989). *Allgemeine Siedlungsgeographie*, vol. 4, Berlin, de Gruyter.

SEMPLE, E. (1911). *Influences of Geographic Environment on the Basis of Ratzel's System of Anthropo-geography*, New York, Henry Holt.

SPYKMAN, N. (1938). «Geography and Foreign Policy», *American Political Science Review*, vol. 1, p. 28-50.

STASZEWSKI, J. (1961). «Bevölkerungsverteilung nach den Klimagebieten von W. Köppen», *Petermanns Geographische Mitteilungen*, n° 105.

VIDAL DE LA BLACHE, P. (1922). *Principes de géographie humaine*, Paris, Armand Colin (posthume).

WEBER, M. (1905, 1967). *L'Éthique protestante et l'esprit du capitalisme*, version française, Paris, Plon.

WITTFOGEL, K. (1974). *Le despotisme oriental. Étude comparative du pouvoir total*, édition originale 1957, Paris, Éditions de Minuit.

WORSTER, D. (1985). *Rivers of Empire. Water, Aridity, and the Growth of the American West*, New York, Oxford University Press.

LA TECTONIQUE DES PLAQUES ET SES EFFETS SUR L'HUMANITÉ

Jacques Schroeder

L'océan et les montagnes ont une langue.
C'est ce que dit chaque jour le Bouddha.
Si tu peux [...] entendre ces paroles, tu seras
Celui qui comprend vraiment l'univers.

Dōgen Kigen, maître zen (XIIIe siècle)[1]

Pour plus d'un lecteur, le titre de cette capsule peut paraître incongru. En effet, que vient faire le paradigme actuel des géosciences – toutes disciplines confondues – avec l'état ou les états de l'humanité? Lors de la genèse de ce livre, la Terre a elle-même répondu à cette question de la façon la plus tragique qui soit. Rappelons-nous ce qui s'est passé le dimanche 26 décembre 2004 le long des côtes orientales de l'océan Indien.

En ce lendemain de fête, on apprend qu'une vague géante, suivie de plusieurs répliques, a balayé et dévasté les côtes de l'océan Indien de Sumatra jusqu'au Sri Lanka, tuant plus de 250 000 personnes. L'humanité stupéfaite vient de subir la pire catastrophe naturelle de l'année. Sa cause: un tremblement de terre qui a provoqué un tsunami monstrueux. Ce séisme est le plus violent des quinze dernières années. Ayant atteint 9,0 sur l'échelle de Richter, il s'approche du record absolu jamais enregistré, soit celui du séisme du Chili en 1960 qui a atteint 9,5. Rappelons que pour chaque augmentation d'une unité de cette échelle, l'énergie libérée par le séisme s'accroît de façon exponentielle. Si bien que pour le tremblement de terre du 26 décembre 2004, on estime l'énergie libérée quasi instantanément à celle de 30 000 bombes atomiques! Que s'est-il donc passé?

Du côté ouest et sud des longues îles de Sumatra et de Java, à environ 300 kilomètres de leur côte, le fond de l'océan Indien est éventré par une étroite fosse parallèle aux îles. Cette fosse existe parce que, là, le plancher rigide mais mobile de l'océan s'enfonce en oblique sous les îles à une vitesse de l'ordre de cinq à six centimètres par an. Cette fosse océanique marque donc la position d'une plaie vive de l'écorce terrestre. C'est une zone de subduction puisqu'une plaque océanique s'y enfonce sous une plaque adjacente. Le glissement entre le fond de l'océan plongeant et la plaque flottante dans laquelle sont enchâssées les îles de Sumatra et de Java (qui s'appelle la microplaque de Burma) se fait difficilement, car la friction est élevée le long du plan de subduction. Le glissement n'y est en fait possible que

---

1. Cité par Callicot et Ames (1989, p. 173; traduction libre).

de manière saccadée et non de façon régulière. D'où des séismes périodiques apparaissant à des profondeurs variables le long de ce plan de – mauvais – glissement. Celui du 26 décembre a eu lieu à environ 20 kilomètres de profondeur, donc approximativement sous la côte occidentale de l'île de Sumatra, puisque le plan de subduction est oblique. Le glissement saccadé est en fait une propriété mécanique de tous les solides en contact se déplaçant l'un par rapport à l'autre. Le géophysicien Michel Campillo (Michaud, 2002, p. 81-83) l'illustre d'ailleurs fort bien par l'analogie suivante qui consiste à :

> [...] tirer lentement par le biais d'un ressort une masse posée sur une table. Si le ressort est très raide, la masse se déplace simplement de manière continue à la même vitesse que la main. Si l'on choisit un ressort moins raide, la tension que l'on exerce commence par déformer [...] le ressort, la masse restant plaquée par la friction. À un certain point, la masse va se mettre en mouvement rapide, la friction diminue considérablement et le déplacement préalable de la main est rattrapé presque instantanément. On parle de glissement saccadé, un phénomène très proche du comportement des failles sismiques.

C'est ce qui s'est passé le 26 décembre peu après 7 heures du matin, heure locale. La microplaque de Burma s'est brutalement déplacée dans le sens opposé au mouvement de la plaque de l'océan Indien pour compenser la lente et régulière poussée de la plaque océanique s'enfonçant sous elle. On estime que ce mouvement quasi instantané fut de l'ordre de 20 mètres, mais qu'il a affecté plus de 1000 kilomètres de la côte occidentale de Sumatra! Cette énorme poussée d'un aussi long pan de la croûte terrestre sur la masse des eaux de l'océan a alors engendré un tsunami comme en subissent depuis toujours les Japonais qui ont donné ce nom à ce type de vagues géantes. Se déplaçant à des vitesses oscillant entre 500 et 800 km/h, ces vagues géantes se présentent comme de gigantesques bombements de la surface de l'océan, mais de faible hauteur tant que subsiste une grande épaisseur d'eau. Ils ne sont de ce fait pas dangereux en plein océan. Mais dès que ces vagues arrivent dans les zones de hauts-fonds, ou à proximité des côtes, la friction de la tranche d'eau sur le fond marin ralentit la vague et accroît fortement son amplitude, car la partie supérieure de la tranche d'eau est moins freinée que la base frottant sur le fond. Si bien qu'en arrivant sur la côte, le bombement de la surface de l'océan est devenu un véritable mur d'eau, haut de quelques mètres à des dizaines de mètres, qui emporte et détruit tout sur son passage. Si le mur d'eau dévastateur de Noël 2004 semblait mesurer en beaucoup d'endroits de cinq à dix mètres de haut, celui par exemple engendré en 1883 dans la même région par l'explosion du volcan Krakatoa a atteint une hauteur de 35 mètres!

Ainsi, les eaux des océans, qui, rappelons-le, encerclent littéralement les terres émergées sur lesquelles nous vivons, peuvent être violemment agitées par des tsunamis. Il y a non seulement ceux causés par les séismes, mais aussi ceux qui résultent des avalanches sous-marines le long des talus continentaux plus ou moins éloignés des côtes ou des irruptions de volcans sous-marins ou proches des côtes, ou enfin lors de la chute d'une météorite géante. Celle-ci en effet a beaucoup plus de chance de tomber dans les océans que sur les continents puisque ces derniers couvrent à peine 30 % de la surface du globe terrestre. En dehors de ce dernier cas de figure, tous les tsunamis sont donc provoqués par la dynamique de l'écorce terrestre rigide, comprise aujourd'hui dans le cadre d'une théorie globale, celle de la tectonique des plaques.

Or il y a maintenant huit siècles, comme le montre l'exergue de ce texte, un maître zen invitait les adeptes du Bouddha à penser le monde dans sa globalité à partir du couple montagne-océan. Ces deux méga-entités paysagères sont d'ailleurs celles qui entourent encore aujourd'hui les Japonais. Voilà une méditation tournée vers la recherche de la beauté (objectif de la philosophie zen) qui s'est finalement méta-morphosée en une théorie scientifique. Mais celle-ci ne s'est imposée que récemment, il y a à peine quarante ans ! En effet, dans les années 1960, la convergence en partie fortuite des études sur le paléomagnétisme des roches, la nature et la topo-graphie des fonds océaniques et les tremblements de terre provoque une véritable « révolution dans les sciences de la terre », comme l'a bien montré Hallam (1976). Ainsi naquit la théorie globale de la tectonique des plaques. Pourtant, lors de la session annuelle de l'Union géologique de 1912, le météorologue et astronome allemand Alfred Wegener avait présenté une communication intitulée « Idées nouvelles sur la formation des grandes structures de la surface terrestre (continents et océans) sur des bases géophysiques » qui, dès 1915, est devenue un livre emblématique (*La genèse des continents et des océans*)… mais violemment contesté par la grande majorité des géologues durant les cinquante années qui vont suivre, alors même que la théorie qui est proposée au sujet de la « dérive des continents » s'appuie sur une approche rigoureuse, aujourd'hui toujours en vigueur, la multidisciplinarité. En effet, Wegener a eu recours à toutes les données existant dans diverses disciplines vouées à l'étude de l'histoire de la Terre. Ainsi s'appuie-t-il sur la théorie de l'isos-tasie, pressentie par Airy (1855) et proposée par Dutton (1889), qui lui permettait de réfuter l'hypothèse des effondrements continentaux pour créer les bassins océa-niques, hypothèse alors encore en vogue. Il a aussi utilisé les données paléoclimatiques connues, dont la découverte des traces de glaciations continentales (celles conçues par Agassiz dès 1835) du Carbonifère et du Permien dans quatre continents (Amérique du Sud, Afrique, Inde, Australie), ainsi que les données les plus récentes en sismologie, et enfin les très nombreuses informations sur l'évolution des plantes et des animaux qui, à partir de la théorie de Darwin, se comprenait mieux dans le cadre de la dérive des continents. À ces arguments paléontologiques s'ajoutent évidemment ceux concernant la topographie des continents (les emboîtements évidents de l'Amérique du Sud et de l'Afrique), mais aussi des mesures géodésiques de l'époque qui mon-traient une augmentation de la distance entre l'Amérique du Nord et l'Europe, mais qui seront démenties plus tard.

Il manquait à ce faisceau de preuves de terrain un moteur acceptable par les géophysiciens pour expliquer le déplacement des continents. Après avoir d'abord proposé que ce soit la rotation de la Terre elle-même qui provoquerait, par force centrifuge, le rapprochement des continents vers l'équateur, Wegener a cessé d'invoquer, dans les éditions successives de son livre, le moteur responsable de ce que le géologue Pirart a appelé beaucoup plus tard (1994) la «valse lente des continents». Il n'en fallait pas plus pour que la quasi-totalité des géologues frappent d'anathème cette théorie unifiante. Il est vrai qu'à l'époque l'âge même de la Terre est âprement discuté et progressivement revu à la hausse, que le fond des océans est pratiquement *terra incognita* (soit 70% de la surface du globe), que la théorie de la convection dans le manteau terrestre ne sera développée qu'ultérieurement et qu'enfin des erreurs de détail apparaissent dans les arguments de Wegener. Il s'ensuit que la communauté scientifique, jusque dans les années 1960, est très majoritairement «fixiste», sceptique envers l'idée du mouvement des masses continentales. Oui, aux mouvements verticaux de la croûte terrestre, compris grâce à la théorie de l'isostasie et à celle du géosynclinal de Dana (1873; cité dans Deparis et Legros [2000]). Mais non, à la translation des masses continentales... qui signifie en distance des déplacements de matière au moins mille fois supérieurs!

Comme c'est étrange, en un demi-siècle à peine, la pensée scientifique, dans sa démarche pour comprendre le monde et l'univers, s'était pourtant métamorphosée grâce à deux percées conceptuelles remarquables. En 1859, date de la parution de *L'origine des espèces*, Darwin propose de comprendre le vivant dans son ensemble comme un processus dynamique qui évolue. Et, en 1905, Einstein conçoit la «relativité restreinte», qui met à mal la physique classique basée sur la séparation de l'espace et du temps. Si bien qu'au plus fort de la Première Guerre mondiale, la plus meurtrière qu'ait connue jusque-là l'humanité, paraissent – en 1915 et en allemand – la *Relativité générale* d'Einstein et *La genèse des continents et des océans* de Wegener. Or si l'évolutionnisme était devenu perceptible dès le début du XIXe siècle (Lamarck) au vu de l'inventaire accompli du vivant, son moteur n'en restera pas moins inconnu jusqu'au milieu du XXe siècle! Soit une période bien plus longue que celle qui sépare la théorie de la dérive des continents de 1915 de la théorie concernant la convection dans le manteau terrestre (1960). Tandis que la théorie de la relativité, qui fit énormément de bruit dans les années 1920, reste, elle, rigoureusement incompréhensible pour la plupart d'entre nous. Pourtant ces deux dernières théories ont littéralement «formaté» les savoirs scientifiques jusqu'à aujourd'hui. Alors, pourquoi la théorie de la dérive des continents de Wegener n'a-t-elle pas eu le même succès... avant 1965? D'autant plus que par rapport aux théories de l'évolution et de la relativité, elle était étayée par de très nombreux indices de terrain, comme on vient de le rappeler. Il a été dit que cela tenait au fait que son fondateur n'était pas lui-même géologue, qu'il s'appuyait sur des évidences provenant de disciplines qui se considéraient comme autonomes – ce qui alors passait presque pour une faute de raisonnement –, que la radioactivité nouvellement découverte n'avait pas encore pu convaincre de l'extrême ancienneté de la planète et que les océans couvrant sept dixièmes de la surface terrestre étaient en pratique ce qu'on appellera plus tard une «boîte noire», etc. Ces explications sont évidemment correctes mais ne résolvent probablement qu'une partie du problème.

Ce qui nous amène à l'objectif de cette capsule. Peut-être faut-il aussi invoquer le fait que les humains, ces bipèdes terrestres, ne pouvaient que refuser de croire en la mobilité des continents qui constituent après tout leur habitat naturel. En effet, la pensée scientifique issue essentiellement du monde dit occidental avait découvert dans la douleur que la Terre, planète des humains, n'était pas le centre de l'univers (Copernic, 1473-1543). Et trois siècles plus tard, Darwin montrait que notre espèce n'était après tout qu'une petite branche du vivant, donc issue et solidaire de celui-ci. Notre espèce, dont l'avenir même est discuté, est en fait un simple « troisième chimpanzé », comme vient de le rappeler J. Diamond (2000). Enfin, la physique classique, qui avait permis de mettre de l'ordre dans le monde réel, se trouvait prise en défaut. Le monde ne pouvait plus être compris sur la base de la séparation, qui semblait évidente, de l'espace et du temps. Que restait-il donc aux humains pour les sécuriser si ce n'est la terre ferme sur laquelle ils marchaient et à partir de laquelle ils contemplaient l'univers ? La dérive des continents, transmutée après cinquante ans de tergiversations en tectonique des plaques, fait en effet perdre aux humains leur dernier repère stable. Il faut, avec elle, accepter que tout bouge, que tout change. Bref, la compréhension de notre planète passe désormais par le biais d'une histoire où « tout peut arriver ». De plus, cette histoire intègre parfaitement les divers cycles perçus par chacun (les jours et les nuits, les saisons, par exemple) ou découverts par la science, du cycle de l'eau (P. Perrault, 1674) à celui des roches (Hutton, 1793), en passant plus récemment par tous les cycles géochimiques globaux (ceux du carbone, de l'oxygène, du soufre, etc.). Finie donc une compréhension du monde basée sur la seule perception des cycles puisqu'en ne faisant que se répéter, ils nous permettaient d'énoncer des lois rassurantes.

La tectonique des plaques nous oblige à lire le monde comme le résultat d'une histoire fort longue. On est donc en présence d'une série très contingente d'événements et non sous le contrôle sécurisant de lois idéales. Le concept du temps cyclique est devenu définitivement obsolète. Il nous faut accepter d'être inclus avec la Terre dans la flèche du temps. Peut-être est-ce de ce côté aussi qu'il faut chercher les causes de la résistance du milieu scientifique à l'acceptation du mobilisme terrestre. D'ailleurs, au plus fort de la réaction hostile à Wegener, Émile Argand, un des rares géologues mobilistes, partisan de la théorie de la dérive des continents, spécialiste reconnu des Alpes et de l'Himalaya, diagnostiqua clairement les termes de la polémique : « Le fixisme n'est pas une théorie, mais un élément négatif commun à plusieurs théories. À bien voir les choses, il est la non-position d'un problème qui est précisément celui du mobilisme, et il ne se définit que par lui » (Argand, 1924, p. 289, cité par Westphal et al., 2002). Voilà qui est évident, le refus du mobilisme s'ancrait donc paradoxalement dans un système de pensée dépourvu de la rationalité scientifique. L'humain, perçu dans le monde occidental au centre de l'univers et comme la création de Dieu, avait déjà dû déchanter pour occuper une place plus modeste sur Terre, et voilà que sa maison en quelque sorte (les continents) cessait à son tour d'être un refuge sûr puisqu'il n'était plus fixe. Peut-être est-ce là, paradoxalement, que se situe la leçon la plus importante de la tectonique des plaques pour les humains : apprendre à vivre sur une sorte de radeau à la dérive leur imposant de s'adapter à sa mouvance qu'attestent « les fureurs de la Terre », comme dit Claude Allègre (1987) (volcanisme, tremblements de terre, glissements de terrain, tsunamis). Mais puisque les théories scientifiques sont aussi pourvues d'une importante dimension esthétique, on pourrait également concevoir que la tectonique des plaques représente une sorte de métamorphose du bouddhisme zen. Car un des premiers adages du Bouddha à ses disciples leur rappelait qu'« il n'y a rien qui soit stable en ce bas monde ». Ce qui nous ramène à maître Dōgen Kigen qui ouvrait cette capsule.

Il n'y a là qu'une apparente boutade destinée à illustrer combien la tectonique des plaques est une théorie radicale qui, par sa prémisse (la croûte terrestre rigide autant continentale qu'océanique se déplace latéralement), a permis de construire des modèles explicatifs performants dans presque tous les domaines de recherche des sciences qu'on disait naturelles. Et ce, aux multiples échelles de temps et d'espace, ce qui inclut la planétologie ! Cette boîte à outils conceptuels unifie les sciences de la nature comme aucune autre auparavant. Non pas dans une optique dite multidisciplinaire, mais, comme le prône depuis longtemps le géographe L.-E. Hamelin, par le fait qu'elle est transdisciplinaire. En effet, nulle discipline (que cela soit la géophysique, la sismologie, le magnétisme, la géologie, la paléontologie, la planétologie, etc.) n'y constitue **LA** colonne vertébrale obligée comme ce fut le cas de la physique classique au XIXe siècle. Mais toutes utilisent la théorie et l'enrichissent par leurs résultats, même les techniques (*cf. infra*). À ce titre, la tectonique des plaques représente le premier paradigme de l'histoire des sciences qui soit véritablement universel. Car, en rupture par rapport à ceux qui ont précédé, il est le premier qui se dégage totalement du monde platonicien qui postule le primat de l'idée sur le monde perçu. Un monde platonicien qui reste malgré tout sous-jacent au goût toujours actuel pour l'établissement de lois vues comme les charpentes des théories universelles. Ainsi, tous les résultats récents qui ont permis de complexifier sans l'invalider la tectonique des plaques sont apparus comme autant de nouveautés qu'il avait été impossible de concevoir à partir du raisonnement et des faits connus. Rappelons, pour les années 1960, la nature des 60 000 kilomètres de la chaîne médio-océanique et les failles transformantes ou, tout récemment, la convection globale des eaux de mer au travers du plancher océanique et leur rapport avec la création des gisements métallifères (Juteau dans Michaud, 2002, p. 151-164). Mais il y a plus, l'approche nécessairement transdisciplinaire de la tectonique des plaques a aussi permis l'éclosion de nouvelles disciplines qui se positionnent au carrefour des sciences traditionnelles, comme la géophysiologie (Westbroek, 1998). Cette nouvelle discipline en plein essor s'est donné pour objectif d'étudier (dans le temps) les effets du vivant sur la formation des roches et la régulation des climats. On le voit, la tectonique des plaques permet une lecture du monde comme aucune théorie n'avait pu le faire antérieurement.

Et puisque la dérive des continents de Wegener a longtemps été contestée faute d'un moteur acceptable, voyons ce que proposent aujourd'hui les physiciens. Pour ceux-ci, le moteur de la tectonique des plaques reste toujours le refroidissement de la planète Terre. Mais attention, la perte d'énergie du noyau central se fait au travers du manteau qui l'entoure non plus par conduction (l'hypothèse du XIXe siècle), mais par convection, c'est-à-dire grâce au *déplacement* de la matière dans le manteau en fonction de sa chaleur, même si le manteau se comporte comme un solide (Le Mouël dans Michaud, 2002, p. 4564). La Terre est donc une machine qui fonctionne parce qu'elle est capable de dissiper la chaleur qu'elle produit (principe de Carnot). Cette énergie entretient la tectonique des plaques et le champ magnétique terrestre qui nous protège des rayons cosmiques. Bien qu'elle nous apparaisse d'abord comme provoquant des catastrophes naturelles, la tectonique des plaques est avant tout l'architecte qui a permis la différenciation de l'écorce terrestre. Car n'ayant pas toujours existé, elle a progressivement et irrégulièrement créé les continents au fil d'une histoire qui s'étend sur les derniers 3,5 milliards d'années de notre planète, qui en compte 4,6. Mais à l'opposé des océans successifs qui sont apparus puis ont disparu, les continents ont accumulé par accrétion les archives des événements sous la forme évidente des roches, mais aussi des combustibles et de tous les gisements métallifères si nécessaires à nos modes de vie. Ainsi, en dessous des paysages des géomorphologues se trouve, chiffonnée, déchirée et lacunaire mais de mieux en mieux comprise, l'histoire même de tout le globe terrestre. Mais pour arriver à la lire, il aura fallu faire le détour par l'exploration du fond des océans qui, actuellement, ne concerne qu'à peine 1 % de sa superficie (Juteau dans Michaud, 2002). Résultat de cette histoire durant laquelle des continents se rassemblent, se dispersent, puis se rassemblent encore, les ressources minérales qui s'y sont accumulées sont finies, donc non renouvelables. Pour employer un langage cinématographique, on peut les comparer à des arrêts sur image d'un mouvement qui, lui, se poursuit. À nous de comprendre cette histoire grâce à l'approche transdisciplinaire inhérente à la tectonique des plaques. Ce que résume parfaitement Westbroek (1998, p. 175-176) de la façon suivante: «Ce sont les effets combinés du cycle biologique et du cycle des roches qui constituent le système [Terre…]. La dynamique interne de la planète entretient le cycle des roches, enfouit la matière organique et libère l'oxygène. Sans la tectonique des plaques, nous ne serions pas là.» Tout est dit, semble-t-il. Pas tout à fait.

Pour nous et pour les autres chanceux de l'humanité, il peut paraître un peu abstrait d'accorder tant d'importance à une théorie, alors que nos vies quotidiennes sont chaque jour de plus en plus aidées par (ou soumises à, selon le point de vue) les technologies et l'électronique. Ce serait commettre une bévue de première grandeur. Car l'universalité de la tectonique des plaques s'est aussi répercutée sur les techniques les plus élaborées, avec des résultats remarquables. Retenons-en deux cas avant de terminer.

Dans le plancton flottant à la surface des océans, on connaît depuis longtemps *Emiliana huxleyi*. C'est une algue unicellulaire microscopique (1/100 de millimètre) qui sécrète un délicat squelette externe, composé de calcite (un coccolithe) qui, à la mort de celle-ci, se dépose sur le fond des océans. Mais il a fallu attendre l'arrivée des satellites scrutant la surface des océans (dans les années 1980) pour observer que ces microorganismes pouvaient « se multiplier de façon explosive et former des floraisons géantes de plusieurs milliers de km^2 [... Si bien qu']Émiliana est probablement l'espèce qui produit le plus de calcite au monde. [...] Et les squelettes d'Émiliana sur le fond océanique forment] le plus grand puits de carbonate de calcium au monde » (Westbroek, 1998, p. 125). Ce résultat est fondamental pour la tectonique des plaques, car les paléontologistes nous apprennent qu'*Emiliana* est une créature apparue il y a à peine un peu plus de 200 millions d'années. Si bien que pour la première fois depuis le début de la vie sur Terre, il y a 3,8 milliards d'années, le carbonate de calcium a pu se concentrer sur tous les fonds océaniques et non plus être restreint aux plateaux continentaux. De ce fait, une partie de ce carbonate, transporté par le tapis roulant qu'est le fond océanique, s'est retrouvé dans le manteau supérieur grâce à la subduction, puis est revenu dans l'atmosphère par le volcanisme sous forme de gaz carbonique. Donc, sans la « production massive de coccolithes il y a 200 millions d'années, il y aurait [aujourd'hui] moins de gaz carbonique dans l'atmosphère et le climat serait plus froid » (Westbroek, 1998, p. 127)!

Quant à notre dernier exemple, il nous paraît encore plus radical pour ce qui est d'arrimer les technosciences à la tectonique des plaques. À la fin des années 1960, des chercheurs convaincus de la mobilité de la croûte terrestre tirent les conclusions qui s'imposent des mesures concernant le paléomagnétisme des fonds océaniques. Parmi ceux-ci, Xavier Le Pichon (1968) extrapole des vitesses actuelles pour les plaques tectoniques à partir de datations sur les dix derniers millions d'années. Moins de vingt ans plus tard, la technologie de géodésie satellitaire est opérationnelle et confirme en temps réel les vitesses calculées par Le Pichon. Si bien que ce dernier déclare en 2002 (dans Michaud, p. 74-78): « La Terre est un système complexe qui ne peut s'étudier que comme un tout [...] La formation d'équipes pluridisciplinaires de spécialistes ayant la culture générale indispensable pour aborder ces problèmes complexes est aujourd'hui le principal problème que nous avons à résoudre si nous voulons pleinement bénéficier de cette véritable mutation de la tectonique. » Ce problème n'est-il pas par essence du ressort de la géographie?

BIBLIOGRAPHIE

ALLÈGRE, C. (1987). *Les fureurs de la Terre,* Paris, Odile Jacob.

ALLÈGRE, C. (1983). *L'écume de la Terre*, Paris, Fayard.

CALLICOT, J.B. et R.T. AMES (dir.) (1989). *Nature in Asian Traditions of Thought: Essays in Environmental Philosophy*, Albany, Suny Press.

DEPARIS, V. et H. LEGROS (2000). *Voyage à l'intérieur de la Terre. De la géographie antique à la géophysique moderne, Une histoire des idées*, Paris, CNRS Éditions.

DIAMOND, J. (2000). *Le troisième chimpanzé. Essai sur l'évolution et l'avenir de l'animal humain*, Paris, Gallimard, coll. « NRF essais ».

HALLAM, A. (1976). *Une révolution dans les sciences de la terre*, Paris, Seuil.

LE PICHON, X. (1968). « Sea floor spreading and continental drift », *Journal of Geophysical Research*, vol. 73, p. 3661-3697.

MICHAUD, Y. (dir.) (2002). *Le Globe*, Paris, Odile Jacob, coll. « Université de tous les savoirs 15 ». En particulier, les textes de V. Courtillot, J.-L. Le Mouël, X. Le Pichon, M. Campillo, C. Janpart, G. de Marsily et T. Juteau.

PIRART, J. (1994). *Une histoire de la Terre*, Paris, Syros.

WEGENER, A. (1937). *La genèse des continents et des océans. Théorie des translations continentales*, Paris, Librairie Nizet et Bastard.

WESTBROEK, P. (1998). *Vive la Terre. Physiologie d'une planète*, Paris, Seuil.

WESTPHAL, M., H. WHITECHURCH et M. MUNSCHY (2002). *La tectonique des plaques*, Paris, GB Science Publisher, coll. « Géosciences ».

CAPSULE 1B

GAZ À EFFET DE SERRE
De quoi parle-t-on?

Nathalie Barrette

L'analogie entre une pratique déjà bien ancienne des horticulteurs (serre de jardinier) et le phénomène beaucoup plus complexe qui fait l'objet d'investigation de la part des climatologues (effet de serre) trouve son origine à la fin du XVIIIe siècle dans les travaux du suisse Horace Bénédict de Saussure (Dubois et Lefèvre, 2003). Son dispositif expérimental constitué de cinq coffrets de verre emboîtés les uns dans les autres et équipés de thermomètres avait pour objectif d'étudier l'effet du rayonnement solaire sur la température de l'air contenu dans les coffrets transparents. Cette expérience scientifique suggérait que l'enveloppe atmosphérique agissait comme les parois de verre d'une serre en retenant la chaleur.

En 1824, le physicien français Joseph Fourier formula une interprétation plus complète de cette expérience. Il suggéra alors que « la température (du sol) est augmentée par l'interposition de l'atmosphère, parce que la chaleur (rayonnement solaire) trouve moins d'obstacles pour pénétrer l'air, étant à l'état de lumière, qu'elle n'en trouve pour repasser dans l'air lorsqu'elle est convertie en chaleur obscure (rayonnement infrarouge) » (Dubois et Lefèvre, 2003). On a donné à ce phénomène de piégeage du rayonnement infrarouge le nom d'effet de serre car les vitres des serres de jardiniers, tout comme l'atmosphère terrestre, laissent pénétrer aisément le rayonnement solaire et bloquent partiellement le rayonnement infrarouge émis par les objets se trouvant à l'intérieur de la serre du jardinier. Cependant, quand on regarde d'un peu plus près quels sont les véritables « obstacles » qui limitent la perte de la « chaleur obscure » décrite par Fourier, on constate que l'analogie entre la serre de l'horticulteur et le phénomène atmosphérique est imparfaite. En effet, les parois de verre de la serre du jardinier permettent le réchauffement accru de l'air car ils limitent les pertes de chaleur en bloquant les mouvements convectifs qui transporteraient normalement cette chaleur en altitude (Petit, 2003). Le phénomène atmosphérique de l'effet de serre utilise plutôt un piégeage d'une partie de la chaleur par les gaz à effet de serre (GES) qui sont capables d'absorber le rayonnement infrarouge provenant de la Terre.

QU'EST-CE QUE L'EFFET DE SERRE NATUREL?

Le phénomène naturel de l'effet de serre permet à la température de la basse atmosphère de se maintenir autour de 15 °C en moyenne (température moyenne annuelle à la surface de la Terre). Cette température est atteinte car certains gaz contenus dans l'atmosphère terrestre absorbent une partie des rayonnements infrarouges émis par le sol et rabattent vers celui-ci une portion de ce rayonnement infrarouge, contribuant ainsi davantage au réchauffement des basses couches de l'atmosphère (figure 1b.1). Sans ces gaz à effet de serre, la température moyenne de la surface de la Terre avoisinerait −18 °C, limitant l'apparition de toute forme de vie.

L'amplification de l'effet de serre naturel

L'intensification des activités humaines, depuis la fin du XVIIIe siècle, a entraîné une augmentation de la concentration atmosphérique de certains GES, provoquant une amplification de l'effet de serre, susceptible d'engendrer des changements au plan du climat mondial.

Par exemple, le CO_2 a augmenté de 40 % depuis 1750 passant de 280 ppmv[1] à plus de 392 ppmv en 2011 (ESRL, NOAA). Le méthane (CH_4) a quant à lui connu une augmentation de plus de 150 % pour la même période passant de 700 ppbv[2] à 1800 ppbv (ESRL, NOAA). Certains gaz ont même fait leur apparition dans l'atmosphère, c'est le cas des CFC et des HFC qui sont uniquement d'origine industrielle.

La source de chaleur provenant de l'absorption du rayonnement infrarouge par les GES de l'atmosphère constitue une puissante source de chauffage[3] pour la surface de la Terre (figure 1b.1). En présence d'une plus grande concentration de GES dans l'atmosphère, la surface de la Terre absorbera et émettra davantage de rayonnement infrarouge (chaleur), ce qui contribuera à augmenter la température moyenne globale du système Terre-atmosphère qui tend vers un état d'équilibre[4] (figure 1b.1). Cependant, le phénomène d'amplification de l'effet de serre ne pourrait se résumer à l'étude de l'état de l'accroissement des différents GES dans l'atmosphère car leur augmentation peut engendrer des rétroactions complexes qui auront pour effet d'accentuer le réchauffement ou de le limiter. Le Groupe intergouvernemental d'experts sur l'évolution du climat (GIEC[5]) a évalué la participation des différentes rétroactions[6] dans le processus d'amplification ou d'atténuation de l'effet de serre depuis le début de l'ère industrielle (figure 1b.2).

---

1. L'unité ppmv correspond à des parties par million par volume. Exemple : 300 ppmv de CO_2 correspond à trois cents litres de CO_2 dans un million de litres d'air.
2. L'unité ppbv correspond à des parties par milliard par volume. Exemple : 1714 ppbv de CH_4 correspond à mille sept cent quatorze litres de CH_4 dans un milliard de litres d'air.
3. En effet, le rayonnement infrarouge offre 324 w/m² à la surface de la Terre contre 168 W/m² de la part du Soleil.
4. Le bilan d'énergie au sommet de l'atmosphère est toujours équilibré (0 W/m²) car la surface terrestre cède son excédent de chaleur (+102 W/m²) à l'atmosphère déficitaire (−102 W/m²) par les flux de chaleur latente (78 W/m² – cycle de l'eau) et de chaleur sensible (24 W/m² – courants chauds aériens et océaniques). Sous des conditions de double CO_2, ces échanges seront amplifiés mais le système Terre-atmosphère (au sommet de l'atmosphère) restera, globalement, en équilibre. L'état d'équilibre sera simplement atteint à une température supérieure.
5. Le GIEC est un panel d'experts internationaux sur les changements climatiques créé par l'Organisation météorologique mondiale (OMM) et le Programme des Nations Unies pour l'environnement (PNUE) en 1988.
6. Une rétroaction est dite positive lorsqu'elle tend à amplifier l'impact d'une perturbation initiale. Alors qu'une rétroaction est négative lorsqu'elle tend à atténuer l'impact d'une perturbation initiale.

Figure 1b.1.

Flux d'énergie dans le système Terre-atmosphère

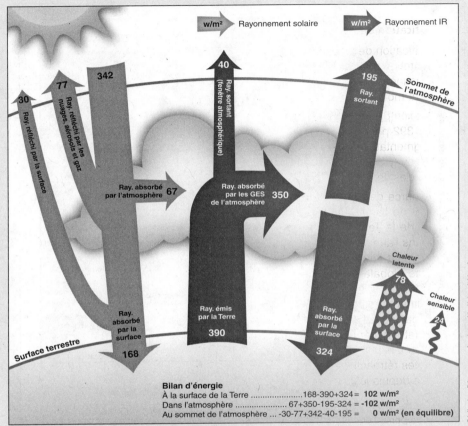

Bilan d'énergie

À la surface de la Terre ....168-390+324 = **102 w/m²**

Dans l'atmosphère .... 67+350-195-324 = **-102 w/m²**

Au sommet de l'atmosphère ... -30-77+342-40-195 = **0 w/m² (en équilibre)**

Réalisation : Département de géographie, Université Laval

Il apparaît que les rétroactions négatives qui vont dans le sens d'un refroidissement comme l'effet des différents aérosols[7] (sulfates, carbones organiques, combustion de biomasse) et les changements dans l'albédo[8] (changements dans l'utilisation du sol) n'arriveront pas à compenser le processus d'amplification de l'effet de serre.

---

7. Les aérosols sont des particules solides ou liquides présentant une vitesse de chute négligeable pouvant demeurer longtemps en suspension dans l'air. Ils influencent le climat de deux façons : directement par la diffusion et l'absorption de radiation et, indirectement, par la modification des propriétés optiques et la durée de vie des nuages.

8. L'albédo, c'est la fraction d'énergie réfléchie par rapport à l'énergie incidente. La neige possède un albédo élevé (très réfléchissant – effet miroir) alors qu'une mer calme possède un albédo très faible (corps noir absorbant).

Figure 1b.2.

Forçage radiatif moyen global du système climatique, 1750-2005

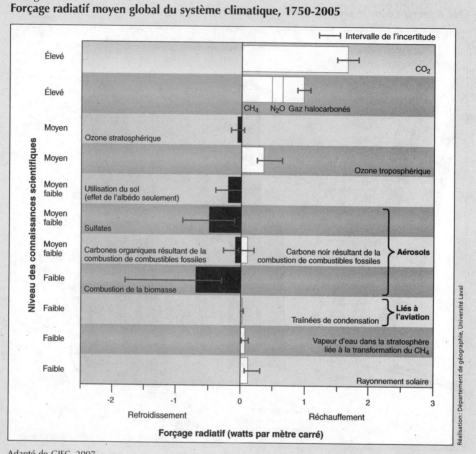

Adapté de GIEC, 2007.

Les gaz responsables

Les principaux GES sont:

– *La vapeur d'eau* (H_2O): Ce gaz est produit naturellement par la respiration, la transpiration et l'évaporation. La quantité de vapeur d'eau dans l'atmosphère augmente au fur et à mesure que la température à la surface de la Terre augmente. Il n'est pas considéré au même titre que les autres GES car l'être humain ne peut exercer un réel contrôle, au sens climatique, sur ce gaz.

- *Le dioxyde de carbone* (CO_2) : Le dioxyde de carbone est produit par la décomposition de la matière organique, la respiration des plantes et des animaux, ainsi que par des sources d'origine anthropique comme la combustion de certains matériaux (mazout, pétrole, gaz naturel…). Le CO_2 transite entre les différents réservoirs de l'écosphère[9] par des processus comme la respiration et la photosynthèse jusqu'au lieu ultime d'accumulation et de recyclage que constitue la croûte terrestre (lithosphère) (Gribbin, 1990). Par la suite, le CO_2 peut être réintroduit naturellement dans l'atmosphère lors d'une éruption volcanique ou de façon artificielle par l'exploitation des combustibles fossiles. Il est le deuxième GES en importance dans l'atmosphère, après la vapeur d'eau.

- *Le méthane* (CH_4) : Le méthane est produit par la décomposition de matières organiques en l'absence d'oxygène (décomposition anaérobique). Les sources de méthane sont naturelles (marécages, tourbières…) et artificielles (rizières, processus de digestion des ruminants, extraction des combustibles fossiles, décomposition des ordures…). Chaque molécule est plus efficace pour retenir la chaleur qu'une molécule de dioxyde de carbone, mais le méthane est présent en moins grande quantité dans l'atmosphère.

- *L'oxyde nitreux* (N_2O) : L'oxyde nitreux ou protoxyde d'azote est produit de manière naturelle par l'activité biologique des sols et par les océans. Cependant, les humains contribuent de plus en plus aux émissions de N_2O par l'utilisation intensive d'engrais azotés et de combustibles fossiles.

- *Les gaz halocarbonés* (CFC, HFC, SF_6…) : Ces gaz sont des composés chimiques qui contiennent du carbone et des éléments comme le brome, le chlore ou le fluor. Les chlorofluorocarbones (CFC) sont les plus connus de ce groupe. Ils sont uniquement le produit d'activités industrielles (par exemple : gaz réfrigérant, propulsion de gaz dans les bombes aérosols…) comme la majorité des gaz halocarbonés. La capacité de rétention de la chaleur des gaz halocarbonés est parmi les plus élevées (Environnement Canada, 2004).

L'ÉTAT DES ÉMISSIONS DE GES

Kyoto et les GES

La réduction mondiale des émissions de GES est au centre du protocole de Kyoto entré en vigueur le 16 février 2005, **plus de sept ans après son adoption**. Dans le Protocole, 37 pays industrialisés ou en transition s'obligent à abaisser leurs émissions de GES[10] entre 2008 et 2012 à des niveaux inférieurs de 5,2 % à ceux de 1990.

---

9. L'écosphère comprend l'atmosphère, la biosphère, la cryosphère, les océans et la lithosphère. Elle est le siège des écosystèmes et des cycles écologiques.
10. Les GES considérés dans le Protocole sont : CO_2, CH_4, N_2O, hydrofluocarbures, perfluocarbones et hexafluorures de soufre (SF_6).

Les objectifs d'émissions chiffrés sont juridiquement contraignants et différenciés pour les pays. Les autres pays[11] (pays en développement ou du Sud) qui ont ratifié le Protocole n'ont que des obligations d'inventaire de leurs émissions.

En novembre 2004, la ratification du protocole par la Russie a permis de réunir les conditions nécessaires à son entrée en vigueur 90 jours plus tard : ratification par 55 pays représentant 55 % des émissions totales de GES en 1990. L'Australie et les États-Unis[12] ont refusé de ratifier le protocole de Kyoto, qu'ils avaient pourtant signé. Ces deux pays ont toutefois adopté leurs propres mesures de réduction.

Le protocole de Kyoto offre aux pays une certaine marge de manœuvre en ce qui concerne les moyens à utiliser pour atteindre leur objectif. Certaines mesures ont été prévues comme le programme d'échange de droits[13] d'émission et le mécanisme de développement propre[14], afin que l'atteinte des objectifs au plan international s'effectue d'une manière réaliste par rapport à son coût. Cependant, pour utiliser ces mesures, les pays doivent démontrer qu'ils ont fait des efforts considérables dans leur propre pays pour réduire leurs émissions et ils ne peuvent donc pas s'en remettre uniquement à l'achat du « droit de polluer » pour faire leur part. À l'aube de l'échéance du protocole en 2012, les résultats concernant la réduction des émissions de gaz à effet de serre à l'échelle planétaire sont moyennement encourageants. En effet, beaucoup des pays signataires comme le Canada sont loin d'avoir atteint les objectifs initiaux de réduction.

La conférence de Copenhague tenue en décembre 2009 marquait la date limite pour atteindre un accord qui puisse être approuvé et ratifié dans un délai suffisant pour pouvoir entrer en vigueur à l'expiration du Protocole de Kyoto au début de 2013. La conférence a permis d'atteindre des résultats de faibles portées puisque aucun objectif de réduction des émissions de CO_2 juridiquement contraignants n'a été énoncé. Les signataires se sont seulement engagés (sans contraintes juridiques) à limiter le réchauffement planétaire à 2 °C d'ici à 2050 par rapport aux niveaux préindustriels. Un autre aspect fortement critiqué est la non-création d'une Organisation

---

11. Le Protocole compte 192 adhérents (191 États et une organisation d'intégration économique régionale).
12. Les États-Unis n'ont pas ratifié le Protocole car, selon eux, ils font davantage preuve d'efficacité énergétique que les autres pays. Un Étasunien est en effet beaucoup moins polluant que son homologue chinois quand on raisonne en tonnes de CO_2 par unité de produit national brut (PNB). Les Étasuniens considèrent que c'est l'inefficacité énergétique de certains pays (qui ne sont pas inclus dans l'actuel Protocole comme l'Inde et la Chine) qui met en péril l'atmosphère de la Terre, et non leur propre mode de vie.
13. Cela permet aux pays (qui ont un objectif chiffré) qui sont en mesure de respecter sans trop de difficultés leurs objectifs de Kyoto de dépasser les réductions chiffrées effectivement requises et de vendre les excédents sous forme de « permis » aux pays où les coûts de la lutte contre ces émissions sont plus élevés.
14. Cela permet aux pays industrialisés d'obtenir des crédits pour le financement de projets de réduction des émissions dans les pays en développement.

mondiale de l'environnement qui aurait pu vérifier la mise en œuvre des engagements de chacun, les contraignant légalement. À l'opposé, il faut aussi noter certains éléments jugés plus positifs comme l'engagement de l'Union européenne à verser 100 milliards de dollars par an aux pays en développement à compter de 2020 pour les aider à s'adapter aux impacts des changements climatiques. À cela il faut ajouter la reconnaissance de l'importance des réductions des émissions dues à la déforestation et à la dégradation des forêts, et la nécessité d'améliorer l'élimination de gaz à effet de serre par les forêts. Ce dernier aspect s'accompagne de mesures incitatives pour financer la protection des forêts avec des fonds provenant des pays développés.

À l'échelle mondiale

L'utilisation de combustibles fossiles est la principale source anthropique de GES dans l'atmosphère. À l'échelle planétaire, le charbon et le gaz naturel sont les deux principales formes d'énergie. En 2000, ils représentaient 62 % (charbon 40 %, gaz naturel 22 %) de la production mondiale d'énergie alors que le nucléaire, non renouvelable mais qui ne produit pas de GES, l'hydroélectricité et les autres formes d'énergie renouvelable représentaient seulement 32 % (Villeneuve et Richard, 2001). Le pétrole représente, quant à lui 8 %, de la production mondiale d'énergie et est demeuré stable, en termes relatifs, au cours des trente dernières années comparativement au charbon et au gaz naturel qui ont fait un bond exceptionnel.

Globalement, entre 1900 et 2000, la production d'énergie mondiale a été multipliée par 17, passant de 21 exajoules[15] à plus de 400 exajoules alors que la population mondiale a quadruplé pendant cette même période. Il y a donc eu une augmentation substantielle de l'énergie produite par habitant. Les pays (ou entités géographiques) qui présentent les émissions d'équivalent CO_2 par habitant les plus élevées sont: les États-Unis, le Canada, l'Océanie et l'ex-Union soviétique (figure 1b.3). Leurs émissions sont en moyenne dix fois supérieures à celles d'un habitant de l'Inde (figure 1b.3).

Dans une autre perspective, on constate que moins de 6 % de la population mondiale, soit les habitants des États-Unis, du Canada et de l'Océanie sont responsables de plus de 22 % des émissions mondiales d'équivalent CO_2, alors qu'à l'autre extrémité le groupe formé par la Chine, l'Inde et l'Afrique, qui représente 58 % de la population mondiale, n'est responsable que de 26 % des émissions mondiales d'équivalent CO_2 (figure 1b.3). Cependant, cette situation pourrait être rapidement inversée car les pays en émergence comme la Chine pourraient devenir les plus grands émetteurs de CO_2 au monde.

---

15. Un exajoule correspond à 1×10^{18} joules. Un joule correspond à l'unité SI de travail, d'énergie ou de quantité de chaleur (1 joule = $0,278 \times 10^{-6}$ kWh).

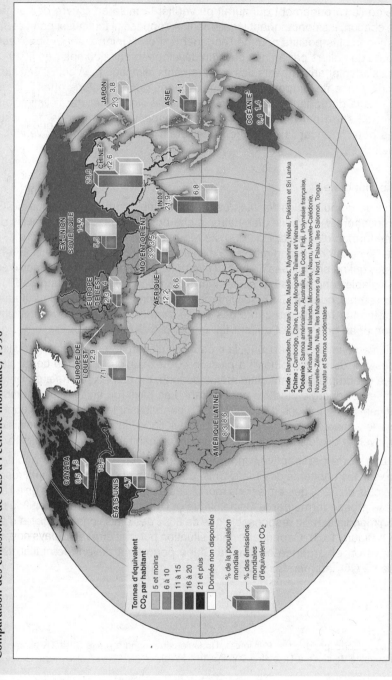

Figure 1b.3.
Comparaison des émissions de GES à l'échelle mondiale, 1990

Source: Environnement Canada, 2005. « Informations sur les sources et les puits de gaz à effet de serre. Comparaison des émissions à l'échelle mondiale », <www.ec.gc.ca/pdb/ghg/inventory_report/global_emissions_f.cfm>, consulté le 10 janvier 2006.

À l'échelle canadienne

À première vue la situation du Canada peut sembler sombre en termes d'émissions par habitant, mais il contribue dans les faits à 1,8 % des émissions mondiales d'équivalent CO_2 (figure 1b.3). À l'échelle provinciale, on constate des disparités régionales importantes. Les provinces qui obtiennent le score le plus élevé en ce qui concerne les émissions d'équivalent de CO_2 par habitant sont : les Territoires du Nord-Ouest, l'Alberta et la Saskatchewan. L'Alberta, par l'exploitation des sables bitumineux, produit à elle seule plus de 30 % des émissions canadiennes, alors que le Québec émet la moitié moins grâce à son hydroélectricité.

L'atteinte des objectifs chiffrés et juridiquement contraignants du protocole de Kyoto est incertaine pour plusieurs pays, dont le Canada. En effet, la cible canadienne à atteindre en 2010 est de 565 millions de tonnes en équivalent CO_2, soit 6 % de moins que les émissions de 1990 (UNEP/GRID, 2005). Cependant, depuis la signature de la Convention-cadre des Nations Unies sur les changements climatiques (CCNUCC) en 1992, les émissions canadiennes n'ont pas cessé de croître jusqu'à atteindre, en 2010, plus de 765 millions de tonnes en équivalent CO_2. Pour 2015, les projections actuelles d'émissions de GES, basées sur les scénarios les plus probables concernant le développement économique, démographique et technologique prévoient que les émissions du Canada seront de plus de 800 millions de tonnes en équivalent CO_2, ce qui représente un défi de réduction réel de 40 % par rapport aux émissions de 1990 (Environnement Canada, 2008).

À l'opposé, la Communauté européenne (CE) est déjà en marche vers l'atteinte probable de son objectif, et cela, grâce à des mesures de réduction des GES rapidement mises en place dans les secteurs de la production d'énergie, de l'industrie et de l'agriculture. La CE est également à l'avant-garde pour la mise au point de mécanismes d'échange de droits d'émission de GES. La cible à atteindre en 2010 est de 3878 millions de tonnes en équivalent CO_2 soit 8 % de moins que les émissions de 1990 (UNEP/GRID, 2005). En 2000, la CE émettait 4067 millions de tonnes en équivalent CO_2 et les projections actuelles estiment les émissions de 2010 à 4189 millions de tonnes en équivalent CO_2 soit seulement 7,4 % de plus que son objectif (UNEP/GRID, 2005).

L'entrée en vigueur tardive du protocole de Kyoto laisse peu de temps aux pays pour mettre en place les mesures nécessaires pour l'atteinte de leurs objectifs respectifs. Les prochaines années feront foi des intentions réelles des pays concernés de prendre les moyens nécessaires pour ralentir les dérèglements climatiques qu'ils ont eux-mêmes provoqués.

CONCLUSION

La question souvent soulevée par les opposants au protocole de Kyoto concerne la valeur réelle sur le plan climatique de ces efforts de réduction. Est-ce que le protocole de Kyoto changera réellement l'avenir climatique de la planète ? À court terme, les changements sur le plan climatique ne seront pas de la partie[16] mais les résultats seront sûrement palpables sur le plan de la pollution atmosphérique, en particulier dans les grands centres urbains. Kyoto constitue, à l'échelle planétaire, une réalisation importante et sans précédent visant à arrimer les enjeux environnementaux à l'économie. L'étape déterminante pour l'avenir climatique était la conférence de Copenhague mais plusieurs soulignent que le manque de mordant et d'engagement ferme de la part des principaux partis n'augure rien de bon pour un «Kyoto II». Pourtant, à échéance, les grands joueurs comme la Chine et l'Inde devront absolument être de la partie sans oublier les grands absents de l'heure, les États-Unis. Il faudra exiger alors une réduction beaucoup plus substantielle, soit environ entre 40% et 60% par rapport au niveau d'émissions de 1990 si l'on souhaite maintenir le réchauffement dans des proportions acceptables pour l'être humain et les écosystèmes de la planète.

BIBLIOGRAPHIE

DUBOIS, P.J. et P. LEFÈVRE (2003). *Un nouveau climat: les enjeux du réchauffement climatique*, Paris, Éditions de La Martinière.

DUCROUX, R. et P. JEAN-BAPTISTE (2004). *L'effet de serre: réalités, conséquences et solutions*, Paris, CNRS Éditions.

ENVIRONNEMENT CANADA (2004). *Inventaire canadien des GES 1990-2002*, Ottawa, Division des gaz à effet de serre.

ENVIRONNEMENT CANADA (2008). *Prendre le virage*, Cadre réglementaire sur les émissions industrielles de gaz à effet de serre, Ottawa, Division des gaz à effet de serre.

FELLOUS, J.-L. (2003). *Avis de tempêtes: la nouvelle donne climatique*, Paris, Odile Jacob.

FOURÇANS, A. (2002). *Effet de serre: le grand mensonge?*, Paris, Seuil.

GIEC (2007). *Climate Change 2007: The Scientific Basis*, Cambridge, Cambridge University Press.

GRIBBIN, J. (1990). *La terre serre: la planète a-t-elle la fièvre par notre faute?*, Paris, Robert Laffont.

KANDEL, R. (2002). *Le réchauffement climatique: le grand risque*, Paris, Presses Universitaires de France.

NATIONAL OCEANIC & ATMOSPHERIC ADMINISTRATION (NOAA), Earth System Research Labotary (ESRL), <www.esrl.noaa.gov>.

---

16. Le protocole ne réduira la hausse prévue des températures d'ici 2100 que de 0,1°C, selon les projections, soit peu de chose par rapport à un accroissement des températures d'ici 2100 que l'on évalue entre 1,1 et 6,4°C.

PETIT, M. (2003). *Qu'est-ce que l'effet de serre ?*, Paris, Vuibert, coll. « Planète Vivante ».

UNEP/GRID (2005). Arendal, Site du United Nations Environment Programme/Global Resource Information Database, <www.grida.no/db/maps/collection/climate9/index.cfm>, consulté le 8 mars 2005.

VILLENEUVE, C. et F. RICHARD (2001). *Vivre les changements climatiques : l'effet de serre expliqué*, Québec, Éditions MultiMondes.

Chapitre

2

LA MONDIALISATION
De l'État-nation à l'espace-monde[1]

Juan-Luis Klein

Ce chapitre vise à fournir les principaux éléments nécessaires à la compréhension des changements que traverse le monde dans son organisation économique et politique en ce début de troisième millénaire. Ce monde qui, jusqu'aux années 1980, semblait solidement structuré, aux frontières consolidées, divisé en deux blocs monolithiques avec, dans chaque cas, un ensemble de pays considérés comme développés et un tiers-monde, est disparu. L'effondrement du bloc soviétique, la mondialisation de la production

---

1. Ce texte est une version mise à jour, enrichie et modifiée en profondeur d'un texte antérieur : Klein (1998).

et des marchés, la concentration du pouvoir économique et politique, l'instantanéité de l'information, le regroupement des économies les plus performantes en blocs régionaux, la redéfinition des frontières, voilà quelques-unes des principales tendances qui orientent la réorganisation spatiale du monde actuel (voir Beaud *et al.*, 1999).

L'un des changements marquants de ce monde en construction par rapport à celui qui l'a précédé consiste en la redistribution des fonctions jadis assumées uniquement par l'État-nation. Comme résultat de ce que Brenner (1999) a appelé le *re-scaling*, les acteurs qui ont une influence sur la structuration des territoires à toutes les échelles se sont multipliés, plusieurs des responsabilités étatiques ayant été transférées à des organismes supranationaux et d'autres, à des organismes infranationaux. Parmi les organismes supranationaux, c'est-à-dire qui opèrent à l'échelle d'espaces plus vastes que ceux des États-nations, on peut donner comme exemple l'Organisation mondiale du commerce (OMC), le Fonds monétaire international (FMI), le Forum économique mondial, les institutions de cotation des États, les organisations régionales telles que l'UE, l'ALENA, le Mercosur. Toutes ces organisations ont au départ une vocation économique, mais leur fonction est devenue de plus en plus politique et leurs effets sociaux sont majeurs. Cela explique d'ailleurs l'apparition d'organismes contestataires qui opèrent aussi au niveau supranational (Forum social mondial, Attac, Greenpeace, etc.) (voir Seoane et Taddei, 2001). Quant à l'échelle infranationale, on peut citer les métropoles, les régions, les municipalités et même les quartiers. L'importance que prennent les villes, et notamment les métropoles, se combine avec des politiques de décentralisation et, dans bien des cas, de privatisation des fonctions étatiques, ce qui fait du local un espace de pouvoir.

Un nouvel «espace-monde» se met en place comme résultat du «basculement» du «système-monde» construit au XIXe et au XXe siècles structuré sur la base des États (voir Beaud, 1997 et Wallerstein, 1999). Le monde bipolaire hérité de la guerre froide se désagrège et se recompose donc, cédant la place à un monde à la fois unipolaire, sur le plan militaire, et multipolaire, sur les plans géopolitique, géoéconomique et géosocial. Cet espace-monde est «archipélagique» (Veltz, 1996), «réticulaire» (Castells, 1996) et «multiscalaire» (Lévy, 2001). Il est dominé par des centres financiers et productifs qui s'interrelient et s'interinfluencent, qui cohabitent avec des *hinterlands* dont ils se dissocient progressivement.

L'espace-monde en construction est marqué par de fortes inégalités, la mondialisation n'étant aucunement synonyme d'homogénéisation ni d'équité. D'une part, il y a la division entre centres et périphéries provoquée par les «divisions internationales du travail». Les centres se trouvent dans les nouveaux blocs économiques où dominent les pays de la «triade» et les «nouveaux pays industrialisés». Quant aux périphéries, elles sont représentées par des pays «stationnaires» ou en «régression», c'est-à-dire dont la richesse n'a pas augmenté ou a diminué (Rousselet, 1995), où ce qui domine est la pauvreté. À cette division classique propre au capitalisme s'ajoute la division provoquée par la mondialisation elle-même, entre des régions et secteurs

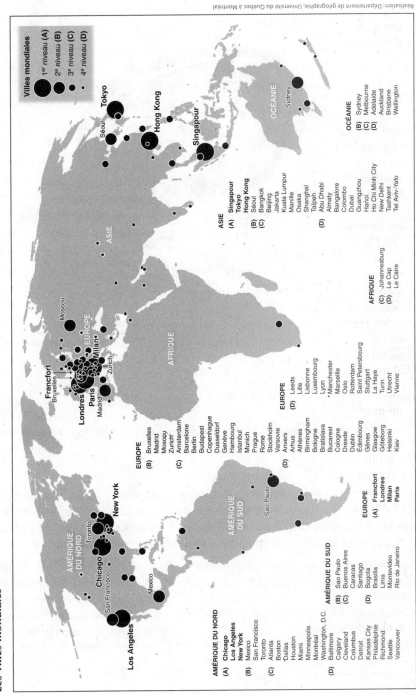

Figure 2.1.
Les villes mondiales

Source: Selon la liste des villes mondiales identifiées par le GaWC. GaWC Research Bulletin 5. <www.lboro.ac.uk/gawc/citylist.html>.

Figure 2.2.
Commerce mondial intra- et interrégional

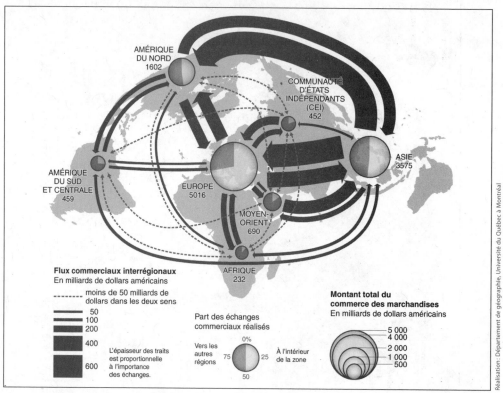

Source : OMC, Statistiques du commerce international – 2010, Commerce intrarégional et interrégional des marchandises, tabl. I.4. <www.wto.org>, consulté en mars 2011.

«branchés» à l'économie mondiale et des régions et secteurs peu ou pas connectés. Les inégalités entre ceux qui profitent de la mondialisation, les secteurs branchés des centres, et ceux qui en subissent les pires effets, soit les secteurs ruraux ou exclus en périphérie, sont sans précédents dans le monde, comme le souligne Carroué (2002).

Dans ce chapitre, nous situerons d'abord l'analyse des espaces politiques et économiques dans le contexte plus global de la géographie, ensuite nous rappellerons les caractéristiques de l'État-nation dans un contexte de transition vers un espace-monde, puis nous nous référerons plus précisément aux divers processus et jalons que comprend la mondialisation. Pour terminer, en guise de conclusion, nous proposerons une lecture multiscalaire de l'espace-monde mis en place par la mondialisation.

2.1. L'analyse géographique des territoires étatiques

La principale conséquence de l'espace-monde construit par la mondialisation est le changement de rôle subi par l'État-nation, base de l'organisation et de la compréhension du monde pendant deux siècles. L'État, qui depuis la Révolution française, mais surtout au xxᵉ siècle, était au centre des relations de pouvoir, perd son rôle. Il conserve certes une place prioritaire dans les régulations sociales à l'échelle nationale mais il perd sa capacité d'imposer sa volonté sur le plan du développement économique et de la gestion du social (Sassen, 2006). Sauf les plus puissants, les États ne sont plus en mesure de définir l'ordre du jour et les objectifs de développement de leur société de façon autonome. À quelques rares exceptions près, tous les États du monde appliquent une politique qui soumet les politiques économiques nationales aux forces du marché, ce qui se traduit par une perte de souveraineté et, partant, de démocratie. C'est un changement majeur qui a des conséquences sur la géographie du politique.

2.1.1. La géographie des rapports État-territoire

L'intérêt de la géographie pour les rapports de l'État au territoire ne date pas d'aujourd'hui et a donné lieu à une sous-discipline de la géographie appelée géographie politique. Bien qu'ils partagent certains points de vue, les auteurs qui contribuent à la géographie politique se différencient par leurs objets d'étude et par leur orientation. Au risque de trop simplifier, nous distinguerons deux approches dans la géographie politique : l'approche géopolitique, qui s'intéresse à l'étude de la place du territoire dans l'expansion et l'affirmation des États en tant que pays souverains, et l'approche politico-territoriale, qui aborde la territorialité des rapports de pouvoir dans une perspective plus globale. Présentons rapidement ces deux approches.

L'approche géopolitique : la géographie des États et de leurs interrelations

Bien que le premier à avoir utilisé le terme soit l'auteur suédois Rudolf Kjellen, qui s'intéressait à ce qu'il considérait comme la lutte des États pour leur survie, la fondation de la géopolitique revient à l'un des pionniers de la géographie contemporaine, le géographe allemand Friedrich Ratzel (1897). Ratzel a défini la géographie politique comme l'étude des rapports entre les facteurs géographiques (physiques et humains) et la politique territoriale des États. La réflexion de Ratzel se concentre sur l'État moderne sous la forme qu'on lui connaît depuis la Révolution française, c'est-à-dire sur l'État national. Inspirée par Ratzel, la géopolitique véhicule une conception totalisante, voire totalitaire de l'État, celle d'un État tout-puissant au comportement synchrone et homogène, situé au-dessus des conflits sociaux et des rapports de pouvoir.

Ce point de vue est raffiné dans une perspective expansionniste par le général Karl Haushofer, qui était aussi géographe (on ne choisit pas ses collègues...), qui met les connaissances géographiques au service de la conquête territoriale de l'État nazi, ce qui stigmatise la géopolitique à partir de la fin de la Deuxième Guerre mondiale.

Comme conséquence de cela, ce type de géographie politique est délaissé et n'est repris que dans les écoles militaires. Il sort à nouveau sur la place publique dans les années 1960 et 1970 en Amérique latine, mais dans une nouvelle version, celle de la doctrine de la sécurité intérieure. Inspirés par cette doctrine, les militaires, représentant les oligarchies économiques et les élites politiques de leur pays, prennent l'État d'assaut et le tournent contre le peuple, soit contre ce que les oligarchies et élites considèrent comme les ennemis internes[2].

Parallèlement à ce mouvement, dès les années 1970, voit le jour une puissante géographie politique critique, qui plutôt que de contribuer à faire la guerre aux ennemis internes ou externes de l'État, cherche à dénoncer les dérives de la géopolitique. En 1976, Yves Lacoste publie un livre qui a une énorme incidence, intitulé *La géographie, ça sert, d'abord, à faire la guerre*. Dans ce livre, Lacoste montre comment les techniques géographiques sont utilisées pour mener des opérations militaires et pour mieux contrôler les citoyens sur lesquels l'État exerce son autorité. L'une des interventions les plus significatives et percutantes de Lacoste a été celle de démasquer l'utilisation des connaissances géomorphologiques par les États-Unis dans un plan de destruction systématique mais déguisée d'un réseau de digues construites pour protéger les établissements humains dans les plaines du delta du fleuve Rouge au Vietnam[3].

L'approche politico-territoriale : la géographie du pouvoir

Dans une autre perspective, celle de l'étude des rapports politiques qui assurent la cohésion et la reproduction des systèmes sociaux, émergent des analyses qui se concentrent sur la territorialité de l'exercice du pouvoir, changeant ainsi l'objet d'étude. Le centre d'intérêt se déplace alors vers l'intérieur du pays, soit vers la consistance même de l'État-nation. Une telle approche n'exclut pas l'analyse du rapport entre les États nationaux, c'est-à-dire la perspective internationale, voire mondiale. Peter Taylor (1989) disait avec raison que l'analyse des États devait se situer à l'intérieur de l'étude du système-monde. Mais elle ne s'y limite pas. Au contraire, les rapports de pouvoir structurés à l'échelle internationale influencent les conflits locaux de pouvoir, mais ne les déterminent pas.

Depuis deux décennies l'analyse du pouvoir fait appel à la notion de gouvernance. Introduite d'abord par les institutions internationales pour qualifier la «bonne» ou «mauvaise» gouvernance des États et organisations (bien sûr, en fonction de leurs codes et de leurs critères d'évaluation), la notion de gouvernance a pénétré le champ des sciences du pouvoir et, donc, de la géographie politique. Reformulée, elle permet d'expliquer l'ensemble des facteurs qui orientent les décisions des acteurs et qui relèvent

---

2. Un excellent exemple de l'utilisation de la géopolitique par les militaires latino-américains est celui du dictateur chilien Augusto Pinochet, qui a même écrit un livre intitulé *Geopolítica*.
3. Cette enquête a donné une grande autorité et notoriété à Yves Lacoste, qui a réintroduit le terme de géopolitique dans la réflexion géographique, grâce entre autres à la publication de la revue *Hérodote*.

aussi bien de leurs rapports de force que de leur culture et de leur trajectoire historique. La notion de gouvernance devient d'une utilité majeure en géographie à partir du moment où il est établi que les rapports de pouvoir ne se limitent pas à l'État[4].

On doit à des auteurs tels Claude Raffestin, Michael Dear, Kevin Cox et Jacques Lévy la démonstration de l'insuffisance du niveau étatique pour comprendre le rôle du territoire dans les rapports de pouvoir. Cette approche analyse l'influence des rapports territoriaux de pouvoir sur la vie des collectivités et des communautés, l'ancrage territorial des options politiques, les effets des divisions du travail (sociale, technique, sexuelle, spatiale) sur les rapports de pouvoir, ainsi que la répartition spatiale des opinions politiques et les délimitations et maillages façonnant le territoire. Elle ne se centre pas sur l'État, mais sur les rapports conflictuels entre les groupes qui constituent la société et entre ceux-ci et l'État.

2.1.2. L'État-nation : une structuration particulière des rapports État-territoire

L'analyse de la crise de l'État mobilise la notion de gouvernance tout en recentrant la question du pouvoir autour du rôle extérieur et intérieur de l'État. C'est que, se plaçant au centre des conflits sociaux et donc rendant cohérents et compatibles les rapports conflictuels de pouvoir dans la société, l'État avait assuré la primauté des forces centripètes sur les forces centrifuges dans les différents pays ainsi que les liens hiérarchiques et inégaux, de type centre-périphérie, entre différents États nationaux, dans un système-monde hiérarchisé, mais aux territoires emboîtés. C'est parce que l'État n'assure plus ce rôle que plusieurs auteurs parlent de crise de l'État-nation.

Certes, il peut paraître aventureux de parler ainsi alors que le nombre d'États souverains augmente sans cesse, passant d'une soixantaine en 1945 à près de 200 au tournant du millénaire. Entamée avec la décolonisation des années 1950 et 1960 en Asie et en Afrique, et accélérée avec l'éclatement de l'Union soviétique et de l'ancienne Yougoslavie, la multiplication des États souverains devrait se poursuivre[5]. D'ailleurs, des formules intermédiaires apparaissent, ce qui permet à certaines collectivités nationales de s'ériger en une sorte de « quasi-État-nation », comme c'est le cas du Québec, par exemple.

Mais la multiplication du nombre d'États indépendants, d'États nationaux, se fait dans un nouveau système-monde dominé par des organisations, des structures, des réseaux et entreprises transnationales qui limitent largement leur capacité d'exercice de la souveraineté. De larges pans de la souveraineté nationale sont transférés soit à

---

4. Sur la notion de gouvernance et son utilisation en géographie, voir les travaux de B. Jouve, notamment Jouve (2003).
5. Si l'on en croit l'article rédigé par F.G. Roussel (1996) « L'insaisissable communauté internationale », *Le Monde diplomatique*, juillet.

des structures continentales ou mondiales, soit à des collectivités infranationales, et, partant, échappent à la maîtrise des États. La crise de l'État-nation ne concerne pas l'indépendance juridique des États, mais plutôt leur capacité d'exercer les pouvoirs inhérents au concept d'État-nation, des pouvoirs qui en faisaient le principal dispositif de régulation économique et sociale de la société moderne. Les États demeurent importants, mais ils sont de moins en moins souverains, leur rôle étant dans la plupart des cas de cautionner, voire de rendre légitime leur dépossession. Comme le dit si bien Bourdieu (2001, p. 10):

> Les États ont été, paradoxalement, à l'origine des mesures économiques (de dérégulation) qui ont conduit à leur dépossession économique, et, contrairement à ce que disent aussi bien les partisans que les critiques de la politique de «mondialisation», ils continuent à jouer un rôle en donnant leur caution à la politique qui les dépossède.

2.1.3. État-nation et idéal de société

L'État-nation est associé à une vision de la société, à une conception de la citoyenneté et à la capacité de l'État d'exercer une certaine maîtrise sur l'économie de son territoire. Dans l'idée fondatrice du concept d'État-nation[6], il y a coïncidence étroite entre les limites de l'autorité de l'État et les limites de la souveraineté d'un peuple considéré comme une nation. Ces limites découpent le territoire où peuple et État se confondent. Peuple, État et territoire, solidement imbriqués, voilà les trois éléments constitutifs de l'État-nation.

Mis en œuvre d'abord par la reconnaissance de la souveraineté territoriale des États (traité de Westphalie, 1648) et ensuite par les révolutions étasunienne et française, qui donnent naissance aux deux premiers États nationaux, le modèle État-nation s'enrichit au xixᵉ siècle par l'ajout d'autres principes. Parmi eux, rappelons ceux de l'égalité juridique des citoyens, de la standardisation de la gestion du territoire, de la cohésion sociale et économique, tous des éléments qui consacrent la nationalisation du politique ainsi que la conséquente disparition progressive des particularismes internes et des régionalismes.

À partir des années 1930, le dispositif État-nation acquiert toute sa maturité en intégrant la dimension économique. Les deux vices marquants du monde économique où nous vivons, disait Keynes (1936, 1969) au sujet du capitalisme des années 1930, sont que le plein-emploi n'y est pas assuré et que la répartition de la fortune et du revenu y est arbitraire et manque d'équité. Inspirés par Keynes, les États mettent en place un modèle de croissance basé sur le marché intérieur et se dotent de mécanismes d'intervention dans le développement économique, ainsi que d'une conception de la citoyenneté qui intègre la solidarité sociale.

---

6. La conception de l'État-nation remonte au célèbre *Contrat social* de Jean-Jacques Rousseau, publié en 1762 à l'aube de la Révolution française. Dans ce livre, l'État est désigné comme l'instrument pour un ordre social plus juste par l'intermédiaire duquel le peuple doit décider collectivement de son propre destin.

Mais la mise en place d'un tel modèle ne résulte pas uniquement de l'inspiration d'un économiste. Elle est aussi, et surtout, le résultat de la confrontation des instances du pouvoir économique et politique avec des mouvements sociaux – d'abord le mouvement ouvrier, puis les «nouveaux mouvements sociaux» (mouvement des femmes, mouvements urbains, mouvements environnementaux, etc.) –, lesquels, luttant pour obtenir et maximiser des droits civiques, sociaux et économiques, ont forcé les compromis qui ont orienté la société de l'après-guerre et ont permis aux citoyens d'accumuler des acquis sociaux importants en termes de sécurité d'emploi, de protection du revenu, de services sociaux, voire d'exercice de la démocratie. L'État devient ainsi le centre des rapports sociaux dans la société moderne. Ce sont ces compromis qui structurent un mode de régulation de la société dit «fordiste» ou «de production et consommation de masse», devenu, comme le prône la stratégie de développement par étapes de Rostow (1963)[7], l'idéal de la société occidentale.

2.1.4. De Ford à Keynes: les attributs économiques de l'État-nation

Le fordisme est un mode de régulation de l'économie qui s'inspire des principes qui avaient modernisé le capitalisme au début du xxe siècle par l'intermédiaire de la combinaison d'une segmentation accrue du travail, soit le taylorisme[8], et de l'augmentation des salaires. C'est Henry Ford qui a combiné ces deux stratégies, d'où le nom de «fordisme». Les deux grandes contributions de Ford sont l'application du taylorisme à la production, qui se traduit par l'introduction de la chaîne de montage, et l'implantation d'un régime salarial qui redistribue entre les travailleurs une partie des effets financiers de la productivité, ce qui fait d'eux des consommateurs potentiels des produits Ford. Appliquée à l'ensemble de la société, la formule de Ford équivaut à une société où les hautes rémunérations dues à la production de masse permettent une consommation de masse. C'est sur ce principe que se structure le «mode de régulation[9]» fordiste et keynésien basé sur l'État et sur le territoire national.

---

7. Voir le chapitre de J.-L. Klein sur le tiers-monde dans ce même ouvrage.
8. La segmentation du travail correspond à une vision particulière de l'organisation de la production, le taylorisme, conçu par l'ingénieur F.W. Taylor afin d'augmenter la productivité des travailleurs.
9. La notion de régulation s'est imposée comme un outil analytique puissant pour expliquer l'évolution, les transformations et le déploiement du capitalisme. Michel Aglietta, auteur du livre *Régulations et crises du capitalisme* publié en 1976, pose les premiers jalons d'une école de pensée connue depuis comme l'école de la régulation. De nombreux auteurs y contribuent, parmi lesquels R. Boyer, A. Lipietz, A. Scott, M.-J. Piore, C.-F. Sabel, qui ont défini des axes particuliers à l'intérieur de cette école. Ces auteurs tentent de répondre à la question suivante: comment une cohésion sociale peut-elle émerger entre les acteurs socio-économiques dans la société capitaliste malgré les déchirements et les conflits qui la confrontent? Il en découle une vaste réflexion au sujet des mécanismes, dispositifs et stratégies qui permettent au capitalisme de se reproduire malgré ses contradictions.

Keynes soutenait que le moyen pour éviter les crises économiques était le plein-emploi. Or, ajoutait-il, l'emploi dépend de la production et la production dépend de la demande. Ainsi, plus la demande est forte, plus on augmente les niveaux de production et, donc, plus il y a d'emplois. Selon cette perspective, la clé pour créer l'emploi réside dans les investissements; or les investissements dépendent du niveau de consommation. La solution est donc simple: il faut augmenter la consommation, celle des individus, mais aussi celle des entreprises, afin de créer une dynamique progressive d'investissement et de création d'emplois. Mais ni les individus ni les entreprises n'augmentent leur niveau de consommation de façon spontanée, disait Keynes. Il fallait donc qu'ils soient poussés à consommer. Il fallait encourager les individus et les entreprises à augmenter la part de leurs revenus destinée à la consommation. C'est essentiellement cet objectif que poursuit l'intervention de l'État inspirée par Keynes.

D'abord, en multipliant ses opérations, son personnel, ses interventions, l'État se révèle un consommateur de premier niveau, tout en influant sur le niveau général des salaires, un autre facteur qui permet d'augmenter la consommation. En deuxième lieu, les politiques de redistribution du revenu et de sécurité sociale permettent d'augmenter le nombre de personnes susceptibles de consommer. En troisième lieu, par des barrières tarifaires ou par des programmes d'appui à l'investissement, l'État applique des politiques de protection de la production nationale et limite les effets de la concurrence extérieure. Puis, en quatrième lieu, par des programmes d'aménagement du territoire, l'État modernise les régions les plus pauvres, surtout les régions rurales et généralise donc la consommation à tout le territoire créant un espace de consommation « mur à mur ». Ainsi, l'État crée les conditions d'une augmentation progressive de la croissance dans la mesure où les effets des investissements publics se traduisent à la longue par l'augmentation des emplois dans un pays, par l'intensification du marché national et par l'augmentation des revenus aussi bien des travailleurs que des entreprises, tout cela évidemment dans les limites du territoire national. C'est ainsi que se crée ce qui est appelé le « marché intérieur ».

Complété par des composantes économiques et sociales, l'État-nation devient donc un modèle associé à la croissance des pays industrialisés et à la consommation de masse. Il n'est donc pas étonnant qu'on en ait fait la base d'une approche de développement, adressée d'abord au tiers-monde, basée sur l'imitation des pays qui l'appliquaient pleinement (Rostow, 1963). Plusieurs options (libéralisme, social-démocratie, socialisme), aux objectifs pourtant opposés mais, toutes, marquées par la foi en la capacité de l'État d'assurer l'affirmation nationale, convergent vers cette approche.

2.1.5. Le contexte géopolitique d'après-guerre légitimise la place de l'État

Il s'est ainsi construit un système de régulation « statocentré » à l'échelle mondiale, où l'État était le centre des rapports sociaux et où celui-ci assurait l'ordre public et détenait le monopole de la « violence légitime ». Ce système a été conforté par la dynamique géopolitique mondiale de l'après-guerre, largement déterminée par la guerre froide. Aussi bien l'Occident que le bloc de l'Est étaient des alliances étatiques, qui mobilisaient des gouvernements et des armées. Les relations des principales puissances de ces deux blocs avec les pays du tiers-monde, de création récente dans plusieurs cas, étaient des relations entre États. Aussi, la géoéconomie mondiale était imbriquée dans une géopolitique qui légitimait et renforçait le pouvoir des États et, du coup, la place des territoires nationaux. Pourtant, dès la fin de la guerre, et même avant, s'étaient mis en place des organisations, celles de Bretton Woods et leurs organisations dérivées, dont l'objectif était d'amorcer un processus menant à une gouverne politique et économique mondiale. On peut ainsi faire l'hypothèse que la guerre froide a ralenti ce processus, lequel s'accélère dès l'implosion de l'Union soviétique et du bloc socialiste.

2.1.6. La crise de l'État-nation provoquée par la mondialisation

La crise de l'État-nation n'est pas l'œuvre de la fatalité. Elle résulte de la mise en œuvre d'une stratégie économique et politique qui rend les États nationaux incapables d'assurer la souveraineté économique et même politique sur leur territoire, et qui rend caduque la stratégie keynésienne de croissance. Les investissements tendent à privilégier la technologie, ce qui réduit les emplois, et la mondialisation dissocie la géographie de la consommation, celle des investissements et celle de l'emploi. La consommation d'un produit particulier au Canada peut se traduire par la mise en valeur de capitaux européens et par la création d'emplois en Asie.

Cela amène les États à revoir leurs priorités. Les programmes sociaux, l'utilisation des fonds publics pour rendre les citoyens solvables et accroître ainsi la consommation et l'appui économique aux régions en difficulté – qui constituaient en fait des investissements car le tout visait la croissance des revenus et de l'emploi sur le territoire national – deviennent des fardeaux dans la mesure où leurs effets ne se font plus sentir nécessairement à l'intérieur des territoires nationaux. Poussés par les grandes puissances économiques, c'est-à-dire les grandes firmes, les principaux capitaux et les institutions représentatives des grands holdings internationaux, les États s'engagent dans un processus de mondialisation qui finit par rendre impossible l'exercice de la souveraineté et qui remet en question le concept même de citoyenneté associé à l'État-nation.

2.2. La mondialisation : un processus, un projet ou les deux ?

La mondialisation est un phénomène complexe. Elle a une forte profondeur historique mais présente des spécificités contemporaines qui permettent de distinguer la situation actuelle, en cours depuis 1980, des situations précédentes. Le concept de mondialisation désigne la création d'un espace-monde structuré en réseaux. Ces réseaux sont de divers ordres (financier, technologique, productif) et sont favorisés par les technologies de l'information et de la communication, lesquelles réduisent les distances géographiques. Il en résulte un espace-monde à la fois unifié et atomisé, qui se superpose, voire se confronte aux territoires nationaux.

Plusieurs perspectives ont été mises de l'avant pour évaluer les effets de la mondialisation. Pour les uns, elle crée de nouvelles richesses et ouvre de nouvelles perspectives d'avenir. Pour d'autres, elle crée de la pauvreté et de l'exclusion. Et ne sont pas rares ceux qui pensent que la mondialisation crée des occasions extraordinaires mais que le problème réside justement dans le fait qu'elle en exclut une partie de la planète. Cette perspective est à la base d'un mouvement qui exige une mondialisation plus juste: c'est ce qui est désigné comme «altermondialisation».

Dans l'analyse de la mondialisation, il est important de distinguer deux dimensions. Il y a d'une part sa dimension historique, qui est le résultat de diverses trajectoires et connaît des avancées et des reculs, et qui crée des ponts entre les diverses collectivités de la planète. Cette dimension est mise en place par les divers flux de communication, de capitaux, de services, de biens et de personnes qui rendent perméables les barrières nationales et effacent les limites entre les différentes économies nationales. Ainsi vue, la mondialisation est liée à l'évolution du capitalisme qui, dès le début, même dans ses premières phases, prône l'internationalisation.

D'autre part, il y a la dimension projective, par laquelle certains pays et organisations politiques et financières mettent en œuvre les conditions qui permettent de gérer le monde de façon unifiée. La gestion globale du monde prend place à la suite de la constitution d'un système international dont les règles, les valeurs, les objectifs sont unifiés. Ce système est dominé par les marchés financiers et leurs institutions et échappe de plus en plus aux contraintes opposées par les institutions politiques nationales et même à celles fonctionnant à l'échelle mondiale (telles que l'OIT et le PNUD, par exemple). Il impose de nouvelles modalités de régulation dont la principale caractéristique réside dans la primauté du marché des capitaux et des marchandises. Réduisant de plus en plus le rôle interventionniste de l'État, les institutions internationales renouent avec le «laisser-faire» qui caractérisait le capitalisme dans ses formes classiques d'avant Keynes, et, surtout, imposent le «laisser-passer», c'est-à-dire la prééminence du marché mondial sur les économies nationales.

Dans tous les cas, la mondialisation se traduit par l'emprise du système économique capitaliste sur l'ensemble du globe et, donc, par la diffusion planétaire de ses valeurs morales et culturelles, et ce, malgré la diversité géographique et les fractures qui caractérisent l'espace-monde.

2.2.1. Les jalons historiques

—Certes, le monde actuel est beaucoup plus interrelié et interdépendant que celui de jadis, mais il serait erroné de penser que l'internationalisation de l'économie est récente. En fait, elle s'est construite de façon progressive. Elle résulte de l'expansion du système capitaliste dans l'espace économique mondial. La mondialisation présente plusieurs facettes, qui se structurent d'ailleurs à travers des phases historiques distinctes, mais qui ont toutes laissé des traces dans le territoire même si l'une d'entre elles apparaît aujourd'hui comme dominante.

Les empires coloniaux et la division internationale du travail

Les antécédents de la mondialisation se trouvent dans les empires coloniaux des XVIe, XVIIe et XVIIIe siècles. Le commerce entre les métropoles européennes et les colonies d'outre-mer, y compris le commerce triangulaire (armes et produits manufacturés européens ; esclaves africains ; matières premières américaines), a contribué à la formation des capitaux nécessaires à la révolution industrielle qui, à partir de l'Angleterre, à la fin du XVIIIe siècle, s'étend vers l'Europe et l'Amérique du Nord. Mais le premier empire commercial de nature mondiale a été l'Empire britannique du XIXe siècle, que l'Angleterre a d'ailleurs ardemment protégé en contrant toute tentative de limiter la circulation de ses navires et de ses produits, et en se battant contre tout projet de protection des territoires nationaux[10].

C'est à partir de cette époque d'ailleurs que se structure la première «division internationale du travail», conformément à l'argumentation célèbre de David Ricardo au sujet des «avantages comparatifs» que représentait la spécialisation de l'Angleterre dans l'activité industrielle du textile et celle du Portugal dans la production du vin. Il s'établit ainsi deux régimes de développement, l'un pour les économies spécialisées dans des secteurs industriels, comportant de hauts niveaux d'investissement ainsi que l'application de technologies avancées, et l'autre pour les économies spécialisées dans des productions de matières premières minières ou agricoles pour fins d'exportation, comportant des technologies faibles et des revenus modestes. La première division internationale du travail façonne la division économique du monde et annonce la différenciation entre le développement et le sous-développement, voire entre les pays considérés comme riches et le tiers-monde.

---

10. Comme le prouve la confrontation avec le Paraguay qui, au milieu du XIXe siècle, a voulu poser des contraintes à la navigation sur son réseau fluvial. Le Royaume-Uni a encouragé une alliance entre le Brésil, l'Argentine et l'Uruguay contre le Paraguay. Il en a résulté une guerre, dite de la Triple alliance, qui a détruit le Paraguay. Conséquement à cette guerre, ce pays s'est vu imposer l'ouverture de son réseau fluvial à la navigation. Sur cet épisode, voir Galiano (1971).

Les sociétés multinationales et le développement inégal

Une deuxième phase du parcours qui mène à la mondialisation économique se trouve dans la constitution de grandes entreprises, des monopoles qui deviendront vite multinationaux. De grandes firmes monopolistiques, dont les capitaux provenaient des pays industrialisés enrichis par les conséquences de la première division internationale du travail, se forment d'abord pour assurer l'exploitation des matières premières et ensuite pour bénéficier des avantages de la situation monopolistique. Plusieurs cas classiques illustrent les effets de ce type de firmes mais probablement le plus clair, parce que caricatural, est celui de la United Fruit, une entreprise étasunienne qui, dans la première moitié du XXᵉ siècle, constitue un véritable empire en Amérique centrale et dans les Caraïbes. Comme son nom l'indique, cette entreprise s'occupait de l'exportation de fruits, notamment des bananes. Les pays où s'implantait cette entreprise n'avaient aucun pouvoir. Et, dans tous les cas, pour garantir le respect de ses intérêts, avec l'appui d'ailleurs du gouvernement des États-Unis, elle contrôlait toute leur vie, y compris leur vie politique. C'est de cette situation qu'est née l'expression caricaturale de « République de bananes » que l'on emploie parfois pour designer les pays de l'Amérique centrale et qui traduit ce qui est, encore aujourd'hui, la situation politique de bien des pays pauvres.

La domination des sociétés multinationales sur les pays « pauvres » du monde a eu plusieurs effets déstructurants. Le premier réside sans doute dans la profonde inégalité créée entre des pays dont l'exploitation des ressources ne laisse que très peu de retombées locales et ceux où s'accumulent et s'investissent les profits tirés de l'exploitation de ces ressources. Le deuxième, tout aussi important, réside dans les différences spatiales et sociales créées à l'intérieur des pays où opèrent ces entreprises. Là se structurent deux secteurs économiques. Le premier est tourné vers l'exportation, attire des investissements et dispose de moyens, structurant ainsi le territoire selon ses besoins, surtout en ce qui concerne les structures urbaines et de transport. Le second est tourné vers la production locale et dispose de très peu de moyens. La structure actuelle des transports ferroviaires en Amérique latine ou en Afrique, centrée sur les grands centres administratifs et d'exportation, constitue un héritage de cette phase.

Cette situation explique la formation de ce qu'on a appelé la division centre-périphérie, qui complète la notion de division internationale du travail. Ces notions s'insèrent dans l'approche du développement inégal élaborée dans les années 1970 pour expliquer l'existence de pays riches et de pays pauvres dans le monde, par des auteurs tels que Samir Amin. Cette approche distingue deux situations. D'une part, il y a les centres, soit les zones où s'accumule la richesse. La principale caractéristique des centres réside dans le fait que leur économie est autocentrée, c'est-à-dire que les orientations, choix et spécialisations économiques répondent à des intérêts nationaux. D'autre part, il y a les périphéries, constituées par les espaces dont la richesse est transmise au centre, soit directement par les sociétés sous forme de profits, soit indirectement à travers le commerce. La caractéristique principale des périphéries réside dans l'extraversion économique et, donc, politique, car, dans les faits, la gestion de la société, dans leur cas, répond à des intérêts extérieurs, ce qui modèle et conditionne les situations politiques internes et la capacité d'action des gouvernements.

La mondialisation des marchés : l'internationalisation de la finance et de la production

La phase contemporaine de la mondialisation réside dans l'internationalisation de la finance et de la production, ainsi que dans le pouvoir accru des grandes firmes.

La mondialisation financière et l'économie spéculative

Le marché financier est de plus en plus concentré. Le pouvoir financier est détenu par les grandes sociétés d'assurances, les grandes banques internationales, les administrations de caisses de retraite, c'est-à-dire des organismes qui jouissent d'une grande mobilité et qui parcourent le monde à la recherche des meilleures conditions de rentabilité. L'émergence et la constitution d'un capital financier plus mobile que les entreprises multinationales ou que les banques traditionnelles, ayant la capacité de faire basculer une économie nationale ou une monnaie nationale « dans le temps de le dire » (et ce n'est pas une figure de style comme le montrent la crise mexicaine de 1994, celle de la Thaïlande en 1997 et celle de l'Argentine en 2001), contribuent à la structuration d'une économie rentière et spéculative.

Le libre-échange imposé par les grandes entreprises et par les États les plus puissants, à travers des organisations telles que le General Agreement on Tariffs and Trade (GATT), devenu l'Organisation mondiale du commerce (OMC) en 1995, consacre l'ouverture économique et la disparition progressive des barrières entre les pays. Dans une économie « re-réglementée » afin de garantir la mobilité des capitaux, où dominent les grosses firmes, les possibilités des États d'élaborer une politique macroéconomique nationale disparaissent, notamment en ce qui concerne la valeur de la monnaie, la détermination des taux d'intérêt et les stratégies de développement.

Le libre-échange, l'orthodoxie financière et les institutions qui les protègent, telles que le Fonds monétaire international (FMI) par exemple, obligent les États à se conformer aux forces du marché et à mettre en place des programmes d'ajustement structurel de façon à assurer la confiance et la stabilité nécessaires à la mise en valeur des capitaux selon un mode spéculatif.

Les réseaux productifs et les systèmes locaux

La mondialisation ne concerne pas que les marchés ou les capitaux financiers. Elle concerne aussi la production – et c'est probablement en cela que réside l'un des aspects distinctifs de sa phase actuelle –, ce qui modifie la structure spatiale des rapports sociaux et économiques à l'intérieur des pays. Chaque phase de la production, c'est-à-dire l'investissement, la fabrication et la mise en marché, prend des configurations réticulaires. Or il ne s'agit pas d'un réseau unidimensionnel. Chacune de ces phases configure une spatialité délimitée territorialement de façon différente. Les hiérarchies spatiales marquées par des rapports centre-périphérie de type national sont éclipsées par la configuration de réseaux interurbains souvent transnationaux qui visent la création de nouveaux espaces productifs. Les centres de certains pays deviennent les périphéries des nouveaux centres mondiaux qui monopolisent les échanges, l'accumulation de la richesse et le pouvoir de décision.

Alors que dans le monde des investissements le capital financier agit sans contrainte territoriale, en temps réel à travers les principaux milieux boursiers de la planète, l'univers de la fabrication demeure soumis à des contraintes territoriales. Cela explique en partie la délimitation d'espaces productifs à des échelles différentes. D'une part, à une échelle continentale, se configurent des espaces qui permettent aux capitaux de structurer des réseaux productifs internationaux. D'où la signature de l'Accord de libre-échange nord-américain (ALENA) entre les États-Unis, le Canada et le Mexique, qui a un effet sur toutes les entreprises et collectivités locales nord-américaines. Il se configure aussi des espaces locaux où la proximité physique combinée à la proximité relationnelle entre des donneurs d'ordres et des fournisseurs (partenaires, sous-traitants) favorisent les interrelations productives et permettent l'émergence de systèmes productifs locaux.

L'exemple le plus percutant des nouveaux espaces de production performants et de haute technologie est sans doute celui de la Silicon Valley. Des milliers de petites et moyennes entreprises fabriquant des microprocesseurs et des composantes électroniques, attirées par la proximité de l'Université de Stanford, par la qualité de l'environnement, ainsi que par les multiples liens et réseaux de production et de recherche, se sont établies dans la vallée de la rivière Santa Clara, en banlieue de San Francisco, constituant ainsi le modèle d'un développement urbain et industriel qui a lieu en banlieue des agglomérations urbaines. Plusieurs villes étasuniennes du *Sun Belt*, telles que San Diego, Los Angeles, Phoenix, Dallas ou Denver, ainsi que les anciennes villes industrielles en voie de reconversion, telles que Pittsburgh ou Boston, et plusieurs régions canadiennes, se structurent en prenant comme exemple la Silicon Valley, constituant de véritables districts productifs où des entreprises et des communautés de citoyens agissent en étroite interaction.

Les collectivités locales sont ainsi insérées dans des espaces productifs où, si elles veulent influencer la création d'entreprises et d'emplois, elles se doivent d'offrir des avantages comparatifs. Ceux-ci peuvent concerner divers aspects de la production. Ils peuvent porter sur les matières premières, découlant ainsi de conditions associées aux avantages comparatifs naturels. Ils peuvent aussi porter sur des conditions socialement construites, porteuses de valeur ajoutée dans la fabrication, telles que la main-d'œuvre, les réglementations socioéconomiques ou environnementales, l'environnement institutionnel et organisationnel, la recherche technologique, la qualité de vie, les infrastructures de transport et de communication, et, bien entendu, la disponibilité d'incitatifs publics.

Dans ce contexte, de nouveaux espaces financiers et productifs émergent, bouleversant l'organisation spatiale nationale, et ce, sans qu'il y ait une relation directe entre eux et l'ensemble du territoire national auquel ils appartiennent. Il s'agit de véritables mailles de l'économie mondialisée qui, en même temps, montrent les caractéristiques de la nouvelle économie-archipel qui se superpose aux économies nationales.

2.2.2. Les nouveaux territoires de l'économie mondialisée

Mondialisation ne veut pas dire marché unique et uni, bien au contraire. Des géants tels que le Japon, l'Europe, les États-Unis et, depuis quelques années, la Chine s'affrontent dans un monde multipolaire. Les nouveaux agencements géopolitiques mondiaux, les nouvelles exigences de la concurrence internationale, l'élargissement des marchés, l'accroissement des capacités productives des entreprises dû aux innovations technologiques, autant de facteurs qui modifient la structure des territoires nationaux en réduisant et en transformant le rôle des frontières, en renversant les hiérarchies spatiales nationales et en créant de nouveaux cadres géographiques, et ce, en ce qui concerne aussi bien la gestion des sociétés que l'organisation de la production.

La mondialisation des marchés et l'intégration géopolitique

En s'associant avec des partenaires commerciaux dans le cadre d'ententes de type continental comme l'Accord de libre-échange nord-américain, l'Union européenne, le Marché commun du Sud (Mercosur) et autres, les principales puissances commerciales se donnent les bases territoriales qui permettent à leurs entreprises de se protéger dans le contexte d'une concurrence chaque jour plus féroce. Ces ententes créent les conditions pour accroître la rentabilité des investissements (du capital) et pour répondre aux nouvelles conditions de la concurrence internationale.

L'intégration continentale cherche à élargir les marchés pour permettre aux entreprises de devenir plus compétitives et ainsi de mieux affronter la concurrence internationale. Opérant dans des espaces élargis, les entreprises bénéficient de deux grands atouts. D'une part, parce qu'elles ont accès à des marchés plus grands, elles peuvent réaliser des économies d'échelle, soit réduire le coût de production unitaire de leurs produits grâce à l'augmentation du nombre d'unités produites. D'autre part, puisqu'elles n'ont plus de frais de douane, elles peuvent plus facilement organiser la production sur une base internationale, comme le montre le cas du secteur de l'automobile, maximisant ainsi les avantages (qualité et prix de la main-d'œuvre, fournisseurs de matières premières, pièces et services, connaissances et recherche-développement, etc.) offerts par divers lieux, sans égard à leur situation nationale.

L'intégration continentale suit deux grands modèles : le modèle nord-américain et le modèle européen. Le modèle nord-américain mis en œuvre par l'Accord de libre-échange nord-américain (ALENA), en vigueur depuis le 1er janvier 1994 entre les États-Unis, le Canada et le Mexique, est limité. Il ouvre les frontières à la circulation des biens et services et à celle des capitaux, mais ne concerne pas la main-d'œuvre. Ainsi, les entreprises ont la liberté de se déplacer à la recherche de meilleures conditions de productivité et de rentabilité, mais la main-d'œuvre, elle, demeure contrainte à son espace national. La principale conséquence de cela réside dans le fait que les énormes disparités salariales existant entre le Mexique et ses deux partenaires vont rester relativement stables pendant une longue période, même si l'augmentation du pouvoir d'achat de la main-d'œuvre mexicaine représente un espoir caressé par les entreprises étasuniennes et canadiennes. Évidemment, cela fait une pression sur les travailleurs du Canada et des États-Unis, qui se voient souvent contraints à négocier leurs conditions salariales sous la menace que constitue la mobilité accrue de l'entreprise. Par ailleurs, l'ALENA s'est doté d'une structure de gestion très faible, et les conflits se soldent par des arbitrages judiciaires selon une réglementation qui, notamment le chapitre 11 du traité, protège les intérêts des capitaux face aux États[11].

Le modèle européen est complètement différent. D'une part, à la circulation des biens, services et capitaux, l'Union européenne ajoute celle des personnes, ce qui change complètement la donne. Et, d'autre part, elle s'est dotée d'une superstructure politique et économique qui comprend un parlement élu, une monnaie unique, une politique concertée de gestion de l'immigration et des organismes d'appui au développement des territoires en difficulté. À bien des égards, l'Union européenne agit comme un espace fédératif mis en place pour assurer un contrôle politique des forces qui structurent la mondialisation à une échelle où celles-ci peuvent trouver un équilibre (Dussouy, 2001)[12].

Les territoires virtuels et le « cybermonde »

Facteur par excellence de la mondialisation, les technologies de l'information et de la communication rendent perméables les barrières territoriales et structurent un espace global. « Cyberespace », « âge des télécommunications », « Galaxie Internet », « cybermonde », voilà quelques-unes des appellations clés pour entrer dans la nouvelle géographie issue de ce que Kotkin (2000) appelle « la révolution numérique ». Mais, il importe de souligner que cette nouvelle géographie ne se réfère pas à un espace déterritorialisé. Alors que certains annonçaient l'abolition des contraintes territoriales comme résultat des TIC, la réalité a montré que les identités locales constituent un facteur clé de la construction des réseaux informationnels. Les identités locales se projettent dans

---

11. Comme le montre bien M. Gutiérrez Haces (2004).
12. Cette dimension politique de l'Union européenne subsiste, même si le projet de constitution européenne n'a pu être adopté. Sur l'Union européenne, voir le chapitre 7.

le cyberespace, comme le montre une étude sur les sites Web dans les régions du Québec (Fortin et Anderson, 2004). Comme toute innovation technologique, les TIC génèrent donc un double processus de déstructuration et de restructuration territoriales (sur Internet et le territoire, voir la capsule 2A, p. 73).

Les TIC contribuent à la structuration d'un espace mondialisé où l'offre et la demande d'information réunissent les secteurs solvables de la planète. Mais cet espace n'est ni continu ni universel. Il n'est pas continu parce qu'il fonctionne en réseaux superposés. Seules les collectivités qui arrivent à se constituer en nœuds importants, en points d'ancrage de réseaux multiples, en tirent vraiment profit pour leur développement économique. Et il n'est pas universel parce qu'il exclut les populations pauvres de la planète (Mattelart, 1995), concentrées essentiellement dans les zones stationnaires ou régressives de ce qu'on appelait jadis le tiers-monde[13], mais aussi dans les zones d'exclusion présentes dans les pays considérés comme riches (Fontan, Klein et Lévesque, 2003).

« À l'instar de ce qu'a été la construction progressive de l'économie-monde, l'évolution vers une communication-monde planétaire suscite de nouvelles disparités entre pays, régions ou groupes sociaux. Elle est à l'origine de nouvelles exclusions. En rejetant une partie de l'humanité vers les périphéries, elle risque d'entraîner la planète vers une économie et une communication à deux vitesses », annonçait A. Mattelart au début des années 1990 (1995, p. 14). Les chiffres sur la pénétration d'Internet dans les différents pays du monde indiquent que le constat de A. Mattelart est toujours valide.

Les territoires d'exclusion

Mondialisation et intégration ne veulent donc pas dire équité, bien au contraire. La mondialisation a apporté la richesse aux uns, mais elle a consolidé la pauvreté dans de vastes régions de la planète. Le Rapport du développement humain publié en 2010 établit que 1,44 milliard de personnes souffrent de pauvreté monétaire, vivant avec moins de 1,25 dollar par jour. Ce chiffre augmente à 1,75 milliard lorsque l'on considère l'indice de pauvreté multidimensionnelle présenté dans ce rapport, lequel concerne la santé, l'éducation et le niveau de vie. Toutes les régions du monde sont concernées par la pauvreté, mais elle est plus présente en Asie du Sud, en ce qui concerne le nombre, et en Afrique subsaharienne, au regard du pourcentage de la population. Cette distanciation progressive entre le monde des riches et le monde des pauvres ne se limite pas qu'aux revenus. Elle concerne aussi la part des pays pauvres dans le commerce international, qui ne cesse de décroître, et leur niveau d'endettement, qui ne cesse de monter. Et la prétendue « aide au développement » n'a aucunement diminué la situation angoissante dans laquelle se trouvent les pays les plus pauvres (voir Rapport du PNUD, 2010).

---

13. Voir le chapitre 3 sur le tiers-monde.

Il ne faudrait donc surtout pas conclure de l'analyse de la mondialisation et de l'attention qu'attirent les nouveaux pays industrialisés que tous les pays du monde en sortent gagnants. Bien au contraire, au-delà des pays traditionnellement considérés comme riches et de certaines régions des pays considérés comme émergents, la mondialisation n'inclut que des espaces très limités excluant une vaste partie du monde qui stagne au plan économique, quand elle ne régresse pas, et qui, avec la crise financière de 2008, semble destinée à s'étendre. Visiblement, la croissance sans précédent du commerce mondial et de la production de biens entraînée par la mondialisation s'est faite sans la participation des plus pauvres.

2.3. Pour une lecture multiscalaire de l'espace-monde

La mondialisation a amorcé la structuration d'un espace-monde réticulaire où les sociétés arrivent difficilement à retrouver les agencements spatiaux qui pourraient leur permettre de reconstruire les liens sociaux indispensables au bon fonctionnement des systèmes politiques. La mondialisation a mis en œuvre une nouvelle territorialité où les responsabilités jadis assumées par l'État-nation se désagrègent et sont assumées par des institutions et organisations fonctionnant à diverses échelles, dans une dynamique où les pouvoirs politiques tendent à s'incliner face aux pouvoirs économiques. En fait, les intérêts économiques priment souvent sur les intérêts politiques et sociaux, même à l'intérieur des structures étatiques, ce qui explique les diverses «réingénieries» gouvernementales.

Mais l'échelle mondiale n'est pas la seule à l'œuvre dans l'espace-monde mis en place par la mondialisation. S'il est vrai que la mondialisation englobe toute la société à l'échelle de la planète, ne serait-ce que pour mieux en exclure une partie importante de la répartition de la richesse, il est aussi vrai que d'autres agencements spatiaux, tels les États nationaux ou les espaces locaux, sont aussi à l'œuvre, avec leurs propres caractéristiques et leurs propres logiques, lesquelles sont certes «informées» par la logique de la mondialisation, mais ne disparaissent pas pour autant. Au contraire, elles se renforcent. C'est notamment la situation de l'échelle locale. Ainsi, si l'on veut comprendre la nouvelle carte de la mondialisation, il faut, plus que jamais, combiner plusieurs échelles et plusieurs niveaux d'analyse.

Il y a d'abord l'«échelle mondiale» où se constituent les nouvelles institutions qui régulent l'action des États. Aux institutions classiques, créées au sortir de la Deuxième Guerre mondiale en vertu des ententes de Bretton Woods (signées en 1944 au New Hampshire) mais dont la fonction a nettement évolué, telles que l'Organisation des Nations Unies, avec ses nombreux organismes sectoriels et régionaux, la Banque mondiale, le Fonds monétaire international et l'Organisation mondiale du commerce, héritière de l'ancien GATT, s'ajoutent des organismes informels mais puissants, tels que le Groupe de Davos, et même certains groupes de pression qui se font les porte-parole de certains mouvements sociaux, tels que le mouvement écologiste, le mouvement des peuples autochtones ou le mouvement des femmes.

Il y a ensuite l'« échelle continentale » ou semi-continentale. Cette échelle concerne les espaces formés par des traités d'intégration économique (ALENA, Union européenne, ASEAN en Asie du Sud-Est, Mercosur en Amérique latine, etc.) mis en place par les différents pays pour affronter de façon plus favorable la compétition accrue provoquée par la mondialisation des échanges. C'est en fait à cette échelle que se structure cette mondialisation des échanges, laquelle oppose des blocs économiques qui luttent pour l'hégémonie mondiale.

Il y a aussi l'échelle des États nationaux, qui conservent des responsabilités et pouvoirs importants aux plans économique et politique et, bien sûr, militaire, mais qui de plus en plus agissent sous l'encadrement des institutions supranationales ou réagissent à des pressions internationales. Les États sont encore au centre des relations de pouvoir entre les différents acteurs sociaux et, en fonction de ces rapports, orientent le développement de leur société et de leur économie. L'État est au centre de la sphère publique et, dans cette mesure, il constitue la scène de la régulation des rapports politiques. Il aura à gérer les rapports de l'économie globalisée et des sociétés nationales atomisées, et, partant, à assurer l'équité entre des citoyens et des milieux locaux dont les actions collectives se définissent de plus en plus en fonction de leurs problèmes immédiats et de moins en moins en fonction des collectivités nationales.

En quatrième lieu, il y a l'échelle régionale qui se structure par l'émergence de nouvelles formes de pouvoir tantôt en relation avec la diversité nationale (c'est-à-dire cohabitation de plusieurs nations) de certains pays, comme en Belgique, en Espagne, en Russie et au Canada, tantôt comme expression de la désolidarisation de certaines régions riches par rapport à l'ensemble de la collectivité nationale, comme en Chine ou au Brésil, et tantôt comme résultat de la mobilisation sociale de communautés, ethniques ou pas, qui se révoltent contre les inégalités sociales (Mexique, Indonésie, Inde). Certaines structures économiques régionales sont même transfrontalières, comme c'est le cas de l'intégration progressive de l'économie du nord du Mexique et celle du sud des États-Unis. C'est à cette échelle qu'a lieu la décentralisation, phénomène présent dans la plupart des pays et qui consiste en un transfert de certaines responsabilités étatiques à des collectivités plus proches du citoyen, notamment en ce qui concerne l'offre de services sociaux et le développement.

Et, en cinquième lieu, il y a l'échelle locale. Cette échelle concerne les agglomérations urbaines et espaces ruraux où se structurent des liens privilégiés entre les citoyens et leur milieu (milieu municipal, districts productifs, quartiers des grandes métropoles, milieux urbains recomposés). Plusieurs tendances jouent dans la structuration d'une échelle locale. Il y a, d'une part, l'émergence de nouveaux espaces urbains, généralement en périphérie des métropoles, qui s'insèrent dans l'espace mondial en attirant des investissements et de nouvelles technologies, créant ainsi des milieux technopolitains innovateurs (tels que la Silicon Valley aux États-Unis et Sophia-Antipolis en France). Il y a aussi des collectivités moins urbanisées, ce qui inclut les petites et moyennes villes, qui réussissent à mettre en valeur le savoir-faire local et qui s'insèrent aussi dans l'économie mondiale (telles que l'Émilie-Romagne en Italie ou la Beauce au Québec). Et il y a les zones en déclin, déclassées par les changements technologiques et par les restructurations sociospatiales et politico-territoriales provoquées par la mondialisation, où, tantôt avec succès, tantôt en vain, des collectivités cherchent à se reconvertir ou se mobilisent pour conserver la viabilité de leur habitat, comme c'est le cas pour nombre de collectivités urbaines ou rurales au Québec, par exemple.

C'est à cette échelle, à l'échelle locale, que se reconstruisent les liens sociaux fragmentés par la crise de l'État-nation et que se forgent des identités où la proximité géographique prime sur les distances sociales. C'est aussi à cette échelle que prennent forme le développement local et l'exercice de l'économie sociale.

Le citoyen du XXIe siècle sera un citoyen du monde, nous dit-on. Sa responsabilité est donc accrue. Il lui reviendra de reconstruire les liens sociaux brisés par la mondialisation en combinant le local et le mondial, l'individuel et le social, le privé et le public. Il lui reviendra la responsabilité de réenchâsser l'économie dans la société, ce qui signifie délimiter les espaces efficaces pour protéger le citoyen, mais dans une perspective mondiale d'équité. Dans cette perspective, la contribution de la géographie s'avère cruciale. Construire des espaces sociaux pouvant regrouper des forces capables d'agir en contrepoids aux forces du marché, délimiter les territoires de l'action collective et réduire les inégalités internationales et interrégionales, voilà qui constitue un vaste programme.

Bibliographie

AGLIETTA, M. (1976). *Régulations et crises du capitalisme. L'expérience des États-Unis*, Paris, Calmann-Lévy.

AMIN, S. (1973). *Le développement inégal. Essai sur les formations sociales du capitalisme périphérique*, Paris, Minuit.

BADIE, B. (1995). *La fin des territoires. Essai sur le désordre international et sur l'utilité sociale du respect*, Paris, Fayard, coll. «L'espace politique».

BEAUD, M. (1997). «Soumission croissante des sociétés à l'économie: fatalité économique ou responsabilité humaine?», dans J.-L. KLEIN, D.-G. TREMBLAY et H. DIONNE (dir.), *Au-delà du néolibéralisme*, Québec, Presses de l'Université du Québec, p. 49-61.

BEAUD, M., O. DOLLFUS, C. GRATALOUP, P. HUGON, G. KEBADJIAN et J. LÉVY (1999). *Mondialisation: les mots et les choses*, Paris, Karthala.

BOURDIEU, P. (2001). *Contre-feux 2. Pour un mouvement social européen*, Paris, Raisons d'agir.

BOYER, R. et P.-F. SOUYRI (2001). *Mondialisation et régulations. Europe et Japon face à la singularité américaine*, Paris, La Découverte.

BRENNER, N. (1999). «Globalization as reterritorialization: The re-scaling of urban governance in the European Union», *Urban Studies*, vol. 36, n° 3, p. 431-451.

BRUNET, R. et O. DOLLFUS (dir.) (1990). *Mondes nouveaux*, Paris et Montpellier, Hachette et GIP Reclus, coll. «Géographie universelle».

CARROUÉ, L. (2002). *Géographie de la mondialisation*, Paris, Armand Colin.

CASSEN, B., L. HOANG-NGOC et P. -A. IMBERT (1999). *Contre la dictature des marchés*, Paris, La Dispute.

CASTELLS, M. (1996). *La société en réseaux. L'ère de l'information*, Paris, Fayard.

CASTELLS, M. (2002). *La galaxie Internet*, Paris, Fayard.

CORREA SERRANO, M.-A. et R. GUTIÉRREZ RODRIGUEZ (2002). *Tendencias de la globalizacion en el nuevo milenio*, Mexico, Universidad autonoma metropolitana.

COX, K. (1997). *Spaces of Globalization, Reasserting the Power of the Local*, New York, The Guilford Press.

DOLLFUS, O. (1997). *La mondialisation*, Paris, Presses de Sciences Po.

DURAND, M.-F., J. LÉVY et D. RETAILLÉ (1992). *Le monde: espaces et systèmes*, Paris, Dalloz et Presses de la Fondation nationale des sciences politiques.

DUSSOUY, G. (2001). *Quelle géopolitique au XXIe siècle?*, Bruxelles, Éditions Complexe.

FONTAN, J.-M., J.-L. KLEIN et B. LÉVESQUE (2003). *Reconversion économique et développement territorial: le rôle de la société civile*, Québec, Presses de l'Université du Québec.

FORTIN, A. et D. ANDERSON (2004). *Espaces et identités en reconstruction: le WEB et les régions du Québec*, Québec, Nota Bene.

GALIANO, E. (1971). *Las venas abiertas de America Latina*, Mexico, Siglo veintiuno editores.

GUTIÉRREZ HACES, M.-T. (2004). «La inversión extranjera directa en el TLCAN», *Revista Economía*, UNAM, vol. 1, n° 3, p. 30-52.

JOUVE, B. (2003). *La gouvernance urbaine en questions*, Paris, Elsevier, coll. «Territoires».

KEYNES, J.M. (1969). *Théorie générale de l'emploi, de l'intérêt et de la monnaie*, Paris, Payot.

KLEIN, J.-L. (1998). «Mondialisation et État-nation: la restructuration territoriale du système-monde», dans J.-L. KLEIN et S. LAURIN (dir.), *L'éducation géographique. Formation du citoyen et conscience territoriale*, Québec, Presses de l'Université du Québec, p. 33-70.

KLEIN, J.-L., P.-A. TREMBLAY et H. DIONNE (dir.) (1997). *Au-delà du néolibéralisme: quel rôle pour les mouvements sociaux*, Québec, Presses de l'Université du Québec.

KOTKIN, J. (2000). *The New Geography. How the Digital Revolution is Reshaping the American Landscape*, New York, Random House.

LACOSTE, Y. (1976). *La géographie, ça sert d'abord à faire la guerre*, Paris, François Maspero.

LÉVY, J. (2001). «Société-monde: le tournant géographique», dans S. LAURIN, J.-L. KLEIN et C. TARDIF (dir.), *Géographie et sociétés*, Québec, Presses de l'Université du Québec, p. 15-41.

MANZAGOL, C. (2003). *La mondialisation, données, mécanismes et enjeux*, Paris, Armand Colin.

MATTELART, A. (1995). «Une communication inégalitaire», *Le courrier de l'Unesco*, février, p. 11-14.

OHMAE, K. (1995). *The End of the Nation State. The Rise of Regional Economies*, New York, Free Press.

PAULET, J.-P. (1998). *La mondialisation*, Paris, Armand Colin/Masson, coll. «Synthèse», série «Géographie».

PNUD (2010). *Rapport mondial sur le développement humain*, Paris, PNUD/Economica.

RAMONET, I. (1997). *Géopolitique du chaos*, Paris, Galilée.

RATZEL, F. (1987). *La géographie politique. Les concepts fondamentaux*, Paris, Fayard. Première édition en 1897.

RODRIGUE, J.-P. (2000). *L'espace économique mondial. Les économies avancées et la mondialisation*, Québec, Presses de l'Université du Québec, coll. «Géographie contemporaine».

ROSTOW, W.W. (1963). *Les étapes de la croissance économique*, Paris, Seuil.

ROUSSEL, F.G. (1996). «L'insaisissable communauté internationale», *Le Monde diplomatique*, juillet.

ROUSSELET, M. (1995). «Le tiers-monde: l'éclatement d'une idée», *Sciences humaines*, n° 50.

SASSEN, S. (2006) *A Sociology of Globalization*, New York, W.W Norton & Company.

SCOTT, A. (2001). *Global City-Regions. Trend, Theory, Policy*, New York, Oxford University Press.

SCOTT, A. (2001). *Les régions et l'économie mondiale*, Paris, L'Harmattan, coll. «Théorie sociale et contemporaine».

SEOANE, J. et E. TADDEI (2001). *Resistencias mundiales. De Seattle a Porto Alegre*, Buenos Aires, CLACSO.

STIGLITZ, J.E. (2002). *La grande désillusion*, Paris, Fayard, coll. «Livre de poche».

TAYLOR, P.J. (1989). *Political Geography: World Economy, Nation-State and Locality*, Londres, Longman.

VELTZ, P. (1996). *Mondialisation, villes et territoires. L'économie d'archipel*, Paris, Presses Universitaires de France.

VIARD, J. (1994). *La société d'archipel ou les territoires du village global*, La Tour d'Aigues, L'Aube.

WALLERSTEIN, I. (1999). *L'après libéralisme. Essai sur un système monde à inventer*, La Tour d'Aigues, L'Aube.

CAPSULE 2A

LE CYBERESPACE
La fin de la géographie[1]?

Frédéric Lasserre

« Le commerce électronique libère chaque entreprise de ses chaînes géographiques. Plus jamais la géographie ne limitera-t-elle les aspirations d'une société ou l'ampleur de son marché. Que vous soyez en Albanie ou en Zambie, Amazon.com est à un clic de distance », pouvait-on lire en décembre 1998 dans *Fortune Magazine* (Hamel et Sampler, 1998). Qui n'a pas entendu de semblables affirmations sur la disparition de l'espace et l'abolition des distances grâce à l'avènement de l'Internet? Nombre d'analystes, en regard d'une technologie qui transforme radicalement nos habitudes, se sont ainsi fait l'écho souvent peu critique, d'idées simples et à la mode, comme en témoignent des ouvrages comme *Global Financial Integration*: *The End of Geography* (O'Brien, 1992), des articles dont « The E-corporation: The End of Geography » (Hamel et Sampler, 1998), ou encore des travaux du politologue Bertrand Badie (1995), *La fin des territoires*. Toutefois, Badie n'a pas prétendu que la géographie et l'espace ne comptaient plus, mais bien que notre époque marquerait la fin des États pleinement souverains sur leur cellule territoriale. Bref, nulle disparition de la dynamique géopolitique, ni de la spatialité des phénomènes sociaux, politiques et économiques: le système-monde se transforme, mais ne s'affranchit pas de l'espace. Le savoir et l'information sont diffusés très rapidement si l'on dispose des infrastructures pour y accéder, et cette diffusion rapide permet de repenser les structures de production et de consommation. Mais Internet ne permet pas de s'affranchir de l'espace.

L'ILLUSION DE LA NOUVELLE ÉCONOMIE

Le monde change profondément avec la mondialisation et l'avènement d'Internet, qui permet de transmettre rapidement une très grande variété d'informations. Pourtant, l'image de cette révolution de la nouvelle économie repose sur une illusion: celle de la mondialisation effective et intégrale du monde. Un journaliste affirmait, pour commenter l'abolition des distances et la libre circulation de l'information, que « le moindre recoin se trouve tiré de l'ombre par une lumière crue » (Virilio, 1997). Il néglige pourtant le fait que les médias, largement dominés par les entreprises occidentales, diffusent l'information qu'ils pensent vendable et sont loin de couvrir la totalité des événements du monde, encore moins de façon objective.

---

1. Ce texte est une version remaniée, condensée et mise à jour de l'article de Frédéric Lasserre (2000): « Internet: la fin de la géographie? », *Cybergéo, Revue européenne de géographie*.

Autre illusion : Internet donne accès à l'information pour tous. Or Internet est un phénomène excessivement urbain et qui, de surcroît, n'est disponible massivement que dans les pays développés. D'ailleurs, on observe des différences notables, même parmi les pays de l'OCDE où l'on observe une forte croissance globale de l'accès à Internet, avec certains pays (Japon, Canada, États-Unis) nettement plus branchés que d'autres. Cela dit, le taux de croissance de la pénétration d'Internet est très rapide en Asie notamment, où se concentre déjà la majorité relative des usagers d'Internet (tableaux 2a.1 et 2a.2).

Tableau 2a.1.
Pénétration de l'usage d'Internet (% population)

	Canada	États-Unis	France	Royaume-Uni	Italie	Japon	Chine
2000	40	44	14	26	23	37	2
2010	78	77	69	83	52	78	32

Source : Internet World Stats (2010).

Tableau 2a.2.
Taux d'utilisation d'Internet dans le monde, 2010

Région du monde	Part de la population mondiale (%)	Utilisateurs d'Internet	Croissance annuelle d'utilisation pour la période 2000-2010 (%)	Pénétration de l'usage d'Internet (% population)	Part des usagers dans le monde (%)
Afrique	14,8	110 931 700	37,7	10,9	5,6
Asie	56,0	825 094 396	21,9	21,5	42,0
Europe	11,9	475 069 448	16,3	58,4	24,2
Moyen-Orient	3,1	63 240 946	34,4	29,8	3,2
Amérique du Nord	5,0	266 224 500	9,4	77,4	13,5
Amérique latine et Caraïbes	8,4	204 689 836	27,5	34,5	10,4
Océanie/ Australie	0,5	21 263 990	10,8	61,3	1,1
Total	100,0	1 966 514 816	18,5	28,7	100,0

Source : Internet World Stats (2010).

Combien d'internautes accèdent à l'information mondiale et font leurs emplettes sur le Web en Zambie, au Pérou, au Congo, au Laos? Le futur est déjà là, pour reprendre un leitmotiv, mais il est simplement mal réparti, pourrait-on dire: la plus formidable technologie de diffusion de l'information ne masque pas le fait que, sans infrastructure (centrales de production d'électricité, lignes à haute tension, usines pour fabriquer les ordinateurs, réseaux pour leur permettre de se brancher sur la toile), il n'est point de technologie moderne.

L'ÉCONOMIE-MONDE EST ENCORE UN ENSEMBLE DE LIEUX

Les pôles économiques sont localisés

Dans le même registre, il serait très prématuré de conclure au découplage entre stratégie économique et territoire. Tout d'abord, l'espace des États compte sans doute moins, mais il compte encore. Les lois qui régissent le droit des affaires, l'intervention de l'État dans l'économie, la compétitivité de ses facteurs de production, quand bien même ces derniers seraient modulés par des conventions ou par des traités internationaux, n'en constituent pas moins des éléments qui différencient chaque espace économique.

D'autre part, l'effacement relatif des frontières économiques a souligné une recomposition de la hiérarchie internationale des espaces productifs. Cette hiérarchie n'intègre plus seulement des États, mais permet désormais de percevoir des différences régionales à l'intérieur de ceux-ci, bref de souligner de nouveaux pôles de croissance qui n'étaient pas définis séparément de leur État auparavant. Ainsi, la production de la région métropolitaine de Tokyo correspondait en 1999 à deux fois celle du Brésil, et celle de Chicago équivalait à celle du Mexique (Benko, 1999, p. 128); en 2009, la production de l'agglomération de Tokyo équivalait à celle du Brésil. L'ouverture des frontières économiques ne gomme pas l'existence de profondes inégalités régionales au sein des États; certaines régions constituent de véritables locomotives (Lombardie, Catalogne, Shanghai), tandis que d'autres voient leurs économies stagner. Ainsi, loin de s'approcher d'un monde progressivement homogénéisé par la mondialisation, l'espace ne s'est pas uniformisé: au contraire, pourrait-on dire, les écarts entre régions économiques se sont agrandis, et les États se sont subdivisés en espaces économiques régionaux.

La croissance de la valeur des produits à haute technologie dans les économies contemporaines renforce l'importance du choix éclairé du lieu de production. En effet, le coût de la main-d'œuvre dans ces industries de pointe est un facteur nettement moins pertinent que dans d'autres secteurs manufacturiers. L'expansion des industries de haute technologie favorise, au contraire, la polarisation de l'économie de ces secteurs autour de certaines villes, plutôt que la diffusion de leurs activités partout sur la planète: citons par exemple la Silicon Valley, la Route 128 à Boston, ou Montréal pour la conception de logiciels de multimédias. En concentrant universités, centres de recherche, institutions financières capables de soutenir le capital de risque, bassin de main-d'œuvre compétente, les villes constituent des matrices privilégiées pour l'émergence et la mise en œuvre de tels pôles industriels.

Des critères de localisation variables

Si le contrôle des coûts de production est le facteur prépondérant dans tel ou tel secteur manufacturier, de multiples choix s'offriront alors à l'investisseur potentiel, que ne différencieront que des gradients et des seuils de coûts. Mais dès que d'autres facteurs viennent nuancer les besoins des industriels, par exemple des délais moindres de livraison aux clients, une grande qualité et fiabilité de la main-d'œuvre, une structure fiscale réduisant les coûts de recherche-développement ou de l'investissement productif, ou encore une certaine aversion pour le fait syndical, alors les espaces potentiels pour un investissement rétrécissent et se différencient radicalement aux yeux des décideurs : les espaces mondiaux ne sont absolument pas substituables entre eux. Ainsi, Rank Xerox a choisi Grenoble comme site d'implantation de son centre de recherche européen, car parmi les critères de sélection figurait la proximité d'établissements scientifiques renommés et dynamiques. De même, Motorola et Ericsson ont tous deux choisi d'implanter leur centre nord-américain de recherche et de développement de logiciels à Montréal, du fait de l'excellence des centres scientifiques locaux et d'une politique fiscale québécoise très avantageuse en matière de recherche, et ce, malgré l'apparent obstacle linguistique.

Attirer des investisseurs passe par la promotion du territoire

Les entreprises n'hésitent pas à se délocaliser pour conquérir de nouveaux marchés ou pour bénéficier de coûts de production plus avantageux : c'est cela aussi la mondialisation. C'est ce qui fait dire à certains que les territoires ne comptent plus, puisque les biens, les capitaux et les entreprises peuvent se déplacer aisément à la surface du globe. Pourtant, ces biens partent d'un point donné pour se rendre à un autre dans le cadre des échanges du commerce mondial, dont la géographie varie en fonction de la richesse relative des pays. Les capitaux vont migrer vers des places financières précises à travers le monde : Tokyo, New York, Londres, Paris, Francfort, Kuala Lumpur. Cette hiérarchie urbaine ne change que progressivement. Enfin, les entreprises ne choisissent pas leurs nouveaux sites d'implantation au hasard. La multiplication des agences gouvernementales de promotion de l'investissement, comme Invest in France Agency, Investissement Québec, Netherlands Foreign Investment Agency ; ou des revues et sites Internet destinés à éclairer l'investisseur potentiel sur les meilleurs choix de sites de développement, comme *Area Development, Business & Facilities Magazine, Corporate Location, Global Sites & Logistics,* traduisent la réflexion d'ordre géographique qui préside à tout investissement majeur et la forte concurrence que se livrent les promoteurs de chacun des espaces potentiels d'accueil. Quels sont les avantages fiscaux de chacun des territoires que l'entreprise met en compétition ? Dans quelle mesure lui permettent-ils de s'approcher de ses objectifs stratégiques ? Quelle est la structure de leur marché, de leur infrastructure de transport et de communications, leur densité de diplômés compétents et de centres de recherche de pointe, leur niveau d'emploi, leur offre de services logistiques ? Autant de facteurs pour lesquels les réponses sont différentes et nuancées selon les régions ciblées, ce qui rend impossible toute assimilation de la planète à un vaste espace isomorphe, aux caractéristiques similaires en tous points.

Le territoire présente encore des avantages et des contraintes incontournables

Les avantages liés au territoire ne cessent de surprendre. Les effets de proximité, un phénomène classique en géographie économique, se manifestent encore de nos jours, comme en témoignent les villes industrielles du nord du Mexique, les *maquiladoras*, qui se développent à la frontière avec les États-Unis en manufacturant, à des coûts bien moindres, des produits destinés au marché étasunien. À une autre échelle, c'est ce même effet de proximité qui a incité les manufacturiers asiatiques de composants électroniques à déménager une partie de leur capacité de production au Mexique et en Europe centrale, afin de desservir efficacement les marchés européen et étasunien.

Même dans le domaine de l'informatique et de l'Internet, la géographie compte encore. En effet, il est possible d'accéder à un site Internet de partout à travers le monde si l'on dispose d'une connexion à Internet et d'un réseau d'approvisionnement en électricité fiable (c'est loin d'être le cas partout). Toutefois, le serveur qui permet l'accès à l'information aux internautes est bien physique et localisé. Les entreprises ne choisissent pas de l'établir n'importe où, car il faut entretenir les sites Internet qu'il héberge, faute de quoi le contenu de ces sites devient rapidement périmé. Une entreprise implantée en Pennsylvanie peut fort bien choisir d'établir son site sur un serveur au Texas, voire à l'étranger, si les avantages de coûts, la législation locale et la qualité des services rendus lui semblent pertinents. Ainsi, un nombre croissant d'entreprises font de l'impartition, c'est-à-dire qu'elles externalisent certaines de leurs activités informatiques comme la comptabilité ou la vérification des données informatisées, par exemple en les confiant à des sociétés de service indiennes. Ainsi, l'Inde mise beaucoup sur ce créneau : le secteur du logiciel y connaît une rapide expansion et les informaticiens indiens sont fort réputés à l'étranger. Swissair sous-traite la gestion de ses données informatiques à des entreprises situées à Mumbai (ex-Bombay, Inde) et General Electric Capital fait de même auprès de sociétés de service indiennes.

LA RÉVOLUTION DE LA GESTION EN LIGNE

Justement, Internet ne permet-il pas de s'affranchir de l'espace, en décentralisant la gestion et, d'autre part, en permettant l'avènement d'entreprises réellement globalisées? Certes, le commerce électronique permet à toute entreprise d'avoir accès potentiellement à tous les marchés du monde, à condition que ce lieu dispose d'une connexion Internet.

Le commerce électronique se chiffrait à 8 milliards de dollars en 1997 et à 13 milliards en 1998, pour atteindre 650 milliards de dollars dès 2000 (Boston Consulting Group, 2001): il est aujourd'hui devenu un secteur important du commerce international. Le succès du commerce électronique est suffisant pour permettre à une société comme Dell, fabricant d'ordinateurs, de vendre essentiellement par Internet et par centres d'appels. Avec ce système d'intégration des commandes passées par les consommateurs, où qu'ils soient, les entreprises semblent effectivement s'affranchir de la distance qui les sépare du consommateur: ce dernier peut se renseigner sur les produits et décider sans avoir à se déplacer, et ce, bien souvent dans la langue de son choix. Sa commande sera reçue par le centre de distribution dans les minutes ou, au plus tard, les heures qui suivent. Désormais, des marchés qui n'auraient été accessibles que moyennant l'installation d'une coûteuse structure de distribution (publicité, entrepôt, magasin, accords de distribution) peuvent être exploités grâce à Internet.

De plus, la valeur du commerce électronique de détail, communément appelé *Business to Consumer* (B2C), ne représente qu'une fraction du potentiel que peut constituer l'Internet pour une entreprise. En effet, le B2C n'est jamais que la présentation informatisée d'un catalogue et d'un bon de commande. Le commerce électronique (*e-commerce*) ne constitue qu'une partie des «affaires électroniques» (*e-business*): ce dernier comprend plusieurs applications, dont la gestion des relations avec les clients, qui englobe le B2C dans le cas d'une entreprise qui vend aux consommateurs, mais aussi l'informatisation et la mise en ligne de son service après-vente et de son centre d'appels. Ce dernier, qui peut être localisé à un endroit fort différent du site de production et même du site de l'entrepôt de distribution, centralise les appels des clients potentiels afin de traiter commandes, plaintes, demandes d'information ou de réparation, etc. De plus en plus, la fonction de centre d'appels est reliée au site commercial de l'entreprise sur Internet: un hyperlien sur le site permet d'activer une fonction qui lance un appel téléphonique auprès du centre d'appels, une technologie simplifiée par la convergence d'Internet, de l'ordinateur et de la téléphonie: on parle de centres d'appels à capacité Internet. Un client de Singapour, visitant un site commercial installé à Dallas, peut activer un centre d'appels à Toronto et placer une commande traitée par un centre de distribution à Manille, sans même qu'il ne s'en rende compte.

Autre nouveauté que permet la technologie d'Internet : la généralisation des systèmes de planification des ressources de l'entreprise (*Enterprise Resource Planning*, ERP). Ces systèmes informatisent l'ensemble de la gestion de la chaîne de la valeur, depuis l'approvisionnement et la production – soit la gestion de la clientèle, la prise de commande, le *e-commerce*, l'approvisionnement, la gestion manufacturière intégrée et le suivi de production des sous-traitants – jusqu'à la gestion financière et des ressources humaines. Ils permettent de relier électroniquement le centre de recherche et de développement d'une firme, sa direction financière, sa direction marketing, mais aussi ses fournisseurs et ses distributeurs. Une fois mis en place, l'ERP permet au service comptable d'envoyer une facture dès que l'agent d'entrepôt signale, électroniquement, qu'un colis est parti, de quelque entrepôt que ce soit, et d'expédier un chèque dès qu'une usine, où qu'elle soit, accuse réception d'une commande. Les documents intermédiaires sur support papier disparaissent au profit de l'intégration des données sous forme électronique.

De même, la création d'un nouveau modèle de produit, dont les paramètres de coûts sont immédiatement connus des services financiers de l'entreprise, induit des besoins nouveaux énoncés à l'intention des fournisseurs, qui sont ainsi informés des nouvelles spécifications techniques, des délais et des procédures de livraison, pour rester au plus près de la méthode de production en juste-à-temps.

LE POIDS DE L'ESPACE : LE TRANSPORT DEMEURE UNE ACTIVITÉ INCONTOURNABLE

Alors, les systèmes de gestion par Internet consacreraient-ils l'affranchissement réel des contraintes de l'espace ? Il est désormais possible d'ouvrir tous les marchés, de gérer toute activité, d'où que l'on soit. Mais ce serait oublier la logistique.

La logistique est le processus de planification, de mise en œuvre et de contrôle du flux de l'ensemble des produits nécessaires à la production, des produits intermédiaires, des produits finis, des services et de l'information pertinente à chacune de ces étapes, quelles que soient l'origine et la destination de ces produits et services, dans l'optique de la satisfaction des demandes du client. Avec l'essor du commerce électronique et des outils d'intégration des activités de l'entreprise et de liaison avec les clients et les fournisseurs, la logistique devient une branche primordiale des services de l'entreprise.

C'est pour l'avoir oublié que de nombreuses entreprises de commerce électronique ont connu des échecs retentissants : elles étaient incapables de gérer l'acheminement physique des biens vendus, de leur lieu de production jusqu'au client final, contrainte que ne venait nullement atténuer la perfection de leur logiciel de vente en ligne. Au contraire, la facilité des transactions électroniques renforce le désir des clients, qu'il s'agisse des consommateurs ou des entreprises, de se faire livrer rapidement la marchandise, et ce de façon fiable, à l'instar de la quasi-immédiateté des transactions électroniques. À ce titre, l'émergence de la nouvelle économie ne gomme pas la géographie, elle ne fait que poser, en des termes plus crus, la nécessité de maîtriser l'espace et de transporter les biens d'un point à l'autre du globe. Ainsi, Internet facilite les transactions commerciales en amont, mais ne résout pas la question des distances en aval. La rapidité et la facilité de la transmission des informations sont donc loin de supposer la fin de la relation de l'homme et de ses activités avec l'espace.

BIBLIOGRAPHIE

BADIE, B. (1995). *La fin des territoires*, Paris, Fayard.

BENKO, G. (1999). « La mondialisation de l'économie n'est pas synonyme d'abolition des territoires », dans *Le nouvel État du monde, 80 idées-forces pour entrer dans le XXIᵉ siècle*, Paris, La Découverte.

BOSTON CONSULTING GROUP (2001). *L'Observateur de l'OCDE*, février.

HAMEL, G. et J. SAMPLER (1998). « The E-corporation : The End of Geography », *Fortune Magazine*, 7 décembre.

INTERNET WORLD STATS (2010). <www.Internetworldstats.com>, consulté le 15 août 2010.

LASSERRE, F. (2000). « Internet : la fin de la géographie ? », *Cybergéo, Revue européenne de géographie*, Paris, n° 141.

O'BRIEN, R. (1992). *Global Financial Integration : The End of Geography*, Londres, Chatham House.

VIRILIO, P. (1997). « Fin de l'histoire, ou Fin de la Géographie ? Un monde surexposé », *Le Monde diplomatique*, août.

LES CHANGEMENTS CLIMATIQUES
Un aspect de la mondialisation?

Nathalie Barrette

La question scientifique de l'effet des changements climatiques sur l'environnement physique et humain de la planète n'est pas récente, mais au cours des dernières décennies, elle a suscité une mobilisation et une concertation scientifique d'envergure mondiale probablement sans équivalent à ce jour.

LA MESURE DU RÉCHAUFFEMENT

En 1896, le physicien et chimiste suédois Svante Arrhénius soulignait déjà le rôle important joué par les gaz à effet de serre (GES) dans la régulation thermique de la planète. Il allait jusqu'à affirmer que le doublement du CO_2 atmosphérique pouvait conduire à une augmentation de la température moyenne globale de la Terre de l'ordre de 4 °C (Arrhénius, 1896). Cette affirmation basée sur une science encore très primitive à l'époque correspond assez bien aux valeurs[1] estimées aujourd'hui par les outils très sophistiqués que sont les modèles numériques du climat, utilisés pour l'étude des changements climatiques.

Cette affirmation d'un réchauffement climatique n'avait pas soulevé l'intérêt des scientifiques de l'époque. C'est seulement dans les années 1980 que le sujet est devenu d'un réel intérêt pour un grand nombre de personnes. Selon Roqueplo (1993), dans son ouvrage intitulé *Climat sous surveillance*, une suite d'événements ont été déterminants dans l'émergence de cette problématique:

– l'observation de l'augmentation du CO_2 atmosphérique et de l'accélération de cette augmentation, grâce aux mesures disponibles depuis 1957 à l'observatoire du mont Mauna Loa à Hawaii, réalisées par C.D. Keeling;

– la confirmation d'une relation positive entre le CO_2 atmosphérique et la température grâce à plusieurs analyses de carottes de glace et de sédiments marins réalisées un peu partout dans le monde;

– et, finalement, l'existence d'un milieu scientifique puissant, possédant une expertise hors du commun, soit la modélisation numérique du climat. Cet outil permet la simulation de l'évolution climatique de la planète en fonction d'hypothèses déterminées sur la composition physicochimique de l'atmosphère.

---

1. Par exemple, la valeur estimée par le Modèle couplé canadien de circulation globale (MCCCG-II) est de 3,5 °C.

Aujourd'hui, cette expertise[2] est mise à profit dans 22 modèles climatiques globaux de type couplé (atmosphère-océans) et une dizaine de modèles régionaux (GIEC, 2007). Les chercheurs participent à de nombreux projets internationaux d'intercomparaisons des modèles dans le but de déterminer et d'échanger rapidement les routines de modèles les plus performantes. Les effets sur le climat de la planète qui sont appréhendés par ces modèles sont très inquiétants. En particulier, pour les régions qui présentent une grande vulnérabilité par leur exposition et peu de moyens financiers pour faire face à de tels changements.

EFFETS DES CHANGEMENTS CLIMATIQUES DANS LES GRANDES RÉGIONS DU MONDE

Le dernier rapport du GIEC[3] (2007b) préparé par le Groupe II[4], responsable d'évaluer les conséquences environnementales et socioéconomiques des changements climatiques, propose à l'égard de ces questions une analyse régionale et sectorielle (approvisionnement en eau, agriculture, santé publique...).

Les analyses régionales décrivent la situation de huit sous-ensembles géographiques dans le monde : l'Afrique, l'Australie et la Nouvelle-Zélande, l'Asie, l'Europe, l'Amérique latine, l'Amérique du Nord, les régions polaires et les petits pays insulaires.

L'Afrique

La production agricole de nombreux pays africains sera sévèrement compromise par les changements climatiques à venir. Cette situation aura pour effet de compromettre la sécurité alimentaire qui est déjà menacée par les fluctuations naturelles qui caractérisent ce continent (ex. sécheresse). On assistera fort probablement à une exacerbation de la malnutrition. Plus spécifiquement, on s'attend à une augmentation de 5 à 8 % (60-90 millions d'hectares) de terres arides et semi-arides sur le continent (GIEC, 2007a). Cette décroissance dans la production agricole aura aussi un effet notable sur l'économie de certains pays de l'Afrique. Sur ce continent, l'agriculture peut contribuer entre 10 à 70 % au PNB national (GIEC, 2007a).

---

2. L'expertise permet de simuler les évolutions possibles du climat en fonction de différents scénarios de mondes futurs. Ces mondes futurs permettent d'évaluer les concentrations en GES dans l'atmosphère de demain. Dans ces scénarios, on considère des paramètres comme la démographie, les formes d'énergie utilisée, le type d'économie, l'existence ou non de politiques de protection de l'environnement...

3. Le GIEC est un panel d'experts internationaux sur les changements climatiques créé en 1988 par l'Organisation météorologique mondiale (OMM) et le Programme des Nations Unies pour l'environnement (PNUE).

4. Le GIEC est divisé en trois groupes : le Groupe I, qui évalue l'information scientifique disponible sur les changements climatiques, le Groupe II, qui évalue les impacts environnementaux et socioéconomiques des changements climatiques, et le Groupe III, qui formule des réponses stratégiques pour minimiser les impacts des changements climatiques.

Au cours des dernières décennies, les ressources régionales en eau par habitant ont sensiblement diminué sur le continent africain[5]. En 2020, on prévoit qu'entre 75 et 250 millions d'Africains seront soumis à un stress hydrique[6] (GIEC, 2007a). La forte croissance démographique n'a pas cessé d'exercer sur la ressource une pression croissante qui, jumelée à des dérèglements climatiques, pourrait accentuer la pénurie d'eau. En effet, le bilan hydrique du continent africain pourrait montrer une conversion[7] encore plus faible des précipitations en écoulement, accentuant ainsi davantage son caractère aride et semi-aride. Bien que certaines régions de l'Afrique telles les zones côtières de l'est et du sud soient un peu plus humides, les tendances actuelles montrent déjà, pour les principaux bassins hydrographiques, une diminution de l'écoulement (GIEC, 2007b).

Cette baisse potentielle de l'humidité des sols, associée à des facteurs comme l'augmentation des phénomènes extrêmes (sécheresses épisodiques) et le réchauffement de la couche superficielle des océans (incidence sur la pêche côtière), pourrait aussi compromettre la sécurité alimentaire (GIEC, 2007a).

L'augmentation des températures pourrait quant à elle exposer la santé humaine à des risques plus élevés en élargissant les habitats vecteurs de maladie[8]. Cependant, il est encore problématique d'attribuer les modifications du risque de malaria aux changements climatiques. La hausse des températures des eaux côtières et les mauvaises conditions d'hygiène dans les grands centres urbains pourraient accroître les épidémies de choléra (GIEC, 2007b).

Finalement, les infrastructures à la base du développement dans les transports, le logement et les services pourraient souffrir de l'augmentation de la fréquence des inondations, des vagues de chaleur, des tempêtes de poussière et d'autres phénomènes extrêmes (GIEC, 2007b). C'est le bien-être général de la population urbaine qui pourrait être le plus compromis, car la majorité des grandes villes sont côtières et donc très exposées aux problèmes reliés à la hausse du niveau marin (inondation, érosion côtière, invasions d'eaux salées…) sans compter que l'exode rural n'a cessé de s'amplifier au cours des dernières décennies au profit de ces grands centres urbains côtiers.

---

5. Au cours des 50 dernières années, la disponibilité régionale des ressources en eau par Africain a diminué de 75 %. On attribue cette situation surtout à la croissance démographique et, partiellement, aux réductions des débits fluviaux au cours des deux dernières décennies (particulièrement en Afrique de l'Ouest).

6. On considère qu'il s'agit d'un stress hydrique quand la quantité moyenne d'eau douce disponible par habitant et par an est inférieure à 1 600 m^3.

7. L'Afrique possède le plus faible facteur de conversion des précipitations en écoulement, soit 15 % en moyenne.

8. Les maladies à transmission vectorielle telles que la dengue, le paludisme et la fièvre de la vallée du rift sont habituellement transmises par des insectes. Les facteurs climatiques comme les variations de température et d'hydrométrie peuvent faciliter ou inhiber la capacité de transmission des maladies à l'homme par les insectes vecteurs.

L'Asie

Pour ce continent, on estime entre 185 et 981 millions le nombre de personnes qui vivront un stress hydrique au milieu du XXIe siècle (GIEC, 2007a). Les changements climatiques auront pour effet de créer une situation préoccupante concernant la sécurité alimentaire de ce continent, qui rassemble 60 % de la population mondiale. En effet, on craint que les stress thermique et hydrique, l'élévation du niveau de la mer et l'incidence plus fréquente des vents forts associés aux cyclones tropicaux provoquent des pertes importantes au plan des récoltes, de l'aquaculture et de la disponibilité de l'eau (GIEC, 2007a). Cependant, les répercussions attendues sur les récoltes seront inégales selon les régions. En 2050, le rendement des cultures devrait augmenter d'une proportion allant jusqu'à 20 % en Asie de l'Est et du Sud-Est, tandis qu'il devrait baisser d'une proportion allant jusqu'à 30 % en Asie centrale et méridionale.

L'aquaculture, qui demeure incontestablement une activité typiquement asiatique avec plus de 80 % de la production mondiale, est déjà exposée à plusieurs menaces : le développement accru le long du littoral, la surexploitation de la ressource et la pollution des eaux côtières due aux activités terrestres à proximité (GIEC, 2007a). On estime que 100 000 hectares de terres cultivées et de zones d'aquaculture deviendraient des marais salants advenant une hausse d'un mètre du niveau de la mer. À cette situation déjà complexe s'ajouteront des changements importants dans la répartition du plancton océanique[9] causés par des variations de régimes thermiques dans les océans, en particulier, les changements de température océanique provoqués par des épisodes d'*El Niño/Southern Oscillation* (ENSO[10]).

Certains environnements naturels de l'Asie comme l'écosystème des mangroves[11] pourraient être menacés de disparition à la suite de l'augmentation du niveau marin (GIEC, 2007a). On estime qu'une hausse d'un mètre conduirait à la disparition de près de la moitié de cet écosystème qui abrite une importante diversité biologique (GIEC, 2007b). En Asie boréale, les forêts pourraient être exposées à plus de feux de forêt à cause de l'augmentation des températures et de conditions favorables à la formation d'orages accompagnés de foudre (GIEC, 2007a).

Par ailleurs, les accidents cardiovasculaires et respiratoires seraient en croissance à la suite de l'incidence accrue d'épisodes de canicule pendant les mois d'été. En fait, c'est la combinaison de la chaleur excessive et de la pollution de l'air (particules fines, NO_2 et ozone troposphérique) qui sera responsable de ces effets sur la santé (GIEC, 2007b).

---

9. La productivité marine étant très dépendante de la présence de ces zones à forte concentration planctonique.
10. Un épisode ENSO correspond à un affaiblissement de la cellule de Walker, qui se traduit par un envahissement des eaux chaudes dans tout le Pacifique Est.
11. L'écosystème des mangroves est une forêt littorale qui sert d'interface entre la mer et le domaine terrestre.

Beaucoup de maladies infectieuses importantes, particulièrement dans la partie tropicale, sont transmises par des espèces (insectes, oiseaux...) qui ne régulent pas leur température interne et sont donc sensibles à la température et à l'humidité externes. Les changements climatiques peuvent modifier les aires de distribution de ces espèces, leur taux de reproduction et le taux de maturation de l'agent contagieux. Ainsi, les différentes régions deviendront plus favorables ou défavorables selon les modifications climatiques observées lors de l'apparition de ces maladies infectieuses. La réapparition de maladies infectieuses[12] dans les dernières décennies est associée principalement à une démographie soutenue, un développement urbain accéléré, des changements importants dans l'utilisation des terres et des pratiques agricoles (déboisement), l'augmentation des voyages internationaux et, dans certains cas, une insuffisance au plan des infrastructures de santé publique (GIEC, 2007b). Jusqu'ici, il y a donc peu d'évidence que le changement de climat ait joué un rôle significatif dans la réapparition récente des maladies infectieuses sur ce continent.

L'Australie et la Nouvelle-Zélande

Le vaste continent australien est d'ores et déjà soumis aux premiers effets des changements climatiques. Dans certaines régions (ex. Australie du sud) et pour certains secteurs (ex. irrigation pour l'agriculture), l'adaptation a déjà commencé (GIEC, 2007a).

Les problèmes de sécheresse qui caractériseront le climat futur de l'Australie seront en grande partie causés par des modifications importantes sur le plan de l'incidence des phénomènes extrêmes. Les climats de l'Australie sont fortement dépendants des interactions océan-atmosphère qui, au gré de leurs actions, renforcent ou affaiblissent la téléconnexion ENSO qui, à son tour, règle le régime pluviométrique. Les derniers résultats, issus des simulations réalisées à partir des modèles couplés atmosphère-océans, semblent indiquer que la situation moyenne évoluera vers un état qui s'approche de la situation *El Niño* (GIEC, 2007b). Dans ces conditions, certaines régions de l'Australie seront soumises à des sécheresses prolongées. Pour le bassin Murray-Darling, on attend une baisse du débit des rivières de l'ordre de 10 à 25 % pour l'horizon 2050 (GIEC, 2007a). Ces conditions, jumelées à une augmentation de l'évaporation, auront un effet limitatif sur la ressource en eau et pourraient occasionner des problèmes sérieux d'approvisionnement pour l'agriculture, la production d'énergie, la survie et la reproduction de certaines espèces et les zones urbaines.

De plus, les établissements, les industries et la santé des Australiens pourraient être menacés par l'incidence accrue des cyclones tropicaux et, plus particulièrement, des ondes de tempête qui les accompagnent (GIEC, 2007b). Les infrastructures et

---

12. Les maladies comme le choléra et l'ensemble des maladies diarrhéiques causées par des organismes comme la salmonelle.

les établissements humains seront surtout touchés par les risques accrus d'inondation associés aux phénomènes météorologiques extrêmes. Ces mêmes phénomènes pourraient aussi augmenter la propagation de certains vecteurs de maladies et ainsi accroître les risques d'épidémie.

L'Europe

L'effet des changements climatiques sur le continent européen sera variable d'une sous-région à l'autre. La pénurie d'eau devrait s'accroître surtout en Europe méridionale. Cette situation aura pour effet de diminuer globalement la production agricole dans cette partie de l'Europe alors que l'Europe septentrionale verra ses rendements agricoles augmenter (ex. le blé : +10 à +30 % en 2080) en raison de la hausse de CO_2 dans l'atmosphère et de l'allongement de la saison de croissance (GIEC, 2007a). La productivité forestière dans le nord de l'Europe profitera aussi de l'allongement de la saison de croissance, alors que les forêts du sud seront plus exposées à un risque d'incendie de forêt en raison de l'affaiblissement du régime hydrique.

Par ailleurs, le potentiel hydroélectrique de toute l'Europe déclinera de 6 % avec des variations régionales importantes (ex. diminution de 20 à 50 % pour la région méditerranéenne et hausse de 15 à 30 % pour l'Europe du Nord et de l'Est ; GIEC, 2007a).

De plus, on évalue que les petits glaciers alpins disparaîtront au tournant de 2050 alors que les glaciers de taille plus importante connaîtront une réduction de leur volume de l'ordre de 30 à 70 % (GIEC, 2007a).

Finalement, la population pourrait être soumise à un nombre croissant de vagues de chaleur (similaire à celle de l'été 2003) et de maladies à transmission vectorielle et être plus exposée aux inondations côtières et fluviales en raison de l'augmentation des épisodes de précipitations extrêmes (GIEC, 2007a).

L'Amérique latine

La variabilité climatique aux échelles interannuelles en Amérique latine est fortement déterminée par le phénomène ENSO. Les années *El Niño* sont associées à des conditions sèches dans le nord-est du Brésil, le nord de l'Amazonie et la côte de l'océan Pacifique en Amérique centrale, alors que les régions de la Colombie, du sud du Brésil, du nord-ouest du Pérou sont associées à des conditions anormalement humides (GIEC, 2007a). Une intensification du phénomène *El Niño* exposerait l'Amérique latine à une diminution de la diversité biologique (par exemple les forêts tropicales humides qui sont très sensibles aux fluctuations du cycle hydrologique), à des rendements moindres pour plusieurs cultures (maïs, blé, orge, raisin...) (GIEC, 2007a). Ces répercussions pourraient engendrer des situations économiques et sociales difficiles pour certains pays où 30 à 40 % de la population active s'adonne à l'agriculture.

Par ailleurs, la tendance des dernières décennies concernant la perte en volume des glaciers de l'Amérique latine pourrait bien s'accentuer. Au cours des 15 prochaines années, les glaciers intertropicaux fonderont très probablement (GIEC, 2007a). Cette situation aura comme conséquence de réduire la disponibilité de l'eau pour l'irrigation et pour la production d'hydroélectricité (GIEC, 2007a).

Finalement, l'augmentation des températures affectera surtout la santé humaine des habitants des grands centres urbains, comme Mexico et Santiago (Chili), qui sont déjà confrontés à des problèmes importants de pollution atmosphérique.

L'Amérique du Nord

Les changements dans la fréquence, l'intensité et la durée des événements extrêmes (vagues de chaleur, tempêtes extratropicales et tropicales) constituent les risques les plus importants découlant des changements climatiques en Amérique du Nord.

Par ailleurs, la hausse des températures et les changements dans le régime des précipitations pourraient engendrer des modifications notables dans le cycle hydrologique de certains secteurs géographiques où la fonte de la neige constitue un élément important du régime hydrologique annuel. Ainsi, les débits hivernaux pourraient croître alors que les débits estivaux pourraient diminuer, limitant la disponibilité de la ressource en eau pendant l'été.

Les régions polaires

Ces régions seront celles qui connaîtront les hausses de température les plus spectaculaires. La présence saisonnière ou permanente de la neige (ou de la glace) à la surface est déterminante dans l'établissement des basses températures qui caractérisent cet environnement. Ainsi, une hausse des températures, même faible, aura dans ce type d'environnement un effet encore plus grand, car la disparition partielle ou totale de cette couverture de neige entraînera un changement radical du bilan d'énergie local[13], contribuant à une augmentation encore plus importante des températures (rétroaction positive[14]).

Ces hausses de température auront pour effet de diminuer l'étendue de la glace de mer (banquise) ainsi que son épaisseur maximale. La fonte du pergélisol, en particulier celui riche en glace, pourrait engendrer des dommages[15] sérieux aux infrastructures des habitations et des réseaux de transport (routes, aéroport...) situés

---

13. En l'absence d'un couvert de neige, le sol ou la mer peut absorber beaucoup plus d'énergie solaire et retourner à l'atmosphère cette énergie sous forme de chaleur.
14. Il s'agit d'une rétroaction positive lorsque le système tend à amplifier l'impact d'une perturbation initiale.
15. Ces changements sont déjà observés dans certains villages du Nunavik (par exemple Salluit).

en région de pergélisol. De plus, la hausse accélérée du niveau des océans pourrait aggraver l'érosion côtière déjà très active dans certains villages (par exemple Shismaref, en Alaska).

Globalement, le mode de vie des peuples autochtones risque d'être modifié, car les changements touchant la glace de mer, le caractère saisonnier de la neige, les habitats et la diversité des espèces alimentaires affecteront de façon irréversible les pratiques de chasse et de cueillette de ces peuples (GIEC, 2007b).

Finalement, la réduction de la couverture de glace ouvrira de nouvelles routes maritimes, ce qui ne sera pas sans conséquence pour l'environnement physique et pour la population de cette région.

Les petits pays insulaires

Dans les pays insulaires, la mer ou l'océan exercent une influence majeure sur le paysage naturel et humain. Ces pays seront sans aucun doute les plus fortement touchés par l'élévation du niveau de la mer. Certains d'entre eux, comme l'archipel océanien de Tuvalu, font déjà face à une perte importante de terres émergées. La disparition de ces terres aura aussi des conséquences sur la biodiversité (les récifs coralliens sont particulièrement vulnérables à une hausse du niveau marin et des températures océaniques), sur le tourisme et sur la conservation de sites traditionnels utilisés pour des rituels et des cérémonies ancestrales. Leur vulnérabilité sera fonction de la superficie de l'île, de la disponibilité des ressources naturelles, de la prédisposition aux perturbations extrêmes (par exemple dans la trajectoire naturelle des ouragans), du degré d'isolement par rapport au continent, du système économique en place, de la croissance démographique, du niveau de développement des infrastructures et des ressources financières et humaines.

CONCLUSION

Plusieurs des grandes régions du monde feront face à des défis similaires (diminution de l'approvisionnement en eau, augmentation des maladies à transmission vectorielle...) en ce qui concerne l'effet des changements climatiques sur l'environnement physique et humain. Cependant, leur capacité de faire face à ces changements sera très variable. Leur résistance sera fortement fonction de la richesse, de la technologie, de l'éducation, de l'information, des compétences, des infrastructures, de l'accès à des ressources et à des capacités de gestion dans le pays. La réduction de la vulnérabilité passera par la conception de stratégies d'adaptation, c'est-à-dire par des actions prises en réponse à un changement projeté ou actuel du climat ou à d'autres changements dans l'environnement dans le but de maximiser les effets positifs et de minimiser les répercussions négatives.

Les stratégies d'adaptation peuvent être réactives ou proactives et ainsi être orientées vers la protection (par exemple la construction d'une digue), l'accommodation (par exemple l'adaptation des méthodes de culture ou des types de cultures aux nouvelles contraintes climatiques) ou, dans les cas extrêmes, vers la retraite (par exemple l'abandon d'un territoire à la suite de la remontée du niveau marin).

Les pays industrialisés, qui sont globalement moins vulnérables que les pays en développement, devront mettre en place des mécanismes pour venir en aide aux pays en développement qui présentent, dans la majorité des cas, une exposition et une sensibilité plus grandes aux changements climatiques. Ces efforts sont essentiels pour une équité collective, car l'inquiétante illustration de la mondialisation que sont les effets des changements climatiques sur l'environnement est avant tout le résultat de 150 ans de révolution industrielle dans les pays aujourd'hui développés.

BIBLIOGRAPHIE

ARRHÉNIUS, S. (1896). « On the influence of carbonic acid in the air upon the temperature of the ground », *Philosophical Magazine*, vol. 41, p. 237.

GIEC (2007a). *Climate Change 2007: Technical Summary – Impacts, Adaptation and Vulnerability*, Cambridge, Cambridge University Press.

GIEC (2007b). *Climate Change 2007: Impacts, Adaptation and Vulnerability*, Cambridge, Cambridge University Press.

GIEC (2007c). *Climate Change 2007: The Scientific Basis*, Cambridge, Cambridge University Press.

ROQUEPLO, P. (1993). *Climat sous surveillance*, Paris, Economica.

3

LE TIERS-MONDE ET LE DÉVELOPPEMENT

Juan-Luis Klein

Le problème de la pauvreté au plan international a commencé à être une source de préoccupations après la Deuxième Guerre mondiale, et ce souci s'est accru au fur et à mesure que de nouveaux pays en Asie et en Afrique s'intégraient au concert des nations indépendantes, rompant leurs liens avec des métropoles coloniales. Leur autonomie politique a donné à voir l'insuffisance des ressources économiques et des infrastructures dans laquelle le colonialisme a laissé ces pays, ce qui les empêche d'exploiter à leur profit leurs ressources naturelles, pourtant abondantes. C'est dans ce contexte qu'ont émergé les notions de «développement», de «sous-développement» et de «tiers-monde».

Les pays dits «sous-développés», désignés par l'euphémisme «en voie de développement», se sont mobilisés pour exiger des conditions d'équité et de justice. Cette mobilisation des pays pauvres s'est traduite par une alliance géopolitique qui reçoit le nom de «tiers-monde», ainsi que par une idéologie qui prône une répartition plus juste de la richesse sur la planète, le «tiers-mondisme». La notion de tiers-monde est donc polysémique. Elle désigne tantôt une alliance stratégique et géopolitique entre des pays dits «pauvres», tantôt la réalité socioéconomique des populations pauvres de la planète.

Aujourd'hui, l'alliance tiers-mondiste ne constitue plus une force unifiée et les pays qui s'y rattachaient ne sont plus vus comme faisant partie d'un même ensemble. Par ailleurs, dans plusieurs cas, les politiques suivies dans les pays du tiers-monde, souvent inspirées de modèles extérieurs, se sont avérées impropres à leurs réalités, et la corruption des régimes qui les ont appliquées ont empiré la situation de plusieurs pays, comme l'a démontré trop souvent, par exemple, le cas africain (voir le chapitre 14).

Ce texte vise à montrer que, si le «tiers-monde» a perdu de sa force en tant qu'alliance stratégique – le contexte bipolaire de guerre froide et de confrontation Est-Ouest dans lequel il s'insérait ayant cédé la place à un monde multipolaire et fractionné –, la situation de pauvreté dans laquelle vit une partie des collectivités de la planète n'est aucunement disparue, hélas! La mondialisation a rendu ces collectivités encore plus fragiles car leurs États ont perdu une partie de leurs moyens d'intervention économique. Aussi, un nouveau mouvement internationaliste est-il en train de reprendre leur cause, mais à l'échelle de l'espace-monde: le mouvement altermondialiste (voir le chapitre 2).

Ainsi, les revendications tiers-mondistes sont encore tout à fait actuelles, les inégalités internationales étant plus criantes que jamais et la profondeur de l'écart entre les pays les plus pauvres et les plus riches étant presque insondable. Le tiers-monde s'est fracturé mais la pauvreté demeure et s'accroît, comme le montre l'évolution du produit intérieur brut des pays les plus riches et des pays les plus pauvres entre les années 1960 et les années 2000 (figure 3.1).

Après avoir décrit l'évolution du tiers-monde en tant qu'alliance géopolitique, nous allons confronter les visions du développement proposées par les milieux occidentaux et par les pays du tiers-monde, pour ensuite analyser le processus de fractionnement du tiers-monde et l'émergence de nouvelles approches au sujet des inégalités et du développement. Pour terminer, nous nous interrogerons sur l'importance de la notion d'«altermondialisation» en tant que perspective tiers-mondiste.

Figure 3.1.
**PIB par habitant dans les pays les plus riches et les pays les plus pauvres,
1960-1962 et 2000-2002 (dollars constants de 1995)**

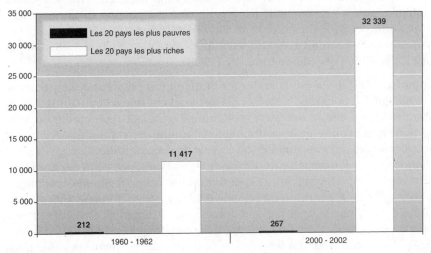

Source: BIT (2004).

3.1.   Les jalons d'une option géopolitique

La notion de tiers-monde apparaît dans les années 1950 et se généralise dans les années 1960, au plus fort de la « guerre froide ». Ses origines sont journalistiques[1], mais elle prend rapidement une connotation géopolitique associée au mouvement revendicatif des pays pauvres. Pour les pays qui s'y rattachent, la notion de tiers-monde exprime le refus de l'alignement aveugle avec les superpuissances de l'époque, soit les États-Unis et l'Union soviétique. Le tiers-mondisme devient une idéologie du développement qui s'oppose à l'approche du sous-développement mise de l'avant par les milieux occidentaux (nous y reviendrons).

L'évolution du tiers-mondisme est jalonnée d'étapes, la première étant celle de la vague de décolonisation des pays d'Asie et d'Afrique du Nord, dans les années d'après-guerre. Les événements marquants de cette étape sont la proclamation de l'indépendance de l'Indonésie en 1945, celle de l'Inde en 1947, la révolution populaire de Chine en 1949, la proclamation de la république en Égypte en 1953 et le début de la guerre d'Algérie en 1954.

---

1.   L'origine de la notion de tiers-monde remonte à 1952, lorsque le démographe Alfred Sauvy publie l'article « Trois mondes, une planète », dans la revue *L'observateur* (maintenant le *Nouvel Observateur*).

La première forme de coordination tiers-mondiste est la conférence tenue à Bandung, en Indonésie, en avril 1955. Cette conférence réunit les pays alors indépendants de l'Asie et les mouvements africains de libération alors en lutte. C'est lors de cette conférence que se fait sentir le leadership des instigateurs du mouvement nationaliste asiatique et africain qu'ont été Sukarno (Indonésie), Nehru (Inde) et Nasser (Égypte). D'autres conférences afro-asiatiques se réalisent par la suite telles la conférence du Caire (1957) et celle de Conakry (1960).

L'Union soviétique est très proche du mouvement pendant cette première étape, dans la mesure où Sukarno, Nehru et Nasser y voient une source d'inspiration pour la politique économique de leur pays, notamment en ce qui concerne l'industrialisation, sans pour autant adhérer à ses orientations politiques, voire philosophiques. Ce qui impressionnait les pays décolonisés ou en voie de décolonisation, c'était l'industrialisation rapide de l'Union soviétique, la mise en valeur de ses ressources naturelles, le rôle de l'État dans le développement et la gestion centralisée. Mais, avec les années, son influence s'est atténuée, confrontée à celle de la Chine, qui, par le caractère paysan de la révolution dirigée par Mao et par son autonomie, interpellait plusieurs pays à dominance rurale qui cherchaient une voie de développement correspondant à leur réalité nationale. La recherche d'une troisième voie de développement, socialiste mais indépendante de l'Union soviétique, est renforcée en 1961 par la consécration, lors d'une conférence tenue à Belgrade sous la direction de Josip Broz (Tito), du mouvement des «pays non-alignés». En Yougoslavie, Tito mettait en œuvre une politique socialiste perçue alors comme autogestionnaire, où les formes coopératives de propriété avaient une place importante.

La perspective autonomiste du mouvement tiers-mondiste a été largement influencée par l'œuvre de Frantz Fanon, auteur dominicain, qui, sous l'inspiration de la guerre de libération en Algérie, écrit *Les damnés de la Terre*. Ce livre est devenu un manifeste tiers-mondiste et a eu des conséquences importantes, soulignées par Yves Lacoste dans son ouvrage sur la géographie du sous-développement (1981). La perception change : là où on voyait la misère, on voit la lutte. Dans plusieurs pays, l'œuvre de Fanon a inspiré une vision du développement où les paysans tiennent une place importante, alors que l'élite économique proposait une perspective associée à la modernisation des activités productives et que les partis de gauche traditionnels s'appuyaient sur la lutte des ouvriers.

L'Amérique latine s'est tenue au départ en marge de ce mouvement. Comme elle était indépendante juridiquement depuis plus d'un siècle, bien que largement soumise aux États-Unis sur le plan économique, ses leaders étaient plus intéressés à des questions de développement économique qu'à la problématique de l'indépendance politique. Plusieurs de ses pays vivaient un processus de substitution des importations manufacturières et la Commission économique pour l'Amérique latine (CEPAL), créée en 1948, favorisait l'intégration économique et la création d'un vaste marché pour les pays latino-américains.

La révolution cubaine en 1959, de nature paysanne faut-il le rappeler, change les perspectives en Amérique latine. Son exemple suscite une forte solidarité internationale qui se confond par la suite avec le mouvement tiers-mondiste. En janvier 1966 se tient à Cuba la Conférence tricontinentale de solidarité révolutionnaire, à laquelle participent 82 délégations provenant des trois continents et où la solidarité avec le Vietnam en guerre contre les États-Unis devient un objet commun de lutte. À partir de cette conférence tricontinentale, le centre de gravité du mouvement tiers-mondiste glisse progressivement vers l'Amérique latine, et le mouvement prend une dimension résolument « anti-impérialiste ».

Mais c'est l'expérience du Chili en 1970 qui consolide et donne sa crédibilité au mouvement tiers-mondiste en mettant de l'avant ce qui deviendra sa principale revendication : le contrôle national des ressources. L'importance de l'exemple chilien est consacrée mondialement lorsque Salvador Allende est acclamé aux Nations Unies en 1971 après s'être exclamé : « Assez de la dépendance... assez des pressions et interventions étrangères ! Tous les peuples se dressent pour affirmer le droit souverain de tous les pays en voie de développement sur leurs richesses naturelles. » N'oublions pas que la principale réalisation du gouvernement d'Allende a été la nationalisation du cuivre, principale richesse du pays, possédée jusqu'à ce moment-là par des sociétés étasuniennes. C'est d'ailleurs ce qui explique la participation des États-Unis au coup d'État qui met violemment fin au gouvernement d'Allende en 1973.

La victoire du Vietnam du Nord contre les États-Unis en 1973 représente sans doute le climax tiers-mondiste, mais les rivalités apparues ultérieurement entre le Vietnam et la Chine amorcent le déclin de l'unité des pays qui en étaient les principaux promoteurs. Ce déclin s'est accéléré par les persécutions dirigées contre les leaders démocratiques en Amérique latine et en Asie du Sud-Est, par la croissance économique des pays riches en ressources pétrolières, par l'endettement et la soumission des États aux organisations financières internationales, ainsi que par l'incapacité des gouvernements des pays décolonisés de matérialiser les rêves suscités par l'indépendance politique.

Le mouvement perd finalement de son sens avec la chute de l'Union soviétique et du bloc socialiste. Depuis, le rapport différentiel des différents pays au marché globalisé, les conflits associés à la position de superpuissance des États-Unis, les agressions territoriales diverses qui poursuivent autant l'imposition d'un modèle civilisationnel que le contrôle des ressources, les options intégristes, ainsi que l'inaptitude et la corruption de plusieurs régimes dont les dirigeants se sont enrichis aux dépens de leur pays, ont fini par fracturer profondément l'unité tiers-mondiste. Les fortunes de certains dictateurs ou dirigeants politiques sont choquantes : Mobutu, au Congo, a détourné 15 milliards de dollars américains, Houphouët, en Côte-d'Ivoire, 11 milliards, Marcos, aux Philippines, 12 milliards, Suharto, en Indonésie, entre 15 et 45 milliards, et ce, sans parler du gaspillage de la manne pétrolière dans les pays producteurs, tels le Venezuela, le Nigeria et les pays du Moyen-Orient, où les investissements productifs sont très faibles.

Mais les raisons qui avaient amené les pays du tiers-monde à se mobiliser, c'est-à-dire les inégalités dans l'accès des peuples aux ressources et aux revenus nécessaires pour assurer leur développement, n'ont pas disparu, bien au contraire.

3.2. Les approches du développement : la vision occidentale et la vision tiers-mondiste

La confrontation géopolitique associée à la guerre froide et à l'évolution du mouvement tiers-mondiste s'est traduite par des approches radicalement différentes au sujet des causes du développement et du sous-développement, ainsi que de la division entre pays riches et pays pauvres. Les pays riches, et notamment les États-Unis, se confrontent à l'idéologie anti-impérialiste qui se généralise dans les pays du tiers-monde. Ainsi, deux visions se confrontent, l'une occidentale et l'autre tiers-mondiste.

3.2.1. La vision occidentale : développement et sous-développement

W.W. Rostow est certainement l'auteur qui a le mieux systématisé, la position des pays industrialisés à l'égard des pays du tiers-monde en proposant une démarche par étapes destinée à reproduire le parcours suivi par les sociétés ayant atteint le développement, qu'il associe à la consommation de masse. Dans son célèbre ouvrage intitulé en anglais *The Stages of Economic Growth. A Non-Communist Manifesto*[2], dont la première édition a été publiée en 1960[3], Rostow, qui était aussi conseiller de la Maison-Blanche, analyse les étapes du parcours qui avait mené les pays occidentaux vers cette société de consommation de masse, qu'il considère comme l'idéal à atteindre par les pays du tiers-monde.

Il distingue cinq étapes dans l'évolution des sociétés : 1) la société traditionnelle, dont la structure est déterminée par des fonctions de production limitées, essentiellement agricoles, et qui est dotée d'institutions étatiques faibles ; 2) la société en voie de transition, qui s'amorce lorsque l'organisation politique, la structure sociale, les valeurs morales et l'économie des sociétés traditionnelles sont modifiées de façon à permettre une croissance régulière ; la société se dote alors d'un « État-national centralisé et efficace qui s'appuie sur des coalitions teintées d'un nationalisme nouveau, en opposition avec les intérêts régionaux traditionnels » ; 3) la société en démarrage, où le progrès technique s'introduit dans l'industrie et l'agriculture et où le pouvoir politique accorde la priorité à la modernisation de l'économie ; 4) la maturité, où se généralise l'utilisation

---

2. Il doit être souligné que les traductions en français et en espagnol n'incluent pas le sous-titre, pourtant fort révélateur de l'intention de l'auteur.
3. Il s'agit d'un moment crucial de l'histoire économique et politique contemporaine marquée par la guerre froide, la décolonisation, le prestige du socialisme comme modèle de développement surtout auprès du tiers-mondisme en gestation et la révolution cubaine.

de la technologie moderne, où la production croît à un rythme élevé, où les industries se modernisent et où le pays substitue les anciennes importations par des productions nationales tout en s'insérant davantage dans l'économie internationale ; et 5) la société de consommation de masse, où l'élévation des revenus et la multiplication du nombre de consommateurs se combinent à l'affectation de ressources économiques à la « prévoyance et à la sécurité sociale », soit à l'État-providence (figure 3.2).

Figure 3.2.
Les étapes de développement selon Rostow

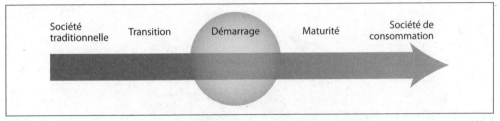

Société
traditionnelle   Transition   Démarrage   Maturité   Société de
consommation

Réalisation : Département de géographie, Université Laval

Certes, la théorie du développement par étapes formulée par Rostow ainsi que la stratégie de rattrapage et d'imitation des pays riches qui en découle manquent de fondement scientifique. Il demeure qu'une telle stratégie a été formulée et appliquée et que la démarche rostowienne a marqué l'approche des gouvernements des pays riches à l'égard du tiers-monde. Pour l'essentiel, cette approche a produit un concept monétarisé du développement, associé à la croissance économique. Il découle de cette conception du développement que le sous-développement est causé par les blocages à la réalisation des changements technologiques et sociaux et que ces blocages résident dans la désarticulation économique causée par ce qui est appelé « le dualisme », c'est-à-dire par la coexistence d'un secteur moderne, capitaliste, connecté avec le marché mondial, et d'un secteur traditionnel déconnecté du marché (figure 3.3). Ce secteur traditionnel est vu comme un frein à l'action transformatrice du secteur moderne et les politiques de développement visent sa modernisation sur les plans productif et social, dans la perspective de produire la cohésion économique nationale et de créer les conditions pour la croissance du marché national et, bien entendu, pour de nouvelles exportations (de capitaux, de technologies, de machineries) des pays riches vers les pays pauvres.

Au nom de cette stratégie, les États-Unis ont élaboré la politique de la « révolution verte » appliquée en Asie du Sud et en Asie du Sud-Est par exemple, et plus tard en Afrique, dont l'objectif était d'incorporer la technologie aux activités agricoles[4]. Dans plusieurs pays, tels que l'Indonésie, la Malaisie, les Philippines et l'Inde, on a

---

4. Voir le chapitre 10.

créé un excédent de main-d'œuvre dans les campagnes, ce qui a favorisé la croissance urbaine et la croissance industrielle. En Amérique latine, une stratégie inspirée des mêmes bases a pris le nom d'«Alliance pour le progrès», mais, dans ce cas, elle visait davantage la modernisation sociale de l'espace rural que son essor technologique.

Figure 3.3.
Le dualisme et la modernisation

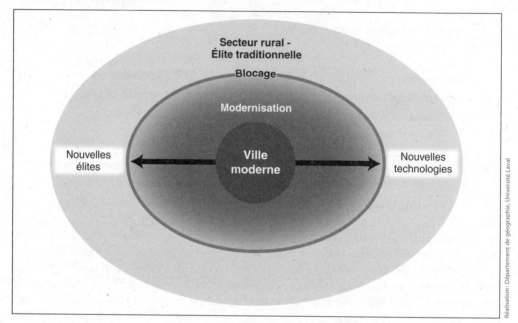

3.2.2. La vision tiers-mondiste

La vision tiers-mondiste, d'inspiration marxiste et nationaliste, se situe à l'opposé de la stratégie rostowienne. Pour l'essentiel, la formule élaborée par cette vision postule la nationalisation des ressources naturelles, la réforme agraire, l'industrialisation nationale à partir de la transformation locale des matières premières et le changement des rapports sociaux en vue de réinvestir socialement les profits. Qu'est-ce qui explique le développement des nations industrialisées, se demandent les auteurs rattachés à l'idéologie tiers-mondiste[5]? C'est le réinvestissement des surplus (plus-value). Et, comme la caractéristique des pays du tiers-monde réside dans le fait que ce surplus

---

5. L'un des plus connus parmi ces auteurs a été l'économiste égyptien Samir Amin. Voir Amin (1973).

est soit accumulé par des monopoles étrangers et est réinvesti ailleurs, soit transféré aux pays riches par des mécanismes de commerce inégal, il est logique qu'il faille modifier les rapports avec les capitaux étrangers et le marché mondial pour permettre la conservation et le réinvestissement national des profits.

La perspective élaborée par le tiers-mondisme s'appuie sur des bases tout à fait différentes de celles qui sous-tendent la stratégie rostowienne. Elle s'inspire d'une lecture du monde qui met l'accent sur l'inégalité des échanges, laquelle, selon cette lecture, est produite par le marché. Elle fait partie du capitalisme lui-même, ce dont témoigne la théorie des «avantages comparatifs» formulée par David Ricardo, l'un des piliers du libéralisme économique. Dans cette théorie, Ricardo prône la spécialisation des pays dans certains secteurs pour lesquels ils ont un potentiel naturel et l'échange commercial libre de tout obstacle entre ces pays. Selon la stratégie ricardienne, fortement appuyée par les analystes qui prônent le libéralisme économique, le respect des avantages comparatifs permettrait aux pays qui participent aux échanges commerciaux de profiter de leur plein potentiel économique et de se développer de façon équitable.

Faux, disent les tiers-mondistes, non sans raison. La spécialisation ricardienne donne lieu à une division internationale du travail qui crée les conditions pour l'échange inégal et, conséquemment, pour le développement inégal. La division internationale du travail est le processus par lequel les différentes économies jouent un rôle particulier dans l'économie mondiale, lequel rôle les amène à se spécialiser dans des secteurs comportant des niveaux différents de rentabilité, de productivité et de rémunération. Se basant sur cette perspective, l'économiste argentin Raul Prebisch, d'une part, et l'économiste égyptien Samir Amin, d'autre part, concluent, malgré certaines différences dans leur approche (Prebisch est keynésien et Amin, marxiste), que la division internationale du travail conduit à la formation de centres et de périphéries:

1. Les centres sont formés par les zones où s'accumule la richesse: leur caractéristique principale réside dans le fait que leur économie est autocentrée, c'est-à-dire que les orientations, choix et spécialisations économiques répondent à des intérêts nationaux.

2. Les périphéries sont constituées par les espaces où est produite la richesse destinée à être accumulée dans les centres: leur caractéristique principale réside dans l'extraversion économique, c'est-à-dire que leur économie répond à des intérêts extérieurs.

L'évolution de l'insertion des périphéries dans l'économie mondiale a traversé plusieurs stades. Il est possible de distinguer 1) des économies exportatrices de matières premières et importatrices de biens manufacturés (néocolonialisme), soit la division du travail classique à l'échelle internationale induite par le capitalisme, 2) des économies importatrices de capitaux et de technologies, et productrices de biens manufacturés pour le marché local, résultant de l'industrialisation par la substitution des importations,

et 3) des économies importatrices de capitaux et exportatrices de produits manufacturés, comme résultat de l'intégration productive et des marchés qui caractérise la
mondialisation. Ces trois types de division internationale du travail ne se remplacent
pas, elles s'accumulent et peuvent être présentes dans le même pays – comme on le
constate dans le cas de l'Inde ou du Brésil par exemple – et deviennent, à l'échelle des
pays, les bases d'une division interrégionale du travail.

L'approche centre-périphérie et l'analyse du développement inégal orientent
les politiques économiques des pays du tiers-monde dans les années 1960 et 1970 et
généralisent une stratégie de croissance où le peuple, les institutions, les organisations
sociales se recentrent par rapport à l'État et à la protection des économies nationales,
trop tard néanmoins, à un moment où la capacité d'action économique des appareils
d'État se confronte aux exigences de l'ouverture économique et donc à la fin des économies nationales. Par contre, l'application des politiques rostowiennes a eu des effets
importants dans certains pays du tiers-monde, où la modernisation de l'agriculture
(la «révolution verte») a créé les bases de la croissance industrielle des nouveaux pays
industrialisés orientés vers la production de biens manufacturés pour l'exportation
vers les pays riches. Est-ce du développement? C'est à voir, mais la sensibilisation
écologique que comporte le développement durable et la prise de conscience des
inégalités sociales et culturelles qui existent à l'intérieur des pays interdisent désormais
d'associer le développement uniquement à la croissance économique nationale.

3.3. Le fractionnement du tiers-monde: exclusion et nouvelles visions du développement

L'unité stratégique des pays du tiers-monde était justifiée par leur situation face aux
superpuissances. La disparition de la bipolarisation du monde due à l'implosion de
l'Union soviétique et du bloc socialiste modifie complètement la situation. Par ailleurs,
indépendamment de ce phénomène, les différents pays et blocs du tiers-monde ont
suivi des trajectoires différentes, voire opposées à cause de leur rapport à l'économie
mondiale. Ces trajectoires sont bien sûr économiques mais aussi politiques et culturelles. De nouveaux espaces de croissance sont apparus et de nouvelles fractures ont
creusé les écarts entre richesse et pauvreté.

Un certain nombre de pays ont connu une croissance accélérée grâce à leur
ouverture aux échanges internationaux et à leur intégration productive au marché mondial. C'est le cas des «dragons» et «tigres» asiatiques et des «jaguars» sud-américains.
Ainsi il est important de souligner que, dans la diversité du tiers-monde, certains pays
parviennent à s'enrichir: la pauvreté n'est pas une fatalité, comme le montrent les cas
de la Corée du Sud, de Taïwan, de la Chine et de la Thaïlande. Ces pays sont des
contre-exemples très parlants qui confirment que l'enrichissement est possible, mais
peut-on parler dans ces cas de développement? Certes, si l'on s'en tient à la vision
rostowienne du développement.

Cette croissance n'est cependant ni socialement ni territorialement homogène, ce qui explique l'existence de fortes inégalités dans ces pays en ce qui concerne le partage du revenu national. Les exemples du Brésil, de la Chine et de l'Inde montrent des dissociations territoriales internes très fortes entre des « régions qui gagnent » et des « régions qui perdent ». Il y a aussi des pays qui demeurent stationnaires ou qui régressent, en termes de richesse collective, la pire situation étant celle de l'Afrique subsaharienne. Par ailleurs, il est reconnu que certains pays issus de l'éclatement de l'Union soviétique, notamment ceux de l'Asie centrale et du Caucase ont maintenant rejoint la catégorie de pays affaiblis et doivent être comptés parmi les États où la pauvreté est omniprésente.

3.4.   Les espaces de pauvreté et l'exclusion

Selon le rapport du PNUD sur le développement humain (2007/2008), 991,5 millions de personnes habitent les pays les plus riches, alors que la population des pays les plus pauvres est de 2 425,5 millions. Dans les pays les plus riches, la population jouit d'une espérance de vie moyenne à la naissance de 79,2 ans, d'un taux de scolarité combiné (primaire et secondaire) de 92 % et d'un indice de développement humain (IDH) moyen de 0,936. Par contre, la population des pays les plus pauvres présente une espérance de vie moyenne de 60 années, un taux de scolarité de 56 % et affiche un IDH moyen de 0,570. Qui plus est, entre 1975 et 2005, la population des pays les plus riches s'est accrue de 25 %, alors que celle des pays les plus pauvres a connu une croissance de 99 %.

Les pays les plus pauvres parmi les pauvres, comme la Zambie, la Sierra Leone et la Guinée Bissau, présentent une espérance de vie de 39, 41 et 46 ans respectivement. Et si l'on considère les inégalités internes dans la répartition du revenu et de la consommation – par exemple dans ces trois derniers pays, le 10 % le plus riche de la population accapare un pourcentage de 39 %, 44 % et 39 % du revenu respectivement –, on peut facilement imaginer la situation de la vaste majorité des habitants des pays pauvres.

Selon les chiffres du rapport du PNUD (2010), 1 750 millions souffrent de pauvreté et 1 440 millions vivent avec moins de 1,25 dollar par jour. Cette situation est présente dans tous les continents mais elle est surtout criante en Afrique subsaharienne et en Asie.

3.5.   Une nouvelle approche du développement

La crise du tiers-monde coïncide avec une nouvelle vision du développement. Comme résultat de l'analyse de la perspective rostowienne et de l'évaluation de son application, plusieurs auteurs et leaders politiques ont remis en question l'idée du progrès dont elle se nourrit et surtout l'idée que le développement des peuples doit passer par l'imitation des pays occidentaux les plus riches (voir le texte de Jean-Marc Fontan, Capsule 3A, p. 108). Et, en ce qui concerne la perspective tiers-mondiste, bien que l'on s'accorde sur le besoin de diminuer les écarts économiques entre les pays, on s'accorde aussi pour dire que le problème du développement ne s'y limite pas.

Aussi, l'Organisation des Nations Unies a-t-elle élaboré un nouveau concept : le «développement humain», lequel consiste d'abord et avant tout à élargir la gamme des choix qui s'offrent aux individus et à leur donner la capacité d'en profiter. Cette nouvelle vision du développement concerne autant les conditions économiques que les conditions politiques, sociales et culturelles dans lesquelles vivent les citoyens des différents pays du monde. Par ailleurs, alors que la vision tiers-mondiste du développement a toujours posé le problème du développement uniquement en termes de rapports entre des États, en termes d'échanges commerciaux et de croissance économique, ce problème se pose aujourd'hui en termes de conditions de citoyenneté, de participation, de gouvernance, de réponse aux inégalités économiques et sociales, en termes de respect des droits des minorités. Le «développement humain» comporte autant la revendication de l'équité économique que l'exigence de la liberté, de la reconnaissance et du respect.

Au tournant du deuxième millénaire, les États membres des Nations Unies, lors de leur assemblée générale tenue en septembre 2000, ont adopté la «Déclaration du millénaire». Cette déclaration mentionne huit objectifs et 18 cibles à atteindre en 2015 et en 2020, lesquels visent essentiellement la réduction de la pauvreté et l'amélioration des conditions de vie des populations les plus démunies. Le PNUD a défini 48 indicateurs pour évaluer le degré d'avancement des différents pays vers l'atteinte de ces objectifs. Le simple examen de ces objectifs et cibles, au-delà du fait qu'ils constituent un vaste programme d'action, donne à voir la fragilité des conditions de vie dans lesquelles se trouvent les habitants d'une bonne partie de la planète (tableau 3.1).

En regard de l'atteinte des objectifs de la Déclaration du millénaire, le Rapport du PNUD de 2010 constate certaines avancées, tout en précisant qu'elles sont trop lentes et de portée inégale selon les pays. Par exemple, si le taux de malnutrition dans le monde a diminué, la quantité des personnes malnutries reste le même qu'en 1980, soit 850 millions de personnes (p. 44). Par ailleurs, un objectif important était celui d'augmenter l'aide au développement par les pays riches jusqu'à atteindre 0,7 % de leur revenu national brut. Ce pourcentage, loin d'avoir atteint le niveau souhaité, a dans les faits diminué, se situant, selon le rapport de 2010, à 0,31 %, ce qui est inférieur au pourcentage existant en 1990 (p. 131). Par ailleurs, les inégalités, aussi bien entre les pays qu'en leur sein, ont augmenté (p. 1), ce qui accroît la vulnérabilité des plus démunis par rapport aux dégâts causés par l'émergence de modèles de production et de consommation aux conséquences environnementales dommageables (p. 13).

Tableau 3.1.
Objectifs de développement pour le millénaire pour les pays en développement

Objectif	Cible	Indicateurs
1. Faire disparaître l'extrême pauvreté et la faim.	1. Réduire de moitié, entre 1990 et 2015, la proportion de la population dont le revenu est inférieur à 1 dollar par jour. 2. Réduire de moitié, entre 1990 et 2015, la proportion de la population souffrant de la faim.	1. Population vivant avec moins de 1 dollar par jour (seuil revu à 1,25 dollar). 2. Indice d'écart de pauvreté. 3. Part des 20 % les plus pauvres dans le revenu ou la consommation, à l'échelon mondial. 4. Enfants souffrant d'insuffisance pondérale. 5 Personnes souffrant de malnutrition.
2. Garantir à tous une éducation primaire.	3. Donner, d'ici 2015, à tous les enfants, garçons et filles, partout dans le monde, les moyens d'achever un cycle complet d'études primaires.	6. Taux de scolarisation net pour les études primaires. 7. Enfants atteignant la 5e année d'école secondaire. 8. Taux d'alphabétisation des 15-24 ans.
3. Promouvoir l'égalité des sexes et l'autonomisation des femmes.	4. Éliminer les disparités entre les sexes dans l'enseignement primaire, secondaire et supérieur en 2015 au plus tard.	9. Quotient du nombre de filles par rapport aux garçons selon les inscriptions aux études primaires, secondaires et supérieures. 10. Rapport entre les populations féminines et masculines sachant lire et écrire (15-24 ans). 11. Part des femmes dans l'emploi salarié non agricole. 12. Femmes parlementaires.
4. Réduire la mortalité des enfants.	5. Réduire des deux tiers, entre 1990 et 2015, le taux de mortalité des enfants de moins de 15 ans.	13. Taux de mortalité des moins de 5 ans. 14. Taux de mortalité infantile. 15. Enfants d'un an effectivement vaccinés contre la rougeole.
5. Améliorer la santé maternelle.	6. Réduire des trois quarts, entre 1990 et 2015, le taux de mortalité maternelle.	16. Taux de mortalité maternelle. 17. Proportion d'accouchements assistés par un personnel de santé qualifié.
6. Combattre le VIH/sida, le paludisme et d'autres maladies.	7. Enrayer, d'ici 2015, la propagation du VIH/sida et commencer à inverser la tendance actuelle. 8. Enrayer, d'ici 2015, la propagation de la malaria et d'autres grandes maladies, et commencer à inverser la tendance actuelle.	18. Taux de séropositivité des femmes enceintes âgées de 15 à 24 ans. 19. Utilisation de préservatifs masculins par rapport à d'autres moyens de contraception. 20. Taux de scolarisation des orphelins de 10 à 14 ans en proportion des autres enfants. 21. Cas de malaria et taux de mortalité. 22. Proportion de la population dans les zones à risque pour la malaria. 23. Cas et décès liés à la tuberculose. 24. Proportion des cas de tuberculose décelés et soignés selon la stratégie DOTS.

Tableau 3.1. (suite)

Objectifs de développement pour le millénaire pour les pays en développement

Objectif	Cible	Indicateurs
7. Assurer la durabilité des ressources environnementales.	9. Intégrer les principes du développement durable dans les politiques nationales et inverser la tendance actuelle à la déperdition des ressources environnementales. 10. Réduire de moitié, d'ici 2015, la proportion de la population privée d'un accès régulier à l'eau potable. 11. Parvenir, d'ici 2020, à améliorer sensiblement la vie d'au moins 100 millions d'habitants de taudis.	25. Proportion de zones forestières. 26. Pourcentage de zones protégées pour maintenir la diversité biologique. 27. Unités de PIB produites par kg d'équivalent pétrole (en PPA). 28. Émissions de dioxyde de carbone par habitant et consommation de chlorofluoro-carbones appauvrissant la couche d'ozone (en tonnes de PDO). 29. Proportion de la population faisant usage de combustibles solides. 30. Population ayant un accès régulier à des points d'eau aménagés dans les campagnes et dans les villes. 31. Population urbaine et rurale utilisant des installations sanitaires améliorées. 32. Proportion de foyers ayant accès à un logement sûr.
8. Mettre en place un partenariat mondial pour le développement.	12. Aide officielle au développement : instaurer un système commercial ouvert, fondé sur des règles, prévisible et non discriminatoire pour les finances et le commerce international. Comporte une volonté de bonne gouvernance, de développement et de réduction de la pauvreté – aux paliers national et international. 13. Répondre aux besoins particuliers des pays les moins développés. Comprend l'accès à des droits de douane particuliers sans quota pour les exportations des pays les moins avancés, un programme d'allègement de la dette et l'annulation de la dette bilatérale officielle, ainsi qu'une APD plus généreuse pour les pays qui travaillent activement à réduire la pauvreté.	33. Aide publique au développement (APD) nette versée, en pourcentage. 34. Proportion de l'APD bilatérale totale par secteur, fournie par tous les donateurs, attribuée aux services sociaux de base (éducation de base, soins de première nécessité, nutrition, eau et installations sanitaires). 35. Proportion de l'APD bilatérale fournie par les donateurs de l'OCDE/DAC. 36. APD perçue par les pays enclavés en proportion de leur revenu national brut. 37. APD perçue par les petits États insulaires en développement, en proportion de leur RNB. 38. Proportion du total des importations des pays développés (en valeur, à l'exclusion des armes) venant des pays en développement et des pays les moins avancés, en franchise de droits de douane. 39. Droits de douane moyens appliqués par les pays développés aux importations provenant des pays en développement sur les produits agricoles, ainsi que les textiles et les vêtements. 40. Estimation du soutien des pays de l'OCDE à leur agriculture nationale en % du PIB. 41. Proportion de l'APD allouée au renforcement des capacités commerciales. 42. Total des pays ayant atteint le point de décision pour l'initiative PPTE et des pays ayant atteint le point d'achèvement (cumul).

Tableau 3.1. (suite)

Objectifs de développement pour le millénaire pour les pays en développement

Objectif	Cible	Indicateurs
8. Mettre en place un partenariat mondial pour le développement (*suite*).	14. Importations provenant des pays en développement sur les produits. Subvenir aux besoins particuliers des pays enclavés et des petits États insulaires en développement. 15. Engager une démarche globale pour régler le problème de la dette des pays en développement par des mesures nationales et internationales pour la rendre supportable. 16. En coopération avec les pays en développement, développer et mettre en œuvre des stratégies pour proposer aux jeunes des emplois décents et productifs. 17. En coopération avec des industries pharmaceutiques, proposer des médicaments essentiels accessibles à tous dans les pays en développement. 18. En coopération avec le secteur privé, mettre à la disposition de tous les bienfaits des nouvelles technologies notamment celles de l'information et des communications.	43. Allègement de la dette promis au titre de l'initiative PPTE. 44. Service de la dette en pourcentage des exportations de biens et de services. 45. Taux de chômage des 15 à 24 ans, hommes, femmes et total. 46. Proportion de la population ayant accès à tout moment et à un coût abordable aux médicaments essentiels. 47. Lignes principales d'abonnés et abonnés à un service de téléphonie mobile pour 100 habitants. 48a. Nombre de micro-ordinateurs pour 100 habitants. 48b. Nombre d'internautes pour 100 habitants.

3.6. En guise de conclusion : L'altermondialisme, réédition du tiers-mondisme ou nouvelle perspective ?

Des leaders politiques et des analystes du développement ont accusé la mondialisation, et, notamment, la globalisation néolibérale, de l'aggravation de la situation des populations pauvres et de l'accroissement des écarts entre celles-ci et les populations riches. Selon eux, la globalisation néolibérale a imposé aux pays pauvres l'ouverture au commerce international alors que ces pays ne peuvent pas compter sur la protection sociale qu'ont les populations des pays dits développés. Ainsi, après une réaction de dénonciation de la mondialisation, plusieurs États et organisations représentatives des populations démunies exigent une « altermondialisation », soit une mondialisation respectueuse du droit des peuples de se développer de façon équitable.

Le mouvement altermondialiste diffère du mouvement que constituait le tiers-mondisme. D'une part, l'altermondialisme n'est pas une association d'États, mais, essentiellement, d'organisations de la société civile, auxquelles se joignent à certaines occasions, dont celle que constitue la réalisation du Forum social mondial par exemple[6], des représentants de gouvernements nationaux. Ces organisations mettent de l'avant des expériences de développement solidaire où les collectivités locales assument le leadership. Dans la mouvance altermondialiste, les minorités prennent une place active et dénoncent des politiques d'État souvent injustes à leur égard. C'est le cas par exemple des organisations autochtones. D'autre part, ce mouvement rassemble aussi bien des organisations provenant de pays pauvres que des organisations de pays considérés comme riches, mais où, à cause des délocalisations industrielles et des réorganisations productives, des fractions de la société se débattent pour échapper à la pauvreté, comme c'est le cas au Canada et au Québec par exemple.

Le mouvement altermondialiste n'a pas une expression géopolitique aussi forte que celle que le tiers-mondisme avait acquise. Mais la convergence entre certaines expériences, comme celles de l'Afrique du Sud et du Brésil, sous l'influence de leaders charismatiques tels Mandela et Lula, a influencé la mise en place de politiques sociales importantes en même temps que l'on cherchait à augmenter la croissance économique et la participation au marché. Cela laisse entrevoir la formation de coalitions internationales altermondialistes formées par des gouvernements et des organisations de la société civile, ce qui permettrait de réduire les inégalités non seulement entre les États mais aussi entre les citoyens. Pour quand?

---

6. Un important lieu de rassemblement de ce mouvement est le Forum social mondial, réalisé en contrepoint au Forum économique mondial. Sur ce point, voir le texte de P. Beaudet, Capsule 3B, p. 116.

Bibliographie

AMIN, S. (1973). *Le développement inégal. Essai sur les formations sociales du capitalisme périphérique*, Paris, Minuit.

BENKO, G. et A. LIPIETZ (dir.) (2000). *La richesse des régions. La nouvelle géographie socio-économique*, Paris, Presses Universitaires de France, coll. «Économie en liberté».

BUREAU INTERNATIONAL DU TRAVAIL (BIT) (2004). *Une mondialisation juste: créer des opportunités pour tous*, Genève, BIT.

CARROUÉ, L. (2002). *Géographie de la mondialisation*, Paris, Armand Colin.

CHAPUIS, R. et T. BROSSARD (1993). *Les quatre mondes du tiers-monde*, Paris, Armand Colin/ Masson.

FALL, A.S., L. FAVREAU et G. LAROSE (dir.) (2004). *Le Sud et le Nord dans la mondialisation. Quelles alternatives?*, Québec, Presses de l'Université du Québec.

FANON, F. (1961). *Les damnés de la Terre*, Paris, Gallimard.

LACOSTE, Y. (1981). *Géographie du sous-développement*, Paris, Presses Universitaires de France, coll. «Quadrige».

LIPIETZ, A. (1986). *Mirages et miracles. Problèmes de l'industrialisation dans le tiers-monde*, Paris, La Découverte.

PNUD (2004, 2008 et 2010). *Rapport mondial sur le développement humain*, Paris, PNUD/ Economica.

ROSTOW, W.W. (1963). *Les étapes de la croissance économique*, Paris, Seuil.

ROUSELET, M. (1995). «Le tiers-monde: l'éclatement d'une idée», *Sciences humaines*, n° 50.

SCOTT, A. (2003). «La poussée régionale: vers une géographie de la croissance dans les pays en développement», *Géographie, économie et société*, vol. 5, n° 1, p. 31-57.

CAPSULE 3A

LA THÈSE DE LA DÉCROISSANCE
Peut-on faire sans développement?

Jean-Marc Fontan

LE MYTHE DU DÉVELOPPEMENT

La fin des années 1980 marque une étape importante dans l'histoire contemporaine. D'une part, le nouvel ordre international, tel qu'implanté au lendemain de la Deuxième Guerre mondiale, atteint alors un stade avancé de maturité. Les grandes organisations internationales dictent les lignes de conduite aux pays développés et sous-développés. Elles le font par l'intermédiaire de programmes de coopération et surtout à partir de l'idéologie néolibérale au fondement des ajustements structurels. D'autre part, la coopération internationale telle que définie au début des années 1960 est incapable d'atteindre le grand objectif de développer et de moderniser l'ensemble des pays sous-développés. Les pays riches ne cessent de s'enrichir et les pays pauvres, malgré leur intégration à la nouvelle économie mondiale, continuent d'accuser des retards socioéconomiques de plus en plus importants.

Il est vrai, comme l'indique Jacques Brasseul (2005), que la situation est meilleure et moins inégalitaire que celle qui existait au lendemain de 1945 : la faim a diminué, la pauvreté a reculé, l'espérance de vie s'est améliorée, l'éducation a fortement progressé. Il est tout aussi vrai que la concentration de la richesse atteint des niveaux inégalés. Les écarts entre la grande richesse et la grande pauvreté sont très élevés. Des progrès certes, mais à quel prix?

FAUT-IL REFUSER LE DÉVELOPPEMENT?

En regard de la théorie du développement, prend forme, dès le début des années 1980, un discours très éclaté, anti-développementaliste, qui décrie toute utilisation programmatique du mot développement. Sont ainsi dénigrées les propositions de réforme construites à partir de l'idée du développement endogène, du développement local, du développement communautaire ou du développement durable. Pour les chercheurs, penseurs et acteurs sociaux qui en font la promotion, l'avenir de l'humanité ne dépend plus du paradigme fondé sur le «progrès pour le progrès».

Au projet développemental est opposée une utopie réaliste fondée sur une aspiration à un vivre-ensemble solidaire et moins énergivore. Cette utopie réaliste puise dans la tradition anthropologique de Karl Polanyi (1983) en réaffirmant l'importance de penser le vivre-ensemble de façon démocratique. Elle revisite la réflexion initiée par Nicholas Georgescu Roegen (1995) sur la décroissance socioéconomique. Enfin, elle envisage la reconfiguration du cadre civilisationnel à l'aide d'un contrat social planétaire, tel que proposé par le Groupe de Lisbonne (1995) ou encore par l'appel plus radical de Michel Beaud (1997) proposant un basculement de la logique libérale par l'adoption d'une nouvelle configuration axiale.

Essentiellement, ces propositions entendent réformer ou remplacer le modèle civilisationnel capitaliste par un nouveau modèle à définir. Ce dernier, à construire, permettrait l'existence d'unités sociales qui, tout en étant localisées ou régionalisées, représenteraient une voie alternative de construction de la mondialisation. Un modèle non pas unique dans ses déclinaisons mais fondé sur un ensemble de principes acceptés et reconnus par tous. Cette autre voie soutiendrait des actions culturelles décentralisées, autogérées, reticulées de façon à être structurées à des échelles territoriales variables intégrant de façon positive l'intersectionnalité (Bilge, 2009) et la consubstantialité (Kergoat, 2001) des qualités portées par les relations humaines.

LES BASES THÉORIQUES DE LA CRITIQUE

Les « objecteurs de croissance[1] » proposent une action mondiale fondée sur l'après-développementalisation des sociétés et des communautés humaines. Les réformistes sociaux s'investissent dans le développement d'une alternative à l'économie libérale par le déploiement d'une économie sociale ou solidaire. Les défenseurs d'une économie écologique optent pour un projet politique respectueux du rapport au biotope. Toutes ces approches puisent leur légitimité paradigmatique dans trois des grandes critiques adressées historiquement au capitalisme.

Pour les objecteurs de croissance, tels François Partant (1982), Serge Latouche (1986), Bernard Vachon (1990), Gilbert Rist (1996) ou Wolfgang Sachs et Augusto Esteba (1996), le développement est à la base des maux sociaux que sont la pauvreté, le chômage de masse et l'exclusion sociale. Loin de réduire les inégalités sociales, le développementalisme, tel qu'il est pratiqué au Nord ou imposé au Sud, a tout simplement décuplé les situations de sous-développement, tant au Nord qu'au Sud, et a plongé l'humanité dans un univers de certitude économique et d'incertitude sociale guidé principalement par l'intérêt utilitaire (Caillé, Lazzeri et Senellart, 2001 ; Latouche, 2004). La raison économique serait devenue, pour les partisans de la critique anti-utilitariste, le référent premier du système-monde actuel : selon une telle logique, ce qui est bon pour l'économie de marché ne peut qu'être bon pour l'humanité. L'adoption de l'utilitarisme a permis des réalisations incroyables : conquête de l'espace et des profondeurs des océans, extension de la période de vie en bonne santé, accessibilité des masses aux connaissances et aux technologies complexes, etc. Les gains de l'utilitarisme, tels qu'ils sont perçus par les masses européennes, américaines, puis mondiales, auraient favorisé l'émergence d'une nouvelle religion, le consumérisme, de nouveaux autels, les centres commerciaux, et de nouveaux

---

1. Voir <http : /www.les-oc.info>.

gourous, les économistes. Le statut et le bon comportement se mesureraient à l'aune des capacités de consommer, à la possibilité de mobiliser des ressources et d'en disposer relativement à sa guise.

Pour les défenseurs de l'économie solidaire ou de l'économie sociale, tels Jean-Louis Laville (1994), Aznar *et al.* (1997) ou les représentants de l'école québécoise symbolisée par les travaux de Benoît Lévesque (2005), le développement aurait eu pour effet de substituer l'utilité à la solidarité. En réencastrant la solidarité, donc en favorisant un approfondissement démocratique, tant l'économie sociale, la société civile et l'esprit collectif recouvreraient leurs lettres de noblesse et permettraient une modification en profondeur du mode de régulation des sociétés. La raison solidaire, laquelle puise ses racines dans les premières grandes critiques utopiques adressées à la modernité naissante dès le XVIe siècle (Thomas Moore en 1516 ; Peter Cornelius Plockboy en 1659), permettrait une mutation de la matrice que représente la modernité libérale, favorisant un saut qualitatif à partir duquel il serait possible de renouer avec une modernité sociale moins individualisée et plus collectivisée. Ce faisant, la logique de dépossession propre à l'esprit capitaliste pourrait être domestiquée au profit de l'intérêt collectif et du bien commun.

Pour les défenseurs de l'économie écologique (Costanza *et al.,* 1997), il est clair que les grandes réalisations accomplies par l'humanité au cours des trois derniers siècles engendrent une destruction massive de l'environnement. Le constat est relativement simple : le développementalisme, en tant qu'idéologie légitimant une appropriation par et dans une grande violence à l'égard des ressources de la planète, permet la réalisation d'un état de grandeur de l'acteur qui, s'il était généralisé à l'ensemble de la population, viderait de leur substance l'ensemble de ces ressources.

De la critique de l'exclusion inhérente à un tel processus de développement, du discours affirmant la primauté dans les rapports sociaux de la solidarité sur l'aliénation et, enfin, du plaidoyer revendiquant haut et fort le respect de l'éthique écologique, émerge un ensemble de constats qui mettent au jour la complexité du paradoxe du développement. En accroissant les capacités d'action des sociétés humaines, le développement sape les bases de reproduction de l'espèce humaine.

En d'autres mots, l'appropriation violente des ressources écologiques et leur mise en valeur de façon non durable vont rendre impossible la réalisation de ce mythe entretenu par la théorie du développement selon lequel tout individu de la planète pouvait atteindre le niveau de vie d'un Étasunien moyen. Et pourtant, les différentes élites de la planète, en fait preuve l'adoption en 2000 des huit grands Objectifs du millénaire pour le développement, font comme si de rien n'était et continuent d'alimenter le rêve et de se prosterner devant l'autel du développement.

Le paradoxe du développement par la modernisation est profond. D'une part, il représente une victoire, c'est-à-dire une forme efficace et efficiente d'émancipation de l'humain. Il a représenté une réponse concrète à nombre des grands maux que connaissait l'humanité : la faim, la discrimination, l'obscurantisme, etc. D'autre part, il ne peut atteindre de tels résultats qu'en reproduisant et complexifiant sous des formes différentes, mais tout aussi dommageables, les maux qu'il entend régler.

Le paradoxe dans son développement ultime ne peut que déboucher sur une grande crise mondiale (Partant, 2002). Si la course au développement résout en apparence et de façon positive des problèmes, elle porte la qualité d'en amplifier la nature profonde. Cette réalité constitue possiblement une clé pour comprendre la force du capitalisme historique. Il constitue le modèle civilisationnel le plus avancé à partir duquel il a été possible de dépasser des contraintes tout en offrant une ouverture sur des possibles jusque-là inatteignables. Par contre, ce modèle met en œuvre une stratégie qui rend incontournable (*path dependency*) son hégémonie. Il se veut incontournable. Sans ce mode de développement, les élites se disent incapables de réaliser leur plein potentiel. L'imaginaire de l'humanité est en situation de dépendance profonde à l'égard du capitalisme. D'où l'invitation de Cornelius Castoriadis (1975) à renouveler notre imaginaire, à le décoloniser de l'emprise du capitalisme.

Le paradoxe de l'après-développement est tout aussi inquiétant puisque, au-delà du constat qu'en s'éclairant par les deux bouts de sa chandelle l'humanité détruit sa source de lumière, rien n'est réellement fait pour éviter la crise profonde qui surviendra lorsque la bougie aura cessé de se consumer. Les penseurs de l'après-développement ou de l'économie écologique, au-delà de la dénonciation du système capitaliste, sont incapables de proposer autre chose qu'une dénonciation. Ils arrivent difficilement à définir les bases viables d'un nouveau cadre de régulation du vivre-ensemble, d'un nouveau type de dépendance historique. Un tel projet de dépassement, s'il pouvait être porteur d'un imaginaire saillant, pourrait mobiliser positivement la population et tracer une nouvelle voie civilisationnelle.

Certes, des tentatives de contournement du développementalisme ont été et sont encore explorées. Un grand chantier de lutte contre le développement est présentement en édification. Son vocabulaire est meublé de particules très hétérogènes : à l'image du mouvement altermondialiste (MAUSS, 2002), de la mise en œuvre d'une posture antiéconomiste, des résistances et des dissidences qui apparaissent quotidiennement aux quatre coins de la planète (Amin et Houtart, 2002), de l'exploration de possibles par le déploiement de nouvelles solidarités et modalités de régulation, telles celles observables au sein de pratiques alternatives ou dans des communautés autogérées (Silvestro et Fontan, 2005). Ce chantier a un statut précaire. Il occupe une place très marginale dans le grand répertoire des discours et des actions humaines.

L'UTOPIE DE LA GRANDE CROISSANCE

Aux idées avancées par les antidéveloppementalistes se confronte l'idéologie portée par les promoteurs du modèle de l'hyperdéveloppement. Héritée du patrimoine légué par la Renaissance, cette idéologie fait du progrès le moteur réel de l'histoire. Dès lors, le salut de l'humanité, c'est-à-dire la pleine réalisation des capacités d'être de l'humain, ne peut être atteint sans un travail continu et soutenu d'approfondissement d'un type de connaissances: celles rendues possibles par le projet de la technoscience.

Parmi les promoteurs de ce type de pensée, nous retrouvons Peter Schwartz, Peter Leyden et Joel Hyatt (2000) ainsi que Guy Sorman (2001). Ces penseurs font l'apologie de la grande croissance en indiquant comment, par les progrès scientifiques, l'humanité sera en mesure d'affronter les grands maux qui, supposément, remettent en cause la légitimité du modèle civilisationnel capitaliste. Par l'intermédiaire des nanotechnologies, des biotechnologies, de la fission nucléaire, nous serons en mesure de produire de nouveaux types de matériaux, de vivre plus longtemps, et de le faire en santé, d'avoir une meilleure qualité de vie, de produire sans polluer et d'avoir accès à des sources inépuisables d'énergie non polluante!

La grande croissance serait la voie à suivre pour atteindre la perfection, l'éden, mais, contrairement aux édens religieux, il s'agirait d'un paradis à notre portée. Plus besoin de mourir pour l'atteindre. Par la technoscience, ce sont les frontières mêmes de la mort qui seront reculées et la porte de l'immortalité sera éventuellement ouverte. Selon les promoteurs de la grande croissance, le problème rencontré par les élites est essentiellement technique. Point besoin de creuser la question morale et d'innover au plan éthique. Il suffit de continuer d'investir massivement dans la science.

Cette idéologie de la grande croissance, du paradis sur Terre, de l'irresponsabilité face aux problèmes engendrés par le consumérisme et l'individualisme, est largement endossée par la population des pays développés et des pays en voie de développement.

QUELLE VOIE ADOPTER?

Au terme de cette courte réflexion sur les avancées récentes de la pensée eu égard à la notion et à la pratique du développement, nous nous trouvons à un carrefour.

Est-il adéquat de penser un après-développement qui reposerait sur la fin de l'empire et la renaissance d'une diversité de projets civilisationnels? Doit-on, au contraire, considérer que l'histoire humaine en est rendue au point de devoir exister au sein d'une seule configuration hégémonique, le capitalisme? Qu'il est tout au plus possible de le réformer et certainement impossible de le remplacer?

Une chose est certaine, la marche historique des sociétés humaines dans la complexification de leur ordre culturel a créé des déterminismes d'une nature totalement différente de ce que l'ordre naturel a mis en place. De nos jours, la question sociale ne relève plus du combat quotidien contre un environnement naturel hostile. Il s'agit au contraire de survivre dans un environnement culturel démontrant qu'au centre du capitalisme se déploie un monde paradisiaque et que sa banlieue ou sa périphérie met en scène un monde aliéné, marginalisé, appauvri, déconnecté.

Les incertitudes auxquelles l'individu et tout groupe social sont dorénavant confrontés relèvent d'un ordre culturel unifié faisant système à l'échelle mondiale. Cette nouvelle historicité, nommé mondialité, imbrique un tel niveau de dépendance des sociétés humaines qu'il est difficilement envisageable de penser qu'une sortie du système soit possible si elle ne fait pas appel, elle aussi, à l'utilisation d'un système unifié comportant un ensemble cohérent de lois, de principes, de valeurs et de normes, qui serait régulé par des familles appareillées d'arrangements institutionnels. La mort du développement laisserait immanquablement place à la proclamation « vive le développement » (« le roi est mort, vive le roi ! »).

Nous avons le choix de poursuivre dans la voie de l'unicité civilisationnelle. Il n'en tient qu'à nous collectivement de décider. Ni Dieu, ni Maître extérieur ne sont là pour nous imposer notre destinée. Cette dernière est plus que jamais entre nos mains. S'il a fallu accepter les guerres, les résistances et les révoltes, s'il a fallu composer avec les inégalités sous toutes leurs formes, si nous observons régulièrement le déploiement de violences liées aux dysfonctionnalités humaines, force est de constater que cet héritage nous a permis d'atteindre un niveau élevé de développement et que le projet est enfin achevé. Nous n'avons plus besoin de poursuivre dans la voie du progrès pour le progrès. Il convient plutôt, en toute humilité, de faire le point sur la façon dont nous voulons gérer notre héritage, de réfléchir à la façon dont nous voulons collectivement nous doter d'un ordre civilisationnel qui reprendra et respectera les bases éthiques du projet humain. Parler ainsi signifie renoncer à la conquête des étoiles, au progrès des nanotechnologies, à la colonisation de la biotechnologie. Parler ainsi signifie aussi le devoir de se donner de nouveaux défis en considérant l'effet du développement sur autrui, et ce, peu importe son identité culturelle.

La décroissance signifie tout au plus que l'on change la finalité actuelle de l'ordre sociétal mondialisé où le productivisme et le consumérisme sont définis comme ce qui garantit notre survie en tant qu'espèce. Actuellement, il est idéologiquement affirmé et proclamé que le salut humain passe par la généralisation et l'approfondissement de la civilisation capitaliste. Une idéologie similaire affirmait au Moyen Âge que le salut passait par la chrétienté ! La décroissance constitue un passage obligé pour penser un nouvel idéalisme, une nouvelle idéologie permettant d'éviter la reproduction des tendances lourdes qui ont marqué l'histoire humaine sous la forme de mouvements d'appropriation et de localisation discriminants. La décroissance est une invitation à renouer avec les possibles, donc un appel à la capacité de croître et de se développer par et dans un vivre-ensemble démocratisé et un vivre-ensemble écologique.

BIBLIOGRAPHIE

AMIN, S. et F. HOUTART (dir.) (2002). *Mondialisation des résistances. L'État des luttes, 2002*, Paris, L'Harmattan.

AZNAR, G., A. CAILLÉ, J.-L. LAVILLE, J. ROBIN et R. SUE (1997). *Vers une économie plurielle*, Paris, Syros, coll. «Alternatives économiques».

BEAUD, M. (1997). *Le basculement du monde*, Paris, La Découverte.

BERNARD, M., V. CHEYNET et B. CLÉMENTIN (2003). *Objectif décroissance. Vers une société viable*, Montréal, Écosociété.

BILGE, S. (2009). «Théorisations féministes de l'intersectionnalité», *Diogène* 1, n° 225, p. 158-176.

BRASSEUL, J. (2005). *Un monde meilleur? Pour une nouvelle approche à la mondialisation*, Paris, Armand Colin.

CAILLÉ, A., C. LAZZERI et M. SENELLART (2001). *Histoire raisonnée de la philosophie morale et politique: le bonheur et l'utile*, Paris, La Découverte/Syros.

CASTORIADIS, C. (1975). *L'institution imaginaire de la société*, Paris, Seuil.

CLUB DE ROME (1972). *Halte à la croissance*, Paris, Fayard.

COSTANZA, R. *et al.* (1997). *An Introduction to Ecological Economics*, ISEE, Boca Raton, St. Lucie Press.

GROUPE DE LISBONNE (1995). *Limites à la compétitivité*, Rapport Meadows, Paris, La Découverte.

KERGOAT, D. (2001). «Le rapport social de sexe. De la reproduction des rapports sociaux à leur subversion», dans *Les rapports sociaux de sexe*, Paris, Presses Universitaires de France, *Actuel Marx*, n° 30, p. 85-100.

LATOUCHE, S. (1986). *Faut-il refuser le développement?*, Paris, Presses Universitaires de France.

LATOUCHE, S. (2004). *La méga-machine. Raison technoscientifique, raison économique et mythe du progrès*, Paris, La Découverte/MAUSS.

LATOUCHE, S. (2010). *Sortir de la société de consommation*, Paris, Les Liens qui libèrent.

LAVILLE, J.-L. (dir.) (1994). *L'économie solidaire: une perspective internationale*, Paris, Desclée de Brouwer.

LÉVESQUE, B. (2005). *Innovations et transformations sociales dans le développement économique et le développement social: approches théoriques et politiques publiques*, Montréal, Centre de recherche sur les innovations sociales (CRISES), ET0507.

MAUSS (2002). «Quelle autre mondialisation?», *Revue du Mouvement anti-utilitariste dans les sciences sociales*, n° 20.

PARTANT, F. (1982). *La fin du développement, naissance d'une alternative?*, Paris, Maspero.

PARTANT, F. (2002, 1978). *Que la crise s'aggrave*, Paris, Parangon.

POLANYI, K. (1983). *La grande transformation. Aux origines politiques et économiques de notre temps*, Paris, Gallimard.

RIST, G. (1996). *Le développement. Histoire d'une croyance occidentale*, Paris, Presses de Sciences Po.

ROEGEN, N.G. (1995). *La décroissance – Entropie – Écologie – Économie*, Paris, Éditions Sang de la Terre.

SACHS, W. et A. ESTEBA (1996). *Des ruines du développement*, Montréal, Écosociété.

SCHUMPETER, J.A. (1990). *Capitalisme, socialisme et démocratie*, Paris, Payot.

SCHWARTZ, P., P. LEYDEN et J. HYATT (2000). *La grande croissance, vingt ans de prospérité nous attendent. Êtes-vous prêts?*, Paris, Robert Laffont.

SILVESTRO, M. et J.-M. FONTAN (2005), « Vivre demain dans nos luttes d'aujourd'hui! », *Possibles*, vol. 29, n° 2, printemps, p. 100-117.

SORMAN, G. (2001). *Le progrès et ses ennemis*, Paris, Fayard.

VACHON, B. (dir.) (1990). *Alternatives au développement. Approches interculturelles à la bonne vie et à la coopération internationale*, Montréal, Institut interculturel de Montréal, Éditions du Fleuve.

LE FORUM SOCIAL MONDIAL
Berceau de l'altermondialisme

Pierre Beaudet

Depuis 2001, un processus de mise en réseaux et d'articulation a été instauré sous l'égide du Forum social mondial (FSM). Un grand nombre de forums mondiaux ont été réalisés au Brésil, en Inde, au Kenya et au Sénégal dans les dix dernières années. Plusieurs autres rencontres réunissant des centaines de milliers de personnes ont également eu lieu en Europe, en Asie, en Afrique, dans les Amériques. Perçu au début comme une sorte de «contre-Davos», le FSM s'est peu à peu défini comme un des lieux principaux où se construit l'«altermondialisme[1]». Par altermondialisme, on entend un effort pour définir de nouveaux paradigmes qui valorisent la participation démocratique et citoyenne, le développement social, le respect des droits et des cultures, la paix et la démilitarisation, la défense du bien commun, la recherche de véritables alternatives au plan international. En partie, cette appellation est venue pour démarquer les mouvements sociaux qui s'opposent à la mondialisation néolibérale dominante des mouvements marqués par l'identitarisme ou l'ultranationalisme ethnique, religieux et communautaire[2].

L'aventure du FSM a commencé en 2001 à Porto Alegre, une ville d'environ trois millions d'habitants dans le sud du Brésil. Pourquoi Porto Alegre? De 1988 à 2004, cette municipalité a été gouvernée par la gauche, animée principalement par le Parti des travailleurs (PT)[3]. Dans le sillon de cette évolution, des pratiques de renouvellement de la démocratie (dont le fameux «budget participatif») et des initiatives de développement social ont, dans une certaine mesure, fait de Porto Alegre une sorte de «ville modèle» pour les mouvements progressistes brésiliens, latino-américains et même mondiaux. Il faut dire également que le contexte brésilien a beaucoup

---

1. À Davos (Suisse) se tient depuis plusieurs années le Forum économique mondial, qui réunit les gouvernements et les grands acteurs économiques (firmes multinationales, agences financières, etc.). Cette rencontre qui fonctionne en circuits fermés et avec un agenda néolibéral assez marqué a été critiquée par divers mouvements sociaux, lesquels ont estimé qu'un autre espace devait être organisé pour ouvrir le débat aux propositions citoyennes et alternatives. C'est en partie cela qui a permis le démarrage du FSM.
2. Certains mouvements de droite qui exacerbent les questions d'identité et la «défense de la nation» sont parfois critiques à l'endroit de la mondialisation dominante (on pense au mouvement de Le Pen en France, par exemple). Les altermondialistes ne sont pas contre la mondialisation, mais pour une autre mondialisation.
3. La domination du PT à Porto Alegre a été suspendue à l'automne 2004 lorsqu'une coalition de droite a remporté les élections municipales. Depuis, le PT n'est pas revenu au pouvoir à Porto Alegre. Par contre, lors des élections de 2010, le PT a élu gouverneur de l'État du Rio Grande do Sul l'ancien maire de Porto Alegre, Tarso Genro.

Tableau 3b.1.
Le FSM en un coup d'œil

2001 : Premier FSM à Porto Alegre (Brésil)	avec 15 000 participants
2002 : Deuxième FSM à Porto Alegre	avec 50 000 participants
2003 : Troisième FSM à Porto Alegre	avec 90 000 participants
2004 : Quatrième FSM à Mumbai (Inde)	avec 130 000 participants
2005 : Cinquième FSM à Porto Alegre	avec 155 000 participants
2006 : Sixième FSM « décentralisé » à Bamako (Mali), Caracas (Venezuela) et Karachi (Pakistan)	avec 120 000 participants
2007 : Septième FSM à Nairobi (Kenya)	avec 75 000 participants
2008 : Journée d'action mondiale (pas de lieu géographique officiellement désigné)	
2009 : Huitième FSM à Belém (Brésil)	avec 100 000 participants
2011 : Neuvième FSM à Dakar (Sénégal)	avec 60 000 participants (estimation)

compté, non seulement dans l'élaboration de nouvelles propositions venant des mouvements sociaux, mais également à travers la longue montée du Parti des travailleurs jusqu'à la victoire de son chef historique, Luiz Inácio Lula da Silva dit « Lula », lors des élections présidentielles de 2003. Au-delà du contexte politique et du milieu brésilien, le FSM traduit le développement et le renforcement des mouvements sociaux un peu partout dans le monde, dans une grande diversité de formes, de contextes, de cultures, etc.

Dans ce sens, on peut retracer l'itinéraire du FSM à travers un certain nombre de grandes mobilisations survenues depuis dix ans aux quatre coins de la planète (soulèvement zapatiste au Mexique, manifestations monstres à Seattle, Gênes, Québec, Johannesburg, etc.), mais aussi à travers la mise en place de réseaux mieux organisés au plan national et international, que l'on pense au monde syndical, aux organisations communautaires, étudiantes, féministes, écologistes, etc.

SOUPLESSE DE LA STRUCTURE

Au contraire d'expériences internationales précédentes marquées par des alignements idéologiques et politiques, le FSM s'est construit d'emblée dans la diversité et dans une approche qui privilégie les mouvements sociaux, sans dénigrer pour autant d'autres formes organisationnelles. Le Forum est en fait géré par un « secrétariat » composé d'organisations brésiliennes et indiennes, notamment la centrale syndicale CUT, le Mouvement des sans terre (MST), l'Association des ONG brésiliennes et le Forum social indien (qui regroupe plus de 80 associations indiennes).

Parallèlement à ce secrétariat qui gère en fait l'organisation, la logistique et le financement du Forum existe un « comité international » composé d'une centaine d'organisations internationales qui viennent des cinq continents[4].

UN ESPACE D'ESPACES

Le Forum social mondial est un « espace d'espaces » dans lequel coexistent des réseaux, des organisations, des thématiques très diversifiées, qui s'expriment dans des « langages » différents selon l'origine et l'enracinement des participants. On y côtoie des mouvements sociaux très radicaux, comme le Mouvement des travailleurs sans terre du Brésil, avec des ONG plutôt modérées et des institutions internationales. Les sensibilités politiques sont également très diversifiées, généralement à gauche, mais dans une grande diversité. Des mouvements liés de près à des partis ou même à des gouvernements social-démocrates (c'est le cas de plusieurs syndicats par exemple) sont présents aux côtés d'associations de caractère libertaire ou autogestionnaire qui refusent toute collaboration avec l'État. Le fond commun, si on peut dire, de cette galaxie altermondialiste est le refus du néolibéralisme dominant et la valorisation de la diversité des propositions et des cultures. Une autre caractéristique des mouvements qui participent au FSM est le refus de la violence, même lorsque celle-ci est revendiquée par des groupes de gauche. Le FSM :

> [...] cherche à fortifier et à créer de nouvelles articulations nationales et internationales entre les instances et mouvements de la société civile qui augmentent, tant dans la sphère de la vie publique que de la vie privée, la capacité de résistance sociale non violente au processus de déshumanisation que le monde est en train de vivre et à la violence utilisée par l'État, et renforcent les initiatives d'humanisation en cours, par l'action de ces mouvements et instances[5].

C'est pourquoi, par définition et en dépit de certains appels dans ce sens, le FSM n'émet ni « déclaration finale » ni programme. Toutefois à l'intérieur du Forum, des regroupements organisés ou spontanés s'entendent pour élaborer des stratégies et des orientations plus définies. C'est le cas par exemple de l'Assemblée mondiale des mouvements sociaux, qui regroupe plus de 500 organisations sociales du monde entier.

---

4. Les organisations européennes et latino-américaines y sont cependant prédominantes. La représentation d'Asie, d'Afrique et d'Amérique du Nord est relativement modeste. Les membres du comité international sont nommés (et non élus) ou cooptés par le comité international lui-même. .
5. Principe numéro 13 de la Charte des principes du FSM. Le texte se trouve sur le site du FSM : <www.forumsocialmundial.org.br/main.php?id_menu=4&cd_language=3>.

Extrait de la Charte des principes du FSM

Le Forum social mondial est un espace de rencontre ouvert destiné à approfondir la réflexion, le débat démocratique d'idées, la formulation de propositions, l'échange d'expériences et l'articulation d'actions efficaces, entre les associations et mouvements de la société civile qui s'opposent au néo-libéralisme et à la domination du monde par le capital et par toute forme d'impérialisme et qui se sont engagés dans la construction d'une société planétaire centrée sur l'être humain. Le FSM se propose de débattre des alternatives de construction d'une mondialisation planétaire assise sur le respect des droits de l'homme universels et de ceux de tous les citoyens et citoyennes de toutes les nations, ainsi que de l'environnement, une mondialisation appuyée sur des systèmes et des institutions internationaux démocratiques placés au service de la justice sociale, de l'égalité et de la souveraineté des peuples.

Lors de la cinquième édition du FSM à Porto Alegre, en janvier 2005, les organisateurs ont structuré le Forum d'une manière encore plus décentralisée, à travers 11 « villages thématiques », chacun opérant de manière quasi autonome avec les ressources et les énergies des organisations participantes. Le but de cette décentralisation était de favoriser la construction de réseaux, seule fondation solide à long terme pour le maintien du FSM comme « réseau de réseaux ».

Réflexions sur le FSM de Belém

Le Forum social mondial continue à être un énorme espace universel pour la présentation d'idées. Dans ce sens, c'est une sorte de grande foire mondiale, où chaque « tribu » dispose d'une grande liberté pour organiser un débat sur ce qu'elle veut. Et ainsi fut fait. À Belém étaient inscrits plus de 2 500 débats sur tous les thèmes possibles et imaginables. Le FSM permet que divers réseaux d'intérêts communs, que ce soit d'ONG ou de mouvements sociaux, se rencontrent dans cet espace pour faire leurs propres articulations politiques internationales. En tant que mouvements sociaux, nous cherchons à profiter de l'espace du FSM pour continuer à faire nos articulations. Et nous avons réalisé trois activités très importantes. Une plénière des mouvements sociaux impliqués dans la construction de l'ALBA, processus alternatif à l'ALCA et au libre-échange. Une rencontre avec les quatre présidents qui soutiennent le processus de l'ALBA. Et une assemblée des mouvements sociaux. Nous avons avancé pas mal d'idées, bien que la représentation ait été en deçà de la force sociale réelle qui existe dans les pays. Nous sommes parvenus à élaborer un programme minimum, unitaire d'affrontement de la crise et qui va au-delà des propositions conciliantes et réformistes des gouvernements, même les progressistes.

João Pedro Stedile, membre du MST et de la Via Campesina Internationale

L'AVENIR DU FSM

En 2011, le Forum revient en Afrique, à Dakar (Sénégal) où l'organisation est assumée par une vaste coalition de mouvements populaires et d'ONG sénégalaises, avec l'appui du Forum social africain. C'est la deuxième fois que le FSM se tient en Afrique (après Nairobi en 2007). Selon plusieurs, l'Afrique est un espace « fertile » pour le FSM, compte tenu de l'amplitude des mouvements populaires et des défis à tous les niveaux de la société et de l'État. Pour d'autres, il y a cependant un danger. Pour garder son élan, le FSM doit demeurer un espace de construction d'alternatives et se garder d'être uniquement un lieu pour faire l'inventaire des dégâts du néolibéralisme. Le défi est grand pour les mouvements africains. Au-delà de la tenue d'un forum mondial comme tel, les milliers d'organisations participantes cherchent à renouveler le Forum, ou à l'utiliser davantage pour propulser des débats stratégiques, ce qui implique des questions difficiles comme le rapport à l'État et aux partis politiques. En Amérique latine, là où le FSM est né, les mouvements sont rendus à une autre étape, car ils ont bousculé l'espace social et politique, forcé des réalignements majeurs. Ils sont donc plus ou moins engagés dans la construction de nouvelles articulations, comme on le voit par exemple en Bolivie.

Chapitre

4

MÉTROPOLISATION ET RÉSEAU DES VILLES
L'armature territoriale de l'espace-monde

Sylvain Lefebvre

Les villes sont des territoires qui, de tout temps, ont été des éléments structurants des systèmes-monde qui se sont succédé[1]. De l'Antiquité, en passant par le Moyen Âge et la révolution industrielle, les villes ont toujours été déterminantes et en relation particulière avec toutes les autres formes de territoire. L'espace mondial s'urbanise à une vitesse inégalée. En 1950, la population urbaine représentait 33 % de la population

---

1. Un «système-monde» sera défini ici comme une vision synchronique de l'environnement planétaire à divers moments de l'histoire. Un système-monde possède un niveau de cohérence déterminé par plusieurs variables historiques. Ainsi, nous pourrions parler du système-monde de l'Empire romain, du système-monde de la Renaissance, du système-monde de l'entre-deux-guerres, du système-monde contemporain, etc.

totale mondiale. En 2020, ce pourcentage avoisinera les 60 % et les taux d'urbanisation et de croissance urbaine ne sont pas près de diminuer. Plus de trois milliards d'hommes et de femmes habitent aujourd'hui dans les villes et, de ce nombre, environ 9 % dans des agglomérations de plus de 10 millions d'habitants. Le monde d'aujourd'hui est un monde de villes. Des villes qui structurent et recomposent les règles des échanges commerciaux, les réseaux socioculturels et de solidarité, les légitimités politiques de certains espaces ou de certaines actions territoriales et, bien sûr, nos comportements et nos modes de vie.

4.1. Définir la ville

En géographie, en urbanisme et plus globalement dans le champ des études urbaines, une question fondamentale demeure sans réponse bien précise : qu'est-ce que la ville ? Quel est le dénominateur commun de toutes les villes de l'histoire ? Quand la première « ville » est-elle née et pourquoi ? Ces questions soulèvent encore aujourd'hui plusieurs débats au sein de diverses disciplines (histoire, géographie, sociologie, économie). L'historicité du phénomène urbain n'est pas neutre puisqu'elle utilise un large éventail de notions et de concepts qui prennent des significations fort différentes selon les cultures, les époques ou les conjonctures[2]. C'est que la ville n'est pas un territoire facile à définir avec précision. Les critères retenus pour qualifier un espace de « ville », pour distinguer l'espace urbain de l'espace « non urbain » peuvent varier de façon significative selon les contextes.

Ainsi, la taille démographique, la grande densité d'occupation d'un territoire ou la superficie utilisée servent encore aujourd'hui de balise politique ou administrative pour qualifier un espace de « ville ». Dans certains pays, une ville doit avoir un minimum de 2 000 ou encore 5 000 habitants pour être considérée comme telle[3]. De même, la spécialisation des activités économiques, le niveau de centralité par rapport à des

---

2. De même, notre perception du phénomène urbain est vraisemblablement minée par l'expérience vécue de la ville. Par exemple, l'image que se font plusieurs, de la ville de verre, d'acier et de béton qui pollue, qui écrase par le poids de ses activités, le bruit, la densité des bâtiments, les foules, etc., vient confronter une image plus positive pour d'autres : celle d'un lieu excitant, d'effervescence d'activités, de densité d'interactions humaines, etc. Notre capacité d'analyse du phénomène urbain est affectée par cette dimension subjective de l'expérience urbaine et celle-ci est différente selon les époques, les régions du monde, etc.
3. Malgré ces éléments de débat et par besoin d'opérationnaliser des politiques et des stratégies sur divers acteurs sociaux, les définitions du phénomène urbain convergent vers certaines balises démographiques et territoriales applicables aux concentrations urbaines et aux agglomérations. Ainsi, l'Organisation des Nations Unies considère qu'un territoire urbanisé de 5 000 habitants et plus peut se qualifier comme « ville ».

territoires non urbains (la campagne, les espaces ruraux, naturels, l'*Hinterland*[4]) sont encore aujourd'hui associés à la spécificité du phénomène urbain. Ces éléments sont toutefois plus difficiles à quantifier de façon précise pour permettre des catégorisations. Dans un autre registre, la forte présence des institutions du pouvoir et la grande intensité des interactions sociales dans un territoire restreint sont aussi des facteurs qui caractérisent le fait urbain. Ces critères ne font pas consensus car il y aura toujours un certain nombre de villes pour faire la preuve que la mesure exacte de ce qui est une ville et de ce qui ne l'est pas ne résiste pas à l'analyse. Petite ou grande, très spécialisée ou non, avec ou sans des instances politiques et décisionnelles, la diversité des villes est telle qu'il est pratiquement impossible d'élaborer des définitions et des typologies précises. Encore aujourd'hui, la naissance et l'évolution ancienne du phénomène urbain intriguent. L'état de nos connaissances historiques et anthropologiques ne nous permet pas de nier que l'essence même du phénomène urbain a toujours existé. Il y a des traces de ce phénomène pour des périodes qui précèdent de loin l'Antiquité, et ce, dans plusieurs civilisations.

Plus près de nous, dans la littérature contemporaine, le champ des études urbaines est dominé par deux corpus disciplinaires : l'économie et la sociologie. Pour chacun d'entre eux, il y a plusieurs contributions qui permettent une meilleure exploration de notre question initiale : d'où vient la ville et de quoi parle-t-on exactement ?

4.2. Quelques certitudes sur la ville

Malgré les éléments de débat, historiquement, on retrouve des constantes dans l'évolution du fait urbain. On sait par exemple que les villes ont toujours été des **lieux d'accumulation**. Selon plusieurs historiens, la ville serait même née du surplus agricole. Avec les grandes avancées techniques, les populations nomades se seraient sédentarisées et auraient pu produire davantage de biens de subsistance (plus particulièrement la nourriture) leur permettant ainsi de libérer une force de travail pouvant créer, innover et produire autre chose que le strict nécessaire à la survie. Le fait urbain reposerait ainsi sur la possibilité d'un développement et d'une production spécialisée devenus possibles par la création d'un surplus de produits agricoles ou de cueillette de nourriture. L'idée a séduit une majorité de théoriciens puisqu'il était enfin possible de comprendre le phénomène urbain en relation avec le développement économique. D'ailleurs, une des obsessions récurrentes dans le champ des théories sur la ville est de chercher à établir si la ville est un produit ou une conséquence du développement économique ou si c'est la ville qui a permis et accéléré la croissance économique dans diverses sociétés. Un débat intéressant

---

4. *Hinterland* est un mot allemand qui signifie arrière-pays. Il est généralement utilisé pour qualifier des espaces situés en périphérie des centres stratégiques ou encore des espaces d'approvisionnement.

mais difficile car il demeure périlleux de décrire les civilisations urbaines de 3000 à 1000 ans av. J.-C. Difficile de faire abstraction de trois millénaires de villes disparues, de sociétés urbaines peu documentées devant quelques siècles d'urbanisation observée et mieux documentée par les recherches urbaines contemporaines.

En économie, Paul Bairoch est un auteur qui offre néanmoins une vision globale et éclairée sur le rapport entre le développement économique et le phénomène urbain[5]. Le lien entre l'agriculture et la naissance des premières villes est l'élément central de la thèse de Bairoch (1985). Le surplus agricole permet des activités sédentaires non agricoles, donc, des activités urbaines bien distinctes de l'ordre antérieur. Pour d'autres auteurs, c'est plutôt l'inverse qui se serait produit (Jacobs, 1969) : l'existence des villes, où s'élaborent de nouvelles techniques, aurait permis l'invention de l'agriculture et donc de ce fameux surplus agricole. Ainsi, les villes sont des **lieux de création et de production** car elles génèrent des activités autrement plus difficiles à soutenir si l'autosuffisance est le principal but du travail fourni par sa population. Est-ce que la ville entraîne donc nécessairement un rapport de dépendance avec d'autres territoires ? Le fait urbain est-il intrinsèquement lié aux territoires non urbains ? Le débat est loin d'être résolu et laisse encore place à un certain déterminisme : si les hommes se rassemblent, ont des activités sédentaires et ne sont pas autosuffisants quant à leur alimentation, c'est que quelqu'un d'autre les nourrit. Cette affirmation nous permet de mieux comprendre encore aujourd'hui les clivages entre les espaces ruraux et les espaces urbains, les lieux de production et ceux de consommation de masse, la séparation du traditionnel et du moderne, etc. Ici, la réciprocité des perspectives, défendue notamment par l'historien Fernand Braudel (1979), permettrait de mieux cerner les causes de l'urbanisation et les effets de l'évolution urbaine. Le phénomène urbain doit être compris dans la complémentarité qu'il entretient avec d'autres types de territoires.

La fascination exercée par la ville n'est pas étrangère à son intensité et à sa densité. Havre de ressources mais aussi lieu d'interactions et d'échanges, la ville est vite devenue, dans l'imaginaire collectif, un agent de civilisation. Les « lumières de la ville » ont un pouvoir d'attraction qui encourage la concentration des forces vives d'une société. Jacques Le Goff démontre bien par exemple que « les attitudes mentales de la ville médiévale furent indispensables à la croissance du capitalisme et à la révolution industrielle » (Le Goff, 1972, p. 94). Les villes, **lieux civilisateurs, de savoir et de culture**, concentrent généralement une multitude d'écoles et d'institutions d'enseignement, une forte densité de centres de recherche et, bien sûr, les universités et autres institutions d'enseignement supérieur. Historiquement, les villes ont toujours été les lieux de la création et de la diffusion des arts et de la culture d'une civilisation. Elles donnent une valeur ajoutée à la sphère culturelle par leurs grands équipements, leurs ressources diversifiées et la masse critique des individus qui y participent. Le fait

---

5. On pourra lire aussi Lewis Mumford, *La cité à travers l'histoire*, Paris, Seuil, 1964, et Leonardo Benevolo, *La ville dans l'histoire européenne*, Paris, Seuil, 1993.

urbain questionne aussi la possibilité qu'une ville représente davantage que la somme de ses constituants, que la conjonction de cette densité d'activités, d'interactions sociales, etc., crée une «plus-value» propre et distincte de toutes les autres formes de territoire.

Finalement, les villes sont des **lieux de pouvoir**. Historiquement, les pouvoirs militaire, religieux, économique et politique ont toujours préféré une forme de concentration et de proximité dans les murs de la ville. Sièges des gouvernements et de divers régimes politiques, centres religieux et militaires, lieux par excellence des centres décisionnels, des sièges sociaux, des grandes entreprises et institutions bancaires, des places financières et des sociétés d'État, les grandes villes sont synchronisées avec les grandes puissances et les centres de gravité des systèmes-monde qui se sont succédé dans l'histoire. Les villes globales que sont devenues New York, Londres ou Tokyo témoignent par exemple du phénomène de tripolarisation économique (ou triadisation) de l'environnement international. Cette concentration de pouvoirs est telle que plusieurs États ont préféré, dans certaines conjonctures, retirer à leur métropole nationale le siège du gouvernement, le Parlement, les ministères et autres entités administratives et politiques pour créer de toutes pièces des capitales nationales ou renforcer des pôles urbains secondaires (Rio de Janeiro *vs* Brasilia, Abidjan *vs* Yamoussoukro, Ottawa *vs* Montréal ou Toronto, Sydney *vs* Canberra, etc.). Certaines villes ont aussi un statut particulier car elles concentrent les sièges de plusieurs organisations internationales, leur donnant ainsi une visibilité très forte sur l'échiquier géopolitique. Genève, le Luxembourg, Bruxelles, Zürich, Paris sont des agglomérations urbaines qui ont un ascendant plutôt important sur la scène politique internationale, mais sans véritablement s'imposer dans les sphères décisionnelles de l'économie mondiale au même titre que les villes globales citées précédemment.

4.3. Des réseaux de villes qui structurent le monde

La localisation des principaux centres urbains sur la carte du monde est intéressante. Historiquement, il y a une concentration du phénomène de l'urbanisation sur les territoires considérés comme «utiles». L'utilité territoriale fait ici référence à l'accessibilité aux voies navigables, aux points de passage stratégiques des grandes routes commerciales, à la disponibilité de ressources naturelles et énergétiques, bref, à tout ce qui pouvait motiver la sédentarisation et la concentration d'une population donnée. Les foyers de cette urbanisation coïncident ainsi avec les concentrations démographiques dans toutes les régions du monde et sont principalement localisés en Europe, en Inde et en Chine.

L'ouverture de l'espace mondial au commerce et au transport a influencé l'évolution du phénomène urbain aux xve et xvie siècles. La découverte de nouveaux continents par les puissances européennes et, plus tard, la colonisation de peuplement et d'exploitation par ces mêmes puissances ont eu pour effet d'accélérer l'urbanisation et de renforcer le rôle économique des villes. Cette transition historique importante a permis «d'exporter» ou «d'inventer» certains types de villes et d'en découvrir d'autres. Jusqu'au début du xixᵉ siècle, les grandes concentrations urbaines seront essentiellement localisées près des voies navigables et des principales concentrations démographiques. Cette variable démographique, quoique déterminante pendant plusieurs siècles dans l'évolution des villes, laissera place peu à peu à l'importance de la poussée de l'industrialisation et de la nouvelle division internationale du travail qui alimenteront de façon exponentielle les niveaux de croissance urbaine de plusieurs régions du globe. À ce titre, la révolution industrielle sera un véritable moteur d'urbanisation en Europe et en Amérique du Nord. Par un effet de balancier, les grands foyers urbains des vieux continents laisseront place à l'explosion urbaine du nouveau continent. Au xxᵉ siècle, les pays en développement profiteront des stratégies d'industrialisation par l'exportation pour accélérer leur croissance urbaine. Partout, à l'échelle mondiale, les villes deviendront plus denses, plus peuplées, plus fortes économiquement et plus déterminantes dans le processus de mondialisation. L'explosion urbaine contemporaine qui a suivi la fin de la Deuxième Guerre mondiale verra apparaître un nouvel équilibre dans le palmarès des 10 plus grandes villes. En 1900, sur les 10 villes les plus peuplées (de 2 à 10 millions d'habitants), six étaient localisées en Europe, trois aux États-Unis et une en Asie (figure 4.1). En 1950, huit villes européennes dominent le palmarès des dix plus grandes villes (5 à 15 millions). En 2000, l'explosion urbaine des pays en développement fait en sorte que ce sont maintenant huit de leurs villes qui dominent par leur taille démographique parmi les dix plus importantes (15 à 25 millions).

Depuis les années 1950, on assiste à une généralisation croissante d'un certain type d'espace métropolitain se reproduisant avec les mêmes paramètres, les mêmes codes urbanistiques, et ce, à l'échelle de toute la planète. Un nouvel ordre métropolitain a pris forme avec pour fondement un nouvel imaginaire de la ville et une redéfinition des forces politiques et économiques qui s'exercent sur l'espace. Les cultures urbaines plus anciennes de l'Amérique du Sud et de l'Asie sont restées sans conséquence pour les modèles d'urbanisation rapide qui se sont propagés à l'échelle mondiale. Dorénavant, ce nouvel ordre métropolitain puise ses repères dans la métropole nord-américaine, son centre des affaires (*Central Business District*), ses quartiers thématiques (culturels, commerces spécialisés, divertissement, etc.), ses gratte-ciel, l'embourgeoisement de ses quartiers résidentiels, une mixité des fonctions urbaines, une revitalisation de ses quartiers historiques, etc. Plus important encore, les modes de vie de la grande ville nord-américaine s'imposent selon diverses modalités à toutes les sociétés, conditionnant ainsi tant les échanges économiques que les rapports sociaux.

Figure 4.1.
Les dix plus grandes villes au monde en 1900, 1950 et 2000

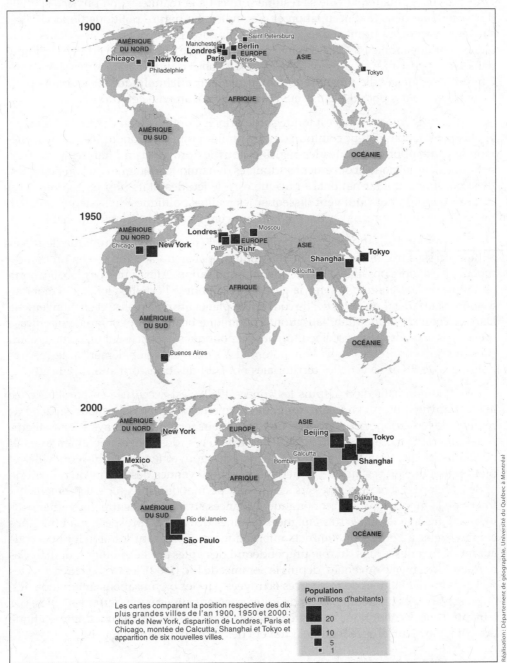

Les cartes comparent la position respective des dix plus grandes villes de l'an 1900, 1950 et 2000 : chute de New York, disparition de Londres, Paris et Chicago, montée de Calcutta, Shanghai et Tokyo et apparition de six nouvelles villes.

Population
(en millions d'habitants)

20
10
5
1

Réalisation : Département de géographie, Université du Québec à Montréal

4.4.   Le renforcement politique des villes : légitimités nouvelles

Pour plusieurs auteurs, la ville se résume souvent à la manifestation physico-spatiale d'une certaine densité d'occupation et d'activités. La nature politique de la ville est souvent évacuée au profit d'une lecture des rapports de force entre les acteurs de la scène politique locale. La ville, comme « entité politique » ayant une certaine légitimité dans son rapport au système-monde, n'a pas fait l'objet d'une littérature très abondante. L'hypothèse que la ville puisse représenter une légitimité politique structurante pour l'environnement mondial n'a pas été réfléchie et documentée en propre.

Le système mondial est fondé sur le principe organisateur des États. L'État est le plus petit dénominateur commun des légitimités politiques fondatrices du système-monde contemporain. Toutes les règles et tous les processus à l'œuvre sur le plan politique dans le monde concernent surtout les dynamiques étatiques ou pan-étatiques. Il est question « d'inter-national » puisque c'est le jeu des États (des pays) dont il est d'abord question pour qui veut disséquer les réalités politiques du système mondial, toujours perçu et compris encore aujourd'hui comme système « international ».

La mondialisation est une propension à l'étalement géographique de forces et de processus très diversifiés. Une fois cette propension « accomplie » en un espace-monde, il est alors possible de parler de mondialisation. Alors que la « globalisation » témoigne de la volonté d'assurer la gestion du monde à l'échelle globale, la mondialisation est le reflet d'un potentiel de couverture planétaire déjà réalisé et en mouvement. Dans le contexte d'une mondialisation économique beaucoup plus rapide et efficace que les « mondialisations » socioculturelles ou politiques qui accusent un certain retard puisque non confirmées dans leur potentiel à s'exercer « globalement », les cadres politiques de diverses échelles territoriales ont subi des transformations radicales.

La mondialisation, depuis les années 1960, s'est accentuée en parallèle avec le phénomène du recul croissant des gouvernements nationaux dans leur capacité de réguler, de redistribuer et d'arbitrer. Confinés à leur territoire, les pays sont assujettis à des forces économiques qui font fi des frontières, des cadres réglementaires et normatifs, ce qui affaiblit la portée et l'action des gouvernements. Plusieurs villes et métropoles, devant ces lacunes structurelles, sont devenues des agents de promotion et de développement plus agressifs, ce qui leur permet de s'intégrer efficacement aux forces de la mondialisation économique. Alliances stratégiques entre gouvernements locaux, jumelage de villes très éloignées les unes des autres, prospection et missions commerciales à l'étranger, sommets internationaux réunissant les élus locaux, voilà autant de manifestations du rôle prépondérant des villes sur l'échiquier mondial. Ces dernières sont même devenues, depuis le Sommet de Rio (1992), les dépositaires directes de l'aide humanitaire et de ressources octroyées par des organisations internationales, et ce, sans passer par leurs paliers de gouvernement supérieurs. Certaines villes, par leur puissance économique et stratégique, s'affranchissent ainsi du jeu interétatique pour imposer leur propre logique à travers des réseaux urbains globaux.

4.5.   Refouler la ville-État

La recherche en études urbaines semble aujourd'hui retrouver avec beaucoup de vigueur tout ce qui concerne l'analyse politique et le rôle géopolitique de la ville. Alors que les économistes transposaient les principes théoriques macro- ou microéconomiques à l'espace urbain et que les sociologues tâtaient de l'interdisciplinarité d'emprunt aux sciences naturelles et à la physique pour expliquer l'évolution de la vie urbaine, l'aspect politique était relativement écarté des recherches visant à comprendre la nature du fait urbain. Le retour du concept de ville-État dans les années 1960, remis à la mode avec l'affaissement progressif et la transformation du rôle des États-nations, en est une manifestation concrète. Anthony M. Orum défend d'ailleurs l'idée que la ville à « l'état pur » est, dans un premier temps, un système politique territorialisé souverain (Orum, 1991; voir aussi Dahl, 1967). La ville serait ainsi un territoire capable d'autonomie politique et pourrait avoir une certaine pertinence dans la structuration du monde. Les questions de taille optimale de population – ou en termes de superficie – pour assurer une forme minimale de démocratie ou encore d'autonomie locale dans un système mondial dominé par les États étaient reléguées à des considérations de gestion pragmatique des affaires courantes. Depuis les années 1980, cette situation change peu à peu car le débat politique sur la ville sera relancé avec une vitalité qui n'a alors d'égale que celle du débat sur la recomposition d'un nouvel ordre mondial.

La réflexion sur le rôle des différents découpages politiques du monde sera réactivée par plusieurs facteurs : la redéfinition de la mission de l'Organisation des Nations Unies comme embryon de gouverne globale, le rôle des États affaiblis dans leurs fonctions de base face aux forces économiques, le renforcement des réseaux urbains métropolitains, l'apparente contradiction entre les dynamiques locales et globales, l'implosion de certains grands pays de l'Europe en plusieurs souverainetés étatiques, etc. Requestionner la pertinence des échelles territoriales utilisées pour organiser le politique deviendra une question de plus en plus importante dans le contexte de la mondialisation.

De plus, sachant que le phénomène de métropolisation a pour conséquence de renforcer le poids économique et politique de certaines villes dans leur cadre national, il était prévisible de voir ces dernières revendiquer des champs de compétence, des responsabilités et des pouvoirs accrus de leurs paliers de gouvernement supérieurs. Plusieurs régions du monde verront une progression du renforcement politique de leurs métropoles par la mise en place de gouvernements métropolitains, de politiques visant à encourager les fusions municipales et les regroupements de gouvernements locaux. Cette autonomisation politique de la ville alimente encore aujourd'hui les sources de tension qui existent entre les villes et les États en crise de légitimité.

4.6.   Villes globales et réseaux de villes

Les villes ne sont pas uniquement les théâtres et les réceptacles des forces en présence. Elles participent politiquement à l'évolution de la mondialisation par le phénomène d'autonomisation de leurs élites locales face aux forces politiques nationales. Les métropoles qui structurent le système-monde actuel sont les villes qui ont le mieux tiré leur épingle du jeu de la mondialisation économique galopante issue de la fin du dernier conflit mondial. Ces pôles urbains sont les nœuds stratégiques de plusieurs réseaux de villes qui organisent le monde. Leur pouvoir et leur rayonnement émanent d'abord et avant tout de la puissance de leur pays sur l'échiquier mondial mais aussi de leur capacité de fonctionner à la marge des cadres parfois rigides de leur région d'appartenance ou de leur cadre national. Véritables carrefours sur les principaux axes du commerce et de la finance internationale, les métropoles rassemblent les principaux acteurs de l'économie mondiale. En effet, les grandes entreprises, les emplois tertiaires, les institutions financières et les sièges sociaux entraînent dans leur sillage les services de haut niveau, la recherche et l'enseignement supérieur, les fonctions touristiques et de divertissement (hôtellerie, restauration, commerces de luxe, arts et produits culturels de rayonnement international). Ces villes sont au cœur d'une culture urbaine cosmopolitaine qui tend à surimposer des dynamiques reproductibles à tous les centres-villes et centres des affaires du réseau des villes globales, elles-mêmes très distinctes entre elles en termes de caractéristiques métropolitaines[6].

La gestion des crises urbaines contemporaines passe aujourd'hui par l'analyse du phénomène urbain dans un contexte de crise des États-nations. C'est que la mondialisation a imposé une nouvelle réflexion sur la ville. Les acteurs qui «mondialisent» sont localisés dans les villes. Les firmes transnationales, les grands propriétaires fonciers, les organisations internationales, les têtes de pont de la finance globale, les centres décisionnels, etc., prennent ancrage dans certains espaces bien ciblés de certaines métropoles. Les comportements économiques, politiques et géographiques de ces acteurs s'exercent d'abord en milieu urbain et dans l'intérêt de ces milieux urbains. La mondialisation est résolument urbaine car les villes sont les pivots, les nœuds, les noyaux stratégiques des réseaux qui structurent notre système-monde. Il en découle une puissance qui confronte les autres échelles géopolitiques (provinces, pays, régions, blocs régionaux). Les élites politico-économiques de ces villes-relais dans les réseaux urbains globaux valorisent et renforcent leur propre territoire d'appartenance et déstabilisent les rapports de force. Le cosmopolitisme du xxie siècle est désormais ancré dans cette généralisation du pouvoir des élites urbaines dominantes.

Entre 1975 et 2009, la moyenne d'augmentation annuelle du taux d'urbanisation des mégalopoles des pays en développement varie entre 1,16 % et 4,96 % alors que dans les pays industrialisés cette moyenne varie entre 0,41 % et 2,14 %. On peut donc

---

6.   Olivier Dollfus utilise l'expression «d'archipel mégapolitain mondial» ou AMM, pour qualifier ce réseau de villes jouant un rôle prédominant.

constater que l'augmentation du taux d'urbanisation des mégalopoles des pays en développement est plus de deux fois plus élevée que dans les pays développés. Toutefois, Mexico (19,5 millions d'habitants), São Paulo (20,3) ou encore Calcutta (15,6 millions) ne sont pas des métropoles clés de l'économie-monde malgré l'importance de leur taille démographique et territoriale. Elles participent activement aux réseaux urbains du système-monde mais sont stratégiquement sous l'emprise géopolitique et économique de villes globales telles que New York (19,4 millions d'habitants), Tokyo-Yokohama (36,7) ou Los Angeles (12,8). Ces métropoles concentrent stratégiquement des activités, des fonctions et des équipements de premier plan, tels des sièges sociaux de multinationales, des institutions internationales, des agences de presse, des grandes entreprises, des centres de recherche, etc., qui ont une portée décisionnelle majeure sur le contrôle des échanges économiques et culturels, l'organisation de l'information, la structure des communications et des grandes infrastructures. Les « villes globales » seront définies comme les villes où se localisent les acteurs qui mondialisent. Elles sont intégrées de façon dynamique à un réseau de villes qui tissent une trame transversale dans le système-monde actuel.

4.7.   Logiques aérolaires *vs* réticulaires

Dans la foulée des accords et des traités qui ont permis une relative pacification du monde après la seconde grande guerre, les territoires des États-nations sont devenus *de facto* le principe organisateur du nouveau système mondial. Bon nombre de théories économiques et géopolitiques foisonnent alors en tentant de mieux comprendre et expliquer le développement, les échanges commerciaux et les rapports de force politiques entre tous ces pays – nouveaux et plus anciens – qui composent désormais le système international. Au sortir de la Deuxième Guerre mondiale, plusieurs instances et organisations internationales sont créées avec le double objectif d'instaurer des règles internationales pour éviter un troisième conflit généralisé et d'accompagner les pays en développement dans leur désir d'émancipation nationale et de développement économique. La Société des Nations (devenue l'Organisation des Nations Unies) cristallisera ce nouveau système-monde où seul l'État-nation possède une légitimité politique reconnue et consensuelle pour fonder ces règles et ces nouveaux mécanismes. L'élément politique structurant du système-monde de la période de la guerre froide (1945-1990) se résume ainsi à l'État, au pays, à la nation. Les logiques d'organisation du monde deviennent « inter-nationales » car elles comportent des règles, des échanges et des rapports géopolitiques entre États.

D'un point de vue géographique, un tel environnement se traduit par des dynamiques « aérolaires » (par aire) que tous les États ont appliquées dans l'organisation et la planification de leur armature urbaine. En 1933, le géographe allemand Walter Christaller fut le premier à suggérer que les territoires étaient structurés par des lieux centraux en hexagones centrés et hiérarchisés entre eux. Cette théorie des places centrales visait à mieux comprendre l'organisation du territoire et à optimiser la localisation des équipements et des services. L'emboîtement des différentes aires de desserte annonce pourtant déjà des réseaux complexes entre ces différents centres fonctionnels qui correspondent à des villes de taille différente.

Des aires juxtaposées entre elles, parfois emboîtées les unes dans les autres, découpent la mappemonde en un nombre défini de territoires nationaux fermés sur eux-mêmes (les pays) qui interagissent selon le principe de l'intégrité territoriale, de la souveraineté nationale et de la non-ingérence. Un tel système a fonctionné – et fonctionne toujours – avec une relative efficacité si la perméabilité des frontières aux flux économiques, démographiques, culturels, etc., reste sous le contrôle de l'État, seule légitimité politique reconnue à l'échelle mondiale. L'État, même en coopération politique et économique avec d'autres États, doit maintenir le contrôle des forces qui s'exercent à même ses frontières. Dans le cas contraire, c'est son pouvoir d'action et sa légitimité qui peuvent être remis en cause. Or les forces de la mondialisation économique, les flux monétaires, de marchandises, d'entreprises et de main-d'œuvre se sont affranchis de cette contrainte spatiale (la frontière) en profitant de la globalisation des échanges. Non pas que la frontière soit devenue caduque, mais l'État ne peut plus dorénavant retenir sur son territoire les emplois, les entreprises, les travailleurs qualifiés lorsqu'ils sont soumis à la loi du plus offrant et qu'ils se prêtent à une libre circulation. La concurrence économique excessive a affaibli de façon exponentielle les missions de base des légitimités politiques nationales. À grand renfort d'incitatifs, de subventions et de réductions d'impôts, les gouvernements nationaux tentent de maintenir les avantages comparatifs de leur économie et, ce faisant, perdent une part de leur capacité à réguler. Les élites politiques nationales perdent le contrôle sur ce qui leur est extraterritorial et subissent une perte de pouvoir économique et de capacité de dépenser à des fins de redistribution infraterritoriale.

Dans les faits, les forces de la mondialisation s'expriment davantage dans une logique de réseaux qui se superposent à la grille aérolaire des États. Ces réseaux sont structurés par les flux économiques et sont autosuffisants dans la globalisation économique et financière actuelle. Ils s'affranchissent des frontières politiques et administratives pour se créer une existence à la marge des institutions et des cadres politiques. Les places boursières qui alimentent le marché de la finance globale en continu, les réseaux financiers et bancaires, les réseaux des grandes multinationales et conglomérats, les réseaux de communication, télécommunications et de médias, voilà autant d'exemples de «territoires-réseaux», de territoires «réticulaires» ou «résiliaires» qui s'emboîtent les uns dans les autres avec des nœuds, des pôles, des «centres de contrôle». L'analyse de ces têtes de réseau et de ces intersections représente la nouvelle donne dans la compréhension des forces de la mondialisation et de leur traduction politique.

Les villes et les institutions municipales sont aussi devenues des éléments de plus en plus importants dans les politiques et les stratégies de mondialisation des acteurs publics et privés. Par ailleurs, c'est au niveau des villes que se manifestent déjà tous les problèmes et les effets dévastateurs de la gestion économique et sociale actuelle, tels la pauvreté, l'exclusion sociale, la violence, l'intolérance, la dégradation environnementale. Les villes nous apparaissent donc comme les acteurs sociaux de type gouvernemental les mieux placés pour aborder le prochain millénaire (Groupe de Lisbonne, 1995, p. 222).

Les villes représentent des territoires qui sont aisément reliés entre eux de manière durable et structurante. Lieux de convergence naturels, les agglomérations urbaines tendent à reproduire la structure réticulaire à même leurs frontières. Les places boursières et les centres des affaires des grandes métropoles sont davantage liés entre eux qu'avec leurs quartiers limitrophes et péricentraux. Les villes ont ainsi développé leurs propres hiérarchies intra-urbaines (districts internationaux, quartier des affaires, pôles de divertissement, arrondissements historiques, etc.) complexifiant davantage la lecture des jeux d'acteurs locaux, les liens de proximité et les référents identitaires territorialisés.

Avec l'émergence des nouveaux territoires réticulaires puissants et fondateurs du nouvel ordre (ou désordre) global, la traduction politique des territoires «pertinents» à l'organisation du monde reste à réinventer. Les nœuds des réseaux sont systématiquement des pôles urbains majeurs, des centres des affaires, des métropoles devenues villes globales. Bien sûr, il n'existe pas encore de traduction politique ou de légitimité politique qui colle à ces réseaux. Dans les faits, l'armature du système-monde actuel souffre de l'absence chronique d'une gouverne globale et d'une gouverne politique capable de réguler, arbitrer et redistribuer à même ces nouveaux territoires réticulaires. Le défi est de taille, mais il semble reposer sur la capacité des têtes de réseau (les villes) de mieux asseoir leur légitimité politique dans l'environnement international.

Bibliographie

ABU-LUGHOD, J.L. (1999). *New York, Chicago, Los Angeles; America's Global Cities*, Minneapolis, University of Minnesota Press.

BAE, C.-H. C. et RICHARDSON, H.W. (dir.) (2005). *Globalization and Urban Development*, Berlin, Springer.

BAIROCH, P. (1985). *De Jéricho à Mexico. Villes et économie dans l'histoire*, Paris, Gallimard.

BENEVOLO, L. (1993). *La ville dans l'histoire européenne*, Paris, Seuil.

BONNET, J. (1994). *Les grandes métropoles mondiales*, Paris, Nathan Université, coll. «Géographie d'aujourd'hui».

BRAUDEL, F. (1979). *Civilisation matérielle, économie et capitalisme, XVᵉ-XVIIIᵉ siècle*; Tome 1. «Les structures du quotidien: le possible et l'impossible», Paris, Armand Colin.

CARROUÉ, L., D. COLLET et C. RUIZ (2006). *La mondialisation*, Paris, Bréal.

DAHL, R.A. (1967). «The city in the future of democracy», *The American Political Science Review*, vol. 61, n° 4, p. 953-970.

GROUPE DE LISBONNE (1995). *Limites à la compétitivité. Vers un nouveau contrat mondial*, Montréal, Boréal.

HÉRODOTE (2001). Numéro thématique sur la «Géopolitique des grandes villes», n° 101.

JACOBS, J. (1969). *The Economy of Cities*, New York, Vintage Books.

KNOX, P.L. et P.J. TAYLOR (dir.) (1995). *World Cities in a World-System*, Cambridge, Cambridge University Press.

LE GOFF, J. (1972). «The town as an agent of civilization 1200-1500», dans C. CIPOLLA (dir.), *The Fontana Economic History of Europe*, volume 1: «The Middle Ages», Glasgow, Fontana Books.

LE GOIX, R. (2005). *Villes et mondialisation: le défi majeur du XXIᵉ siècle*, Paris, Ellipses.

MUMFORD, L. (1964). *La cité à travers l'histoire*, Paris, Seuil.

ORUM, A.M. (1991). «Apprehending the city: The view from the above, below and behind», *Urban Affairs Quarterly*, vol. 26, n° 4, juin, p. 589-609.

RITZER, G. (2010). *Globalization: A Basic Text*, Oxford, Wiley-Blackwell.

SASSEN, S. (1994). *Cities in a World Economy*, Thousand Oaks, Pine Forge Press, coll. «Sociology for a New Century».

SAVITCH, H.V. et P. KANTOR (2002). *Cities in the International Marketplace. The Political Economy of Urban Development in North America and Western Europe*, Princeton, Princeton University Press.

TAYLOR, P.J. (2004). *World City Network: A Global Urban Analysis*, Londres, Routledge.

TAYLOR, P.J., B. DERRUDER, P. SAEY et F. WITLOX (2007). *Cities in Globalization: Practices, Policies and Theory*, New York, Routledge.

CAPSULE 4A

GROUND ZERO, NEW YORK
Le premier site urbain global

Sylvain Lefebvre[1]

La poussière, les cendres et une multitude de particules de débris étaient encore en suspension dans le ciel de Manhattan, les incendies souterrains faisaient encore rage et déjà, la question était sur la place publique : que reconstruire sur le site dévasté du World Trade Center ? L'ampleur du choc, du traumatisme mondial autour des événements entourant ce 11 septembre 2001 n'était pas encore arrivée à son comble. Les secours s'organisaient à peine dans l'espoir de retrouver des survivants. Mais déjà, des voix s'élevaient pour symboliquement trouver une réponse architecturale, urbanistique et commémorative à l'effondrement des tours jumelles. Pour certains, c'est dans la pierre, l'acier, le béton et le verre que se sont cristallisées des positions fermes pour répondre aux attaques terroristes. Pour d'autres, Ground Zero ne pouvait faire place qu'à un espace vide d'artefacts et de bâtiments. Ground Zero devait respecter la mémoire des victimes par la construction d'un vaste espace public, commémoratif et verdoyant. Mais surtout, le site de Ground Zero devenait le « premier site urbain global » dans l'imaginaire collectif de toute la communauté internationale, un site dont l'avenir concernait tous et chacun.

La sympathie de la communauté internationale pour les New-Yorkais fut pour le moins impressionnante au lendemain des attentats. Au-delà de l'icône et du symbole de la puissance économique étasunienne, le World Trade Center représentait un ensemble architectural massif et central pour tout le secteur du Lower Manhattan, un pôle d'activités s'imposant comme un lieu de passage obligé pour des milliers de touristes et de travailleurs. C'est d'abord un milieu de vie, un quartier qui furent terrassés par la destruction massive de cet immense quadrilatère. Il faut se rappeler qu'à la fin des années 1960, c'est 12 quadrilatères qui furent détruits pour laisser place à cet immense projet. Le quartier « Radio Row », une forte concentration de commerces liés à l'électronique et aux équipements électriques (télévision, radio-transistors, etc.), fut littéralement oblitéré (relocalisations, expropriations).

L'idée derrière la construction d'un centre financier mondial dans le Lower Manhattan remonte à la fin de la Deuxième Guerre mondiale. Ce n'est pourtant qu'à la fin des années 1950 qu'un promoteur, la New York and New Jersey Port Authority, s'engage dans la planification du complexe. Le projet faisait partie d'un vaste plan

---

1. Ce texte a été conçu avec l'aide de deux assistants de recherche et étudiants au programme de maîtrise du Département de géographie de l'UQAM, Olivier Filiatrault et Martin Duplantis, qui ont participé officiellement au concours international pour l'aménagement d'un mémorial sur le site de Ground Zero.

de revitalisation élaboré par les frères Rockefeller dans une perspective de rénovation urbaine des quartiers centraux de New York. En 1962, la Port Authority fait appel à l'architecte Minoru Yamasaki pour la réalisation du projet. D'abord localisé à l'est de la pointe sud de Manhattan, le projet sera finalement situé à l'ouest pour accommoder les infrastructures ferroviaires du Port Authority Trans Hudson (PATH) reliant par un tunnel Manhattan au New Jersey. La construction du complexe débuta en 1966 pour s'échelonner sur une période de sept années. Les prouesses technologiques furent nombreuses, notamment le Slury Wall, un mur de soutènement qui retient les eaux de la rivière Hudson et qui délimite ce qu'on appelle aujourd'hui le Bathtub (un immense trou béant, une baignoire formée à la suite du nettoyage du site de Ground Zero). Le complexe était très impressionnant. Un peu moins d'un million de mètres carrés de terre et de pierre furent extraits du site et formèrent 23,5 acres de nouveaux terrains, connus aujourd'hui sous le nom de Battery Park City. Près de 200 000 tonnes d'acier furent utilisées pour la construction des deux tours jumelles, tours qui furent les plus hautes du monde pendant près de quatre ans et qui culminaient à 415 et 417 mètres. Plus de 50 000 personnes transitaient par le site chaque jour. Il y avait 43 600 fenêtres dans le complexe, 239 ascenseurs, 12 millions de pieds carrés de surface locative… Ce qui, durant près de trente ans, avait donné un profil distinct au paysage de la ville de New York et représentait le dynamisme économique du pays s'est évanoui en poussière en moins de trois heures, en ce matin du 11 septembre 2001.

LA REVITALISATION DU SITE DE GROUND ZERO

En réponse aux événements de septembre 2001, la Ville et l'État de New York ont créé conjointement la Lower Manhattan Development Corporation (LMDC), un organisme ayant pour but de chapeauter les efforts de revitalisation du site. Le mandat principal de la LMDC est de planifier et de coordonner la reconstruction et la revitalisation du Lower Manhattan (LMDC, 2001). Le mandat dépasse donc largement le cadre du site du WTC. La LMDC constitue en quelque sorte le deuxième niveau de la reconstruction de Ground Zero, caractérisé par l'extension à tout le Lower Manhattan du processus de revitalisation du site. Selon la plupart des intervenants, notamment la Ville de New York, la reconstruction du WTC est la clé de la revitalisation de tout le secteur au sud de la rue Houston (City of New York, 2002). Les préoccupations économiques sont donc apparues assez rapidement dans le processus de commémoration de la tragédie du 11 septembre 2001. En fait, les vues et les objectifs du projet ont pris un sens plus large à mesure que le temps passait et que les émotions populaires s'estompaient. Un mémorial sera érigé sur le site, mais sa planification représente le point de départ d'une remise en question du rôle du Lower Manhattan dans la ville et de la ville de New York dans le monde.

Le processus de revitalisation de Ground Zero par la LMDC s'est fait en plusieurs étapes. D'abord, la LMDC avait présenté, fin juin 2002, six propositions préliminaires d'aménagement du site. Ces propositions tenaient plus de visions que de projets concrets de revitalisation du site. On proposait des édifices de moyen gabarit et une trame de rues semblable à celle qui prévalait avant la construction du WTC. La peur d'un autre incident inspirait le conservatisme quant à la hauteur des bâtiments proposés. Le transport et la connectivité entre les différents modes de circulation occupaient une place prédominante dans les six propositions. Les résultats de la publication de ces propositions ont été très importants pour la suite des événements et pour la remise en valeur du site du WTC. Premièrement, la LMDC a été très critiquée pour le manque de transparence dans le processus initial de planification (William, 2002). Ensuite, le conservatisme des propositions fut aussi largement critiqué. Ces critiques ont conditionné dans une large mesure la poursuite du processus de revitalisation et le choix des activités de commémoration sur le site du WTC. Le conservatisme a laissé la place à la grandeur; la flexibilité au détail et la généralité, à la recherche d'un concept fort et actuel du point de vue architectural.

À la suite de l'échec du premier processus de planification du site, la LMDC a ouvert un nouveau dialogue avec les différents intervenants du projet. Un concours international d'architecture a été ouvert et l'on a prévu une bonne part de consultation publique, notamment avec les familles des victimes. À la suite de ce concours, où 406 soumissions de réaménagement ont été étudiées, neuf propositions ont été choisies et présentées à la consultation publique. Les propositions étaient beaucoup plus complètes et détaillées que les premières. Début 2003, plus de 100 000 personnes se sont présentées au Winter Garden pour étudier les neuf propositions sélectionnées et formuler leurs commentaires. Cette étape s'est soldée par le choix du concept *Memory Fondation* de l'architecte Daniel Libeskind, le 27 février 2003. Ce concept propose un parcours commémoratif qui s'oriente autour de quelques éléments forts du site de Ground Zero. Le concept propose entre autres la Freedom Tower, qui sera pendant quelque temps la plus haute tour habitée du monde avec 1 776 pieds (541,5 mètres)[2], une hauteur très symbolique (1776 est l'année de la déclaration d'Indépendance des États-Unis), ainsi que la préservation d'une partie du Bathtub. Le Bathtub du projet Libeskind devait être mis en valeur au niveau du roc, à 21 mètres (70 pieds) au-dessous du niveau de la rue et inclure un espace libre contenant les empreintes des deux tours. Cet espace devait faire l'objet du concours international de mémorial. Outre ces éléments, le scénario Libeskind proposait deux parcs urbains, «the Park of Heroes» et «the Wedge of Light», constitués sur l'axe de la rue Fulton selon l'orientation du soleil le 11 septembre à 8 h 46 et 10 h 28, soit le moment où le premier avion a frappé les tours et le moment de l'effondrement de la dernière. Le scénario conserve aussi la rampe d'accès construite lors des travaux de déblaiement afin de commémorer les équipes de recherche et les travailleurs. Le concept est donc imprégné d'un discours commémoratif, mais il

---

2. La Chine va entamer la construction d'une tour de 580 m à Guangzhou.

a aussi la qualité de conjuguer les éléments mémoriaux et économiques dans un ensemble intégré et concret. Bien qu'offrant une bonne quantité d'options de commémoration *in situ*, le scénario de Libeskind propose plus de 10 millions de pieds carrés de surface locative, le retissage de la trame urbaine et un nouveau pôle de transit de calibre international.

En avril 2003, la LMDC lançait le concours international de mémorial. La réponse de la communauté internationale s'est particulièrement manifestée durant cette étape de la revitalisation du site. En effet, 5 201 propositions provenant de 63 pays ont été évaluées. Cette forte participation internationale est un indice important de l'appropriation du lieu par la communauté globale. L'énoncé de la mission commémorative spécifiait la création d'un mémorial dans le périmètre du Bathtub, tel que proposé par le scénario Libeskind. Les éléments obligatoires du concours étaient la préservation des éléments créés par l'architecte (Slury Wall, Bathtub…), la mise en valeur des empreintes des deux tours, la création d'un espace réservé à la commémoration pour les familles et la création d'un espace fermé où seraient inhumés les restes non identifiés.

Les propositions de commémoration des attentats du 11 septembre répondent aux nouvelles tendances en termes de mémorial, notamment celle du contre-monument développée dans la foulée commémorative de l'Holocauste ayant suivi la réunification des deux Allemagnes. L'expression de la mémoire est ici empirique ; elle fait appel à la participation des tiers et au caractère évolutif de l'œuvre (Young, 2000). Le contre-monument se veut un exercice de compréhension de la mémoire, et ce, d'une façon personnelle, individuelle. Dans ce sens, les nouvelles pratiques sont plus intégrées à l'espace urbain puisqu'elles ouvrent un dialogue entre le vivant et la mémoire, entre « l'utilisateur » et l'œuvre. Il en résulte une nouvelle consommation de l'espace urbain, une nouvelle dynamique à l'opposé du rapport stérile induit par le monument classique. Selon Young (2000), les nouveaux espaces commémoratifs ont pour but la provocation contrairement à la consolation proposée par l'approche classique. Les contre-monuments demandent l'interaction avec les passants, voire leur profanation par des altérations ou par une évolution de leur forme dans le temps. Le contre-monument questionne même sa propre existence puisqu'il remet en question la nécessité de la matérialisation de la mémoire par la forme monumentale. C'est dans cet esprit que s'est faite la planification du mémorial sur le site de Ground Zero.

Il aura fallu plus de deux ans de travail et de recherche à la LMDC pour proposer un scénario complet pour le site de Ground Zero. Même si cet intervalle peut paraître long, il est très rare qu'un concours architectural ou commémoratif prenne aussi peu de temps. Il reste maintenant à intégrer les différents aspects du projet en un ensemble concret qui répondra aux aspirations de l'ensemble des intervenants. Selon les analystes, le projet ne devrait prendre sa forme finale qu'après 15 ans de travaux, si tout se déroule sans encombre.

LE FONCTIONNEL ET LE SACRÉ : UNE DUALITÉ CONFLICTUELLE

Depuis les événements du 11 septembre 2001, le site de Ground Zero constitue un périmètre urbain sacré. L'aspect ahurissant de la tragédie, l'ampleur de la destruction et le nombre de disparus ont mis en branle un processus de transfert de sacralité vers le site. La sacralisation du site de Ground Zero s'est effectuée par l'attribution de certaines valeurs au site, par la constitution d'un nouveau sens rattaché au lieu de la tragédie. Ainsi, d'un espace représentant la suprématie économique étasunienne, on est passé à des symboles de résistance au terrorisme, d'héroïsme, de cohésion d'une collectivité face à l'adversité. Ces symboles sont mis en évidence par le caractère tragique des pertes de vies humaines et surtout par le fait qu'une bonne partie des victimes n'ont pu être identifiées. Les familles se rabattent alors sur le site lui-même et le perçoivent comme l'endroit de dernier repos d'un être cher. Il est évident que ces perceptions entrent en conflit avec les intérêts économiques très importants reliés à la valeur foncière du site. Comment conjuguer et intégrer l'aspect sacré inhérent à Ground Zero avec un développement immobilier de grande envergure ?

Il est pertinent de se poser la question : qu'est-ce qui est sacré à Ground Zero et qu'est-ce qui ne l'est pas ? Le transfert de sacralité vers un lieu découle de divers choix et d'une certaine théâtralisation du lieu ou de l'événement (LAHIC, 2003). Dans le cadre de Ground Zero, la rhétorique sous-jacente au projet de Libeskind est l'exemple parfait de cette relation entre l'événement et la représentation (commémoration) de l'événement. La glorification du Bathtub, du Slury Wall ainsi que le parcours commémoratif proposé attribuent un fort caractère sacré au site. Certains choix ont été faits pour le redéveloppement du site, choix qui vont à l'avenir orienter le type de commémorations faites sur le site ainsi que le discours des intervenants du projet, notamment les familles des victimes. Par exemple, la préservation des empreintes des deux tours orientera la vocation commémorative du lieu. Ainsi, certains éléments ont été « sur-sacralisés » tandis que d'autres ont été oubliés. Il est intéressant de remarquer que le scénario gagnant crée des éléments commémoratifs de toutes pièces. Ces éléments, notamment la passerelle construite lors des travaux de déblaiement, le Bathtub, la Freedom Tower et le Slury Wall, se sont rapidement cristallisés dans le discours et les visions se rapportant à la commémoration sur le site. Il apparaît donc que la sacralisation du site de Ground Zero découle d'une certaine construction artificielle des éléments sacrés. Le Bathtub était presque inconnu des New-Yorkais avant les événements tandis qu'il est aujourd'hui le centre de ce qui deviendra le mémorial de Ground Zero.

Le rôle des familles des victimes dans le processus de revitalisation du site de Ground Zero renforce le caractère sacré des lieux par un certain raffermissement des positions autour des éléments forts du concept de Libeskind. Au début du processus, la position des familles était plutôt générale :

1. Le site doit être traité avec le respect attribué à un lieu sacré d'inhumation (*hallowed burial ground*). Le site représente pour plusieurs familles l'endroit du dernier repos d'un être cher.

2. Le traitement du site doit respecter le deuil personnel de toutes les familles des victimes et la douleur collective de la ville, de l'État, de la nation et du monde.

3. Le traitement du site devrait honorer les sacrifices personnels et l'héroïsme des victimes et des survivants.

4. Les futures utilisations du site devraient contribuer positivement à la vie culturelle et spirituelle de la ville et de la nation.

5. Le site devrait servir à la commémoration des multiples facettes du 9/11 pour les générations futures.

À la suite de l'acceptation du concept de Libeskind, les positions se sont raffinées et se basent maintenant sur les éléments créés par le concept d'aménagement. En effet, les familles reprennent ces éléments dans leurs recommandations en leur attribuant un caractère sacré :

– Préserver le Bathtub et le Slury Wall jusqu'au niveau du sol à 21 mètres (70 pieds), et ce, à jamais afin de préserver ce lieu sacré où la majorité des victimes ont été assassinées le 11 septembre 2001, ainsi que les empreintes des deux tours. Aucune activité de transport ou de commerce ne doit être planifiée dans cette zone, sauf la station du PATH qui devrait être nommée *Sept. 11 Memorial Station*. Si les rues Greenwich et Fulton sont ouvertes sur le site, elles devront être piétonnes.

– Assurer la construction d'un musée commémoratif à l'intérieur des limites du Slury Wall, qui devra communiquer l'énormité des attaques, la perte sans précédent de vies humaines, l'histoire des victimes et des survivants, l'apport du personnel de secours, des familles des victimes et de tous ceux qui ont répondu à la tragédie du 11 septembre 2001 et du 26 février 1993. Aucun autre thème ne devrait être traité dans ce musée.

– Réserver un espace pour accueillir les restes non identifiés des victimes dans le périmètre du Bathtub.

– Veiller à ce que la construction sur le site soit marquée par la qualité et la sécurité et que toute nouvelle construction réponde aux normes locales d'incendie et de construction (ce qui n'était pas le cas avec l'ancien WTC).

– Obtenir une désignation officielle de site historique national du National Park Service pour les empreintes des deux tours au niveau du sol. Le WTC United Family Group s'oppose au plan de la LMDC de créer des empreintes artificielles à 30 pieds du niveau du sol. S'assurer que le futur site commémoratif deviendra un mémorial national sous la supervision du National Park Service (WTC United Family Group).

Les positions des groupes de familles ont été intégrées la plupart du temps dans les mandats de la LMDC, notamment en ce qui a trait à la planification du mémorial. L'aspect le plus marquant est sans aucun doute le retour des restes non identifiés des victimes sur le site du mémorial. De plus, un espace réservé aux proches des victimes sera aménagé sur le site. Tout en respectant les demandes des familles, ces stratégies d'aménagement pourraient restreindre la consommation commémorative du public et créer un double mémorial. Les groupes de familles des pompiers, policiers et autres personnels de secours désiraient aussi avoir un monument particulier sur le site, demande qui n'a pas été retenue par la LMDC. Outre l'espace réservé aux proches, toutes les victimes des attentats seront commémorées et nommées à l'intérieur des limites du mémorial et il ne doit pas y avoir de hiérarchisation entre les victimes.

La sacralisation du site de Ground Zero est aussi imprégnée d'un discours et d'une certaine iconographie patriotiques. Des images se sont créées à la suite des événements, notamment le terme de Ground Zero lui-même. Ce nom, autrefois utilisé pour représenter la formidable destruction causée par une explosion atomique, définit aujourd'hui le quadrilatère urbain le plus connu au monde. Ce surnom est apparu de façon spontanée et très rapide. On ne peut attribuer à une personne ou à un organisme le nom donné au site du WTC, il semble s'être imposé de lui-même, avec l'appui collectif (Boyer, 2002). Ce terme est chargé de sens, il représente toute la force de la destruction des tours jumelles ainsi que le caractère militaire des opérations de nettoyage du site. La paralysie presque totale du Lower Manhattan lors de ces opérations rappelle aussi la zone de contamination d'une explosion atomique. Le terme évoque l'image mille fois vue à la télévision de l'écroulement des deux tours, image très similaire à celle du champignon nucléaire. Il sera intéressant de voir combien de temps le terme Ground Zero définira le site du WTC et s'il restera gravé dans la toponymie new-yorkaise. Il est aussi intéressant de souligner l'appellation donnée à l'événement, un événement si invraisemblable qu'on ne lui trouve aucun autre nom que la date de son apparition, comme s'il s'agissait d'une date charnière, le début d'une nouvelle ère.

UN PREMIER SITE URBAIN GLOBAL

La réponse aux attentats du 11 septembre 2001 fut rapide et globale. Les causes de cette réplique sont multiples, mais le résultat est unique en son genre : le site de Ground Zero interpelle la communauté internationale comme aucun site auparavant. La forte médiatisation de l'événement en est l'explication évidente, mais c'est aussi une question de symbole. L'attaque a été perpétrée contre le symbole de la suprématie économique mondialiste des États-Unis. Aucun autre projet de revitalisation urbaine n'a pris une telle ampleur dans l'histoire moderne. La participation au processus de revitalisation du site trouve sa source tant au plan local qu'international. De plus, les attaques du 11 septembre 2001 ont été la source d'une profonde métamorphose de la géopolitique mondiale, c'est pourquoi la communauté globale est directement interpellée par ce qui est fait à Ground Zero.

Bien que la LMDC soit l'institution ayant tous les pouvoirs en ce qui a trait à la revitalisation de Ground Zero, plusieurs groupes très importants se sont formés et participent activement au processus. Ces groupes sont très diversifiés et proposent des services allant de la diffusion de l'information jusqu'à l'analyse des scénarios étudiés par la LMDC et à la préparation de recommandations et de propositions concrètes. On dénombre 21 groupes principaux à New York, regroupant en coalition plus de 850 groupes de moindre importance. Les principaux groupes sont New York/ New vision, la Civic Alliance, Imagine NY, Rebuild Downtown our town (R.DOT), Families of September 11th et Voices of September 11th. Ces différentes organisations représentent plus de 43 000 personnes œuvrant activement à un processus qui s'intéresse à toutes les facettes du projet. Si on compte les citoyens ayant participé à des séances d'information de la LMDC, le chiffre peut facilement grimper à 200 000 personnes. Toutes ces organisations ont produit une quantité phénoménale d'information dont une bonne partie est accessible mondialement grâce à l'Internet. Toute la documentation publique de la LMDC est mise en ligne dans un effort de démocratisation de l'information. Il n'est donc pas surprenant de voir l'évolution de la participation au processus prendre une tournure internationale, au même titre que l'événement lui-même.

On peut toutefois se demander pourquoi des individus provenant du Liban, de la Pologne, de l'Inde, de la Finlande ou d'autres parties du monde sont interpellés par la planification du mémorial de Ground Zero[3]. La couverture médiatique des attentats du 11 septembre 2001 ne peut à elle seule expliquer cet engouement. Le fait est que la communauté globale se sent concernée par la matérialisation de ce qui fera mémoire de ces attentats perpétrés contre un symbole global, contre une icône mondiale. L'immense vide laissé par le 11 septembre ouvre un dialogue entre la population de New York et le monde. Déjà, Ground Zero est devenu une destination « touristique » pour des milliers de voyageurs. Il faut se tenir près de ce vide presque irréel pour sentir toute la force de l'événement, pour en faire partie d'une certaine façon.

DIX ANS PLUS TARD...

Ground Zero renaît lentement de ses cendres. Selon la journaliste Julie Saphiro, *« in the World Trade Center history books, 2010 will be remembered as the year the rebuilding finally got off the ground »* (Saphiro, 2010). La station de train temporaire PATH est ouverte depuis 2003 et la construction d'un pôle de transit permanent, qui remplacera éventuellement la station temporaire, a été entamée en 2005. L'option

---

3. Voir les statistiques des soumissions au concours de mémorial, *World Trade Center Memorial Competition*, juillet 2003.

retenue pour le mémorial a été déterminée, le design de Michael Arad a été revisité par l'architecte paysager Peter Walker et la construction du projet est commencée depuis 2007. Le design de la tour 1, qu'on surnomme encore la Freedom Tour, a été modifié en 2005 pour des questions de sécurité, mais après une longue période de stagnation, la construction du projet va bon train et l'on en prévoit l'ouverture en 2013. Le design des tours 2, 3 et 4 qui complètent le *master plan* proposé par Libeskind a été déterminé et leur construction est amorcée quoiqu'il n'y ait pas encore de date d'ouverture prévue. Finalement, les différents éléments qui constitueront le complexe ont été choisis et sont développés par la LMDC. Bien que la reconstruction du site soit bien entamée, plusieurs étapes restent à venir, notamment la conciliation entre les différentes perceptions de Ground Zero. Les forces économiques du marché primeront-elles sur les efforts de commémoration de la tragédie du 11 septembre 2001? Le scénario de Libeskind offre de nombreux avantages, dont celui de proposer un consensus entre l'économique et le commémoratif. Pourtant, ce consensus détourne le processus de la réalité du problème de la revitalisation d'un site unique comme Ground Zero: doit-on reconstruire des tours à bureaux ou doit-on créer un mémorial national unique en son genre? La confrontation entre ces deux options contradictoires n'est peut-être pas un gage de succès pour les promoteurs immobiliers et pour la dynamique urbaine des espaces environnants. La réussite d'un tel projet, qui semble marier le fonctionnel (ou l'économique) et le commémoratif, ne sera finalement perceptible qu'au moment où la construction sera terminée et le site, pratiqué par la population.

En 2010, près de dix ans après les attaques du World Trade Center, la revitalisation de Ground Zero suscite toujours l'intérêt de la communauté internationale, mais de façon nouvelle. À la veille du dixième anniversaire de ce tragique incident, le dossier de Ground Zero progresse bien, mais il reste encore aujourd'hui le sujet de multiples critiques et controverses. La conjoncture économique et immobilière n'est pas du tout favorable aux espaces de bureau et à l'activité tertiaire dans le Lower Manhattan. Plusieurs acteurs locaux requestionnent le processus de reconstruction et les décisions qui ont été prises. Les paramètres de reconstruction du scénario Libeskind ont été peu à peu modifiés, de façon détournée et sans trop de couverture médiatique. L'usure du temps semble aussi faire son œuvre: la population s'intéresse à ce qui est érigé, à ce qui s'élève dans le ciel, pas à l'espace vacant et béant qui persiste dans la ville. Signe des temps, le premier site urbain global est aujourd'hui le théâtre de tensions qui opposent les intérêts marchands et ceux des promoteurs d'une qualité urbanistique à l'échelle humaine, un site qui glisse dans une profonde léthargie, un peu à l'image d'une société qui a perdu l'intérêt pour des projets porteurs de sens.

BIBLIOGRAPHIE

Publications en ligne :

CITY OF NEW YORK (2002). *Vision for Lower Manhattan*, décembre, <http://www.lower-manhattan.info/extras/pdf/12_12_02_bloomberg_vision.pdf>.

LAHIC (2003). *Sacré, sacralisation et transfert de sacralité*, Journée d'étude du Laboratoire d'anthropologie et d'histoire de l'Institution de la culture, Paris, 22 mai, <http://calenda.revues.org/nouvelle3080.html>.

LMDC (2011). *Projects updates : World Trade Center site*, site Internet LMDC, <http://www.wtcsitememorial.org/>.

LMDC (2005). *Revised Freedom Tower Design Revealed Today*, site Internet LMCD, juin, <http://www.wtcsitememorial.org/>.

LMDC (2005). *Freedom Tower Will Be Redesigned*, site Internet LMCD, mai, <http://www.wtcsitememorial.org/>.

LMDC (2003). *World Trade Center Site Memorial Competition : Guidelines*, site Internet LMDC, <http://www.wtcsitememorial.org/>.

LMDC (2002). *The Public Dialogue Phase 1, Rapport préliminaire*, site Internet LMDC, 24 octobre, <http://www.wtcsitememorial.org/>.

LMDC (2002). *Urban Design Approaches and Concept Plans*, site Internet LMDC, <http://www.wtcsitememorial.org/>.

LMDC (2001). *A Vision for Lower Manhattan, Context and Program for the Innovative Design Study*, site Internet LMDC, 11 octobre, <http://www.wtcsitememorial.org/>.

NEW YORK NEW VISIONS (2003). *Evaluation of Innovative Design Proposals*, site Internet NYNV, janvier, <http://nynv.aiga.org/>.

NEW YORK NEW VISIONS (2002). *NYNV Announces Public Criteria for Evaluating Lower Manhattan Rebuilding Proposals*, site Internet NYNV, décembre, <http://nynv.aiga.org/>.

NEW YORK NEW VISIONS (2002). *Principles for the Rebuilding of Lower Manhattan*, site Internet NYNV, février, <http://nynv.aiga.org/>.

JOHNSTON, H. (2008). *New York Rail : Rising from the Ashes*, Site Internet Railway-Technology.com, février, <http://www.railway-technology.com/features/feature1219/>.

SAPHIRO, J. (2010). *World Trade Center Project Gained Momentum in 2010*, site Internet DNAinfo, décembre, <http://www.dnainfo.com/>.

WORLD TRADE CENTER (2011). *The World Trade Center : A 21st-Century Renaissance of New York*, Site Internet World Trade Center, <http://www.wtc.com/>.

Autres :

BOYER, C. (2002). «Meditations on a wounded skyline and its stratigraphies of pain», *After the World Trade Center : Rethinking New York City*, New York, Routledge.

HEATHCOTE, E. (1999). *Monument Builders*, Londres, Academy Editions.

WILLIAM, N. (2002). «State blasts LMDC secrecy», *New York Post*, 13 juin.

YOUNG, J.E. (2000). *At Memory's Edge*, New Haven, Yale University Press.

CAPSULE 4B

LONDRES
Les conditions et les conséquences de la globalité

Bernard Jouve[1]

Depuis la « révolution conservatrice » qui a amené M. Thatcher au pouvoir en 1979, Londres a connu une césure importante aussi bien dans son mode de gouvernement que dans les politiques urbaines qui y ont été menées. La capitale britannique n'a certes pas été la seule métropole à avoir été concernée par cet ensemble de processus. Toutes les agglomérations du pays ont été intégrées dans un vaste programme de transformation de l'État en vue de modifier très substantiellement leur gouvernance, le type de relations intergouvernementales et leur position dans la compétition internationale. Cependant, la place de Londres dans l'ensemble du pays, à la fois en termes politiques et économiques, confère à cette ville un statut particulier qui en fait à la fois un laboratoire pour la puissance publique et une épure des principales tendances qui ont traversé l'État britannique depuis les années 1980. Pour aller à l'essentiel, les conservateurs de M. Thatcher comme le New Labour sous la direction de T. Blair n'ont eu de cesse d'agir sur la compétitivité de la capitale afin de renforcer sa position au sein de l'oligopole mondial (Dollfus, 1997) et principalement du réseau des villes globales (New York et Tokyo) qui concentrent l'essentiel des activités d'intermédiation liées à la financiarisation du capitalisme actuel (Sassen, 1996). Pour ce faire, l'État central a agi de manière dirigiste, voire autoritaire, en modifiant les structures de gouvernement de la métropole et en structurant les politiques urbaines autour de la notion de partenariat public-privé, transformée en véritable dogme, sur différentes échelles territoriales.

Actuellement, c'est l'enchevêtrement de ces différents espaces d'intervention et la recherche systématique de l'engagement des acteurs privés dans les politiques urbaines qui confèrent au gouvernement de Londres une cohérence évidente. Ce choix stratégique a comme conséquence d'accorder une position particulière et privilégiée aux acteurs privés dans les négociations avec l'État et les élus de la métropole. Le contenu même des politiques s'en ressent tant elles valorisent les attentes des acteurs privés, notamment en termes d'aménagement des espaces publics dans le centre de la capitale. Surtout, ces politiques ont eu pour effet de légitimer l'idéologie néolibérale en établissant, dans les représentations sociales, un isomorphisme remarquable entre les besoins des acteurs privés et les besoins de la société londonienne dans son ensemble. Pour les héritiers de M. Thatcher, la globalité est à ce prix.

---

1. Le collègue Bernard Jouve étant décédé en 2009, la mise à jour de ce texte a été assurée par Matthieu Roy, assistant de recherche, et validée par Juan-Luis Klein.

LE GOUVERNEMENT DE LONDRES ET LES TENSIONS AVEC L'ÉTAT CENTRAL

Comme dans de nombreux États centralisés, Londres occupe une place particulière dans la vie politique et économique du pays. À l'instar de Paris, la capitale a joué un rôle majeur dans la transformation du régime politique et l'instauration de la démocratie libérale. La relation entre l'État et la ville-capitale a toujours été difficile. Du fait de la concentration démographique, de l'activité économique, politique et culturelle à Londres, les gouvernements centraux se sont toujours sentis concernés par le potentiel et la menace d'une administration libre sur ce territoire.

En effet, la région fonctionnelle du Grand Londres représente, dans les faits, le quart du sud-est de la Grande-Bretagne auquel on peut également intégrer le sud du pays de Galles. La croissance économique et de l'emploi au cours des années 1990 a même eu tendance à renforcer l'étalement urbain car les zones connaissant les taux les plus élevés étaient situées dans un rayon de 100 à 145 kilomètres du centre de la capitale.

L'une des grandes forces de l'économie métropolitaine réside dans la flexibilité du marché de l'emploi et dans sa très forte diversité sectorielle. Au sommet de la hiérarchie des entreprises londoniennes se trouvent les firmes globales qui impriment leur marque et imposent leurs besoins aussi bien aux politiques nationales métropolitaines. Londres Heathrow est le premier aéroport européen en termes de flux et de fréquentation. Un quart des plus grandes firmes européennes ont leur siège social à Londres.

La population du Grand Londres dans sa forme institutionnelle, beaucoup plus réduite que la région fonctionnelle, comptait 7,8 millions de personnes en 2011. L'augmentation démographique provient à la fois d'un solde naturel positif et d'un accroissement de l'immigration étrangère. Cette immigration émane de l'Union européenne, de travailleurs hautement qualifiés, mais aussi d'un nombre en croissance rapide de réfugiés et de demandeurs d'asile.

La mise en place d'un gouvernement métropolitain est assez ancienne. En 1889, le Conseil du comté de Londres (London County Council, LCC) est créé et son périmètre correspond *grosso modo* à ce que l'on appelle aujourd'hui la partie centrale de Londres ou *Inner London*. En 1899, 27 communes métropolitaines et le conseil de la ville de Westminster sont constitués. Avec la *City*, elles forment les échelons institutionnels de base jusqu'en 1965. Cette même année, le LCC est aboli et le GLC (Greater London Council), qui regroupe huit millions de personnes et la quasi-totalité de la zone urbaine construite, est instauré. Au niveau de base, on crée 32 *boroughs*, relativement vastes (population moyenne de 250 000 habitants). Les grandes compétences du GLC sont la planification stratégique, le logement, la lutte contre l'incendie et la voirie principale. Les communes sont à l'époque responsables des services sociaux, du logement, de la voirie locale, des bibliothèques, des parcs. À partir de 1979, le GLC mène une lutte sans merci contre le gouvernement conservateur, qui décide de le supprimer, comme tous les autres *Metropolitan counties* britanniques en 1986, au motif qu'il s'agissait de structures bureaucratiques, appliquant des politiques clientélistes et paternalistes, incapables d'être des relais efficaces des politiques nationales et qui avaient de surcroît « l'inconvénient » d'être dirigées par le Parti travailliste (Labour Party). Une page d'histoire se tourne sur le gouvernement du Grand Londres : place à la ville entrepreneuriale grâce, en partie, à la conversion des élites métropolitaines au néolibéralisme.

LA CÉSURE DE 1986 ET LA CRÉATION D'UNE NOUVELLE INSTITUTION MÉTROPOLITAINE EN 2000

De 1986 à 2000, l'ancien territoire du Grand Londres est morcelé entre les 32 *boroughs* et la *City*. Même si l'organe politique qui effectuait un certain pilotage politique de la métropole disparaissait, il est cependant faux de considérer que Londres n'a plus été gouvernée jusqu'à la remise en place d'une nouvelle institution métropolitaine en 2000. Le système de gouvernement était cependant extrêmement complexe et faisait l'objet d'une régulation politique à l'intérieur des nouvelles structures de partenariat *ad hoc*, les *Quasi-Autonomous Non-Governmental Organizations* (*Quangos*), mises en place pour diriger des projets et des programmes très précis des gouvernements de M. Thatcher et de J. Major. Certains auteurs ont ainsi évoqué un gouvernement de type « quangocratique » fortement dépendant des logiques de l'État central, de ses budgets, conférant une place de choix aux acteurs privés dans les conseils d'administration de ses structures et minorant à l'inverse le poids des élus municipaux (Travers, 2004).

Il est par contre indéniable qu'il a manqué un porte-parole à Londres. Cette situation a été considérée par beaucoup comme préjudiciable et explique en partie l'incapacité de Londres, jusqu'à tout récemment, d'attirer des grands événements internationaux comme les Jeux olympiques (Hebbert, 1998). De surcroît s'est développé le sentiment que Londres n'était pas soutenue à l'intérieur de l'État, qu'il n'y avait personne pour s'opposer aux vues de nombreux députés et groupes d'intérêts du reste de la Grande-Bretagne affirmant que Londres était une ville privilégiée, favorisée et dont le développement se faisait au détriment du reste du pays, dont Londres tirait les ressources. Pour autant, l'absence de porte-parole ne signifie pas que la Ville n'ait pas été capable de défendre ses intérêts. Par exemple, elle est parvenue à faire déclarer « Objectif 2 » certaines portions de son territoire, récupérant ainsi des fonds structurels européens. En effet, le vide a été partiellement rempli par d'autres organismes, notamment par la City Corporation, les communes et le Government Office for London créé par le gouvernement central et dirigé par un fonctionnaire. Enfin, la question du déficit démocratique n'a pas manqué d'être posée. Pour beaucoup, il était inacceptable qu'une grande ville comme Londres ne dispose pas de structure de gouvernement métropolitain devant répondre de ses choix devant les habitants (Kleinman, 2002).

C'est à partir de ces critiques que T. Blair, candidat travailliste aux élections législatives de 1997, s'est engagé en cas de victoire à réinstaurer une structure métropolitaine, ce qu'il a fait en 2000 avec la création du Greater London Authority (GLA). Il ne faut cependant pas se méprendre sur les intentions du premier ministre britannique. T. Blair a toujours été très prudent vis-à-vis des élus locaux, considérés comme des acteurs politiques potentiellement hostiles à la transformation du Labour Party en New Labour et au contenu idéologique de la « Troisième voie », qui allie le souci du dogmatisme à un recentrage politique très net de l'ancien Parti travailliste au détriment de son électorat « naturel » : les classes populaires.

La mise en place du GLA et les politiques publiques touchant le Grand Londres illustrent cette méfiance à l'égard des pouvoirs locaux de la part de l'État central en même temps que les principales orientations idéologiques du New Labour. En effet, avec la mise en place du GLA, l'État britannique opte pour une transformation importante en faisant élire pour la première fois dans l'histoire nationale un maire et une assemblée au suffrage universel direct. Au grand dam de T. Blair, K. Livingstone, ancien président du GLC et qui entretient à l'époque des relations personnelles très tendues avec T. Blair, se présente aux élections sous la bannière « indépendant » et les remporte. Pour autant, il ne dispose pas de la majorité au sein de l'assemblée du Grand Londres qui, respectant les principes essentiels de la démocratie britannique, exerce un pouvoir de contrôle très fort sur l'exécutif. De plus, si le nouveau maire de Londres a pour lui la légitimité issue de l'élection directe, il dispose de ressources budgétaires très minces, dont l'essentiel provient des transferts en provenance de l'État central. Ses marges de manœuvre sont donc des plus limitées pour introduire de nouvelles politiques dans ses domaines de compétence : les transports, l'environnement, la santé, la culture et la planification.

De plus, l'innovation que représente la création du GLA réside également dans la transformation de la mission classique des gouvernements métropolitains. Dotée d'un personnel des plus réduits (à peine 400 personnes contre plus de 10 000 pour l'ancien GLC), il s'agit d'une instance qui coordonne et propose des politiques plus qu'elle ne les contrôle et les met en œuvre, notamment par le biais de sa technocratie. C'est aussi en cela que le GLA représente un avatar de la « Troisième voie ». Pour le New Labour, il faut que l'État et les pouvoirs locaux prennent davantage en compte les attentes et les besoins de la société civile et de ses « représentants » car la puissance publique n'a plus, dans les sociétés postmodernes, le monopole de l'intérêt général. Il convient donc de tourner le dos à un mode d'organisation qui correspondait au compromis fordiste et à l'État keynésien de type bureaucratique. L'heure de la gouvernance a sonné, place à la concertation et au partenariat avec la société civile. Toute la question est de savoir au profit de quels objectifs collectifs...

LE PARTENARIAT PUBLIC-PRIVÉ À TOUS LES ÉTAGES

Pour les responsables du GLA, la globalisation et la place de Londres dans cette dynamique représentent l'enjeu principal du nouveau gouvernement de la métropole. Il s'agit de la question essentielle qui doit structurer l'agenda politique du nouveau maire de Londres. Comme le dit très clairement K. Livingstone:

> [...] le cœur de l'activité du maire de Londres est de s'assurer que le succès économique de Londres se poursuive. Ceci requiert davantage que la seule prise en compte des besoins des acteurs économiques dans l'élaboration des politiques publiques. Il s'agit de forger un réel partenariat efficace avec le monde des affaires. [...] Le maire a l'intention de partager ses idées et ses priorités stratégiques avec la sphère économique afin qu'un rapport de réciprocité se construise dès le début du mandat. [...] Une condition préalable à tout débat franc et transparent réside dans la confidentialité réciproque. Pour tout ce qui touche aux questions stratégiques, le maire gardera la confidentialité des discussions qu'il sera amené à avoir avec les acteurs privés et espère que ces derniers feront de même. Vis-à-vis de son administration, le maire prendra soin de faire respecter cette règle (GLA, 2000, p. 1-2; traduction libre).

On ne saurait être plus clair sur l'instrumentalisation du thème de la gouvernance et de la concertation avec la société civile au profit des acteurs économiques.

Cette situation s'explique certes, en partie, par le fait que n'ayant que peu de ressources propres à sa disposition et faisant l'objet d'un contrôle étroit de la part de l'État central et du conseil du Grand Londres, le maire cherche à se créer de nouvelles marges de manœuvre en établissant une coalition avec les «représentants» les plus influents de la société civile. On ne peut cependant passer sous silence que cette logique politique procède de la conversion idéologique du New Labour. Il n'est pas inutile de rappeler que, dans les années 1980, le nouveau maire de Londres avait été surnommé «Ken le Rouge» du fait de son opposition quotidienne et acharnée à la tête du GLC aux politiques néolibérales de M. Thatcher. On mesure mieux l'ampleur de la conversion idéologique opérée et le changement de la nature même de l'institution métropolitaine.

Cette césure a indéniablement pour origine la mobilisation très forte dont ont fait preuve les acteurs privés au début des années 1990 sur la question du gouvernement du Grand Londres. Les milieux d'affaires avaient tout intérêt à rationaliser l'échiquier politique de la métropole, par trop fragmenté, de se doter d'une instance métropolitaine «compréhensive» à leur égard sans pour autant mettre en place une structure trop contraignante. Ils ont très largement obtenu gain de cause.

Pendant les années qui ont suivi l'abolition du GLC, l'influence des intérêts économiques sur les politiques publiques a été évidente. La City Corporation – représentant le secteur financier – a joué un rôle très actif dans la promotion de la ville. Elle a par exemple soutenu des projets touchant l'ensemble de la capitale, comme le projet du millénaire à Greenwich. Une association, London First, créée en 1992, a pu mettre au centre des débats politiques la question de la position de Londres dans la compétition internationale.

À la suite de la publication en 1998 du livre blanc traitant du gouvernement de Londres, plusieurs organisations qui s'intéressaient à l'économie de Londres se sont tournées vers les ministres du gouvernement central pour «offrir» leurs expertises et leurs ressources afin de préparer la mise en œuvre du London Development Agency (LDA). Cette agence relèverait du maire et s'occuperait de la préparation de la stratégie pour le développement économique. Cette idée a été acceptée par le gouvernement et le London Development Partnership (LDP) a été créé, avec pour mission d'«établir un conseil d'administration dirigé par les acteurs économiques» qui s'efforcerait de remplir «le trou stratégique» dans les réflexions concernant le développement économique de Londres (LDP, 1998a). Son premier bulletin (LDP, 1998b) a été produit à la fin de 1998 et une stratégie pour le développement économique a été publiée en janvier 2000, juste à temps pour qu'elle soit transmise au nouveau maire. Ce travail a fourni l'essentiel du rapport stratégique définitif pour le développement économique, produit par le LDA à la fin de l'an 2000.

Le conseil d'administration du LDP comprenait tant des représentants de diverses instances publiques que des représentants de l'agence londonienne du principal syndicat patronal (la Confederation of British Industry), des représentants de la London First, de la London Chamber of Commerce et de la municipalité de Londres. Beaucoup parmi les représentants du monde des affaires allaient continuer à siéger au conseil du LDA. Leurs priorités étaient identiques, notamment dans les domaines de la compétition internationale et des transports, cruciaux dans une ville globale connectée au reste du monde. La stratégie de formatage de l'agenda du futur maire de Londres a donc commencé bien avant son élection et a été rendue possible du fait d'une très forte structuration du monde patronal dans quelques instances faisant front commun pour défendre les intérêts des segments les plus internationalisés du système productif métropolitain, allant même jusqu'à avancer l'idée que le maire de Londres devait être issu du monde des affaires... Finalement, il n'aura pas même été utile de remplir cette condition pour se faire entendre. Les structures représentatives des intérêts privés ont disposé de ressources conséquentes et d'une grande expérience de la machine gouvernementale, à la fois aux plans national et local. Elles se sont intégrées dans les réseaux gouvernementaux à tous les niveaux et dans tous les secteurs du GLA, et cela, avec l'appui du maire qui, dès 2000, formulait le souhait que «les entrepreneurs privés établissent de solides rapports avec son conseilleur direct au sein du Cabinet, avec les responsables des différents services administratifs du GLA et que les fonctionnaires de la nouvelle institution consacrent une partie importante de leur travail à ce partenariat» (GLA, 2000; traduction libre).

L'agenda néolibéral se retrouve également dans le contenu des projets d'aménagement urbain à une échelle inframétropolitaine. C'est le cas notamment de l'hyper-centre – la City – qui concentre à la fois le siège du gouvernement central, les services financiers internationaux ainsi que des équipements culturels et touristiques de première importance. La London City Corporation a résisté à toutes les réformes institutionnelles et continue de contrôler cet espace particulier. La ville de Londres a traditionnellement concurrencé la ville de Westminster avec son gouvernement et ses espaces protocolaires. Dans les années 1990, cependant, ces deux entités se sont rapprochées politiquement et ont entamé un partenariat avec les *boroughs* situés sur l'autre rive de la Tamise afin de traiter en priorité les questions relatives au tourisme et aux transports. Westminster et la London City Corporation ont ainsi mis en place le Central London Partnership (CLP).

Le CLP rassemble les *boroughs* de Camden, Islington, Lambeth, Southwark, Kensington et Chelsea, Westminster et la London City Corporation. Le CLP associe également d'autres institutions importantes comme le service de police métropolitain et le service de transport ainsi que des acteurs économiques de la zone centrale. Il a été créé avant l'élection de 2000 et a produit, entre 1998 et 2001, une stratégie pour l'environnement et les transports. Une des priorités du CLP est de permettre le développement du secteur de la finance et du tourisme, notamment en s'inspirant des méthodes développées dans les villes des États-Unis. Le CLP a ainsi créé le Circle Initiative, une association public-privé, qui a défendu les projets de Business Improvement Districts (BID) dans les secteurs de Waterloo, de Bankside, de Holborn, de Paddington et de Piccadilly. Ces BID s'inspirent du succès apparent d'initiatives menées à New York où les impôts fonciers des entreprises ont été augmentés afin de maintenir les rues propres et de rendre les espaces publics sécuritaires autour des gares et dans les zones touristiques. À New York comme à Londres, les BID ont donné lieu à controverses entre autres lorsque les policiers ont déplacé les marchands ambulants et les «populations non désirables» – mendiants et artistes de rue, par exemple.

Dans les quartiers qui entourent la City de Londres, ce modèle d'organisation se reproduit. The Cityside Regeneration à Spitalfields a été construit en se servant de toute une série de programmes nationaux de subventions. Le premier a été le Bethnal Green City Challenge (16,5 millions de dollars) au début des années 1990, qui a continué par la suite de bénéficier de 26,2 millions de dollars. Par le biais de projets d'envergure, Spitalfields a lié son devenir à celui de la City en grande partie parce que la société ABN Amro y a implanté son nouveau siège social à la fin des années 1990. Les programmes de renouvellement urbain, financés en grande partie par l'État, ont permis de requalifier le quartier et de le rendre plus attractif et plus sécuritaire.

Dernier exemple : la mise en place à Londres de la troisième tranche d'un programme national de renouvellement urbain lancé dans les années 1990. Les projets élaborés à Londres par la Cityside Regeneration Company, une association public-privé dans laquelle on trouve des firmes bancaires et des entreprises de la construction, avaient pour objectif d'exploiter les possibilités touristiques et culturelles des quartiers à caractère ethnique proches de la City en organisant des activités festives et en donnant une nouvelle image de marque à «Banglatown» et à sa cuisine. Ce quartier abrite actuellement le plus grand nombre de restaurants indiens et bengalis

à Londres. Cependant, les projets immobiliers dans les secteurs bancaire et touristique ont engendré une augmentation de la pression foncière sur ce quartier et le
départ forcé de nombre de ses habitants.

CONCLUSION

Au total, Londres a certes retrouvé une voix, un leader doté d'une légitimité évidente
et une institution métropolitaine. Au-delà de ces changements notables, on ne peut
que s'interroger sur la portée des transformations intervenues depuis les années 1990.
Pour paraphraser S. Zukin (1995), le maintien du statut de ville globale pour Londres
s'est opéré depuis les années 1990 par le biais d'une «pacification par le capuccino»
des espaces publics stratégiques pour plaire aux firmes globales. Cette stratégie
repose également sur l'instrumentalisation des instances démocratiques qui, sous
couvert de concertation et de gouvernance inclusive, conduit à placer au centre de
l'agenda politique à la fois du gouvernement national et de l'administration métropolitaine les attentes et les besoins des acteurs économiques. Parmi les conséquences, une polarisation sociale qui se cristallise depuis le milieu des années 1990.
Comme indicateur de ce processus, on peut citer l'augmentation vertigineuse des
prix de l'immobilier dans la métropole: un stationnement de 53 pieds carrés s'est
récemment vendu 157 000 dollars canadiens dans un quartier huppé de la capitale.
Comment expliquer de tels prix? Par certains mécanismes économiques, d'abord.
La baisse des taux d'intérêt ces dernières années – 4% en moyenne durant la première décennie des années 2000, contre 11% en moyenne dans les années 1980 –
a ainsi rendu l'achat d'une propriété plus abordable. Combinée à une hausse annuelle
des salaires de 2% environ au-dessus du taux d'inflation pendant la même période,
elle explique la ruée vers l'investissement immobilier qui s'est amorcée en 1997.
Londres et sa région attirent par ailleurs quelque 70 000 nouveaux foyers par an.
Surtout, 60% des locataires et 33% des nouveaux acheteurs travaillent dans le
secteur financier. Pas étonnant, dès lors, que le remarquable boom financier des
années 1990, qui s'est traduit par l'énorme hausse des bonis et l'apparition d'une
nouvelle génération de millionnaires, ait engendré une flambée sans précédent des
prix de l'immobilier au cours de la même période, aggravée par un afflux de milliers
d'expatriés généreusement payés et souvent logés (dans le cas de 32% des locataires) aux frais de la banque. Dans les quartiers chics du centre de Londres, 30%
des acheteurs et 85% des locataires ne sont pas britanniques mais européens ou
arabes (chez les acheteurs), et américains (41% des locataires). À Londres, la
polarisation et la ségrégation sociospatiale constituent le prix qu'il faut maintenant
payer pour la globalité. Pas étonnant aussi que la crise financière déclenchée à
l'automne 2008 ait lourdement affecté le marché immobilier, provoquant ainsi une
situation qui rend ce prix insoutenable pour une large partie de la population.

BIBLIOGRAPHIE

DOLLFUS, O. (1997). *La mondialisation*, Paris, Presses de Sciences Po.

GLA (2000). *The Mayor and Relations with the Business Community*, Londres, Greater London Authority Mayor's Office.

HEBBERT, M. (1998). *London: More by Fortune than Design*, Chichester, John Wiley.

KLEINMAN, M. (2002). « Une "troisième voie" dans la gouvernance métropolitaine ? Le Grand Londres et les milieux économiques », dans B. JOUVE et S. LEFEBVRE (dir.), *Métropoles ingouvernables*, Paris, Elsevier, p. 79-105.

LDP (1998a). *LDP Bulletin*, Londres, London Development Partnership.

LDP (1998b). *Preparing for the Mayor and the London Development Agency*, Londres, London Development Partnership.

SASSEN, S. (1996). *La ville globale : New York, Londres, Tokyo*, Paris, Descartes.

TRAVERS, T. (2004). *The Politics of London : Governing an Ungovernable City*, Basingstoke et New York, Palgrave et Macmillan.

ZUKIN, S. (1995). *The Cultures of Cities*, Cambridge, Blackwell.

Partie

2

Les continents
de l'espace-monde

Chapitre 5

L'AMÉRIQUE DU NORD
Espace puissant centré sur les États-Unis

Claude Manzagol[1]

L'Amérique du Nord est une expression géographique à géométrie variable. Sa configuration a permis de désigner ainsi ce «demi-continent» (E. Reclus) couvrant le Canada, les États-Unis et le Mexique, un vaste triangle irrégulier de plus de 21 millions de kilomètres carrés. Les réalités politiques ont toutefois amené les géographes à intégrer le Mexique dans une Amérique latine allant du Rio Grande à la Terre de Feu. Contrastant avec l'Amérique anglo-saxonne, ce «quasi-continent» (C. Fuentes) affirme sa vigoureuse originalité culturelle enracinée dans son passé colonial, sa latinité et ses

1. Le collègue Claude Manzagol est décédé en 2008. La mise à jour de ce chapitre a été réalisée par l'assistant de recherche Matthieu Roy et validée par Juan-Luis Klein.

problèmes de développement. L'ONU a d'ailleurs entériné cette conception en créant la CEPAL (Commission économique pour l'Amérique latine). Le Mexique est donc à la fois partie prenante de l'Amérique latine et de l'Amérique du Nord. Toutefois, la proximité et les intérêts communs ont renforcé des liens puissants entre le Mexique et ses deux voisins du Nord, concrétisés par l'entrée en vigueur en 1994 de l'Accord nord-américain de libre-échange (ALENA). L'intégration continentale en cours donne ainsi un contenu organique, institutionnel même à la configuration topographique. Le bloc de l'ALENA ne représente que 7 % de la population (454 millions d'habitants en 2010), mais plus du quart de l'économie du monde.

5.1.   L'Amérique du Nord, portrait-robot

L'ossature forte du monde contemporain est la Triade dont l'Amérique du Nord est le pilier le plus fort. Elle s'articule autour de l'hyper-puissance étasunienne dont la suprématie mondiale s'est affirmée avec l'effondrement du bloc soviétique.

Tableau 5.1.
L'Amérique du Nord en quelques chiffres. Comparaison avec l'Europe et l'Asie de l'Est

	Indicateurs		
	Superficie en km²	Population (2010) en millions d'habitants	PIB (2009) en milliards de dollars américains
Amérique du Nord	21 558 000	454	16 613
Amérique du Nord (en % du monde)	16,1 %	6,6 %	28,6 %
Union européenne (en % du monde)	3,0 %	7,1 %	27,9 %
Asie du Nord-Est et du Sud-Est (en % du monde)	12,1 %	31,5 %	22,2 %

Sources : Population Reference Bureau (2010) et *CIA World Factbook* (2010).

5.1.1.   Le dynamisme démographique

Si l'Amérique du Nord est relativement peu peuplée compte tenu de son étendue (densité moyenne de 21 hab./km²), elle a enregistré, tout au long du xxᵉ siècle, une croissance vigoureuse de sa population, qui a quadruplé au cours des 70 dernières années (tableau 5.2 et figure 5.1). La population du Canada et des États-Unis a augmenté de 50 % entre 1970 et 2010 alors que celle du Mexique, dont la transition démographique n'est pas encore terminée, plus que doublait.

Tableau 5.2.
Dynamisme démographique de l'Amérique du Nord

	Canada		États-Unis		Mexique	
	1970	2010	1970	2010	1970	2010
Population (en M hab.)	21	34,1	205	309,6	50	110,6
Densité hab./km²	2,1	3,4	21,9	31,5	25,4	56,3
Taux de natalité (‰)	18	11	18	14	41	19
Taux de mortalité (‰)	8	7	9	8	10	5
Taux de mortalité infantile (‰)	21		21		70	17

Source : Population Reference Bureau (2010).

Figure 5.1.
Évolution de la population nord-américaine, 1930-2010

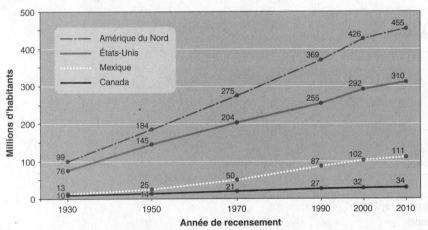

L'accroissement naturel est le moteur de la croissance démographique du Mexique qui génère une forte émigration vers les États-Unis. Avec une natalité à la baisse, la croissance de la population des États-Unis et surtout du Canada est en partie liée à l'immigration.

Les densités moyennes donnent une idée imparfaite de la répartition de la population, qui est très inégale : le gros de la population s'agglomère sur la frontière méridionale du Canada, dans l'est des États-Unis et le centre du Mexique où sont les effectifs les plus denses. La carte de l'évolution de la population (figure 5.2) montre une tendance globale à la migration vers l'ouest du centre de gravité du sous-continent (sud-ouest étasunien, bordure pacifique).

Figure 5.2.
Le mouvement démographique est-ouest*

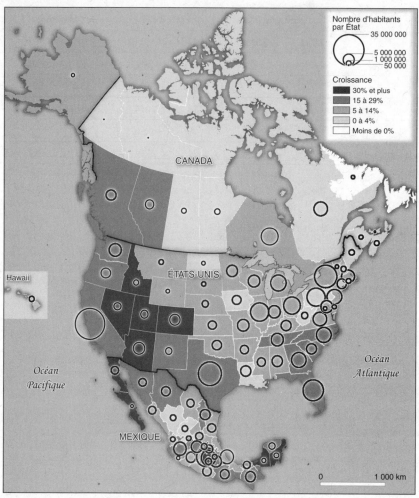

* Variation entre 1990 et 2000.

　　　L'Amérique du Nord est aujourd'hui fortement urbanisée : 77 % au Mexique, 79 % aux États-Unis et 80 % au Canada. La croissance profite surtout aux grandes métropoles. La carte sur la croissance des métropoles nord-américaines (figure 5.3) illustre la concentration des grandes masses de population, montre la vigueur de la croissance métropolitaine et donne une indication supplémentaire de la migration du centre de gravité du continent.

Figure 5.3.

**La migration du centre de gravité du continent:
population et croissance des métropoles nord-américaines***

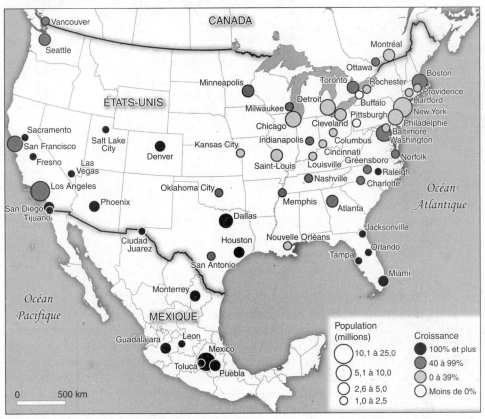

* Les chiffres sur la croissance des villes portent sur 1970 et 2000.

5.1.2.   La première puissance économique du monde

Générant 28,6 % du PIB mondial, l'Amérique du Nord est le principal centre de création de richesses de la planète; elle est aussi le plus grand marché du monde. Les indicateurs du tableau 5.3 mettent en lumière la puissance de l'économie nord-américaine et le fossé qui sépare encore le Mexique de ses deux partenaires en termes de développement.

TABLEAU 5.3.
Amérique du Nord : indicateurs socioéconomiques

Indicateurs	Canada	États-Unis	Mexique
PIB total (en milliards de dollars américains) [2009]	1 336	14 260	1 017
PIB/hab. (PPA) [2009]	38 200	46 000	13 200
IDH [2007]	0,966	0,956	0,854
Taux de chômage (%) [2009]	8,3	9,3	5,5*
Investissement R-D (% du PNB) [2005]	1,9	2,7	0,4
Consommation d'électricité par hab. (Kw-h) [2004]	18 408	14 240	2 130
Pénétration de l'usage d'Internet en 2010 (%)	78	77	27
Répartition du revenu national : indice de Gini (2007)	32,6	40,8	48,1

* + 25 % de sous-emploi.

Sources : *CIA World Factbook* (2010) ; Rapport mondial sur le développement humain ; PNUD (2009),
        Internet World Stats (2010).

5.1.3. Un symbole : l'industrie de l'automobile

Même si les principales innovations techniques qui ont permis son essor initial sont européennes, l'industrie de l'automobile a été le symbole de la puissance créatrice des États-Unis, du standard de vie dominant dans ce pays et d'un certain rapport à l'espace. Elle a été typique de l'organisation de la production (chaînes de montage) et de sa puissante concentration : vers 1960, General Motors, Ford et Chrysler fabriquent 93 % des voitures étasuniennes. À cette date, les États-Unis produisent encore la moitié des véhicules mondiaux, pour une très large part autour de Détroit. Les filiales des « trois grands » étendent leurs réseaux sur les autres continents. Au cours des années 1960-1970, les concurrents européens et japonais s'affirment : la crise du pétrole, le succès des petites voitures, les problèmes de qualité et, d'une façon plus générale, la crise d'un régime de production, le fordisme, frappent de plein fouet les producteurs étasuniens : 300 000 ouvriers au chômage en 1982-1983, fermetures d'usines, invasion du marché par les Japonais, etc.

Une restructuration de l'appareil de production et des méthodes de travail a revigoré, pour un temps, l'industrie étasunienne, qui conserve le premier rang mondial jusqu'en 2005, pour ensuite perdre de la vitesse et dégringoler, dans les sillons de la crise financière de 2008, au troisième rang, derrière la Chine et le Japon. Cette période de restructuration a profondément transformé l'industrie, notamment sur le plan spatial : non seulement elle s'est redéployée vers le sud où les coûts du travail sont moindres (Tennessee, Alabama…), mais elle s'est organisée de façon intégrée à l'échelle du continent : 5,8 millions de véhicules sont produits aux États-Unis, 1,5 million au Canada et 1,6 million au Mexique, au total 14 % de la production mondiale. Aux côtés des trois grands qui n'alimentent plus que 45 % de la production étasunienne, les Européens et les Asiatiques déploient eux aussi leur appareil de production dans les trois pays ; l'industrie automobile est emblématique de l'intégration continentale en cours. Signe révélateur, entre 2006 à 2009, la production de l'industrie automobile étasunienne et canadienne a diminué de moitié alors que celle de la Chine a presque doublé.

5.2.   L'Amérique du Nord entre géographie et histoire

5.2.1.   La disposition méridienne des grands ensembles du relief

On distingue trois grands ensembles :

- Les vieilles montagnes de l'Est : au nord, le Bouclier canadien est un vieux socle qui s'abaisse vers la baie d'Hudson. Ce bas plateau raboté par les glaciers (drainage irrégulier, lacs multiples), flanqué à l'est par le bourrelet montagneux du Labrador, se termine au sud sur la gouttière tectonique occupée par le Saint-Laurent, exutoire des vastes Grands Lacs (144 000 km²). Au-delà, les Appalaches sont de longues chaînes résiduelles flanquées de bas plateaux courant sur 3 500 kilomètres, de Terre-Neuve à l'Alabama. Sur le flanc oriental, la plaine littorale atlantique s'élargit graduellement de la Nouvelle-Angleterre à la Floride.

- Les Grandes Plaines centrales : de la baie d'Hudson au golfe du Mexique, l'immense ensellement sédimentaire offre un relief globalement peu différencié : surfaces de remblaiement, plateaux et *cuestas*, etc., masqués sous les dépôts morainiques au nord.

- Les cordillères de l'Ouest : la plaque tectonique américaine est frangée par un énorme bourrelet montagneux de type alpin amorcé au secondaire culminant et constitué de trois bandeaux :

  a) à l'est, les Rocheuses tombent, par un front vigoureux, sur les Grandes Plaines ;

  b) au centre, de lourds plateaux souvent volcaniques (Yukon, Colombie) entaillés de canyons (Colorado) alternent avec de grands bassins évasés (Grand Bassin) ;

  c) à l'ouest, les chaînes pacifiques issues de mouvements récents : volcanisme actif (mont Saint Helens), séismes (faille de San Andreas) ; un axe oriental (Sierra Nevada, Cascades) culminant à plus de 4 000 mètres et séparé de la chaîne côtière (Coast Range) par des dépressions méridiennes (Grande Vallée californienne). Au Canada, l'action glaciaire a entaillé des fjords profonds et découpé le littoral (îles de la Reine Charlotte).

Au Mexique, la même disposition prévaut jusqu'à l'isthme de Tehuantepec : deux bourrelets plissés (Sierra Madre orientale et occidentale) encadrent le plateau central traversé par un axe de volcans récents (Popocatépetl, Paricutín). Au-delà de l'isthme, les montagnes sont flanquées du bas plateau du Yucatán.

La disposition méridienne du relief influence considérablement le climat, la biogéographie et les conditions de la circulation. La latitude est certes l'élément déterminant du climat : nordicité canadienne, tropicalité mexicaine. Le jeu des courants, avec la traditionnelle dissymétrie des façades maritimes à même latitude, introduit un premier élément de quadrillage. C'est pourtant la barrière des Cordillères, faisant obstacle à la circulation atmosphérique d'ouest, qui est la composante majeure : les flux pacifiques déversent l'humidité sur les chaînes côtières chapées de belles forêts, se desséchant rapidement : semi-déserts de l'ouest, steppe puis prairie jusqu'aux Grands Lacs à partir desquels les forêts redeviennent le climax ; succédant à la toundra, les conifères de la vaste forêt boréale laissent la place aux feuillus au sud, puis aux formations tropicales du Golfe. Au Mexique, la végétation tropicale de la côte passe, en altitude, aux formations tempérées de l'*altiplano*. Autre manifestation de la configuration méridienne, le déplacement amplifié des masses d'air, polaires en hiver (menaçant les orangers de Floride) et tropicales en été (moiteur des étés de New York). L'orientation des reliefs a aussi marqué les conditions de la circulation ; le drainage vers le Pacifique est minimal. Au contraire, le Mississippi est le plus grand rassembleur d'eau des zones extratropicales tandis que le Mackenzie joue un rôle symétrique vers le nord. Une seule exception, mais elle est majeure : le système Saint-Laurent/Grands Lacs pénètre à 3 000 kilomètres au cœur du continent.

5.2.2. Peuplement et organisation territoriale : des empires aux États

L'occupation du territoire a, elle aussi, composé avec la topographie. Les Amérindiens ont cheminé le long de l'*inlandsis* avant de se répandre sur le continent. Les colons britanniques ont longtemps été cantonnés à l'est des Appalaches tandis que, par les Grands Lacs et le Mississippi (Cavelier de La Salle – 1664), l'Amérique française gagnait la vaste Louisiane et que la Nouvelle Espagne poussait vers le nord jusqu'à San Francisco et en Floride. Vers 1700, la carte politique du continent est organisée en bandes nord-sud. Le traité de Paris (1763), l'achat de la Louisiane (1803), le traité de 1819 fixant la frontière au 49e parallèle, la guerre avec le Mexique refoulé au sud du Rio Grande (1848), l'achat de l'Alaska (1867), l'annexion de Porto Rico (1989) dessinent une carte radicalement différente. Libérés de la tutelle européenne, trois grands États se déploient en bandes zonales, d'un océan à l'autre, fait sans équivalent sur les autres continents. La construction des chemins de fer transcontinentaux matérialise l'orientation est-ouest et accélère l'occupation d'un immense territoire durablement marqué par les faits de **distance**, d'**étendue**, de **faibles densités** et de **simplicité** d'organisation ; le déploiement de modèles uniformes comme le quadrillage du *township* est d'autant plus aisé que les Amérindiens n'ont laissé que de faibles marques, qu'ils ont été décimés ou refoulés.

Les modalités initiales de la colonisation laissent des empreintes différentielles considérables : le système espagnol hiérarchisé visant l'exploitation au profit de la métropole **noyautait** de vastes espaces en domaines extensifs, en opposition à l'occupation anglo-saxonne en général progressive et systématique, qui est le fait d'une démocratie d'exploitants. Plus déterminante encore, une évangélisation catholique plus intégratrice a favorisé au Mexique un métissage très poussé, contrastant avec la séparation des races qui a prévalu au nord du Rio Grande. Les différences initiales entre les trois États indépendants se sont accusées dans la construction, à l'abri de barrières douanières élevées, d'économies et de sociétés originales aux cheminements contrastés.

5.3. Le Mexique en mutation

Sur près de deux millions de kilomètres carrés, le Mexique offre des paysages vigoureusement contrastés : le compartimentage du relief ajoute à la gamme tropicale les espaces tempérés d'altitude. Un héritage original rend en partie compte des spécificités et des problèmes du développement qui s'inscrivent aussi dans la brutalité des disparités régionales.

5.3.1. Un héritage colonial

L'indépendance laisse un archipel de territoires disparates, fortement marqués par l'indianité, dont le régime de Porfirio Diaz (1877-1911) fait un État fédéral homogène uni par le réseau ferroviaire et l'affirmation d'une identité mexicaine. Les révoltes contre les grands domaines (2 000 familles possèdent alors 87 % des terres) provoquent la Révolution. D'une longue période de convulsions émerge un régime original. La réforme agraire instaure l'*éjido*, système où les lopins individuels ne peuvent être aliénés en dehors de la communauté. Les civilisations indigènes sont idéalisées. Le Parti révolutionnaire institutionnel est instauré et exerce le pouvoir de façon ininterrompue pendant 70 ans. Populiste, ce parti exalte la protection des pauvres, la modernisation et l'alphabétisation. Le rôle de l'État est dès lors prépondérant dans l'animation de la vie économique : orientation de l'industrie, nationalisation du pétrole (PEMEX...). Néanmoins, les rigidités du système et le clientélisme freinent le développement ; la natalité demeure élevée ; elle est encore de 41‰ en 1970 et la population quadruple entre 1940 et 1985. Si la natalité a baissé (19‰ en 2010), le Mexique a encore gagné 11 millions d'habitants dans la dernière décennie ; les moins de 15 ans forment 29 % de la population, dont 20 % vit sous le seuil de la pauvreté nationale. Difficultés économiques et pression démographique engendrent de puissants courants d'exode rural et de migration vers les États-Unis.

5.3.2. Les transformations de l'économie

En proie aux difficultés de développement, le Mexique doit s'adapter aux changements introduits par l'ouverture de son marché et sa conversion au libéralisme après la crise de 1982. L'agriculture conserve un rôle éminent par l'importance des effectifs employés (14 % des actifs) et sa place dans l'imaginaire national ; les fresques d'Orosco et de Riveira célèbrent dans les paysans de Zapata les héros de la Révolution dont l'héritage est patent : avant 1910, la très grande propriété accaparait 80 % des terres, la petite propriété en couvre maintenant plus de 50 %. Les grandes exploitations jouent cependant un rôle important dans le sud tropical (*haciendas* caféières du Chiapas, plantations d'orangers, de cocotiers de Veracruz, canne à sucre de Morelos, etc.). L'agriculture traditionnelle des petites exploitations du centre, qui reste vivrière et rustique (maïs et haricot) en montagne et sur les côtes, évolue grâce aux débouchés urbains (élevage intensif des bovins, horticulture…). Le nord sec était un vaste domaine d'élevage extensif ; la proximité du marché étasunien et l'irrigation ont permis l'essor d'une polyculture intensive (Basse-Californie, Sonora).

L'État, qui a toujours joué un grand rôle en finançant l'irrigation, contrôlant les vivres de base et distribuant le crédit, a pris le virage de la libéralisation. En mettant fin à la Réforme agraire en 1991, il a ouvert la privatisation des *ejidos* pour dynamiser le secteur car l'agriculture est aujourd'hui en difficulté. La balance commerciale est plombée par les importations de maïs, de lait concentré. Les petites exploitations traditionnelles subissent la concurrence extérieure et le poids de l'agrobusiness étranger (Campbell's, Danone…). L'exode rural s'accélère tandis que la revendication d'une nouvelle réforme agraire est au cœur de la révolte des Indiens du Chiapas.

L'industrie a des racines anciennes au Mexique, mais le décollage s'est fondé entre 1930 et 1960 sur le modèle de substitution aux importations. Une forte intervention de l'État (nationalisation du pétrole en 1938 avec le PEMEX) a favorisé les industries de base. Les difficultés du modèle sont mises en lumière quand la chute des revenus pétroliers accule le Mexique à la faillite en 1982. Le tournant libéral est manifeste avec la privatisation, la baisse des tarifs douaniers et l'ouverture au capital étranger (adhésion au GATT, à l'ALENA), et se confirme avec la chute du Parti révolutionnaire institutionnel (PRI). Le redémarrage ne concerne pas seulement les *maquiladoras* (enclaves *duty free* utilisant la main-d'œuvre à bas coût aux fins de réexportation) dont les effectifs sont multipliés par six entre 1981 et 2000. Les grandes firmes étrangères d'électronique (Motorola), de l'automobile (les trois Grands des États-Unis, VW, Nissan, etc.) ont investi massivement pour le marché intérieur et l'exportation. La production pétrolière dynamique (3 millions de barils par jour en 2009, 7e rang mondial) alimente la pétrochimie et nourrit un puissant courant d'exportation. Mais c'est désormais l'industrie manufacturière qui fournit 80 % des exportations. Si l'industrie emploie 33 % des actifs, un tertiaire pléthorique (63 %) cache l'importance du sous-emploi, mais le tourisme international assure emplois, rentrées de devises et développement local : Cancún, village de 280 habitants en 1969, en compte désormais plus d'un demi-million et reçoit quatre millions de touristes annuellement.

5.3.3. Les disparités régionales

Le rôle historique de la région centrale dans l'édification du pays lui a donné les leviers d'une centralisation aujourd'hui problématique. Avec 7 % de la superficie, le District fédéral de Mexico et les cinq États voisins (Morelos, Hidalgo, Puebla, Querétaro, Tlaxcala) rassemblent le tiers de la population et du produit national. Les plans de décentralisation n'ont guère réussi à contrecarrer la tendance.

Le sud-est mexicain demeure terre de sous-développement

Des tropiques chauds, pauvres, archaïques. Le versant pacifique, de part et d'autre de l'isthme, est accidenté, compartimenté et peuplé en archipel, avec une majorité indienne dans les montagnes du Chiapas. La révolte a été nourrie par les contrastes de situations entre la paysannerie sans terre et les grandes plantations (café, cocotiers). Des enclaves urbaines sont nées du tourisme (Acapulco, Ixtapa) et de l'industrie (Ciudad Lazaro Cardenas, Salina Cruz). Moins dépourvue, la presqu'île du Yucatán est une table calcaire sèche où la production de sisal, en crise, est relayée par la production vivrière pour la zone côtière : développement touristique (Cancún) et pétrolier (Ciudad del Carmen).

Les régions d'essor récent

La côte du Golfe, longtemps inhospitalière (humidité, marécages), a vécu au rythme des cultures spéculatives (plantations de café, orangers, canne à sucre). L'exploitation du pétrole, ancienne (Tampico) ou récente (Villahermosa) a suscité une vigoureuse industrialisation et stimulé la croissance du port de Veracruz.

Le nord doit son développement récent à la proximité des États-Unis, aux capitaux étrangers et à une logique économique externe. D'occupation ancienne, au peuplement peu dense (semi-aridité, élevage extensif), le nord se développe en îlots autour des anciens centres miniers avec de vastes auréoles d'agriculture irriguée. Il faut cependant distinguer entre le nord central (p. ex. Durango) qui reste déprimé et les régions dynamiques : le nord-ouest (Basse-Californie, Sonora…), le grand centre industriel de Monterrey (3,5 millions d'habitants) au nord-est et la bande frontalière des *maquiladoras*, de Tijuana à Matamoros.

La région centrale, la plus peuplée et la plus riche, s'organise autour de Mexico (22 millions d'habitants). Autour de l'axe volcanique, les plateaux et bassins tempérés au bon potentiel agricole ont été le soutien de la civilisation aztèque puis de la Nouvelle Espagne et de l'État mexicain. Une agriculture variée trouve ses débouchés dans les noyaux d'un réseau urbain dense (Puebla, Guadalajara, Toluca…) articulé autour d'une mégapole dont le développement a largement débordé le District fédéral. Millionnaire en termes de population dès 1900, Mexico a centralisé le pouvoir et les activités indus-trielles, commerciales, bancaires, culturelles. La rapide croissance accroît les formidables problèmes de congestion, pollution et approvisionnement en eau. Les migrants qui affluent s'entassent dans les *ciudades perdidas* dont la pauvreté contraste avec le faste des quartiers riches (Miguel Hidalgo) et l'opulence de la Zone rose.

5.4.   Les dimensions géographiques de l'hyper-puissance étasunienne

Vers 1900, la conquête du territoire tout juste achevée (fin de la « Frontière »), les États-Unis sont déjà la principale puissance économique du globe ; ils conservent ce statut même si ses fondements et son expression territoriale ont considérablement évolué.

5.4.1.   Dotation naturelle et puissance d'organisation

La terre était offerte en abondance (500 millions d'hectares, dont la moitié mise à contribution). Les ressources énergétiques (charbon des Appalaches et des Rocheuses, hydrocarbures du golfe du Mexique et de Californie, hydroélectricité des bassins du Tennessee, de la Columbia...) répondaient à la richesse minérale : fer du lac Supérieur, cuivre d'Arizona, bauxite d'Arkansas...

Une exploitation extensive

L'exploitation menée tambour battant a souvent confiné au gaspillage tant pour la terre offerte à l'érosion (*dust bowl*, *bad lands*) que pour le sous-sol. Si les États-Unis ont encore le quart des réserves mondiales de charbon, ils dépendent désormais des importations pour une part croissante de leurs besoins d'hydrocarbures[2] ; même situation pour le fer, la bauxite... La sacralisation de la nature (Thoreau, parcs nationaux...) n'a pas empêché une gestion sauvage des ressources.

Rareté de l'homme et organisation du travail

La mise en valeur d'un territoire peu peuplé a suscité une précoce mécanisation, la religion de la productivité par l'organisation du travail (taylorisme), l'automation (chaîne de montage). L'ampleur du marché et les économies d'échelle ont favorisé la concentration géographique et surtout financière de la production dont les premiers emblèmes ont été l'U.S. Steel et les *Big Three* de l'automobile auxquels ne cèdent en rien leurs émules actuels : IBM, Microsoft. L'intervention du gouvernement fédéral, dans une économie réputée libérale, a souvent été décisive (grand réseau autoroutier, commandes militaires). Le recours à la science (2,7 % du PIB investi en recherche et développement – R-D) est une composante essentielle du dynamisme économique.

---

2. Les États-Unis consomment 18,7 millions de barils de pétrole par jour mais n'en produisent que 9,1 (source : *CIA World Factbook 2010*).

5.4.2. Les piliers de l'économie

La puissance du complexe agroalimentaire

L'agriculture emploie moins de 1 % de la population active mais, hautement productive, elle livre 35 % du soja mondial, 37 % du maïs, 10 % des agrumes, 15 % de la viande. Couplée à une puissante industrie agroalimentaire, elle domine la scène mondiale. La production s'organisait naguère en *belts* ou ceintures spécialisées : ceintures du lait (Grands Lacs), du maïs (Iowa…), du blé (Nebraska, Dakota…), du coton (Vieux Sud), du tabac (Virginia…). Les *belts* se sont diversifiées. Globalement productive et scientifique, l'agriculture est loin d'être homogène : 10 % des exploitations fournissent plus de la moitié de la production. Si la production des céréales, des porcs, etc., reste le lot des exploitations familiales, les spécialisations à forte valeur ajoutée (pommes de terre, vignoble, volailles, viande bovine) sont dominées par des grandes sociétés qui contrôlent la chaîne de production et de commercialisation (Onagra, Cargill, Del Monte, etc.). L'agriculture familiale a été durement éprouvée par la concurrence et la conjoncture dans les années 1980 (faillites nombreuses, concentration foncière…). Sa situation, améliorée, demeure fragile et dépend de la protection du marché intérieur et des fortes subventions fédérales.

Les mutations de l'industrie

Si l'industrie étasunienne domine toujours la scène mondiale, elle est sortie amoindrie et transformée de la crise du fordisme. À l'érosion du secteur textile s'est ajouté le brutal repli de la sidérurgie. L'industrie automobile n'a dû son salut qu'aux accords de limitation des importations japonaises, à une complexe restructuration, puis au soutient massif de l'État à la suite de la crise de 2008 : les trois grands ne fabriquent plus que 45 % des voitures produites aux États-Unis. La crise a également ébranlé la microélectronique (mémoires) ; la Silicon Valley a rebondi avec les technologies Internet. L'aéronautique a aussi été éprouvée : Boeing, qui a absorbé McDonnell-Douglas, est menacée par Airbus. La consolidation s'est accompagnée d'un changement de l'assiette spatiale (repli du *Manufacturing Belt*, essor du *Sun Belt*) et d'un recours à la délocalisation et à l'importation internationale, avec pour conséquence un déficit sans cesse accru de la balance commerciale, avec le Japon et la Chine surtout.

Une économie de services

Les trois quarts de la population active travaillent dans les services, qui sont dorénavant l'atout majeur des États-Unis, au premier rang mondial des échanges de services. Les activités qui entourent la production (conception, publicité, marketing, transport) ont accompagné l'essor des entreprises étasuniennes au même titre que la banque, l'hôtellerie, etc. (American Express, Hilton, Federal Express, etc.). Les produits de la culture, portés par des firmes géantes (Disney, Time Warner), ont une diffusion planétaire, tandis que les parcs de loisirs, les agoras du jeu (35 millions de visiteurs à Las Vegas) et les richesses du patrimoine drainent une part importante du tourisme mondial.

Figure 5.4.
Repli du *Manufacturing Belt* et essor du *Sun Belt* aux États-Unis

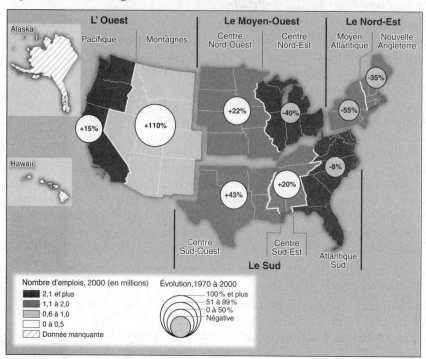

5.4.3.   L'évolution des structures spatiales

Le territoire des États-Unis s'est structuré originellement en « sections » bien différenciées : puritains et commerçants ont bâti un nord-est du négoce et de l'industrie qui s'est opposé au sud rural des planteurs esclavagistes tandis que le *Far West* s'ouvrait sur les promesses des terres et des mines. Le triomphe du Nord assure la domination d'un *Manufacturing Belt* qui accapare pour plus d'un siècle la suprématie industrielle (70 % de la production), financière et politique. Ce schéma a progressivement évolué dans le dernier demi-siècle en vertu d'une combinaison de facteurs :

– la migration continue vers l'ouest du centre de gravité démographique, actuellement au Kansas ;

– la migration des activités, industrielles en particulier, du *Manufacturing Belt* vieilli (*Rust Belt*) vers le *Sun Belt* (climat, mais surtout salaires moins élevés, nouveaux marchés…), esquissant un « retournement spatial » ;

– l'attrait des côtes : maritimisation des industries lourdes, tourisme, échanges internationaux croissants, localisation des immigrants et des retraités, rôle de l'armature urbaine ;

- l'action différentielle de l'immigration : 20 millions de nouveaux immigrants (auxquels s'ajoutent neuf millions d'illégaux) entre 1990 et 2009, qui se fixent majoritairement dans les grandes métropoles (New York, Los Angeles, Miami) ;

- l'effet croissant des relations avec le Canada et le Mexique ;

- le rôle prépondérant de l'armature métropolitaine : précocement urbanisés, les États-Unis comptent 50 métropoles de plus d'un million d'habitants, dont 10 mégapoles de trois millions et plus, avec en particulier les grands couloirs urbains (Bos-Wash, Chi-Pitt, San-San). Organisées autour de puissants CBD, les grandes villes étasuniennes se sont étalées en vastes banlieues où vivent plus de 50 % des citoyens, et que structurent désormais de puissants centres d'activité (*edge cities*). L'insécurité des centres-villes (taudis, paupérisation, ghettos) a contribué à nourrir ces territoires de « rêve américain » où l'on veut goûter le bien-être du calme de l'entre-soi (*gated cities*).

La combinaison de ces facteurs nourrit la dynamique régionale.

5.4.4. Les grandes régions des États-Unis
La puissance persistante du nord-est

Là s'est bâtie la puissante économie étasunienne sur les mines des Appalaches et les deux grands fronts d'eau : l'Atlantique à dominante commerciale et financière ; le *Mid-West* industriel où furent importantes la sidérurgie de Pennsylvanie et des Grands Lacs, la transformation alimentaire et l'industrie automobile autour de Détroit. La crise du fordisme a durement frappé l'appareil industriel : fermetures des aciéries à Pittsburgh, Cleveland…, douloureuse restructuration de l'industrie automobile, exode vers le *Sun Belt*. La modernisation des structures et la promotion de la nouvelle technologie (informatique de la Route 128 à Boston, pharmacie à Philadelphie, électronique à Chicago) ont tiré profit du potentiel intellectuel et de la concentration de l'appareil de R-D, les deux tiers des grandes universités du pays (Harvard, MIT…) se trouvant dans cette région. Au sein des deux grandes agglomérations des Grands Lacs et surtout de la Mégalopolis (45 millions d'habitants) réside encore l'essentiel du pouvoir de commandement de l'économie avec les Bourses (Chicago, Wall Street), les sièges sociaux (139 des 500 plus grands sièges dont 19 à New York[3]), l'information (TV, journaux), la publicité et le spectacle. Durement touchée par le traumatisme du 11 septembre, New York se relève et participe à la puissance toujours manifeste du nord-est malgré une érosion sensible.

---

3. Selon le classement *Global 500* du magazine *Fortune*, édition du 26 juillet 2010.

Vieux Sud et nouveau Sud

Le poids des vieilles structures et mentalités pèse encore profondément sur le Sud : pauvreté rurale, particulièrement de la population noire ; faible industrialisation marquant encore le Sud profond (Mississippi). Mais le système agricole se transforme, la monoculture du coton, du tabac, a cédé la place à la polyculture, la volaille… La culture du coton s'est déplacée vers les plaines irriguées (Texas, Mississippi) ; la Floride a mis à profit son privilège climatique (riziculture, agrumes). La grande mutation réside dans une industrie moderne qui n'est plus seulement fondée sur le pétrole et le gaz du Golfe et de l'Oklahoma, mais aussi sur les nouvelles technologies (Texas Instruments, Dell…). Le Triangle de la recherche s'est substitué au textile et au tabac de la Caroline du Nord ; Dallas et Houston sont des métropoles bourdonnantes ; Atlanta est en plein essor (Coca-Cola, CNN). Miami a ajouté à son attrait touristique un rôle de métropole rayonnant sur l'Amérique latine.

Un centre vide

Des Appalaches aux Rocheuses, l'immense aire centrée sur le Mississippi montre des signes évidents de stagnation : faible croissance démographique, solde migratoire négatif, vieillissement. Les Appalaches et leurs marges, sortis de la pauvreté, restent un peu atones, mais l'axe du Tennessee a été transformé par les grands travaux de la Tennessee Valley Authority (TVA) qui ont poussé l'irrigation, la production hydro-électrique et industrielle (aluminium). Les Grandes Plaines ont souffert des difficultés de l'agriculture dans les années 1980 (faillites nombreuses). Même si le nombre des fermes a continué à diminuer, conjoncture et soutien gouvernemental ont permis le retour de la prospérité et une lente croissance. Au-delà du 100e méridien, la sécheresse explique les formes plus extensives de la mise en valeur qui sont le lot des Rocheuses (pâturages, mines). Les villes éparses enregistrent, à l'image de Saint-Louis, les difficultés de l'automobile et de l'avionneur McDonnell-Douglas. En revanche, Saint Paul, Minneapolis et Denver participent à l'essor des industries du savoir.

L'Ouest, nouvelle terre promise

L'immensité des territoires, les charmes du climat, la variété des ressources révélées ou espérées continuent d'attirer des flots de population sans cesse renouvelés : ruée vers l'or, les Mormons, les mirages d'Hollywood… Les images de rêve ont attiré aussi bien les candidats fermiers que les citadins du *Mid-West*, ou les pionniers de l'aéronautique, comme aujourd'hui les migrants d'Asie et d'Amérique latine. Avec 37 millions d'habitants en 2009, la seule Californie a gagné 13,3 millions de personnes depuis 1980 (56 %). La Grande Vallée est la première région agricole du monde, au prix désormais d'une fabuleuse consommation d'eau, en compétition avec la mégapole du sud de la Californie : le pétrole, l'aéronautique et le cinéma ont assuré la croissance de Los Angeles, les industries de haute technologie les ont relayés et animent aussi les comtés d'Orange et San Diego ; elles constituent aussi la base économique de San Francisco et de la

Silicon Valley. Au nord-ouest, Boeing et Microsoft sont les moteurs de la croissance de Seattle–Tacoma-Portland. Depuis trois décennies, les plus hauts taux de croissance de l'Ouest sont dans les États de l'est intérieur où se diffuse la croissance dans un archipel de métropoles dynamiques (Phœnix, Las Vegas...).

5.4.5.   Un État-monde

Depuis l'effondrement du bloc soviétique, les États-Unis sont la seule puissance mondiale. Leur suprématie militaire est sans précédent (le budget de la défense atteint 708 milliards de dollars en 2011) et leur domination économique et culturelle est à l'avenant. Plutôt que d'empire, il faut parler de puissance planétaire prompte à l'ingérence dès que ses intérêts sont en cause. Après la Deuxième Guerre mondiale, les firmes multinationales ont lancé sur le monde un puissant filet de succursales : en 1960, la moitié de l'investissement direct étranger provient des États-Unis, 23 % en 2009 ; il est aujourd'hui compensé par l'investissement étranger sur un territoire et un marché attractifs. Les banques et les entreprises de services ont suivi ; Microsoft, Disney, Wal-Mart sont des figures de proue de la mondialisation où l'on voit souvent – tant est forte la diffusion des symboles culturels et de l'*American Way of Life* (McDonald's, etc.) – une américanisation du monde. Si le dollar donne des signes de faiblesse, traduisant les déficits étasuniens, il demeure la grande devise des transactions et des réserves mondiales.

5.5.   Canada, empire du Nord

Un pays immense (9 970 610 km²), une population peu nombreuse (34 millions) : la vastitude et la faible densité de l'occupation du territoire placent la distance et la cohésion au cœur de la problématique canadienne. La conquête d'un espace riche mais difficile, amorcée par des sociétés de commerce (Hudson's Bay Co.), s'est faite dans le cadre d'un système fédéral évoluant dans les tensions entre et avec ses composantes provinciales. Admis à la table des Grands – il est membre du G8 –, doté d'un revenu *per capita* et d'une qualité de vie parmi les plus élevés au monde, mais dépourvu d'une « destinée manifeste », le Canada s'interroge périodiquement sur son devenir.

5.5.1.   Le modèle de développement et son évolution

La création de la Confédération en 1867 est un compromis entre les colonies auquel la Politique nationale donne son programme : un grand marché unifié par le chemin de fer transcontinental, à l'abri d'une ceinture douanière. L'économie canadienne s'est structurée autour de l'exploitation de produits de base (*staple products*) : au poisson et à la fourrure ont succédé le bois, le blé, les minerais, les hydrocarbures. Les revenus d'exportation ont permis de financer l'importation de biens d'équipement et de consommation, de capitaux et de technologie ainsi que la constitution d'une base industrielle propre à satisfaire les besoins nationaux. D'abord financée par l'investissement britannique de portefeuille, l'expansion s'est faite avec l'investissement direct étasunien au xxe siècle, les filiales des entreprises américaines reproduisant avec le schéma étasunien de concurrence une **réplique miniature**.

La Politique nationale avait un projet implicite de division spatiale du travail entre un *hinterland* exportateur de produits primaires (bois de Colombie-Britannique, blé des Prairies, etc.) et un cœur (*heartland*) manufacturier ravitaillant le marché national : de fait, l'industrie était concentrée dans le sud du Québec et de l'Ontario, avec un pouvoir de commandement à Montréal et à Toronto. On conçoit les réticences traditionnelles des provinces de l'Est et de l'Ouest à l'endroit d'un système qui rendait leurs exportations plus difficiles, leurs achats plus coûteux et les laissait face à l'instabilité des cours mondiaux des matières brutes. Les tensions entre les composantes du système sont au cœur de l'histoire canadienne.

Durant les dernières décennies, le système a notablement évolué :

– l'économie canadienne a gagné en maturité ; le Canada reste un grand exportateur de produits primaires : blé (septième producteur mondial en 2008), minerai de fer, de cuivre, de nickel… Ses ressources énergétiques sont considérables : charbon de l'Ouest, pétrole et gaz des Prairies, hydroélectricité du Bouclier et des Cordillères. Il est toujours grand exportateur de produits de première élaboration : aluminium (troisième producteur mondial), papier journal… Mais le poids relatif des denrées brutes a beaucoup baissé dans son bilan commercial au profit des produits à forte valeur ajoutée (automobile, aéronautique, électronique…) et des services.

– La propriété étasunienne a nettement régressé depuis 1940 alors qu'elle dépassait 50 % dans les manufactures, les mines et les hydrocarbures. Le Canada est même devenu un investisseur important aux États-Unis tandis que s'affirment des multinationales de souche canadienne comme Barrick Gold, Bombardier, …

– La tutelle du *heartland* est moins exclusive avec la vigoureuse affirmation des régions de Vancouver et d'Edmonton-Calgary.

5.5.2. Dualités canadiennes

Il faut chercher au Canada « moins d'unité que de pluralité » (Hamelin, 1969) ; le couple *heartland/hinterland* n'est que l'une des dualités qui contribuent à la complexité de l'identité canadienne et à la fragilité de l'édifice politique.

Les paradoxes de la nordicité

Perçu et décrit par son essence nordique, le Canada est un pays dont l'immense majorité des habitants vit au sud du 52e parallèle et à moins de 150 kilomètres de la frontière avec les États-Unis : le « Canada de base », situé sous une ligne qui court de la côte nord du Saint-Laurent à Prince Rupert, couvre moins de 25 % du territoire, qui d'ailleurs n'échappe pas aux rigueurs de l'hiver, et dont le cinquième seulement est propre à l'agriculture ; au nord de cet écoumène discontinu, l'occupation humaine s'est faite par « lancers pionniers » vers les ressources de cet empire du froid, de la forêt boréale (Moyen-Nord) à la toundra et au pergélisol du Grand Nord, puis aux glaces de l'Arctique. La puissance mythique du Nord nourrit la création artistique et l'imaginaire canadien…

Les deux « peuples fondateurs »… et les autres

Les 60 000 francophones de la vallée du Saint-Laurent et le rameau acadien étaient promis par le traité de Paris (1763) à l'absorption par un groupe anglophone alimenté par une puissante migration venue des îles Britanniques puis d'Europe centrale et orientale, peuplant l'Ontario puis les Prairies. Une démographie généreuse (la « revanche des berceaux ») et la forte cohésion sociale cimentée par l'Église catholique consolida le berceau laurentien et alimenta des vagues de colonisation, des Laurentides à l'Alberta. Les francophones forment encore 22 % de la population canadienne en 2006 (31 % en 1961), mais hors du Québec (79 %) et du Nouveau-Brunswick (32 %), ils sont partout minoritaires (2 % en Alberta…) et menacés d'assimilation.

L'augmentation de la population doit désormais plus à l'immigration qu'au croît naturel (0,4 % par an) alors que le rapport était de un à quatre en 1961. L'apport de l'Europe de l'Ouest est désormais minoritaire alors que s'affirment d'autres composantes, antillaise, africaine et asiatique notamment ; le groupe des minorités visibles a quintuplé en un tiers de siècle (cinq millions en 2006). La localisation des immigrants oriente la croissance, renforcée en Ontario et en Colombie-Britannique. La politique officielle promeut un Canada bilingue et multiculturel.

Longtemps oubliés, les Autochtones, Amérindiens et Inuits, dont les effectifs avaient fondu au contact des Blancs, croissent très rapidement : ils sont plus d'un million, dont un tiers sont âgés de moins de 15 ans. Éparpillés sur plus de 2 000 réserves ou dans les territoires du nord, ils rappellent vigoureusement aux « fondateurs » qu'ils sont les Premières Nations.

Territoires vides et concentration métropolitaine

L'immensité du territoire et la prégnance des grands espaces dans l'imaginaire ne sauraient dissimuler que 80 % des Canadiens sont des urbains, dont la moitié vivent sur quelques dizaines de milliers de kilomètres carrés dans des agglomérations millionnaires. Sur la majeure partie du territoire, le semis urbain est très lâche : petites villes vouées aux nécessités de l'échange et de l'administration, centres industriels et miniers. Seul le *heartland* est doté d'une armature urbaine fortement structurée. En opposition aux espaces du vide, la concentration métropolitaine est vigoureuse : 53 % de la population dans les neuf agglomérations de plus de 500 000 habitants. Mais la concentration des fonctions de production est plus notable encore : les mêmes agglomérations rassemblent les deux tiers des manufactures et 80 % de l'emploi de haute technologie. Le contrôle du pouvoir de commandement est plus exclusif. Montréal, longtemps prédominante, a été surclassée dès 1960 par Toronto qui concentre l'essentiel des transactions boursières et des sièges sociaux : elle est la métropole du Canada. La vitalité de l'Ouest suscite la montée de centres de direction secondaires à Vancouver, Calgary et Edmonton, tandis qu'Ottawa ajoute à son rôle de capitale une fébrile activité *high tech*.

Les grandes villes du Canada s'apparentent à leurs voisines étasuniennes par leurs traits d'ensemble : une ville centrale organisée autour des gratte-ciel du CBD que ceinture une auréole de pauvreté avec une forte concentration d'immigrants, des banlieues à faible densité très dilatées autour du réseau autoroutier. Toutefois, elles s'en distinguent sensiblement par quelques traits : un centre-ville encore prépondérant, un rôle marqué des transports en commun et une sécurité certainement supérieure.

Comme aux États-Unis, la concentration métropolitaine contraste avec l'atonie des périphéries intermétropolitaines. Ce sont toutefois les immenses marges de l'écoumène qui posent de redoutables problèmes : déstructuration de l'agriculture des régions périphériques, déclin des centres d'exploitation des mines et des forêts par épuisement des ressources ou hausse de la productivité, etc. Maritimes, Gaspésie, Nord ontarien, etc., connaissent les mêmes drames du chômage, de l'exode des jeunes, du déclin : c'est le repli sur le « Canada de base ».

5.5.3. Les ensembles régionaux

Si des découpages du territoire sont suggérés par la nature (ensembles de relief, degrés de nordicité…) ou le fonctionnement économique (cœur/périphérie), la distance, l'ancienneté de l'occupation, les traditions culturelles, etc., nourrissent chez les Canadiens une pluralité de représentations territoriales et un régionalisme qui s'affirme face au pouvoir central. Les tensions des dernières décennies ont érodé les partis nationaux au profit de blocs régionaux fortement enracinés.

Les provinces atlantiques

Les premières colonisées (Acadie), les provinces atlantiques sont marquées par la présence de l'océan qui découpe en îles et presqu'îles le relief appalachien ; les eaux froides favorables aux pêcheries donnent un climat frais qui, combiné au morcellement topographique et à l'acidité des sols, est peu favorable à l'agriculture, à quelques exceptions près (Île-du-Prince-Édouard). La pomme de terre est la meilleure ressource. Malgré les flux transcontinentaux qui animent le port d'Halifax, les Maritimes sont mieux reliées à la Nouvelle-Angleterre. Les industries anciennes (sidérurgie du Cap-Breton) sont en repli, les activités de la mer souffrent, les villes sauf exception (Moncton) somnolent et la saignée démographique se poursuit : périphériques, les Maritimes sont tributaires des paiements fédéraux de péréquation et attendent beaucoup de l'exploitation pétrolière amorcée entre Terre-Neuve et la Nouvelle-Écosse.

Le Québec, société distincte

Le Québec a conservé longtemps le visage de la tradition rurale, son peuplement français et catholique, un mode d'occupation du sol original (le rang) ; le fait urbain et industriel restait dissimulé par la prépondérance de l'élite anglophone. La Révolution tranquille a marqué l'avènement d'une élite francophone dynamique qui s'est donnée un État moderne aux leviers puissants (Société générale de financement, Hydro-Québec), premier outil d'affirmation d'une société distincte du ROC (*Rest of Canada*). La modernisation de l'agriculture à dominante laitière est allée de pair avec les transformations de l'industrie : modernisées, les activités de transformation des ressources alimentent de forts courants d'exportations (aluminium, papier journal) ; les activités traditionnelles de main-d'œuvre (textile, vêtement, chaussure…) ont laissé le premier plan aux industries de haute technologie : aéronautique, pharmacie, tandis que rayonnent les sociétés d'ingénierie (SNC-Lavalin) et les activités de création (Cirque du soleil…). Le dynamisme se concentre dans le triangle Gatineau–Sherbrooke–Rivière-du-Loup avec l'axe majeur du Saint-Laurent entre Montréal et Québec et les foyers actifs de Montérégie, Bois-Francs, Beauce… La concentration est particulièrement marquée dans l'agglomération de Montréal (40 % de la population, mais plus de 50 % des activités motrices), qui exerce son rôle de métropole. Les régions périphériques en revanche perdent de la vitesse : fermetures de mines (Murdochville, Rouyn-Noranda…), de papeteries (La Baie, Chandler…) suscitent, de l'Abitibi à la Gaspésie, l'exode des jeunes et le repli.

Le pivot ontarien

Avec 35 % de la population mais plus de 50 % de l'industrie, l'Ontario a capitalisé sur ses avantages : le climat plus doux et les sols fertiles de la presqu'île (vergers, vignobles), une position centrale sur un éperon inter-lacustre qui jouit des facilités du transport et l'interpénétration avec le *Manufacturing Belt* aux États-Unis. Si les forêts et les mines du Bouclier canadien ont permis l'essor des activités primaires, c'est dans le fer à cheval de Saint Catharines à Oshawa que les investissements étasuniens ont stimulé une puissante industrie, en premier l'automobile (Windsor, Oshawa) et consolidé la base d'un puissant réseau urbain ordonné autour de Toronto. Désormais métropole du Canada, nœud d'échanges et capitale financière, Toronto est une ville vibrante, capitale intellectuelle et artistique du Canada anglais et principal foyer d'attraction des immigrants, qui aspire au rôle de « ville globale ».

Des Prairies au Pacifique

Du Bouclier et des Grands Lacs, les Prairies aux larges horizons s'élèvent progressivement vers les Rocheuses en devenant steppiques. Peuplées vers 1890-1910 grâce au chemin de fer et à l'immigration de l'Europe orientale, elles sont devenues un grenier à blé pour l'exportation, d'où l'importance des infrastructures de transport (nœud ferroviaire de Winnipeg, port de Churchill...) qui profitent aussi à l'exploitation du charbon, de la potasse... Mais ce sont surtout les gisements de gaz et de pétrole qui ont donné une formidable impulsion à l'Alberta (Calgary, Edmonton).

Les chaînes et plateaux des Cordillères ont un sous-sol riche, un potentiel hydroélectrique généreux et une belle couverture forestière : aluminium, industries du bois et du papier. L'écoumène est naturellement discontinu : vallées agricoles (vergers de l'Okanagan) et bordure pacifique, la pêche et les activités portuaires ont vivifié le littoral. Les relations avec le Pacifique donnent à Vancouver un dynamisme remarquable et en font un foyer d'attraction pour les Canadiens comme pour les Asiatiques.

L'immensité arctique

La forêt boréale s'éclaircit progressivement vers le nord ; les arbres cèdent la place à la toundra, au sol gelé en permanence puis à la glace. Ces immenses territoires n'ont guère intéressé les provinces laissant de fait au Gouvernement fédéral la charge des populations amérindiennes au sud, inuites au nord, en même temps qu'il veillait à maintenir sa souveraineté sur les confins d'intérêt stratégique (postes radar). L'exploitation des ressources a réveillé l'intérêt : exploitation minière, grands projets hydroélectriques (baie James...). Les autochtones, que la crise des activités traditionnelles de chasse et de pêche laisse souvent dans un statut d'assistés à familles nombreuses et problèmes sociaux préoccupants, ont revendiqué une part des retombées de l'exploitation des ressources (Convention de la Baie James au Québec) ; ils affirment leur identité et leurs revendications territoriales. La création du Nunavut (autonomie gouvernementale sur un territoire de deux millions de km^2 et 27 000 habitants) en 1999 est suivie de négociations avec les Inuits du Nunavik, les Innus, qui introduisent une meilleure reconnaissance de l'autochtonie.

5.6.   Vers l'intégration continentale ?

Deux fois, États-Unis et Canada avaient tenté de s'unir au sein d'un grand marché : le Traité de réciprocité de 1854 dénoncé par les États-Unis, le projet de 1911 rejeté au Canada. Le Traité de libre-échange de 1988 entre les États-Unis et le Canada, l'Accord de libre-échange nord-américain (ALENA) entre États-Unis, Canada et Mexique (1993) établissent ce grand marché. Leurs liens sont déjà étroits : à ce moment, Canada, Mexique et États-Unis font respectivement 65 %, 71 % et 28 % de leurs échanges internationaux avec les deux autres partenaires.

5.6.1. Jalons du libre-échange

Les traités ont été précédés, en effet, d'accords sectoriels. Dès 1911, le bois, la pâte et le papier journal entrent en franchise aux États-Unis, sous la pression des industriels américains, entraînant une formidable activité au Canada et une rationalisation de l'appareil de production. La coopération de la Deuxième Guerre mondiale entre le Canada et les États-Unis pour la fabrication de matériel de défense a été étendue en 1959, permettant une spécialisation de la production canadienne dans des secteurs précis (communications) et un approvisionnement moins coûteux pour le reste. Mais c'est le Pacte de l'automobile de 1963 qui a eu le plus gros effet : la rationalisation de la production entre les usines étasuniennes des « trois Grands » et les filiales canadiennes, un accroissement considérable des échanges lié à une spécialisation des fabrications. En ce qui concerne le Mexique, le vote par le Congrès d'une loi permettant de réimporter aux États-Unis du matériel étasunien transformé au Mexique en ne taxant que la valeur ajoutée, a suscité le développement des *maquiladoras* entre Tijuana et Matamoros, fondé sur l'utilisation d'une main-d'œuvre bon marché.

5.6.2. Enjeux et débats

Le libre-échange sectoriel avait eu dans l'ensemble des effets positifs au Canada : stimulation des échanges, rationalisation de la production, économies d'échelle, hausse de la productivité, spécialisation dans les domaines d'avantages comparatifs. En 1988 déjà, 80 % des échanges avec les États-Unis se faisaient en franchise de droits. L'opposition au projet de traité avec le voisin étasunien qui prévoyait la disparition des droits de douane sur une période de dix ans a été virulente : les industriels ontariens, les syndicats, mais aussi les milieux culturels canadiens-anglais craignant pour l'identité canadienne. Aux États-Unis, en revanche, le traité n'a pas fait problème, au contraire de l'ALENA, qui suscitait des craintes à cause de la concurrence des bas salaires mexicains. L'ALENA, entré en vigueur en 1994, entend éliminer les barrières douanières et faciliter les échanges de biens et services ; quelques secteurs sont exclus : le Canada protège le secteur culturel, le Mexique, les ressources naturelles, et les États-Unis, le transport aérien. L'accord entend faciliter la circulation du capital : les critiques présentent l'ALENA comme la mobilisation de la main-d'œuvre mexicaine et des ressources canadiennes au profit du capital étasunien ; des dispositions sur le travail et l'environnement – compte tenu des disparités entre le Mexique et ses partenaires – visent à établir les conditions d'une concurrence équitable.

5.6.3. Effets commerciaux

Les échanges entre les trois partenaires ont presque triplé entre 1994 et 2008. Les exportations canadiennes et mexicaines vers les États-Unis ont été multipliées par 2,5 et 3,5 en dix ans. L'intégration commerciale progresse rapidement : la part des États-Unis dans les exportations canadiennes passe de 80 à 86 % et de 83 à 88 % pour les exportations mexicaines, tandis que le taux de dépendance des États-Unis à l'égard de ses partenaires passe de 30 à 37 %.

La réorientation des flux est tout aussi spectaculaire : les échanges internationaux du Canada doublent alors que le commerce interprovincial n'augmente que de 10 %. Le Québec, par exemple, commerce plus désormais avec les États-Unis qu'avec ses partenaires provinciaux. Les schémas méridiens d'échange s'affirment vigoureusement : la Colombie-Britannique privilégie les États du Pacifique, sans s'y limiter, car la portée des échanges s'allonge en même temps que leur volume.

Les flux révèlent une intégration économique de plus en plus nette. Un marché continental de l'énergie s'esquisse. Les trois Grands de l'automobile avaient largement anticipé les accords de l'ALENA en installant des usines de montage au Mexique, multipliant les liens de sous-traitance avec les *maquiladoras*. L'ALENA leur a permis de rationaliser leur appareil de production en fonction des avantages comparatifs : ainsi Ford produit ses modèles bas de gamme au Mexique, ses monospaces au Canada tandis que les véhicules de luxe sont toujours assemblés au Michigan.

J. Garreau avait pu distinguer, avant le libre-échange, neuf « nations » au nord du Rio Grande ; les frontières étant déjà poreuses à l'argent, aux immigrants et aux idées, des régions se consolidaient en les chevauchant : une « Écotopia » englobant Seattle et Vancouver, une « Forge » intégrant toute la région des Grands Lacs, etc. Il ne fait pas de doute qu'une « Mexicana » (le sud-ouest semi-aride des États-Unis, imprégné de passé espagnol et de présence mexicaine) tend à déborder sur le nord du Mexique en une vaste « Mexamerica ». La déréglementation qui accompagne le libre-échange diminue la capacité d'intervention des États et favorise les arrangements régionaux.

5.6.4. Problèmes et perspectives

Les traités ont prévu d'éventuels désaccords dans la mise en œuvre et des instances pour les régler. Si le nombre des litiges concernant surtout l'accès au marché des États-Unis a diminué, il y en a qui s'éternisent car les États-Unis sont réticents à tout mécanisme de règlement contraignant susceptible d'empiéter sur leur souveraineté. Le cas le plus flagrant est celui des droits compensateurs imposés par les États-Unis sur le bois d'œuvre canadien. Malgré plusieurs sentences rendues en sa faveur, le Canada a du mal à obtenir satisfaction, ce qui illustre le problème de gouvernance dans cet ensemble continental où joue pleinement un rapport de forces.

L'intensification des échanges commerciaux a engorgé les points de passage aux frontières. Les délais, sources de coûts importants, se sont allongés avec la mise en œuvre des mesures de sécurité après les attentats du 11 septembre 2001. La mauvaise conjoncture économique a assombri les perspectives, d'autant plus que les firmes étasuniennes s'orientent massivement vers les fournisseurs chinois : entre 2001 et 2004, les *maquiladoras* de la frontière mexicaine ont perdu 300 000 emplois. Les États-Unis, désireux d'intensifier le libre-échange, multiplient les accords hors ALENA et, plus qu'à un approfondissement de l'ALENA, semblent favorables à une vaste zone de libre-échange intégrant l'ensemble des Amériques.

5.7.   Conclusion

Les progrès de l'intégration continentale vont se poursuivre même si un marché commun ou une union monétaire n'est pas à l'ordre du jour. Toutefois, les États restent attachés à leurs valeurs, leurs pratiques (comme l'assurance-maladie au Canada) et aussi leur personnalité : le Mexique et le Canada n'ont pas appuyé les États-Unis dans la guerre en Irak, le Canada ne s'associe pas au projet de bouclier antimissiles. De toute évidence, le destin de l'Amérique du Nord est fortement dépendant de l'évolution du partenaire majeur, les États-Unis ; en dépit de ses problèmes agricoles (les déficits abyssaux du commerce et du budget, les inégalités croissantes et la « wal-martisation » de l'économie et de la société…), le géant américain continue d'exercer une attraction considérable (croissance démographique, puissance de la R-D, vitalité créatrice, modèle culturel) et une influence prépondérante sur le reste du monde.

Bibliographie

BAILLY, A. et G. DOREL (1992). *Les États-Unis*, Tome 2, Paris, Hachette, coll. «Géographie universelle».

BATAILLON, C. *et al.* (1991). *Amérique latine*, Paris, Hachette, coll. «Géographie universelle».

BETHEMONT, J. et J.-M. BREUIL (1996). *Les États-Unis, une géographie régionale*, Paris, Masson.

BRUNELLE, D. et C. DEBLOCK (dir.) (2004). *L'ALENA, le libre-échange en défaut*, Montréal, Fides.

CENTRAL INTELLIGENCE AGENCY (CIA) (2010). *The World Factbook*, < www.cia.gov/library/publications/the-world-factbook/index.html >, consulté le 26 août 2010.

COLLECTIF (2004). *Les États-Unis, peuple et culture*, Paris, La Découverte.

CYBERLIVRE DU CANADA, Statistique Canada, <142.206.72.67/2006_f.htm>.

DAVIS, P. (1996). *The History Atlas of North America*, New York, Macmillan.

FONTAN, J.-M., J.-L. KLEIN et D.-G. TREMBLAY (2005). *Innovation socioterritoriale et reconversion économique. Le cas de Montréal*, Paris, L'Harmattan, coll. «Géographies en liberté».

GARREAU, J. (1981). *The Nine Nations of America*, New York, Avon.

GEORGE, P. (dir.) (1982). *Géographie du Canada*, Bordeaux, Presses Universitaires de Bordeaux.

GHORRA-GOBIN, C. (2000). *Les États-Unis, entre local et mondial*, Paris, Presses de Sciences Po.

HAMELIN, L.E. (1969). *Le Canada*, Paris, Presses Universitaires de France.

HAMELIN, L.E. (1980). *Nordicité canadienne*, Montréal, Hurtubise HMH.

IMAGES ÉCONOMIQUES DU MONDE (2005). Paris, Armand Colin.

INTERNET WORLD STATS (2010). <www.Internetworldstats.com>, consulté le 26 août 2010.

LASSERRE, F. (1998). *Le Canada, d'un mythe à l'autre*, Montréal, HMH.

MCKNIGHT, T. (1997). *Regional Geography of the United States and Canada*, Upper Saddle River, Prentice Hall.

MUSSET, A. (1998). *Le Mexique*, Paris, Armand Colin.

POPULATION REFERENCE BUREAU (2010). *World Population Data Sheet*.

RACINE, J.-B. et P. VILLENEUVE (1992). *Canada: géographie universelle*, Paris, Hachette-Reclus.

U.S. CENSUS BUREAU (2004). *Statistical Abstract of the U.S. 2004*, Washington.

CAPSULE 5A

LA VOIE MARITIME DU SAINT-LAURENT ET DES GRANDS LACS
Quels enjeux?

Jean-Claude Lasserre

De nombreux pays s'interrogent aujourd'hui sur leurs politiques de transport et, notamment, sur la répartition des flux de marchandises entre les différents modes: ainsi, les camions encombrent les réseaux routiers et créent des saturations, voire des blocages répétés sur certains axes, qui sont très dommageables d'un point de vue économique en termes de pertes de temps et de gaspillage d'énergie, alors que des capacités restent disponibles sur les réseaux ferroviaires et surtout sur les voies d'eau. Cette situation est également très préoccupante d'un point de vue environnemental, et un rapport récent[1] du Programme des Nations Unies pour l'environnement (PNUE) l'a souligné avec force. Selon un commentateur de ce rapport:

> Le changement qui recèle le plus grand potentiel de perturbation de l'infrastructure terrestre est cette expérience chimique que les humains poursuivent dans leur atmosphère depuis un siècle et demi, par l'émission inconsidérée de gaz à effet de serre. Il en résultera un changement climatique dont l'ampleur est inégalée depuis 10 000 ans, et cela dans un laps de temps si bref qu'un grand nombre d'espèces ne pourront pas s'y adapter (Francœur, 2005).

Or, à eux seuls, les transports sont responsables d'au moins la moitié de ces émissions de gaz à effet de serre, et l'Amérique du Nord est l'un des principaux émetteurs de ces gaz. Dans sa partie nord-est, ce continent dispose pourtant d'un incomparable ensemble de voies d'eau connectées entre elles, la Voie maritime du Saint-Laurent et des Grands Lacs. Quelles sont ses caractéristiques, offre-t-elle un réel potentiel de transport, et est-elle bien utilisée?

UN SYSTÈME HYDROGRAPHIQUE EXCEPTIONNEL

Cette infrastructure de navigation à grand gabarit s'appuie essentiellement sur un système hydrographique unique au monde: celui du Saint-Laurent et des Grands Lacs, héritage des glaciations quaternaires. À l'amont, c'est une véritable mer intérieure, celle des Grands Lacs, dont la surface totale est égale à près de la moitié de celle de la France (245 750 km^2) et dont les cinq principales unités créent entre elles trois grandes péninsules. La multiplication des façades littorales décuple les possibilités de desserte par la voie d'eau et met à la portée les unes des autres les ressources du Bouclier canadien (surtout le bois et le minerai de fer), celles des

---

1. *Rapport synthèse du Millénaire sur l'évaluation des écosystèmes*, réalisé par 1300 experts de 95 pays grâce aux fonds environnementaux de l'ONU et de fondations privées.

grandes plaines du *Middle West* (les céréales et d'autres produits agricoles) et celles des Appalaches (notamment le charbon). Cette mer intérieure est la base logistique d'une très grande région industrielle.

À l'aval, l'émissaire de ces lacs est un fleuve, le Saint-Laurent, prolongé par un immense estuaire, selon un axe sud-ouest/nord-est qui correspond à la ligne ortho-dromique entre le cœur du continent nord-américain et les rivages de l'Europe[2]. C'est *une grande porte de l'Amérique*; et en même temps, l'alignement hydrogra-phique représenté par les lacs Érié et Ontario et par le Saint-Laurent constitue l'axe majeur de vie et d'activité du Canada, sa «rue principale», avec ses plus grandes villes (Lasserre, 1980; Yeates, 1975).

Ce système laurentien est partagé entre les États-Unis et le Canada, à l'exception du lac Michigan, entièrement étasunien, et du Saint-Laurent à l'aval de Cornwall (au sud d'Ottawa) qui est en territoire canadien. Mais, depuis le Traité de réciprocité de 1854, ces espaces de navigation sont ouverts aux navires de l'autre pays. L'ensemble de tous ces plans d'eau sert à la fois à la navigation longitudinale, de l'amont vers l'aval et vice-versa, et à la navigation transversale, très souvent dans une dimension transfrontalière. Mais progressivement, des aménagements de plus en plus importants ont été nécessaires.

UNE VOIE D'EAU AMÉNAGÉE

Dès les origines, ce système hydrographique a été entièrement navigué, grâce aux canots très légers des Amérindiens, repris par les Canadiens-français, per-mettant de contourner par des portages les rares endroits marqués par des chutes ou des rapides. Puis, avec l'augmentation des trafics et la nécessité de recourir à des navires, il a fallu aménager entre certains des Grands Lacs et sur le fleuve des infrastructures sans cesse plus grandes contournant ces obstacles à la navigation. Ainsi, depuis le début du XIXe siècle se sont succédé quatre grands ensembles d'infrastructures offrant des gabarits toujours plus imposants. En 1834 était terminée une première liaison navigable comportant le canal de Welland à 2,4 mètres de profondeur et le canal Rideau d'un tirant d'eau de 1,5 mètre, entre Kingston et la rivière Outaouais. En 1854, on achève un ensemble offrant partout un tirant d'eau minimum de 2,70 mètres et, désormais, ces infrastructures restent sur les rives du

---

2. Entre deux points de la surface du globe situés à des latitudes comparables, l'itinéraire le plus court pour un avion ou un navire sur l'océan n'est pas une ligne droite, mais un arc de cercle incurvé vers le pôle correspondant à l'intersection à la surface du globe d'un plan passant par le centre de la planète et les deux points considérés. Ainsi, l'orientation sud-ouest/nord-est du Saint-Laurent et des lacs Ontario et Érié prolonge à l'intérieur des terres un tel arc orthodromique entre les deux continents.

fleuve. En 1907, un nouveau parc d'infrastructures est inauguré, avec des profondeurs de 4,20 mètres. Enfin, en 1959 est ouverte la Voie maritime actuelle, disposant d'un tirant d'eau de 8,20 mètres. Quatre canalisations successives sur les mêmes sites en un siècle et demi, c'est **un record mondial** !

Pour l'essentiel, les localisations de ces canaux munis d'écluses sont restées les mêmes. De l'amont vers l'aval, on les trouve (figure 5a.1) :

– sur la rivière (ou le Sault) Sainte-Marie, entre le lac Supérieur et le lac Huron (actuellement, quatre écluses parallèles du côté étasunien, une écluse du côté canadien) ;

– sur le canal de Welland contournant du côté canadien la rivière et les chutes du Niagara, avec huit écluses, dont trois dédoublées, donnant directement l'une sur l'autre au droit de l'escarpement du Niagara pour pouvoir effectuer des éclusages continus dans les deux directions, soit au total 11 écluses ;

– sur le Saint-Laurent supérieur, entre le lac Ontario et Montréal, avec sept écluses, soit de l'amont vers l'aval, celle d'Iroquois, du côté canadien, au droit du barrage du même nom sur le fleuve, destinée à contrôler le niveau du lac Ontario ; les deux écluses étasuniennes du canal Wiley-Dondero, au droit du barrage et de l'usine hydroélectrique du Long Sault, celle-ci à cheval sur la frontière et exploitée par les deux pays à parts égales ; mais dans ce cas, c'est une nouveauté : les écluses précédentes avaient toujours été du côté canadien ; enfin, au Québec, deux écluses à l'aval du canal de Beauharnois, à côté de l'hydrocentrale du même nom, et deux écluses sur le canal de la Rive Sud à Montréal, pour contourner les rapides de Lachine.

Au total, sur 3 700 kilomètres, de la tête des Lacs à l'Atlantique, il n'y a que 16 écluses à franchir, 15 pour atteindre Chicago, ce qui est fort peu sur une telle distance. De Duluth à l'Atlantique, il y a 8,5 jours de navigation.

D'autres aménagements sont invisibles : ce sont tous les chenaux de navigation qu'il a fallu progressivement approfondir et entretenir. De la tête des Lacs à Montréal, ces chenaux ont partout au minimum 8,20 mètres de profondeur. Les principaux sont dans le détroit de Mackinac, entre les lacs Michigan et Huron ; dans les rivières Sainte-Claire et Détroit, entre les lacs Huron et Érié ; sur le Saint-Laurent supérieur dans la section des Mille-Îles, à l'aval de la ville de Kingston ; dans les lacs Saint-François, à l'aval de Cornwall, et Saint Louis, à l'aval des écluses de Beauharnois. À partir du port de Montréal et vers l'aval, le chenal maritime du Saint-Laurent est encore plus profond : il offre une profondeur de 10,5 mètres à partir de l'ouverture de la Voie maritime en 1959, et il est approfondi à 11 mètres en 1987, 11,3 mètres en 1999. À partir du port de Québec et vers l'aval, il est porté à 15 mètres dès 1974. Enfin, l'estuaire est un véritable bras de mer, offrant de grandes profondeurs naturelles, particulièrement à l'aval du confluent du Saguenay.

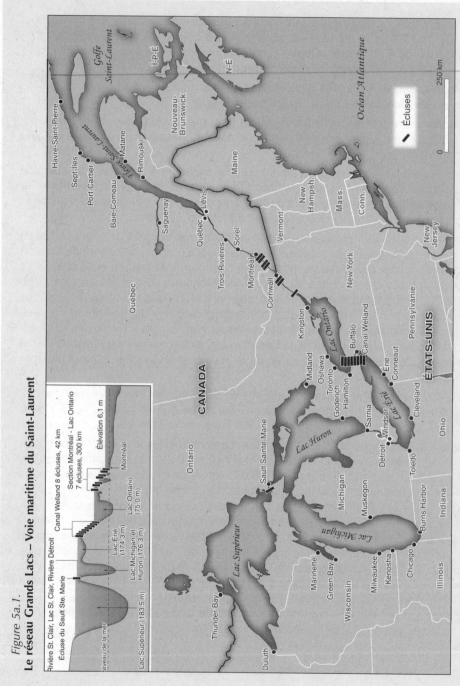

Figure 5a.1.
Le réseau Grands Lacs – Voie maritime du Saint-Laurent

Source : Corporation de gestion de la Voie maritime du Saint-Laurent (1997).

DES GABARITS VARIÉS SANS ÉQUIVALENT

De telles infrastructures offrent des gabarits tout à fait exceptionnels sur des voies d'eau intérieures : d'un bout à l'autre du système peuvent circuler des navires des Grands Lacs (ou *laquiers*) et des navires de mer d'une capacité de 30 000 tpl (tonnes de port en lourd)[3].

Phénomène unique au monde

Ces deux flottes, fluviale et maritime, coexistent sur la totalité du système hydrographique. La seconde de ces flottes permet des transports directs de n'importe quel port du système vers n'importe quel port de mer du monde, et vice-versa.

Mais la réalité est encore plus exceptionnelle : sur la majeure partie des Grands Lacs comme sur le Saint-Laurent à l'aval de Montréal, les gabarits disponibles sont encore plus grands. À l'amont du canal de Welland, les États-Unis disposent également d'une batellerie de laquiers d'une nouvelle génération, avec des capacités unitaires allant jusqu'à 65 000 tpl, grâce à l'ouverture en 1968 par le Corps des ingénieurs de l'armée étasunienne d'une écluse à très grand gabarit à Sault-Sainte-Marie[4]. C'est le dernier investissement important sur le réseau de navigation intérieure, mais il est extrêmement rentable, puisqu'il permet la mise en service d'une nouvelle flotte de *superlaquiers* de beaucoup plus grande capacité, ce qui réduit encore les coûts de transport. Mais il faut également noter que neuf ans après l'ouverture de la Voie maritime, celle-ci se retrouve dans la même situation de goulot d'étranglement des gabarits que les canaux du Saint-Laurent précédents après l'ouverture du canal de Welland actuel en 1932.

Et ce, d'autant plus qu'à l'aval du port de Montréal, le chenal maritime du Saint-Laurent permet la circulation de navires d'une capacité également supérieure à celle de la Voie maritime, de l'ordre de 60 000 tpl, et notamment des porte-conteneurs pouvant charger jusqu'à 4100 EVP (équivalent vingt pieds, unité de mesure de conteneurs). Le port est fier de souligner qu'il « accueille maintenant 11 des 15 plus importants transporteurs maritimes de conteneurs du monde » (Port de Montréal, 2004, p. 4).

LES ATOUTS DE CET ESPACE NAVIGABLE SONT-ILS BIEN EXPLOITÉS ?

Telle qu'elle se présente aujourd'hui, cette Voie maritime du Saint-Laurent et des Grands Lacs est-elle bien utilisée ? Quels sont les enjeux ? Ces questions s'adressent en priorité aux organismes de gestion des infrastructures : du côté canadien, la

---

3. La capacité de charge d'un navire s'exprime en tonnes de port en lourd (tpl, généralement des tonnes métriques), et en tonneaux de jauge brute (tjb), exprimant le volume intérieur d'un navire (1 tonneau = 2,83 m^3), ou en tonneaux de jauge nette (tjn), correspondant au volume intérieur du navire disponible pour le chargement de fret.
4. La longueur disponible est de 365,7 mètres, la largeur, de 33,5 mètres, et la profondeur, de 9,45 mètres.

Corporation de gestion de la Voie maritime du Saint-Laurent, qui a succédé en 1998 à l'Administration de la Voie maritime du Saint-Laurent créée dans les années 1950, et Transport Canada ; du côté étasunien, la St. Lawrence Seaway Development Corporation, ainsi que le Corps des ingénieurs de l'armée étasunienne pour les écluses de Sault-Sainte-Marie et les chenaux interlacustres, et le Department of Transport (DOT) du gouvernement étasunien. Ces questions sont d'autant plus pertinentes qu'en termes de consommation d'énergie et de pollution, ce réseau navigable offre une alternative extrêmement intéressante par rapport aux transports ferroviaires et routiers. Dans son Rapport annuel 2003-2004 (p. 2), la Corporation de gestion de la Voie maritime du Saint-Laurent rappelle justement tous les avantages que présente le transport par voie d'eau intérieure sur le corridor Québec-Windsor, par rapport à ses concurrents ferroviaires et routiers :

> Un seul navire des Lacs (de 30 000 tpl) transporte autant de marchandises que trois trains de 100 wagons, de sorte que les coûts sont extrêmement concurrentiels. [Avec] un litre de carburant, un navire peut transporter une tonne de marchandises sur 240 km. Cette distance chute à moins de 100 km pour un train, et à moins de 30 km pour un camion. Un navire aux dimensions maximales de la Voie maritime fait deux fois la longueur et la moitié de la largeur d'un terrain de football, et transporte autant de marchandises que 870 camions. Les navires émettent 1/10e des polluants environnementaux produits par les camions, et la moitié de ceux produits par les trains (en grammes par tonne-kilomètre). Un seul accident maritime survient pour 13,7 accidents de trains, et 74,7 accidents de camions. Un seul déversement d'un navire survient pour 10 déversements par des trains, et 37,5 déversements par des camions. Grâce à des niveaux de bruit très bas, une consommation d'énergie réduite, des coûts plus bas et une fiche supérieure en matière de sécurité et de déversements que les transports routiers et ferroviaires, les transports par la Voie maritime apportent d'importants avantages pour la santé, le bien-être et la prospérité des générations actuelles et futures de Canadiens.

Et le président de la Corporation (2004, p. 3) ajoute plus loin :

> Nous nous employons à faire valoir les avantages environnementaux et économiques du réseau Grands Lacs-Voie maritime auprès des entreprises et des gouvernements. [...] Le 29 mars 2004, [...] trois panneaux-réclame soulignant les avantages des transports maritimes ont commencé à apparaître le long des autoroutes 400 dans le corridor Toronto-Hamilton-Windsor[5].

Il était grand temps d'entreprendre une telle campagne de promotion de cet outil de transport incomparable qu'offrent les Grands Lacs et le Saint-Laurent. En effet, le trafic de la Voie maritime (sections du Saint-Laurent supérieur et du canal de Welland combinées) a enregistré une progression remarquable dès son ouverture

---

5. Il s'agit des autoroutes les plus chargées du Canada !

en 1959, et jusqu'à la fin des années 1970 : 30 Mt (millions de tonnes) en 1960, 75 Mt en 1979. Mais par la suite, on enregistre une baisse assez continue jusqu'en 1993 (41 Mt), une reprise jusqu'à un palier se situant aux environs de 50 Mt de 1996 à 1999, une baisse faisant osciller le tonnage entre 41 Mt et 43 Mt par an entre 2001 et 2008 (avec une pointe approchant les 48 Mt en 2006), enfin une chute importante à 30 Mt en 2009, à l'image du ralentissement économique mondial[6]. Ce sont des résultats pour le moins décevants, surtout si on les compare avec d'autres trafics sur les espaces navigables fluviaux d'Amérique du Nord : le trafic sur les Grands Lacs à l'amont du canal de Welland est toujours de l'ordre de 200 Mt par an, et celui du réseau du Mississippi se maintient aux environs de 700 Mt par an. Comment expliquer cette stagnation des trafics sur la Voie maritime ?

LES CAUSES IMMÉDIATES DE LA CONTRACTION DES TRAFICS

Après les sommets de la fin des années 1970, où les trafics combinés des deux sections de la Voie maritime dépassent les 70 Mt, plusieurs événements se sont produits. Le premier est la chute considérable des flux de minerai de fer, de 20 à 7 Mt de 1978 à 1982, chute liée à la crise de la sidérurgie nord-américaine, marquant le début de la dégradation de la situation économique sur ce continent. Cette chute rompt le relatif équilibre qui existait depuis l'ouverture de la Voie maritime en 1959 entre les flux vers l'amont (dominés par le minerai de fer) et vers l'aval (notamment les produits agricoles des Grandes Plaines). Elle multiplie les voyages à vide et menace la compétitivité de la voie d'eau (Lasserre, 1997).

Le second événement est la Loi canadienne de 1984 sur le transport des céréales de l'Ouest, qui instaure un régime de subventions de plus d'un demi-milliard de dollars par an pour les acheminements par chemin de fer vers les ports de la côte ouest et des Grands Lacs. Comme la subvention est versée au prorata de la distance parcourue, elle encourage les expéditions vers les ports les plus éloignés, ceux du Pacifique. L'effet est immédiat, avec une forte chute de ces flux par la Voie maritime de 24 Mt en 1984 à 16 Mt en 1985. Ils oscillaient autour de 25 Mt par an à la fin des années 1970 et autour de 13 Mt dans les années 1990 (Lasserre, 1997). Cette loi a été abrogée en 1995, avec de confortables « subventions de transition » pour la période 1996-1999 (Lasserre, 1997). Mais le mal est fait, et les années 2001 à 2009 enregistrent un relatif équilibre entre les flux de céréales et de minerais, autour d'une dizaine de millions de tonnes par an seulement dans chaque direction (Rapports annuels de la Corporation de gestion de la Voie maritime du Saint-Laurent, 2003-2004 et 2009-2010).

---

6. D'après Lasserre (1997) (aussi en anglais), et les rapports annuels de l'Administration de la Voie maritime du Saint-Laurent jusqu'en 1998, puis de la Corporation de gestion de la Voie maritime du Saint-Laurent, depuis cette date, dont les rapports 2004 et 2010.

D'AUTRES CAUSES PLUS DÉCISIVES:
LES POLITIQUES DIVERGENTES DES DEUX PAYS

D'autres politiques menées de part et d'autre de la frontière n'ont également pas toujours eu des effets heureux sur l'évolution des trafics de la Voie maritime. Du côté étasunien, l'appui à cette infrastructure semble avoir été inégal, et souvent très mesuré. Dans les années 1950, le gouvernement fédéral et le Congrès ne se sont vraiment intéressés au projet de construction de la Voie maritime qu'à la suite de la découverte des gisements de minerai de fer du Nouveau-Québec et du Labrador, ce qui faisait du Saint-Laurent une nouvelle route stratégique du fer, et de la décision du gouvernement canadien de procéder à l'aménagement de la Voie maritime seul, s'il le faut. Le gouvernement de Washington a alors exigé d'avoir sur son propre territoire les deux écluses prévues près des villes de Cornwall au Canada et de Massena aux États-Unis (Chevrier, 1959)[7].

Les Canadiens espéraient donc que les États-Unis s'engageaient définitivement et résolument dans cette entreprise, et que leurs navires allaient être beaucoup plus nombreux sur le Saint-Laurent. Mais il n'en fut rien et leur pavillon est resté presque totalement absent sur le fleuve. C'est qu'en réalité les stratégies étasuniennes ont ensuite évolué. Sans doute à l'initiative du U.S. Corps of Engineers, la sidérurgie étasunienne a été recentrée sur ses propres réseaux d'alimentation et d'achemine-ment sur les Grands Lacs, aux dépens des sources canadiennes, et l'ouverture déjà mentionnée en 1968 de la nouvelle super-écluse Poe à Sault-Sainte-Marie en est le signe indubitable. Par ailleurs, les expéditions de céréales étasuniennes vers les ports canadiens du Saint-Laurent ont beaucoup diminué au profit du débouché du Mississippi, à la suite de la construction par le même Corps d'ingénieurs d'une nouvelle génération d'écluses entre Saint Louis et Minneapolis, permettant le transit de convois poussés beaucoup plus longs, entraînant des coûts de transport plus bas. Or Minneapolis se trouve à peu près à la même distance du centre de la Saskatchewan que Thunder Bay et Duluth (Lasserre, 1997) !

C'est dans ce contexte géostratégique continental que, de son côté, le gouverne-ment canadien a cru bon, essentiellement à cause de difficultés financières (une énorme dette de plus de 600 milliards de dollars canadiens), de promouvoir une double politique de transfert de la gestion de la Voie maritime à un groupe d'usagers, et de recouvrement des coûts d'entretien et de maintien de la sécurité de cet espace de navigation auprès des mêmes usagers, par une Loi maritime du Canada soumise au Parlement en 1996 et adoptée l'année suivante. Ainsi, le 1er octobre 1998, après 40 ans d'exploitation par une agence gouvernementale, la Voie maritime a été confiée à une société privée sans but lucratif, la Corporation de gestion de la Voie maritime du Saint-Laurent. Son conseil d'administration rassemble des représentants des principaux secteurs, notamment sidérurgique et céréalier, des armateurs et des

---

7. Lionel Chevrier a été ministre des Transports canadien de 1945 à 1954, puis premier président de l'Administration de la Voie maritime du Saint-Laurent, de 1954 à 1957.

gouvernements fédéral, ontarien et québécois (Corporation de gestion de la Voie maritime du Saint-Laurent, 1999). Mais, après 12 ans de gestion, ne peut-on pas s'interroger sur la question de savoir si cette nouvelle administration a pu faire mieux que la précédente en termes d'évolution des trafics ?

De son côté, la politique de recouvrement des coûts a d'emblée suscité beaucoup de protestations de la part des secteurs économiques concernés, qui n'ont pas manqué de souligner que cela s'ajoute aux péages de la Voie maritime, ce qui compromet non seulement leur propre compétitivité, mais aussi celle de la Voie maritime au profit de ses concurrents, les modes ferroviaire et routier, et la route du Mississippi. Or sur ce dernier, la politique étasunienne est tout autre, et nous l'avions signalé dès 1997 (Lasserre, 1997) : pendant 200 ans, le Congrès a mis gratuitement les voies d'eau nationales à la disposition des usagers, mais en 1986, plutôt que d'établir des péages comme sur la Voie maritime du Saint-Laurent, il a décidé la mise en place d'une politique de recouvrement partiel des coûts d'entretien et de modernisation des infrastructures de navigation intérieure, par l'adoption du *Water Resources Development Act*. Désormais, chaque année, à la suggestion du Corps d'ingénieurs de l'armée, un programme de travaux est décidé par le Congrès, financé à 50 % par le budget fédéral et à 50 % par le produit d'une taxe sur les carburants vendus aux usagers de la voie d'eau. Cette taxe est passée graduellement de 10 cents le gallon en 1986 à 20 cents en 1997. Elle alimente un *Inland Waterways Trust Fund* qui couvre la moitié des dépenses. De 1990 à 1993, celles-ci se situent entre 1,4 et 1,5 milliard de dollars par an pour la navigation, 1,2 à 1,4 milliard pour la lutte contre les inondations, 0,4 milliard pour les travaux à buts multiples, dont les deux précédents, soit un budget annuel de 3,3 à 3,6 milliards. C'est ce budget qui a permis les travaux d'agrandissement des écluses du Mississippi déjà mentionnés.

EN GUISE DE CONCLUSION : QUELLE POLITIQUE CANADIENNE POUR LE RÉSEAU DE NAVIGATION GRANDS LACS/VOIE MARITIME ?

A posteriori, la politique canadienne de recouvrement des coûts est très surprenante, car elle révèle une méconnaissance (ou une ignorance délibérée ?) de la politique du pays voisin. En fait, il n'est pas possible d'envisager l'avenir de la navigation commerciale sur le Saint-Laurent et les Grands Lacs sans tenir compte des pratiques en vigueur sur les routes concurrentes. Ce système navigable est l'objet de menaces croissantes dues à la montée des compétitions à l'échelle continentale : compétition portuaire face à plusieurs concurrents importants, notamment les ports de l'Ouest canadien, ceux du Mississippi et ceux de la côte atlantique (voir Lasserre, 1999) ; compétition intramodale, qui prend enfin en compte la rivalité du Saint-Laurent avec le Mississippi ; et compétition intermodale, qui révèle l'amélioration de la position concurrentielle des chemins de fer et qui souligne les nécessaires efforts comparables à entreprendre du côté de la voie d'eau. Dans cette perspective, ce dernier terme n'est-il pas préférable à l'emploi systématique pour ce système navigable de l'adjectif « maritime », qui risque d'induire en erreur en faisant référence seulement à la première facette de la compétition, et en gommant son rôle d'outil de transport intracontinental au service de plusieurs secteurs économiques ?

BIBLIOGRAPHIE

CHEVRIER, L. (1959). *La voie maritime du Saint-Laurent,* Ottawa, Le Cercle du Livre de France, chapitres 4 et 5.

CORPORATION DE GESTION DE LA VOIE MARITIME DU SAINT-LAURENT (1999). *Rapport annuel 1998-1999.*

CORPORATION DE GESTION DE LA VOIE MARITIME DU SAINT-LAURENT (2004). *Rapport annuel 2003-2004.*

CORPORATION DE GESTION DE LA VOIE MARITIME DU SAINT-LAURENT (2010). *Rapport annuel 2009-2010.*

FRANCŒUR, L.-G. (2005). « Les grands écosystèmes n'en peuvent plus, l'ONU publie un premier bilan de la biosphère », *Le Devoir,* 30 mars.

LASSERRE, J.-C. (1980). *Le Saint-Laurent, grande porte de l'Amérique,* Montréal, Hurtubise HMH, Cahiers du Québec.

LASSERRE, J.-C. (1997). *Le présent et l'avenir du système navigable Saint-Laurent/ Grands Lacs : quels enjeux ?,* Transport Canada, Centre de développement des transports, TP 13085F, août.

LASSERRE, J.-C. (1999). « Pour comprendre la stagnation et les mutations des trafics sur le Saint-Laurent : une évaluation comparée des portes continentales nord-américaines », *Cahiers de géographie du Québec,* no 118, avril, p. 7-42.

PORT DE MONTRÉAL (2004). *Port Info,* vol. 26, no 1, mai.

YEATES, M. (1975). *Main Street, Windsor to Quebec City,* Toronto, Macmillan, XIV.

GENERAL MOTORS À BOISBRIAND
Chronique d'une fermeture annoncée

Alexandre Boyer

Dans ce texte, nous aborderons le cas de l'usine General Motors (GM) de Boisbriand. Cette usine était la seule usine québécoise dans le domaine de l'assemblage automobile au moment de sa fermeture en 2002 et fabriquait des automobiles de prestige. Aussi, aurions-nous craint, à l'instar de la réaction des acteurs locaux, que cette fermeture eût des effets négatifs majeurs sur le tissu économique local, régional et québécois dans son ensemble. Or, comme on le verra, ces effets ont été plus ténus que ce que nous pensions. Pourquoi? C'est ce que nous allons tenter d'approfondir dans ce texte en faisant l'hypothèse que ces faibles conséquences s'expliquent par l'intégration continentale plutôt que locale de la production automobile. Pour documenter cette hypothèse, nous allons situer l'usine dans son contexte géographique et historique. Cela nous permettra d'illustrer les restructurations spatiales de la production automobile en Amérique du Nord en cours depuis l'adoption du Pacte de l'automobile jusqu'à aujourd'hui.

LE PACTE DE L'AUTOMOBILE:
CONTEXTE DE L'IMPLANTATION DE GM À BOISBRIAND

L'Accord canado-américain sur les produits de l'industrie automobile, dit Pacte de l'automobile, signé entre le Canada et les États-Unis le 16 janvier 1965, jette les bases d'un marché continental nord-américain de l'automobile qui préfigure l'intégration économique continentale. Stipulant l'exemption de taxes et de barrières douanières aux exportations de véhicules entre les États-Unis et le Canada, le Pacte de l'automobile propulse l'industrialisation canadienne et ouvre la voie vers la libéralisation des échanges commerciaux entre le Canada et les États-Unis.

Un des résultats du Pacte de l'automobile est l'implantation de General Motors à Boisbriand en 1965, en banlieue de Montréal[1]. L'installation de cette usine est considérée comme une victoire. Syndicat, gouvernements et municipalité parlaient alors volontiers des taxes qui iraient à la ville de Boisbriand, de l'effet d'entraînement d'une usine de production d'automobiles sur l'industrie régionale, de l'achat de matières premières et de leur transformation au Québec et, par-dessus tout, de la valorisation de la région. Le fait que l'usine ait été ouverte à Boisbriand, au Québec, et non en Ontario, est cependant annonciateur: GM n'avait pas d'intérêts dans la région, la totalité de son implantation au Canada se localisant en Ontario. C'est une décision politique qui a fait que cette usine a été construite en banlieue de Montréal : la

---

1. Sur Montréal, voir Fontan, Klein et Tremblay (2005).

pression populaire québécoise, la Révolution tranquille, tout a poussé le gouvernement fédéral à accorder au Québec une partie des fruits du Pacte, allant cependant à contre-courant du processus d'implantation historique de l'industrie automobile américaine au Canada, qui privilégiait l'Ontario.

L'usine GM Boisbriand, d'une superficie de plus de 280 milles mètres carrés, se trouvait dans le parc industriel General Motors, situé au croisement des autoroutes 640 et 15, deux axes autoroutiers majeurs. Construite sur une superficie de près d'un million de mètres carrés, l'usine pouvait produire plus de 200 000 véhicules par an et, à son apogée, employait 4 500 travailleurs. L'environnement de l'usine comprend une grande diversité d'industries et, fait à souligner, on trouve dans la région des Laurentides un réseau de sous-traitants automobiles. Cependant, et cela peut sembler étonnant, si certains produisaient des pièces pour GM, très peu – en proportion – le faisaient pour l'usine de Boisbriand.

En effet, à en croire le rapport Giguère, Cloutier et Gagnon (2002), la filière de l'automobile au Québec, au moment de la fermeture de l'usine GM, était passablement florissante. Elle comptait 140 fabricants de composantes et d'accessoires, qui employaient 16 000 personnes, produisant annuellement des biens et services pour une valeur de 4,6 milliards de dollars. Alors, comment expliquer l'absence d'un réseau productif régional structuré autour des activités de l'usine de Boisbriand? L'implantation de l'usine General Motors a eu un effet sur le territoire, cela est indéniable. Mais cet effet n'a pas été celui de créer un réseau d'interrelations, un *cluster* de l'automobile qui aurait ancré l'usine dans la région.

UNE HISTOIRE MOUVEMENTÉE : L'USINE DE BOISBRIAND, DE L'OUVERTURE À LA FERMETURE

L'analyse de l'histoire de l'usine permet de dégager trois périodes : la première, de l'ouverture au milieu des années 1980, la deuxième, de 1985 à 1995, et la troisième, de 1995 jusqu'à la fermeture en 2002. Le Pacte de l'automobile est, bien sûr, la raison principale de la venue de l'usine à Boisbriand. Dès l'ouverture, celle-ci a connu une vie mouvementée. En effet, toute la période 1965-1985 a été celle d'une lente mise en place, perturbée d'ailleurs par divers facteurs externes. Il faut souligner surtout la crise énergétique des années 1970, la montée en puissance de la concurrence des producteurs asiatiques et européens, ainsi que la crise du mode fordiste de production industrielle.

Les deux chocs pétroliers (1973 et 1979) ont affecté les modes de consommation dominants dans les pays importateurs de pétrole : les pouvoirs en place se rendent compte qu'ils sont par trop dépendants et tentent de réduire cette dépendance. Aux États-Unis par exemple, pour se protéger, le gouvernement fait passer de nouvelles lois concernant entre autres l'industrie de l'automobile : les nouveaux véhicules devront satisfaire à de nouvelles normes de consommation, de pollution et de sécurité routière. Cette période correspond aussi à la montée en puissance des concurrents

Tableau 5b.1.
Les usines GM en Amérique du Nord, 1997 (voitures seulement)

Usine	Produit	Capacité annuelle	Production effective (unités)	Taux d'utilisation
Bowling Green, KY	Corvette	56 400	24 673	44 %
Buick City, MI	Bonneville, LeSabre	240 640	205 924	86 %
Detroit-Hamtramck, MI	Concours, Deville, Eldorado, Seville, Park Avenue	225 600	170 998	76 %
Fairfax, KS	Cutclass Supreme (fin en 5/97), Grand Prix, Intrigue	248 160	239 030	96 %
Lansing C, MI	Grand AM, Skylark	225 600	228 387	101 %
Lansing M, MI	Achieva, Cavalier (fin en 11/97), Grand AM	244 400	201 002	82 %
Lordstown, OH	Cavalier, Sunfire, Toyota Cavalier	282 000	383 517	136 %
Oklahoma City, OK	Cutclass, Malibu	244 400	174 632	71 %
Orion, MI	Aurora, Bonneville, Park Avenue, Riviera, 88	225 600	207 328	92 %
Oshawa nº 1, Canada	Lumina, Monte Carlo	248 160	257 085	104 %
Oshawa nº 2, Canada	Century, Lumina, Regal	248 160	243 331	98 %
Ramos Arizpe, Mexico	Cavalier, Chevy (S), Sunfire	127 840	157 471	123 %
Spring Hill, TN	Saturn	268 464	271 471	101 %
Boisbriand, Canada	Camaro, Firebird	210 560	90 397	43 %
Wilmington, DE	Malibu	112 800	98 817	88 %
Total (nombre de voitures)		3 208 784	2 954 063	92 %

Source : *Rapport – Phase 2*, Documentation SODET (1998).

européens et surtout japonais. Ces derniers produisent des voitures plus petites, plus économes en carburant et à un coût bien inférieur à celui en cours aux États-Unis. Économie mondiale en récession, nouveaux pays concurrents : la vitalité de l'industrie automobile nord-américaine est remise en question.

Pendant cette période, à Boisbriand, se pose le problème de la productivité des travailleurs. En effet, former une main-d'œuvre qualifiée et productive prend du temps. Les menaces de fermeture pleuvent, d'autant plus que GM, souffrant de plus en plus de la concurrence nippone et de ses rigidités internes, cherche à réduire ses coûts de production.

Dès 1985, le siège social de GM, localisé à Détroit, met en poste Garry Henson à la direction de Boisbriand. Celui-ci avait déjà fait ses preuves chez GM et on le jugeait capable de redresser les usines en situations difficiles. Proche de ses travailleurs, il les met devant le fait accompli : « Ou bien on s'améliore, ou bien on ferme. » G. Henson a invité le syndicat à prendre une part active dans l'administration, mais il a aussi radicalement changé la façon de travailler de toute l'administration de l'usine. C'est pour ainsi dire toute l'interface entre la gestion et la production qu'il a modifiée. En fait, G. Henson a court-circuité la lourde hiérarchie taylorienne pour instaurer une méthode de travail rapide et efficace, plus productive et plus motivante, mettant en œuvre ce que les analystes appellent un changement de paradigme, le passage du fordisme au postfordisme. La productivité de l'usine augmente comme jamais, si bien qu'en 1988 elle tourne à plein régime.

Ainsi, grâce à l'engagement des travailleurs et aux changements dans la gestion apportés par G. Henson, l'usine de Boisbriand est devenue la plus productive du Canada, et l'une des plus performantes (en termes de productivité et de qualité) en Amérique du Nord. Mais les automobiles qu'elle produit se vendent de moins en moins, ce qui explique sa fragilité. Pour aider l'usine et faciliter sa modernisation, les gouvernements provincial et fédéral octroient un prêt sans intérêt de 220 millions de dollars. C'est ce qui incite GM à accorder un nouveau mandat à l'usine en 1990 : on produira désormais à Boisbriand les nouvelles générations de Firebird et de Camaro, des modèles emblématiques.

Mais les chocs pétroliers, nous l'avons déjà dit, ont considérablement changé le mode de consommation des sociétés occidentales. Le début des années 1990 est marqué par la guerre du Golfe qui va aussi faire changer les habitudes des consommateurs. Le public visé par les véhicules de type *muscle car* opte de plus en plus pour des automobiles de type camionnette, VUS, et autres quatre par quatre de luxe. La demande pour les coupés sport s'effrite et ne représente plus un marché intéressant aux États-Unis.

En 1999, le syndicat étasunien UAW (United Auto Workers) signe une convention collective pour ses travailleurs, avec une clause interdisant la fermeture ou la revente d'usines GM aux États-Unis. Dans la même année, l'Organisation mondiale du commerce (OMC) déclare non conforme aux règles du commerce international le Pacte de l'auto, qui devra donc être démantelé. De plus, le président étasunien

Bill Clinton met en place une politique dont les effets se font sentir petit à petit : il est interdit aux constructeurs étasuniens de produire de nouveaux modèles hors des États-Unis. Les usines canadiennes ne pourront produire que des modèles déjà existants.

Puis, G. Henson cède sa place. Deux autres directeurs vont se succéder, mais aucun ne s'engagera comme Henson pour assurer la survie de l'usine. Morosité du marché étasunien, changement des habitudes de consommation, difficultés de la compagnie face à la crise du fordisme, baisse de la productivité des travailleurs boisbriannais : GM n'attribue pas de nouveau mandat à l'usine québécoise. Ni le syndicat, ni le gouvernement provincial, ni les efforts concertés de tous ces acteurs, de ceux du Centre local de développement (CLD) et de la mairie n'arrivent à convaincre Détroit de changer sa décision.

Le CLD propose un projet de Zone de l'automobile avancée (ZAA), un technopôle de la voiture écologique : nouveaux matériaux, propulsion hybride, électronique embarquée, etc. Ce projet aurait pu être fédérateur, mais reposait sur trop de conditions. Le manque évident de volonté, aussi bien des deux niveaux de gouvernement que de GM, explique le fait que ce projet n'ait jamais dépassé le stade de l'étude de faisabilité. L'usine de Boisbriand ferme ses portes le 29 août 2002.

LES EFFETS LOCAUX DE LA FERMETURE
D'UNE ENTREPRISE INTÉGRÉE À L'ÉCHELLE CONTINENTALE

L'usine boisbriannaise était économiquement rentable pour la firme GM et produisait, comme nous l'avons mentionné, des véhicules de bonne qualité. En revanche, le manque de sous-traitants locaux, et donc d'interaction fonctionnelle clients/fournisseurs, était pour GM un motif suffisant de fermeture. L'usine de Boisbriand était la moins contraignante à fermer pour la direction de GM, qui était, et est encore aujourd'hui, en difficulté sur l'échiquier économique mondial. C'est donc la situation globale de GM qui commande la fermeture d'une usine, mais c'est la faiblesse de son ancrage productif local qui facilite le choix de celle de Boisbriand.

Ce qui surprend surtout, c'est que malgré les craintes des acteurs gouvernementaux et régionaux, le dynamisme général de l'économie régionale, et particulièrement celui de Boisbriand, n'a pas été affecté par le départ de General Motors. Les pertes directes d'emplois, 1 300 licenciements, concernaient, pour une grande majorité, des travailleurs proches de la retraite qui ont été protégés par les négociateurs syndicaux. Concernant l'industrie automobile au sens large, même si deux sous-traitants (Systèmes automatiques Mackie, WBS Technologies) ont fermé leurs portes, il n'y a pas eu d'effet domino, et cette industrie se porte plutôt bien : Raufoss s'est installé, Paccar s'est agrandi. Cette absence d'effets locaux et régionaux s'explique par l'absence d'ancrage local de cette usine et par l'intégration continentale des activités de General Motors, ce qui est démontré par le fait que les sous-traitants québécois continuent de faire affaire avec GM, qui assemble des pièces fabriquées dans la province ailleurs en Amérique du Nord.

GM n'a jamais essayé de créer un système productif local autour de sa production à Boisbriand, tout simplement parce qu'elle a toujours vu son implantation québécoise comme un accident, forcé par des compromis avec les instances gouvernementales, et non pas comme un noyau naturel de son réseau productif structuré largement à l'échelle continentale. C'est ce manque d'ancrage local qui explique une fermeture annoncée depuis le début.

BIBLIOGRAPHIE

ACCV-CVMA : Association canadienne des constructeurs de véhicules, <www.cvma.ca>, consulté en décembre 2004.

BOYER, A. (2006). *La fermeture de General Motors de Boisbriand : heurs et malheurs de l'industrie automobile au Québec*, Montréal, Université du Québec à Montréal. Mémoire de maîtrise en géographie.

CAMI AUTOMOTIVE INC. <www.cami.ca>, consulté en avril 2005.

DOCUMENTATION TCA QUÉBEC (1997). *L'avenir de GM au Québec : les emplois et les retombées de l'usine de Boisbriand*, Département de recherche des TCA.

DOCUMENTATION TCA QUÉBEC (1997). *Les opérations de GM à Boisbriand. Points de discussion,* GM, Recherche TCA.

DOCUMENTATION SODET (1998). *Rapport – Phase 2,* Comité de soutien à l'industrie automobile dans les Basses-Laurentides, octobre.

DOCUMENTATION SODET (2001). *Zone de l'automobile avancée,* SODET, 30 novembre.

FONTAN, J.-M., J.-L. KLEIN et D.-G. TREMBLAY (2005). *Innovation socioterritoriale et reconversion économique. Le cas de Montréal*, Paris, L'Harmattan, coll. « Géographies en liberté ».

GENERAL MOTORS, informations corporatives, histoire, etc., <www.gm.com/company/corp_info/history/>, consulté en janvier 2005.

GIGUÈRE, S., J.-C. CLOUTIER et J.-R. GAGNON (2002). *La filière automobile au Québec. Enjeux, tendances et perspectives de développement*, Québec, Direction des communications, février.

GINDIN, S. (2005a). *Breaking Away : The Formation of the Canadian Auto Workers*, <www.caw.ca/whoweare/ourhistory/gindin_index.asp>, consulté en janvier 2005.

GINDIN, S. (2005b). *The Canadian Auto Workers. The Birth and Transformation of a Union*, <www.caw.ca/whoweare/ourhistory/cawhistory/index.html>, consulté en janvier 2005.

SODET (Société de développement économique Thérèse-De-Blainville [CLD]) (2004). *Profil socio-économique. MRC de Thérèse-De Blainville*, MRC Thérèse-De-Blainville, SODET-CLD, mai.

SODET-CLD (2005). <www.sodet.ca>, consulté en janvier 2005.

L'AMÉRIQUE LATINE
De la crise institutionnelle
à la reconstruction sociopolitique?

Juan-Luis Klein[1]

L'Amérique latine attire l'attention internationale depuis des décennies. Les mythes et les grands espaces de jadis, les expériences révolutionnaires, les dictatures militaires, le retour à la démocratie, l'émergence de nouvelles économies industrialisées – les «Jaguars», comme d'aucuns les ont appelées –, voilà quelques-uns des thèmes mis en exergue à son endroit durant les dernières décennies. Mais en ce début de XXIᵉ siècle, ce qui suscite surtout l'attention, c'est l'important changement politique qui déferle sur le sous-continent. En fait, l'Amérique latine traverse une véritable restructuration

1. L'auteur tient à remercier le professeur José del Pozo, spécialisé en histoire de l'Amérique latine, qui a commenté une première version de ce chapitre.

institutionnelle (Castells, 2005). Les expériences de participation démocratique directe (budget participatif à Porto Alegre, Villa El Salvador à Lima), l'influence crois-sante des femmes en politique (Michelle Bachelet au Chili, Dilma Rousseff au Brésil, Cristina Fernández de Kirchner en Argentine), la force des mouvements autochtones (Evo Morales), les mouvements politiques non traditionnels, ne sont que quelques exemples d'un basculement institutionnel.

L'objectif central de ce texte est de dresser un portrait de l'Amérique latine, sommaire, il va sans dire, afin de comprendre l'évolution des différents facteurs qui expliquent le processus de transition en cours. Nous présenterons ce qu'est l'Amérique latine, en décrivant brièvement sa pluralité, en rappelant le processus de colonisation et ses effets sur la structuration des différentes sociétés latino-américaines, en exami-nant les grandes étapes de l'évolution historique de leur espace économique, en décri-vant les principales caractéristiques de ses composantes et sous-régions et en présentant les tendances actuelles. Nous verrons que l'Amérique latine est un de ces espaces en reclassement dans le monde, où certains pays émergent et d'autres déclinent, où règnent les inégalités internationales et interrégionales et où les tendances actuelles associées à la mondialisation accélèrent des disparités instaurées par des trajectoires séculaires et exigent de repenser les façons d'aborder le développement économique.

6.1.   L'Amérique latine : dénomination imposée ou référent identitaire ?

Le concept d'Amérique latine fait référence à la latinité de ses habitants et, à cause de cela, il n'est pas rigoureux. D'une part, le territoire qu'il désigne, situé au sud du Rio Grande, soit au sud de la frontière entre les États-Unis et le Mexique, n'inclut pas que des populations latines et, d'autre part, de telles populations se trouvent aussi au nord de cette limite. La plupart des États faisant partie de l'Amérique latine sont certes de langue latine – hispanique, portugaise et même française –, mais pas exclusivement. Les habitants de Belize, Guyana et Suriname, ainsi que ceux de plusieurs Antilles, dont la Jamaïque, ne sont pas de langue latine. La population indigène, largement présente au Mexique, en Amérique centrale et dans les pays andins, ainsi qu'au Paraguay, n'est pas latine non plus. Dans certaines régions, des mouvements sociaux indigènes ont d'ailleurs exigé la reconnaissance de leurs spécificités. Et il ne faut pas oublier la présence dans certains pays, dont ceux des Antilles et le Brésil, d'un pourcentage important de population afro-américaine. Par ailleurs, au nord du Rio Grande, aux États-Unis, plusieurs États sont habités par des populations de langue hispanique dans des pourcentages très importants. À Los Angeles ou à Miami, par exemple, il est possible de vivre et de travailler en espagnol sans problème. De plus, parlant français, le Québec peut être considéré comme latin, au même titre qu'Haïti.

Mais, au-delà du concept, la notion d'Amérique latine, constitue-t-elle un « référent identitaire » pour les sociétés latino-américaines ? La réponse est ambiguë. D'une part, plus que latino-américains, pendant longtemps, les citoyens du sud du Rio Grande se sont sentis Américains. « Pour nous, la Patrie c'est l'Amérique », avait dit Bolívar. La notion d'Amérique latine est devenue néanmoins un référent identitaire, et ce, malgré l'absence d'unité entre les différents pays latino-américains. Les Latino-Américains y voient une identité distinctive en regard de ce qu'ils ne sont pas, c'est-à-dire des Nord-Américains. Ce sentiment identitaire exprime moins l'homogénéité culturelle ou économique des différents pays que leur situation face à la puissance étasunienne. Les pays latino-américains se situent dans la zone d'influence des États-Unis, ce qui donne au concept d'Amérique latine une dimension géopolitique.

N'oublions pas que dès l'indépendance des ex-colonies hispaniques, Bolívar signalait le danger que posait l'attitude dominatrice du pays du Nord pour la souveraineté des républiques devenues indépendantes, attitude qui s'est traduite par l'adoption en 1823 de ce qui est connu comme la doctrine Monroe. En vertu de cette doctrine, les États-Unis sont intervenus à maintes reprises au sud de leur frontière sous prétexte de protéger les intérêts et la sécurité de leurs citoyens.

Ainsi, le Rio Grande[2], plus que la séparation entre deux cultures, s'est rapidement érigé comme la ligne de partage entre le monde dit développé et le monde dit sous-développé, entre le monde des riches et le monde des pauvres. Cela a marqué l'histoire des rapports entre le « Nord » et le « Sud » de l'Amérique. C'est ce qui distingue aussi l'Amérique dans son ensemble des autres continents. L'identité commune des Latino-Américains a été cependant souvent mise à l'épreuve, voire remise en question par des conflits entre les différents pays. L'unité de l'Amérique latine est le résultat du contraste, de l'opposition. Dès qu'on s'en rapproche, on voit les différences.

6.2.   Une Amérique latine plurielle

Rappelons que l'Amérique latine s'étend entre le 32°LN (nord de Tijuana, en Californie) et le 56°LS (Cap Horn, Chili). Ses paysages physiques, sa démographie, ses cultures révèlent un espace géographique qui ne peut être décrit qu'au pluriel. Nous présenterons dans cette section les aspects les plus importants de cette diversité.

---

2. Il importe de rappeler que le Mexique, tout en faisant partie de l'Amérique du Nord sur le plan topographique et économique (voir le chapitre 5 sur l'Amérique du Nord de C. Manzagol), fait aussi partie de l'Amérique latine par son histoire et sa culture. C'est d'ailleurs le paradoxe du Mexique, sur lequel nous reviendrons ci-après.

6.2.1. Quatre ensembles topographiques inégaux et trois types de paysage

L'Amérique latine comprend quatre grands ensembles topographiques : le Mexique, l'Amérique centrale, l'Arc antillais et l'Amérique du Sud, sa plus vaste composante. Au total, l'ensemble latino-américain couvre 20 millions et demi de km², dont 17 855 000, correspondent à l'Amérique du Sud.

En ce qui concerne les différences climatiques, il faut distinguer deux facteurs déterminants : la latitude et l'altitude. Bien que la quasi-totalité de l'Amérique latine soit comprise dans la zone intertropicale, les climats et la végétation varient énormément dans les zones montagneuses du Mexique, de l'Amérique centrale et de l'Amérique du Sud, en fonction de l'altitude. Dans les plaines, le climat est étagé selon la latitude. Au nord, c'est le domaine du climat tropical et, au sud, celui du climat tempéré. En Amérique du Sud comme telle, l'ouest est dominé par les hautes montagnes andines, alors que l'est est dominé par les plateaux de faible altitude et des plaines drainées par des systèmes hydrographiques imposants.

Le système orographique andin s'étend en bordure du Pacifique, depuis le nord du Venezuela jusqu'au détroit de Magellan, au sud du Chili. Il s'agit de chaînes (deux et parfois trois) parallèles, qui enferment des bassins intérieurs, ainsi que des plaines et des lacs d'altitude. La largeur des Andes varie entre 150 kilomètres (Équateur) et 500 kilomètres (Pérou). Les sommets de plus de 5 000 mètres abondent : le plus haut est le mont Aconcagua, avec 6 959 mètres d'altitude, situé en territoire argentin (35°LS), près de la frontière avec le Chili. La ligne de faîte est toujours au-dessus de 3 000 mètres. Les massifs anciens sont des boucliers et socles d'origine précambrienne. On distingue le Bouclier brésilien, le Massif guyanais et le plateau de la Patagonie. Quant aux plaines, il s'agit de vastes bassins drainés par des systèmes fluviaux importants, qui présentent un grand intérêt économique et écologique, même s'ils sont peu peuplés. On distingue trois bassins, ceux de l'Orénoque, du Parana-Paraguay et, le plus important, celui de l'Amazone (sur l'Amazone et l'Amazonie, voir texte de M. Droulers, Capsule 6C).

6.2.2. Un peuplement concentré essentiellement urbain

En ce qui concerne le peuplement, on distingue des espaces peuplés, certains densément, comme en Amérique centrale, et de vastes espaces vides, comme dans les bassins et les plateaux de l'intérieur. La population est surtout concentrée dans les espaces littoraux ou proches de la mer, ainsi que dans des plateaux d'altitude, son centre de gravité s'étant déplacé du Pacifique vers l'Atlantique. Lors de la période coloniale, la population se concentrait dans les espaces andins. Les changements économiques et l'émigration européenne du xxe siècle ont fait que les principaux foyers de peuplement se situent dans le littoral atlantique. Essentiellement urbaine, la population se concentre dans des villes qui, dans bien des cas sont devenues des mégalopoles. La concentration de la population entraîne la concentration politique et des services, ce qui crée de profondes inégalités entre les principales villes et les *hinterlands*.

Figure 6.1.
Les grands traits du paysage en Amérique latine

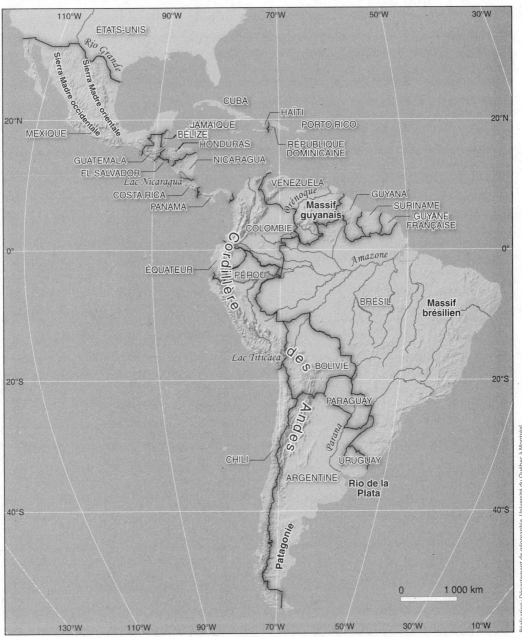

Figure 6.2.
La population en Amérique latine

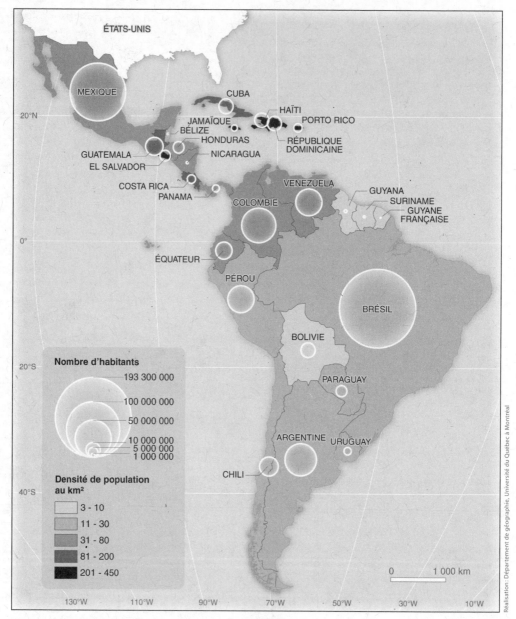

Réalisation : Département de géographie, Université du Québec à Montréal

Figure 6.3.
Les principales agglomérations de l'Amérique latine

Réalisation : Département de géographie, Université du Québec à Montréal

6.2.3. Trois univers culturels

Sur le plan culturel, voire linguistique, on distingue trois univers. Les deux plus importants sont l'univers hispanique, composé d'un ensemble de pays issus de l'Empire espagnol, et l'univers lusophone, qui comprend le Brésil, issu de l'Empire portugais. Les frontières entre ces univers, historiquement très étanches, sont en train de céder la place à des zones de transition provoquées par l'intégration économique entre le Brésil, l'Argentine, l'Uruguay et le Paraguay, par l'intermédiaire du traité du Mercosur, ainsi que par la collaboration des pays hispanophones et du Brésil dans la gestion écologique de l'Amazonie.

Un troisième univers, composite et concentré pour l'essentiel dans les Antilles, très distinct sur tous les plans des pays hispaniques et du Brésil, comprend les populations de langue française, comme celles d'Haïti et des départements français d'outre-mer (DOM) et de langues non latines (anglaise, hollandaise et autres).

6.2.4. Six Amériques latines

Comme nous l'avons précisé ci-dessus, en Amérique latine, on distingue traditionnellement quatre grands ensembles topographiques : le Mexique, l'isthme de l'Amérique centrale, l'Arc des Antilles, qui se compose des Grandes et des Petites Antilles, auxquelles il faut ajouter les Guyanes[3], et l'Amérique du Sud. Mais cette dernière, pour des raisons aussi bien culturelles qu'économiques ne peut pas être considérée comme une unité. Elle doit être divisée en trois sous-régions : l'Amérique lusophone, l'Amérique andine et le Cône sud. Comme on le verra, ces trois espaces ont leur spécificité physique, sociale et culturelle, même si leurs frontières ne sont pas étanches. Il en résulte six grandes régions, six Amériques latines. Nous présenterons ces six grandes régions en détail à la section suivante. Pour le moment, le tableau 6.1 en résume les grands traits.

6.3. La structuration démographique, sociale et politique

Il importe de rappeler que le peuplement de l'Amérique est allogène. Il est le résultat d'une suite de vagues de migrations asiatiques. Les premiers peuples ont traversé le détroit de Béring, solidifié par les glaciations, il y a 40 000 ans. D'autres migrations asiatiques se sont réalisées par le Pacifique sud. Les premiers arrivants ont colonisé le continent en se déplaçant vers sa partie australe.

---

3. Pour des raisons historiques, économiques et culturelles, les Guyanes, soit Guyana, Suriname et la Guyanne française, sont plus liées aux Antilles qu'à l'Amérique du Sud, dont elles font partie sur le plan topographique.

Tableau 6.1.
Les six grandes régions de l'Amérique latine*

Pays	Superficie (en km²)	Population en 2010 (millions)	Population urbaine (en % du total)	Densité	Langue
Mexique					
Mexique	1 964 375	110,6	77	57	Espagnol
Isthme de l'Amérique centrale					
Nicaragua	130 370	6,0	56	46	Espagnol
Honduras	112 090	7,6	50	68	Espagnol
Guatemala	108 889	14,4	47	132	Espagnol
Panama	75 420	3,5	64	46	Espagnol
Costa Rica	51 100	4,6	59	90	Espagnol
El Salvador	21 041	6,2	63	294	Espagnol
Belize	22 966	0,3	51	15	Anglais
Arc antillais					
Cuba	110 860	11,2	75	101	Espagnol
République dominicaine	48 670	9,9	67	203	Espagnol
Haïti	27 750	9,8	48	353	Français
Jamaïque	10 991	2,7	52	246	Anglais
Porto Rico	8 950	4,0	94	448	Espagnol
Guyana	214 969	0,8	28	4	Anglais
Suriname	163 820	0,5	67	3	Néerlandais/Anglais
Guyane française	90 000	0,2	81	3	Français
Amérique lusophone					
Brésil	8 514 877	193,3	84	23	Portugais
Amérique andine					
Pérou	1 285 216	29,5	76	23	Espagnol
Colombie	1 138 914	45,5	75	40	Espagnol
Bolivie	1 098 581	10,4	65	9	Espagnol
Venezuela	912 050	28,8	88	32	Espagnol
Équateur	283 561	14,2	65	50	Espagnol
Cône sud					
Argentine	2 780 400	40,5	91	15	Espagnol
Chili	756 102	17,1	87	23	Espagnol
Paraguay	406 752	6,5	58	16	Espagnol
Uruguay	176 215	3,4	94	19	Espagnol

* À l'exception de Belize et des Guyanes, seulement les pays de plus d'un million d'habitants sont compris dans ce tableau. Les Petites Antilles n'y sont donc pas comprises.

Source : Population Reference Bureau (2010), *W.P. Data Sheet* et CIA (2010), *The W.F. World Factbook.*

6.3.1. L'effet structurant de la colonisation

La population indigène à l'arrivée des conquistadors

À l'arrivée des Espagnols, à quelques exceptions près, il existait *grosso modo* deux types de populations. Les grandes civilisations sédentaires dans le plateau central mexicain (Empire aztèque) et dans les hautes vallées et plaines andines (Empire inca), d'une part, et les peuples collecteurs et chasseurs à la périphérie de ces grands empires, d'autre part. Soulignons que ces civilisations se développent dans des situations géographiques comparables, c'est-à-dire sur de hauts plateaux montagneux qui atténuent la canicule et garantissent un minimum de pluie et des climats secs sous des latitudes chaudes : Tenochtitlán, devenue Mexico, le centre de l'Empire aztèque, était située à 20°LN et à 2 300 mètres d'altitude et Cuzco, la capitale de l'Empire inca, à 13°LS à 3 200 mètres d'altitude.

Aidés par le fait que les peuples indigènes croyaient que les Espagnols étaient des dieux, qui selon la légende devaient être blancs et porter une barbe (les Normands ?) et devaient revenir par la mer (c'est le cas de Quetzalcoatl, dieu aztèque, et de Huiracocha, dieu inca), mais aussi par les conflits entre les peuples dominés par les Aztèques et les Incas et ceux-ci, les *conquistadors* ont pu soumettre une population largement supérieure en nombre. Cortés est débarqué à Veracruz, avec 100 marins, 508 soldats, 16 chevaux, 10 canons et quelques arquebuses et pistolets. Avec cette armée, et l'aide des ethnies opposées aux Aztèques, il a pris Tenochtitlán qui était habitée par au-delà de 100 000 personnes. Quant à Francisco Pizarro, l'autre grand *conquistador*, avec une petite armée de 106 hommes d'infanterie et 62 cavaliers, il a fait prisonnier l'Inca suprême, Atahualpa, et il a conquis son empire.

Au total, au moment de l'arrivée de Colomb en 1492, la population autochtone était de quelque 50 millions (Rouquié, 1987). La population de l'Empire aztèque était d'environ 10 millions ; celle de l'Empire inca était équivalente. La conquête a eu comme effet non seulement l'anéantissement des grandes civilisations précolombiennes, mais aussi une importante restructuration démographique. La population autochtone a été soit décimée, voire, dans certains cas, exterminée et remplacée par une main-d'œuvre esclave d'origine africaine, soit assimilée culturellement et économiquement.

La colonisation sous le signe de la croisade

Rappelons qu'en même temps qu'elle se lance dans l'aventure de la découverte, en 1492, l'Espagne récupérait Grenade, dernier bastion musulman en Europe. Aussi, en Espagne, la découverte du Nouveau Monde et la conquête se font-elles sous le signe des croisades, de l'expansion chrétienne et de la lutte contre les infidèles, ce qui différencie l'empire colonial espagnol des autres empires coloniaux. Le pape Alexandre VI a confié à la reine de Castille le mandat de veiller sur le Nouveau Monde, car, disait-il, l'expansion de son royaume est celle du royaume de Dieu. Par la conquête, la reine met en œuvre sa mission chrétienne, assortie, il va sans dire, d'une mission économique. Ces deux dimensions de la colonisation espagnole ont eu des conséquences profondes sur l'évolution des peuples latino-américains.

La mission économique de la colonisation : l'exploitation minière et la «mita»

La richesse transférée depuis l'Amérique à la métropole hispanique entre 1503 et 1660 est évaluée à 185 000 kg d'or et à 16 millions de kg d'argent. Avec cette richesse, la couronne payait ses dettes aux banques allemandes, flamandes et génoises. Aussi, l'extraction de l'or et de l'argent des mines exploitées par les Espagnols dans les montagnes mexicaines et andines a-t-elle contribué à la croissance européenne et à l'accumulation primitive du capital dont est né le capitalisme. Mais en plus de la spoliation de ces richesses, il faut souligner le mode de soumission de la population qui se met en place pour assurer leur exploitation. Chaque tribu devait apporter un certain nombre d'indigènes pour l'exploitation de la mine. C'est ce qu'on appelait la «*mita*», l'une des formes les plus redoutées de la soumission des populations autochtones. Les indigènes ainsi soumis étaient les *mitayos*.

La mission évangélisatrice de la colonisation : le grand domaine et la «encomienda»

La mission d'évangélisation justifie, sur le plan religieux, la mise en place d'un système d'exploitation de la terre et d'asservissement des indigènes caractérisé par le grand domaine. Les efforts des colonisateurs – la *hueste indiana* – étaient rétribués par l'octroi de terres – la *merced de tierras* – et ils recevaient la mission d'évangéliser les indigènes qui les habitaient et de collecter les tributs qu'ils devaient payer en tant que vassaux de la Couronne. Dans la pratique, les indigènes ont été forcés de travailler gratuitement pour le propriétaire. C'est ce qu'on appelle le système de la *encomienda de indios*. Ce système a été à la base de la formation d'une aristocratie associée à la possession de la terre, système qui sera mis à jour et reproduit plus tard par un mode de tenure de la terre caractérisé par le grand domaine et par le rapport *latifundio-minifundio* sur lequel reposent les rapports sociaux et politiques dans beaucoup de pays encore aujourd'hui[4].

En milieu tropical, la grande propriété a pris la forme de la grande plantation pour l'exploitation de produits tels le sucre, le cacao, le café, le coton. Le sucre était très recherché en Europe. Ce fut l'exportation agricole la plus importante pendant les trois premiers siècles. On l'appelait l'or blanc. Cette forme de production dominait dans les Antilles, sur la côte brésilienne et au Venezuela. La main-d'œuvre était composée essentiellement d'esclaves noirs.

---

4. Sur la structuration du grand domaine comme «un aspect distinctif de la nouvelle société américaine», voir Jara (1973).

La ville

La colonisation a laissé un territoire structuré autour de la centralité urbaine. La ville est le centre administratif, militaire et religieux. Au cœur, se trouve la place d'armes (*plaza de armas*), de forme carrée. À partir du centre, se structure un plan urbain rigoureusement orthogonal. Autour de la place se disposaient les pouvoirs religieux, politique et civil, l'église (cathédrale), la mairie et le siège de l'autorité politique. À partir de la place se disposaient les différentes strates sociales. D'abord, les principaux ordres religieux, les couvents, les églises, les hôpitaux, les collèges et les hôtels particuliers des gens les plus fortunés ; ensuite les Espagnols moins fortunés ; puis les *criollos* et les métis ; et, enfin, les faubourgs indigènes.

La structuration socioterritoriale

Il faut préciser que, en partie à cause de sa mission évangélisatrice, la colonisation hispanique est accompagnée d'une occupation territoriale active, ce qui la distingue de celle d'autres puissances coloniales. Cela a eu une forte influence sur la structure territoriale des différents pays.

L'empire espagnol est divisé en vice-royaumes, capitaineries générales et audiences, dont les sièges administratifs deviennent des centres de pouvoir où s'installent les élites. Ces centres deviendront les villes qui concentreront population et pouvoir après l'indépendance. Le mode de gestion du territoire basé sur la *encomienda* affaiblit certes socialement et culturellement la population indigène, mais a aussi comme résultat qu'une partie importante de celle-ci est intégrée à la main-d'œuvre, ce qui explique le métissage des populations latino-américaines d'origine hispanique, notamment celles du plateau mexicain et des pays andins, situées là où les populations indigènes étaient soumises aux Aztèques et aux Incas. D'une part, ces populations étaient déjà habituées à la soumission à un souverain. Mais, d'autre part, parce qu'elles étaient sédentaires, parce qu'elles connaissaient des techniques agricoles et minières, elles pouvaient être utilisées comme main-d'œuvre dans les mines ou dans les grands domaines.

Ce ne fut pas le cas des populations moins sédentarisées et, donc, moins adaptables, notamment sur les côtes atlantiques et dans les Antilles. Le cas du Brésil illustre bien cette situation. Moins peuplé à l'origine, éloigné de l'influence des grandes civilisations andines, le territoire brésilien est le résultat d'une colonisation portugaise moins ancrée territorialement, plus proche de l'empire de comptoirs que le Portugal implante aussi en Afrique. Cette approche nécessitait un investissement démographique moins grand de la part du colonisateur. Quant à la main-d'œuvre des grandes plantations, elle a été essentiellement constituée d'esclaves.

Cela explique qu'après l'indépendance, comme conséquence de la densité démographique des populations andines précolombiennes et du type de colonisation mis en place par l'Espagne, la population latino-américaine se concentrait largement dans l'Amérique andine et au Mexique, habités en 1850 par 9 098 000 et par

7 662 000 personnes respectivement. Comparativement, on ne comptait alors que 7 205 000 habitants au Brésil, 2 779 000 dans les Antilles, 2 019 000 en Amérique centrale et 1 732 000 dans la région du Rio de la Plata. L'émigration européenne renverse cette distribution dès le début du xxᵉ siècle.

L'émiettement de l'empire espagnol

L'indépendance des colonies espagnoles est le résultat de l'insatisfaction des élites à l'égard des conditions imposées par la métropole. Les contraintes commerciales, bien qu'allégées à la fin du xviiiᵉ siècle, limitaient leur progression économique. Mais ce qui a précipité le processus, c'est l'invasion des troupes napoléoniennes et l'emprisonnement du roi espagnol, Fernando VII, en 1807. Comme les colonies appartenaient à la Couronne, des juntes de gouvernement se sont formées dans les unités administratives des territoires de l'Empire, au départ dans le but de préserver les colonies pour le roi emprisonné. Mais, lorsque Fernando VII, roi d'Espagne, recouvre ses pouvoirs en 1813, la liberté politique avait fait son nid et les anciennes possessions américaines résistent. S'engage la guerre de la reconquête, d'où émergent les figures mythiques de Simon Bolívar et de José de San Martín. La guerre se solde par la défaite des troupes espagnoles et par l'indépendance de toutes les colonies, à l'exception de Cuba et de Porto Rico qui conservent leurs liens coloniaux jusqu'à la fin du xixᵉ siècle.

C'est ainsi que le processus d'indépendance reproduit les délimitations territoriales de l'empire colonial espagnol : les élites se partagent le territoire. C'est aussi pour cette raison que la révolution de l'indépendance n'est pas une révolution sociale. Elle n'altère ni les structures sociales ni les structures économiques mises en place pendant la colonie.

L'intégrité du territoire portugais en Amérique

L'histoire de l'indépendance du Brésil est différente. Ex-colonie portugaise, indépendant depuis 1822, le Brésil ne s'est pas subdivisé comme ce fut le cas de l'empire espagnol. Pour fuir l'invasion des troupes napoléoniennes, en 1808, la cour de l'empire portugais a migré au Brésil et s'est installée à Rio de Janeiro. Au retour du roi à Lisbonne, le régent du Brésil, le fils du roi d'ailleurs, déclare l'indépendance et crée l'Empire du Brésil en 1822, qui survit jusqu'à l'installation de la république en 1889. Le territoire du Brésil demeure donc intègre, contrairement aux ex-colonies hispaniques, ce qui lui permet de bénéficier des avantages liés à sa taille. Que ce soit dans les territoires hispaniques ou portugais, l'indépendance des colonies a donné lieu à la formation d'États-nations d'inspiration européenne (tableau 6.2), ce qui amène Rouquié (1987) à parler de l'« Extrême-Occident ».

Tableau 6.2.
Structuration territoriale issue de la colonisation espagnole et portugaise

Puissance coloniale	Structure de l'administration coloniale en 1800*				Structure territoriale indépendante	
	Vice-royaumes	Capitale	Capitaineries générales*	Audiences*	Premiers territoires indépendants (1825)	États indépendants (en 1880)
Espagne	Nouvelle Espagne	Mexico	Cuba Guatemala	Panama	Mexique Confédération d'Amérique centrale	Mexique Nicaragua Honduras Guatemala Panama Costa Rica El Salvador
	Nouvelle Grenade	Bogota	Venezuela	Quito	Grande Colombie	Venezuela Colombie Équateur
	Pérou	Lima	Chili		Pérou Chili	Pérou Chili
	Rio de la Plata	Buenos Aires		Charcas	Provinces unies du Rio de la Plata Bolivie	Argentine Bolivie Paraguay Uruguay
Portugal	Brésil	Rio de Janeiro			Brésil	Brésil

* Un territoire peut être à la fois capitainerie générale et audience.

Source : M. Crouzet, *Historia general de las civilizaciones*, vol. V, 1963, p. 340.

6.3.2. La structuration socioéconomique postcoloniale

Au XIXᵉ et au début du XXᵉ siècle, l'Amérique latine s'est développée sur les bases d'une structure agraire héritée de la colonie, d'une industrie extractive exploitée par des capitaux extérieurs, puis, à partir des années 1930, de la mise en place de structures industrielles et urbaines, concentrées et centralisatrices. Il en est résulté des structures économiques très inéquitables. Le défi, que peu d'États ont pu relever, a été (et demeure) celui du partage de la richesse engendrée par leurs activités productives. La modernisation des institutions publiques de l'après-guerre dans certains pays a permis la mise en place de dispositifs assurant une certaine redistribution des revenus, mais ceux-ci ont été remis en question par des politiques néolibérales encouragées par des organisations financières internationales telles que le Fonds monétaire international (FMI).

La terre : un enjeu social

Un des héritages laissés par la colonie est une structure économique, sociale et politique de type semi-féodal caractérisée par la concentration de la terre et le grand domaine. Quelques familles ont accaparé les meilleures terres, laissant aux indigènes et aux métis des terres peu productives qu'ils partageaient en petits lopins. Ainsi se combinent le *latifundio* et le *minifundio*. Ces deux modes de tenure de la terre constituent la base des rapports sociaux dans l'Amérique latine du xixe siècle. Cette base se reproduit au xxe siècle.

Le *latifundio* est un type d'exploitation de la terre de caractère extensif : ce sont des grands domaines (plus de mille hectares). L'opposé du *latifundio* est le *minifundio* : des petites propriétés, de un à cinq hectares. L'importance du *latifundio* réside dans son caractère d'institution sociale et politique. La mise en valeur de la terre se fait selon une formule de métayage (*aparceria*) contre des prestations en travail. Le patron de l'*hacienda* prête un lopin de terre au paysan, qui l'exploite avec sa famille, en échange de travail sur les terres du domaine et de services personnels. Cela a signifié que pendant des décennies, et dans bien des cas même aujourd'hui, le *latifundio* a été une source de clientèle pour des politiciens locaux qui ont dominé la sphère politique et l'administration gouvernementale, et qui, défendant leurs intérêts, ont assuré la permanence de ce système.

La persistance des grands domaines et de la concentration de la terre explique l'importance que prend la réforme agraire dans les revendications des classes populaires. La situation d'inégalité extrême qui règne dans plusieurs pays est source de nombreuses révoltes et révolutions prônant la réforme agraire. La première de ces révolutions a lieu au Mexique dès 1910. La plus célèbre est sans doute la révolution cubaine qui, dès la prise du pouvoir par les forces castristes en 1959, amorce un processus de réforme agraire. La lutte pour une répartition égalitaire de la terre a par ailleurs inspiré plusieurs mouvements sociaux en Amérique centrale et en Amérique du Sud. Aujourd'hui, le mouvement des « sans terre » au Brésil, au Pérou et en Bolivie met à jour ces revendications.

La substitution des importations :
une industrialisation dépendante aux effets modernisateurs

En Amérique latine, l'industrialisation a lieu à partir des années 1930, en bonne partie comme résultat d'une forte population immigrante d'origine européenne. Jusqu'alors, l'économie latino-américaine s'insérait dans le modèle classique de la première division internationale du travail (voir les chapitres 2 et 3) : elle exportait des matières premières et importait des produits manufacturés. Ce type d'insertion dans l'économie mondiale demeure d'ailleurs la caractéristique de plusieurs pays, surtout en Amérique centrale et dans les Andes. Mais un autre processus est venu se superposer à celui-ci notamment en Argentine, en Uruguay, au Brésil, au Chili, au Venezuela et au Mexique ; un processus d'industrialisation qui s'amorce dans les années 1930 et qui s'intensifie après la Deuxième Guerre mondiale. Dans ces pays, il se développe une industrie de production destinée à remplacer l'importation des biens manufacturés de consommation interne.

À l'industrie textile et agroalimentaire s'ajoutent les produits métalliques, électriques et même l'industrie automobile. Cette «substitution des importations» modifie le rapport des pays aux grandes puissances mais ne change pas le niveau de leur dépendance, comme le soutiennent Cardoso et Faletto (1978). Les nouveaux pays industrialisés importent moins de produits manufacturés, mais deviennent des importateurs de capitaux et de technologies et restent dominés par des centres extérieurs. Il n'en demeure pas moins que la substitution des importations a des conséquences sociales, politiques et territoriales car elle participe d'un processus de modernisation sociale important.

La modernisation politique et ses effets : les classes moyennes

Sur le plan économique, la substitution des importations provoque une amélioration des conditions de vie surtout dans les villes, où se localisent les immigrants européens. La structure économique procure de meilleurs revenus. Parallèlement à l'industrialisation, les appareils d'État se modernisent et se met en place une classe moyenne importante en nombre. Le nombre d'employés dans le secteur public se multiplie. Cependant, cette situation ne concerne pas l'ensemble de l'Amérique latine. Si, dans les années 1970, en Argentine et en Uruguay, les couches moyennes comptent pour plus de 35 % de la population active, à El Salvador et au Guatemala, elles comptent pour moins de 15 % (Rouquié, 1987, p. 158). La modernisation économique n'est donc pas homogène et n'a pas que des côtés positifs.

La croissance économique et la tertiarisation attirent la population rurale, ce qui explique une croissance urbaine accélérée. Les villes gonflent surtout parce que s'y greffent des quartiers périphériques peu et mal équipés, ce qui intensifie la ségrégation urbaine. Elles se polarisent et se fragmentent. Les classes moyennes et riches s'installent dans des quartiers bien dotés en services et équipements alors que les nouveaux migrants s'entassent dans des ceintures de misère où règnent la fragilité et l'économie informelle, mais d'où émergent de nouvelles revendications et de nouveaux mouvements sociaux.

De nouvelles formations politiques voient le jour dans les pays touchés par la substitution des importations[5]. Dans ces pays, de l'industrialisation émerge un mouvement ouvrier puissant qui ne tarde pas à exiger des réformes sociales. En réponse à ces demandes, dans une première étape, des leaders politiques populistes (comme

---

5. Ce processus n'est pas homogène. Les différences seront abordées dans la prochaine section.

Cárdenas au Mexique, Perón en Argentine, Vargas au Brésil et, avec des nuances, Aguirre Cerda au Chili) prennent le pouvoir. Leurs gouvernements appliquent des stratégies économiques nationalistes et keynésiennes. Ils réalisent des réformes sociales importantes et créent des institutions d'appui à l'industrialisation dans les villes. Ces réformes sont cependant insuffisantes. De nouvelles revendications sociales sont à l'origine de vastes mouvements sociaux. De nouvelles coalitions politiques et sociales se mettent en place, comme en témoigne l'exemple de l'Unité populaire au Chili, dont les bases remontent à 1956, qui gagne les élections et assume le gouvernement en 1970, avec comme objectifs de développer économiquement le pays, de briser les liens de dépendance envers l'extérieur et d'accroître la justice sociale.

6.4.   Les Amériques latines : spécificités et tendances actuelles

Le cadre général que nous avons dressé dans la section précédente ne suffit pas à expliquer la situation actuelle de l'Amérique latine. C'est que, comme on l'a dit, l'Amérique latine ne recouvre pas une mais plusieurs réalités et on ne peut pas conclure à une quelconque homogénéité. Certes, en ce qui concerne certains indicateurs de développement et de richesse, à quelques exceptions près, notamment celle d'Haïti, la situation des pays latino-américains est intermédiaire, si l'on s'en tient à la comparaison de leur indice du développement humain (IDH) et de leur produit intérieur brut (PIB) avec ceux du reste du monde. Mais les fortes inégalités rendent ces statistiques peu significatives. Dans les villes, la population des quartiers aisés affiche un mode de vie comparable à celui de l'Amérique du Nord ou de l'Europe, dans des environnements exclusifs qui les distinguent socialement des populations pauvres. Dans les zones rurales, des paysans sans terre et des prolétaires agricoles doivent vivre avec des revenus très faibles, la concentration du revenu étant une des caractéristiques de la plupart des pays. La distance sociale entre un paysan sans terre de l'Amazonie bolivienne et un résident du quartier Providencia à Santiago est aujourd'hui plus grande que celle entre ce dernier et un résident d'une grande ville nord-américaine ou européenne.

Les transformations récentes imposées par la mondialisation renforcent les inégalités engendrées par une structure économique plus que séculaire. Ces inégalités concernent certes les revenus et les capacités industrielles des pays et des régions, mais elles concernent surtout le potentiel des populations connectées à la sphère de possibilités qu'ouvre l'espace économique et social mondialisé par rapport à celles qui en sont exclues. Les technologies de communication, indicateurs par excellence de l'insertion dans l'espace mondialisé, confirment, voire intensifient ces inégalités. À titre d'exemple, 10 des 26 pays de l'Amérique latine affichent des pourcentages de pénétration d'Internet inférieurs à 20 %, ces pays étant ceux dont le PIB/h est le plus faible. Seulement quatre pays de la région ont des taux de pénétration au-dessus de 50 %. Ces chiffres doivent être comparés au 77 % des États-Unis et au 78 % du Canada (tableau 6.3).

Tableau 6.3.
Indicateurs de développement des pays latino-américains, par grande région*

Pays	IDH en 2007 (place parmi les 182 pays classés)	PIB/hab. $US en 2009 (parité de pouvoir d'achat)	Part du revenu concentrée par le décile supérieur	Taux de pénétration d'Internet en % (2010)
Mexique				
Mexique	53	13 200	36,3	27,2
Isthme de l'Amérique centrale				
Nicaragua	124	2 800	41,8	10,0
Honduras	112	4 100	42,2	12,0
Guatemala	122	5 100	42,4	16,8
Panama	60	12 100	41,4	28,1
Costa Rica	54	10 900	35,5	44,3
El Salvador	106	7 200	37,0	16,1
Belize	93	8 300	ND	19,1
Arc antillais				
Cuba	51	9 700	ND	14,0
République dominicaine	90	8 300	38,7	30,5
Haïti	149	1 300	47,8	10,4
Jamaïque	100	8 400	35,6	55,5
Porto Rico	ND	17 100	ND	25,1
Guyana	114	6 500	34,0	29,4
Suriname	97	9 500	40,0	33,5
Guyane française	ND	8 300	ND	24,6
Amérique lusophone				
Brésil	75	10 000	43,0	37,8
Amérique andine				
Pérou	78	9 200	37,9	27,0
Colombie	77	7 100	45,0	48,7
Bolivie	113	4 700	44,1	11,1
Venezuela	58	13 000	37,2	34,2
Équateur	80	7 500	43,3	16,0
Cône sud				
Argentine	49	13 400	32,6	64,4
Chili	44	14 600	41,7	50,0
Paraguay	101	4 600	42,3	15,7
Uruguay	50	12 600	34,8**	52,8

* À l'exception de Belize et des Guyanes (incluant Guyana, Suriname et Guyanne française), seulement les pays de plus d'un million d'habitants sont compris dans ce tableau. Les Petites Antilles n'y sont donc pas mentionnées.

** Données se rapportant aux zones urbaines uniquement.

Sources : *CIA World Factbook* (2010), PNUD (2009) et Internet World Stats (2010).

L'évolution récente des six grandes régions citées dans la première section de ce texte s'insère dans leurs trajectoires historiques. Dans certains cas, elles se poursuivent, dans d'autres, des bouleversements donnent à voir des changements de tendance. Dans tous les cas, une crise profonde des institutions remet en question les arrangements sociaux et les modèles de développement, comme le montre bien Castells (2005). Plusieurs pays sont la scène de processus de reconversion économique et sociale motivés par l'adaptation à un environnement international marqué par les grands traits de la mondialisation. Dans les pages qui suivent, nous examinerons ces différentes régions en faisant ressortir leurs traits particuliers, leurs éléments distinctifs sur le plan historique, politique, social et économique, ainsi que les nouvelles convergences sociopolitiques à l'œuvre sur leurs territoires. Lorsque cela sera utile, nous insisterons sur des cas – pays, régions, villes, événements précis –, illustrant bien les tendances qui se dessinent, sans pour autant chercher l'exhaustivité.

6.4.1.   Le Mexique : si loin de Dieu… !

Tiraillé entre son intégration culturelle avec les pays latino-américains de culture hispanique et son intégration démographique et économique avec les États-Unis, le Mexique fait la preuve de l'inconsistance de la division entre Amérique du Nord et Amérique latine. Avec plus de cent millions d'habitants, dont plus du cinquième est concentré à Mexico, dans ce qui est l'une des villes les plus peuplées, mais aussi les plus polluées de la planète, le Mexique est le pays de langue espagnole le plus peuplé, ce qui lui donne une place importante dans l'hispanité.

Le Mexique est l'un des pays les plus développés de l'Amérique latine, comme le montrent son indice du développement humain et son PIB. Mais ce développement est aussi très inégal, ce dont témoignent les disparités régionales et ethniques[6]. Au début du xxe siècle, un développement industriel largement financé par les capitaux étasuniens a provoqué des réactions chez les paysans qui se sont sentis lésés. La légendaire « révolution mexicaine » explose et met le pays dans une situation chaotique qui ne se stabilisera qu'à la fin des années 1930, alors que le gouvernement de Lázaro Cárdenas construit une économie nationale forte, appuyée sur l'exploitation du pétrole. Avec le Parti révolutionnaire institutionnel (PRI), le Mexique amorce un processus de modernisation économique mais aussi de confrontation sociale aiguë. Une importante classe moyenne accompagne la création d'un État interventionniste et protectionniste,

---

6.   Le pays est marqué par une forte présence autochtone. Les civilisations précolombiennes des Mayas, des Toltèques et des Aztèques ont laissé des traces importantes, que la conquête espagnole n'est pas parvenue à détruire, même si elle s'y est employée avec force. Le pays est très métissé et la présence indigène est un important facteur de diversité culturelle. Les traces du passé sont exhibées avec orgueil même si, au plan social, la population indigène est défavorisée.

ainsi que la mise en place d'infrastructures sociales et culturelles d'envergure. Mais les classes populaires et surtout les indigènes demeurent dépossédés et l'emprise de l'État se traduit par une bureaucratie arrogante et corrompue.

Le Mexique est économiquement très intégré avec les États-Unis[7]. Cette intégration se renforce dans les années 1970, avec le développement de la zone de la *Maquiladora*, comme résultat d'ententes entre les gouvernements des deux pays destinées, d'une part, à créer de l'emploi et, d'autre part, à faciliter l'accès des entreprises étasuniennes à la main-d'œuvre mexicaine sans que celle-ci ait à migrer. Des entreprises étasuniennes s'installent donc progressivement dans une zone mexicaine établie à la frontière, donnant lieu à une croissance urbaine fulgurante, mais sans développement social. Les *maquiladoras* fabriquent des pièces destinées à des entreprises d'assemblage situées aux États-Unis ou assemblent des produits destinés à l'exportation. Leur nombre n'a pas cessé de croître jusque dans les années 1990, moment à partir duquel l'émergence des économies asiatiques, notamment celle de la Chine, a rendu le Mexique moins attirant. L'intégration économique s'est traduite par l'intégration urbaine, voire par des agglomérations intégrées de part et d'autre de la frontière, comme entre San Diego et Tijuana par exemple.

Plusieurs crises financières, dont celle de 1994, ainsi que la pression des organisations financières internationales, ont amené le gouvernement mexicain à changer les politiques de protection économique qu'il appliquait depuis les années 1940, à ouvrir ses frontières et à privatiser l'économie. Un moment marquant de ce processus a été la signature de l'Accord de libre-échange nord-américain (ALENA), avec le Canada et les États-Unis, entré en vigueur en 1994. La signature de l'ALENA est vue par les populations pauvres, majoritairement indigènes, comme une atteinte à leurs acquis, surtout à cause de la privatisation des *éjidos* (terres collectives), qu'elles considèrent comme un droit ancestral. Cela provoque, entre autres, le soulèvement au Chiapas de l'Armée zapatiste de libération nationale, inspirée par la lutte d'Émiliano Zapata, leader de la révolution mexicaine. Depuis 1994, de vastes zones du sud sont sous contrôle zapatiste.

Corrodée par la pauvreté, la corruption, la violence et l'économie informelle, l'administration publique a perdu progressivement sa légitimité. La population nantie des grandes villes se concentre dans des quartiers de richesse où les résidents clôturent non seulement leur maison mais aussi leurs rues, afin de se protéger, implantant même leurs propres systèmes de sécurité. Dans les vastes quartiers pauvres, c'est le règne de la violence et de l'insécurité.

---

7. Il faut dire que les relations du Mexique avec ce pays sont historiques, et elles ont toujours combiné amitié et haine. Porfirio Diaz n'a-t-il pas prononcé en 1910 cette phrase célèbre : « *Pobrecito México, tan lejos de Dios y tan cerca de los Estados Unidos !* » (Pauvre Mexique, si loin de Dieu et si près des États-Unis !)

Le climat chaotique en ville et en campagne a été l'un des facteurs qui a mené la population, en 2000, à élire Vicente Fox, du Parti Action nationale (PAN), parti de droite, mettant ainsi fin à plus d'un demi-siècle de règne du PRI. Le gouvernement de Fox n'a cependant pas été une solution aux problèmes des plus démunis. Une autre option a émergé dans les dernières années, un mouvement de «gauche pragmatique» incarné d'abord par le Front démocratique national, devenu parti en 1989 sous le nom de Parti de la révolution démocratique (PRD). Dirigé d'abord par Cuauhtémoc Cárdenas et, ensuite par López Obrador, ce mouvement a gagné les élections au gouvernement du district fédéral en 1997 et, à partir de là, a fait la preuve de sa capacité de gouverner. Son programme politique est vu par plusieurs comme la seule possibilité d'une réelle solution de recharge face au vieux Parti révolutionnaire institutionnel (PRI) et au Parti Action nationale (PAN) qui lui a succédé au pouvoir[8]. Cependant, des conflits internes ont récemment affaibli cette option.

6.4.2. L'isthme de l'Amérique centrale: les «républiques de bananes»

L'Amérique centrale est composée de sept pays de petite taille, tous de langue espagnole, sauf le Belize, de langue anglaise, issus de la désagrégation de la Confédération d'Amérique centrale, érigée à la suite de l'Indépendance et d'une courte période de rattachement au Mexique. À l'exception du Costa Rica et du Panama, leur produit intérieur brut par habitant et leur indice de développement humain sont faibles, comparativement au reste de l'Amérique latine. Cette région se caractérise par sa ruralité, le pourcentage de population urbaine étant moins important qu'ailleurs, et par sa très forte composante indigène.

Émiettée, densément peuplée, cette région, qui sert de pont entre l'Amérique du Nord et l'Amérique du Sud, mais aussi, à travers le canal de Panama, entre le Pacifique et l'Atlantique, est marquée par les injustices sociales et par l'instabilité politique. La richesse économique engendrée par le canal de Panama, construit par les États-Unis, ouvert en 1914 et complètement contrôlé par ce pays jusqu'à sa rétrocession en 1999, constitue une exception dans un monde dominé par la production agricole et la plantation. La zone du canal a d'ailleurs été utilisée par les États-Unis comme base de contrôle politique et de formation des militaires latino-américains.

Ces pays sont marqués par une très forte inégalité sociale provoquée par la concentration de la terre, leur principale ressource étant mise en valeur pour la culture de produits d'exportation (café et fruits), ce qui leur a valu le nom de «républiques de bananes». Des entreprises étasuniennes, dont la United Fruit est un symbole, ont investi la terre, laissant localement peu de richesses, mais assurant le contrôle politique

---

8. Les élections générales tenues en juillet 2006 ont porté au pouvoir le Parti Action nationale, mais par une majorité inférieure à 1%.

des pays par l'intermédiaire des élites locales mais aussi des *Marines* étasuniens qui n'ont pas hésité à intervenir militairement lorsque leurs intérêts étaient menacés. Des familles nationales, protégées par l'armée étasunienne, se sont enrichies par la concentration de la terre et ont accumulé pouvoir économique et pouvoir politique.

À titre d'exemple, citons le cas du Nicaragua, qui illustre bien la situation politique et sociale de l'Amérique centrale. Anastasio Somoza, placé au pouvoir par les forces armées étasuniennes en 1937, et sa famille ont gouverné ce pays pendant 40 ans, en en profitant pour concentrer la terre et les affaires. Même l'aide internationale donnée à la suite du tremblement de terre qui a détruit une partie de Managua en 1970 est allée dans leurs coffres, ce dont témoigne un centre-ville qui demeure en ruines malgré l'aide reçue pour sa reconstruction.

En 1979, le Front sandiniste de libération nationale (FSLN) prend le pouvoir par les armes, après une lutte de plusieurs années, et le conserve jusqu'en 1990. Son principal objectif est la réforme agraire afin d'établir une répartition plus juste et plus moderne de la terre, dans une perspective socialiste. La réaction des États-Unis, gouvernés alors par R. Reagan, ne s'est pas fait attendre, finançant et appuyant une réaction armée connue comme *la contra* (pour contre-révolutionnaire).

Le manque de moyens et d'expérience, des erreurs importantes, notamment à l'endroit des *misquitos*, population indigène, mais aussi la haine des classes possédantes qui avaient été dépouillées de leurs privilèges et de leurs possessions foncières, ont nourri un sentiment antisandiniste. En 1990, avec l'appui d'une coalition disparate et des promesses du gouvernement étasunien d'un fort appui au développement économique du pays, Violeta Barrios de Chamorro gagne les élections et déloge le FSLN du pouvoir. La révolution sandiniste avorte et avec elle s'éteint l'inspiration qui animait les révolutionnaires du Salvador et du Guatemala. Depuis, les gouvernements de droite se sont succédé au Nicaragua, les réformes sandinistes ont été abolies, mais l'aide étasunienne promise ne s'est jamais rendue, le pays demeurant l'un des plus pauvres, des moins développés et, surtout, le plus inéquitable dans la répartition de la richesse de toute l'Amérique latine. Ultimement, lors des élections de 2006, un FSLN très modifié, toujours dirigé par Daniel Ortega mais sans l'appui des dirigeants historiques de ce parti, a été porté au pouvoir, sans pour autant changer fondamentalement la gouvernance du pays.

Récemment, le Nicaragua, comme le Honduras et le Guatemala, sont devenus des territoires de choix pour la délocalisation de certaines entreprises, notamment de celles œuvrant dans le vêtement ou dans le textile, à la recherche d'une main-d'œuvre bon marché. Dans ces entreprises, qui engagent essentiellement des femmes, la syndicalisation est interdite, les conditions de travail sont minimes et les contraintes environnementales légères.

6.4.3.   L'arc antillais: l'Afrique en Amérique

L'arc antillais comprend ce qu'on appelle les îles Caraïbes, un ensemble d'îles qui ferment la Mer des Antilles (ou la mer des Caraïbes). Constitué des Grandes et des Petites Antilles, et, pour plusieurs auteurs, des Guyanes (Guyana, Suriname et la Guyane française), qui se trouvent sur le versant caraïbe de l'Amérique du Sud, l'arc antillais est une mosaïque culturelle et sociale dont le seul lien est d'avoir subi l'élimination complète de la population autochtone caraïbe, qui a été remplacée par la main-d'œuvre africaine à l'époque de l'esclavage. La prééminence de la population noire explique l'existence de traits culturels particuliers, moins présents dans le reste de l'Amérique latine. Ces traits s'expriment, entre autres, par la présence de langues créoles, par des syncrétismes religieux et par une musique au rythme africain. Très largement dominée par la production de la canne à sucre, cette région s'est développée sur un mode très dépendant des marchés extérieurs. Récemment, une autre richesse est devenue très importante, mais dont l'exploitation est tout aussi dépendante: le tourisme. Dans cette région où se côtoient les extrêmes, nous ne retiendrons dans ce texte que les pays situés dans les Grandes Antilles (Cuba, Haïti, Jamaïque, République dominicaine et Porto Rico). Parmi ceux-ci, qui constituent tous des cas particuliers, nous insisterons sur Haïti et Cuba, en raison de l'effet plus récent de leur présence à l'échelle latino-américaine.

La république d'Haïti, ancienne colonie française, a été le premier État latino-américain à conquérir son indépendance (1804), à la suite d'un soulèvement mené par les esclaves dirigés par Toussaint Louverture. Le caractère d'exemple que représentait l'indépendance haïtienne a amené les puissances européennes à l'entourer d'un «cordon sanitaire» (Bataillon, Deler et Théry, 1991, p. 204) limitant son expansion. Anciennement riche à cause de la production sucrière destinée à la France, le pays s'est vu privé de ce marché et de sa structure productive. De nombreux conflits et guerres civiles ont fragilisé le pays, ce qui a servi de justification aux États-Unis pour l'occuper entre 1915 et 1934. Depuis, plusieurs dictatures se sont succédé dont la plus durable a été celle des Duvalier (père et fils) entre 1957 et 1986. Plus récemment, l'élection d'Aristide, appuyée par une vaste coalition populaire, a donné de grands espoirs, qui ne se sont, hélas, pas réalisés. Aristide a été chassé du pouvoir, ce qui a provoqué le chaos et l'intervention des États-Unis. Son retour ultérieur n'a fait qu'intensifier ce chaos. Aujourd'hui, le niveau de développement et de richesse de ce pays sont les plus faibles de l'ensemble de l'Amérique latine et le placent au plan des moins développés du monde, Haïti étant pour plusieurs un morceau d'Afrique en Amérique. Un tremblement de terre d'une magnitude 7,3 à l'échelle de Richter, dont l'épicentre se situait à 17 km de la capitale Port-au-Prince, est venu compliquer la situation nationale le 12 janvier 2010, laissant derrière lui 220 000 morts et plus de 300 000 blessés. On estime que 1,5 million de personnes, soit 15 % de la population, ont été affectées de façon directe par les évènements.

Parallèlement, on trouve aussi l'île de Cuba, qui affiche un des plus hauts taux de développement humain en Amérique latine, et ce, malgré un PIB/hab. faible. Rappelons que Cuba, hormis le cas des Petites Antilles dont l'indépendance est récente, a été la dernière république à se libérer du joug colonial et à devenir indépendante. Ce pays, qui, comme Porto Rico, est resté attaché à la métropole pendant tout le XIXe siècle, a conquis sa liberté après une guerre contre l'Espagne qui s'est achevée avec la participation des États-Unis. Cuba a alors connu un développement inféodé aux États-Unis, lesquels dominaient et son économie, largement concentrée dans l'industrie sucrière, et son administration politique[9].

Cette situation a radicalement changé à partir de 1959, à la suite de la révolution dirigée par Fidel Castro. La réforme agraire s'est combinée à l'application d'un programme socialiste. Bloqué commercialement par les États-Unis, le nouveau gouvernement cubain s'est cependant profondément inséré dans le bloc économique socialiste, dont pourtant, au départ, il ne partageait pas tout à fait les points de vue. Parallèlement, Cuba s'est érigée en porte-parole du tiers-mondisme et, à cause de sa population dite afro-cubaine, a établi des liens profonds avec des pays africains, notamment l'Angola.

Les rapports commerciaux favorables avec l'Union soviétique et les autres pays socialistes ont permis à l'État de mettre en place une structure éducative et de santé performante et accessible, mais ont maintenu le pays dans une situation monoproductive spécialisée dans le sucre. L'économie étatisée n'a pas été capable de répondre aux besoins de consommation de la population, ce qui a créé un sentiment de frustration, malgré l'accessibilité et la gratuité des services scolaires et médicaux. Ce sentiment a d'ailleurs été renforcé par l'«effet de démonstration» des niveaux de consommation auxquels a accès la population cubaine émigrée à Miami.

Après la chute du bloc socialiste amorcée en 1989, Cuba perd son marché pour sa production de sucre, le blocus étasunien devenant alors beaucoup plus nuisible. Cela provoque de graves difficultés économiques. Le pays se réoriente alors vers le tourisme et s'ouvre au dollar, ce qui permet d'obtenir des devises étrangères. Cette réorientation a cependant des effets négatifs visibles. La prostitution, la division sociale entre ceux qui ont accès aux dollars, et aux produits qu'ils procurent, et ceux qui n'y ont pas accès, ainsi que les activités illégales qui permettent de se procurer des dollars ou de les détourner de la fiscalité gouvernementale, affaiblissent un régime déjà socialement faible à cause du manque de renouvellement dans sa conduction politique. Néanmoins, des expériences ponctuelles, dont celle de la réhabilitation de la Vieille

---

9. La domination des États-Unis sur Cuba a été consignée par une clause introduite dans sa constitution en 1902, dite amendement Platt, qui accorde aux États-Unis le droit d'intervenir pour protéger leurs intérêts, ainsi que le droit d'implanter la base de Guantanamo.

Havane, montrent les embryons d'un changement dans la gouvernance du pays, qui combine de plus en plus l'investissement privé étranger avec celui de l'État, et qui ouvre une place à l'initiative locale (voir le texte de Le Bel, Capsule 6A).

6.4.4. Le Brésil : le géant latino-américain

Le Brésil se distingue des autres pays latino-américains par sa culture, sa langue, sa taille et sa puissance économique. C'est la principale puissance en Amérique latine. Sa position eu égard aux autres pays de l'Amérique du Sud est stratégique : il a des frontières avec tous les pays sauf le Chili et l'Équateur. Cette position est renforcée par sa position au sein du Mercosur, le Marché commun du Sud, mis en place en 1991 par le Brésil, l'Argentine, l'Uruguay et le Paraguay, et auquel se sont joints le Chili (1996), la Bolivie (1996), le Pérou (2003), la Colombie (2004) et l'Équateur (2004) à titre de membres associés et, depuis juillet 2006, le Venezuela, à titre de membre régulier. Le Brésil génère une grande richesse, mais cette richesse est très mal répartie.

Sa population est largement concentrée dans des grandes villes, dont São Paulo, Rio de Janeiro, Belém, Belo Horizonte, Fortaleza, Salvador, Porto Alegre et plusieurs autres, toutes, sauf Brasilia et Manaus, situées sur le littoral. La population de ces villes croît à un rythme très rapide, notamment à cause des migrations rurales. L'occupation de son *hinterland* a d'ailleurs représenté l'un des grands défis pour l'État, ce dont témoigne la construction de la ville de Brasilia entre 1956 et 1960. C'est un pays dont le développement est très inégal sur le plan territorial. La richesse s'est progressivement concentrée dans les États du Sud, là où sont localisés l'industrie et les services, et la pauvreté dans le Nord-Est, dans la région aride du Sertao. Dans les villes, y compris des villes riches comme São Paulo, considérée comme l'une des villes mondiales, les inégalités sont énormes. Les populations défavorisées se concentrent dans les *favelas*.

Le développement du Brésil a été cyclique, chaque cycle étant lié à des formes économiques et productives précises et à des régions précises. La culture de la canne à sucre, puis du café, le boom du caoutchouc, la substitution des importations et la croissance financière expliquent le déplacement du centre de gravité économique du Nord-Est au Sud-Est. Le Brésil moderne se construit à partir de 1930 alors que le gouvernement de Gétulio Vargas (1930-1954) met en œuvre des réformes économiques et sociales de type keynésien – dit le *estado novo* –, appuyées par le nationalisme et le populisme. Des entreprises d'État destinées à exploiter les ressources et des institutions publiques pour appuyer le développement industriel sont créées au début des années 1950. Une période d'industrialisation et de croissance s'amorce, laquelle aboutit à la construction de Brasilia entre 1956 et 1960, sous le gouvernement de Juscelino Kubitschek. Cette croissance est cependant très inégalitaire. Elle se fait au profit du capital national et étranger et des grands propriétaires fonciers, les *fazendeiros*, ce qui engendre l'insatisfaction et la révolte sociale, lesquelles sont amplifiées par une période de récession dans les années 1960.

Une coalition progressiste permet l'élection du gouvernement réformiste de Joao Goulart, dont les réformes sociales, notamment la réforme agraire, sont arrêtées par un coup d'État militaire en 1964. S'installe alors une dictature qui gouverne jusqu'en 1985 et qui préfigure ce que seront plus tard les dictatures militaires en Uruguay, au Chili et en Argentine. La croissance économique du Brésil, que l'on a nommée le «miracle brésilien», est alors soutenue par une stabilité sociale construite sur la persécution des partis de gauche et des syndicalistes, sur la torture et sur l'emprisonnement, et sur les inégalités sociales. Le gouvernement inaugure l'application d'une stratégie géopolitique dite de «sécurité intérieure», une guerre contre les positions progressistes, justifiée par la guerre froide, stratégie qui sera adoptée par la suite par d'autres dictatures militaires dans les pays du Cône sud (nous y reviendrons).

Le choc pétrolier et l'endettement mettent fin à la croissance. Il s'ensuit une crise financière qui se solde en 1989 par l'arrêt du paiement de la dette. Amplifiée par la corruption, cette crise engendre une forte instabilité monétaire et politique. Les dévaluations monétaires se succèdent et l'inflation est incontrôlée. D'abord ministre des Finances puis, en 1994, nouveau président du pays, Fernando H. Cardoso stabilise le pays avec l'appui du FMI. Il contrôle l'inflation et développe la consommation interne. Mais il soumet le pays à un profond programme d'ajustement qui accentue la pauvreté des plus démunis, tant en ville qu'à la campagne. Une nouvelle crise financière en 1999, dite «crise du real», donne à voir la fragilité d'une partie importante de la population, le pays demeurant l'un des plus inégalitaires au monde. Le gouvernement de Cardoso se heurte à l'opposition active des plus démunis, notamment au mouvement des paysans et des travailleurs sans terre, ardents défenseurs de la réforme agraire et des réformes sociales.

L'incapacité des institutions d'apporter des solutions durables et équitables à la crise sociale porte au pouvoir une nouvelle option politique, celle du Parti des travailleurs (PT) dirigé par Luiz Inácio da Silva (Lula). Moins idéologique que les partis de gauche traditionnels, le PT s'est fait à l'art de gouverner d'abord dans les villes, notamment à Porto Alegre, en mettant en œuvre des modalités de gestion participative. Aux élections municipales tenues en 2000, le PT gagne dans 17 des 62 plus grandes villes du Brésil. Depuis son accession au pouvoir en 2003, Lula a amorcé l'application d'un programme de réformes sociales, dont notamment la réforme agraire. Il doit faire face néanmoins à des blocages importants posés par les structures sociales rigides et par les institutions internationales, dont le FMI, ainsi qu'à l'impatience des mouvements sociaux et à des problèmes de corruption importants.

6.4.5. L'Amérique du Sud hispanique andine : le palimpseste indigène

L'Amérique andine est constituée de cinq pays : le Venezuela, la Colombie, l'Équateur, le Pérou et la Bolivie, auxquels il aurait fallu ajouter le Chili, n'eût été de sa population et de son développement récent qui le rapprochent davantage de l'Argentine et de l'Uruguay. Territoire d'une culture très ancienne, la population andine a été marquée par les structures et les rapports sociaux implantés à l'époque coloniale. La grande propriété a modelé les hiérarchies sociales et servi de base d'appui aux dictatures familiales dont Gabriel García Marquez a dépeint les traits caricaturaux. Dans cette région, on distingue trois milieux de vie différents, la côte (*la Costa*), les hauts plateaux andins (*la Sierra*) et les plaines tropicales (*la Selva*), mais le paysage dominant est celui de la cordillère des Andes. À l'exception du Venezuela, ces pays ont été complètement modelés par la cordillère et par les espaces de vie qu'elle permet, en ce qui concerne leur économie et leur habitat.

Dans les pays andins, il est possible de distinguer deux blocs : le Venezuela, la Colombie et l'Équateur, d'une part, et le Pérou et la Bolivie, d'autre part. Rappelons que le Venezuela est la patrie de Simon Bolívar, l'un des artisans de l'indépendance latino-américaine. Bolívar, voulant l'intégration des pays indépendants de l'Espagne et désireux de bâtir un grand pays, a formé la Grande Colombie, intégrant la Colombie, le Venezuela et l'Équateur, qui éclate en 1830, les trois pays la composant devenant des États indépendants. Dans ces trois pays se combinent les paysages andins et les activités andines traditionnelles, caractérisées par l'importance de l'activité minière, la présence d'une population indigène importante et du métissage et par l'héritage culturel des sociétés andines d'altitude, avec les paysages et activités typiques des basses terres tropicales caractérisées par la présence de populations d'origine africaine et de mulâtres. Le folklore andin où dominent la *quena* et le *charango* alterne avec la *cumbia* aux accents africains. Ce qui marque surtout ce bloc est la permanence d'une crise due à la dualité entre richesse et pauvreté, entre modernité urbaine et immobilisme rural. La force des barons et cartels de la drogue en Colombie auxquels s'associe une guérilla qui s'enlise, les aventures populistes qui ont failli en Équateur et, surtout, ce que l'on a appelé la « révolution bolivarienne » au Venezuela donnent à voir une zone affectée par des bouleversements profonds.

Le cas du Venezuela s'est particularisé à cause du pétrole et, depuis la fin des années 1990, à cause de la « révolution bolivarienne », inspirée de l'idéologie de Bolívar et dont les objectifs principaux sont le nationalisme économique et la solidarité latino-américaine. Dans les années 1960 et 1970, l'exploitation du pétrole a permis la construction d'infrastructures de transport et de centres d'achats très modernes, qui ont transformé la ville de Caracas, donnant l'illusion d'une ville nord-américaine. La population du pays est largement urbanisée, ce qui est une exception en milieu andin. Le pays a aussi pu compter pendant de longues périodes sur des régimes politiques stables aux perspectives sociales élevées, au coût d'un fort endettement cependant. La crise du pétrole des années 1990 a rendu ces acquis plus fragiles et a provoqué une importante crise sociale, qui a abouti à la prise du pouvoir par l'ex-général Hugo Chávez, lequel a rompu avec l'alternance des partis politiques traditionnels et a proposé la « révolution bolivarienne ». À cause de ses traits nationalistes et populistes, ainsi que de sa rhétorique anti-étasunienne, celle-ci peut sembler d'une autre époque, mais ne cesse de gagner en crédibilité et en influence. À titre d'exemple, le Venezuela est le principal membre du consortium formé par l'Argentine, l'Uruguay et Cuba ayant mis en ondes le canal de télévision Telesur. De plus, le Venezuela a été admis comme membre associé du MERCOSUR en juillet 2006 et un échéancier a été établi pour son admission comme membre régulier. De plus, plusieurs dirigeants politiques (Evo Morales, Bolivie, et Rafael Correa, Équateur) partagent ses positions.

Quant au bloc formé par le Pérou et la Bolivie, sa population est largement andine, bien qu'une partie du territoire de ces pays soit amazonienne, et elle est fortement marquée par son passé inca et colonial. La grande propriété terrienne, le *latifundio* et la ségrégation sociale à l'endroit des paysans et des indigènes caractérisent les espaces ruraux. Le mouvement de guérilla d'inspiration maoïste, *sendero luminoso* (sentier lumineux), qui a assiégé le Pérou pendant les années 1980, s'est nourri de l'indignation suscitée par cette situation d'inégalité, que les réformes réalisées à la fin des années 1960 par le dictateur nationaliste Velasco Alvarado n'ont pas effacée. Le terrorisme de ce mouvement et l'absence d'option crédible proposée par les partis de la droite et de la gauche ont provoqué l'élection d'Alberto Fujimori, qui, dans les années 1990, s'est érigé en dictateur civil, ce qui, sous prétexte de mater la guérilla, a détruit l'institutionnalité démocratique. De son côté, la Bolivie a connu une réforme agraire importante mais inconclue en 1952. Les ressources naturelles étant exploitées par des capitaux étrangers aux dépens de la population locale et les services à la population étant de faible niveau et peu accessibles, de fortes révoltes populaires ont explosé depuis de façon répétée, rendant le gouvernement encore moins stable. Au Pérou et en Bolivie, les mobilisations sociales sont intenses mais les options de changement ne prennent pas pour le moment la forme d'une proposition institutionnelle claire, et ce, en dépit de l'élection du premier président indigène en Bolivie, Evo Morales, en décembre 2005. Les citoyens, se méfiant des institutions, tendent à se prendre en charge et à mettre en place des formes autonomes de développement basées sur l'économie sociale, comme en témoignent le cas célèbre de *Villa El Salvador* au Pérou et les *asentamientos* mis en place par les paysans sans terre en Bolivie.

6.4.6. Le Cône sud : l'Europe en Amérique

Le Cône sud est formé par quatre pays : l'Argentine, le Paraguay, le Chili et l'Uruguay. À l'exception du Paraguay, cette région, comparativement au reste de l'Amérique latine, présente une économie forte et des niveaux de développement élevés. La population y est essentiellement urbaine et se concentre dans les principales villes de chaque pays (Buenos Aires, Santiago et Montevideo), ce qui crée des inégalités remarquables dans l'occupation du territoire. Cette région a bénéficié d'un important flux migratoire européen. En Argentine et en Uruguay, l'émigration italienne, entre autres, a renversé le déficit démographique qui résultait de l'occupation coloniale, laquelle se concentrait surtout dans les Andes.

L'Argentine et l'Uruguay ont profité d'une industrie agroalimentaire performante et moderne pour développer leur secteur exportateur. Les grands domaines, appelées *estancias* ont servi de cadre à l'élevage de troupeaux bovins et ovins. Les richesses ainsi produites ont servi à développer des services d'éducation et de santé accessibles à la population ainsi que des villes aux allures européennes où se concentre la population immigrée. Le syndicalisme et, surtout en Argentine, le populisme, incarné par le gouvernement de Juan-Domingo Perón entre 1943 et 1955, contemporain de Vargas au Brésil, ont été des facteurs importants pour la mise en place d'un État-providence et d'un filet de protection sociale. La substitution des importations a mis en place un secteur industriel fort, dans diverses branches, notamment dans l'automobile.

L'Argentine, l'Uruguay et le Chili ont connu entre les années 1970 et 1980 une évolution politique similaire. Des dictatures militaires ont pris les rênes du pouvoir utilisant les mêmes méthodes et ont implanté des régimes de terrorisme d'État, que plusieurs ont qualifiés de fascistes. Ces régimes cherchaient à juguler une gauche politique et syndicale montante. Au Chili, une coalition formée par des partis marxistes, social-démocrates et chrétiens avait permis l'élection en 1970 de Salvador Allende, avec un programme de «socialisme démocratique». En Uruguay, une coalition similaire avait conquis un pourcentage important de l'électorat en 1971, même si elle n'a pas réussi à faire élire son leader Liber Seregni. En Argentine, le retour de Juan-Domingo Perón en 1973, qu'un coup d'État avait délogé du pouvoir en 1955, a créé un climat d'instabilité. En Uruguay et en Argentine, des mouvements de guérilla urbaine ajoutent au climat d'incertitude, ce qui permet aux militaires de justifier leur intervention.

En réponse aux menaces que représentait la situation politique et sociale pour les intérêts des capitaux étrangers et nationaux et pour les grands propriétaires terriens, les forces armées des trois pays prennent le pouvoir – en 1973 en Uruguay et au Chili, puis en 1976 en Argentine – et implantent un climat de terreur, soutenues d'ailleurs par une alliance avec les gouvernements militaires du Brésil et du Paraguay. Rappelons que le Brésil était gouverné par une dictature militaire pour des raisons semblables depuis 1964 (jusqu'à 1985). Quant au Paraguay, ce pays était gouverné par la dictature de Stroessner, d'une autre époque (1954-1989), mais tout aussi dure.

Dans les années 1980, la démocratie revient mais les militaires ne sont pas condamnés, sauf de façon ponctuelle ou symbolique. S'implantent alors des régimes de transition qui suivent des trajectoires différentes mais convergentes. Dans les trois cas, on suit le modèle néolibéral, mais avec des conséquences différentes.

En Argentine, le retour à la démocratie en 1983 est dû à l'usure d'un régime militaire qui n'a pas pu produire la croissance et qui a provoqué et perdu la guerre des Malouines, contre la Grande-Bretagne, en 1982. La transition se fait d'abord sur un fond de chaos financier et social. L'inflation prend des allures gigantesques. L'élection de Carlos Menen, péroniste de droite, s'est soldée par une politique économique alignée de façon stricte sur les politiques du Fonds monétaire international (FMI). Le secteur public subit des compressions sévères et une nouvelle monnaie est mise en place, le peso, dont la valeur suit celle du dollar américain. L'inflation est jugulée mais au coût de la croissance du chômage. Bon élève du FMI, le pays a connu d'abord un boom financier et ensuite la faillite. En 2001, la monnaie nationale est dévaluée.

Les épargnes perdent leur valeur et les salariés, leur pouvoir d'achat. Indignée, en décembre 2001, la population, notamment les classes moyennes, s'empare de la rue jusqu'à faire tomber le gouvernement. Parallèlement se mettent en place des monnaies locales, voire des formes de troc qui remplacent l'économie monétaire. Les travailleurs ne sont pas payés pendant des mois. La situation d'instabilité dure jusqu'en 2003 alors que l'élection du péroniste Kirchner apporte de l'espoir. Le gouvernement renégocie son service de la dette avec le FMI et implante des formes d'aide à la population, qui, se méfiant des institutions, met en place des structures de services et de production autogérées dans des organisations et usines fermées par leurs propriétaires mais récupérées par leurs travailleurs.

L'Uruguay revient à la démocratie en 1984, comme résultat d'un pacte entre les militaires et les partis politiques. Sa transition a été appuyée par une coalition de centre droite, stable, qui a réalisé des réformes sociales et qui a restauré la vie démocratique, mais qui n'a pas réussi à faire face aux effets locaux des crises financières du Brésil et de l'Argentine dont le pays dépend sur le plan économique à cause de la faiblesse de son marché intérieur (moins de trois millions et demi d'habitants). Par ailleurs, même si Montevideo, où se concentre 42 % de la population du pays, conserve un certain dynamisme à cause des activités portuaires et de son intégration dans les marchés internationaux, renforcée par son statut de «capitale» du Mercosur, la situation des populations régionales, localisées surtout dans les zones frontalières avec le Brésil et l'Argentine, se détériore rapidement. Cette crise a mené en 2004 à l'élection à la présidence de Tabaré Vásquez, à la tête du Frente Amplio (FA), la coalition de gauche, qui s'était formée en 1971, devenue parti après le retour à la démocratie. Ce parti a été reconduit au pouvoir en novembre 2009 alors que José Mujica, ex-membre de la guérilla a été porté à la présidence (voir le texte de M.-P. Paquin-Boutin, Capsule 6B, p. 238).

Au Chili, la coalition formée par le Parti socialiste et la Démocratie chrétienne, qui a gouverné depuis le retour à la démocratie en 1990 jusqu'en 2010, a instauré un climat social stable favorable à une transition pacifique qui ne bouleverse pas les grandes lignes du modèle implanté par la dictature, caractérisé par le respect des lois du marché et par l'ouverture au commerce international. La transition est aidée par la réussite économique procurée par les exportations minières (cuivre), la transformation de l'industrie agricole et l'essor technologique, mais elle est compromise par l'absence de mécanismes de transfert du revenu et de protection sociale.

Dans ce pays, qui, à bien des égards, illustre toutes les perspectives et les hésitations de la transition à la démocratie et les possibilités qu'offre l'ouverture économique, le grand défi est de nature sociale et culturelle. Au plan social, le problème réside dans le besoin d'assurer un partage plus équitable de la richesse engendrée par les transformations de l'appareil productif. Au plan culturel, il s'agit de reconstruire les liens sociaux propres à la nation, qui ont été brisés par la dictature et par la modernisation néolibérale, ce que Tironi (2005) désigne comme le défi de la «revitalisation communautaire». Le pays est économiquement florissant mais socialement inégal.

Lors des élections de 2010, malgré la forte popularité de la présidente sortante, Michelle Bachelet, c'est la droite qui a été portée au pouvoir, ce qui laisse entrevoir l'accentuation des inégalités sociales.

6.5.   Les tentatives d'intégration économique : l'exemple du Mercosur

Malgré les disparités et les différences, les tentatives d'intégration n'ont pas manqué en Amérique latine. Jadis, dans les années 1960, la Commission économique pour l'Amérique latine des Nations Unies (CEPAL) avait servi de cadre pour la création d'ALALC (Asociación latino-americana de libre comercio), et, en son sein, les pays andins avaient formé le Pacte Andin, qui visait à limiter les profits exportés par les compagnies multinationales. Depuis les années 1980, l'Amérique latine a été le théâtre de plusieurs accords, dont l'ALADI (Asociación latino-americana de integración), qui modifie l'entente de l'ALALC en 1980. On compte aussi plusieurs ententes régionales qui associent les pays andins, les pays de l'Amérique centrale et les pays des Antilles. Mais les analystes s'entendent pour dire que la seule expérience d'intégration relativement efficace en Amérique latine est celle du Mercosur, forme abrégée de *Mercado comun del Sur* (Marché commun du Sud), les autres étant restées au stade des intentions ou rendues inopérantes par le manque de stabilité et de volonté réelle. En partie, la force du Mercosur résulte du fait qu'en son sein on trouve les deux principales économies de l'Amérique latine : celles du Brésil et de l'Argentine.

Le Mercosur résulte d'un traité de libre-échange, signé le 26 mars 1991 à Asunción, entre le Brésil, l'Argentine, l'Uruguay et le Paraguay. Le traité d'Asunción a pour but d'éliminer les barrières aux échanges entre les pays signataires ainsi que d'encourager la coordination et l'harmonisation de leurs cadres légaux et de leurs politiques économiques afin d'intégrer leurs économies. Ce traité a été renforcé en décembre 1994, alors que les quatre pays ont adopté le protocole d'Ouro Preto qui établit la structure institutionnelle et les instruments de politique commerciale du Mercosur, l'objectif étant de créer une union douanière. Le Mercosur s'est vu renforcé par l'adhésion, à titre de pays associés, du Chili et de la Bolivie en 1996, du Pérou en 2003, de la Colombie et de l'Équateur en 2004 et du Venezuela en 2006.

L'union douanière a été créée autant pour favoriser l'intégration des économies de la région que pour favoriser leur intégration dans les marchés mondiaux en diminuant les risques pour les investissements extérieurs. Cet espace économique prend une place importante dans le monde, derrière ceux de l'ALENA, de l'Union européenne, du Japon et de la Chine.

Le protocole d'Ouro Preto a doté le Mercosur des organismes suivants :

- Le Conseil du Marché commun ;

- Le groupe Marché commun (GMC) ;

- La Commission de commerce ;

- La Commission parlementaire ;

- Le forum consultatif économico-social ;

- Le Secrétariat administratif.

Certes, le Mercosur n'est pas encore devenu le marché commun que les pays qui le forment voulaient construire. Il a connu une évolution zigzagante marquée par des temps d'arrêt et l'établissement d'exceptions tarifaires à des pays et à certains secteurs, retardant ainsi l'union véritable. De plus, ses institutions doivent être repensées. Mais malgré tout cela, sa création a eu des effets positifs. Les échanges économiques entre les pays de la zone ont augmenté de façon significative et leurs entreprises, surtout celles de l'Argentine et du Brésil, se sont renforcées. Le Mercosur a d'ailleurs signé des accords favorisant les échanges avec l'ALENA et avec l'Union européenne, dont l'exemple inspire plusieurs de ses artisans. En Amérique latine, elle a aussi signé un accord avec la Communauté andine, favorisant la complémentarité économique.

Mais ses effets ne sont pas qu'économiques. Le Mercosur a aussi des effets au plan de la société civile. Les échanges en matière universitaire, la coopération urbaine qui se cristallise dans la création du groupe Mercociudades et dans la mise en place d'un réseau regroupant 213 villes du Brésil, de l'Argentine, de l'Uruguay, du Paraguay, de la Bolivie, du Chili et du Venezuela (Reunión especializada de municipios y intendencias, REMI), la coopération transfrontalière entre organisations sociales et l'ouverture d'un espace pour des projets socioéconomiques témoignent de l'effet social de la convergence économique.

Par ailleurs, les pays membres ainsi que les pays associés ont signé plusieurs documents, dont une déclaration affirmant que la démocratie est une condition essentielle pour l'intégration. Cette déclaration, signée par les présidents des pays membres et ratifiée par les deux pays associés en 1996, montre que le Mercosur transcende l'intégration économique et devient progressivement un cadre important de négociation et de convergence politique et juridique. En témoignent une déclaration signée aussi en 1996 par les six présidents réaffirmant la légitimité des revendications argentines concernant la souveraineté de ce pays sur les îles Malouines, ainsi qu'une déclaration signée en 1998 qui délimite la zone du Mercosur, du Chili et de la Bolivie comme une zone de paix.

Prometteuse au départ, l'expérience du Mercosur a été largement compromise par les crises économiques qu'ont traversées le Brésil et l'Argentine, et les rivalités qu'entretenaient les deux pays. Il s'en remet progressivement, et tous les espoirs sont à nouveau permis, notamment à cause de la convergence politique qui semble s'établir entre les gouvernements du Brésil, de l'Argentine et de l'Uruguay et du renfort qu'apporte la participation du Venezuela, qui, sous peu, doit devenir membre à part entière.

Le projet du Mercosur renforce sans doute l'économie des pays qui le forment mais, en même temps, accentue leurs différences avec le reste de l'Amérique latine. Par ailleurs, le Mercosur permet de rallier la société brésilienne et les sociétés hispaniques, lesquelles s'étaient tournées le dos et, à bien des égards, s'affrontaient. Mais cette expérience n'est possible que parce qu'elle a comme moteurs les économies les plus fortes du continent, après celles des États-Unis et du Canada, ce qui met encore plus en évidence la fragilité des autres.

6.6.   Conclusion

Globalement, l'Amérique latine vit un vaste processus de restructuration. Au plan politique, elle est la scène d'une forme de «démocratie surveillée», après avoir flirté avec le socialisme et avoir été gouvernée par des dictatures de droite. Les militaires sont retournés à leurs casernes et l'administration des États se fait selon les normes démocratiques. Les gouvernements et instances législatives sont établis par des procédures d'élection respectueuses des droits individuels et collectifs. Mais les militaires ne sont pas loin. Leurs arrangements constitutionnels commencent à peine à être modifiés, comme le montre le cas de la réforme constitutionnelle chilienne réalisée en 2005, 15 ans après le retour à la démocratie, mais il ne s'agit pas encore de modifications fondamentales. Une sorte d'autocensure rend craintifs les acteurs politiques et de vastes couches de la population, qui ne voudraient surtout pas revoir les dictatures.

Ces nouveaux gouvernements démocratiques ne remettent pas en question non plus le programme économique d'orientation néolibérale que les dictatures ont amorcé sous l'impulsion des instances du nouvel ordre économique international et des classes dirigeantes de leur propre pays. À partir des années 1970 s'amorce un retour de balancier en ce qui concerne l'administration publique, laquelle se réduit au profit du privé. Cela a des effets sur la classe moyenne, essentiellement associée au secteur public. Dans une situation précaire, une partie de la population se réfugie dans le secteur informel, lequel a doublé depuis les années 1980, sa croissance étant en général, beaucoup plus rapide que celle du secteur formel. La démocratie politique se combine au manque de justice sociale et à l'appauvrissement d'une large couche de la population. Dans des quartiers d'exclusion couvent des formes de délinquance et de violence qui fragilisent les démocraties électives. Mais en réponse à la précarité, de nouvelles formes de développement sont aussi expérimentées, impulsées par les collectivités locales.

Les institutions qui soudaient les nations latino-américaines et qui y assuraient un lien social fort ont perdu la confiance des citoyens. Les partis politiques traditionnels, de gauche comme de droite, les institutions étatiques, voire les militaires, ne suscitent plus leur adhésion : les paysans et mineurs boliviens mobilisés pour défendre les richesses naturelles qui ont fait tomber des gouvernements par trop complaisants envers les intérêts étrangers et les travailleurs et citoyens argentins qui, depuis le *cacerolazo* de 2001, ont amorcé la reconstruction de l'économie de leur pays à partir d'entreprises « récupérées » autogérées, ne sont que des exemples de cette crise institutionnelle. Ailleurs, ce sont les populismes (Venezuela, Équateur, Bolivie), l'émiettement des États provoqué par la domination des barons de la drogue (Colombie) ou le pouvoir de l'économie informelle comme option face à une économie exclusive et productrice de pauvreté (Mexique, Pérou) qui la mettent aussi en évidence.

Un nouveau modèle politique, d'orientation de gauche mais non orthodoxe, semble émerger des expériences de participation populaire au Brésil, en Bolivie, en Uruguay, en Argentine, en Équateur, et dans bien d'autres pays. Représente-t-il une solution à cette crise institutionnelle pour l'ensemble du sous-continent ? Ce n'est pas certain. D'une part, ces expériences, bien que convergentes, ne correspondent pas à un modèle unifié. D'autre part, les partis politiques et les leaders qui les portent doivent faire face à des exigences sociales pour lesquelles les réponses ne sont pas simples. Néanmoins, elles révèlent l'existence d'une alternative, d'un nouvel équilibre entre la société civile, les acteurs politiques, les militaires et les acteurs économiques, et c'est en cela que réside le principal changement en cours en Amérique latine. Ce nouvel équilibre crée la stabilité nécessaire au développement économique. Encore faut-il que cela ne se fasse pas aux dépens des classes et couches sociales les plus démunies.

Bibliographie

BATAILLON, C., J.-P. DELER et H. THÉRY (1991). *Amérique latine*, Paris, Hachette.

BORSDORF, A. (2003). « Cómo modelar el desarrollo y la dinámica de la ciudad latinoamericana », *Revista Latinoamericana, de estudios urbanos regionales, Eure*, vol. 29, n° 86, p. 37-49.

CARDOSO, F.E. et E. FALETTO (1978). *Dépendance et développement en Amérique latine*, Paris, Presses Universitaires de France, première édition en espagnol en 1969.

CASTELLS, M. (2005). *Globalización, desarrollo y democracia : Chile en el contexto mundial*, Mexico, Fondo de cultura económica.

CENTRAL INTELLIGENCE AGENCY (CIA) (2010). *The World Factbook*, <www.cia.gov/library/publications/the-world-factbook/index.html>, consulté le 27 août 2010.

CHEVALIER, F. (1977). *L'Amérique latine. De l'indépendance à nos jours*, Paris, Presses Universitaires de France.

CROUZET, M. (dir.) (1963). *Historia general de la civilizaciones*, vol. V, El siglo XVIII, Barcelona, Ediciones Destino.

DE MATTOS, C. (2002). « Cambio metropolitano en America Latina », numéro thématique de la *Revista Latinoamericana, de estudios urbanos regionales, Eure*, vol. XXVIII, n° 85.

DE MATTOS, C., M.E. DUCCI, A. RODRIGUEZ et G. YANEZ WARNER (2004). *Santiago en la globalizacion : una nueva ciudad ?*, Santiago du Chili, Ediciones Sur, Eure Libros.

DEL POZO, J. (2009). *Histoire de l'Amérique latine et des Caraïbes, de l'indépendance à nos jours*, 2e éd., Québec, Septentrion.

DUMONT, R. et M.-F. MOTTIN (1981). *Le mal-développement en Amérique latine*, Paris, Seuil.

FAVREAU, L. et L. FRÉCHETTE (2003). «Organisation sociale et développement économique. Un parc industriel à Villa El Salvador (Lima, Pérou)», dans J.-M. FONTAN, J.L. KLEIN et B. LÉVESQUE (dir.), *Reconversion économique et développement territorial*, Québec, Presses de l'Université du Québec, coll. «Géographie contemporaine», p. 317-332.

GALEANO, E. (1971). *Las venas abiertas de América latina*, Mexico, Siglo XXI.

GASCA ZAMORA, J. (2002). *Espacios transnacionales. Interaccion, integracion y fragmentacion en la frontera Mexico-Estados Unidos*, Mexico, UNAM, Coleccion Jesus Silva Herzog.

GOIRAND, C. (2002). «Le Brésil de F.H. Cardoso: entre crise et réformes», *Problèmes d'Amérique latine*, Numéro thématique: «Brésil, les nouvelles échéances», n⁰ 45.

GORENSTEIN, S. et R. BUSTOS CARA (dir.) (1998). *Ciudades y regiones frente al avance de la globalizacion*, Departamento de Economia/Geographia, Bahia Blanca, Editorial UNS.

GRAVEL, N. (2010) *Géographie de l'Amérique latine. Une culture de l'incertitude*, Québec, Presses de l'Université du Québec, coll. «Géographie contemporaine».

HARNECKER, M. (1999). *La izquierda en el umbral del siglo XXI. Haciendo posible lo imposible*, *Sociologia y politica*, Madrid, Siglo XXI.

INTERNET WORLD STATS (2010). <www.Internetworldstats.com>, consulté le 27 août 2010.

JARA, A. (dir.) (1973). *Tierras nuevas*, México, El Colegio de México.

KLEIN, J.-L. (1986). *Défi au développement régional: territorialité et changement social au Nicaragua sandiniste*, Québec, Presses de l'Université du Québec.

KLEIN, J.-L. (2004). «Territoire et action collective en Amérique latine», dans A.S. FALL, L. FAVREAU et G. LAROSE (dir.), *Le Sud et le Nord dans la mondialisation. Quelles alternatives?*, Québec, Presses de l'Université du Québec, p. 84-96.

LA SERNA, C. (dir.) (2004). *La economia solidaria en Argentina, entre la necesidades y las aspiraciones*, Cordoba, Argentina, Universidad Nacional de Cordoba, IIFAP.

LANGUE, F. et D. PÉCAUT (2004). «Gauches de gouvernement, gauches de rejet», numéro thématique de la revue *Problèmes d'Amérique latine*, n⁰ 55.

MARTINIÈRE, G. (1978). *Les Amériques latines. Une histoire économique*, Grenoble, Presses universitaires de Grenoble.

MONCLAIRE, S. (2004). «Actions et bilans du gouvernement Lula», *Problèmes d'Amérique latine*, numéro thématique sur «Lula et la diversification de la société brésilienne», n⁰ 52, p. 11-29.

OBSERVATORIO SOCIAL DE AMÉRICA LATINA (OSAL) (2000). CLACSO, Dossiers sur «la guerre de l'eau» en Bolivie (textes de Luis Tapia, Humberto Vargas, Thomas Kruse, Roberto Laserna et Carlos Crespo F.) et sur «La question agraire et le mouvement social au Brésil» (textes de Angela Mendes de Almeida, Bernardo Mançano Fernandes, Leonilde Servolo Medeiros et Attico Inacio Chassot), septembre, n⁰ 2.

POPULATION REFERENCE BUREAU (2010). *World Population Data Sheet*.

PRÉVOST-CHAPIRA, M.-F. (dir.) (2003). «Argentine, après la tourmente», *Problèmes d'Amérique latine*, numéro thématique n⁰ 51.

PRÉVOST-CHAPIRA, M.-F. (dir.) (2003). «Mexique, l'élan brisé», *Problèmes d'Amérique latine*, numéro thématique n⁰ 50.

ROUQUIÉ, A. (1987). *Amérique latine. Introduction à l'Extrême Occident*, Paris, Seuil.

TIRONI, E. (2005). *El sueño chileno. Comunidad, familia y nación en el Bicentenario*, Santiago, Taurus.

CAPSULE 6A

LA RÉHABILITATION DE LA VIEILLE HAVANE
Le partenariat à la mode cubaine

Pierre-Mathieu Le Bel

La Havane, capitale de Cuba, est depuis plus d'une décennie le théâtre d'un grand projet de réhabilitation du centre historique, et ce, aussi bien sur le plan économique qu'architectural. Ce projet comporte des caractéristiques complètement originales. À partir de 1989, moment de la chute du bloc de l'Est, Cuba est entrée dans une crise économique majeure. Le gouvernement prit des mesures importantes de rationnement en mettant en place ce que l'on a appelé la «période spéciale en temps de paix». Ces mesures ont rendu aigus les problèmes de nutrition et d'hygiène de certaines zones. Dans la municipalité de la Vieille Havane, à ces problèmes s'ajoutait celui des infrastructures désuètes, voire dangereuses. On comptait plus de deux effondrements totaux ou partiels par jour et près de 50 % des logements étaient en mauvais état. Le centre historique, qui occupe environ la moitié de la municipalité et qui est entré dans le patrimoine mondial de l'UNESCO en 1981, était en pleine détérioration.

Le pays avait donc un problème d'entrée de devises et la municipalité de la Vieille Havane en avait un de détérioration. Pour résoudre le premier problème, on a tourné une grande partie de l'économie vers l'industrie touristique. Mais, pour attirer les touristes, il est bon d'offrir plus que des plages... Le Bureau de l'Historien de la Ville de La Havane, qui travaille à la conservation du patrimoine havanais depuis 1938, a vu ses pouvoirs augmenter afin qu'il soit en mesure de mieux préserver un outil du développement touristique, le patrimoine, et – c'est là un élément essentiel – qu'il se serve des retombées économiques pour le développement social du centre historique.

En 1993, le décret-loi 143 donnait au Bureau de l'Historien les prérogatives suivantes:

1. Le Bureau de l'Historien a une personnalité juridique et peut donc établir lui-même des liens et accords avec de multiples instances internationales (gouvernements et entreprises).

2. Le Bureau de l'Historien a le pouvoir de prélever un impôt des entreprises qui tirent leurs profits de son territoire. Impôt qu'il peut dépenser comme bon lui semble.

3. Le Bureau de l'Historien peut créer ses propres entreprises opérant sur son territoire.

Cela a considérablement changé la place des acteurs du développement à la Vieille Havane : le Bureau de l'Historien était autrefois subordonné au gouvernement provincial ; il est maintenant directement sous la tutelle du Conseil des ministres. Le Bureau a également accès à des ressources financières beaucoup plus importantes que celles des gouvernements municipal et provincial.

Le Bureau de l'Historien a mis sur pied une équipe pluridisciplinaire, rassemblant des représentants de la municipalité et de la province, qu'on a appelée le Plan Maestro. C'est l'équipe du Plan Maestro qui créa le Plan de développement intégral, où l'on divise le centre historique en aires fonctionnelles, où l'on cible 708 édifices à haute valeur patrimoniale qu'il faut préserver de façon prioritaire et où l'on adopte une série de règlements relatifs au développement.

La stratégie de réhabilitation du Bureau de l'Historien est une stratégie dite par foyers (*focos*). Un foyer est un lieu jugé particulièrement significatif du point de vue patrimonial. On réhabilite d'abord les foyers et ensuite les axes les reliant. La réhabilitation des foyers et axes est totale : édifices, réseaux d'égouts, d'approvisionnement électrique, de téléphone et pavage des rues. Les nouveaux commerces ou attractions qu'on y ouvre n'acceptent souvent que des *pesos* convertibles[1] et appartiennent au Bureau de l'Historien lui-même. Les profits du Bureau de l'Historien sont redistribués de la façon suivante : 20 % va à l'État, 45 % est réinvesti dans le patrimoine et les infrastructures touristiques et 35 % va à des œuvres sociales, dont des bibliothèques, des cliniques, des centres sportifs, des locaux gratuits pour différents paliers de gouvernement, des centres d'insertion, des logements, etc.

Même si on cherche à garder une certaine quantité de logements dans les espaces réhabilités, on vise à réduire la densité de population du centre historique, étape inévitable vers la tertiarisation de plusieurs secteurs. De nombreux logements seront donc transformés en commerces. Les infrastructures ne sont d'ailleurs pas conçues pour une population aussi importante. À titre d'exemple, le réseau d'égout est conçu pour une population de 60 000 habitants alors que le centre historique en compte plus de 70 000. Certains résidents se voient donc dans l'obligation de quitter. Ils peuvent choisir d'accepter des appartements construits à Alamar ou à Cap de Villa, beaucoup plus excentrés, ou d'attendre qu'un éventuel appartement soit libre dans la municipalité, ce qui peut prendre des années.

Comme la plupart des lieux patrimoniaux majeurs se trouvent dans la même zone, c'est surtout là qu'ont été investies les ressources financières. C'est cette zone que plusieurs personnes appellent le « kilomètre d'or ». Lorsqu'un lieu n'est ni un foyer, ni un axe important, ni l'un des 708 édifices à haute valeur patrimoniale, il n'incombe pas au Bureau de l'Historien de le réhabiliter ; c'est à la municipalité de le faire. La municipalité n'a cependant pas les ressources du Bureau, et ne construit

1. Jusqu'en novembre 2004, il s'agissait plutôt de dollars américains ; le *peso* convertible n'est valide qu'à Cuba et a la parité avec le dollar. Le *peso* cubain est l'autre monnaie ayant cours sur l'île.

pas de logements. Tout au plus peut-elle répondre aux urgences en essayant de limiter la détérioration des logements existants. Face à cette inégalité flagrante, le Bureau de l'Historien a élargi son champ d'action, ce qui a eu des effets positifs mais a causé un autre type d'inégalités : les quartiers qui sont entièrement inclus dans le territoire du Bureau de l'Historien profitent plus de la réhabilitation que ceux qui n'y sont que partiellement inclus ou qui en sont exclus.

Les Conseils populaires, instances politiques à l'échelle des quartiers, agissent comme intermédiaires entre le Bureau de l'Historien, la municipalité et les citoyens. Ces derniers comprennent mal que des hôtels « cinq étoiles » apparaissent à côté de leurs maisons qui tiennent à peine debout. De plus, ils doivent marcher longtemps avant de trouver un restaurant qui accepte la monnaie nationale. En tant qu'organes politiques de base, les Conseils populaires reçoivent leurs plaintes et les transmettent au bureau de l'Historien. D'un autre côté, leurs délégués tentent de faire comprendre à la population que les rues fermées et les infrastructures touristiques sont essentielles à l'obtention de capitaux nécessaires pour la réhabilitation sociale.

Par ailleurs, en matière de patrimoine et de tourisme, le Bureau de l'Historien a acquis un énorme pouvoir en matière de coopération internationale. Par exemple, dans le quartier historique, les entreprises mixtes hôtelières ont pris la forme d'une alliance entre le Bureau de l'Historien et un partenaire étranger, alors qu'ailleurs dans l'île les capitaux étrangers s'allient avec le MINTUR (Ministère du Tourisme). Même les rapports entre Cuba et les institutions internationales comme l'ONU sont influencés par le Bureau de l'Historien. Le Programme de développement humain local du PNUD a son bureau à l'intérieur des locaux du Bureau de l'Historien et la presque totalité des projets du PNUD à La Havane se trouvent sur son territoire. Même lorsque certains pays cessent leurs interventions avec les institutions du gouvernement cubain en guise de pression politique, ils conservent leurs projets en partenariat avec le Bureau de l'Historien. Plusieurs universités, villes, communes et provinces majoritairement d'Espagne et d'Italie, mais aussi de France, d'Allemagne et de Belgique ont des projets, des fonds et des coopérants dans le centre historique.

La réhabilitation de la Vieille Havane illustre comment la restructuration de la gouvernance locale peut s'amorcer comme résultat des pressions exercées par la mondialisation. Mais justement, dans un contexte qui commence à ressembler à un changement de régime – ou à tout le moins de personnalité –, on peut se demander comment une éventuelle ouverture à l'entreprise privée modifiera le rapport de force entre le Bureau de l'historien et les autres acteurs du développement à la Vieille Havane. Il importera alors de trouver un nouvel équilibre entre préservation du patrimoine et réhabilitation économique et sociale dans une Vieille Havane toujours plus branchée sur le monde.

BIBLIOGRAPHIE

BORSDORF, A. (2003). « Cómo modelar el desarrollo y la dinámica de la ciudad latinoamericana », *EURE*, Santiago, vol. 29, n° 86.

BURCHARDT, H.-J. (2002). « Contour of the future : The new social dynamics in Cuba », *Latin American Perspective*, 124, vol. 29, n° 3, p. 57-74.

DILLA, H. (2000). « The Cuban experiment. Economic reform, social restructuring, and politics », *Latin American Perspectives*, 110, vol. 27, n° 1, p. 33-44.

DOUZANT-ROSENFELD, D. et M. ROUX (1999). « Vicissitudes de la vieille Havane », *Cahiers des Amériques latines*, n°s 31/32, p. 145-160.

LE BEL, P.-M. (2004). *La réhabilitation de la Vieille Havane : le local dans le global en milieu socialiste*, Montréal, Université du Québec à Montréal, mémoire de maîtrise en géographie.

MURUAGA, A. (2001). « La réforme économique de Cuba durant les années 1990 », dans A. MURUAGA, *Socialisme et marché : Chine, Vietnam, Cuba*, Paris, Centre Tricontinental, L'Harmattan, p. 211-230.

OFFICINA DEL HISTORIADOR DE LA CIUDAD DE LA HABANA (2001). *Desafío de una utopía*, La Havane, Éditions Boloña.

RODRIGUEZ ALOMA, P. (2002). « El centro historico de La Habana : un modelo de gestion publica », *Centros Historicos de América Latina*, Quito, Editorial FLACSO, p. 217-236.

TABLADA, C. (2001). « Les nouveaux agents économiques dans une société socialiste (Cuba) », dans A.A. TEJADA *et al.* (dir.), *Cuba, quelle transition ?*, Paris, L'Harmattan, p. 27-48.

LE FRENTE AMPLIO
La nouvelle gauche pragmatique latino-américaine

Marie-Pierre Paquin-Boutin

Au tournant du XXIe siècle, l'Amérique latine semble avoir pris un virage politique majeur avec l'élection successive de gouvernements progressistes mettant en scène une gauche renouvelée qui a modernisé et adapté son discours à la pratique du pouvoir. Cette montée de la gauche d'abord observée dans les gouvernements municipaux, puis plus récemment à l'échelle nationale, constitue un retour du balancier après les violentes dictatures militaires des années 1970 et 1980 et la vague de politiques néolibérales brutales de la décennie suivante. Après les victoires de la gauche municipale au Brésil et en Uruguay, le populiste Hugo Chavez ouvre la voie au Venezuela en remportant les présidentielles en 1998, suivi de Ricardo Lagos au Chili qui fait élire sa Concertation socialiste en 2000[1]. En 2002, c'est le géant brésilien qui prend le virage à gauche avec la victoire historique du Parti des travailleurs, mené par l'ouvrier syndicaliste Luiz Inácio « Lula » da Silva. L'Argentine suit la même tendance en 2003 et porte au pouvoir le péroniste de gauche Nestor Kirchner. Un an plus tard, l'Uruguay se joint au groupe de gouvernements progressistes en élisant le premier président de gauche de l'histoire du pays. Après un séjour de 33 ans dans l'opposition, le Parti Encuentro progressista-Frente amplio-Nueva mayoria remporte les élections présidentielles du 31 octobre 2004. Cette victoire de la gauche uruguayenne est capitale puisqu'elle rompt l'alternance historique entre les deux partis traditionnels, *Blancos* et *Colorados*, qui s'échangent le pouvoir depuis plus d'un siècle et demi.

Petit État coincé entre l'Argentine et le Brésil, l'Uruguay se développe au XIXe siècle grâce à l'industrie bovine. Les profits engendrés par les exportations de viande, de cuir et de laine et le régime interventionniste permettent à ce petit pays de se doter d'une législation sociale progressiste et de favoriser l'expansion de la classe moyenne. Partageant avec l'Argentine le plus haut niveau de vie du continent latino-américain, l'Uruguay du début du XXe siècle est surnommé la Suisse de l'Amérique du Sud. Cette époque de prospérité s'achève dans les années 1950 avec l'essoufflement du modèle industriel fondé sur l'exportation des matières premières. L'industrie agropastorale uruguayenne est incapable de s'ajuster à la nouvelle concurrence américaine et aux transformations de l'économie internationale. Le long processus de décroissance économique qui s'ensuit entraîne graduellement la fermeture et la délocalisation de grandes industries et la perte de milliers d'emplois.

---

1. La concertation fut réélue au Chili en 2006 avec Michelle Bachelet. Mais elle a perdu le pouvoir aux mains de la droite aux élections de 2010. Note de Juan-Luis Klein.

Cette crise économique sans précédent crée un mécontentement et un désarroi populaire qui se transforment en crise sociopolitique avec l'émergence de mouvements de contestation. L'un d'eux, le Mouvement de libération nationale *Tupamaros*, repose sur la lutte armée et s'inscrit dans la vague internationale des mouvements d'indépendance tiers-mondiste qui émergent à la même époque en Algérie, à Cuba et au Vietnam. Le système politique uruguayen, caractérisé par la stabilité de son système bipartite est en crise, alors que les deux partis traditionnels sont incapables de proposer de nouveaux modèles politiques et économiques. L'absence de projet de société engendre une révolte ouvrière et populaire qui constitue un terreau fertile pour la création d'un nouveau parti politique. Un ensemble d'organisations et de partis de gauche s'unissent sous une même bannière en 1971 et fondent le Frente amplio (FA, Front élargi). Pour la première fois, les socialistes s'allient aux communistes et aux démocrates-chrétiens pour prendre la défense d'idéaux communs.

La jeune formation, dont le discours aux accents révolutionnaires s'articule autour de la théorie de la libération nationale, prône une réforme radicale des politiques économiques et se donne comme objectif de préserver les nombreuses politiques sociales héritées du début du siècle. Idéologiquement proche du parti de l'Unité populaire de Salvador Allende au pouvoir au Chili, le FA se veut une force nationale représentant le pouvoir populaire opposé à l'oligarchie et à l'impérialisme. La base militante du Frente amplio est essentiellement composée d'organisations sociales et syndicales.

Les propositions du FA trouvent rapidement écho dans la population et la jeune coalition récolte 18 % des voix nationales et 30 % dans le Département de Montevideo lors des élections de 1971. Ce résultat ébranle la stabilité du système bipartite qui caractérise l'Uruguay depuis sa fondation. Peu après sa création, le jeune parti affronte toutefois la pire période de son existence. Le 27 juin 1973, les forces armées renversent le gouvernement lors d'un coup d'État et instaurent une sanglante dictature. Dès la prise du pouvoir par les militaires, le FA est frappé d'interdit et tous ses dirigeants sont arrêtés, emprisonnés et torturés comme le sont les syndiqués, les universitaires, les ouvriers et les étudiants, soupçonnés de perturber l'ordre social. De 1973 à 1984, la démocratie est mise au ban et la répression militaire se traduit par de nombreuses violations des droits humains.

Cette vague de terreur, qui sévit également au Chili, en Argentine et au Brésil à la même époque, ne réussit toutefois pas à anéantir les forces de gauche. Face à l'oppression, celles-ci se solidarisent en développant une culture d'opposition et de résistance. La dictature contribue ainsi à sceller l'unité politique et identitaire des diverses tendances de gauche qui militent au sein du FA. Dès le retour de la démocratie en 1984, la coalition se réorganise autour des anciens dirigeants ayant survécu à la dictature. S'entame alors un long processus de transition démocratique et de consolidation du régime politique tel qu'il était en 1973. Les résultats des premières élections nationales post-dictatoriales confirment le sentiment d'exaspération de la population et sa recherche d'alternatives à gauche du spectre politique. Le FA récolte 21,3 % des voix dans l'ensemble du pays et 35 % des voix à Montevideo où se concentre la base militante de la coalition.

L'effritement des partis traditionnels et la montée graduelle de la gauche dans la capitale permettent au FA de remporter l'Intendance (l'équivalent de la mairie) de Montevideo. Cette première victoire électorale de la gauche uruguayenne est déterminante, car elle rompt la traditionnelle alternance bipartite et consacre le FA comme un nouvel acteur politique incontournable. Cette croissance spectaculaire de l'appui à la gauche est notamment due à la solide présence du FA dans l'opposition depuis 1984 et au travail de modernisation et de reformulation du discours *frenteamplista* plus pragmatique et plus modéré. Le FA a également capitalisé sur le mécontentement populaire face à la situation économique. À la tête de la mairie de Montevideo, le FA se donne comme objectif de déconstruire les clichés tenaces associés à la gauche et à démontrer sa capacité à gouverner de façon responsable la plus grande ville du pays.

Au cours des années 1980 et 1990, l'espace politique municipal sert de lieu d'expérimentation pour la gauche latino-américaine qui met à l'essai des réformes sociales et apprend à gouverner. C'est le pari que fait le premier gouvernement du FA à Montevideo avec l'instauration d'un processus de décentralisation et de déconcentration et l'implantation de politiques de développement social et culturel. Reporté au pouvoir en 1994 avec une majorité encore plus grande, le FA innove en mettant de l'avant des stratégies et des projets de développement socioéconomique. À partir de 1995, l'administration *frenteamplista* réalise un vaste projet de réaménagement du territoire pour faciliter l'application des politiques de décentralisation et de participation citoyenne. Porteur d'une nouvelle vision socialiste, ce plan d'aménagement se veut également un instrument d'action pour générer des conditions favorables à l'organisation d'activités productives afin de renforcer la position de Montevideo dans le contexte régional du Mercosur. La gouverne traditionnelle de la ville est modifiée avec l'arrivée de la gauche qui investit des champs de compétence jusque-là réservés au gouvernement national.

L'un des projets mis en œuvre par la gauche à Montevideo consiste en la reconversion d'une immense friche en parc technologique industriel. Ce projet vise à réimplanter des activités productives dans le quartier désindustrialisé El Cerro en y créant un pôle de microentreprises et petites entreprises dans un vaste complexe frigorifique laissé à l'abandon. Aux XIXe et XXe siècles, cette entreprise constituait le pilier économique et la première source d'emploi du quartier. Sa fermeture graduelle à partir de la fin des années 1950 avait entraîné la perte de milliers d'emplois et la dégradation graduelle des conditions de vie de la population du quartier El Cerro. Quand le Frente amplio propose de reconvertir les infrastructures abandonnées en un parc technologique industriel, le quartier est gravement dévitalisé : le taux de chômage atteint près de 40 %, les soupes populaires sont monnaie courante tout comme les logements informels ou *squats* de terrains.

Première expérience de développement socioéconomique initiée par la mairie, le Parc technologique incarne le nouveau modèle de gestion implanté par la gauche à Montevideo. Par ce projet, la municipalité tente de concilier deux grands objectifs : stimuler le développement socioéconomique d'une zone désindustrialisée en réimplantant des activités productives et favoriser l'intégration régionale de la métropole. Pour ce faire, elle crée des alliances entre les organes municipaux, les entreprises du Parc et l'Université de la République. Les partenariats ainsi créés avec des acteurs privés permettent à la ville de pallier le manque de ressources financières et techniques tout en demeurant maître de l'orientation du projet. À la faveur de l'administration municipale, les résultats du projet sont éloquents : depuis 1998, 800 emplois ont été créés et 58 entreprises se sont installées sur le site (<http://www.pti.com.uy/> ; consulté le 16 mars 2011).

Ce projet témoigne de la volonté municipale de jouer un rôle actif de promoteur du développement économique. Alors que le modèle traditionnel de gouvernance mettait en scène le gouvernement national comme moteur du développement économique, la nouvelle gouvernance urbaine qui se dessine dans la capitale uruguayenne a comme principal protagoniste l'administration municipale. Cette tendance n'est pas unique à Montevideo ; d'autres villes latino-américaines, dirigées par des gouvernements de gauche, désirent développer ce type de projets. Ces villes entendent dépasser leur rôle traditionnel de pourvoyeur de services et s'affranchir des gouvernements centraux en devenant des moteurs de développement socioéconomique sur leur territoire. Ce mouvement d'affirmation des villes s'appuie notamment sur le Réseau des Mercociudades, un réseau de coopération inter-villes créé en 1995 (<http://www.mercociudades.org/>). Regroupant des villes du Cône sud, les Mercociudades travaillent à renforcer leurs liens pour consolider leur participation au Mercosur (Marché commun du Sud) et renforcer les administrations locales face aux gouvernements nationaux. Désireuses de dépasser le seul cadre commercial du Mercosur, Montevideo et les autres villes du réseau se donnent comme objectif d'élaborer en commun des voies alternatives de développement socioéconomique génératrices d'emplois.

Le Parc technologique révèle en ce sens, la prise en charge du développement socioéconomique par la municipalité et sa capacité à mener des projets alternatifs créateurs d'emplois et innovateurs au plan productif. En ayant recours à des partenariats interinstitutionnels incluant le secteur privé, la gauche montre son intention de se défaire d'un mode de gouverne qui confine la ville à un rôle de pourvoyeur de services de proximité et qui n'a pas d'emprise réelle sur le développement et l'organisation de son territoire. L'administration municipale de gauche ne veut plus que les processus de développement urbain échappent aux autorités locales et entend devenir le maître d'œuvre de son propre développement. Pour ce faire, elle n'hésite pas à renouveler ses fondements théoriques qui démonisaient le secteur privé et à faire des compromis avec des acteurs non étatiques. Après plus d'une décennie à la tête de la capitale, les nouvelles méthodes de gouverne et les projets de développement du Frente amplio démontrent que le parti est passé d'une culture d'opposition politique à une culture de gouvernement.

Entre-temps, la coalition politique s'est transformée à la suite de l'élargissement de ses alliances. En 1994, le Frente amplio cesse d'être une coalition formée de petits partis et devient un parti politique qui prend le nom de Frente amplio-Encuentro progressista (FA-EP). L'expérience de gouverne du Frente amplio semble avoir convaincu la majorité de la population de la capacité de la gauche à proposer des initiatives et à gouverner de façon responsable. En 1999, le FA est réélu avec une forte majorité à Montevideo et perd au deuxième tour de scrutin la présidence du pays. La gauche forme désormais l'opposition officielle et devient la première force électorale et parlementaire du pays. Les premières élections présidentielles et législatives du XXIe siècle consacrent la victoire du Frente amplio lors du scrutin d'octobre 2004 et confirment le virage à gauche du continent sud-américain. Cette victoire est confirmée en 2009 avec la victoire de cette formation politique et l'élection de José Mujica.

Tableau 6b.1.
Répartition des voix en % lors des élections nationales uruguayennes de 1971 à 2004

	1971	1984	1989	1994	1999	2004	2009
Parti Colorado	40,96	41,2	30.3	32,3	32,7	10,4	16,9
Parti nacional	40,19	35,0	38,9	31,2	22,2	34,3	28,9
Frente amplio/ Enc.P/N.Mayoria	18,28	21,3	21,2	30,6	40,3	50,5	48,2
Nuevo Espacio	–	–	9,0	5,2	4,6	–	–
Autres	0,56	2,5	0,6	0,7	0,2	2,5	3,1

La consolidation des gouvernements de centre-gauche en Amérique latine constitue l'aboutissement d'un long processus historique caractérisé par une évolution théorique et pratique de la gauche. Marqué par une violente dictature et 15 ans de gestion municipale, le Frente amplio reflète en 2004 la nouvelle gauche latino-américaine qui se veut plus pragmatique et qui a compris que pour accéder au pouvoir, les compromis et les alliances sont inévitables. Depuis les années 1960 et 1970, la gauche s'est imposée un exercice de modération idéologique et a délaissé le dogmatisme qui la caractérisait. La modernisation de son discours, décriée par les courants les plus radicaux, l'a éloignée de la théorie marxiste de la libération nationale et lui permet aujourd'hui de parler d'« économie responsable ». À l'image du Frente amplio, qui est passé d'une coalition de partis à un parti de coalition, la gauche latino-américaine, du reste très éclatée, semble prête à adopter le slogan du premier président uruguayen de gauche, Tabaré Vazquez, selon lequel la gauche doit gouverner «les yeux dans l'utopie, mais les pieds dans la réalité»!

BIBLIOGRAPHIE

HARNECKER, M. (2001). *La gauche à l'aube du XXIe siècle*, Outremont, Lanctôt.

KLEIN, J.-L., A. LATENDRESSE, J.-M. FONTAN et M.-P. PAQUIN-BOUTIN (2003). «Le local comme nouvelle scène de gouvernance et de développement à Montréal et à Montevideo», *Géographie et culture*, Paris, L'Harmattan, no 45, printemps, p. 57-72.

LANZARO, J. (2004). «La gauche en Uruguay: le chemin vers le gouvernement», *Problème d'Amérique latine*, numéro thématique «Gauches de gouvernement, gauches de rejet», no 55.

PAQUIN-BOUTIN, M.-P. (2004). *Le territoire municipal comme espace de réaffirmation politico-économique et lieu d'émergence d'une nouvelle gouvernance urbaine*, Montréal, Université du Québec à Montréal, Département de géographie, mémoire de maîtrise.

CAPSULE 6C

L'AMAZONIE
Entre développement et préservation

Martine Droulers

Les projets économiques de mise en valeur des ressources de l'Amazonie se heurtent au besoin de préserver le dernier grand massif forestier tropical de la planète. La contradiction entre développement et préservation devient incontournable. Est-ce antinomique de vouloir développer une région et sauvegarder son milieu naturel ? Nous sommes enclins à penser que ces contradictions ne sont pas insolubles, à la condition d'être prises en compte assez tôt. La dimension temporelle est effectivement fondamentale, ainsi que la volonté politique d'avancer dans la résolution des conflits d'intérêts, d'où l'importance de l'information et de la diffusion des connaissances, en particulier géographiques, pour comprendre les dynamiques à l'œuvre dans ces territoires.

LE DERNIER GRAND MASSIF FORESTIER TROPICAL

Le bassin hydrographique amazonien occupe un vingtième de la superficie terrestre, les deux cinquièmes de l'Amérique du Sud, la moitié du Brésil ; il représente le cinquième du total d'eau douce de la planète et le tiers des réserves mondiales de forêts tropicales, si riches en biodiversité, mais dont les écosystèmes sont grandement menacés. Six pays se partagent ce bassin hydrographique, auxquels s'ajoutent les pays du plateau guyanais dont les eaux vont directement vers l'Atlantique et non vers l'Amazone et dont le couvert forestier est celui de la grande forêt tropicale. Dans sa plus grande extension, l'Amazonie atteint 6 700 000 km^2.

Les fleuves sont les grandes voies de pénétration, c'est par eux que l'Amazonie a été explorée, conquise et exploitée. Ils sont le symbole et la fierté de ses habitants. Les études hydrologiques s'y développent pour mieux calculer les apports de l'Amazone à l'océan et mettre au point des modèles de prévision des crues. Le débit moyen annuel s'établit à plus de 200 000 m^3/s, avec des pointes à 360 000 m^3/s lors de crues records. La différence entre les niveaux maximum et minimum des eaux se situe entre 8 et 15 mètres de fluctuations annuelles et l'influence de la marée se fait sentir jusqu'à Obidos, à près de 1 000 kilomètres de l'océan.

La forêt ombrophile – ainsi dénommée car elle a besoin de quantités importantes de pluies (umbra = la pluie en latin) – couvre 80 % de l'Amazonie et se compose de trois strates : des arbres géants de 40 à 50 mètres de hauteur dont la canopée, frondaison supérieure, est dense, à l'exemple du châtaignier de la célèbre noix du Brésil ; des arbres moyens de 30 à 40 mètres de haut et une strate arbustive de 10 à 20 mètres. Des lianes prolifèrent dans la partie supérieure des arbres ; au sol, peu de graminées mais surtout des mousses et des champignons qui transfèrent directement aux racines les éléments nutritifs.

Tableau 6c.1.
Les pays amazoniens : dimensions forestières, biodiversité et peuples indigènes

Pays	Forêt amazonienne, km²*	% du pays occupé par la forêt amazonienne	Population amazonienne	Population indigène estimée	Réserves indigènes démarquées (ha)	Parcs et réserves écologiques** (ha)
Brésil	4 100 000	49	17 000 000	224 000	103 470 000	50 800 000
Pérou	870 000	65	2 400 000	300 000	3 822 000	12 300 000
Bolivie	824 000	71	344 000	175 000	2 053 000	2 500 000
Colombie	400 000	35	450 000	70 000	18 508 000	5 870 000
Équateur	100 000	37	410 000	95 000	1 920 000	800 000
Venezuela	56 000	50	90 000	40 000	8 870 000	2 000 000
Guyana	150 000	74	798 000	40 000		
Suriname	120 000	76	350 000	7 500		
Guyane française	80 000	93	15 000	10 000	3 000 000	5 000 000
Total	6 700 000		21 857 000	951 000	138 643 000	71 770 000

* Sans prendre en compte les déboisements.

** Les catégories d'aires protégées varient selon la législation des pays.

Sources : Banque interaméricaine de développement (BID) (1992); Traité de coopération de l'Amazonie (TCA) (2000).

Figure 6c.1.

L'Amazonie brésilienne, entre préservation et développement

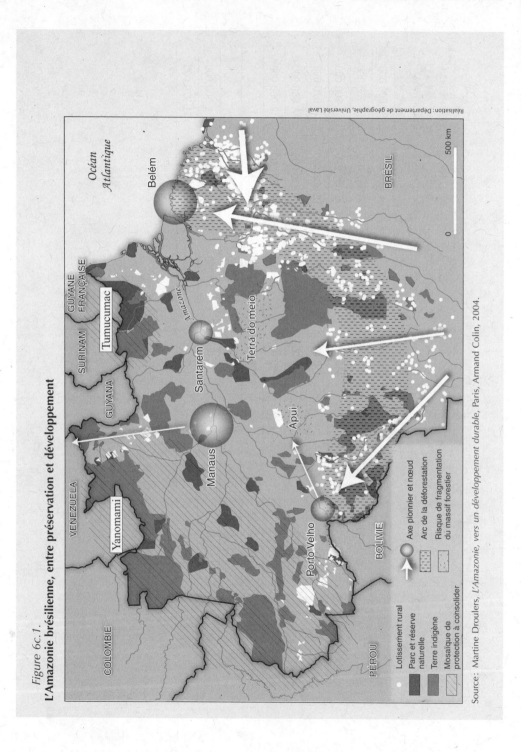

Source : Martine Droulers, *L'Amazonie, vers un développement durable*, Paris, Armand Colin, 2004.

Les forêts inondées sur terres alluviales couvrent 8 à 10 % de l'Amazonie ; elles sont dites de *varzeas* ou d'*igapos*, restant sous l'eau à la période des fortes pluies. Elles se distinguent de la précédente forêt par une présence marquée des palmiers, *buriti, açai, babaçu*… et correspondent à la plus forte occupation humaine, car elles offrent des sols fertiles et des eaux poissonneuses. Cependant, malgré leur potentiel, ces terres, propices aux rizières, ne sont pas devenues des zones d'intense activité agricole, ni même des *polders* comme sur le littoral du Suriname. Les connaissances sur ces forêts inondées sont encore mal appréciées, les oscillations du niveau des eaux, pas bien mesurées, les qualités du fourrage aquatique, peu connues et l'élevage du buffle, peu répandu, sauf à Marajó.

Ainsi les ressources hydrobiologiques du milieu amazonien sont immenses et le potentiel utilisé s'élève à peine à 10 %. Par méconnaissance des réalités régionales, les projets de développement ont trop souvent été appliqués à l'aide de techniques ignorantes du milieu.

L'Amérique du Sud tropicale est une des régions de la planète les plus riches en biodiversité, il s'y trouverait de 15 à 20 % du total des espèces de la Terre (estimé à 13 millions) avec une flore très diversifiée de 55 000 espèces, ce qui représente 2 à 22 % des espèces de plantes connues. Si l'on prend les 12 pays les plus riches en diversité biologique, six d'entre eux sont en Amérique du Sud formant autour du Brésil un vaste bloc : Colombie, Pérou, Bolivie, Équateur, Venezuela. La Colombie est au premier rang du monde pour la biodiversité des vertébrés, excluant les poissons, et si on les inclut, le Brésil est au premier rang. Mais, si les écosystèmes sont riches, ils sont aussi fragiles, les biotopes (milieu de vie caractérisé par des conditions écologiques données) peuvent disparaître à la suite de la perturbation d'un de leurs éléments ; or, toute perte de la diversité est irréversible. Les espèces les plus faciles à prendre ont d'abord été pillées en bord de fleuves (tortues, lamantins …), puis, à partir du milieu du XXᵉ siècle, l'exploitation avec des moyens techniques accrus et des impératifs de gain immédiat sans souci du futur provoquent des ravages dans la forêt de terre ferme. La dégradation des écosystèmes forestiers est tout aussi néfaste que la déforestation.

LES SYLVICOLES, PROTECTEURS DE LA FORÊT

Les populations amazoniennes sylvicoles, largement décimées, atteignent à peine le million de personnes pour 380 peuples culturellement différenciés. Ces groupes, restés longtemps isolés, maintiennent leur diversité, mais de manière très précaire ; la moyenne des groupes est de 65 personnes dans l'Amazonie brésilienne et de 95 personnes dans l'Amazonie péruvienne. Leur effondrement démographique est dû tant aux ravages épidémiologiques qu'aux relations de travail et aux effets d'une ouverture économique prédatrice. Le contact avec les Blancs est souvent fatal aux Indiens, qu'ils soient décimés par les maladies (grippe, variole, rougeole…) ou menacés dans leur survie par la perte de leurs territoires et de leurs ressources naturelles.

Dans la période récente, les Amérindiens d'Amazonie font l'objet d'un renouveau d'intérêt pour des raisons politiques et culturelles, mais aussi parce qu'ils apparaissent comme des « écologistes » avant l'heure grâce à leur grande connaissance des processus naturels de la forêt dans laquelle ils sont capables d'utiliser une centaine de plantes pour la nourriture, la santé, la décoration, pratiquant l'usage collectif des territoires dans lesquels ils pêchent, chassent, cueillent et cultivent le manioc. Ils combinent les activités dans le temps et dans l'espace en conservant les fonctions clés des écosystèmes. Proches de leur genre de vie, les *caboclos*, métis, forment la base du peuplement des rives amazoniennes et cherchent eux aussi à obtenir la reconnaissance des droits d'usage sur les terres qu'ils utilisent.

Au Brésil, la Constitution de 1988 a réaffirmé les droits des Indiens qui sont désormais « reconnus » et non octroyés par l'État, et leurs droits territoriaux déclarés « originaires », c'est-à-dire antérieurs à l'État brésilien. Les terres indigènes, placées sous la juridiction de l'État fédéral, sont attribuées au groupe reconnu comme ayant un lien de continuité avec les premiers occupants du pays, qui les reçoit alors pour son « habitat ». Habitat est ici entendu dans le sens d'un territoire capable d'assurer la reproduction physique et culturelle du groupe. En l'an 2000, les 224 000 Indiens de l'Amazonie brésilienne avaient obtenu l'homologation et la délimitation de presque toutes les terres indigènes, soit un total de plus de 300 aires indigènes couvrant plus de 100 millions d'hectares, c'est-à-dire plus de 20 % de l'Amazonie brésilienne. Cependant ces territoires, rigoureusement délimités, peuvent malgré tout être assez aisément envahis par des bûcherons, des orpailleurs et autres défricheurs qui manifestent dès qu'ils le peuvent leur intérêt pour une exploitation. Les systèmes indigènes qui ont besoin d'une grande quantité d'espace posent un problème aux aménageurs : quel zonage peut-on tracer, sachant que des groupes de 150 personnes utilisent des surfaces correspondant à des cercles de 20 km de diamètre ? Faut-il familiariser les Indiens avec des systèmes plus intensifs, au risque de leur faire perdre leur identité ?

LA DÉFORESTATION MASSIVE, MENACE POUR L'ENVIRONNEMENT

En Amérique latine, en à peine trois décennies, de 1974 à 2004, un tiers des forêts tropicales a disparu, transformé en pâturages, et le Brésil déclare que 16 % de sa forêt amazonienne, soit 600 000 km², a été déboisée jusqu'en 2009 ; ce qui représente deux millions d'hectares en moyenne par an depuis 30 ans. La responsabilité en incombe à l'exploitation forestière, à l'agriculture sur brûlis, au nettoyage par le feu des pâturages, mais c'est souvent l'abattage illégal et le pillage des produits forestiers qui sont les premières activités responsables de l'ouverture des clairières. Si la situation demeure préoccupante, on relève cependant une baisse du rythme annuel de la déforestation, passée de 29 050 km² en 1995, à 19 014 km² en 2005 puis à 7 500 km² en 2009.

Régionalement, un immense « arc de déforestation » prend en écharpe le sud et l'est de l'Amazonie brésilienne. Il inclut à la fois une zone d'arrière-front pionnier où la pression sur la terre est élevée, les tensions sociales aiguës et le modèle économique incertain pour le plus grand nombre (est du Pará, ouest du Maranhão, nord du Tocantins), prolongée à l'ouest par une zone pionnière active en rapide croissance démographique allant du Mato Grosso au Rondonia et atteignant même Acre. Cet arc parcourt au total deux millions de kilomètres carrés et regroupe plus de 13 millions d'habitants.

Au plan local, la première opération de défrichement consiste à vendre le bois. La production mondiale de bois tropicaux s'élevait à 206 millions de mètres cubes en 2009, soit environ 15 % de toute la production mondiale de bois ; 17 % vont à la production de pâte à papier. La production brésilienne a diminué ces dernières années : avec 40,1 millions de mètres cubes en 2009 contre 43 millions en 2000, le Brésil occupe la seconde place sur le marché des bois tropicaux, juste derrière l'Indonésie avec 41,8 millions. Le Brésil a aussi beaucoup développé son secteur de l'industrie papetière (8 % du marché mondial des pâtes à bois), ne comptant qu'une seule grande usine en Amazonie.

La deuxième opération consiste à planter de l'herbe et l'élevage bovin représente, avec 80 millions de têtes, le principal usage du sol en Amazonie ; les trois quarts des terres agricoles de l'arc de la déforestation sont en pâturages, et toutes les classes de producteurs ruraux s'adonnent à cette activité. Même au Mato Grosso, premier producteur de grains du pays, les pâturages occupent 80 % des terres agricoles, mais à faible rendement nourrissant à peine 0,6 animal à l'hectare. La production de viande est d'un rapport facile et l'achat de jeunes bovins constitue un placement raisonnable qui contribue à la diversification du portefeuille.

D'une manière générale cependant, les dommages faits au milieu forestier sont mal mesurés, tout comme les éléments de la fonction écologique de l'Amazonie dans le réchauffement global. Ce thème est toujours en discussion, car si d'un côté une forêt jeune en croissance absorbe de grandes quantités de carbone, d'un autre, la décomposition organique et les arbres adultes en libèrent beaucoup, donc le bilan de carbone serait stable. Pourtant, il semble aujourd'hui admis que le maintien du couvert forestier soit une pièce fondamentale pour continuer à piéger de grandes quantités de carbone et qu'il est donc important de garder de vastes zones de forêt primaire, et si c'est déjà trop tard, de reboiser, de pratiquer l'exploitation à faible incidence, de cultiver la forêt, de replanter les aires dégradées. L'importance des « services écologiques » de l'actuelle forêt ombrophile pour le maintien des grands équilibres climatiques de la planète se mesure au maintien du cycle du carbone, à la préservation de l'humidité équatoriale, à la constitution de barrières aux méga-incendies… En vertu du principe de précaution, nouveau principe de droit international qui impose de prendre des mesures préventives pour éviter la dégradation environnementale, des codes forestiers de certification sont à l'étude. Comment peut-on lutter contre la déforestation et mettre en place les conditions d'une gestion forestière durable et rentable ?

LA NOUVELLE GÉOGRAPHIE DES ZONAGES

Pour intégrer l'Amazonie au reste de la nation et distribuer la terre à ceux qui en manquaient, le gouvernement des militaires avait établi, au début des années 1970, un plan pan-amazonien d'occupation géopolitique alliant le contrôle des frontières à l'exploitation des ressources et à l'installation de colons, structurant des pôles de développement agricoles et miniers. Et pourtant, la notion de développement, qui comprend la croissance continue et, par conséquent, une transformation en profondeur de la nature et des relations sociales, est pleine d'ambiguïtés. Les grands programmes « développementistes » des années 1970 ont été largement prédateurs. L'ampleur des réactions au pillage de la grande forêt, puis les nouvelles préoccupations éco- logistes et le contexte de la démocratisation politique introduisent des mesures de planification plus soucieuses de protection et de conservation du milieu naturel en symbiose avec les populations locales dans le cadre d'un développement qui met en avant la durabilité. Les outils graphiques informatisés et d'accès plus généralisé, grâce aux images satellitaires et aux GPS, permettent de mieux garantir les délimi- tations, d'observer les superpositions d'usages et les transgressions de limites. Les zonages se précisent, sans qu'on assiste toutefois à une diminution des conflits territoriaux, car la pression sur les terres est élevée puisque l'Amazonie se peuple.

Toute ouverture de route fragmente le massif forestier, car les terres qui la bordent sont immédiatement appropriées par des opportunistes espérant un profit rapide. Les grands axes de communication découpent d'abord l'Amazonie orientale avec Brasilia-Belém, puis la Transamazonienne et la voie ferrée de 900 km où transite le fer de l'immense mine de Carajás ; puis en Amazonie occidentale, la route Cuiabá- Porto Velho (Br 364), asphaltée en 1984 facilitant l'avancée des *gauchos* du Sud dans le Rondonia ; au nord, la route Manaus-Caracas est même asphaltée en 2002. Actuellement, l'achèvement de la route Cuiabá-Santarem (Br 163) alimente une polémique entre le *lobby* des planteurs de soja et le ministère de l'Environnement, car cette route et l'annonce de la prochaine ouverture du chantier d'une centrale hydroélectrique à Altamira sur le fleuve Xingu entraînent une arrivée massive d'ex- ploitants forestiers et de main-d'œuvre à bon marché provoquant l'appropriation illégale et désordonnée des terres du quart sud-ouest du Pará. Jusqu'à quel degré de fragmentation du massif forestier peut-on aller ? Les écologistes conseillent de conserver au moins 10 % de chacun des 23 écosystèmes amazoniens.

Or, dans l'actuel mouvement de décentralisation qui caractérise l'administration brésilienne, chaque niveau, fédéral, fédéré et municipal, est chargé de mettre en place des plans de développement compatibles avec des principes de protection environnementale, c'est-à-dire des zonages écologiques-économiques (ZEE) à des échelles de plus en plus fines. L'Institut brésilien de l'environnement (IBAMA) vérifie l'application des réglementations et favorise la mise en place de plans de gestion forestière. Il contrôle également la certification du bois et le Système national des unités de conservation de la nature (SNUC) qui couvre en Amazonie près de 10 % de la surface avec un objectif à 30 %. L'Institut brésilien de colonisation et réforme agraire (INCRA) organise des lotissements ruraux, près de 3 000 en Amazonie totalisant 400 000 petits producteurs, et s'occupe du cadastre et de l'impôt foncier. Mais ces organismes n'ont souvent pas les moyens de faire respecter leurs décisions qui, à certains endroits, peuvent être contradictoires.

Au plan local, les ONG orientent la réalisation de projets-pilotes, mais surtout l'émergence d'un nouveau personnel politique change la donne. En effet, avec la progression du peuplement et la décentralisation, la base du pouvoir politique local se trouve notablement modifiée. D'abord le nombre de *municipios* a triplé, passant de 153 en 1980 à 487 en 2000, ainsi que le nombre d'élus. Les vieilles oligarchies qui dominaient le commerce des produits de la forêt laissent la place à un personnel politique lié aux investissements que l'État consent massivement à la région: fonctionnaires, propriétaires de supermarchés, de stations de radio ou représentants des professions libérales. Les bureaucraties municipales deviennent source d'emploi. Les villes grandissent: outre les deux capitales millionnaires, on compte dix villes de plus de 100 000 habitants et près des deux tiers des habitants de l'Amazonie vivent dans des villes.

La contradiction s'approfondit avec les programmes d'investissement préparés pour 2004-2007 qui prévoient de nouvelles infrastructures qui ne pourront qu'accroître la fragmentation du massif forestier, tandis que la gestion forestière durable demeure un concept incertain. Les financiers veulent un retour rapide sur leur investissement, or le coût de protection de la nature est élevé.

Au final, la décentralisation n'aurait-elle pas pour effet de relancer la déforestation, chaque municipalité ayant le souci de se développer? Tant qu'il n'y aura pas plus de subsides pour la préservation, la déforestation se poursuivra. L'objectif des politiques publiques est d'assurer la meilleure liaison possible entre les objectifs économiques, sociaux et environnementaux, car même si le dialogue progresse entre la société civile organisée, les agents gouvernementaux et les hommes politiques, les grands programmes d'investissement préparés pour 2004-2007 prévoyant de nouvelles infrastructures, n'ont pas été remis en cause par le gouvernement Lula et la fragmentation du massif forestier se poursuit, tandis que la gestion forestière durable demeure un concept incertain dont la mise en pratique reste hésitante. Pour trouver des solutions de gestion durable que les forestiers et les populations locales puissent mettre en œuvre, il faut amplifier les moyens et mettre le territoire au cœur des enjeux de l'environnement et du développement.

BIBLIOGRAPHIE

ARNAULD DE SARTRE, X. (2003). «La colonisation en Amazonie face au développement durable: l'exemple du barrage de Belo Monte», *Cahiers des Amériques latines*, n° 44, p. 159-174.

DROULERS, M. (2004). *L'Amazonie, vers un développement durable*, Paris, Armand Colin, p. 224.

LE TOURNEAU, F.-M. (2002). « La représentation du peuplement en pays pionnier : l'Amazonie brésilienne », *L'espace géographique*, n° 2, p. 145-152.

RIST, G. (1999). *Le développement, histoire d'une croyance occidentale*, Paris, Presses de Sciences Po.

SMOUTS, M.-C. (2001). *Forêts tropicales, jungle internationale : les revers d'une écopolitique mondiale*, Paris, Presses de Sciences Po.

THÉRY, H. (dir.) (1997). *Environnement et développement en Amazonie brésilienne*, Paris, Belin.

Chapitre 7

L'EUROPE
Un espace diversifié dans un cadre de gouvernance unifié?

Mario Bédard

L'Europe sera sérieuse ou ne sera pas.
Benda 1998/1933, p. 303.

L'Europe a cela de particulier qu'elle est *une et plurielle. Une,* car l'évocation du mot Europe renvoie à une culture quasi universelle, à tout le moins dans notre imaginaire. N'est-elle pas le berceau de l'Occident, et donc de la Raison, de la Logique, des grandes idéologies, puis des Droits et Libertés de l'être humain (Butlin et Dodgshon, 2003 ; Pagden, 2002)? *Plurielle,* car cette région est depuis toujours une mosaïque (Gowland, O'Neil et Dunphy 2000). N'est-elle pas animée par de nombreuses cultures et divers parcours historiques favorables à l'une, puis à l'autre, selon une inégale répartition de la population et des richesses, que ce soit à l'échelle de l'Europe, de ses régions, de ses États ou de leurs diverses constituantes (Vandermotten et Dézert, 2008)? Une *et* plurielle encore car, et ce sera là le principal objet de ce chapitre, l'Europe est singulière parce qu'hétérogène et complexe. En effet, l'Europe n'est pas caractérisée au premier chef par les différences culturelles, économiques et politiques qui l'ont longtemps divisée. Elle est bien plus singularisée par la sublimation de ces mêmes différences grâce à un projet communautaire, l'Union européenne, qui s'emploie depuis plus de 50 ans à proposer une option, hier, aux modèles soviétique et étasunien, aujourd'hui, peut-être à la mondialisation sauvage.

Cette singularité est largement géographique, comme nous allons tenter de l'illustrer alors que seront d'abord présentés les caractéristiques du site et de la situation de l'Europe, ensuite ses principaux traits humains, soulignant les similitudes continentales et les disparités régionales, puis la construction de l'Union européenne qui propose un modèle de gouvernance inédit (Beck et Grande, 2007). Tout cela pour essayer de voir si pareille Europe est possible, voire souhaitable.

7.1.   Une région au site complexe malgré sa petite superficie

7.1.1.   Une géométrie variable

Prolongation occidentale du continent eurasiatique, si l'Europe peut aisément être délimitée à l'ouest par l'Atlantique, au nord par l'Arctique, puis au sud par la Méditerranée et la mer Noire, ses frontières à l'est demeurent floues en l'absence de barrière physique claire. Et s'il peut y avoir matière à débats au su de l'histoire tumultueuse de cette partie orientale de l'Europe, la question de sa géométrie variable se résume à l'inclusion totale, partielle (jusqu'à l'Oural) ou nulle de la Russie et de ses anciens pays satellites occidentaux.

Une telle question peut être résolue au regard de l'européanité de leurs cultures, histoires et ambitions. Selon Lévy (2003), s'il y a un peu d'Europe dans la Russie à cause de ses alliances passées avec la France ou l'Angleterre pour se prémunir des empires centraux et d'une certaine parenté culturelle largement recherchée par Pierre le Grand et Catherine II au XVIIIᵉ siècle, on ne peut pas dire qu'elle est très européenne. Compte tenu de sa géographie, de sa population, mais aussi d'une histoire politique plus tournée vers l'expansion territoriale en Asie, la limite de l'Europe correspondrait aux confins de l'aire d'influence russe. Or la Biélorussie, l'Ukraine et la Moldavie, hier encore sous régime soviétique, ont déjà gravité dans l'aire d'influence européenne (voir le chapitre 8). De plus, la plupart de ces pays semblent particulièrement désireux (au moins pour la majorité de leur population – *cf.* la «révolution orange» en 2004, encore que les élections contestées en 2010 de Ianoukovitch et Louchenko en Ukraine et Biélorussie respectivement pourraient ralentir ce processus) de s'européaniser pour davantage s'affirmer et se distancier du géant russe (Ginsberg, 2001). Un désir palpable à leur volonté de devenir membres de l'Union européenne, et qui est favorablement reçu, comme en témoignent les partisans d'une grande Europe, de l'ONU et le Population Reference Bureau, qui les incluent déjà avec l'Europe dans leurs discours et statistiques. C'est pourquoi ces trois États ont ici été inclus dans l'ensemble régional européen.

7.1.2. Une étendue moyenne, fortement typée

Compte tenu du morcellement de son territoire, la superficie de l'Europe est trompeuse. Si l'Europe est le plus petit continent et offre moins de grands contrastes que l'Asie, les Amériques ou l'Afrique, elle présente toutefois une plus grande variété de paysages en vertu de conditions naturelles fort changeantes aux échelles régionales et locales, et de l'influence des activités humaines.

Morphologie et hydrologie

Lorsque l'on considère l'environnement de l'Europe, ce qui frappe tout d'abord est l'importance de l'interpénétration de la terre et de la mer. Peu de pays n'ont pas un accès direct à la mer. Il s'agit là cependant d'un enclavement relatif compte tenu de la densité du réseau hydrographique européen qui offre de multiples débouchés côtiers.

L'Europe compte en effet plusieurs cours d'eau d'importance qui lui ont longtemps conféré un avantage comparatif, que ce soit pour le transport ou l'approvisionnement en eau. Si globalement l'Europe ne peut compter sur un réseau privilégiant l'une ou l'autre direction, ses fleuves, une fois reliés par d'importants et nombreux canaux, sillonnent et relient tout son territoire. L'hydrologie de l'Europe, que ce soit pour répondre à des besoins d'irrigation, d'hydroélectricité ou de refroidissement de ses centrales nucléaires, a donc cela de caractéristique qu'elle a été largement refaçonnée par l'être humain.

Les grands ensembles de son relief, en raison de leur altitude moyenne et surtout de leur orientation, sont peu contraignants. Les principales chaînes de montagnes traversent l'Europe d'ouest en est en son centre (Alpes et Carpates), ce qui l'ouvre très largement à l'influence maritime. Un arc alpin chapeauté par une suite de plateaux morcelés s'étend de la Bohème au Massif central, soit là où s'est amorcée dans bien des cas l'industrialisation de l'Europe avec les métaux, charbon et bois qu'on y retrouvait en abondance. À cet arc de plateaux succède une suite de plaines qui, continuation de la grande plaine russe, va de la plaine germano-polonaise au bassin de l'Aquitaine, en passant par les Flandres et le Bassin parisien.

Et c'est parmi cet enchaînement de plaines, avec celles par exemple du Danube, du Pô, du Rhône et de la Tamise, puis les basses terres de Suède (*Svealand*) et de Finlande, qu'on retrouve les meilleurs sols et, ceci entraînant cela, c'est là que se sont d'abord implantés les gens. Enfin, on trouve sur son pourtour une suite de chaînes de montagnes, dont les Pyrénées, Apennins et Balkans. On relève également des hauts plateaux, vestiges de vieux socles comme les Highlands écossais, le Massif armoricain et la Meseta espagnole.

Figure 7.1.
Arcs géomorphologiques et principaux fleuves d'Europe

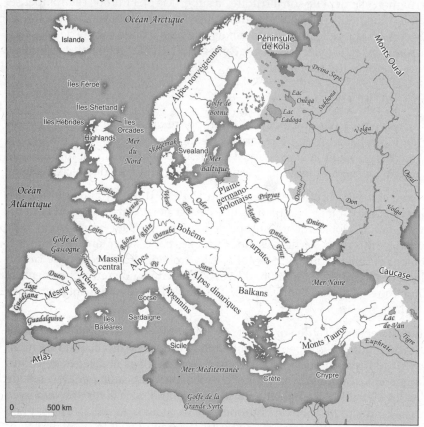

Une grande variété de climats tempérés

Compte tenu de sa morphologie, de l'orientation de ses reliefs et de sa situation dans l'hémisphère Nord, à l'est de l'Atlantique, l'Europe possède plusieurs régimes climatiques. Si l'ensemble de l'Europe se situe globalement dans la zone tempérée, ce type de climat est décliné de plusieurs façons. Cela va de l'océanique (toujours humide et aux faibles amplitudes thermiques) au continental (sec et aux fortes amplitudes thermiques) selon un gradient ouest-est largement favorisé par l'absence de reliefs d'importance, puis du nordique (hiver froid et précipitations surtout en été – le froid diminuant et les précipitations augmentant plus on se rapproche des côtes atlantiques) au méditerranéen (été très chaud avec de faibles précipitations : fortes pluies en automne et en hiver) selon une trajectoire nord-sud. Soit un schéma que l'on retrouve aussi en Asie centrale et dans le nord-est de l'Amérique du Nord.

Ce qui lui est plus particulier, c'est l'effet réchauffant du Gulf Stream sur ses façades occidentales en hiver, avec des températures moyennes supérieures à ce qu'elles sont aux mêmes latitudes nord-américaines. L'effet de continentalité, et donc de refroidissement puis d'assèchement en hiver, se voit ainsi repoussé plus à l'intérieur des terres, soit jusqu'à un arc qui va des Alpes norvégiennes aux Pays-Bas en suivant le cours du Rhin. Au-delà de cette «barrière», les moyennes mensuelles de janvier descendent lentement, soit en zones montagneuses (Alpes et Carpates) et au fur et à mesure que l'on s'approche des limites orientales de l'Europe.

Ce refroidissement n'est pas toujours continu en vertu de l'effet adoucissant des grandes masses d'eau intérieures que sont la mer Noire ou la mer Baltique. Le refroidissement du continent ne se fait donc pas tant d'ouest en est que du sud-ouest vers le nord-est. En l'absence de montagnes riveraines, la Méditerranée a peu d'effet réchauffant en hiver. Milan est plus froid en janvier de 0,5 °C que Brême et de 0,8 °C que le nord de l'Écosse. En été, c'est plutôt l'effet de latitude qui se fait sentir, les zones situées plus au sud voyant leurs températures moyennes s'élever jusqu'à près de 25 °C en juillet. Et même les zones plus nordiques voient leur moyenne mensuelle de juillet atteindre par exemple 18 °C à Stockholm. C'est dire que les écarts de température vont s'accroissant au fur et à mesure que l'on pénètre à l'intérieur du continent et que l'on s'éloigne de l'influence modératrice des masses d'eau.

L'effet de continentalité et l'influence maritime, en plus de l'altitude et de la latitude, régissent aussi les précipitations en Europe. Les zones les plus arrosées (entre 1 500 et 2 000 mm annuellement) sont celles qui donnent directement sur l'Atlantique. Les Alpes et leurs contreforts sont tout aussi arrosés, de même que les Apennins et les côtes orientales de l'Adriatique, en vertu cette fois de pluies de convection. Le reste de l'Europe se caractérise par des précipitations qui diminuent rapidement au fur et à mesure que l'on pénètre à l'intérieur des grandes îles (Londres, 620 mm) ou dans l'aire continentale proprement dite (Paris, 550 mm, et Prague, 527 mm).

Deux exceptions à cette règle sont à signaler. D'une part, l'influence de la Méditerranée et de ses nombreuses élévations côtières entraîne une plus grande variabilité (Barcelone, 567 mm, Nice, 770 mm, et Patras, 678 mm), encore que ces précipitations ont lieu surtout en hiver. On note d'autre part une même variabilité dans la partie nord de l'Europe. Stockholm (564 mm) est par exemple plus sèche que Kiev (649 mm) même si elle est plus maritime. Il en est ainsi car l'air se charge d'humidité à son passage au-dessus de la mer du Nord et de la mer Baltique avant de retomber, principalement sous forme d'orages au printemps (au sud) et en été (au nord), sur les zones plus continentales à cause de la très forte chaleur qui s'en dégage et où règne alors une basse pression instable, soit un phénomène tout aussi caractéristique à cette partie orientale de l'Europe que sa forte amplitude thermique. Les confins orientaux de l'Ukraine, de la Moldavie et de la Roumanie, certaines régions du plateau ibérique, puis la partie sud-est de la Sicile connaissent enfin un climat semi-aride, aux fortes températures en été et au total de précipitations souvent inférieur à 250 mm.

Végétation

Compte tenu de ses conditions naturelles, diverses zones végétales et de multiples modes de mise en valeur coexistent en Europe. Il faut tout d'abord noter que là où les conditions sont les moins favorables abondent forêts humides et landes à l'ouest, puis toundra, taïga, forêt déciduale et steppe à l'est. Les vallées et plaines du centre comme de l'Ouest de l'Europe sont l'objet d'une agriculture plus ou moins intensive et au profil varié selon les températures et précipitations de chaque lieu, puis selon les concentrations et habitudes de consommation de leurs populations.

Les régions plus densément peuplées de la moitié septentrionale de l'Europe pratiquent ainsi une polyculture intensive où abondent primeurs et produits laitiers. Là où les conditions sont moins favorables, on pratique surtout de la céréaliculture ou de la culture fourragère pour nourrir le cheptel laitier. Dans sa partie méridionale, la végétation est avant tout adaptée à la sécheresse et à la chaleur de l'été. S'il en résulte naturellement une steppe aux plantes aromatiques, les Européens ont vite saisi les avantages qu'il y avait à amender ces conditions pour tirer avantage du grand nombre de degré-jours de croissance qu'on y retrouve. Aussi y pratique-t-on une agriculture caractérisée soit par l'importance de l'irrigation qui permet la culture intensive de primeurs, soit par l'exploitation d'espèces nécessitant peu d'eau et générant une forte plus-value, comme le vignoble, les agrumes, les oliviers, etc.

Il reste que, en raison du nombre élevé de gens vivant en Europe, et donc de l'importance de leur emprise territoriale, qu'il s'agisse d'habitations ou d'infrastructures, la quantité de terres exploitées demeure peu élevée. Ce qui a entraîné, au fil des générations, une intensification et une spécialisation de plus en plus grandes de ses productions.

7.1.3. Une région à la situation privilégiée

L'Europe bénéficie d'une situation privilégiée, que ce soit pour son accessibilité et son positionnement géostratégique, ou pour ses ressources humaines et naturelles. L'Europe se situe tout d'abord, à l'échelle des continents, au centre d'un système d'échanges et d'influences qu'elle a elle-même mis en place au cours des derniers siècles (Delanty, 1995 ; Guttman, 2001). Comme l'a bien résumé Lévy (1998), l'Europe ne tient pas dans la seule Europe géographique. Elle s'emploie en effet à fabriquer le monde à son image, que ce soit en se l'appropriant par la force depuis l'époque des grandes explorations des xve et xvie siècles ou par l'impérialisme de sa propre dénomination. L'Europe n'est-elle pas le seul continent à s'être autonommé, puis à avoir nommé tous les autres ?

Ce qui n'est pas sans avantager l'Europe puisque cela la situe d'emblée au centre de réseaux conçus par et pour elle, d'où un eurocentrisme longtemps sensible, ne serait-ce que dans les projections cartographiques qui la plaçaient systématiquement au centre de tout planisphère. L'Europe se situe donc entre les Amériques qu'elle a colonisées, l'Afrique qu'elle a asservie aux xixe et xxe siècles et qui toujours l'approvisionne, puis l'Asie, longtemps synonyme de richesses inaccessibles (quête du passage vers l'Ouest), qu'elle a cherché sans succès à maîtriser (colonies et comptoirs), d'une altérité souvent perçue comme menaçante (des débordements européens des empires musulman et ottoman jusqu'à la crainte hier du « péril jaune » et aujourd'hui de l'intégrisme religieux), et enfin depuis peu source d'une inquiétude d'ordre économique alors que l'Asie, amorçant son essor aussi bien de production que de consommation, met de plus en plus à mal les divers fondements du système économique mondial que l'Europe a elle-même initié.

Si l'Europe a largement profité de cette ouverture sur le monde, elle a aussi pu compter sur une situation d'abri favorable. Excentrée au sein du continent eurasiatique, cette position en retrait a ainsi pu amenuiser l'effet de bien des envahisseurs. Une protection relative rendue possible grâce à l'Europe de l'Est qui, avec ses espaces ruraux fort peuplés, a longtemps constitué une vaste zone tampon. Ce qui explique en partie pourquoi la partie occidentale de l'Europe a pu développer, de la Grèce antique jusqu'au siècle des Lumières, une civilisation rurale de laquelle ont rapidement émergé plusieurs centres et civilisations d'importance et pourquoi sa partie orientale, sous le joug d'une succession d'empires (mongol, russe, ottoman, austro-hongrois, etc.) au fil des siècles, a connu une évolution plus difficile (Todorova, 2003 ; Weibel, 2004).

Somme toute, l'Europe bénéficie d'un site et d'une situation qui non seulement l'ont favorisée lors de sa constitution, mais qui jouent encore en sa faveur aujourd'hui comme en témoignent ses principaux traits humains.

7.1.4.   État des lieux de l'Europe contemporaine

Population et peuplement : diversité culturelle,
concentration spatiale et vieillissement

L'Europe se caractérise par de fortes densités humaines (tableau 7.1). Ces densités sont, d'une part, la conséquence de l'amélioration progressive, à partir du Moyen Âge et surtout de la Renaissance, des conditions matérielles et des cadres politiques qui ont permis une forte croissance de sa population jusqu'au milieu du xxe siècle. Le nombre d'Européens a ainsi été multiplié par neuf au cours des 500 dernières années. Par comparaison, si la Chine a vu sa population multipliée par 15 lors de la même période, le sous-continent indien par 8, le Japon par 15, puis l'Afrique du Nord par 18, ces autres régions ont crû plus récemment en vertu d'évolutions sociotechnologiques plus tardives (Guillon et Sztokman, 2000).

Tableau 7.1.
Les États européens : données de base

Entités	Superficie (km²)	Population (en millions) 2010	Densité au km² 2010	% urbain 2010	% population < 15 ans 2010	% population > 65 ans 2010	Espérance de vie moyenne 2010
EUROPE SEPTENTRIONALE	1 747 336	99,0	55	77	18	16	79
Danemark	43 094	5,5	129	72	19	17	79
Estonie[a]	45 228	1,3	30	69	15	17	74
Finlande	338 145	5,4	16	65	17	17	80
Irlande	70 273	4,5	64	60	21	11	79
Islande	103 000	0,3	3	93	21	12	81
Lettonie	64 589	2,2	35	68	14	17	73
Lituanie	65 300	3,3	51	67	15	16	72
Norvège	323 802	4,9	13	80	19	15	81
Royaume-Uni	243 610	62,2	256	80	18	16	80
Suède	450 295	9,4	21	75	17	18	81
EUROPE OCCIDENTALE	1 108 325	189,0	170	75	16	18	80
Allemagne	357 022	81,6	229	73	14	20	80
Autriche	83 871	8,4	100	67	15	17	80
Belgique	30 528	10,8	354	99	17	17	80
France	551 498	63	114	77	18	17	81
Luxembourg	2 586	0,5	196	83	18	14	80
Pays-Bas	41 543	16,6	400	66	18	15	80
Suisse	41 277	7,8	190	73	15	17	82
EUROPE ORIENTALE[b]	1 727 886	152,6	88	63	15	14	73
Biélorussie	207 600	9,5	46	74	15	14	70
Bulgarie	110 879	7,5	68	71	14	18	73

Tableau 7.1. (suite)
Les États européens: données de base

Entités	Superficie (km²)	Population (en millions) 2010	Densité au km² 2010	% urbain 2010	% population < 15 ans 2010	% population > 65 ans 2010	Espérance de vie moyenne 2010
Hongrie	93 028	10,0	108	67	15	16	74
Moldavie	33 851	4,1	122	41	17	10	70
Pologne	312 685	38,2	122	61	15	13	76
République tchèque	78 867	10,5	133	74	14	15	77
Roumanie	238 391	21,5	90	55	15	15	73
Slovaquie	49 035	5,4	111	55	15	12	75
Ukraine	603 550	45,9	76	69	14	16	68
EUROPE MÉRIDIONALE	1 325 022	156,9	119	68	15	18	80
Albanie	28 748	3,2	112	49	25	9	75
Bosnie-Herzégovine	51 197	3,8	75	46	16	14	75
Chypre	9 251	1,1	118	62	18	10	79
Croatie	56 594	4,4	78	56	15	17	76
Espagne	505 370	47,1	93	77	15	17	81
Grèce	131 957	11,3	86	73	14	19	80
Italie	301 340	60,5	201	68	14	20	82
Kosovo	10 887	2,3	207	ND	31	6	69
Macédoine	25 713	2,1	80	65	19	11	74
Malte	316	0,4	1326	94	16	14	79
Monténégro	13 812	0,6	46	64	20	13	74
Portugal	92 090	10,7	116	55	15	18	79
Serbie	77 474	7,3	94	58	15	17	74
Slovénie	20 273	2,1	101	50	14	16	79

Tableau 7.1. (suite)
Les États européens : données de base

Entités	Superficie (km²)	Population (en millions) 2010	Densité au km² 2010	% urbain 2010	% population < 15 ans 2010	% population > 65 ans 2010	Espérance de vie moyenne 2010
UNION EUROPÉENNE (UE)	4 324 782	501	115	71	16	17	79
EUROPE (sans la Russie)ᶜ	5 908 569	597,1	101	71	16	16	76

ᵃ   Ce n'est que depuis peu que l'Estonie, la Lettonie et la Lituanie, puis l'Irlande et le Royaume-Uni sont considérés comme faisant partie du sous-ensemble nordique de l'Europe. Une filiation qui, sans renier l'importance des liens qui les unissent, respectivement, à l'Europe orientale et à l'Europe occidentale, nous apparaît fort juste au regard a) de leur situation géographique relativement excentrée par rapport à l'ensemble européen et b) de l'importance que revêtent l'Atlantique Nord et la mer Baltique. Qui plus est, plusieurs États traditionnellement associés à l'Europe orientale – soit l'Albanie, la Bosnie-Herzégovine, la Croatie, la Macédoine, la Serbie-Monténégro et la Slovénie – ont ici été associés à l'Europe méridionale dans la mesure où ils participent davantage de l'aire méditerranéenne de l'Europe.

ᵇ   Usuellement, les États que sont la Biélorussie, la Moldavie et l'Ukraine ne sont pas inclus dans l'Europe. Or s'il est juste selon nous de ne pas considérer comme européenne la Russie compte tenu du fait qu'elle se situe culturellement et territorialement en Europe et en Asie (pas plus d'ailleurs qu'en Asie pour les mêmes raisons), la Biélorussie, la Moldavie et l'Ukraine doivent être considérées comme en faisant partie. Ne participent-elles pas d'un même ensemble géoculturel, géophysique et géopolitique, comme en témoigne notamment leur volonté de devenir bientôt des membres de l'Union européenne ? C'est à tout le moins ce que défendent les partisans d'une grande Europe, de même que l'ONU et le Population Reference Bureau. C'est pourquoi ces trois États ont ici été inclus dans l'ensemble régional européen, alors que la Russie en est exclue.

ᶜ   Il est à noter que ce total, en plus d'inclure les pays ne faisant pas partie de l'Union européenne, tient compte des micro-États que sont Andorre, Liechtenstein, Monaco, Saint-Marin et les îles Anglo-Normandes.

Sources : Population Reference Bureau (2010) et *CIA World Factbook* (2010).

En effet, ce fort gain de l'Europe est attribuable aux progrès notables de l'hygiène, de la médecine et de la productivité agricole, de même qu'à l'industrialisation et à l'urbanisation massives de l'ensemble de ses pays. Soit autant de circonstances qui, directement associées à la révolution industrielle qui y a pris sa source et qui a métamorphosé non seulement les modes de production et de transport, mais encore les modes de vie et de pensée avec la démocratisation du savoir et du pouvoir, ont permis à l'Europe de rapidement faire chuter ses taux de mortalité et de mortalité infantile. Une baisse qui a mené dès le milieu du XIXᵉ siècle à une véritable explosion démographique. Ce bond a toutefois vite engorgé les campagnes de l'Europe, ce qui a incité plusieurs de ses États à favoriser une immigration vers les terres lointaines qu'ils s'étaient auparavant appropriées et qu'ils cherchaient à exploiter (Amériques, Afrique du Sud, Australie, etc.). Un gain qui, en corollaire à l'enrichissement de sa population, à l'élévation de son niveau d'éducation, à l'émancipation des femmes et à l'allongement considérable de la durée de vie, a également amené l'Europe à davantage contrôler ses naissances. Soit deux exutoires qui, témoins d'une Europe ayant atteint la phase post-transitionnelle de son évolution démographique, caractérisée par de très faibles taux de natalité et de mortalité, expliquent en partie pourquoi cette région connaît globalement depuis quelques décennies un fort vieillissement de sa population, ce qui n'est pas sans affecter la société et l'économie du continent (tableau 7.2).

Tableau 7.2.
Les États européens : données économiques

Entités	PIB par hab. (en PPA) 2009	Secteurs écon. (primaire/ secondaire/ tertiaire % du PIB) 2009	Taux de chômage (%) 2009	Dette publique/ PIB (%) 2009	Balance commerciale en millions de $US* 2009
EUROPE SEPTENTRIONALE					
Danemark	36 000	1/24/75	4,3	41,6	+9 103
Estonie	18 500	3/26/71	13,8	7,2	+899
Finlande	34 100	4/30/66	8,5	44,0	+2 916
Irlande	41 000	5/46/49	11,8	57,7	−6 707
Islande	39 600	5/24/71	8,2	107,6	−409
Lettonie	14 400	4/22/74	17,1	36,1	+2 530
Lituanie	15 500	4/27/69	13,7	31,7	+1 422
Norvège	57 400	2/40/58	3,2	60,6	+55 320
Royaume-Uni	34 800	1/24/75	7,6	68,1	−32 680
Suède	36 600	2/27/71	8,3	35,8	+29 500
EUROPE OCCIDENTALE					
Allemagne	34 100	1/27/72	7,5	72,1	+135 100
Autriche	39 200	1/30/69	4,8	69,3	+8 730
Belgique	36 800	1/22/77	7,9	97,6	+4 398
France	32 600	2/19/79	9,1	77,5	−56 130
Luxembourg	79 600	0/14/86	5,9	14,9	+9 351
Pays-Bas	39 500	2/18/80	4,9	62,2	+42 720
Suisse	41 400	1/28/71	4,4	40,5	+35 910
EUROPE ORIENTALE					
Biélorussie	12 500	9/42/49	1,0	ND	−6 405
Bulgarie	12 500	7/28/65	9,1	14,8	−4 060
Hongrie	18 800	3/35/62	10,8	78,0	−1 507
Moldavie	2 300	16/20/64	3,1	25,5	−439

Tableau 7.2. (suite)
Les États européens : données économiques

Entités	PIB par hab. (en PPA) 2009	Secteurs écon. (primaire/ secondaire/ tertiaire % du PIB) 2009	Taux de chômage (%) 2009	Dette publique/ PIB (%) 2009	Balance commerciale en millions de $US* 2009
Pologne	17 900	5/28/67	8,9	46,5	−7 172
République tchèque	24 900	2/37/61	8,1	34,1	−2 146
Roumanie	11 500	12/35/53	7,8	24,0	−7 025
Slovaquie	21 100	3/34/63	11,4	37,1	−2 906
Ukraine	6 300	10/31/59	8,8	30,0	−1 801
EUROPE MÉRIDIONALE					
Albanie	6 400	22/19/59	12,8	58,1	−1 845
Bosnie-Herzégovine	6 400	10/26/64	40,0	44,0	−1 279
Chypre	21 000	2/19/79	5,3	56,2	−2 018
Croatie	17 500	6/28/66	16,1	46,8	−6 073
Espagne	33 600	3/27/70	18,0	53,2	−74 470
Grèce	31 000	3/21/76	9,5	113,4	−34 430
Italie	29 900	2/25/73	7,7	115,2	−66 570
Kosovo	2 500	13/23/64	16,6	ND	−2 938
Macédoine	9 100	12/30/58	32,2	32,4	−646
Malte	24 300	2/23/75	7,0	69,4	−570
Monténégro	9 800	ND	14,7	38,0	−1 102
Portugal	21 700	3/23/74	9,5	76,9	−23 380
Serbie	10 600	13/23/64	16,6	31,3	−1 356
Slovénie	27 700	2/31/67	9,2	31,8	−117
UNION EUROPÉENNE (UE)	**32 500**	**2/25/73**	**8,9**	**ND**	**+51 400**

* Si les exportations l'emportent sur les importations, la balance est positive. Si ce sont les importations qui dominent, le solde sera négatif.

ND = Non disponible.

Source : *CIA World Factbook (2010)*.

Les fortes densités de l'Europe sont, d'autre part, attribuables au fait qu'elle est, depuis des siècles, le réceptacle de peuples qui y ont été attirés par ses climats tempérés, ses plaines fertiles, ses fleuves et mers nourriciers, puis sa plus grande quiétude. Des peuples qui, au fil des siècles, ont poussé vers le nord et l'ouest les populations déjà en place, ce qui explique en bonne partie le peuplement de toute l'Europe puis la diversité de ses ethnies et cultures (Corm, 2002). L'Europe compte ainsi 39 langues et de nombreuses religions.

Cette pluralité est toutefois quelque peu trompeuse dans la mesure où, par exemple, le christianisme y domine largement. Or pourrait-il en être autrement? Le christianisme n'est-il pas directement associé à l'ébauche et à la montée en puissance de l'Europe (Friedli et Schneuwly Purdie 2004)? N'a-t-il pas servi de ciment dans l'édification d'un espace particulièrement européen? N'a-t-il pas encore servi, lors des Croisades et de ses premières colonisations, à l'affermissement et à l'expansion de l'esprit européen (Lévy, 1998)? Christianisme, disons-nous, car si l'Europe a été l'un des berceaux de l'évangélisation, elle fut aussi celui d'oppositions et de schismes qui ont souvent dégénéré entre un Sud et un Est catholiques, et un Nord et un Centre protestants (anglican, luthérien ou calviniste). Il reste que si ces variations sur le christianisme illustrent bien l'hétérogénéité culturelle de l'Europe, il faut encore y inclure le nombre de plus en plus élevé de bouddhistes, musulmans et autres pratiquants de religions non chrétiennes. Il faut aussi compter les sans-religion et les athées dont la proportion ne cesse de croître (de 20 à 60% selon les pays).

Distribution de la population: des pleins et des vides

La distribution des populations en Europe est un phénomène discontinu et contrasté. Territoires vides et très peuplés se succèdent alors que les disparités, évidentes à l'échelle européenne, sont encore plus marquées aux échelles nationale, régionale ou locale. Et il en est ainsi car la population de l'Europe n'occupe pas également tout son territoire, et ce en vertu d'avantages naturels ou socioéconomiques que l'histoire a consacrés.

La population de l'Europe se concentre surtout le long d'un axe nord-ouest/ sud-est qui va du Royaume-Uni (Birmingham et Londres) à l'Italie (Milan et Turin), en passant par le cours du Rhin (d'Amsterdam à Stuttgart), soit là où convergent divers avantages de site et de situation: rappelons que la révolution industrielle s'y est amorcée en raison de l'abondance de main-d'œuvre, capitaux, gisements de fer et de charbon, savoir-faire, etc.; qu'on y retrouve des climats, sols et végétations favorables à de fortes productions agricoles; et qu'elle jouit enfin d'une position d'abri ouvert qui la protégeait des invasions et qui lui donnait accès aux ressources et marchés d'outre-mer. À cette concentration continue associée à l'évolution technico-économique de l'Europe qui a longtemps orchestré à son profit un fort exode rural, il faut également rattacher plusieurs noyaux urbains importants, dont Paris, Madrid, Berlin et Vienne (Roques, 2004) qui, bien que capitales d'anciens empires, occupent toujours une place prépondérante sur la scène européenne.

Au-delà de cette dorsale, on note des creux dans les régions mitoyennes de montagnes (Alpes, Pyrénées, Carpates et Balkans) ou de hauts plateaux (Massif central français ou Meseta ibérique) avec moins d'un habitant par kilomètre carré. Leur succèdent ensuite des zones moyennement ou faiblement peuplées (de 1 à 50 hab./km^2) qui se dépeuplent sensiblement, comme les confins de l'Irlande, de l'Écosse, de la Scandinavie, de l'Espagne ou de la Grèce, de même que plusieurs pays de l'Europe de l'Est. Il faudrait cependant plutôt parler d'un phénomène général de transfert de population puisque, malgré les investissements considérables qui y sont consacrés pour les désenclaver, c'est par centaines de milliers que les jeunes adultes quittent ces zones périphériques pour les pôles plus dynamiques, plus riches et plus vieux, par exemple, du sud de l'Angleterre, du Benelux, du sud de l'Allemagne puis du nord de l'Italie, soit là où on manque de main-d'œuvre.

C'est dire que, malgré sa forte population totale et ses fortes densités, un déséquilibre important subsiste entre un noyau constitué de l'Europe rhénane et du triangle Barcelone-Lyon-Milan, puis des périphéries souvent moins bien nanties. Ce déséquilibre sociospatial apparaît largement imputable à la métropolisation de l'Europe, c'est-à-dire à son urbanisation et à la tertiarisation de son économie, qui, plus que tout autre facteur, explique cette concentration croissante de la population en certains lieux privilégiés.

Une urbanisation variable et hiérarchisée

Lancée par la fonction religieuse des lieux de culte pour honorer ses morts (Friedli *et al.*, 2004), décuplée par les fonctions politico-administratives imparties au contrôle et à la gestion de ses territoires (Corm, 2002), puis magnifiée par des fonctions économiques d'échange et de production aujourd'hui sans commune mesure (Rifkin, 2004), l'urbanisation de l'Europe est parmi les plus élevées avec un taux moyen similaire à celui des Amériques et de l'Océanie. Si l'Europe n'est pas la seule à avoir connu une forte urbanisation, elle demeure la première région du monde à avoir reconnu l'importance des villes et à avoir misé sur celles-ci pour se développer, rayonnant à partir de ces foyers d'innovation et de diffusion sur l'ensemble de son territoire puis, sur le monde entier (Wackermann, 2000). Ce qui expliquerait sa montée en puissance dès le début du second millénaire et son influence toujours notable mille ans plus tard.

Cela dit, des variations notables subsistent entre Europes occidentale, septentrionale, méridionale et orientale, entre pays d'une même région, voire au sein de chaque État, conformément à la diffusion nord-ouest/sud-est de la révolution industrielle, au transfert de populations des périphéries vers le centre, puis des avantages comparatifs introduits auparavant. Le tissu urbain européen est ainsi plus dense et plus organisé le long de sa dorsale où ont d'abord proliféré les interactions entre États ruraux (France, Grande-Bretagne et Espagne), Hanse marchande (Allemagne et autres pays donnant sur la mer du Nord), cités-États (Italie) et empire (austro-hongrois), et où s'est par la suite organisé son essor industriel. Au-delà, on compte une proportion variable d'urbains qui va déclinant, notamment vers le sud et l'est. Cette urbanisation moindre peut s'expliquer par la persistance d'une forte production agricole de subsistance comme dans les pays les plus pauvres de l'Europe orientale et de l'Europe méridionale (Moldavie, Roumanie, Albanie, Bosnie-Herzégovine, Croatie, Kosovo et Serbie) où les taux d'urbanisation sont inférieurs à 60 % et où le secteur primaire emploie plus de 9 % de la main-d'œuvre; par l'importance du secteur agroalimentaire (Bulgarie, Espagne, Hongrie, Portugal, Grèce, Croatie); ou encore par le fait que nombre de gens, par choix, habitent la campagne même si la plupart travaillent à la ville (phénomène de rurbanisation en Autriche, Irlande, Finlande, Suisse).

Il résulte de cette variation de l'urbanisation un déséquilibre pas tant conjoncturel que structurel puisque systématisé au sein d'une hiérarchie dominée par ses métropoles (Paris et Londres) et quelques capitales nationales ou régionales (dont Barcelone, Berlin, Francfort, Milan et Zürich) qui façonnent et commandent la croissance de toute l'Europe. Ce déséquilibre est toutefois moindre qu'en Amérique du Nord ou en Australie, par exemple, dans la mesure où le système urbain européen reste plus équilibré, aussi bien à l'échelle continentale que nationale (Guillon et Sztokman, 2000). On retrouve certes de très grandes villes en Europe qui polarisent un vaste espace régional ou national et qui génèrent d'importants déséquilibres, par exemple dans les réseaux urbains de la France et du Royaume-Uni, mais également de nombreuses autres villes qui, grandes (1 000 000 à 1 499 999 habitants), moyennes supérieures (300 000 à 999 999 habitants) ou moyennes (100 000 à 299 999 habitants), illustrent l'ancienneté et l'intrication du tissu urbain européen.

Au total, l'ensemble de l'Europe se distingue par une structure urbaine certes fort hiérarchisée, mais plus intégrée en vertu de la répartition de sa population au sein d'un important réseau de villes intermédiaires aux pouvoirs comme aux moyens économiques et politiques notables. L'urbanité européenne se caractérise donc par la complexité et la superposition de fonctions héritées d'une mise en place souvent plus que millénaire et qui a permis l'avènement d'une culture urbaine unique (Lévy, 1998). En atteste encore une relation au temps et à l'espace tout autre compte tenu du peu d'espace disponible, du poids de ses traditions (dont une préférence pour les constructions en hauteur et une faible périurbanisation, visibles aux fortes densités en milieux urbains), puis de l'excellence de ses moyens de transport en commun intra- et interurbains[1].

---

1. Ce qu'il y a de très caractéristique en Europe, c'est le changement de perspective géographique, notamment pour un Nord-Américain, car les notions de distance et de territoire habité y ont une tout autre saveur. En effet, compte tenu de la relative petitesse des États européens, de l'ancienneté de leur peuplement et du total de leurs résidents respectifs, partout on sent l'empreinte humaine. Que ce soit en vertu de la continuité de l'habitat qui donne parfois au voyageur l'impression de ne jamais vraiment sortir d'une ville pour passer à une autre ou de la forte densité de ses campagnes et de ses agglomérations, le territoire européen apparaît partout aménagé et habité. Une «épaisseur historique» partout palpable et une empreinte humaine fort sensible dans le modelé, par exemple, des forêts, où il arrive fréquemment de trouver des forêts exploitées depuis longtemps, où ne subsistent que deux ou trois espèces et aux sous-bois très entretenus, aucune branche n'étant conservée en dessous de trois mètres.

Il en découle une occupation dense du territoire qui alimente une mobilité des biens et services comme des idées et des individus foncièrement typique à l'urbanisation du milieu de vie de la plupart des Européens, et une métropolisation qui s'est accélérée avec la tertiarisation de leur économie.

Une sectorisation sociospatiale différenciée de l'économie

Puissante «machine» à produire et à échanger, l'Europe occupe une place importante au sein de l'économie mondiale. Elle comptait ainsi pour un peu plus de 28% du PIB mondial en 2009 (gain de 8% depuis 2002), comparativement à un peu plus de 24% pour les États-Unis (gain de 3% depuis 2002), à 8,7% pour le Japon (chute de plus de 5% depuis 2002) et à 8,5% pour la Chine. Une richesse directement associée à sa capacité à vendre des biens et des services. En faisant abstraction des échanges entre ses États qui, totalisant un peu plus de 67% de ses échanges en 2008, illustrent l'importance de son marché intérieur, l'Europe effectuait un peu moins de 20% des échanges mondiaux en 2008, soit près du double de ceux des États-Unis ou de la Chine et près du triple de ceux du Japon (Eurostat, 2010). Cette capacité de production et de diffusion s'est par ailleurs largement bonifiée avec la tertiarisation récente de son économie.

Après avoir compté pendant plus d'un siècle sur la capacité de production industrielle de son secteur secondaire comme fer de lance de son évolution, l'Europe mise maintenant sur son savoir-faire à fort contenu technologique, et donc sur son secteur tertiaire. Un virage attribuable en bonne partie à la très forte compétition venue d'ailleurs, où les coûts sont moindres. C'est ainsi que l'Europe a choisi, de gré ou de force, de se spécialiser dans certains domaines où sa valeur ajoutée est plus grande, dont l'agroalimentaire, les biotechnologies, les communications et transports, le pharmaceutique et le tourisme. La sidérurgie et les chantiers navals ont été délocalisés en Asie de l'Est, l'informatique, aux États-Unis, Japon, Corée du Sud, Taïwan, Singapour et Hong-Kong, puis la fabrication des machines-outils et des biens de consommation courante, dans les pays d'Afrique ou d'Asie du Sud et du Sud-Est. Encore que, dans ce dernier cas, il s'agit plutôt du transfert d'une partie des activités de multinationales, souvent européennes, vers d'autres contrées moins onéreuses et moins exigeantes eu égard au respect de l'environnement ou des droits de l'homme.

Si cette tertiarisation constitue une évolution conforme au modèle des cycles économiques pour les pays où a débuté la révolution industrielle, elle s'apparente à une restructuration pour la République tchèque, la Hongrie, la Pologne et la Slovénie pour qui il s'agit, en quelque sorte, de renouer avec un passé pas si lointain, puis à une restructuration majeure car précipitée, voire un peu forcée, pour les autres pays de l'ex-Europe de l'Est (Weibel, 2004). Cette restructuration était nécessaire compte tenu d'une capacité de production largement excédentaire, instituée au profit de l'ex-URSS et de ses satellites (Comecon), et d'industries souvent désuètes. Mais ces pays doivent réaliser en 5, 10 ou 15 ans ce que leurs voisins ont effectué en 40, 50 ou 60 ans alors qu'ils ne possèdent pas les mêmes avantages comparatifs, qu'il s'agisse de capitaux, de main-d'œuvre spécialisée, d'infrastructures d'échanges ou d'encadrement, etc.

Cette tertiarisation n'affecte pas également toutes les parties d'un pays (ce que ne révèlent pas les taux nationaux), comme en témoigne la plus faible part des services dans le PIB, entre 50 et 60 %, pour certaines régions excentrées du Portugal, de l'Italie, de l'Allemagne. Il faut également noter que cette tertiarisation, pour inévitable et souhaitable qu'on la présente, n'est pas sans séquelle socioéconomique. En attestent pour une partie les taux de chômage élevés des vieilles régions industrielles du Royaume-Uni, de l'Allemagne ou de la France que l'on disait ponctuels au début des années 1990, puis ceux de régions périphériques moins développées comme le Portugal, l'Espagne, le *Mezzogiorno* italien, la Grèce, de même que ceux de la Pologne et des pays baltes puis de la Bulgarie et de la Roumanie[2]. Ce taux est particulièrement élevé chez les jeunes (plus de 18 % chez les 15-24 ans en 2008 en Belgique, France, Hongrie, Roumanie et Slovaquie, et même plus de 20 % en Espagne, Italie, Grèce et Suède ; Eurostat, 2010), ce qui pourrait expliquer leur plus grande propension à quitter ces régions pour d'autres plus favorisées ou à souffrir d'un ressentiment propre à nourrir divers extrémismes politiques ou fanatismes religieux. Qui plus est, cette tertiarisation n'est pas gage d'un enrichissement collectif pour tous et au même rythme. En effet, toutes les activités qui entrent dans cette catégorie ne génèrent pas une égale plus-value. Par exemple, les salaires qu'obtiennent les personnes œuvrant pour les services de messagerie et de nettoyage, les centres d'appels, le tourisme (hôtellerie et restaurants) et le commerce au détail n'ont rien de commun avec ceux des professionnels travaillant pour les services financiers et bancaires, voire les agences de publicité, d'ingénierie ou d'actuariat.

Un peu de la même façon qu'au début de la révolution industrielle, cette tertiarisation de l'économie européenne entraîne l'accroissement des rendements du secteur primaire, notamment de son agriculture (Herzog, 2002 ; Rumford, 2002). Ainsi, si l'Europe occidentale a largement transformé son secteur agricole depuis le XIXe siècle, il atteint aujourd'hui des sommets grâce à l'agro-industriel, c'est-à-dire grâce à une plus grande intégration des lieux et des moyens de production, de transformation et de consommation maintenant possible à la suite du perfectionnement des machines aratoires, des biotechnologies puis des techniques de conservation et d'expédition qui

2. Signalons que si ces taux de chômage sont également imputables aux problèmes d'intégration des populations immigrantes de plus en plus nombreuses en Europe (Emmer, 2004), ils le sont aussi à la restructuration économique foncière toujours en cours dans certains pays est-européens, puis à la crise financière de 2008, dont témoigne la faillite de l'Islande à la suite de l'effondrement de son système bancaire nationalisé dans la foulée, et qui tente depuis, grâce notamment à un prêt de 2 milliards de dollars du FMI, de relancer son économie. Les effets de cette crise sont toujours très sensibles en 2011 affectant tout spécialement les pays européens surendettés et ayant une structure économique fragile comme la Grèce et l'Irlande qui bénéficient de prêts respectifs de 30 et 22,5 milliards d'euros de l'Union européenne. Par ce type d'interventions, celle-ci cherche à maintenir son économie globale, attendu que d'autres États comme le Portugal, l'Espagne et même l'Italie pourraient connaître pareil sort à brève échéance. Cette crise révèle que l'Union européenne est aussi solide et performante que les plus « faibles » de ses maillons.

ont décuplé les rendements, raccourci les périodes de maturité et permis un approvisionnement plus soutenu et rapide des marchés de consommation. C'est ainsi que l'Europe est aujourd'hui à peu près autosuffisante malgré l'exiguïté de son terroir et l'importance de sa population. Là encore, ses pays les plus à l'est montrent quelque retard. Enfin, il s'agit là d'un retard relatif car, en ces contrées, comme en Europe méridionale d'ailleurs, perdure une forte tradition agricole qui peut être associée à des rendements plus aléatoires en l'absence des perfectionnements et intégration amenés ci-dessus, mais aussi en raison de climats plus rudes et de pollution plus grande, du poids plus important de cultures ancestrales de subsistance et d'un type d'agriculture qui se prête moins à l'intensification des productions et à la mécanisation des opérations (vignobles, oliveraies, etc.).

7.1.5. Une dynamique centre-périphéries ou la spécialisation fonctionnelle des lieux

Il ressort de cette tertiarisation différenciée de l'économie de l'Europe les mêmes variations régionales, et donc le même déséquilibre qui prévalaient pour les concentrations sociodémographiques et la hiérarchie urbaine. Or ce qu'il y a de particulier à ce déséquilibre, c'est combien comptent des avantages comparatifs qui ont moins à voir avec les caractéristiques locales, régionales ou nationales de chaque lieu, et plus avec la mise en réseau des caractéristiques locales, régionales et nationales de tous ces lieux eu égard à leur situation au sein de l'Europe et à leur contribution au marché économique commun. Les rapports centre-périphéries européens ne sont ainsi plus tant commandés par un ou quelques pays (pensons aux diverses régions de l'Asie par exemple) mais ils sont plutôt la résultante d'une volonté commune. Ce passage d'une logique de compétition entre États à une logique d'intégration (dont le cas de l'agriculture amené ci-dessus) à l'échelle européenne est rendu possible grâce à une spécialisation fonctionnelle de chaque lieu. Chacun a de fait un rôle de plus en plus précis à jouer au sein de l'ensemble continental, que ce soit en produisant par exemple – attendu que chacun de ces États possède une économie nationale largement diversifiée – des primeurs (Espagne, Italie et Portugal), des cellulaires (Finlande) ou en extrayant et raffinant du pétrole (Royaume-Uni et Norvège). Il reste que ce système ne profite pas également à chacun compte tenu de leurs caractéristiques foncières et de leur évolution, puis de leur ordonnancement au sein de la dynamique centre-périphéries atypique de l'Europe[3].

---

3. Il est à noter qu'une dynamique centre-périphérie similaire, c'est-à-dire largement hiérarchisée et complémentaire, régit souvent les rapports que l'Europe entretient avec l'étranger, et plus spécialement avec ses anciennes colonies d'Afrique et d'Asie. Des rapports qu'elle a tout intérêt à entretenir puisqu'ils lui permettent de poursuivre sa croissance en palliant ses carences de main-d'œuvre et de ressources naturelles, si ce n'est l'épuisement de ces dernières, trop exploitées. Cette dynamique centre-périphéries est encore perceptible dans la géopolitique que poursuit l'Europe à l'égard de la Russie et de l'Asie centrale, et ce, pour s'assurer d'autres sources énergétiques. C'est dire combien cette dynamique, qu'elle soit intra- ou extracontinentale, demeure fragile et rarement équitable.

En effet, pour bénéfique que soit cette spécialisation des fonctions et des lieux pour l'avancement global de l'Europe, diverses inégalités persistent entre un centre riche et des périphéries aux fortunes diverses. Un peu comme si une logique structurelle prévalait, certaines régions possédant des traits qui les avantagent ou les désavantagent systématiquement. Ainsi, les plus favorisées sont celles qui ont:

- une main-d'œuvre nombreuse et variée, tout aussi spécialisée que peu qualifiée pour répondre aussi bien aux besoins des services financiers et de la haute technologie qu'à ceux des chaînes de montage et des services à la consommation;

- un système de communications et de transports dense et performant pour acheminer rapidement biens, information, individus et énergie;

- une offre complète de services de haut niveau;

- un marché de consommateurs important;

- puis des conditions de vie attrayantes pour les employés et les clients, que ce soit en termes de climat, d'infrastructures (hospitalières, scolaires et urbaines), de loisirs, etc.

Cinq facteurs que l'on rencontre plus souvent qu'autrement dans les régions faisant partie du cœur économique de l'Europe, une convergence attribuable pour une large part à la force d'attraction qu'exercent depuis fort longtemps les grands centres urbains qui s'y retrouvent. D'où la métropolisation de l'Europe déjà maintes fois mentionnée, c'est-à-dire un système d'échanges et de pouvoirs régi par quelques grandes villes dont l'aire d'influence déborde très largement les territoires nationaux au profit d'une dynamique centre-périphéries continentale où le local et le régional deviennent de véritables acteurs à l'échelle européenne (Hillard, 2005).

Le cœur économique de l'Europe correspond ainsi à un arc qui va du centre-sud de l'Angleterre au port de Gênes en Italie, en passant par la Belgique, les parties sud et ouest des Pays-Bas, le cours du Rhin puis la Suisse. Cet «arc rhénan», souvent qualifié de «banane bleue» dans la littérature, est plus spécialement articulé par les villes d'importance économique ou politique que sont Birmingham, Londres, Bruxelles, Anvers, le *Ranstad* néerlandais (Rotterdam, Amsterdam et La Haye), Düsseldorf, Essen, Cologne, Francfort, Mannheim, Strasbourg, Stuttgart, Bâle, Zürich, Milan et Gênes. À cet arc doivent être ajoutés des excroissances au plan de son centre vers l'ouest et la région parisienne, vers l'est afin d'inclure Hambourg et la Bavière autour de Munich, puis les centres névralgiques plus distants que sont Berlin et Vienne. En plus de cette vaste zone centrale existe un autre arc de fort développement économique, généralement qualifié d'*arc méditerranéen*, perpendiculaire au premier, qui s'étire entre Barcelone et Venise, en passant par Nice, Turin et Florence. Deux arcs auxquels on se réfère en employant l'expression la «dorsale européenne».

Figure 7.2.
Dorsale et arcs européens

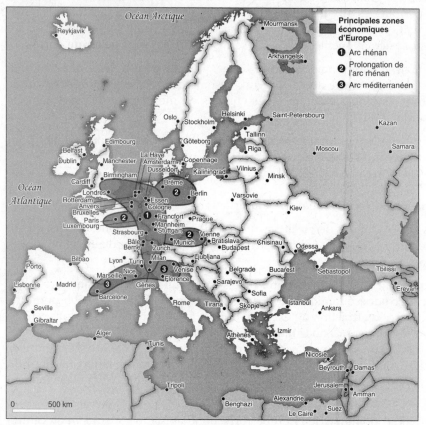

Les zones économiquement moins développées se situent généralement sur les périphéries de l'Europe, encore qu'il n'y a pas de corrélation directe à faire entre éloignement et pauvreté. Les régions de Copenhague et d'Oslo, de même que le centre de la Suède et la partie méridionale de la Finlande, sont très prospères. Et si cela fut vrai également pour l'Islande et l'Irlande, entre 1998 et 2007, cela n'est plus le cas depuis la crise financière qui a tout d'abord frappé de plein fouet l'Islande en 2008, puis l'Irlande en 2010, et ce, à cause d'une croissance reposant sur un capital et un développement à trop grand risque (*cf.* note 2). Les régions qui peuvent être économiquement qualifiées de moins développées sont, dans la partie méridionale, le Portugal, l'Espagne – exception faite de la région madrilène, de la Catalogne et du pays basque –, la Corse et la Sardaigne, le *Mezzogiorno* italien et la Grèce, puis, dans la partie septentrionale, l'Irlande du Nord, la Laponie, le Norrland suédois et le Mann finlandais. À ce premier groupe

doivent être ajoutées plusieurs petites régions qui, situées au cœur de l'Europe, correspondent à d'anciennes zones industrielles aujourd'hui délaissées, faute de ressources
à exploiter ou d'initiatives habilitées à relancer leur économie locale. Citons du nombre
le nord-est et le sud du pays de Galles, les régions minières et sidérurgiques de la Saar
et de la Ruhr, le nord charbonnier français et la zone des mines de fer de la Lorraine.
Ces petites régions sont aujourd'hui enclavées, si ce n'est pour des villes comme
Düsseldorf et Essen qui, massivement détruites lors de la Deuxième Guerre mondiale,
ont pu se réorienter plus tôt vers un autre type d'économie.

      Ces zones souffrent toutefois d'une pauvreté toute relative dès lors qu'on les
compare à bien des régions de l'Europe orientale. En effet, si la plupart des États est-
européens avaient un PIB bien inférieur à celui des pays de l'Europe occidentale dans
les années 1980, cette situation s'est depuis détériorée pour plusieurs d'entre eux[4].
Certes, disions-nous un peu plus tôt, les économies nationales des pays limitrophes à
l'Europe occidentale (République tchèque, Pologne, Hongrie et Slovénie) ont pu s'ajuster
depuis 1993-1995 par une restructuration et des investissements massifs effectués par
des entreprises allemandes, françaises et autres. Et certes on sent dans les capitales
des autres (dont Zagreb ou Bratislava) une certaine effervescence en vertu de liens
privilégiés avec la dorsale, qu'il s'agisse de têtes de pont pour les riches entreprises
de l'ouest ou d'affluence touristique. Il reste que cette reprise tarde encore aujourd'hui
à véritablement s'amorcer ailleurs, notamment en Albanie, en Macédoine et en Moldavie,
soit là où les conditions sociales, politiques et économiques sont moins favorables,
voire moins stables.

7.2. Et si l'Europe était porteuse d'autre chose ?

Au-delà du bien-fondé structurel de cette dynamique centre-périphéries, l'un des éléments les plus déterminants pour l'Europe de demain est de voir si les inégalités spatiales et socioéconomiques qui y sévissent s'amenuiseront petit à petit. Un scénario loin
d'être impossible alors que l'Union européenne, instigatrice et maître d'œuvre de la
spécialisation territoriale des fonctions en Europe et de la mise en réseau de ses constituantes économiques et urbaines, s'élargit. En effet, avec l'accession à l'Union européenne
de huit pays de l'ex-Europe de l'Est en mai 2004, de la Bulgarie et de la Roumanie en
2007, puis diverses candidatures à ses marges, dont celle de la Turquie, la question de
ce qu'est l'Europe et de ce que doit être l'Union européenne se pose de plus en plus.

---

4. Il faut relativiser les PIB des pays européens dans la mesure où beaucoup d'individus
   travaillent dans un pays autre que celui où ils résident, ce qui peut fausser l'image produite
   et gonfler l'inégalité entre centre et périphéries. La réduction des écarts entre les pays limitrophes à l'Europe de l'Ouest n'est donc que partiellement exprimée par le tableau 7.2 (p. 263).
   Il faut également noter que la détérioration observée demeure relative et non absolue.

Si «tout État européen peut demander à devenir membre» (article 257, Traité de Rome, 1957), est-il envisageable que l'Union européenne déborde la seule région européenne? L'Union européenne, et donc l'idée d'Europe, c'est-à-dire aussi bien son mode de vie que ses valeurs, peut-elle s'ouvrir à des sociétés fondamentalement différentes? À des États où les droits de l'homme sont perfectibles, où la démocratie peine, où l'inégalité économique demeure très grande? Plus encore, l'achèvement économique et territorial en cours de l'Union européenne n'interpelle-t-elle pas, directement ou indirectement, toute l'Europe? En outre, avec sa réussite variable qui n'est pas sans poser des problèmes et sans faire des victimes, n'indique-t-il pas que le projet européen, tel qu'il est défini à ce jour en termes d'abord et avant tout économiques, tire à sa fin et qu'il lui faut passer à autre chose?

Alors que, depuis le traité de Maastricht (1993) et l'adoption de l'euro (2002), le rôle des États est mis en cause (Calleo, 2001 ; Herzog, 2002 ; Glencross, 2010), qu'avec des individus plus informés quant à l'ampleur et à l'incidence des réformes qu'appellent aujourd'hui l'Union européenne et des régions plus affranchies des États les clivages socioéconomiques entre pays membres devraient s'amenuiser, et enfin qu'avec ses élargissements successifs elle s'affiche de plus en plus hétéroclite, de nouveaux défis fondamentaux se posent à l'Europe qui s'apprête à devenir une sans vraiment savoir ce qu'elle est. Une situation qui l'amène depuis peu et par le truchement de débats politiques intenses à (re)découvrir les qualités culturelles, éthiques et politiques de son idéal. D'une part, parce que l'invention de l'Europe apparaît indissociable de son hétérogénéité culturelle et de sa capacité à progresser à partir de celle-là. D'autre part, parce que l'idéal social et politique de l'Union européenne est plus que jamais interpellé comme condition d'existence et composante essentielle de l'Europe (Strömholm, 2005).

Autrement dit, il lui faut maintenant tirer profit de l'intégration économique et urbaine de ses constituantes puis de la sublimation des échelles nationales pour passer à la phase suivante de son projet de société. Jusqu'à hier encore, le rêve européen relevait du mythe et de préoccupations gestionnaires limitées aux conditions sociotechnocratiques de l'espace économique européen (Cassen, 2005). Et suite à l'échec du traité constitutionnel en 2005, puis à la relance fort mitigée qu'a impulsé le traité de Lisbonne de 2007 en ne marquant pas la fin d'une longue période d'incertitude quant à l'avenir des institutions européennes dans une Europe élargie (Haroche, 2009), il lui faut aujourd'hui réactiver la vigueur de son utopie originelle pour relancer une Union européenne – et donc un projet fédérateur – qui atteigne enfin l'échelle continentale requise pour l'intégration socioculturelle de tous ses habitants (Bédard, 2009). Tout cela pour transcender ce que l'Union européenne est devenue et pour qu'advienne une Europe qui, articulée autour d'une communauté de valeurs partagées (Chavrier, 2004 ; Ferry, 2003), pourrait bien être la promesse d'une autre mondialité pouvant faire contrepoids aux États-Unis et à l'individualisme matériel de la mondialisation (Arkoun, 2004 ; Beck et Grande, 2007).

7.2.1.   L'Union européenne : un modèle de gouvernance ?

Vouloir une Europe de la cohésion, c'est vouloir un autre monde.
L'aspiration n'est pas l'apanage des Européens,
mais nul autre territoire que le leur rassemble autant de raisons de tenter [...]
de redonner à l'homme, là où il vit, les conditions d'existence
que ruine une compétition économique débridée.

(Husson, 2002, p. 188-190)

L'idée d'une Europe unie n'est pas récente. De Dante (1306) à Benda (1933), en passant par Kant (1795), Saint-Simon (1814), Proudhon (1863) et Ratzel (1897), nombreux sont les penseurs qui, s'inspirant de l'unité partielle un moment réalisée par Charlemagne, ont entretenu divers rêves d'unification européenne. Il fallut néanmoins attendre le début des années 1950 avant que politiques et chefs d'État traduisent ce rêve par une succession de réalisations qui, de traités en élargissements, aboutiront à l'Union européenne d'aujourd'hui.

Les jalons d'un parcours d'intégration

Dévastés et ruinés par la Deuxième Guerre mondiale, les États européens ont peu à peu compris qu'ils devaient s'unir, seule la paix étant gage d'un développement et d'une prospérité durables. Largement encouragée par les États-Unis pour contenir l'influence communiste, la première Communauté européenne consistait en un marché commun du charbon et de l'acier (CECA – 1951) entre la Belgique, le Luxembourg, les Pays-Bas, la France, la République fédérale d'Allemagne et l'Italie. Destiné à empêcher tout réarmement clandestin de l'Allemagne et à s'allier face à la menace soviétique, ce premier traité, grâce à la suppression des droits de douane et à l'instauration de tarifs communs, a accéléré la reconstruction de l'Europe et servi de modèle pour la suite de l'intégration européenne. En effet, devant son succès et à mesure qu'il devenait clair que les pays européens étaient trop petits pour le monde des superpuissances qui se dessinait alors, l'idée d'une coopération économique plus globale lui a succédé. Ce qui a débouché, après la Communauté européenne de la défense (CED) de 1952, sur la création de la Communauté économique européenne (CEE) avec le traité de Rome de 1957.

Cette CEE avait cela de particulier que, non seulement elle était une union douanière créant une zone de libre-échange entre ses pays membres, mais elle appliquait un tarif douanier extérieur commun. Elle se caractérisait encore par l'adoption de politiques communes, notamment pour l'agriculture, le commerce et le transport, afin de réguler la concurrence et de favoriser les échanges. La CEE a été si bénéfique que le Danemark, l'Irlande et le Royaume-Uni y ont adhéré en 1973, conjointement à un approfondissement des tâches des membres avec l'adoption de nouvelles politiques à caractère social, environnemental et régional[5]. Caractérisées par une instabilité monétaire mondiale et diverses crises pétrolières, les années 1970 ont été des années de consolidation, notamment avec l'élection au suffrage universel d'un premier Parlement européen (1979) et la mise en place d'un système monétaire européen devant stabiliser le Marché économique commun.

Les adhésions de la Grèce (1981), puis de l'Espagne et du Portugal (1986), au développement nettement inférieur, ont ensuite été l'occasion pour la CEE de tester sa volonté réelle d'unir toute l'Europe et de défendre un modèle de société démocratique. Ces élargissements des années 1980 ont en effet tous une origine politique (la chute du régime des colonels en Grèce en 1974, la révolution des Œillets au Portugal en 1974, puis la mort de Franco en Espagne en 1975) et les Neuf d'alors ont choisi de s'ouvrir à ces démocraties naissantes. L'Europe des Douze qui lui a succédé a renforcé l'aspect structurel de ses politiques et programmes afin de réduire les disparités économiques entre ses membres et de valoriser sa diversité socioculturelle. Ce qui a mené à l'Acte unique européen (AUE) de 1986 dont le mandat était d'achever la mise en place « d'un espace sans frontières intérieures dans lequel la libre circulation des marchandises, des personnes, des services et des capitaux est assurée » (Article 7A).

Et alors qu'on achevait la mise en place du Grand Marché unique, l'Europe des Douze s'est vue rappeler, fin 1989, que ses frontières et son rêve étaient plus larges encore. La chute du mur de Berlin, la réunification de l'Allemagne puis la démocratisation parfois houleuse des pays de l'Europe de l'Est ont en effet profondément interpellé les structures et les ambitions de la CEE. Ce qui a rapidement mené au traité de Maastricht (1993) qui a engagé les pays membres dans un approfondissement de leur choix communautaire qui, préparant l'Union économique et monétaire, la citoyenneté européenne puis l'Union politique, a créé l'Union européenne. Si cet approfondissement avait pour objectif de mesurer davantage ses élargissements à venir, l'élan impulsé par Maastricht et l'évolution géopolitique accélérée du continent ont par la suite précipité les choses. L'Autriche, la Finlande et la Suède ont ainsi adhéré à l'Union européenne en 1995, l'euro est devenu la monnaie commune pour 12 des 15 pays membres en 2002 (17 des 27 en 2010), 10 nouveaux États ont joint ses rangs en mai 2004 (Chypre, Estonie, Hongrie, Lettonie, Lituanie, Malte, Pologne, République tchèque, Slovaquie, Slovénie), puis 2 de plus en 2007 (soit, rappelons-le, la Bulgarie et la Roumanie).

Et c'est depuis ce dernier élargissement et au su de ceux à venir que l'Union européenne s'interroge, plus que jamais, sur son rôle et ses moyens. Plus encore qu'avec ses élargissements des années 1980, l'Union européenne est confrontée à des différences

---

5. La Norvège devait se joindre elle aussi à la CEE, mais sa population a refusé par référendum la ratification du traité d'adhésion. Un refus réitéré en 1994.

Figure 7.3.
Une Union européenne en constante évolution

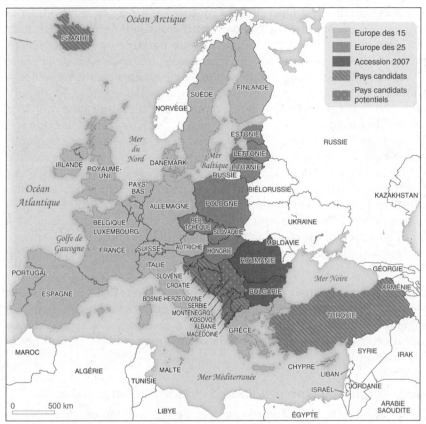

culturelles, économiques et historiques qui interpellent davantage sa raison d'être et qui influenceront considérablement son devenir. Des distinctions qui révèlent combien la construction européenne est indissociable de sa volonté de s'ouvrir à l'autre et de sa capacité à l'accepter.

Quête d'autonomie en Europe de l'Est

L'Europe de l'Est a longtemps été un enjeu stratégique pour l'Empire ottoman, l'Autriche, l'Allemagne, la Russie, etc. Les frontières de plusieurs de ses États ont été déplacées au gré des conquérants, certaines de leurs régions cédées ou rétrocédées, des pays entiers disparaissant même parfois comme la Pologne entre 1795 et 1918. Or l'Europe de l'Est connaît depuis le début des années 1990 des turbulences d'un tout autre genre qui témoignent de sa difficulté variable à pratiquer la démocratie et la libre entreprise économique, et qui mettent toujours en cause la stabilité de ses frontières et de ses sociétés. Il en est ainsi dans la mesure où la variété ethnique et la jeunesse des États de l'Europe de l'Est rendent plus difficile l'apprentissage de la démocratie. En effet, en l'absence d'une longue histoire partagée ou d'un consensus parmi la population, diverses ethnies se sont empressées, au lendemain de la chute du communisme, de s'affirmer au nom d'un nationalisme longtemps mis en veilleuse et aujourd'hui exacerbé par une reprise économique qui se fait attendre. Rares sont cependant celles pour qui cela se fit aisément, comme pour la réunification des deux Allemagnes ou le «divorce de velours» des Tchèques et des Slovaques. Quel que soit le scénario retenu, il y a chez les peuples de l'Europe de l'Est une lassitude palpable, un désir impérieux de mettre fin aux antagonismes séculaires et d'accéder au calme et à la richesse de l'Europe occidentale (Fontaine, 2003). N'est-il pas ainsi révélateur de noter que, alors que la plupart sont à réaffirmer leurs intérêts nationaux et à remanier leurs institutions politiques et démocratiques, ces pays sont néanmoins prêts à sacrifier une partie de leur autonomie pour se joindre à l'Union européenne? Et n'est-il pas capital pour l'Union européenne de stabiliser ainsi tout l'Est européen, ne serait-ce que pour assurer son approvisionnement énergétique en provenance de la Russie ou du Caucase?

Cela dit, ce ne sont pas tant les différences de ces nations de l'Europe de l'Est que l'application de ses propres règles et logiques structurelles en ces autres lieux qui amène l'Union européenne, pour la première fois, à faire face à toute la teneur éthique et politique de son choix communautaire. Un défi rendu encore plus exigeant par la candidature de la Turquie.

L'adhésion de la Turquie comme condition d'être de l'Union européenne?

En effet, la venue éventuelle de la Turquie au sein de l'Union européenne, compte tenu de sa situation en Asie, du poids de sa population (73,6 millions d'habitants en 2010) et du coût prévu de cette adhésion (45 milliards d'euros pour les trois premières années, comparativement aux 41 milliards insufflés entre 2004 et 2007 dans les économies des 10 États qui se sont joints à elle en 2004; Hughes, 2004), force cette dernière à réévaluer le fondement de ses valeurs de démocratie, de liberté et de tolérance. Pour certains, la Turquie n'a pas sa place parmi l'Union européenne parce que trop différente (le traitement réservé aux femmes et à la minorité kurde et les ratés du processus démocratique), et son acceptation signifierait la fin du rêve d'une Europe pacifique, unie et prospère (Güney, 2005). Pour d'autres, c'est une question de sécurité. Limitrophe à un Moyen-Orient incertain (Liban, Syrie, Iran, Irak et Palestine), plusieurs préféreraient maintenir la Turquie entre eux et ces contrées où foisonnent fondamentalismes religieux ou dictatures politiques (Tekin, 2005). Chose certaine, la Turquie, depuis sa modernisation amorcée avec Atatürk dans les années 1920, entrevoit difficilement son avenir sans l'Union européenne. Et malgré les réticences de certains, cette dernière a déjà accepté, en 1999, la candidature de la Turquie. tant et si bien que, une fois passée cette étape, seuls ses propres critères peuvent jouer et rien ne permet d'invoquer l'altérité, aussi grande soit-elle, comme condition d'un refus[6].

Il n'est pas dit toutefois, eu égard à ce que ces élargissements exigent d'elle, de même que ceux probables aux frontières de la Russie et dans les Balkans, que l'Union européenne pourra y parvenir sans auparavant se réinventer. C'est-à-dire sans se réapproprier les vertus de la société civile (qualité de vie, durabilité, paix et harmonie, selon Rifkin, 2004) qu'elle porte en elle à l'état latent, sous peine de disparaître à moyen terme. L'Union européenne n'a-t-elle pas effectivement «besoin d'un nouveau pacte fondateur pour résoudre l'équation impossible entre les élargissements successifs, l'approfondissement de la construction européenne et la recherche d'une efficacité et d'une représentativité accrues» (Hen et Leonard, 2001, p. 4)? N'a-t-elle pas besoin d'un nouveau projet de société qui englobe et fédère toutes les cultures, ethnies et nations désireuses de participer au projet européen, attendu que l'Union européenne est peut-être porteuse d'un modèle de société autre?

7.3.   L'Europe : vers un nouveau modèle de gouvernance ?

Pour plusieurs, dont un nombre croissant de non-Européens, l'Union européenne serait porteuse d'un modèle de société particulier, une option à la globalisation sauvage. Réduite à l'essentiel, l'Union européenne incarnerait la volonté de créer un cadre inédit, susceptible d'affranchir l'individu du joug de l'idéologie occidentale articulée autour des valeurs-phares que sont l'individualisme et le matérialisme. Elle promulguerait en contrepartie un modèle de société défini par un idéal communautaire commun à tous, articulé autour des responsabilités environnementales de ses adhérents et de l'engagement de ces derniers à l'endroit du bien-être collectif (Rifkin, 2004). Cherchant l'élargissement de l'empathie humaine avant celle du territoire (Husson, 2002), ce modèle proposerait une structure organisationnelle d'acceptation et de concertation de tous, sans pour autant écarter le sens de l'identité culturelle et l'importance de l'ancrage local des Européens (Lévy, 1998).

---

6. Parmi les principaux critères de Copenhague, signalons que tout pays voulant être membre de l'Union européenne doit: a) avoir mis en place des institutions stables garantissant la démocratie, l'État de droit, les droits de l'homme, le respect des minorités et leur protection; b) avoir institué une économie de marché viable pouvant faire face à la concurrence et aux forces du marché à l'intérieur de l'Union; c) pouvoir assumer les obligations de son adhésion, notamment en souscrivant aux objectifs de l'union politique, économique et monétaire.

Il reste que, pour que l'Union européenne puisse bel et bien s'avérer être un modèle alternatif de gouvernance, bien des difficultés devront auparavant être résolues. Du nombre, signalons :

- son déficit démocratique alors que les institutions européennes semblent de moins en moins imputables envers leurs citoyens ;

- l'impression, de plus en plus étayée à la suite du repli de l'espace Schengen après le 11 septembre 2001, qu'une Union européenne plus intégrée sera moins accueillante envers les immigrants et les réfugiés ;

- les débats politiques intenses qui ont cours quant à la fédéralisation de l'Union ;

- les réformes de son fonctionnement qu'appelle l'intensification du processus d'intégration entre ses États membres, dont l'une des plus importantes concerne sa Politique agricole commune (PAC), ce qui n'est pas sans provoquer d'âpres débats sur la nature et le rôle de l'Union.

Autant de problèmes dont on a pu saisir l'ampleur il y a peu avec le projet d'un traité constitutionnel pour l'Union européenne. Élaboré en 2004 et soumis pour approbation en 2005, ce projet de Constitution a été ratifié par 13 pays, refusé par la France et les Pays-Bas, suspendu au Royaume-Uni, puis reporté par les 6 autres. Ce refus (tous devaient l'entériner pour que la Constitution devienne effective) est attribuable, pour une bonne part, à la confrontation de deux visions antagoniques de l'Union européenne. D'une part, il y a les adeptes d'une Union partisane du libéralisme économique, ce que le projet de Constitution suggérait, et, d'autre part, ceux pour qui ce projet était étranger à toutes les valeurs fondatrices d'une nouvelle communauté démocratique (Ferry, 2003) et ne proposait pas de « processus constituant une communauté de destin au peuple européen naissant » (Robert, 2004, p. 8). Et il en est ainsi parce que l'Union européenne n'a pas su, au fil de sa construction, orchestrer le passage d'une démocratie de nations, où chaque État possède une voix, à une démocratie de peuples, où chaque citoyen possède une voix (Attali, 1999). Elle n'aurait donc pas su renouveler la portée socioculturelle et l'ambition politique non partisane de son projet de société. Ce qu'a par ailleurs confirmé la laborieuse ratification du traité de Lisbonne qui, entré en vigueur le 1er décembre 2009 et devant doter l'Union européenne de cadres juridiques et de moyens renforçant les rôles du Parlement européen et des parlements nationaux, puis permettre le bon fonctionnement d'une Union à 27, notamment en intégrant la Charte des droits fondamentaux dans le droit européen primaire et en regroupant ses divers instruments de politique extérieure, témoigne plus que jamais de la crise de légitimité démocratique de l'Union (Chopin et Macek, 2010). Tant et si bien que l'Union européenne risque de se révéler de moins en moins capable de répondre à ces défis, mais encore au vieillissement de la population, à la frustration des laissés-pour-compte, à la question des minorités et à un équilibre environnemental précaire.

Cela dit, l'Union européenne peut être un modèle de gouvernance alternatif si ses membres s'entendent autour d'un projet de société mobilisateur (Vibert, 2001). Et pour qu'existe semblable Europe, il faudra, selon Arkoun (2004), Derrida (2004) et Rifkin (2004), que l'Union européenne approfondisse ses compétences afin de devenir une authentique entité plurielle, articulée par une logique d'acceptation interculturelle permettant une intégration différentielle grâce à laquelle chaque entité ne serait pas soumise au bon vouloir des autres. Une entité plurielle articulée encore par une dynamique des échelles inédite où, redécouvrant l'importance de la différenciation territoriale, le supranational aurait succédé au national et où le local et le régional (re)deviendraient des acteurs de leur destinée (Oberdorff, 2003). Il apparaît en effet de plus en plus évident que l'Union européenne doit proposer un mode de gouvernance globale où la mise en réseau de ses constituantes serait moins hiérarchique et plus relationnelle, où seraient donc également considérées les dimensions humaines singulières et collectives de l'ensemble et de chacun de ses membres, l'Union européenne ne pouvant construire l'Europe qu'en se construisant elle-même. À la fois source de cohérence et mode d'affirmation, l'Union européenne, deuxième mouture, proposerait un « savoir aménager le territoire » et un « savoir être ensemble » uniques où les relations à l'autre, au temps et à l'espace seraient définies de façon inédite (Entrikin, 1997).

Ce projet d'une union des peuples et non plus des nations, à laquelle tous pourraient appartenir sans y être tenus, n'est peut-être pas le plus probable des scénarios tant il est ambitieux. Ne préconise-t-il pas l'unité dans la diversité? Toutefois, il serait peut-être le plus viable si l'Union européenne parvenait à se doter d'une éthique de l'engagement face à ses responsabilités citoyennes (Coq, 1997) afin de nourrir un sentiment d'appartenance qui dépasse les seuls paramètres territoriaux ou historiques de l'Europe. L'Union européenne pourrait peut-être dès lors offrir ce que l'ONU tarde à suggérer: une mondialité autre, où l'économique aurait certes son importance pour répondre aux besoins, mais au sein d'un idéal plus franchement révolutionnaire où liberté et droit seraient également déclinés à toutes les échelles et par tous les individus. Un souhait utopique, sans doute, mais, compte tenu de nos sociétés de plus en plus arides de sens, pouvons-nous encore longtemps faire l'économie de semblable rêve?

Bibliographie

ARKOUN, M. (2004). «Pour une politique de l'espérance dans l'Union européenne», communication dans le cadre d'un sommet à Bruxelles sur l'avenir de la Communauté européenne, <ecsanet.org/dialogue/contributions/ARKOUN.doc>, consulté le 22 février 2005.

ATTALI, J. (1999). *Europe 2020 : pour une union plurielle*, Paris, Rapport au ministère des Affaires étrangères, <www.attali.com/>, consulté le 15 mars 2005.

BECK, U. et E. GRANDE (2007). *Pour un empire européen*, Paris, Flammarion.

BÉDARD, M. (2009). «Le projet de paysage comme condition de possibilité d'une Union européenne cosmopolitique», dans M. BÉDARD (dir.), *Le paysage, un projet politique*, Québec, Presses de l'Université du Québec, coll. «Géographie contemporaine», p. 293-312.

BENDA, J. (1933/1998). «Discours à la nation européenne», dans P. ORY (dir.), *L'Europe? L'Europe*, Paris, Omnibus, p. 301-362.

BOJKOV, V.D. (2004). «Neither here, not there : Bulgaria and Romania in current European politics», *Communist and Post-communist Studies*, vol. 37, p. 509-552.

BUTLIN, R.A. et R.A. DODGSHON (dir.) (2003). *An Historical Geography of Europe*, 2e édition, Oxford, Oxford University Press.

CALLEO, D.P. (2001). *Rethinking Europe's Future*, Princeton, Princeton University Press.

CASSEN, B. (2005). «Débat truqué sur le traité constitutionnel – Une Europe toujours à construire», *Le Monde diplomatique*, mars, p. 8-9.

CENTRAL INTELLIGENCE AGENCY (CIA) (2010). *The World Factbook*, <www.cia.gov/library/publications/the-world-factbook/index.html>, consulté le 9 septembre 2010.

CHAVRIER, A.L. (2004). «Les valeurs de l'Union dans la Constitution européenne», *Le Supplément de la lettre*, no 185, Fondation Robert Schuman.

CHOPIN, T. et L. MACEK, (2010). «Après Lisbonne, le défi de la politisation de l'Union européenne», *Les Études du Centre d'études et de recherches internationales* (CERI), 165.

COQ, G. (1997). «Pour une nouvelle éthique de l'engagement», *Cahiers d'Europe*, mai, p. 53-74.

CORM, G. (2002). *L'Europe et l'Orient : de la balkanisation à la libanisation : histoire d'une modernité inaccomplie*, Paris, La Découverte.

DELANTY, G. (1995). *Inventing Europe : Idea, Identity, Reality*, New York, St-Martin's Press.

DERRIDA, J. (2004). «Une Europe de l'espoir», *Le Monde diplomatique*, décembre, p. 3.

EMMER, P. C. (2004). «Europe and the immigration debate», *European Review*, vol. 12, no 3, p. 329-338.

ENTRIKIN, J.N. (1997). «Lieu, culture et démocratie», *Cahiers de géographie du Québec*, vol. 41, no 114, p. 349-356.

EUROSTAT (2010). *Europe in Figures – Eurostat yearbook 2010*, Luxembourg, European Union, Publications Office of the European Union, collection Statistical books.

FERRY, J.M. (2003). «Dix thèses sur "La question de l'État européen"», *Droit et société*, no 53, p. 53-63.

FONTAINE, P. (2003). *12 leçons sur l'Europe*, Luxembourg, Commission européenne, <europa.eu.int/comm/publications/booklets/eu_documentation/04/index_fr.htm>, consulté le 10 décembre 2004.

FRIEDLI, R. et M. SCHNEUWLY PURDIE (dir.) (2004). *L'Europe des religions : éléments d'analyse des champs religieux européens*, Berne, Peter Lang.

GINSBERG, R.H. (2001). *The European Union in International Politics*, Lanham, Rowman et Littlefield.

GLENCROSS, A. (2010). « A post-national EU ? The problem of legitimising the EU without the nation and the national representation », *Political Studies*, vol. XXX, nº XXX, p. 1-20.

GOWLAND, D., B. O'NEILL et R. DUNPHY, (dir.) (2000). *The European Mosaic – Contemporary politics, economics & culture*, 2e édition. Londres, Longman.

GUILLON, M. et N. SZTOKMAN (2000). *Géographie mondiale de la population*, Paris, Ellipses, Universités Géographie.

GÜNEŸ, A. (2005). « The future of Turkey in the European Union », *Futures*, vol. 37, p. 303-316.

GUTTMAN, R. (dir.) (2001). *Europe in the New Century : A History of an Emerging Superpower*, Boulder, Lynne Rienner Publishers.

HAROCHE, P. (2009). *L'Union européenne au milieu du gué. Entre compromis internationaux et quête de démocratie*, Paris, Economica, coll. « Études politiques ».

HEN, C. et C. LÉONARD (2001). *L'Union européenne*, 9e édition, Paris, La Découverte, coll. « Repères ».

HERZOG, P. (2002). *L'Europe après l'Europe, les voies d'une métamorphose*, Bruxelles, De Boeck.

HILLARD, P. (2005). *La décomposition des nations européennes – De l'union euro-atlantique à l'État mondial*, Paris, François-Xavier de Guibert.

HUGHES, K. (2004). *Turkey and the European Union : Just Another Enlargement ? Exploring the Implications of Turkish Accession*, Londres, Standard et Poor's, A Friends of Europe Working Paper.

HUSSON, C. (2002). *L'Europe sans territoire – Essai sur le concept de cohésion territoriale*, Paris, L'Aube/Datar.

LÉVY, J. (1998). *Europe – Une géographie*, Paris, Hachette, coll. « Carré géographie ».

LÉVY, J. (2003). « Européens, cultivons notre géographie ! », *Espaces-Temps*, <espacestemps. revues. org/article.php3 ?id_article 64>.

NANCY, J.L. (1997). « Europya : le regard au loin », *Cahiers d'Europe*, mai, p. 82-95.

OBERDORFF, H. (2003). « La montée en puissance européenne de l'acteur régional », *Territoires 2020*, vol. 8, juillet, p. 21-26.

OCDE (2010). *Principaux indicateurs économiques. Décembre 2010*, New York et Paris, Organisation de coopération et de développement économiques, Statistiques.

PAGDEN, A. (2002). *The Idea of Europe : From Antiquity to the European Union*, Cambridge, Cambridge University Press.

POPULATION REFERENCE BUREAU (2010). *World Population Data Sheet*, Washington.

RIFKIN, J. (2004). *Le rêve européen, ou comment l'Europe se substitue peu à peu à l'Amérique dans notre imaginaire*, Paris, Fayard.

ROBERT, A.C. (2004). « Coup d'État idéologique en Europe – une vraie-fausse constitution », *Le Monde diplomatique*, novembre, p. 8.

ROQUES, G. (2004). *Europe, espaces en recomposition*, 3e édition, Paris, Vuibert.

RUMFORD, C. (2002). *The European Union : A Political Sociology*, Oxford, Blackwell.

STRÖMHOLM, S. (2005). « Identity in change – A European dilemma ? The Erasmus Lecture 2004 », *European Review*, vol. 13, nº 1, p. 3-14.

TEKIN, A. (2005). «Future of Turkey-EU relations: A civilisational discourse», *Futures*, vol. 37, p. 287-302.

TODOROVA, M. (2003). *Balkan Identities: Nation and Memory*, New York, New York University Press.

VANDERMOTTEN, C. et DÉZERT, B. (2008). *L'identité de l'Europe – Histoire et géographie d'une quête d'unité*, Paris, Armand Colin, coll. «U».

VIBERT, F. (2001). *Europe, Simple Europe Strong: The Future of European Governance*, Cambridge, Polity Press.

WACKERMANN, G. (dir). (2000). *Les métropoles dans le monde*, Paris, Ellipses.

WEBER, S. (2001). *Globalization and the European Political Economy*, New York, Columbia University Press.

WEIBEL, E. (2004). *Histoire et géopolitique de l'Europe centrale: de l'Antiquité à l'Union européenne*, Paris, Ellipses.

WEINER, A. (1998). *European Citizenship Practice*, Boulder, Westview Press.

ZIELONKA, J. (dir.) (2002). *Europe Unbound: Enlarging and Reshaping the Boundaries of the European Union*, Londres, Routledge.

CAPSULE 7A

LES TRANSPORTS EN EUROPE
Le poids de la géographie et de l'histoire

Jean-Claude Lasserre

L'Europe est le plus petit des cinq continents mais, avec plus de 500 millions d'habitants pour l'Union européenne à 27 pays (près de 600 millions pour l'Europe sans la Russie), soit une densité de l'ordre de 120 habitants au km², la problématique des transports en Europe est d'emblée très différente de ce qu'elle peut être dans des espaces de moindre densité, et notamment en Amérique du Nord (32 habitants au km² aux États-Unis, 3 au Canada). En effet, de fortes densités de population engendrent inévitablement d'énormes flux de personnes et de marchandises, qui justifient à leur tour d'importants investissements dans les infrastructures et le matériel de transport. Cette évolution est encore renforcée par la mondialisation et l'intégration économique européenne, qui intensifient constamment les échanges entre des partenaires de plus en plus éloignés.

Ces caractéristiques sont apparues très tôt dans l'histoire, notamment au plan de la navigation maritime, qui joue à toutes les époques un rôle important, et très souvent premier. Ce sera l'objet de notre première partie. Sur le continent se sont développés une très forte mobilité des personnes et des échanges sans cesse accrus de matières premières et de marchandises (2e partie). Enfin, nous terminerons par une rapide revue des principaux problèmes actuels (3e partie).

L'IMPORTANCE DES TRANSPORTS MARITIMES

Eu égard aux autres continents, tous de forme très massive, la grande originalité géographique du continent européen réside dans les profondes pénétrations de la mer à l'intérieur des terres. Au sud, par exemple, la Méditerranée se glisse entre l'Afrique et l'Europe, et aussi entre trois péninsules de cette dernière (ibérique, italienne et grecque), entre lesquelles on recense de très nombreuses îles. À cet égard, le contraste est saisissant entre les rivages européen et africain de cette mer. Une autre pénétration, au nord, réunit la mer du Nord et la Baltique, entre lesquelles se glissent d'autres péninsules, et notamment celles de la Scandinavie et du Danemark, tandis que tout l'archipel britannique s'interpose entre la mer du Nord et l'Atlantique. Ainsi, le dessin dentelé du continent européen multiplie les façades maritimes comme les possibilités de contact entre terres et mers, ce qui a grandement facilité les déplacements des hommes et des marchandises sur son pourtour, dès l'Antiquité sur la Méditerranée, notamment à l'initiative des Grecs et des Phéniciens, et dès le

Moyen Âge sur la mer du Nord et la Baltique, où les échanges se sont développés dans le cadre de la Hanse, une sorte de fédération des ports de commerce riverains et de leurs négociants[1].

Grâce aux savoir-faire acquis et au progrès scientifique, à partir des XVe et XVIe siècles, les marins européens se sont lancés sur les océans, devenant ainsi les principaux acteurs des Grandes Découvertes, puis des colonisations, notamment en assurant tous les échanges entre les nouvelles colonies et leurs métropoles en Europe. Enfin, aux XIXe et XXe siècles, les révolutions techniques de la vapeur puis du diesel ont permis de massifier puissamment ces échanges, et le gigantisme de la construction navale a porté la capacité d'un pétrolier jusqu'à un demi-million de tonnes, et celle d'un porte-conteneurs jusqu'à 8 000 EVP[2]. Les transports maritimes sont les seuls à pouvoir assurer des acheminements aussi massifs.

Depuis le XVIe siècle, l'Europe a ainsi acquis une expérience considérable, qui lui permet d'entretenir des relations maritimes d'envergure planétaire. Avant la Deuxième Guerre mondiale, elle assurait encore la moitié des tonnages du trafic océanique mondial, et elle en garde aujourd'hui un petit tiers. Plusieurs des grands armateurs mondiaux dans le domaine des transports de conteneurs sont européens, notamment le premier, Maersk, d'origine danoise, et aussi l'armateur suisse MSC, l'allemand Hapag Lloyd et le français CGM/CMA. Leurs services réguliers assurent des relations continues avec tous les autres continents, et ils sont complétés, surtout pour le vrac, par les services à la demande des armateurs spécialisés dans le *tramping* [3].

Mais ces activités de transport maritime ne sont pas seulement d'envergure mondiale, elles se développent aussi à l'échelle intra-européenne, par l'importance du cabotage. Comme l'a fait remarquer Michel Savy (2003, p. 1), du Conseil national des transports de France :

> Le transport maritime est massivement utilisé à l'intérieur même de l'Europe, sans compter son poids évident dans les échanges intercontinentaux. Pourtant, la mer reste la face cachée du système de fret. Ainsi, les chiffres couramment cités pour caractériser le partage modal des marchandises ne couvrent que le transport terrestre, alors qu'en termes de tonnes/kilomètres, la mer assure un transport presque égal à celui de la route[4] !

1. Ces organisations commerciales, puis politiques, fondées sur les échanges par la mer, sont des *thalassocraties*, du grec *thalassa*, mer. À ce sujet, voir Bavoux et Charrier (1994, p. 58-60).
2. Les conteneurs ont des longueurs de 20 ou 40 pieds (environ 6 et 12 mètres). L'unité de mesure est donc l'équivalent 20 pieds (EVP), et un conteneur de 40 pieds équivaut à 2 EVP.
3. Ce mot signifie *vagabondage*, car l'armateur affecte un navire à une demande d'expédition vers le port A. Là il prospecte à l'avance un autre chargement qui amènera ce navire au port B, et ainsi de suite. C'est un type de service complètement différent de celui des lignes régulières, dont les navires effectuent toujours les mêmes navettes, avec des escales dans les ports connues longtemps à l'avance, et des départs aux dates annoncées, que le navire soit plein ou non. Enfin, certains types de vrac sont transportés dans des bateaux appartenant aux propriétaires de la marchandise. C'est le cas très souvent dans le domaine des hydrocarbures, où domine ce qu'on appelle le transport pour compte propre, par opposition au transport pour compte d'autrui.
4. Le partage modal est la répartition des trafics de marchandises, en tonnes-kilomètres, entre les divers modes de transport.

Cette double dimension, planétaire et continentale, du transport maritime en Europe s'observe bien dans les principaux ports du continent, où se côtoient les plus grands navires intercontinentaux et ceux de plus petite taille, les navires *feeder*, ou nourriciers, qui effectuent en cabotage national ou européen les navettes complémentaires à celles des premiers, distribuant dans d'autres ports les conteneurs arrivés des autres continents et ramenant vers les principaux ports ceux qui vont être chargés sur les grands navires intercontinentaux. À ces deux flottes s'ajoutent deux autres, qui prennent sans cesse plus d'importance : celle des navires transportant des passagers et des véhicules routiers, y compris des camions et des autocars, et qui assure elle aussi un véritable cabotage, non seulement entre toutes les îles et le continent, mais aussi entre les rives de la mer du Nord, de la Baltique et de la Méditerranée ; et aussi la flotte des navires de croisière, qui enregistre des succès étonnants sur les mêmes mers.

Toutes ces activités ont pour points d'ancrage de nombreux ports, de taille inégale. Les principaux sont alignés sur les deux façades portuaires majeures du continent, toutes deux orientées du sud-ouest au nord-est (figure 7a.1) : la plus importante se situe sur les rives de la Manche et de la mer du Nord, du Havre à Hambourg, en passant par Anvers et Rotterdam, longtemps le premier port mondial ; une autre est implantée sur la façade méditerranéenne de l'Europe occidentale, de Barcelone à Trieste, et comprend notamment les ports de Marseille et de Gênes. Tout cet essor sur mer n'a-t-il pas un effet sur terre ?

ÉCHANGES ET MOBILITÉ DES PERSONNES

Effectivement, dès l'Antiquité, l'aménagement de ports maritimes entraîne l'amélioration des conditions de circulation vers l'intérieur des terres. Ainsi, sur le site actuel de Marseille, la création par les Grecs du port et de la colonie de Massalia au VIᵉ siècle avant J.-C. se poursuit par l'amélioration des chemins vers le nord, et l'essor de la navigation fluviale sur le Rhône, tâches poursuivies ensuite par les Romains et leurs successeurs. Au Moyen Âge, l'expansion des échanges terrestres atteint déjà la dimension continentale, notamment par l'instauration de la circulation nord-sud entre la Méditerranée et la mer du Nord, et particulièrement entre l'Italie du Nord et les ports de la Hanse, sur un isthme d'un millier de kilomètres seulement, mais avec l'important obstacle des Alpes[5]. Au cœur du continent, les foires de Champagne, puis les villes rhénanes deviennent des lieux de rencontre et d'échanges entre les négociants venus du nord et du sud. Pour ces derniers, dès le XVIᵉ siècle

---

5. La navigation commerciale directe (sans transbordement) de l'Italie du Nord jusqu'aux ports de la mer du Nord par le détroit de Gibraltar était possible, et pratiquée déjà par les Romains (notamment de la Méditerranée jusqu'en Angleterre), mais représentait un long détour, et une section de navigation océanique comportant des aléas météorologiques dangereux pour les petits navires de l'époque.

Figure 7a.1.
Trafics conteneurisés dans les ports d'Europe, 2003

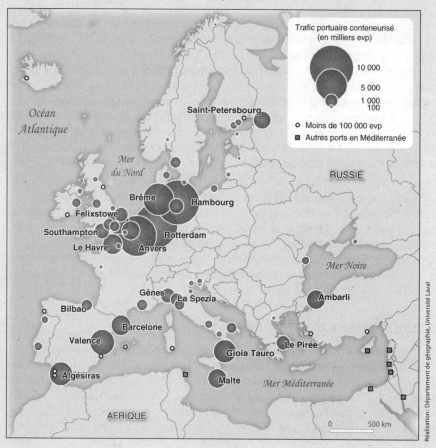

Sources : ISEMAR (Nantes), Trafic conteneurisé, 2004 ; *Panorama des ports de commerce mondiaux,* janvier 2005, nᵒ 71 ; *Panorama des ports à conteneurs en Europe,* novembre 2003, nᵒ 59 ; Eurostats 2010 ; Autorités portuaires.

se met en place le système des lettres de change, leur évitant d'avoir à transporter avec eux de grosses sommes d'argent : c'est le point de départ du système bancaire actuel (voir Juillard, 1968).

Tous ces développements ont pour conséquences une mobilité toujours plus grande des personnes et un accroissement continu des échanges de marchandises (sauf en périodes de guerres) ; ils sont encouragés par les efforts des monarchies européennes, améliorant l'état des routes et les conditions de la navigation fluviale, organisant le réseau des relais pour la messagerie rapide à cheval, indispensable pour l'assise de l'autorité de ces monarchies sur leurs territoires respectifs, et celui des auberges pour les nécessaires haltes nocturnes des voyageurs. Ce n'est qu'à la lumière de ces organisations que l'on peut comprendre par exemple, dès le Moyen Âge, la mobilité des étudiants et des professeurs, allant d'une université à l'autre dans le cadre d'un véritable réseau européen, et celle des architectes, tailleurs de pierre, maçons et artistes qui ont participé à la construction des cathédrales de toutes les villes du continent. L'amélioration des conditions de la circulation apparaît ainsi comme une des conditions essentielles de l'émergence de la civilisation européenne.

Plus récemment, l'essor des échanges et de la mobilité des personnes a été vivement encouragé par un certain nombre de progrès technologiques qui ont eux-mêmes créé de nouveaux besoins de déplacements et d'échanges. Ainsi, la construction de canaux munis d'écluses sur les cours d'eau, souvent jumelées à partir du XXe siècle à des aménagements hydroélectriques, a permis aux grandes industries de s'approvisionner en matières premières toujours plus loin, tout en favorisant l'essor de la navigation de croisière et de promenade, dont le chiffre d'affaires annuel était en 2005 en France équivalent à celui du transport fluvial de marchandises. En 1992, les Allemands ont achevé la liaison fluviale Rhin-Main-Danube, créant un axe fluvial transcontinental de la mer du Nord à la mer Noire. La capacité des convois sur le Rhin peut atteindre 13 500 tonnes et le système des barges poussées permet d'adapter la taille des convois aux gabarits respectifs des différentes voies d'eau[6].

De même, les progrès des chemins de fer ont été remarquables en Europe, notamment grâce à un réseau urbain déjà très dense et aux normes techniques retenues par les ingénieurs du XIXe siècle : des rayons de courbure jamais inférieurs à 800 mètres et des pentes maximales de 2 %[7]. C'est pourquoi ces infrastructures plus que centenaires peuvent aujourd'hui supporter le passage de trains de voyageurs à 160 km/h ! À partir des années 1980, l'ouverture de lignes à grande vitesse (jusqu'à 300 km/h) modifie radicalement la donne quant aux déplacements intercités, aux dépens à la fois de la route et de l'avion. En même temps, depuis le XIXe siècle,

---

6. Les barges ne sont pas motorisées, comme les wagons ferroviaires. Elles peuvent donc être détachées, ou attelées, pour former des convois plus petits, ou plus grands, selon les gabarits des voies d'eau. Ces gabarits sont essentiellement définis par la longueur, la largeur et la profondeur des écluses (ou plus précisément par celles de la plus petite sur l'itinéraire choisi). On peut donc avoir des convois de une, deux, quatre ou exceptionnellement six barges, sur les sections centrale et inférieure du Rhin, où il n'y a pas d'écluses. Les plus gros des pousseurs peuvent travailler jour et nuit, grâce à la présence à bord de plusieurs équipes qui se relaient.

7. Ces normes sont loin d'avoir été toujours suivies sur les autres continents, en raison des distances beaucoup plus importantes, et des objectifs fixés à ces infrastructures : donner accès à l'intérieur des terres, alors peu urbanisé, et donc construire des lignes pionnières, aux normes moins exigeantes, techniquement et financièrement. D'où aujourd'hui les difficultés d'adaptation de ces infrastructures à des vitesses élevées.

le chemin de fer ne cesse d'encourager l'essor du tourisme. Aujourd'hui font fureur des forfaits du type : une fin de semaine dans une autre ville, une fin de semaine (ou une semaine) de ski dans une station alpine, etc.

De leur côté, les réseaux routiers ont suivi des évolutions comparables, caractérisées par l'amélioration continue des véhicules et des infrastructures. Les routes ont été souvent reprises quant à leur tracé, et quant au nombre de voies disponibles. Puis, sur les grands axes, elles ont été doublées par des autoroutes qu'il a fallu à leur tour équiper de voies supplémentaires, elles-mêmes doublées par de nouvelles infrastructures, comme c'est déjà le cas sur certaines sections de la vallée du Rhin, et en construction dans la vallée du Rhône...

Enfin, surtout depuis les années 1970, les transports aériens ont acquis une place très importante sur le marché européen. Ainsi, dans une étude récente, Christine Aubriot souligne en 2004 qu'« en 30 ans, le trafic aérien intracommunautaire (y compris les vols intérieurs) des 15 pays de l'UE est passé de 33 milliards de pkm[8] (1970) à 286 milliards de pkm (2001), soit presque une multiplication par 10 ! » (Aubriot, 2004, p. 8). Ce trafic atteignait 547 milliards de pkm en 2006[9]. Au plan du trafic national, en 2007, les 10 premiers aéroports de l'UE sont Madrid/Barajas (26 millions de passagers), Paris/Orly (15,3 millions), Barcelone (15,1 millions), Rome-Fuimichino, avec 13,5 millions, Munich (9,9 millions), Oslo (9 millions), Milan (7,4 millions), Francfort (6,7 millions), Berlin et Majorque (6,6 millions chacun) (Eurostats, 2009). On note la place particulière de l'Espagne et de l'Allemagne, qui ont respectivement deux et trois aéroports parmi les 10 premiers de l'UE.

En ce qui concerne le trafic aérien international de passagers, les progressions sont tout aussi rapides puisque, de 1993 à 2007, celle du Royaume-Uni est la plus performante, passant de 85 à 191 millions de passagers, tandis que celle des quatre pays suivants est plus lente, avec des évolutions à peu près parallèles : ainsi, toujours entre les mêmes dates, l'Allemagne passe de 61 à 140 millions de passagers, l'Espagne, de 45 à 119 millions, la France, de 41 à 93 millions, et l'Italie, de 22 à 77 millions. Comme le constate Christine Aubriot, « la position des pays de tête, en nombre de passagers internationaux, est liée pour le Royaume-Uni à sa situation insulaire[10], au rôle économique limité du TGV en Espagne, et aux pratiques de vacances "au soleil" pour l'Allemagne ». Enfin, « en 2001, le trafic extra communautaire des 15 se fait principalement avec le reste de l'Europe et avec l'Amérique » : 35 % avec les autres pays européens (hors UE), 32 % avec l'Amérique, 18 % avec l'Asie et l'Australie, 14 % avec l'Afrique (Aubriot, 2004).

Globalement, en ce qui concerne les trafics internationaux (intra- et extra- UE), il faut noter que quatre aéroports européens se détachent nettement des autres : Londres/Heathrow, Paris/Roissy, Amsterdam/Schipol et Francfort/Main. « Ce sont

---

8. Passagers-kilomètres. UE : Union européenne.
9. Eurostats, *Panorama of Transport*, Bruxelles, 2009.
10. Et on pourrait ajouter : à l'importance des liens maintenus avec les pays du Commonwealth.

les quatre principaux *"hubs"* européens[11] » nettement regroupés dans le nord-ouest du continent, là où il y a aussi les principaux ports maritimes et fluviaux. Ce sont également les principaux organisateurs des trafics de fret aérien.

LES PROBLÈMES ACTUELS

Les progrès continus de tous les flux engendrent inévitablement des problèmes, et d'abord des lieux d'encombrement et de congestion, notamment sur les grands itinéraires nord-sud, et particulièrement ceux qui franchissent les Alpes. Plus de 27 300 poids lourds transitent quotidiennement par les Alpes, dont 8 000 par la frontière française. Pendant l'été, dans la vallée de Chamonix, 30 000 véhicules de tourisme s'ajoutent à un trafic routier déjà très dense. Par ailleurs, 191 millions de tonnes ont franchi la chaîne des Alpes en 2004 sur le segment français, dont deux tiers par la route, un tiers par le rail. Le rail fait mieux pour franchir les cols suisses, avec une part de marché de 65 % en 2004. De plus, 109,9 millions de tonnes ont franchi les Pyrénées en 2006, dont 93 % par la route. Ces trafics énormes ont engendré plusieurs accidents graves dans certains des tunnels routiers trans-alpins : 39 morts en 1999 dans celui du mont Blanc, 12 en 1999 dans celui des Tauern en Autriche, 11 en 2001 dans celui du Gothard en Suisse, deux en 2005 dans celui du Fréjus[12]. Les populations des vallées concernées jugent l'évolution de la situation insoutenable et réclament un transfert d'une partie croissante de ces trafics sur le rail. On s'oriente doucement vers cette solution : « En Suisse, près des deux tiers de la taxe sur les camions en transit financent les projets ferroviaires[13] ». De même, après l'Union européenne et l'Italie, la France vient de décider l'octroi de 95 millions d'euros pour les travaux préparatoires du nouveau tunnel ferroviaire Lyon-Turin, qui servira à la fois au passage des TGV entre la France et l'Italie, et au transit des trains de camions ou de conteneurs[14]. Mais il faudra attendre 2023 pour l'ouverture de cet ouvrage d'une longueur totale d'une cinquantaine de kilomètres et d'un coût estimé à 15 milliards d'euros. En attendant, d'autres investissements sont prévus pour amé-liorer la capacité du tunnel ferroviaire du Fréjus[15]. D'autres grands axes nord-sud connaissent des problèmes de congestion comparables, notamment les autoroutes

---

11. Un *hub* (litt. moyeu, d'une roue de bicyclette par exemple) est un aéroport qui, outre le trafic généré par la grande ville voisine et la région environnante, bénéficie d'un grand nombre de correspondances aériennes mises en place délibérément par une ou plusieurs compagnies aériennes dans le cadre de l'organisation de leurs réseaux.
12. *Le Monde*, 25 juin 2005, p. 13 ; Observatoire franco-espagnol des trafics dans les Pyrénées, *Transport de marchandises à travers les Alpes et les Pyrénées*, 2005 ; Observatoire franco-espagnol des trafics dans les Pyrénées, Rapport nº 5, 2008.
13. *Le Monde*, 25 juin 2005, p. 13.
14. *Le Monde*, 9 juillet 2005, p. 11.
15. *Le Monde*, 25 juin 2005, p. 13.

Figure 7a.2.
Le réseau ferré européen à grande vitesse, 2007

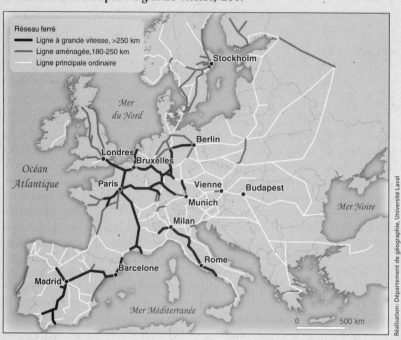

Source : UIC, High-speed division, 2007.

rhénanes et celles de l'axe Rhône-Saône, sur lesquelles le moindre accident provoque des embouteillages de plusieurs kilomètres… et d'incalculables pertes de temps, pendant lesquelles les automobilistes ont tout le loisir de réfléchir à l'alternative du train, du TGV ou de l'avion !

D'autres problèmes concernent toutes les grandes régions urbaines : comme sur d'autres continents, ils résultent de l'étalement urbain, dû à l'aspiration des ménages à des logements moins chers à la campagne. Mais le phénomène provoque partout des encombrements des routes et autoroutes conduisant à la ville, puis des artères urbaines en direction du centre-ville… Les problèmes sont d'autant plus difficiles à résoudre qu'il n'y a pas nécessairement unité de vues entre les diverses instances décisionnelles et que, de surcroît, les périmètres des communautés urbaines sont souvent devenus beaucoup trop petits par rapport à la réalité de l'étalement urbain, comme c'est le cas en France. Dans ce domaine, en confiant l'organisation des transports urbains et suburbains aux régions ou États (les *Länder*), les Allemands ont réussi à mettre en place des processus décisionnels nettement plus efficaces qui aboutissent à de véritables politiques des déplacements régionaux. Elles comportent

Figure 7a.3.
Le réseau ferré européen à grande vitesse prévu en 2020

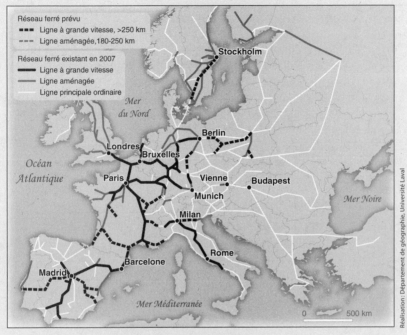

Source: UIC, High-speed division, 2007.

à la fois des mesures de restriction croissantes du stationnement automobile dans les centres-villes et la mise en place de divers types de services ferroviaires : réfection et modernisation complètes des lignes de banlieue et des trains régionaux classiques[16], construction de lignes de tramway, ou de « tram-train », capables de circuler à la fois dans les rues des villes sur des couloirs réservés et sur les infrastructures ferroviaires classiques. Pour encourager les gens à laisser leur voiture au garage, ou aux portes de la ville, des politiques de mise en place de terrains de stationnement près des stations de transport en commun se développent selon deux types, bien connus dans la terminologie anglophone. Le *Park n' Ride* est la solution la plus classique : elle consiste à offrir à proximité de la station des aires de stationnement gratuit (ou à prix modique, éventuellement inclus dans un abonnement) pour les clients du train ou du tram-train. Le *Kiss n' Ride* permet à quelqu'un de déposer

---

16. Signalons que 60 % des trains de voyageurs mis en service quotidiennement par la SNCF sont des trains de la banlieue parisienne, dans le cadre d'un contrat renouvelable entre la SNCF et le STIF (Syndicat des transports d'Île-de-France).

Figure 7a.4.
Le trafic de passagers des principaux aéroports européens, 2009

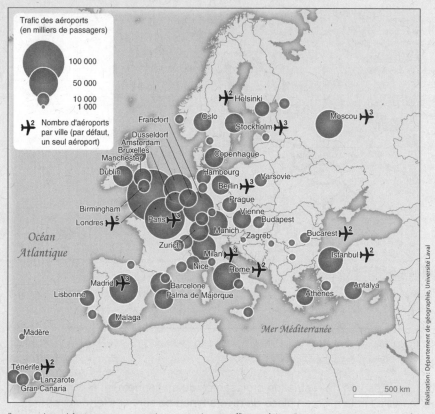

Sources : Anna Aéro, <www.anna.aero/european-airport-traffic-trends/#>, *European Airport 2009*, consulté
le 28 octobre 2010 ; ADV, AENA, BAA, CAA, destatis, Assaeroporti, ANA, Avinor, LFV, Finavia
et autorités portuaires.

un membre de sa famille à la station (d'où la bise !), et de garder la voiture jusqu'au
retour de cette personne : il faut alors aménager des aires d'arrêt court particulières
(le conducteur restant au volant), en attendant l'arrivée de cette personne.

Par ailleurs, des études récentes ont montré que le recours à l'utilisation des
deux roues (motos et cyclomoteurs) se développe rapidement, car il permet de se
faufiler entre les véhicules et de gagner du temps. Mais ces engins, par ailleurs fort
dangereux, émettaient, selon une étude de l'Agence de l'environnement et de la
maîtrise de l'énergie (Ademe) de 2000, « 4 à 10 fois plus de polluants au kilomètre
qu'une voiture catalysée ». Depuis cette date, il semble que la situation se soit améliorée, notamment grâce à de nouvelles normes européennes de construction de

ces engins. Mais les émissions de CO_2 des deux roues restent élevées : de 50 à 80 g/km, contre 120 en moyenne pour une voiture. Il faudrait lutter davantage contre le débridage de ces engins, qui crée aussi de fortes nuisances sonores, et multiplier les contrôles techniques (Guerrin, 2005, p. 12). Dans ce contexte, après une expérience sans lendemain à La Rochelle en 1974, le lancement à Lyon, le 19 mai 2005, d'un système de vélos en libre-service est une expérience très prometteuse qui vient s'ajouter à la mise en place de pistes cyclables : une carte bancaire ou une carte d'abonnement suffit pour emprunter gratuitement un vélo pendant une demi-heure, et le déposer ensuite dans une des 340 stations installées aux quatre coins de la ville. Dix mille abonnements ont déjà été souscrits, et 4 000 à 5 000 locations étaient enregistrées quotidiennement en 2005. Sur cinq ans, ce sont 28 millions de locations qui ont été enregistrées, soit en moyenne 15 340 par jour[17]. Des expériences semblables ont notamment été lancées à Barcelone (2007), Paris (2007), Montréal (2008) et Londres (2010).

Enfin, pour ce qui est des transports de marchandises, de grands enjeux actuels portent sur l'avenir du transport intermodal en Europe. Sur ce continent profondément pénétré par la mer, et barré par plusieurs hautes chaînes de montagnes et par de nombreuses frontières, on pourrait penser qu'il y a là des techniques particulièrement utiles, et qu'elles y fleurissent, puisque le transport intermodal permet d'avoir recours à plusieurs modes de transport successifs, rendus compatibles par la normalisation des contenants (et notamment l'utilisation de conteneurs), et par celle des techniques de manutention. Or ce n'est pas le cas, comme vient de le montrer une récente étude que nous résumons ici[18].

En effet, en tonnes/kilomètres, le transport intermodal en Europe ne représente guère qu'environ 5 % du total des transports terrestres de marchandises de l'ensemble des pays européens. Certes, ces techniques ne sont pas offertes partout, et elles ne sont pertinentes que pour de longues distances. Or la plus grosse part des transports s'effectue sur de courtes distances, et donc par la route, et 57 % des tonnages terrestres sont acheminés sur des distances inférieures à 50 kilomètres. Ce n'est que sur certains corridors que le transport intermodal atteint une part non négligeable du transport total, et notamment sur l'axe nord-sud entre le delta du Rhin et l'Italie du Nord, ce qui allège sensiblement un transport routier mal supporté dans les vallées alpines, comme nous venons de le voir.

Parmi les techniques utilisées, celle de l'autoroute ferroviaire, que l'on appelle parfois « route roulante » ou ferroutage, consiste à placer sur un train l'ensemble routier complet, avec son chauffeur. On la trouve sur les traversées de la Manche et des Alpes, et elle représente environ 20 % du trafic intermodal terrestre. Parmi les

17. « Succès des vélos en libre service à Lyon », *Le Monde*, 9 juillet 2005, p. 11 ; « Vélo'v à Lyon : 5 ans de vélos en libre-service », Info Rhône-Alpes, 3 juin 2010.
18. « Le transport intermodal en Europe », *CNT Transports/Europe*, nos 13-14, avril 2005, 16 p.

80 % restants, le transport intermodal « non accompagné » comprend pour les quatre cinquièmes l'acheminement par trains de conteneurs et de caisses mobiles, et pour un cinquième des semi-remorques routières placées sur des convois ferroviaires.

Si le transport intermodal rail-route représente environ le quart du transport ferroviaire européen, le transport intermodal ayant recours au transport fluvial ne concerne que 5 % des trafics fluviaux, malgré la croissance actuelle du transport de conteneurs par voie d'eau. Certes, l'essor du transport maritime de conteneurs est le principal moteur potentiel d'une croissance du transport terrestre intermodal, mais pour le moment, moins de 10 % des tonnages maritimes accomplissent leurs parcours terrestres par une technique combinée alternative à la route. Ainsi, le transport intermodal est une technique qui paraît rationnelle, et notamment moins polluante, mais jusqu'à présent, seuls quelques pays particulièrement concernés, comme la Suisse et l'Autriche, investissent notoirement dans ce domaine, notamment pour diminuer le nombre de camions en transit sur leurs territoires. Mais en mettant en œuvre une telle politique, ne sont-ils pas des précurseurs ?

Au total, comme sur les autres continents, les transports en Europe doivent faire face à de nombreux problèmes, sans doute d'autant plus préoccupants que les densités de populations et d'activités sont élevées. Ils rendent compte d'un certain nombre de tendances lourdes que nous avons notées dans le temps et dans l'espace : l'importance des deux façades portuaires sur la Méditerranée occidentale et sur la mer du Nord, et celle des axes de transit nord-sud qui les relient à travers les Alpes. Les pays les plus concernés par ces évolutions vont sans doute devoir relever de sérieux défis, notamment à cause des engagements financiers requis. Mais peut-être y a-t-il là des laboratoires d'innovations utiles à tous ?

BIBLIOGRAPHIE

AUBRIOT, C. (2004). « Le transport aérien de passagers en Europe : aperçu statistique », *CNT Transports/Europe, Bulletin de l'Observatoire des politiques et des stratégies de transport en Europe*, n° 11, mai.

BAVOUX, J.-J. et J.-B. CHARRIER (1994). *Transports et structuration de l'espace dans l'Union européenne,* Paris, Masson, coll. « Géographie ».

CONFÉDÉRATION NATIONALE DU TRAVAIL (2005). « Le transport intermodal en Europe », *CNT Transports/Europe*, n°s 13-14, avril.

EUROSTATS (2009). *Panorama of Transport*, Bruxelles.

GUERRIN, S. (2005). « Les deux-roues en progrès, mais toujours polluants », *Le Monde*, 1er juillet, p. 12.

JUILLARD, E. (1968). *L'Europe rhénane. Géographie d'un grand espace,* Paris, Armand Colin.

SAVY, M. (2003). « Le transport maritime, un avenir pour l'Europe », *CNT Transports/ Europe, Bulletin de l'Observatoire des politiques et des stratégies de transport en Europe,* Conseil national des Transports (de France), Paris, n° 9, octobre.

LA CATALOGNE
Un État-région en territoire européen

Juan-Luis Klein et Joana Maria Segui Pons

La Catalogne est l'une des régions émergentes en Europe et dans le monde. Classée comme l'un des «États-régions» de la planète par K. Ohmae, elle se démarque de plus en plus de l'État espagnol, revendiquant le statut de nation dans un univers plurinational d'échelle européenne. À l'instar d'autres régions de l'Europe et du monde, la Catalogne bâtit une institutionnalité distincte, mettant en œuvre une administration propre, une capacité financière, une spécificité culturelle et une option de développement économique. Comme dans d'autres cas dans le monde, la revendication nationaliste y reflète la volonté d'une collectivité de s'affranchir d'un centre politique, dans le cas espagnol représenté par Madrid, considéré comme étouffant. Mais cela ne conduit pas la Catalogne à des revendications indépendantistes. Faisant preuve d'un «syncrétisme territorial» qui défie les analyses manichéennes (gauche/droite, centre/périphérie, conservateur/progressiste) propres aux paradigmes modernistes dominants dans la société industrielle et néofordiste du XXe siècle, la plupart des habitants de la Catalogne se définissent comme Européens, Espagnols et Catalans; tout ça en même temps!

Cette identité a été façonnée par une longue histoire d'affirmation autonomiste qui, interrompue à plusieurs reprises, entre autres par la longue dictature franquiste qui a succédé à la guerre civile de 1936-1939, s'accélère dans les trois dernières décennies, jalonnées par le retour à la démocratie après la mort de Franco en 1975, la réforme de l'État espagnol comme résultat de la nouvelle constitution adoptée en 1978, la récupération de l'autonomie en 1979, la renaissance de Barcelone comme résultat d'un contrat social connu comme le «modèle de Barcelone» dans les années 1990 et, finalement, la reconnaissance de la nation catalane par l'État espagnol en 2005-2006. C'est dans cet ordre que nous présenterons, sommairement il va sans dire, l'émergence de l'État-région de la Catalogne. Mais au préalable, jetons un regard rapide sur les antécédents de cette affirmation autonomiste catalane.

LES ANTÉCÉDENTS HISTORIQUES:
LA CATALOGNE FACE AU CENTRALISME ESPAGNOL

La Catalogne est d'abord une aire culturelle, correspondant à ce qui est appelé «les Pays catalans» (els països catalans). Cette aire couvre un vaste territoire en Europe qui comprend la Catalogne, les îles Baléares, Valence et une petite partie d'Aragon, en terre espagnole, le département du Roussillon, en France, la ville d'Alguer, en Italie et la principauté d'Andorre. Les antécédents qui président à la constitution de cette aire culturelle remontent loin dans l'histoire: aux IXe et Xe siècles avec, d'abord, son inclusion dans l'Empire carolingien et, ensuite, son autonomie obtenue lors du morcellement de celui-ci. C'est entre cette époque et le XIIIe siècle que sont fondées les premières institutions de la Catalogne, définissant d'ailleurs sa territorialité : le *Casal de Barcelona* (siège du comté de Barcelone et ensuite du royaume d'Aragon, qui structure l'aire culturelle catalane), la *Generalitat* (le gouvernement de la Catalogne comme telle) et le Conseil des Cents (*Consell de Cent*), mairie de la ville de Barcelone, la métropole catalane. Mais c'est dans le contexte de leur confrontation ultérieure avec l'État espagnol et de la structuration d'une Catalogne espagnole que ces institutions vont se consolider et que d'autres vont naître.

La Catalogne et la formation de l'État espagnol

L'autonomie et la prospérité permettant l'épanouissement de la Catalogne et son expansion dans le bassin méditerranéen prennent fin au XVe siècle. Les avatars propres aux alliances entre dynasties et royaumes conduisent à plusieurs crises politiques et sociales qui se soldent par l'annexion du royaume d'Aragon (avec la Principauté de Catalogne) à l'État espagnol. Le mariage du roi Fernando de Aragon avec Isabel la Catholique, reine de Castille, donne le coup d'envoi à la création de l'Espagne comme État et à la soumission des institutions catalanes, notamment de la *Generalitat,* aux institutions castillanes, dont le centralisme et la force augmentent à mesure que se consolident la conquête de l'Amérique et l'Empire espagnol.

Plusieurs confrontations sociales résultant de problèmes de succession royale, des tentatives nombreuses de l'armée espagnole d'anéantir la culture et la langue catalanes et de révoltes sociales dues aux inégalités économiques vont contribuer à consolider les bases de l'identité catalane, et ce, même si la Catalogne est soumise politiquement à l'Espagne castillane. La description et l'analyse de ces événements dépasseraient les objectifs de ce texte et l'espace dont nous disposons. Un fait marquant doit cependant être rappelé. En 1714, comme résultat de ce qui est appelé la « guerre pour la succession espagnole », le roi Felipe V assume le pouvoir au nom de la Maison des Bourbons, à laquelle le royaume d'Aragon (la Catalogne) avait préféré la Maison d'Autriche. Les Bourbons occupent militairement Barcelone afin d'imposer l'ordre et la loyauté et Felipe V émet les *decretos de la nueva planta*, ensemble de diktats interdisant l'usage du catalan dans l'enseignement et la religion dans l'ensemble du territoire de l'ancienne Couronne catalano-aragonaise et abolissant toute forme de pouvoir politique et administratif autonome. Depuis, l'histoire de la Catalogne est marquée par la volonté de récupérer ses institutions et son autonomie.

La révolution industrielle et le tournant culturel

Bloqués politiquement et culturellement, les Catalans se tournent au XIXe siècle vers l'économie. La révolution industrielle fait de la Catalogne la région la plus prospère de l'Espagne et une des plus prospères du bassin méditerranéen. La ville de Barcelone connaît une importante expansion économique et urbaine, orientée d'ailleurs par des principes urbanistiques innovateurs énoncés par Ildefonso Cerdá qui, du coup, crée l'urbanisme moderne. Mais elle en fait aussi une zone d'intenses mobilisations ouvrières et urbaines qui amènent F. Engels à l'appeler « la ville des barricades ». Ainsi, malgré sa force économique, la bourgeoisie industrielle catalane n'a pas la capacité politique de défendre l'autonomie de la nation catalane, comme ce fut le cas dans d'autres sociétés européennes, à cause de l'impossibilité de constituer une alliance avec l'ensemble des classes sociales de la Catalogne.

Mais, pour autant, le « catalanisme » n'est pas anéanti. Sa survie pendant cette période s'explique par la création de plusieurs organisations culturelles qui vont canaliser le sentiment nationaliste, dont la plus importante est l'Alliance de la Catalogne (Lliga de Catalunya). C'est ce mouvement qui reprend la revendication autonomiste et qui aboutit en 1885 à l'élaboration de ce qui est considéré comme la base du catalanisme politique, à savoir le document « Mémoire à la défense des intérêts moraux et matériels de Catalogne » (*Memoria en defensa de los intereses morales y materiales de Catalunya*), manifeste adressé à la royauté espagnole. Les revendications énoncées dans ce manifeste sont réaffirmées en 1890 lors de la rédaction d'un avant-projet de Statut régional (*Estatuto regional*), stipulant le cadre d'un gouvernement autonome, puis en 1892 par un autre manifeste, intitulé *Bases de Manresa*, lequel indique les principes juridiques et constitutionnels qui devraient servir de base à la construction de l'autonomie catalane dans le contexte espagnol.

Ce mouvement se solde en 1901 par la fondation de l'Alliance régionaliste (*Lliga regionalista*) par Enric Prat de la Riba, organisation qui deviendra le principal représentant des intérêts autonomistes catalans au début du XXᵉ siècle. Prat de la Riba, l'un des principaux artisans de la renaissance d'un catalanisme politique, expose son programme dans l'ouvrage *La nacionalitat catalana,* publié en 1906, où il réclame la décentralisation de l'Espagne et la modernisation de l'État. Sur le plan culturel, il fonde en 1907 l'Institut d'études catalanes (Institut d'Estudis Catalans) qui joue un rôle crucial dans la promotion de la langue et de la culture catalanes, ce qui se répercute sur la revendication d'utiliser le catalan dans les institutions scolaires et publiques (utilisation interdite depuis les décrets de la *nueva planta*).

Le nationalisme catalan dans la lutte pour la transformation de l'État

C'est par un décret royal émis le 18 décembre 1913 que la Catalogne crée une instance de représentation politique, la Mancomunitat de Catalunya. Cette instance régionale regroupait les provinces de Barcelone, Tarragone, Lérida et Gérone. Elle détenait un pouvoir administratif limité à des questions d'ordre culturel, social et de travaux publics. La Mancomunitat permet à Prat de la Riba, qui en assure la direction, de faire la preuve de l'efficacité d'un pouvoir régional et renforce les nationalistes dans leur quête d'autonomie (Moreno et Marti, 1979). Ragaillardie par cette autonomie même limitée, en 1919, la Lliga regionalista élabore un projet de Statut d'autonomie qui reçoit l'appui de 98 % des municipalités de la Mancomunitat, mais pas celui des classes ouvrières. À l'instar du reste de l'Espagne et de l'Europe, la Confederación nacional del trabajo (CNT), ainsi que les autres organisations syndicales, étaient mobilisées davantage par la lutte de classes que par la lutte nationaliste.

La renaissance du nationalisme politique catalan est parallèle à l'émergence de la revendication républicaine, qui déferle dans l'ensemble de l'Espagne et qui cherche à moderniser un régime monarchique aux bases religieuses, politiques et économiques révolues. Dans une première période, ce mouvement, fort mais atomisé – certaines factions prônant le socialisme, d'autres l'anarchisme et d'autres le libéralisme laïque –, n'arrive pas à opposer une option viable à la monarchie. Au contraire, c'est l'armée qui réussit à s'imposer et à s'ériger en symbole de la protection de la « véritable nation espagnole », ce qui justifie son pouvoir dictatorial et la répression des régionalismes et nationalismes (Solé Tura, 1985).

La force des protestations ouvrières et le danger que représentaient les revendications régionalistes – celles des Catalans certes, mais aussi celles des autres collectivités à aspiration nationale telles que les Basques et les Galiciens – pour l'unité de l'État espagnol provoquent un nouveau coup d'État, en 1923, par lequel s'impose un nouveau gouvernement dictatorial, celui de Primo de Rivera, qui, en 1925, dissout la Mancomunitat et rétablit les politiques anticatalanistes. Dès lors, l'Espagne vit une période de profonds bouleversements.

La revendication républicaine et les partis d'orientation socialiste gagnent des adhérents, surtout dans les principaux centres urbains, dont Barcelone. Le gouvernement de Primo de Rivera tombe, mais les gouvernements qui lui succèdent sont instables et, dès 1931, la monarchie est remplacée par un régime républicain. Le conflit entre ceux qui défendent la république et les monarchistes s'intensifie et les deux camps se radicalisent, le camp monarchiste adoptant une orientation fasciste et les républicains, une orientation socialiste. Ce dernier bloc donne lieu à la formation du Front populaire, une coalition formée par les partis radical, socialiste et communiste, portée au pouvoir lors des élections de 1936. Pendant cette période, les nationalistes catalans se regroupent au sein d'un nouveau parti nationaliste et républicain de gauche, la Gauche républicaine de la Catalogne (Esquerra republicana de Catalunya : ERC), qui subsiste encore, alors que la Lliga regionalista, qui avait dirigé la Mancomunitat et qui représentait la bourgeoisie, se range dans le camp des forces monarchistes. Le parti ERC est élu en 1931 et la Catalogne devient le protagoniste de la période qui va suivre.

La Generalitat fut officiellement rétablie le 21 avril 1931, soit sept jours après l'instauration du régime républicain. Sa mission la plus importante est la rédaction d'un Statut d'autonomie. Fort d'un vaste appui populaire, ce statut est soumis au gouvernement républicain de l'Espagne, qui l'adopte le 15 septembre 1932. Ce statut rétablit les droits démocratiques et l'autonomie culturelle et linguistique de la Catalogne. Il y est établi que : « en Catalogne, le pouvoir provient du peuple et est représenté par la Generalitat » (*el poder de Cataluna emana del pueblo y lo representa la Generalitat* : voir Moreno et Marti, 1979, p. 86). Le Statut d'autonomie signifiait la possibilité de s'autogouverner, de voter et d'appliquer des lois à l'intérieur des champs de compétence concédés par le gouvernement central. La Generalitat put alors faire du catalan la langue officielle de la Catalogne et engager des politiques afin d'encourager sa diffusion, son apprentissage et l'émancipation de sa culture. La Generalitat approuva en 1936 l'établissement des *comarcas* comme division territoriale en Catalogne, des unités délimitées par Pau Vila, un géographe catalan célèbre (Foghin-Pillin, 2003), utilisant le concept de région naturelle, mais en pensant que ce serait la base d'une organisation politique et administrative permettant d'éviter les déséquilibres en termes de taille et de population (Rovira, 1989, p. 112). En bref, elle put recouvrer les libertés pour lesquelles elle s'était battue à de si nombreuses reprises au cours de son histoire.

L'autonomie catalane faisait partie d'un processus beaucoup plus vaste caractérisé par l'importance que prennent les nations minoritaires (catalane, basque, galicienne) comme acteurs de la politique espagnole. En plus des réformes sociales et politiques amorcées sous le Front populaire, les régionalismes, qualifiés par les fascistes de « tumeurs cancéreuses dans le corps de la nation » (*cánceres en el cuerpo de la nación*) provoquent le soulèvement des forces autodéfinies comme « nationales », en référence évidemment à la nation espagnole, représentatives du camp fasciste et dirigées par le général Franco. Ce soulèvement, qui a lieu le 18 juillet 1936, déclenche une guerre civile sanglante, qui se solde par la victoire fasciste, le 26 janvier 1939, lorsque les troupes franquistes s'emparent de Barcelone[1].

La Catalogne sous la dictature franquiste

La prise de Barcelone met fin à la guerre civile, sonnant aussi le glas de la république et de l'autonomie catalane et imposant dans l'ensemble de l'État espagnol une dictature répressive et centralisatrice, au nom de la lutte contre le communisme, de la religion et de la défense des valeurs proclamées comme « authentiques » de la nation espagnole (Solé Tura, 1985). La culture et la langue de la Catalogne, comme celles des autres régions de l'Espagne qui revendiquent une langue différente du castillan, sont proscrites. Dès lors, pour les nationalistes catalans, l'objectif à atteindre n'était plus seulement l'obtention de l'autonomie, mais aussi, et surtout, le retour de la démocratie. Le gouvernement de la Generalitat, son président ainsi que la plupart des politiciens, la plupart des intellectuels, en plus de plusieurs milliers de Catalans, traversent la frontière et s'exilent en France, au Mexique et en Amérique du Sud.

---

1. Sur la guerre civile espagnole, lire l'excellent roman de E. Hemingway intitulé *Pour qui sonne le glas* et l'excellent bouquin de l'historien Beevor, *La guerre d'espagne.* Sur la guerre civile telle qu'elle a été vécue en Catalogne, lire le témoignage de G. Orwell intitulé « Hommage à la Catalogne ».

Les Catalans en exil appuient la résistance interne, fortement réprimée, par des activités qui assurent la visibilité catalane, mais ils s'enlisent dans des conflits politiques et finissent par perdre leur influence. La Generalitat en exil en France est dissoute en 1948. En terre catalane cependant la résistance reprend et devient progressivement visible, notamment sur le plan culturel. Plusieurs activités clandestines sont organisées par les associations universitaires, dont faisait partie Jordi Pujol qui s'imposera par la suite, au retour de la démocratie, comme le principal leader nationaliste.

À partir de la fin des années 1950 et pendant les années 1960, la résistance à Franco gagne en intensité en Catalogne. Elle est portée par des groupes différents, que l'opposition à la dictature fait converger. En 1969, la Coordination des forces politiques de la Catalogne (Coordinadora de forces polítiques de Catalunya) voit le jour, formée par des organisations diverses, allant des communistes aux chrétiens, avec comme premier objectif le rétablissement de l'autonomie, ce qui conduit à la formation de l'Assemblée de la Catalogne (Assemblea de Catalunya). En plus de l'autonomie, cette dernière visait l'obtention des libertés politiques et syndicales, l'amnistie pour les prisonniers politiques ainsi que la formation d'une alliance avec l'ensemble du peuple espagnol afin d'instaurer la démocratie (Solé Tura, 1985, p. 52). L'insatisfaction populaire provoquée par les difficultés économiques donne du crédit à ces revendications et révèle le besoin de réformes économiques et sociales. C'est ainsi que la mort de Franco en 1975 ouvre les portes à la démocratisation politique et au retour des revendications autonomistes.

VERS LA RECONNAISSANCE DE L'AUTONOMIE

À la mort de Franco, les dirigeants politiques de l'Espagne s'engagent sur le chemin de la réforme. La monarchie reprend ses droits et un gouvernement centriste dirigé par Adolfo Suarez, désigné d'abord, en 1976, par le roi Juan Carlos et élu ensuite, en 1977, lors des premières élections démocratiques tenues en Espagne après la dictature, se met à la tâche de réformer les institutions de l'État. Ce gouvernement jette les bases d'un nouveau modèle étatique, basé sur l'existence des communautés autonomes, qui est confirmé par la suite par le gouvernement socialiste de Felipe Gonzalez, élu en 1982, qui termine son implantation. Compromis entre les forces démocratiques et les revendications régionalistes, et entre les partis de droite et de gauche, ce modèle suscite un consensus qui se confirme malgré l'alternance des partis au pouvoir avec des orientations politiques différentes. L'Espagne ne devient pas une fédération, mais elle n'est plus tout à fait un État unitaire.

La réforme de l'État espagnol et la récupération de l'autonomie

Une nouvelle constitution est adoptée en 1978. L'Article 2 de la constitution établit que l'Espagne est une nation de nationalités et d'autonomies (Aja, 1999). Le territoire est ainsi divisé en 17 communautés autonomes. La manœuvre politique satisfait momentanément les revendications des nationalistes, donc des Catalans, mais noie le processus dans un contexte généralisé où même des régions qui n'avaient jamais réclamé d'autonomie se voient attribuer des pouvoirs qu'elles n'avaient jamais demandés. C'est ce que d'aucuns ont appelé « du café pour tous » (*café para todos*), même pour ceux qui n'en voulaient pas. La constitution prévoit cependant deux voies, et c'est surtout là qu'est sa dimension innovatrice, car une d'elles rend possible une autonomie qui va au-delà des pouvoirs administratifs : la voie « renforcée » pour les régions « historiques » (Article 151 de la constitution), qui réclamaient l'autonomie avec urgence et la voie « ordinaire » (Article 143), qui supposait aussi des compétences inférieures, et plus lentes dans le temps, pour toutes les autres.

La Catalogne, c'est-à-dire le peuple catalan[2], revendique son droit à la voie renforcée[3], ce qui lui est reconnu rapidement car son statut autonome avait déjà été approuvé à l'époque de la République. Les institutions de la Generalitat sont rétablies et le Statut d'autonomie est adopté en 1979, après un référendum populaire qui recueille l'appui de 87 % des votants. Le catalan devient l'une des langues officielles de la communauté autonome, au même titre que le castillan. Plusieurs postes de radio et de télévision, ainsi que des médias écrits l'utilisent et la Generalitat adopte une loi qui l'impose comme première langue d'apprentissage dans les écoles.

Les Catalans revendiquent également la reconnaissance de leur langue au sein de l'Union européenne, dont l'Espagne est membre depuis 1986. Ainsi, dès 1990, le Parlement européen adopte une résolution stipulant des mesures pour assurer que les citoyens catalans puissent communiquer avec les bureaux de leur région en leur langue ainsi que l'inclusion du catalan dans les programmes établis pour l'apprentissage et le perfectionnement des langues européennes.

La croissance économique de la métropole catalane : un nouveau modèle ?

L'identité catalane met en œuvre plusieurs consensus. Le plus remarquable de ces consensus est celui désigné comme le « modèle de Barcelone » (Borja et Castells, 1997). La démocratisation de l'Espagne, l'intégration à l'Union européenne et la renaissance du sentiment autonomiste en Catalogne posent le problème du développement économique. L'ensemble de la Catalogne et la ville de Barcelone, en particulier, ont traversé une profonde crise industrielle due à la tertiarisation de l'économie et à la mobilité des capitaux. Dirigée par le Parti socialiste de Catalogne et son leader Pascual Maragall, la Ville de Barcelone élabore un nouveau modèle de gouvernance où la conflictualité entre les acteurs socioéconomiques et la concurrence entre les villes sont remplacées par la concertation et le partenariat.

---

2. Dès le retour à la démocratie, le 11 septembre 1977, plus d'un million de Catalans manifestent dans les rues de Barcelone exigeant le rétablissement de leurs droits et institutions.
3. Comme d'autres régions telles que le Pays basque, la Galicie et l'Andalousie.

Le «modèle de Barcelone» se traduit par l'élaboration de plans stratégiques, dont la mise en œuvre est assurée par l'Association du plan stratégique métropolitain de Barcelone (l'Associació del Pla estratègic metropolità de Barcelona), formée en 1988 pour conduire le développement de l'ensemble du territoire de l'Aire métropolitaine. Cette association réunit les administrations municipales concernées, la Chambre de commerce et autres organisations d'affaires, les syndicats, le milieu universitaire, et autres acteurs sociaux et économiques. Ainsi, la Ville de Barcelone devient le centre d'une coalition d'acteurs – patronat, syndicats et institutions publiques – avec comme finalité la croissance économique. Forte de ce nouveau «contrat social», Barcelone enclenche un processus intense de reconversion de son économie et de celle de l'ensemble de l'agglomération métropolitaine dont elle est le centre.

L'efficacité du «modèle de Barcelone», reconnue par l'attribution du prix *European Communities' Special Planning Prize* (Borja et Castells, 1997, p. 100), s'est surtout fait sentir par une forte croissance économique dans la métropole catalane[4]. Ce modèle, élaboré en lien avec la réalisation d'un événement clé, les Jeux olympiques de 1992, a été promu à l'étranger comme un exemple en matière de concertation pour le développement économique et comme une réalisation majeure de la culture catalane.

Depuis 1985, les activités du port ont été multipliées par 2,7, passant de 18 millions de tonnes métriques à plus de 50 millions, le trafic de l'aéroport par 3,03, passant de 9 millions de passagers à 27,5 millions; et le volume de la Bourse par 12,6, avec un volume d'affaires de 237 milliards d'euros en 2009. Barcelone s'est imposée comme la cinquième ville au monde dans le tourisme d'affaires, avec un chiffre en 2009 de plus d'un milliard d'euros. Jadis ville industrielle, Barcelone est devenue une ville où les services occupent 78% de la population active. En 2009, le PIB par habitant équivalait à 126,4% de la moyenne du PIB des 27 pays de l'UE. Sa croissance ainsi que les projets urbanistiques qui ont accompagné les projets économiques placent Barcelone au 5e rang dans le palmarès des villes les plus attractives pour les affaires en Europe, selon la classification du European Cities Monitor en 2010, juste derrière Londres, Paris, Francfort et Bruxelles.

Cependant, la vitalité économique de Barcelone a été profondément affectée par la crise financière de 2008, laquelle a provoqué une crise économique généralisée en Espagne avec des résultats dramatiques pour la cohésion sociale à Barcelone et en Catalogne, comme le montre le film *Biutiful* réalisé par Alejandro González Inárritu.

---

4. Le «modèle de Barcelone» ne doit cependant pas être considéré comme une recette pour le succès car, comme le souligne Capel (2005), il est le produit d'un ensemble de facteurs qui sont historiques et qui ne peuvent pas être reproduits par la simple volonté. Il doit plutôt être vu comme une source d'inspiration pour des avenues innovatrices adaptées à chaque situation et comme l'illustration du rôle unificateur que la ville et la région peuvent jouer dans le développement économique.

LA RECONNAISSANCE NATIONALE : VERS LE NOUVEAU STATUT NATIONAL

Entre 1980 et 2004, la Catalogne a été dirigée par le parti Convergència i Unió, d'orientation nationaliste et chrétienne, et par son président Jordi Pujol qui a ensuite quitté la scène politique – Pujol n'a pas dirigé son parti lors des élections à la présidence de la Generalitat tenues en 2004. Les portes s'ouvrent pour Maragall, qui, à la tête du Parti socialiste de Catalogne, devient alors président de la Generalitat. Mais Pujol laisse un programme qui devait conduire, avec sa participation en coulisses d'ailleurs, à la réforme du Statut d'autonomie de la Catalogne.

Le 16 juillet 1998, les représentants des partis nationalistes basque, galicien et catalan, réunis à Barcelone, adoptent la déclaration dite de Barcelone. Cette déclaration établit leur volonté d'aller plus loin et de promouvoir la reconnaissance de leur existence nationale. Même si les réactions politiques du gouvernement central sont d'abord négatives, cette démarche est un jalon important dans la reconnaissance des nationalités régionales. Les artisans de la déclaration de Barcelone se réunissent de nouveau, en septembre 1998, à Vitoria, au Pays basque, où ils signent une nouvelle déclaration, dite Déclaration de Gasteiz. Catalans, Basques et Galiciens s'accordent alors pour constituer un bloc solidaire et mettent sur pied un organisme de coordination. Ils adoptent un programme conjoint qui met de l'avant le principe de la plurinationalité espagnole et de leur insertion européenne. Ces déclarations et ces accords ne manquent pas de susciter des réactions chez les représentants des autres régions espagnoles qui n'ont pas d'ambitions nationalitaires.

Dans le cas de la Catalogne, ce processus aboutit le 30 septembre 2005 à l'adoption par le Parlement catalan, comme résultat d'un vaste consensus politique et social, du nouveau Statut d'autonomie. Ce consensus représente un compromis entre plusieurs forces politiques. D'une part, Pascual Maragall, à la tête du Parti socialiste de la Catalogne, qui gagne les élections à la Generalitat mais sans obtenir la majorité absolue, forme un gouvernement de coalition avec deux partis historiques, soit le parti Gauche républicaine de la Catalogne (Esquerra republicana de Catalunya), parti nationaliste qui avait exercé le pouvoir dans les années 1930, et le parti Iniciativa per Catalunya-Verts, version catalane du parti espagnol Izquierda Unida, d'orientation communiste. D'autre part, Convergència i Unió renforce cette coalition en donnant son appui au renouvellement du Statut d'autonomie.

Au début de 2006, après des révisions du document catalan et de nombreuses tractations politiques, le Congrès de députés espagnol accepte de reconnaître la nation catalane et son autonomie, comme résultat d'un pacte entre le gouvernement espagnol assumé par le Parti socialiste ouvrier espagnol (Partido Socialista Obrero Español) de José Luis Rodríguez Zapatero, président de l'Espagne à partir de 2004, et la coalition des forces catalanistes. Ce pacte a été rendu possible, d'une part, par l'élection des socialistes à la tête de la Generalitat et, donc, grâce à la convergence partisane des dirigeants espagnols et catalans, et, d'autre part, par l'influence qu'a exercée Convergència i Unió[5] aussi bien sur les forces catalanistes que sur les partis centristes au Parlement de Madrid.

Bien sûr, ce pacte est le résultat de plusieurs compromis, si bien que le texte adopté par Madrid, le 30 mars 2006, va moins loin que celui que la Generalitat avait adopté. En fait, la référence à la nation catalane n'apparaît pas dans l'Article 1 du document, comme il avait été prévu, mais dans un préambule, ce qui l'affaiblit et a motivé le retrait de l'appui du parti de la Gauche républicaine de Catalogne au nouveau Statut. Il demeure que la nation catalane, l'identité nationale catalane et ce qui est appelé les « droits historiques de la Catalogne » ont été reconnus par ce document constitutionnel, tout comme les modalités de financement autonome de la Generalitat par la levée des impôts aux particuliers. Le pacte établit aussi les modalités de partenariat en ce qui concerne la gestion de certains équipements stratégiques ou d'intérêt global, tels les ports et les aéroports, la désignation de certaines autorités dont le pouvoir s'applique à l'ensemble de l'Espagne (cour de justice, par exemple) ainsi que les règles de péréquation relatives aux impôts aux sociétés. Le pacte reconnaît le pouvoir de la Catalogne en ce qui concerne la langue, la culture et l'immigration.

Or, immédiatement après l'adoption du Statut par le gouvernement de Madrid, le Parti populaire (Partido Popular), conformément à sa tradition centraliste et de droite, en appelle devant le Tribunal constitutionnel espagnol, argumentant que le Statut est inconstitutionnel. Après quatre ans, en juin 2010, ce tribunal a déclaré inconstitutionnels 14 articles sur 223 que comporte le Statut, ce qui diminue de façon importante sa portée juridique, notamment en regard des questions qui concernent la définition de la Catalogne comme nation et l'utilisation de la langue catalane.

La Catalogne devient malgré tout un État-région, avec une gouvernance propre où les compromis sociaux entre forces opposées orientent la prise de décision et mettent en œuvre des orientations à la fois politiques et économiques qui assurent sa croissance et sa reconnaissance internationale.

BIBLIOGRAPHIE

AJA, E. (1999). *El Estado autonómico: Federalismo y hechos diferenciales*, Madrid, Alianza Editorial.

BEEVOR, A. (2006). *La guerre d'Espagne,* Paris, Calmann-Lévy.

BORJA, J. et M. CASTELLS (1997). *Local and Global: Management of Cities in the Information Age*, Londres, Earthscan Publications.

CAPEL, H. (2005). *El modelo Barcelona: un examen crítico*, Barcelona, Ed. del Serbal.

---

5. Ce Parti sort vainqueur des élections tenues à la fin novembre 2010 en Catalogne, après quatre ans de gouvernement d'une coalition de gauche présidé par le socialiste José Montilla.

CASTELLS, M. et R. OLLÉ (2004). *El modelo Barcelona II*. Documento de síntesis. Barcelona, Universitat Oberta de Catalunya/Generalitat de Catalunya, <www.uoc.edu>.

CERDA, I. (1979). *La théorie générale de l'urbanisation*, Paris, Seuil.

ENGELS, F. (1976). *La question du logement*, Paris, Éditions sociales.

FOGHIN-PILLIN, S. (2003). *Pablo Vila*, Caracas, UPEL.

MORENO, E. et F. MARTI (1979*). Catalunya para Españoles*, Barcelona, Dopesa.

OHMAE, K. (1995). *The End of the Nation State. The Rise of Regional Economies*, New York, Free Press.

ROVIRA, B. (1989). *Pau Vila. "He viscut!", Biografia oral,* Barcelona, Edicions La Campana

SOLÉ TURA, J. (1985). *Nacionalidades y nacionalismos en España : Autonomias, federalismo, autodeterminación*, Madrid, Alianza Editorial.

VILLATORO, V. (2000). « Los nuevos horizontes des nacionalismo catalán », *La factoría*, nº 12, <www.lafactoriaweb.com>.

8

L'EX-URSS
Une région en cours de stabilisation

Patrick Forest

*Une nation qui en opprime une autre
ne peut être libre.*
(Breault, Jolicœur et Lévesque, 2003, p. 218)

L'implosion de l'Union soviétique en 1991 sonne le glas d'un État continent ayant profondément marqué l'histoire du xxᵉ siècle. Loin de former un bloc monolithique, ce dernier était constitué d'un assemblage bigarré de nations, regroupées au sein de républiques se caractérisant pour la plupart par une mosaïque linguistique, ethnique, religieuse et politique fort complexe.

Cette désintégration a provoqué l'émergence sur la scène internationale de 15 nouveaux acteurs, ce qui ne fut pas sans susciter des inquiétudes à l'époque, surtout en ce qui concernait la prolifération nucléaire et l'intégration des minorités ethniques. Ces «nouveaux» États entretiennent aujourd'hui des rapports tantôt favorables, tantôt franchement hostiles avec la Russie.

La grande diversité culturelle, économique et géographique de ces États justifierait à elle seule la rédaction d'un chapitre pour chacun d'entre eux. Cependant, l'appartenance de ceux-ci au vaste territoire de l'Union soviétique s'est traduite par d'étroites relations et un métissage socioéconomique qui donnent encore aujourd'hui une certaine cohésion à l'ensemble. Ce texte offre un survol des éléments clés nécessaires pour une bonne compréhension du contexte économique, social et politique des États de l'ex-URSS, et ce, selon une perspective géopolitique abordant les principales problématiques et dynamiques actuelles.

Dans ce chapitre, ces États ont été regroupés en cinq sous-ensembles en fonction de leurs affinités géographiques et historiques : i) la Russie ; ii) les pays baltes (Estonie, Lettonie et Lituanie) ; iii) l'Ukraine, la Moldavie et le Bélarus ; iv) le Caucase (Géorgie, Arménie et Azerbaïdjan) ; v) l'Asie centrale (Kazakhstan, Ouzbékistan, Turkménistan, Tadjikistan et Kirghizistan). Ce chapitre montre qu'un demi-siècle de centralisation du pouvoir, notamment par la russification et le contrôle exercé par le Parti communiste, n'a pas pu venir à bout des forces centrifuges nationalistes. Au contraire, le démembrement de l'ex-URSS et les événements qui sont survenus depuis montrent que ce territoire connaissait de profondes tensions.

8.1. L'implosion et la difficile émergence sur la scène internationale des anciennes républiques soviétiques

L'obtention de l'indépendance par les républiques participe de l'émancipation de mouvements nationalistes, longtemps réprimés. Mais toutes les revendications ne sont pas satisfaites au même degré ; les républiques héritent d'un lourd legs, celui de l'ère stalinienne où les frontières étaient tracées selon le principe « diviser pour régner ». La transformation des frontières, hier internes, maintenant externes, souvent établies de manière arbitraire sans égard aux réalités ethniques, linguistiques ou religieuses, ravive les tensions[1]. Par exemple, la région du Haut-Karabagh, majoritairement peuplée d'Arméniens, fut intégrée à l'Azerbaïdjan et séparée de l'Arménie par un étroit corridor. Ce territoire a suscité un important conflit qui n'est toujours pas résolu aujourd'hui. Une situation similaire, quoique moins belliqueuse, survint en Crimée, où vit une importante minorité russe. Des tractations diplomatiques permirent toutefois de trouver des solutions pacifiques à ce différend. Enfin, cinq États ont eu à gérer des mouvements sécessionnistes sur leur territoire, soit la Russie, l'Ukraine, la Moldavie, la Géorgie et l'Azerbaïdjan. En dépit de l'obtention d'une indépendance *de facto*, trois régions (la Transnistrie, le Haut-Karabagh et l'Ossétie du Sud) n'ont pu obtenir une quelconque reconnaissance internationale.

---

1. Pour un survol de la question de la délimitation des frontières dans l'ex-espace soviétique et du débat entourant la conception « artificielle » et « naturelle » des frontières, voir Gonon et Lasserre (2003).

Pourtant, au début des années 1990, nombreux étaient les observateurs à prédire l'éclatement de ces nouveaux pays et à appréhender la multiplication des conflits inter-ethniques et interétatiques. L'histoire leur a donné partiellement raison, avec une pré-valence de conflits infranationaux, mais relativement très peu de conflits internationaux. Par ailleurs, plusieurs pays ont opté pour une politique de conciliation à l'égard des minorités présentes sur leur territoire, plus précisément les Russophones, tandis que le conflit tchétchène a refroidi les ardeurs séparatistes de nombreux groupes nationalistes.

Au lendemain de l'accession à l'indépendance, l'attention des dirigeants russes s'oriente vers l'Ouest, mais rapidement leur regard se tourne vers l'«étranger proche» (Donaldson et Nogee 2009, p. 163), soit les nouveaux États successeurs de l'ex-URSS. Cette doctrine vise le renforcement du contrôle de la Russie sur ce qu'elle considère être sa zone d'influence. À cette fin, différents stratagèmes sont employés: pression diplomatique, incitatifs monétaires ou énergétiques, interruption des approvision-nements en gaz et pétrole, et soutien des revendications des minorités russes.

La Géorgie, l'Ukraine, l'Azerbaïdjan et la Moldavie ont créé en 1997 un bloc pro-occidental afin de faire contrepoids aux visées russes. Ce regroupement prit le nom de GUAM (figure 8.1), acronyme issu de la première lettre de chacun des pays membres (Breault, Jolicœur et Lévesque, 2003). Ceux-ci n'ont d'ailleurs pas tardé à critiquer la Russie, adoptant à de nombreuses occasions une position commune. L'Ouzbékistan s'est joint au groupe en 1999, avant de le quitter en 2005[2].

Parallèlement au morcellement territorial de l'ex-URSS, de multiples accords régionaux furent conclus, principalement à l'instigation de la Russie. Celle-ci y voit une manière de raffermir son contrôle sur les nouvelles républiques. L'accord le plus connu est sans conteste la Communauté des États indépendants (CEI), initiée par l'Ukraine, le Bélarus et la Russie le 8 décembre 1991. À ceux-ci se joignirent les pays d'Asie centrale le 21 décembre 1991. Seuls les pays baltes et la Géorgie refusèrent d'y adhérer, bien que cette dernière s'y fût jointe en 1993 pour s'en retirer en 2008 en raison du conflit l'opposant à la Russie en Ossétie du Sud. Les finalités de la CEI furent l'objet d'interprétations diverses selon les pays membres. La Russie percevait cette dernière comme une sorte de parapluie confédéral sous sa gouverne, tandis que les autres républiques considéraient plutôt la CEI comme un mécanisme de transition chargé du partage de l'héritage soviétique. La création de l'organisation a également été encouragée par les pays occidentaux afin de favoriser la coopération entre les nouvelles républiques et ainsi régulariser leurs relations. En effet, pour la majorité des pays membres, les menaces potentielles ne provenaient pas de l'extérieur de la CEI, mais plutôt de l'intérieur.

---

2. À la suite des événements du 11 septembre 2001, la nécessité pour les États-Unis d'avoir accès à des bases militaires à proximité du théâtre d'opérations afghan mène à la signature d'un traité bilatéral avec l'Ouzbékistan. Afin de calmer Moscou, l'Ouzbékistan annonce son intention de se retirer du GUAM en 2002, retrait qui est officialisé le 5 mai 2005.

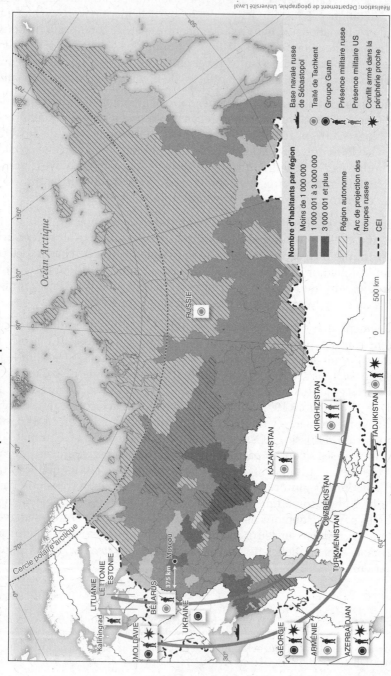

Figure 8.1.
L'arc de projection des forces russes et répartition de la population

Sources: D. ECKERT et L. JÉGOU (2004). « Évolution récente de la population de Russie (1979-2002) », Cartographie interactive *M@ppemonde*, n° 74. U.S. AGENCY FOR INTERNATIONAL DEVELOPMENT (2001). Russia: Population 2000. En ligne sur le site de Perry-Castañeda Library : <www.lib.utexas. edu/maps/commonwealth/russia_population_usaid_2000.pdf>, consulté le 6 janvier 2011.

Outre la CEI et le GUAM, d'autres organisations ont émergé, facilitant ainsi le dialogue et la coopération entre les États post-soviétiques. Le Traité de sécurité collective (traité de Tachkent), signé en 1992, est à l'origine de l'Organisation du traité de sécurité collective (OTSC, voir figure 8.1), lequel a pour objectif d'assurer la sécurité collective de ses membres. Aujourd'hui composé de sept États (Russie, Bélarus, Arménie, Kazakhstan, Kirghizistan, Tadjikistan et Ouzbékistan), l'organisme tend vers une coopération militaire accrue, ce dont témoigne l'annonce en 2009 de l'instauration d'une force d'intégration rapide collective.

Enfin, l'Organisation de coopération de Shanghai (OCS), créée informellement en 1996 et dotée d'une structure permanente en 2001, regroupe, outre la Russie et la Chine, le Kazakhstan, le Kirghizistan, le Tadjikistan et, depuis juin 2001, l'Ouzbékistan. Cette organisation fut initialement créée afin de régler les différends portant sur la délimitation de l'ancienne frontière Chine-URSS et de gérer les problématiques en matière de sécurité, la Chine étant particulièrement soucieuse de la stabilité du Xinjiang (province de l'ouest bordant les pays d'Asie centrale). Elle a pour objectif principal de veiller à la stabilité régionale (en fait, contenir l'influence des pays étrangers, à savoir les États-Unis) et de promouvoir la paix et le développement. Elle a aussi pour mission de lutter contre le terrorisme.

Enfin, si la désintégration de l'URSS a été fort éprouvante sur le plan économique pour ces sociétés, elle n'a pas mené à une généralisation des conflits. Entre autres, l'instauration de régimes politiques stables (souvent au détriment de la démocratie et des populations locales) et la conclusion d'ententes régionales ont permis au dialogue et à la concertation de prévaloir sur le recours systématique aux armes.

8.2.   La Russie : une mosaïque

La Russie est le plus grand pays du monde, avec une superficie de 17 098 242 km², soit 1,7 fois l'étendue du Canada. Compte tenu de l'immensité du territoire russe, la morphologie du paysage est loin de constituer un tout uniforme. Pour le voyageur qui arrive par voie terrestre en provenance d'Europe, le pays offre à perte de vue un paysage de plaines (généralement moins de 200 mètres d'altitude). Au nord, elles s'étendent jusqu'à l'océan Arctique, au sud, elles se jettent dans la mer Noire ou laissent place aux montagnes du Caucase, et à l'est, elles se rendent jusqu'aux monts Oural, ancien massif d'altitude moyenne (environ 1 000 mètres). Ces montagnes, par convention, déterminent la limite orientale de l'Europe. À l'est de cet ensemble montagneux s'étend, jusqu'au fleuve Ienisseï, la vaste plaine de Sibérie occidentale, ponctuée d'immenses marécages. Les grands fleuves de Sibérie (Irtych, Ob, Ienisseï) suivent une orientation sud-nord débouchant sur l'océan Arctique. Obstacles difficilement franchissables l'été, ils le deviennent aisément en hiver lorsqu'ils sont gelés. Quant au lac Baïkal, lequel contient 20 % des ressources d'eau douce de la planète, il héberge un écosystème unique et fait partie, depuis 1996, du patrimoine de l'humanité (UNESCO).

À l'est du fleuve Lena s'étend une immense péninsule très peu peuplée et pratiquement dépourvue de routes au bout de laquelle se trouve le détroit de Béring. Plus au sud, le fleuve Amour et son affluent, l'Oussouri, marquent la frontière avec la Chine. Au-delà, les îles Kouriles, prolongement de la péninsule du Kamchatka, ferment la mer d'Okhotsk dans laquelle baigne la grande île de Sakhaline.

Le sous-sol russe se démarque par une prodigieuse richesse, particulièrement en Sibérie où se trouvent les réserves de métaux précieux (or, argent, manganèse, nickel), de pétrole et de charbon parmi les plus prometteuses au monde. L'exploitation de ces ressources est toutefois rendue difficile par des décennies de sous-investissements et la présence d'infrastructures désuètes, ainsi que par un réseau de transport inefficace et sous-développé. Par exemple, certaines voies ferrées ne sont pas doublées, ce qui empêche la circulation simultanée de trains dans les deux directions. La distance et les conditions climatiques forment évidemment des facteurs aggravants, puisque de nombreux sites miniers sont situés à des milliers de kilomètres des principales zones de consommation.

La Russie compte 139 millions d'habitants (CIA, 2010), dont environ le cinquième est composé de minorités ethniques (plus de 160). Le taux de croissance démographique naturel (nombre de naissances moins les décès) demeure toujours en déficit[3]. Cette population est fort inégalement répartie et se concentre essentiellement dans la portion européenne autour des pôles économiques que sont Moscou, Saint-Pétersbourg et la région des monts Oural (Perm, Ekaterinbourg, Tcheliabinsk). Quant à la Sibérie, elle accueille moins de 20 % de la population. Sur ce vaste territoire, le chemin de fer transsibérien constitue un élément structurant majeur ; tout au long de son parcours s'égrènent les principales villes de Sibérie (Omsk, Novossibirsk, Krasnoïarsk, Irkoutsk, Khabarovsk et Vladivostok). Plus au nord se trouve la toundra, puis l'océan Arctique.

Le taux de croissance du produit intérieur brut (PIB) de la Russie, fortement négatif entre 1992 et 1996, a connu depuis une hausse soutenue dépassant presque toujours depuis la barre des 5 % (Banque mondiale, 2010b). Son PIB, en termes de parité de pouvoir d'achat[4], s'élève à 2 116 milliards de dollars américains (CIA, 2010). Cependant, celui-ci a été malmené par la crise économique, la Russie devant intervenir à de nombreuses reprises sur le marché des changes afin de maintenir le cours du rouble, en plus de soutenir plusieurs institutions bancaires d'importance. Historiquement, l'économie russe a longtemps été surévaluée du fait de la conjoncture de la

---

3. Pour l'année 2010, il y a eu 11,11 naissances par 1 000 habitants contre 16,04 décès par 1 000 habitants (CIA 2010).
4. La parité de pouvoir d'achat est un taux de conversion monétaire qui reflète les pouvoirs d'achat des différentes monnaies nationales par rapport à un panier de biens et de services donné, permettant du même coup leur comparaison au moyen d'une unité commune (très souvent le dollar américain).

guerre froide[5]. Fortement dépendante des matières premières pour équilibrer sa balance des paiements[6], la Russie a réussi à s'enrichir considérablement avec la hausse des prix. Elle détient d'ailleurs la troisième plus importante réserve monétaire dans le monde.

8.2.1. Un territoire qui alterne entre extension et contraction

Du XVe siècle jusqu'à la Première Guerre mondiale, le territoire russe a connu, sous la gouverne des tsars, une expansion considérable. Sous la férule du Parti communiste, la Russie est devenue le cœur de l'Empire soviétique. Le démantèlement de ce dernier a laissé une Russie étriquée, inquiète de voir les anciens pays satellites et les nouveaux États adhérer progressivement à des institutions de l'Ouest comme l'OTAN et l'Union européenne. De plus, la présence de troupes américaines en Asie centrale renforce cette perception qu'a la Russie d'être assiégée.

Au lendemain de la dissolution de l'Union soviétique, les élites et la classe dirigeante russe prennent conscience des nombreux défis qui les attendent : maintien du prestige et de l'influence russe dans le monde, présence « à l'étranger » d'importantes minorités russophones, partage de la flotte de la mer Noire, existence d'armements nucléaires dans les républiques limitrophes (Kazakhstan, Ukraine et Bélarus), incapacité de certaines républiques à garantir leur propre défense et menace d'une ingérence de la part des puissances extérieures. Cette situation les amène à adopter une approche favorisant une présence accrue sur le territoire de l'ex-URSS. Le redéploiement du parapluie militaire et économique russe – qui revêt la forme bienveillante du grand frère ou de l'impérialisme slavophile, selon la position des observateurs – s'effectue à différents niveaux. Dans le cadre du traité de Tachkent (mentionné précédemment), la Russie déploie des gardes-frontières dans de nombreux pays voisins afin de protéger leurs frontières extérieures (voir la figure 8.1).

Afin de faire contrepoids à la Russie, les pays de la région ont adopté différentes stratégies. Certains ont créé leur propre regroupement (le GUAM, voir plus haut) ou joué la carte d'un rapprochement systématique avec l'ouest et ses institutions (les pays baltes), tandis que d'autres ont préféré miser sur l'antagonisme États-Unis/Russie pour neutraliser les pressions exercées par cette dernière (Ouzbékistan).

Le désir, par la Russie, de réoccuper ce territoire que l'histoire lui avait soutiré reposait aussi sur des considérations géostratégiques puisque le déploiement des troupes sous l'URSS s'était effectué en fonction d'un système de défense centralisé qui ne tenait

---

5. Selon Brunet (1996, p. 235) la « […] CIA elle-même contribuait à en gonfler le chiffre [PIB], pour amplifier le "danger" et accroître d'autant ses crédits […]. ».
6. La Russie est devenue un état rentier grandement dépendant, au chapitre des recettes fiscales, des exportations des ressources naturelles. Le pays en est richement doté et il se classe parmi les premiers producteurs mondiaux de gaz naturel, de nickel, d'aluminium, de tungstène, de platine, de pétrole, de magnésium, de diamants, de blé, de charbon, d'uranium, etc.

pas compte du découpage politique de la fédération. Une fois l'indépendance des républiques acquise, cette répartition des effectifs militaires se trouvait problématique. La Russie disposait alors d'une armée puissante, mais privée de certaines bases les plus stratégiques : infrastructures portuaires de Riga (Lettonie) et de Sébastopol (Crimée) et site de lancement spatial de Baïkonour (Kazakhstan). Aussi, certaines bases se retrouvaient tout à coup en des endroits beaucoup moins stratégiques qu'auparavant, à proximité des nouvelles frontières extérieures, autrefois intérieures. En parallèle, l'OTAN a entrepris une expansion graduelle vers l'est (République tchèque en 1999 ; Bulgarie, Estonie, Lettonie, Lituanie, Roumanie, Slovaquie et Slovénie en 2004), tandis que les puissances extérieures (États-Unis, Chine) s'activaient.

Cette élasticité du territoire russe au cours des récentes décennies n'est pas seulement externe, mais également interne. La Russie n'est pas un État unitaire, mais plutôt une fédération dont les membres ont ratifié la constitution le 12 mars 1992, à l'exception du Tatarstan[7] et de la Tchétchénie[8]. La Russie se compose de 83 entités distinctes dotées de différents degrés d'autonomie[9], fort inégales tant en superficie qu'en population. À titre d'exemple, la superficie de la ville de Moscou (10,5 millions d'habitants ; UNData, 2010) est minuscule comparativement à l'immense république de Sakha qui représente 20 % du territoire national, mais qui héberge moins d'un million d'habitants. Au sein de ces 83 entités, 21 républiques bénéficient d'un statut particulier[10]. Le territoire majoritairement peuplé de russophones comprend la portion européenne et s'égrène d'ouest en est le long du mythique Transsibérien.

8.2.2. À la recherche de la puissance perdue

Au cours de la décennie 1990, la doctrine de « l'étranger proche » devient, entre autres par le biais de la Communauté des États indépendants (CEI), l'outil par lequel la Russie entend maintenir son statut de puissance internationale. Tandis que les Russes considéraient certains peuples comme frères (Ukrainiens, Bélarusses), ils ont désormais du mal à les concevoir comme des étrangers. Comparativement aux années 1990, où

---

7. Dans le cas du Tatarstan, la signature d'un accord bilatéral avec la Russie (le 15 février 1994) a permis d'éviter un long et sanglant conflit tel que celui ayant éclaté en Tchétchénie à partir de 1994.

8. La Tchétchénie a d'ailleurs tenté le pari de la sécession en 1991, suivi d'une première guerre en 1994, puis d'une deuxième en 1999, tentatives qui furent vouées à l'échec.

9. Il s'agit de 21 républiques, 46 régions (*oblast*), quatre régions ou districts (*okroug*) autonomes, neuf territoires (*kraï*), deux agglomérations urbaines (Moscou et Saint-Pétersbourg) et une région indépendante (*avtonomnaya oblast*).

10. À l'époque soviétique, des républiques furent créées à l'intention des minorités ethniques (par exemple, la République de Tchouvachie, la République de Mordovie, etc.). Toutefois, dans la plupart de ces républiques, les Russes y sont aujourd'hui majoritaires.

l'affaiblissement économique et les divisions internes restreignaient la politique étrangère russe, souvent en phase avec les États-Unis (Laruelle, 2010, p. 151), les années 2000 voient l'émergence d'une Russie très active sur la scène internationale et aux positions plus affirmées. Aux considérations géopolitiques s'ajoutent les impératifs géoéconomiques. Moscou n'hésite d'ailleurs pas à utiliser le pétrole et le gaz comme outils de sa politique étrangère, par exemple par des hausses de prix et des interruptions d'approvisionnement imposées aux régimes récalcitrants.

Alors que l'ancrage des pays baltes à l'Europe semble désormais accepté par l'élite russe, la perspective d'une compétition avec les États-Unis en Asie centrale retient toujours l'attention. Les volumineuses réserves pétrolières et gazières (surtout en mer Caspienne) n'y sont certes pas étrangères. Or, après les événements du 11 septembre 2001, les troupes américaines s'installent dans la région. La réplique du Kremlin ne tarde pas ; il incite le Tadjikistan et le Kirghizistan à accueillir les troupes américaines, diminuant ainsi le caractère stratégique de la décision ouzbèke d'offrir une base aux États-Unis. Moscou obtient aussi en 2003 le droit de s'installer sur la base aérienne de Kant au Kirghizistan. La Russie fait le pari que les États-Unis pourront régler la problématique liée à la question afghane (intégrisme religieux, trafics de drogue), tout en les laissant prendre le risque de s'y embourber. En 2010, la présence des États-Unis ne se résume plus qu'à la seule base de Manas au Kirghizistan.

La Russie d'aujourd'hui est indissociable de l'homme fort qui en a été le président de 1999 à 2008 et qui en est le premier ministre depuis : Vladimir Poutine. Compte tenu de la constitution russe qui limite le titulaire de la fonction présidentielle à deux mandats consécutifs, Vladimir Poutine soutint la candidature de son proche collaborateur Dmitri Medvedev, lequel fut élu président en 2008. Aussitôt, ce dernier nomma son prédécesseur au poste de premier ministre. Sous sa gouverne, la Russie a adopté une série de réformes législatives, en plus de connaître une grande stabilité sociale et une forte croissance économique (quoique malmenée durant la récente crise). Cependant, les opposants au régime dénoncent une dérive autoritaire où les droits de l'homme et les élections se trouvent bradés au profit du pouvoir en place (Johnson, 2010). Poutine a aussi déployé de grands efforts visant le renforcement de l'État russe et la réduction de l'influence des oligarques[11], lesquels furent sommés de rester à l'écart de la politique (Bacon, 2010, p. 32). Cette politique résulta en l'arrestation et en la condamnation de Mikhaïl Khodorkovski, PDG de Yukos (importante compagnie pétrolière), pour fraude fiscale et escroquerie en 2005, puis à nouveau en 2010, pour un total de 14 années de prison. Les pays occidentaux condamnèrent le jugement en raison du non-respect du droit et interprétèrent cette peine comme étant la volonté du Kremlin d'éloigner du pouvoir un opposant politique.

---

11. Ce terme fait références aux élites du monde des affaires qui se sont rapidement enrichies à la suite du démembrement de l'Union soviétique.

8.3.   Les pays baltes et Kaliningrad

Aucun des pays baltes (Estonie, Lettonie et Lituanie) ne dépasse l'Irlande en termes de superficie ; ensemble, ils couvrent une étendue totale de 174 900 km². Leur population s'établit à 7 millions d'habitants (CIA, 2010), dont la moitié vit en Lituanie. La morphologie du paysage balte est constituée exclusivement de plaines de faible altitude (maximum de 312 mètres). Parsemés de lacs, pratiquement dépourvus de matières premières, à l'exception du bois qui s'y trouve en abondance (la moitié de l'Estonie est recouverte de forêts), les pays baltes bénéficient tout de même de terres agricoles de qualité.

Figure 8.2.
Pays baltes, Ukraine, Bélarus et Moldavie

Sources : *Le Monde diplomatique*, janvier 1997.

CIA (1996). « Radiation hotspots resulting from the Chornobyl' nuclear power plant accident ». *Handbook of International Economic Statistics*. En ligne sur le site de Perry-Castañeda Library : <www.lib.utexas.edu/maps/middle_east_and_asia/caspian_sea_oil_gas-2001.jpg>, consulté le 6 janvier 2011.

P. Rekacewicz (2000). « L'empreinte de Tchernobyl ». *Le Monde diplomatique*. Juillet. En ligne : <www.monde-diplomatique.fr/cartes/europetcherno2000>, consulté le 6 janvier 2011.

L'Estonie et la Lettonie se caractérisent par un système urbain dominé par leur capitale respective (Tallinn et Riga) qui accapare l'essentiel de la population et de l'activité économique. La Lituanie, quant à elle, possède un système polycentrique, résultat de facteurs autant démographiques qu'historiques. La capitale (Vilnius, 550 000 habitants) domine beaucoup moins la hiérarchie urbaine, puisqu'elle est talonnée par Kaunas (350 000 habitants) et Klaipeda (182 000 habitants) (Statistics Lithuania, 2010).

Tableau 8.1.
Les pays baltes

Données de base	Estonie	Lettonie	Lituanie
Population (2010, en millions)	1,3	2,2	3,5
Superficie (km²)	45 228	64 600	65 300
Capitale	Tallinn	Riga	Vilnius
PIB (2009, milliards de dollars américains, en parité de pouvoir d'achat)	23,7	32,3	55,1

Source: CIA (2010).

Les États baltes figurent parmi les pays les plus développés des anciennes républiques issues de l'URSS[12]. Les institutions démocratiques y sont comparables à l'Occident ; l'Estonie a même tenu en 2007 les premières élections nationales par le biais d'Internet et Mme Dalia Grybauskaite a été élue en 2009 première présidente de Lituanie. Dès l'indépendance, les trois pays se réapproprient leur identité et procèdent activement à leur réintégration sur la scène internationale, après 51 ans d'absence[13]. Concrètement, cela se traduit par une distanciation active vis-à-vis de la Russie et des organisations post-soviétiques (dont la CEI). En tournant le dos à leurs anciens «partenaires», les pays baltes souhaitent marquer leur adhésion à l'Ouest, avec lequel ils partagent davantage d'intérêts qu'avec les républiques centrasiatiques. Cette stratégie exprime surtout la volonté de sortir de la sphère d'influence russe et de se prémunir contre d'éventuelles velléités bellicistes de la part de cette dernière. En ce sens, ils soumettent, dès l'automne 1995, leur candidature à l'Union européenne. À la suite d'un référendum populaire tenu en 2003, les trois pays sont finalement admis en tant

---

12. Le pouvoir central soviétique favorisa l'implantation d'industries de transformation et de haute technologie en raison de la pauvreté du territoire en minerais et ressources énergétiques, ce qui peut expliquer, du moins en partie, le développement avancé des pays baltes comparativement aux autres républiques.
13. Les trois pays baltes avaient été indépendants de 1918 à 1940.

que membres le 1er mai 2004. Parallèlement, ceux-ci ont entamé, au plan militaire, un rapprochement avec l'OTAN, à laquelle ils ont adhéré le 29 mars 2004, et ce, en dépit de l'opposition russe.

L'ouverture de ces pays aux marchés étrangers leur a permis de connaître des taux de croissance du PIB parmi les plus élevés de l'Union européenne, du moins jusqu'à la récente débâcle économique qui a profondément affecté la région. La Lettonie a été la plus durement touchée avec un taux de chômage oscillant autour de 17 % en 2009 (CIA 2010).

8.3.1. Le processus de recouvrement de l'identité nationale

Des siècles de domination étrangère (à l'exception de la brève période de l'entre-deux-guerre) n'ont pas entamé l'identité nationale de ces pays. L'arrivée de dizaines de milliers de Russes dans la région et la russification forcée ont toutefois eu des effets considérables. Ainsi, une imposante minorité russe se trouve tant en Estonie (25 %) qu'en Lettonie (28 %), mais ne représente que 5 % de la population lituanienne (CIA, 2010).

L'intégration de ces minorités ethniques suscite des tensions, particulièrement avec la Russie, et l'Union européenne a invité les pays baltes à régulariser leur situation. L'Estonie pratique une politique d'assimilation relativement stricte afin de sauvegarder sa culture et sa langue nationale. Par contre, en 2007, le déplacement d'une statue dédiée aux soldats de l'Armée rouge du centre-ville vers un cimetière militaire a suscité des émeutes ainsi que des protestations de la part de la Russie. La Lettonie a aussi adopté une approche agressive en restreignant l'octroi de la citoyenneté aux seuls habitants présents dans le pays à la veille de l'invasion russe et à leurs descendants, ce qui a créé de facto une population russophone apatride, quoique la loi ait été depuis assouplie, entre autres en faveur des enfants nés après 1991. L'obtention de la citoyenneté requiert le passage d'un examen et la connaissance de la langue lettone. Quant à la Lituanie, cette dernière dispose d'une forte identité nationale ancrée de longue date, ainsi que d'une faible minorité russe (5 % ; CIA, 2010), ce qui explique la tolérance du régime à l'égard des russophones.

8.3.2. L'exclave de Kaliningrad

Cette exclave russe, située sur la Baltique entre la Pologne et la Lituanie, fut créée lors du découpage territorial effectué après la Deuxième Guerre mondiale. Elle est totalement enclavée dans l'Union européenne et abrite l'un des rares ports russes pratiquement libres de glace. La présence de cette entité territoriale est utilisée par Moscou comme levier afin d'exercer une pression politique sur ses voisins. Elle constitue certainement l'un des points de tension les plus sensibles de la région, surtout en ce qui a trait à la circulation des citoyens russes et au transit des marchandises, bien qu'un accord ait été conclu en 2002 concernant la circulation transfrontière des ressortissants russes.

8.4.   L'Ukraine, la Moldavie et le Bélarus

L'Ukraine, la Moldavie et le Bélarus ont connu, au cours des quinze dernières années, une évolution politique asymétrique. Cependant, ces trois pays ont ceci en commun de ne toujours pas s'être affranchis de l'influence russe, laquelle demeure très présente dans la région.

Le Bélarus est un État enclavé ayant une population de 9,6 millions d'habitants (CIA, 2010), une superficie de 207 600 km^2 et situé au nord de l'Ukraine. Le paysage se partage entre la plaine (l'altitude ne dépasse pas les 350 mètres), la forêt (concentrée dans le sud et le centre du pays) et de vastes zones marécageuses. Doté de plus de 10 000 lacs, le Bélarus est drainé par deux fleuves d'importance, soit le Niémen et le Dniepr. La hiérarchie urbaine est dominée par Minsk, la capitale (environ 1,8 million d'habitants en 2007 ; UNData, 2010) dont le poids démographique équivaut à celui, combiné, des cinq autres villes les plus peuplées (Gomel, Moguilev, Vitebsk, Grodno et Brest).

Les principaux secteurs d'emploi en 2009 sont, en ordre décroissant, l'industrie (25,7 %), le commerce (14,6 %) et l'agriculture (9,8 %) (National Statistical Committee of the Republic of Belarus, 2010). Ce dernier secteur est toutefois privé d'une partie non négligente de ses meilleures terres puisque de grandes étendues ont été affectées par les retombées radioactives de l'accident de la centrale nucléaire de Tchernobyl en 1986 (figure 8.2).

Le Bélarus peine à se remettre de l'effondrement de l'URSS. Tandis que la Russie entamait une marche forcée vers le libéralisme, le pays optait plutôt pour un solide maintien du rôle de l'État dans les structures économiques et sociales. En conséquence, le pays sous la houlette d'Alexandre Loukachenko se trouve de plus en plus isolé sur la scène internationale, situation aggravée par les déclarations à l'emporte-pièce du président (contre aussi bien les États-Unis, l'Europe que la Russie) et ses prises de position parfois surprenantes. Par ailleurs, le régime musèle la presse et organise des simulacres d'élections présidentielles, lesquelles ont permis à Loukachenko de se faire réélire depuis 1996. La politique prorusse du pays tend cependant à prendre une nouvelle tournure ces dernières années avec des attaques fréquentes du président biélorusse contre la Russie et une redondance des querelles autour de la question du prix du gaz. À l'interne, le pouvoir fait face à des revendications grandissantes de la part de l'opposition et les manifestations se succèdent, la plus récente ayant eu lieu en décembre 2010.

L'Ukraine est dotée d'une superficie de 603 550 km^2 (CIA 2010) et d'une population avoisinant les 45 millions d'habitants. Son PIB (en parité de pouvoir d'achat) est estimé en 2009 à 289,3 milliards de dollars américains (CIA, 2010). Elle bénéficie d'importantes infrastructures industrielles et de terres agricoles de grande qualité[14],

---

14. Le *tchernoziom*, terre noire hautement fertile, dote le pays d'une richesse incomparable en matière agricole : blé, betterave à sucre, lin, pomme de terre, maïs, tournesol et autres.

mais leur rendement est inférieur à leur potentiel en raison entre autres de sous-investissements chroniques. Le territoire ukrainien est composé à 95 % de plaines, à l'exception de certaines franges frontalières où les forêts (nord-ouest de Kiev) et les montagnes (Carpates, partie sud de la Crimée) dominent. L'Ukraine est drainée par de nombreux fleuves, dont le Dniepr qui divise le pays en deux du nord au sud.

À l'instar de la Russie, la hiérarchie urbaine en Ukraine est polycentrique. Kiev, la capitale, domine ses voisines avec ses 2,7 millions d'habitants en 2007 (UNData, 2010). Kharkov, dans l'est, se situe au deuxième rang, avec une population d'environ 1,5 million d'habitants et une forte structure industrielle. Plus au sud, le Donbass regroupe un étroit maillage de grandes villes industrielles, comprenant des usines (souvent désuètes) de sidérurgie, de métallurgie et de chimie. Un second pôle d'importance se trouve à proximité du Dniepr, au centre du pays, autour des villes de Dnipropetrovsk et de Zaporojie. Finalement, deux autres villes d'importance rayonnent à l'échelle régionale, soit le port d'Odessa sur la mer Noire, et la ville de Lvov, dans l'ouest.

L'Ukraine s'est heurtée, dès son indépendance, à la problématique de l'intégration de la minorité russe. Majoritaires en Crimée et largement présents dans l'est du pays, les russophones représentent près de 20 % de la population totale. Bien que les Criméens eussent voté à 54 % pour l'indépendance de l'Ukraine en 1991, nombreux furent les députés nationalistes en Russie à réclamer le retour de la Crimée dans le giron de la « mère patrie ». La signature d'ententes bilatérales entre les deux pays (la reconnaissance mutuelle des frontières en 1997, l'octroi d'un statut particulier à la Crimée et le partage de la flotte de la mer Noire) a permis de résoudre de nombreux points d'achoppement des relations russo-ukrainiennes.

Fortement dépendant de la Russie en matière d'approvisionnement énergétique et dans ses échanges commerciaux, le pays constitue également un corridor stratégique par lequel transitent les exportations d'hydrocarbures russes, desquelles l'Ukraine retire de substantiels bénéfices économiques. Cette situation n'est pas sans créer des tensions puisque les deux partenaires se disputent régulièrement à ce sujet, engendrant ainsi d'importants désagréments pour l'Union européenne, grande importatrice de gaz russe. Ainsi, en janvier 2009, après une dispute sur les prix, Gazprom[15] interrompit les approvisionnements de gaz naturel à l'intention du marché domestique ukrainien, pour ensuite suspendre les exportations à destination de l'Europe. La compagnie accusait Naftogaz (le monopole ukrainien) de « voler » le gaz destiné à l'Europe de l'Ouest. Sous la pression intense de cette dernière, une nouvelle entente fut conclue, ce qui eut pour effet de ramener les prix à parité avec le marché international.

---

15. Gazprom détient un quasi-monopole sur la production et le transport de gaz naturel en Russie et exporte environ le tiers de sa production. Cette compagnie est très puissante puisqu'elle fournit environ 40 % des revenus en taxe de la Russie et fournit du travail à 300 000 employés (Donaldson et Nogee 2009, p. 158). La participation de l'État russe au capital de Gazprom s'élève à plus de 50 %.

En matière de politique étrangère, Kiev a adopté une stratégie visant la réduction de l'influence russe sur les affaires régionales en œuvrant activement à la diversification de ses partenaires extérieurs et à un rapprochement avec l'Ouest par le biais de l'Union européenne et de l'OTAN[16]. Par ailleurs, l'Ukraine collabore étroitement avec certaines des anciennes républiques soviétiques, notamment dans le cadre du GUAM (voir plus haut).

En 2004, la «révolution orange[17]» a secoué l'Ukraine en réponse aux importantes irrégularités ayant entaché les élections nationales. Un climat de suspicion s'est alors installé dans le pays et ravivé le vieux clivage entre l'ouest nationaliste (favorable à Viktor Iouchtchenko, élu président et pro-occidental) et l'est russophile (favorable à Viktor Ianoukovitch), ce qui a provoqué une crise dans le pays. Depuis, le régime est marqué par l'instabilité (élections législatives en 2006 et 2007), entre autres en raison du grand nombre de partis politiques qui concourent pour le pouvoir. Les élections présidentielles de 2010 ont vu la victoire de Viktor Ianoukovitch, mais ce dernier n'a pas remporté de majorité au Parlement, ouvrant dès lors la voie à une coalition et, à défaut, à la convocation d'élections législatives anticipées dans un proche avenir.

Quant à la Moldavie, elle est dotée d'un petit territoire de 33 851 km² (superficie légèrement supérieure à celle de la Belgique) enclavé entre la Roumanie et l'Ukraine et coincé entre le Dniestr et le Prut. Elle est privée de tout accès direct à la mer Noire[18]. Le pays compte près de 4,3 millions d'habitants, avec un PIB estimé à 10,1 milliards de dollars américains en parité de pouvoir d'achat (CIA, 2010). L'économie de la Moldavie repose largement sur l'agriculture. Ses terres, très fertiles, produisent du vin, des fruits, des légumes et du tabac. Le paysage se caractérise par la présence continue de petites vallées et de collines. La population du pays est à 42 % urbaine (CIA, 2010), tandis qu'il ne s'y trouve que peu de grandes villes à l'exception de la capitale, Chisinau.

Le pays, peuplé à 78 % de Moldaves (CIA, 2010), est aux prises avec un important mouvement sécessionniste sur la rive gauche du Dniestr (la Transnistrie, habitée majoritairement de Russes et d'Ukrainiens), sur laquelle il n'exerce *de facto* aucun contrôle. Les origines de ce conflit sont liées à la période trouble qui a précédé et suivi l'indépendance du pays. La proclamation du roumain comme langue officielle a contribué à raviver les craintes de la minorité russophone quant à une éventuelle union de la Moldavie et de la Roumanie. La présence de la 14ᵉ armée soviétique (aujourd'hui russe) ne facilite pas le règlement de la crise. Stationnée dans le pays, elle s'ingère dans les affaires internes de la Moldavie en soutenant les sécessionnistes de Transnistrie.

---

16. L'Ukraine, désormais dirigée par Viktor Ianoukovitch (prorusse), a fait connaître son intention en 2010 de ne plus devenir membre de l'OTAN.
17. Ainsi nommée, puisqu'il s'agit de la couleur du parti d'opposition mené par Viktor Iouchtchenko.
18. La Moldavie a cependant un accès indirect à la mer Noire, via le Danube ou le Dniestr, par lesquels le pays peut recevoir des navires en provenance de la haute mer.

8.5. Le Caucase

La région du Caucase est composée de trois États reconnus internationalement (Géorgie, Arménie et Azerbaïdjan) et du Caucase russe, situé sur le versant nord. Celui-ci comprend de nombreuses républiques telles que l'Ingouchie, l'Ossétie du Nord-Alanie, la Tchétchénie, etc. Cette région se caractérise par la superposition des frontières ethniques et religieuses, lesquelles contribuent à complexifier davantage la résolution des nombreux conflits qui embrasent régulièrement le Caucase, véritable creuset de nationalismes.

8.5.1. La mosaïque caucasienne

Le problème caucasien trouve en partie son explication dans le profil géographique de la région, lequel s'avère extrêmement montagneux, ce qui favorise l'éclosion de particularismes locaux. Le Caucase comprend de nombreux sommets qui dépassent les 5 000 mètres d'altitude. Le versant septentrional s'étend graduellement vers la plaine russe dont il constitue une sorte de prolongement, ce qui lui apporte un climat particulièrement froid l'hiver, tandis que le versant sud, plus abrupt, bénéficie d'un climat plus clément. Ce dernier est composé de deux grandes cuvettes ; l'une est étroite et donne sur la mer Noire, tandis que l'autre est ouverte sur la mer Caspienne. Cette dernière est traversée par les deux principaux fleuves de la région, dont le bassin hydrographique draine plus des trois quarts du territoire caucasien. L'Araxe délimite, sur une grande portion de son parcours, la frontière entre les pays caucasiens, d'une part, et l'Iran et la Turquie, d'autre part. Ces cuvettes sont encastrées entre les deux grands ensembles montagneux que forment le Caucase, au nord, et le « Petit Caucase » au sud. Celui-ci est composé de montagnes et de hauts plateaux, où se trouve l'Arménie. La morphologie du territoire engendre d'importantes difficultés pour le transport des personnes et des marchandises et la région souffre de ce handicap. Les cols permettant le franchissement de ces chaînes de montagnes se font par ailleurs rares. C'est pourquoi l'essentiel de la circulation de personnes et de marchandises se doit d'emprunter l'une des deux extrémités à proximité des mers Noire et Caspienne.

La Géorgie est encaissée entre les deux chaînes de montagnes. Disposant d'une vaste façade maritime sur la mer Noire, l'essentiel de la population réside dans le centre du pays. Compte tenu du relief montagneux, les forêts occupent une large proportion du territoire national, notamment sur les versants. Le régime actuel est sous la gouverne de Mikheïl Saakachvili, arrivé au pouvoir en novembre 2003 lors de la « révolution des roses ». Celui-ci fait face depuis quelques années à une persistante contestation populaire dirigée par une opposition dispersée. Celle-ci lui reproche sa tendance autoritaire, les élections partiales et sa gestion de la crise économique et celle du conflit en Ossétie du Sud.

L'Arménie est la plus petite des ex-républiques d'Union soviétique et elle est complètement dépourvue de façade maritime. Situé dans un secteur affecté réguliè-rement par des secousses telluriques, le pays ne dispose presque pas de ressources naturelles et les terres agricoles occupent un espace restreint. Dans le pays se trouve le lac Sevan, le plus grand du Caucase, situé à une soixantaine de kilomètres de la capitale, Erevan.

Tableau 8.2.
Le Caucase

Données de base	Géorgie	Arménie	Azerbaïdjan
Population (2010, millions)	4,6	2,9	8,3
Superficie (km²)	69 700	29 743	86 600
Capitale	Tbilissi	Erevan	Bakou
PIB (2009, milliards de dollars américains, en parité de pouvoir d'achat)	20,8	16,2	85,6

Source : CIA (2010).

L'Azerbaïdjan a vu sa population augmenter au cours des dernières années, passant de 8, 3 millions en 2005 à 8,8 millions en 2009 (CIA, 2010). La partie occidentale du territoire se révèle montagneuse, tandis que l'est est occupé par une vaste plaine drainée par la Koura et l'Araxe. Bakou, la capitale, se situe sur la presqu'île d'Apchéron, à proximité de l'un des plus importants gisements d'hydrocarbures de l'ex-URSS. Le pays comprend également une exclave, le Nakhitchevan, duquel il est séparé par l'Arménie. Le président actuel, Ilham Aliev, poursuit une politique extérieure visant l'équilibre entre les États-Unis et la Russie, tout en étant un membre actif du GUAM.

8.5.2. Les conflits régionaux

L'Arménie et l'Azerbaïdjan s'opposent dans un conflit frontalier qui persiste depuis plus de vingt ans et qui porte sur l'attribution du territoire du Haut-Karabagh, peuplé d'Arméniens, mais situé en territoire azéri (figure 8.3). Malgré le succès militaire évi-dent de l'Arménie[19] (celle-ci a pris possession du territoire ainsi que de zones contiguës), aucun autre pays n'a reconnu la légitimité de ses conquêtes. Victime jusqu'à tout récemment du blocus économique instauré par l'Azerbaïdjan et la Turquie, l'Arménie n'est désenclavée que par sa frontière avec l'instable Géorgie, ainsi que par le maigre couloir de Zanguezour qui la relie à l'Iran. Malgré tout, le pays connaît depuis quelques

---

19. Duhamel (1995, p. 133) estime que la réussite arménienne découle de l'état de préparation de la population du Haut-Karabagh, qu'il compare à l'antique Sparte. À preuve, ce minuscule territoire a fourni pas moins de cinq généraux à l'Armée rouge.

Figure 8.3.
Caucase et Asie centrale

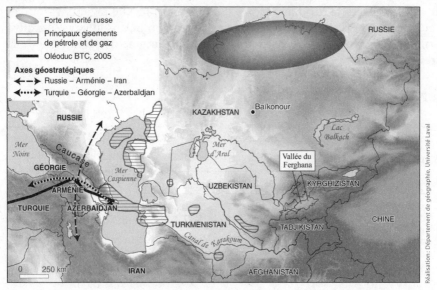

Sources : CIA 2001. « Oil and Gas Infrastructure in the Caspian Sea Region ». En ligne sur le site de Perry-
Castañeda Library : <www.lib.utexas.edu/maps/middle_east_and_asia/caspian_sea_oil_gas-2001.
jpg>, consulté le 6 janvier 2011.

R. Gimeno et P. Mitrano, (2005). « Carte des oléoducs et gazoducs de la mer Caspienne ». *La
documentation française*. En ligne : <www.ladocumentationfrancaise.fr/dossiers/mer-caspienne/
carte-oleoducs-gazoducs.shtml>, consulté le 6 janvier 2011.

années une vigoureuse croissance économique (supérieure à 6 %), quoique celle-ci ait
fortement subi les contrecoups de la crise avec une diminution de 14 % du PIB en 2009
(Banque mondiale 2010).

     D'autres conflits majeurs perturbent la région, dont celui en Tchétchénie. Cette
dernière connaît une période de stabilisation, néanmoins marquée par des violences.
Le conflit ayant réduit à néant les infrastructures commerciales et industrielles, un
important exode d'habitants s'est ensuivi. En 2009, la Russie a annoncé le début du
retrait des troupes fédérales de Tchétchénie. La Géorgie est aux prises avec des problèmes persistants avec ses minorités[20] et subit des pressions centrifuges qui affaiblissent
le pouvoir du gouvernement central. Elle s'est vue infliger une défaite par les troupes
russes en 2009, consacrant *de facto* l'indépendance de l'Ossétie du Sud et de l'Abkhazie.

---

20.   Lesquelles formaient, lors du recensement soviétique de 1989, 30 % de la population (Breault
    et al., 2003, p. 179).

Depuis, l'Union européenne a déployé des troupes de maintien de la paix le long de la frontière avec la Géorgie. L'indépendance de l'Ossétie du Sud et de l'Abkhazie n'a pas été reconnue par la communauté internationale, sauf par Moscou en août 2008[21], en représailles à la reconnaissance par l'Occident de l'indépendance du Kosovo. Quant aux tensions entourant l'Adjarie, celles-ci ont été résolues de manière relativement pacifique[22]. Enfin, des violences affligent toujours le Caucase russe, comme en témoignent les nombreux actes terroristes perpétrés contre des policiers, politiciens et fonctionnaires locaux, mais aussi la population.

8.5.3. La géopolitique caucasienne : faire fi des clivages religieux

Les pays de la région s'adonnent à une politique étrangère qui favorise leurs intérêts géostratégiques et qui fait fi des clivages religieux. D'un côté, l'Arménie (de confession catholique autocéphale) entretient des liens étroits avec la Russie (orthodoxe), et ce, depuis l'indépendance. L'Iran (musulman) est aussi un allié de premier ordre de l'Arménie, mais également de la Russie. Tous deux remettent en cause le partage de la mer Caspienne, où se trouvent d'importantes réserves d'hydrocarbures, et dont bénéficie largement l'Azerbaïdjan. Ce dernier et la Turquie se sont engagés dans un partenariat solide, à la fois politique et économique. La Géorgie est également très proche de ces pays, et a permis la construction de l'oléoduc reliant Bakou à Ceyhan. Elle cherche ainsi à diversifier ses sources d'approvisionnement énergétique et à faire contrepoids à l'influence russe dans la région. Cependant, ces deux axes ne sont pas pour autant exclusifs. En 2009, la Turquie et l'Arménie ont signé un accord afin de rétablir les relations diplomatiques et permettre l'ouverture de la frontière.

8.5.4. Le pétrole : objet de puissance

Le démembrement de l'URSS a sonné le glas du monopole soviétique sur la mer Caspienne et entraîné, selon F. Thual (2001), « le retour de la géopolitique ». Le décloisonnement de la région, désormais ouverte aux influences extérieures, suscite une lutte d'influences, la Russie refusant de céder devant les multinationales et l'immixtion des États-Unis. En dépit de l'opposition de la Russie qui proposait un trajet empruntant son territoire, Washington a collaboré avec les pays de la région en vue de la construction de l'oléoduc Bakou-Tbilissi-Ceyhan (figure 8.3). Proposé en 1994, financé en 2002 et finalement complété en mai 2005, il permet d'acheminer le pétrole de la mer Caspienne jusqu'à Ceyhan, port de la mer Méditerranée.

---

21. Le Venezuela et le Nicaragua ont depuis reconnu l'indépendance de l'Ossétie du Sud et de l'Abkhazie.
22. Le 6 mai 2004, le président Aslan Abachidze a quitté l'Adjarie, la région sur laquelle il exerçait le pouvoir depuis 15 ans, pour Moscou. La pression de la rue et de Tbilissi a eu raison de ce potentat.

8.6.   L'Asie centrale

Le Kazakhstan, le Kirghizistan, l'Ouzbékistan, le Turkménistan et le Tadjikistan forment la région qu'il est convenu de qualifier d'Asie centrale. Le territoire de ces républiques est composé en grande partie de steppes, notamment au Kazakhstan, et de régions semi-arides, voire désertiques, qui se transforment en reliefs montagneux dans la portion méridionale. Compte tenu du climat sec et de l'absence d'un système hydrographique développé, l'agriculture est restreinte, sauf dans le nord du Kazakhstan et le long des deux principaux fleuves de la région, le Syr-Daria et l'Amou-Daria. L'intervention humaine permet l'irrigation de grandes superficies (surtout pour le coton), comme c'est le cas avec le canal de Karakoum qui serpente vers l'ouest à proximité de la frontière entre le Turkménistan et l'Iran. Destinée à mettre en valeur le potentiel agricole de la région, l'exploitation abusive de ces cours d'eau a contribué à l'assèchement de la mer d'Aral (voir capsule 8A, p. 333). Quant au lac Balkhach (deuxième en superficie dans la région), ses eaux ont la particularité d'être salées dans la partie orientale ; le lac a commencé à subir un déclin comparable à celui de la mer d'Aral.

Tableau 8.3.
Asie centrale

Données de base	Kazakhstan	Ouzbékistan	Turkménistan	Tadjikistan	Kirghizistan
Population (2010, millions)	15,4	27,8	4,9	7,5	5,5
Superficie (km²)	2 724 900	447 400	488 100	143 100	199 951
Capitale	Astana	Tachkent	Achgabat	Douchanbe	Bichkek
PIB (2009, milliards de dollars américains, en parité de pouvoir d'achat)	182	78,3	32,5	13,6	12,1

Source : CIA (2010).

À l'instar du Caucase, l'Asie centrale se caractérise par une très grande diversité ethnique. Bien que le nom de ces pays soit l'éponyme de leur peuple majoritaire respectif, chacun se caractérise par une forte mixité ethnique et par la présence d'une large communauté russophone, particulièrement au Kazakhstan (environ le tiers de la population). Dans certains cas, tels que celui de la vallée du Ferghana (figure 8.3), la mixité ethnique, l'enchevêtrement des frontières et le relief montagneux rendent la gouvernance de la région problématique. Pour la plupart stables, avec une tendance vers l'autoritarisme (emprisonnement des opposants, modifications de la constitution au profit du pouvoir en place, élections empreintes d'irrégularités), les régimes politiques de la région font toutefois l'objet de contestations sérieuses. Tel est le cas du Kirghizistan en 2005, lorsque la « révolution des tulipes » a porté au pouvoir Kourmanbek

Bakiev, lui-même renversé à son tour en 2010, puis remplacé par Rosa Otounbaeva, mais aussi de l'Ouzbékistan, qui eut à faire face à un soulèvement populaire la même année dans la ville d'Andijan, fortement réprimé par l'armée puisque 1 500 personnes y trouvèrent la mort (Donaldson et Nogee, 2010, p. 200).

L'Asie centrale affiche le taux de croissance démographique le plus élevé de l'ex-URSS. Il s'agit de la seule région à voir sa population s'accroître de manière substantielle, passant de 55,3 millions en 1999 à 61,1 millions en 2010 (CIA, 2010). La région fait néanmoins figure de parent pauvre, avec un PIB par habitant qui situe le Tadjikistan, l'Ouzbékistan et le Kirghizistan en queue de peloton. Cette situation s'explique en partie par le fait que les républiques d'Asie centrale furent particulièrement pénalisées par les reliquats d'un système économique contrôlé par Moscou. La région ne bénéficie pas d'une structure industrielle développée puisque celle-ci était cantonnée dans le rôle de fournisseur de matières premières (agriculture, mines, coton, pétrole, gaz). Ces dernières étaient par la suite transformées dans les autres républiques. L'organisation spatiale des infrastructures routières, ferroviaires et énergétiques répondaient donc davantage aux impératifs d'une économie centralisée qu'aux besoins de républiques indépendantes.

Contrairement aux autres États successeurs, l'obtention de l'indépendance ne s'inscrivait pas dans un processus de recouvrement d'une identité étatique perdue ou antérieure à l'URSS, puisque ces peuples étaient, avant les Soviétiques, sous la gouverne des tsars. En fait, l'accession à la souveraineté découla du démembrement de l'Union soviétique, alors que les États d'Asie centrale n'avaient pas réellement exprimé de désir en ce sens (Kavalski, 2010, p. 6). De territoire périphérique au sein de l'ex-URSS, elle est devenue le « centre »[23] de l'Asie (Reza-Djalili et Kellner, 2001).

Les pays qui se partagent l'Asie centrale se distinguent par l'hétérogénéité de leur politique intérieure et extérieure respective. Si le Kazakhstan a très tôt choisi la voie de la collaboration avec la Russie post-soviétique en raison de l'imposante minorité russophone présente sur son territoire, l'Ouzbékistan s'est quant à lui positionné comme leader régional autoproclamé, tirant profit de son poids démographique pour faire pression sur les pays voisins et, surtout, pour tenir tête à la Russie. Au cours des dix dernières années, un rapprochement s'est esquissé entre les deux pays, ce qui s'est traduit, entre autres, par l'intégration de l'Ouzbékistan à l'Organisation de coopération de Shanghai (en 2001) et à l'Organisation du Traité de sécurité collective (2006). Le Kirghizistan et le Tadjikistan dépendent de la Russie pour la protection de leurs territoires respectifs. Dans le dernier cas, cette aide n'est pas dénuée de fondements géostratégiques ; la frontière poreuse longue de 1 200 kilomètres entre le Tadjikistan et

---

23. Cette assertion est toutefois discutable. Si elle est effectivement au centre de l'Asie, il n'en est pas ainsi au plan économique, ni même politique.

l'Afghanistan constitue une porte d'entrée pour les intégristes islamiques. Récemment, un rapprochement se profile entre le Tadjikistan et l'OTAN afin de développer une plus grande collaboration en matière de sécurité frontalière.

Outre l'ingérence russe, qui est parfois comparée à la relation qu'entretiennent la France et la Grande-Bretagne avec leurs anciennes colonies, de nombreuses autres puissances tendent à vouloir tirer profit de la recomposition du territoire centrasiatique afin de promouvoir leurs propres intérêts. En premier lieu, la Turquie, qui met de l'avant ses liens avec les pays turcophones, mais qui ne peut appuyer financièrement ses intérêts géostratégiques. L'Iran, qui souhaite jouer un rôle accru au plan international, se trouve mis en échec par les États-Unis en ce qui concerne son projet d'oléoduc visant à desservir la mer Caspienne, pourtant le trajet le plus direct pour l'exportation. La Chine, de son côté, souhaite consolider sa collaboration avec les pays limitrophes afin de se prémunir contre d'éventuels soulèvements dans la région autonome chinoise du Xinjiang où vit la minorité musulmane ouïgoure. La Chine est également un acteur économique de premier plan avec des investissements majeurs dans les infrastructures de transport, d'exploration et d'exploitation des ressources gazières et pétrolières en mer Caspienne (Clarke, 2010, p.141-142). Finalement, les États-Unis tendent à promouvoir leurs intérêts commerciaux et militaires en installant des bases sur le pourtour de l'Asie centrale, en favorisant la réalisation de projets d'oléoducs qui ne passent pas par la Russie et en investissant massivement dans la région, particulièrement dans le secteur pétrolier.

8.7.   Conclusion

La fin de l'URSS a signifié l'accession de 15 nouveaux États à l'indépendance. Ce démembrement s'est traduit par une recomposition géopolitique majeure. Tandis que certains États (pays baltes) tournent résolument le dos à leurs anciens partenaires, d'autres tentent de raffermir leur contrôle et d'étendre leur influence (Russie, Ouzbékistan), de faire contrepoids à la Russie (Géorgie) ou de renforcer la coopération à l'intérieur de l'ex-URSS (Kazakhstan, Bélarus).

L'exploitation des richesses du sous-sol demeure une source majeure de tensions, par exemple la question du partage de la mer Caspienne et le transport des hydrocarbures. Bien que la Russie exerce un contrôle sur la très grande majorité des oléoducs et sur les républiques de son «étranger proche», elle n'a pas été en mesure d'empêcher la réalisation de l'oléoduc Bakou-Tbilissi-Ceyhan.

La Russie se trouve aujourd'hui diminuée territorialement. Certes, sa géographie dote le pays d'une très grande richesse, surtout en ressources naturelles, mais également d'un handicap en raison de son étendue. La répartition de ses troupes sur le pourtour des anciennes frontières soviétiques (son «étranger proche») témoigne de sa volonté de préserver son influence dans ces lieux qui constituaient, jusqu'à tout récemment, le patrimoine soviétique. Ce mouvement est toutefois freiné par les velléités autonomistes des nouveaux pays, décidés à diversifier leurs relations avec l'étranger, pour ainsi mieux s'émanciper du grand frère russe.

Bibliographie

BACON, E. (2010). *Contemporary Russia*, 2ᵉ édition, New York, Palgrave Macmillan.

BANQUE MONDIALE (2010a). *Données: croissance du PIB (%)*. <http://data.worldbank.org/indicator/NY.GDP.MKTP.KD.ZG?page=2>, consulté le 10 décembre.

BANQUE MONDIALE (2010a). *Indicators: Russian Federation*. Base de données accessible sur le site Internet de la Banque mondiale, <www.worldbank.org>.

BREAULT, Y., P. JOLICŒUR et J. LÉVESQUE (2003). *La Russie et son ex-empire. Reconfiguration géopolitique de l'ancien espace soviétique*, Paris, Presses de Sciences Po.

BRUNET, R. (dir.) (1996). *Europes orientales. Russie. Asie centrale*, vol. 10, Paris, Belin-Reclus, coll. «Géographie universelle».

CENTRAL INTELLIGENCE AGENCY (CIA) (1996). «Radiation hotspots resulting from the Chornobyl' nuclear power plant accident». *Handbook of International Economic Statistics*. En ligne sur le site de Perry-Castañeda Library: <http://www.lib.utexas.edu/maps/middle_east_and_asia/caspian_sea_oil_gas-2001.jpg>, consulté le 6 janvier 2011.

CENTRAL INTELLIGENCE AGENCY (CIA) (2001). «Oil and gas infrastructure in the Caspian sea region». En ligne sur le site de Perry-Castañeda Library: http://www.lib.utexas.edu/maps/middle_east_and_asia/caspian_sea_oil_gas-2001.jpg. Site consulté le 6 janvier 2011.

CENTRAL INTELLIGENCE AGENCY (CIA) (2010). *The World Factbook*, <www.cia.gov/library/publications/the-world-factbook/index.html>, consulté le 15 septembre 2010.

CLARKE, M. (2010). «China and the Shanghai Cooperation Organization: The dynamics of "New regionalism", "vassalization", and geopolitics in Central Asia», dans E. KAVALSKI, *The New Central Asia: The Regional Impact of International Actors*, World Scientific, Singapore et Londres, p. 117-147.

DONALDSON, R. H. et J. L. NOGEE (2009). *The Foreign Policy of Russia: Changing Systems, Enduring Interests*, 4ᵉ édition, Londres, M.E. Sharpe.

DUHAMEL, L. (1995). *Souveraineté et partenariat dans l'ex-URSS*, Montréal, Québec/Amérique.

ECKERT, D. et L. JÉGOU (2004). «Évolution récente de la population de Russie (1979-2002)», Cartographie interactive *Mappemonde*, nᵒ 74.

GIMENO, R. et P. MITRANO (2005). «Carte des oléoducs et gazoducs de la mer Caspienne». *La documentation française*. En ligne: <http://www.ladocumentationfrancaise.fr/dossiers/mer-caspienne/carte-oleoducs-gazoducs.shtml>, consulté le 6 janvier 2011.

GONON, E. et F. LASSERRE (2003). «Une critique de la notion de frontières artificielles à travers le cas de l'Asie centrale», *Cahiers de géographie du Québec*, vol. 47, nᵒ 132, décembre, p. 433-461.

JOHNSON, J. (2010). *The World Book Yearbook*, Chicago, World Book Inc. [voir ses entrées sur les pays de l'ex-URSS].

KAVALSKI, E. (2010). «Uncovering the "New" Central Asia: The dynamics of external agency in a turbulent region», dans E. KAVALSKI, *The New Central Asia: The Regional Impact of International Actors*, World Scientific, Singapore et Londres, p. 1-25.

LARUELLE, M. (2010) « Russia and Central Asia », dans E. Kavalski, *The New Central Asia: The Regional Impact of International Actors*, World Scientific, Singapore et Londres, p. 149-175.

NATIONAL STATISTICAL COMMITTEE OF THE REPUBLIC OF BELARUS, *Economically Active Population*, <http://belstat.gov.by/homep/en/indicators/labor.php>, consulté le 19 septembre 2010.

PERRY-CASTANEDA LIBRARY (2010). *Map Collection*, The University of Texas at Austin, <http://www.lib.utexas.edu/maps>, consulté le 15 décembre 2010.

REKACEWICZ, P. (2000). « L'empreinte de Tchernobyl ». *Le Monde Diplomatique*. Juillet. En ligne : <http://www.monde-diplomatique.fr/cartes/europetcherno2000>, consulté le 6 janvier 2011.

REZA-DJALILI, M. et T. KELLNER (2001). *Géopolitique de la nouvelle Asie centrale*, Paris, Presses Universitaires de France.

STATISTICS LITHUANIA (2010). *Population at the Beginning of the Year by Town/City*, <www.stat.gov.lt>, consulté le 10 décembre 2010.

THUAL, F. (2001). *Le Caucase. Arménie, Azerbaïdjan, Daghestan, Georgie, Tchétchénie*, Paris, Flammarion.

UNData. <http://data.un.org/CountryProfile.aspx?crName=Belarus>, consulté le 18 décembre 2010.

U.S. AGENCY FOR INTERNATIONAL DEVELOPMENT (2001). *Russia: Population 2000*. En ligne sur le site de Perry-Castañeda Library : <http://www.lib.utexas.edu/maps/commonwealth/russia_population_usaid_2000.pdf>, consulté le 6 janvier 2011.

Capsule 8a

UNE MER DISPARAÎT
Le désastre de la mer d'Aral

Frédéric Lasserre

Les navires demeurent désormais immobiles, échoués en plein désert. Cette image saisissante, maintenant bien connue, résume parfaitement l'acuité du désastre environnemental qu'est la progressive disparition de la mer d'Aral. Cette mer intérieure est le débouché de deux fleuves, le Syr-Daria et l'Amou-Daria (*daria* signifie rivière en persan), qui naissent dans les montagnes du Tianshan et du Pamir. L'irrigation y est pratiquée depuis des siècles ; mais l'irruption d'objectifs de production agricole bien supérieurs, à partir des années 1950, s'est traduite par l'assèchement des fleuves et la lente contraction de la mer.

METTRE EN VALEUR LES GRANDES TERRES VIERGES

En 1937, l'Union soviétique, soucieuse d'augmenter non seulement sa production de denrées agricoles, mais aussi ses revenus d'exportation, devient un exportateur net de coton. En l'espace d'une décennie, l'agriculture a été mécanisée en Ouzbékistan et au Turkménistan afin d'augmenter les productions de coton et de blé, des cultures fortement consommatrices d'eau. Cette ressource, dans cette région aride, comme dans tout écosystème sec, est le véritable facteur limitant : 90 % des terres mises en valeur étaient irriguées en 1992.

Staline rêvait de mettre en valeur les grands fleuves de l'Union pour l'industrialisation et le développement agricole. Les ingénieurs soviétiques se sont lancés dans un vaste programme de construction de barrages et de canaux. Ainsi, en 1954, Khrouchtchev a lancé le plan de mise en valeur des terres nouvelles : il s'agissait, grâce à l'irrigation, d'accélérer l'accroissement de la production agricole soviétique, notamment celle de coton, production stratégique et rentable pour l'URSS.

En 1956 était inauguré le canal du Karakoum ; celui-ci dérive une partie de l'Amou-Daria depuis Kerki, non loin de la frontière afghane, pour la distribuer à travers le désert du Turkménistan. Après tout, c'était l'époque d'un optimisme résolu quant aux promesses d'une agriculture scientifiquement planifiée : les Étasuniens barraient pratiquement toutes leurs rivières et en détournaient des quantités d'eau croissantes afin d'irriguer leurs terres arides de l'Ouest ; les Israéliens s'efforçaient de faire fleurir le désert et exportaient des oranges ; les Indiens, par le biais de la sélection des semences, pensaient pouvoir mettre en valeur des régions arides ; et les Soviétiques développaient des rizières et des champs de coton sous le soleil du Turkménistan... Le canal a été l'un des triomphes de la propagande soviétique des années 1950-1960 : « Œuvre magnifique... le peuple turkmène rêvait de cet or qui coulait sur ces frontières » (cité par Létolle et Mainguet, 1993, p. 147-151), même si l'eau du canal devait surtout servir à la monoculture du coton. La rapidité de la construction (400 kilomètres en quatre ans pour la première section) a d'ailleurs été un sujet de gloire du régime, alors qu'en fait, les travaux s'avéraient aisés, puisque réalisés dans des dépôts sableux et d'alluvions du quaternaire ; qui plus est, le fond du canal n'a pas été cimenté, ce qui a pour effet, compte tenu de la porosité importante de ces sols, de provoquer d'importantes pertes par infiltration… (Mainguet, 1995)

Tableau 8a.1.
Développement des surfaces irriguées, républiques d'Asie centrale (en milliers d'hectares)

Pays	1950	1965	1970	1980	1985	1987	2009 (est.)
Ouzbékistan	2 276	2 639	2 696	3 476	3 930	4 109	4 281
Kirghizistan	937	861	883	956	1 009	1 028	1 072
Tadjikistan	361	468	518	617	653	675	719
Turkménistan	454	514	643	927	1 107	1 224	1 800
Kazakhstan	1 393	1 368	1 451	1 961	2 172	2 318	2 350
Total	5 421	5 850	6 191	7 937	8 871	9 354	10 222

Sources : Létolle et Mainguet (1993, p. 146) ; FAO (2010).

Entre 1965 et 1986, la surface des parcelles irriguées s'est accrue au rythme annuel moyen de 2,1 % dans le bassin de l'Aral. Alors que les surfaces irriguées croissaient de 5,8 à 9,1 millions d'hectares, essentiellement pour le coton, le riz et le fourrage, la demande en eau a doublé. Mais cette eau, dont d'énormes quantités étaient gaspillées par simple évaporation, ne revenait pratiquement jamais à la mer. En 1950, 50 km³ d'eau par année rejoignaient la mer d'Aral ; en 1990, ce volume n'était que de l'ordre de 5 à 9 km³. Toutefois, les années 1990 semblent avoir été plus arrosées et, combinées avec une diminution des prélèvements, elles ont contribué à un relèvement des apports des fleuves à la mer (Elhance, 1997 ; Micklin, 2000).

LE DÉSASTRE ÉCOLOGIQUE

Le village de Muynak était situé sur une île du delta de l'Amou-Daria en 1956 (figure 8a.1). En 1962, l'île était déjà devenue une péninsule. En 1970, la mer se trouvait à 10 kilomètres, puis à 40 kilomètres en 1980, à 75 kilomètres en 1998. Apparaissant à l'air libre, le fond de la mer devenait un immense désert salé. En 1988, la mer en retrait s'est divisée en deux, une petite Aral au nord, alimentée par le Syr, et une grande Aral, où se jette l'Amou. Entre 1960 et 1998, le volume global des deux plans d'eau a diminué de 78 %. Le désastre que constitue la disparition de la mer d'Aral est énorme ; il altère radicalement l'équilibre environnemental de la région de plusieurs manières :

Figure 8a.1.
Évolution de la surface de la mer d'Aral de 1960 à 2009

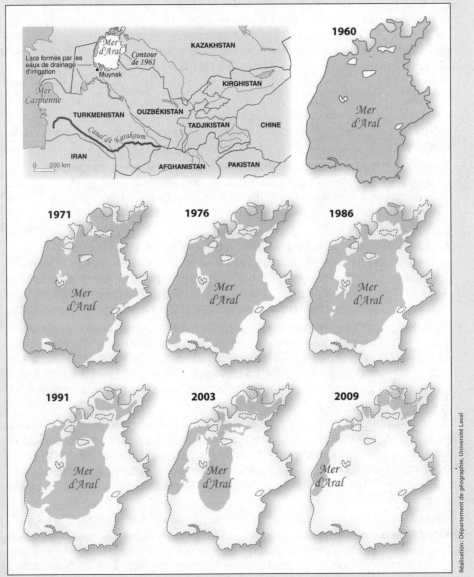

Sources : Lasserre (2003) ; Hervouet *et al.* (2004) ; BIRD (2003) ; NASA Image, 27 août 2009.

Réalisation : Département de géographie, Université Laval

1. D'énormes dépôts de sels, de nitrates et de pesticides épandus en fortes quantités sur les cultures industrielles en amont se sont formés, ils avaient été déposés par les eaux de l'Amou et du Syr lorsque les deux fleuves drainaient encore la région. Le vent souffle sur ces dépôts aujourd'hui desséchés, soulève près de 40 millions de tonnes de ces sédiments toxiques chaque année, et les transporte loin à l'intérieur des terres : ce phénomène empoisonne les sols à moyen terme, et les habitants à court terme. Les retombées en sels sont de l'ordre de 500 à 700 kg/ha, ce qui aggrave rapidement le problème de la salinisation due à l'irrigation (Leconte, 1998).

2. La disparition de la mer d'Aral, qui agissait comme élément régulateur des écarts thermiques en absorbant la chaleur l'été et en la restituant l'hiver, perturbe le climat local, qui prend une coloration nettement plus continentale :

   a) la période sans gel se trouve raccourcie à environ 170 jours, ce qui compromet certaines exploitations de coton qui ont besoin de 200 jours sans gel. En conséquence, certains exploitants se sont tournés vers le riz, mais ce dernier consomme encore plus d'eau. En contrepartie, les étés sont certes plus courts, mais aussi plus chauds ;

   b) la fréquence des tempêtes de forts vents a augmenté, accroissant du même coup les quantités de sédiments toxiques qui se trouvent transportés à l'intérieur des terres. De la poussière d'Aral a été signalée jusqu'en Biélorussie, située à 2 000 km à l'ouest ; la pluviométrie locale a diminué de moitié à proximité de la mer, et l'humidité relative dans un rayon de 100 km a baissé d'au moins 28 %.

3. La salinité de la mer est passée de 9,9 g/l en 1960 à près de 30 g/l en 1994, puis à 45 g/l dans la grande Aral en 1998 : devenue excessive, elle a détruit la vie marine. En 1977, les prises avaient déjà diminué de 75 % ; en 1982, toute activité commerciale s'est arrêtée. La baisse du niveau de la mer a fait chuter le niveau global de la nappe phréatique principale, asséchant de nombreux oasis sur son pourtour (Perera, 1992, p. 60).

L'irrigation intensive et mal gérée a provoqué la salinisation de près de 95 % des terres agricoles (huit millions d'hectares pour le seul coton), ce qui amène les exploitants à augmenter encore la quantité d'eau et d'engrais qu'ils utilisent (Postel, 1999) : c'est un vrai cercle vicieux qui s'est créé autour de ces cultures industrielles dont les républiques d'Asie centrale ont pourtant cruellement besoin comme source de revenus d'exportation.

Ainsi, la mer d'Aral, quatrième lac du monde par sa superficie en 1960, a entamé un lent déclin qu'illustrent tragiquement les statistiques. Certes, la mer d'Aral, tout comme la mer Caspienne (amplitude entre maximum et minimum de 7 mètres entre 1800 et 1970) et le lac Balkash (amplitude de 1,5 mètre de 1928 à 1956), avait connu des fluctuations tant à l'échelle géologique qu'à l'époque historique. L'Aral avait un régime exoréique, c'est-à-dire avec des émissaires vers l'océan, jusque vers le VIIe millénaire av. J.-C. (Mainguet, Letolle et Glazovsky, 1995). De même sait-on

Tableau 8a.2.
État de l'Aral de 1945 à 2011

Année	Débit des fleuves (km³/an)	Niveau (m) Grande mer après 1987	Niveau (m) Petite mer après 1987	Surface (km²) Grande mer après 1987	Surface (km²) Petite mer après 1987	Volume (km³) Grande mer après 1987	Volume (km³) Petite mer après 1987	Salinité (g/l) Grande mer après 1987	Pêche (t) Grande mer après 1987
1945	62							10	
1960	40	53,41		66 458		1 090		10	43 300
1965	31	52,5		63 900		1 030		10,5	31 040
1970	33	51,6		60 400		970		11,1	17 460
1971		51,05		60 200		925		11,2	
1975	11	49,4		57 200		840		13,7	2 940
1976		48,28		55 700		763		14	
1980	4	46,2		52 500		670		16,5	0
1985	0	42		44 200		470		23,5	0
1987	0	40,5		41 000		404		26,8	0
1989	6	39,3	40,2	36 307	2 804	332	23	30,1	0
1990	9	37,8		34 800		304		33,3	0
1993	14 (est.)	37,1		35 424		297		35	0
1996	8 (est.)	36,5	41,2	30 340	3 055	235	25	48	0
2003	13 (moy. 2001-2007)	30,4	40,4	14 293	2 865	85	23	48 à 60	0
2011 (est.)		27,3	45,1	6 113	3 920	53	39	190	

Sources : Glazovsky (1992) et sources diverses, cités par Létolle et Mainguet (1993, p. 182 et 191); Micklin (2000, p. 15); ILEC/LakeNet Lake Basin Management Initiative (2004); R. Létolle, *La Mer d'Aral*, L'Harmattan, Paris, 2008, p. 101.

qu'au XIIIe siècle, l'Amou a vu son cours changer pour se déverser vers la Caspienne ; le fleuve conserva ce cours pendant environ un siècle et demi (Létolle et Mainguet, 1993). Peu profonde (maximale de 67 mètres, moyenne de 16 mètres), l'Aral était en réalité une vaste flaque soumise à une intense évaporation (de l'ordre de 58 km^3/an, que compensaient les apports des deux fleuves, 53,7 km^3/an en moyenne avant 1960, et les précipitations, 5,6 km^3/an). Il a été estimé que les seules conditions naturelles auraient conduit à une baisse du niveau de la mer de 53,5 mètres en 1960 à 50,8 mètres en 1986, à cause des précipitations moindres. Mais ces variations n'ont aucune commune mesure avec le déclin si rapide de l'Aral depuis 1960.

LE VERTIGE DES INDÉPENDANCES, OU LA REDISTRIBUTION DE LA RESSOURCE EN EAU

Sous le régime soviétique, tous les différends concernant les transferts d'eau entre républiques et à l'intérieur des républiques étaient résolus par les autorités centrales à Moscou. L'avènement brutal et non réellement souhaité des indépendances des républiques d'Asie centrale, en 1991, a obligé les gouvernements à gérer par eux-mêmes ces disputes dans un cadre désormais vide de structures de résolution des conflits portant sur l'usage des ressources.

En 1993, les gouvernements d'Asie centrale ont signé l'Accord général sur la Crise de la mer d'Aral, qui prévoyait des mécanismes de coopération pour le partage des eaux et pour l'amélioration des rendements hydrauliques en agriculture. Mais, faute de moyens financiers, l'accord est resté lettre morte. En 1994, le Turkménistan aurait commencé unilatéralement des travaux d'extension du canal de Karakoum vers l'ouest, afin de mettre en valeur de nouvelles terres, ne serait-ce que pour compenser l'abandon de certaines parcelles affectées par la salinisation. Le volume annuel total détourné par le canal représenterait de 15 à 20 km^3 (Glantz, 1998).

En fait, l'extension de l'agriculture irriguée est aujourd'hui irréversible : la part qu'elle représente dans les économies des pays d'aval, Kazakhstan, Ouzbékistan, Turkménistan, est devenue trop importante pour être remise en cause, surtout dans le contexte de difficile transition économique à la suite de la disparition de l'aide et des investissements soviétiques. L'URSS, en lançant son programme ambitieux de mise en valeur des terres d'Asie centrale grâce à l'extension de l'irrigation, avait brisé la primauté des pays d'amont pour y substituer un régime de quotas et de partage de la ressource. Au début des années 1960, cette stratégie de mise en valeur paraissait juste, car elle était pratiquée par un gouvernement central dans l'optique d'un développement qui bénéficierait à l'ensemble de la région (Bethemont, 1999). Avec les indépendances s'est posée avec acuité la question de la gestion de ce système de répartition, hérité de l'époque soviétique. Cette répartition paraît d'autant moins équitable que les pays d'aval sont également bien dotés en ressources énergétiques (gaz, pétrole), d'une part, et qu'ils ont laissé s'instaurer, d'autre part, une politique de gaspillage de la ressource en eau.

Toute réforme des structures agricoles héritées de l'époque soviétique apparaît d'autant plus délicate que les gouvernements locaux, dominés par les ex-partis communistes, sont souvent représentatifs de la société rurale : présidents de *kolkhoze*, administrateurs locaux, notables, qui répugnent tous à instituer des réformes en profondeur qui affecteraient la structure économique de leur région et risqueraient de remettre en cause leur popularité.

CONCLUSION

Avec la disparition brutale du cadre soviétique en Asie centrale, les nouveaux gouvernements doivent faire face au défi de l'indépendance, à la difficile quête d'une certaine stabilité économique, mais aussi aux crises que provoquent la rareté croissante de l'eau et le désastre environnemental de la disparition de la mer d'Aral.

Ce désastre écologique illustre les conséquences de l'imposition d'un modèle économique inadapté aux ressources disponibles. L'irrigation préexistait à l'arrivée des Russes. Avec eux, puis avec l'URSS, se sont imposés le modèle occidental de développement d'une agriculture industrielle, d'une part, et le modèle soviétique de planification économique centralisée, d'autre part. La combinaison de ces deux modèles a conduit à une rapide surexploitation des ressources en eau.

Cependant, le développement de la monoculture du coton, destiné aux marchés d'exportation afin de constituer une source de devises fortes, a conduit à l'élimination de bon nombre d'autres cultures traditionnelles, dont les cultures vivrières, et à une spécialisation excessive des exploitations agricoles. Aujourd'hui, héritage de la période soviétique, les républiques d'Asie centrale sont confrontées à une situation économique précaire renforcée par leur enclavement et leurs difficultés à exporter leurs hydrocarbures : elles répugnent donc à renoncer à un secteur cotonnier qui constitue une source majeure de produits pour l'exportation et qui emploie une abondante main-d'œuvre.

BIBLIOGRAPHIE

BETHEMONT, J. (1999). *Les grands fleuves, entre nature et société*, Paris, Armand Colin.

ELHANCE, A. (1997). « Conflict and cooperation over water in the Aral sea basin », *Studies in Conflict and Terrorism*, vol. 20.

FAO (2009). *Stats, 2009*, <www.fao.org>.

GLANTZ, M. (1998). « Creeping environmental problems in the Aral sea basin », dans I. KOBORI et M.H. GLANTZ (dir.), *Central Eurasian Water Crisis. Caspian, Aral and Dead Seas*, Tokyo, United Nations University Press.

LECONTE, J. (1998). *L'eau*, Paris, Presses Universitaires de France, coll. « Que sais-je ? ».

LÉTOLLE, R. (2008). *La Mer d'Aral*, Paris, L'Harmattan.

LÉTOLLE, R. et M. MAINGUET (1993). *Aral*, Paris, Springer-Verlag.

MAINGUET, M. (1995). *L'homme et la sécheresse*, Paris, Masson.

MAINGUET, M., R. LÉTOLLE et N. GLAZOVSKY (1995). « Aridité et sécheresses dans la région aralo-caspienne », *Cahiers Sécheresse*, vol. 6.

MICKLIN, P. (2000). *Managing Water in Central Asia*, Londres, Royal Institute of International Affairs.

PERERA, J. (1992). « The Aral sea : Approaching total disaster », *Écodécision*, septembre.

POSTEL, S. (1999). *Pillar of Sand. Can the Irrigation Miracle Last ?*, New York, WorldWatch Institute, Norton.

TCHÉTCHÉNIE, CAUCASE
La normalisation impossible?

Isabelle Facon

La première guerre de Tchétchénie (1994-1996) s'est conclue sur une piteuse défaite russe. En septembre 1999, les troupes russes pénètrent à nouveau dans la république nord-caucasienne. La phase des opérations militaires lourdes de ce second conflit est déclarée achevée dès la prise de Groznyi en avril 2000. Cependant, les exactions des forces russes, bientôt rejointes puis remplacées par les milices tchétchènes prorusses, se sont poursuivies bien au-delà, de même que les attentats liés au conflit, du Caucase du Nord à Moscou. Autant de faits contredisant le discours officiel russe sur la « normalisation » qu'est censée avoir inaugurée la tenue, le 23 mars 2003, d'un référendum constitutionnel en Tchétchénie. À cette occasion, la population tchétchène a accepté le maintien de sa république dans l'ensemble fédéral russe et l'organisation d'élections appelées à parachever la régularisation de la situation institutionnelle de la Tchétchénie. Ces élections devaient notamment priver de toute légitimité le président tchétchène Aslan Maskhadov, élu en janvier 1997 au terme d'un scrutin validé par l'OSCE. Ce dernier a été tué par les forces de sécurité russes le 8 mars 2005. Un mois plus tard, cependant, la Commission européenne jugeait que la sécurité dans la république nord-caucasienne était à un niveau suffisant pour envisager des initiatives d'aide à la reconstruction.

UNE NORMALISATION PEU CONVAINCANTE, UNE « TCHÉTCHÉNISATION » DÉLÉTÈRE

Lors de son Adresse annuelle au Parlement de 2002 (le 18 avril), Vladimir Poutine, alors encore président de la Russie, avançait que l'on pouvait considérer accomplie la phase militaire du conflit en Tchétchénie et expliquait que son objectif subséquent serait « le retour de la Tchétchénie dans l'espace politico-juridique de la Russie ». En 2003, lors du même exercice (le 16 mai), le chef de l'État russe se félicitait de ce que « le référendum a montré que les Tchétchènes [...] se considèrent comme une partie inaliénable d'un peuple russe multinational unique ». La constitution approuvée le 23 mars 2003 réaffirme en effet l'autorité de Moscou sur la vie institutionnelle et politique de la république nord-caucasienne.

Le référendum visait à libérer l'horizon politique interne et international du Kremlin de l'abcès tchétchène. La prise d'otages du théâtre de la Doubrovka (Moscou, octobre 2002) était venue confirmer les appréhensions de ceux qui, au sein de l'administration de Vladimir Poutine, craignaient une progression de la radicalisation de certaines forces au sein de la cause indépendantiste; un renforcement de ces forces à la faveur de l'absence totale de perspectives d'avenir pour la population

Figure 8b.1.
La Tchétchénie

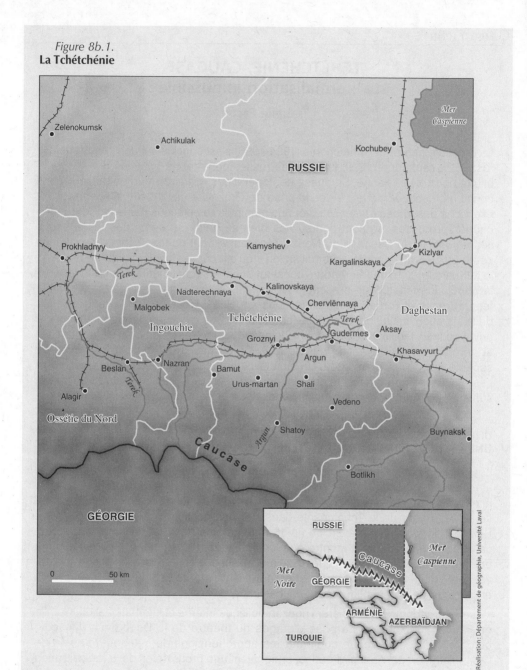

Sources: *L'Express*, 28 novembre 2002, Perry-Castañeda, Université du Texas; *Le Monde*, 20 février 2004.

tchétchène, exsangue après plus de dix ans de violences et de destructions; ainsi qu'une aggravation du phénomène, certes sciemment exagéré par les autorités russes, d'infiltration d'extrémistes islamistes et de mercenaires étrangers dans le Caucase du Nord. Des échéances électorales se profilaient à l'horizon (législatives fin 2003, présidentielles au printemps 2004); or Poutine était arrivé au pouvoir avec un mandat d'éradication des dangers liés à la situation en Tchétchénie. Enfin, le conflit minait les relations de Moscou avec les grands pays industrialisés en même temps qu'il pesait, certes discrètement, sur ses rapports avec le monde musulman. À travers le référendum, les autorités russes cherchaient à démontrer que la situation s'apaisait progressivement dans le Caucase du Nord (en juillet 2003, le président Poutine avait transféré la direction des opérations en Tchétchénie au ministère de l'Intérieur). Elles voulaient aussi donner un visage institutionnel à la politique qu'elles menaient depuis plusieurs années, consistant à soutenir une administration prorusse provisoire (les présidentielles d'octobre 2003 donnèrent d'ailleurs la victoire à celui qui, depuis juin 2000, dirigeait cette administration – l'ancien mufti Akhmad Kadyrov) et à «tchétchéniser» le conflit en confiant une part croissante des opérations de «nettoyage» et de sécurité à des milices locales.

Le référendum n'a certes pas obéi au strict respect des pratiques démocratiques. Il a été pour cette raison contesté par nombre d'ONG internationales et accueilli avec scepticisme par la communauté internationale. Si le scrutin n'a pas été exempt d'irrégularités et de pressions, son résultat (le oui au maintien de la Tchétchénie dans la Fédération de Russie) n'en a pas moins signifié la résignation d'une majorité écrasante de la population tchétchène, qui a pu voir dans ce nouvel arrangement la clef du retour à une certaine sécurité physique et économique. Les civils tchétchènes en étaient venus à imputer leur sort tragique non seulement aux forces fédérales, mais aussi aux *boeviki* (combattants tchétchènes) les plus radicaux, au premier rang desquels Shamil Basaev, dont Aslan Maskhadov n'avait pas su maîtriser la montée en puissance de même qu'il n'avait pas endigué la radicalisation de certains pans de la guérilla indépendantiste. L'apparition de chefs de guerre professant le *djihad*, de femmes kamikazes, ainsi que la multiplication des attentats suicides ont constitué autant de symptômes de ce durcissement d'une partie des indépendantistes – durcissement découlant directement du choix de Moscou de rejeter tout contact avec Maskhadov et de la brutalité de sa gestion de l'indépendantisme tchétchène.

La dérive violente d'une partie des rebelles tchétchènes a pris une nouvelle dimension en 2004, avec l'assassinat, le 9 mai, d'Akhmad Kadyrov à Groznyi. Cet événement donna évidemment un coup d'arrêt au processus de normalisation politique que devaient couronner des élections législatives à l'automne. Le simulacre d'élection présidentielle organisé pour remplacer Kadyrov a été encadré dans le temps par une série d'actes terroristes: deux avions de ligne s'écrasent le 24 août, après des affrontements meurtriers entre combattants tchétchènes et forces russes en Ingouchie en juin, démontrant que bien qu'affaiblie, la guérilla était encore capable d'engager des opérations d'une certaine envergure. Le 1er septembre commençait une prise d'otages dans une école à Beslan, en Ossétie du Nord (plus de 300 victimes), revendiquée par Basaev, alors que Moscou se remettait à peine d'un attentat commis dans le métro par une femme kamikaze.

Par la suite, la « normalisation » a repris ses droits. Des élections législatives ont lieu en Tchétchénie en novembre 2005, présentées par le Kremlin comme un pas supplémentaire sur la voie de la stabilisation. En février 2007, Moscou désigne le fils de Kadyrov, Ramzan, à la présidence de la Tchétchénie. Entretenant un climat de terreur au sein de la population, les actes de ses milices, souvent appuyées par les « fédéraux », semblaient toutefois condamner d'avance les perspectives d'amélioration durable de la situation en entravant la possibilité d'une cicatrisation rapide de la « plaie tchétchène » et en rendant toujours plus improbable la cohabitation paisible entre Russes et Tchétchènes.

LA RUSSIE, LA TCHÉTCHÉNIE ET LA COMMUNAUTÉ INTERNATIONALE

Nombreux sont ceux qui ont espéré, en Russie comme à l'étranger, une médiation internationale entre la Russie et la Tchétchénie, et appelé l'ONU, l'OSCE, ou encore le Conseil de l'Europe à s'engager davantage en vue d'un règlement du conflit.

Après le 11 septembre, les pays occidentaux ont fait preuve d'une plus grande « compréhension » à l'égard de Moscou sur la question des liens entre le fait terroriste international et la situation en Tchétchénie. Considérant avoir besoin de la Russie dans la lutte contre les réseaux terroristes internationaux, et inquiets du risque de voir le Caucase se transformer en une nouvelle base pour ces derniers, les gouvernements occidentaux ont estimé que davantage de souplesse à l'égard du Kremlin pourrait s'avérer plus profitable qu'une position systématiquement critique sur ce que Moscou présentait comme une « affaire intérieure » russe. Est allée dans ce sens l'inclusion, en février 2003, par le Département d'État des États-Unis, de trois groupes tchétchènes sur sa liste de mouvements terroristes internationaux. Pour autant, le Kremlin n'a jamais ouvert le règlement du conflit à des interventions politiques extérieures – d'autant moins que les relations entre Moscou et les pays occidentaux ont connu une forte détérioration entre 2003 et 2009, le conflit de Géorgie en 2008 en constituant le paroxysme.

La Tchétchénie figure naturellement dans l'argumentaire critique des Occidentaux sur la tendance à la régression qu'ils observent en Russie au chapitre de la démocratie et des droits de l'homme. À toute pression extérieure cherchant à recentrer le débat sur les causes internes du terrorisme tchétchène et nord-caucasien, le Kremlin répond en déplorant que l'Occident applique, au détriment de la Russie, des « doubles standards » dans sa lecture de la menace terroriste. Il fustige comme autant d'illustrations de ce « deux poids, deux mesures » les demandes d'explication qui lui ont été adressées par la présidence néerlandaise de l'Union européenne lors de la prise d'otages de Beslan, ou la possibilité qui a été donnée à des émissaires d'Aslan Maskhadov de visiter plusieurs pays européens, voire de s'y fixer.

Ces dernières années, la stabilisation relative, bien que fragile, de la situation en Tchétchénie a contribué à faire taire les critiques. C'est d'autant plus le cas qu'aujourd'hui, beaucoup en Occident sont inquiets de la possible émergence d'un « trou noir » du terrorisme et de la criminalité à l'échelle du Caucase, situé à proximité de l'Europe, et sont par conséquent soucieux de voir la Russie travailler à restaurer la stabilité régionale. Il y a suffisamment d'éléments qui vont dans le sens d'une présence plus affirmée de jihadistes salafistes dans le Caucase du Nord (après une période de déclin au moment de la seconde guerre en Tchétchénie ; Batal al-Shishani, 2010a) pour rendre nécessaire, au minimum, un dialogue avec la Russie sur la question du terrorisme islamiste. La violence croissante des actes terroristes dans la région et au-delà rend, en outre, difficile pour les responsables occidentaux de condamner haut et fort la politique russe dans le Caucase du Nord. Pour autant, ils considèrent que les choix de Moscou ne sont pas allés dans la bonne direction – politique reposant sur la force, « tchétchénisation » périlleuse, rôle plus que trouble (et déstabilisateur) du Kremlin auprès de régions séparatistes en Géorgie... Le malaise qui en découle compromet de longue date et durablement l'instauration de coopérations politiques et stratégiques profondes entre Moscou et les capitales occidentales.

UNE SOCIÉTÉ RUSSE ABÎMÉE PAR LE CONFLIT EN TCHÉTCHÉNIE

Les deux conflits en Tchétchénie ont laissé des traces profondes dans le tissu politique et social russe. Ils sont en particulier venus consolider les réflexes xénophobes qui traversent traditionnellement la société russe, et qui portent volontiers sur « le Caucasien ». En outre, l'accroissement de la menace terroriste, en confortant la tendance historique des autorités russes à établir des contrôles aussi étroits que possible sur la société civile, contribue au ralentissement des processus démocratiques et de libéralisation politique en Russie.

La situation dans le Caucase du Nord a par ailleurs révélé, suscité ou aggravé des dysfonctionnements graves au sein des « structures de force » (Défense, Intérieur, Service de sécurité...). Les deux conflits ont notamment eu des effets délétères sur les relations entre pouvoir civil et pouvoir militaire. Désireux de prendre leur revanche après la déconfiture subie en août 1996 et tentés d'accroître leur marge de manœuvre politique à la faveur du second conflit, les « généraux de la Tchétchénie » n'ont pas hésité à désinformer Vladimir Poutine sur la situation militaire sur le terrain, créant un climat de méfiance réciproque, dont le Kremlin a tenté par la suite de maîtriser les possibles conséquences négatives en consolidant son emprise sur l'institution militaire. En outre, la multiplication des attentats en Russie met directement en cause le professionnalisme et l'intégrité des services de sécurité et de maintien de l'ordre. La question se pose en effet de savoir comment des attentats et des prises d'otages de l'ampleur de ceux qui ont eu lieu en différents points de la Russie depuis 2002 ont pu être organisés sans complicités dans ces services. Déplorant, après Beslan, que la corruption rende la nation incapable de réagir au terrorisme, Vladimir Poutine avait annoncé son intention de renforcer la lutte contre ce phénomène au sein des organes du maintien de l'ordre. Il avait également indiqué son intention d'augmenter les moyens de ces structures. Beaucoup avaient critiqué ce choix, le jugeant non pertinent alors qu'il apparaissait clairement que le problème résidait en premier lieu dans l'insuffisance du contrôle des autorités politiques et de la société civile sur les structures de force, et dans le maintien, en leur sein, d'une éthique pour le moins défaillante. En 2010, après les attentats-suicides du métro de Moscou en mars, les analyses allaient toujours bon train sur l'inaptitude des services policiers et de sécurité à faire face à la détérioration de la situation dans le Caucase, en partie du fait de la corruption en leur sein...

Les événements en Tchétchénie ont marqué les limites du risque de voir émerger un front pancaucasien contre Moscou – hypothèse parfois envisagée par le Kremlin et des experts. Depuis le milieu des années 1990, les relations entre la Tchétchénie et le reste des républiques caucasiennes se sont en effet détériorées, ces dernières mesurant les instabilités créées par la guerre et s'inquiétant très tôt des velléités agressives de certains groupes militants tchétchènes (Le Huérou *et al.*, 2005). Cependant, il y a bien eu répercussion du conflit en Tchétchénie à l'échelle régionale. Les incursions de combattants tchétchènes en Ingouchie en juin 2004, la prise d'otages en Ossétie du Nord en septembre 2004, les incursions récurrentes de Tchétchènes au Daghestan et autres événements de même nature en ont constitué autant d'illustrations. Des liens se sont établis entre des chefs de guerre tchétchènes et différents groupes armés islamistes actifs dans la région du Caucase du Nord.

Ces évolutions ont trouvé un terreau favorable dans la situation déprimée de l'ensemble de la région. Prompt à déployer d'importants moyens militaires en Tchétchénie, le Kremlin a plutôt échoué dans son effort de consolidation des structures économiques et sociales du Caucase du Nord, une des régions les plus désaffectées de la Fédération de Russie – état de choses que la crise de 2008 n'a pas contribué à changer. Or, les circonstances économiques et politiques très défavorables enjoignent un certain nombre de jeunes gens à rejoindre les rangs des rebelles, notamment ceux tentés par la cause islamiste. Le président Dmitri Medvedev met d'ailleurs l'accent sur l'amélioration des conditions de vie socioéconomiques dans la région pour atténuer le phénomène terroriste et le risque de déstabilisation régionale. Dans le Caucase du Nord, le chômage, selon le chef de l'État russe lui-même, dépasserait 800 000 personnes en âge de travailler, soit une moyenne de 20 %. Beaucoup d'experts russes déplorent, en tout état de cause, « l'incapacité des pouvoirs fédéraux d'élaborer une stratégie pour la modernisation du Caucase du Nord et pour sa sortie de crise » (Malachenko et Ikhlov, 2010).

À ces causes économiques des évolutions dangereuses dans le Caucase s'ajoutent les tendances autoritaires de certaines figures au sein des pouvoirs locaux, la corruption et l'abus de pouvoir des fonctionnaires locaux, la criminalité endémique et les antagonismes interethniques (voir, pour le Daghestan, Souleimanov, 2010).

TCHÉTCHÉNIE, CAUCASE DU NORD:
UNE «GUERRE SANS FIN» POUR LE KREMLIN?

Le bien-fondé de la stratégie de «tchétchénisation» du Kremlin est mis en cause depuis longtemps à Moscou. On s'interroge notamment sur la fiabilité de Ramzan Kadyrov. D'abord, les exactions commises par ses milices contribuent à creuser le fossé entre les autorités russes et les populations tchétchènes – car elles apparaissent cautionnées par Moscou. Ensuite, bien qu'il ait la confiance de Vladimir Poutine, l'autonomie de Kadyrov et de ses milices a toujours fait craindre aux autorités russes qu'il n'échappe un jour à leur contrôle, avec des conséquences difficilement prévisibles pour les intérêts du pouvoir fédéral (l'on rappellera que Moscou nourrissait déjà des préoccupations quant aux projets de l'influent et ambitieux Kadyrov père, qui s'était rallié à la cause russe par défaut, parce que, disait-il, il était opposé à la montée du courant wahhabite en Tchétchénie). Kadyrov est certes crédité d'être parvenu à supprimer une partie des rebelles islamistes sur le territoire de la République tchétchène. Mais la conséquence en a été le repli d'une partie d'entre eux dans les républiques voisines – notamment le Daghestan et l'Ingouchie. Ses milices sont contestées, y compris à Moscou, pour traverser les frontières pour «pourchasser les terroristes» au Daghestan et en Ingouchie – entreprises dont l'effet stabilisateur en fait douter plus d'un, et qui envenime les relations entre la Tchétchénie et ses voisins.

Si aujourd'hui la Tchétchénie fait paradoxalement figure de point le plus stable dans le Caucase du Nord (en avril 2009, la guerre russo-tchétchène prenait officiellement fin, avec la levée de l'état d'exception), la situation régionale dans son ensemble n'inspire guère l'optimisme. L'année 2010 a été riche en attentats en Russie, dont un qui a frappé la Russie au cœur de sa capitale (mars) et a été revendiqué par Dokou Oumarov, qui a combattu dans les deux guerres en Tchétchénie et se présente depuis l'automne 2007 comme «l'Émir du Caucase», se proposant d'instaurer la sharia à l'échelle de la région (pour la seule année 2010, on impute plus de 300 attaques ou incidents à l'«émirat islamique du Caucase»). Dans plusieurs républiques du Caucase, les représentations des pouvoirs fédéraux russes font régulièrement l'objet d'attaques; les forces de l'ordre russe parviennent parfois à liquider des figures *leader* des groupes militants, mais sans que cela apporte des améliorations sensibles à la situation. Certes, tout n'est pas explicable par les effets des guerres de Tchétchénie: «en Ingouchie ou au Daghestan, on ne se bat pas pour les mêmes raisons que les Tchétchènes»; mais «s'est diffusé[e] ... la structure idéologique; le cadre général du soulèvement: un islamisme spécifique, façonné dans le Nord Caucase qui a servi de prétexte et de lien tactique à l'embrasement de la région» (Vinatier, 2010). Mais les mêmes causes produisent les mêmes effets – corruption, arbitraire et népotisme des pouvoirs des républiques caucasiennes loyaux à Moscou renforçant les rangs de ceux qui optent pour le combat au nom de la cause religieuse qui apparaît comme un refuge. Néanmoins, les «rebelles» nord-caucasiens interviennent en ordre dispersé. L'attaque contre le Parlement tchétchène d'octobre 2010 a ainsi été revendiquée par un groupe qui se déclare

dissident par rapport à Oumarov – ainsi que le font de nombreux groupes ou individus (certains en appelant à un recentrage sur la cause nationaliste au détriment
de la lutte au nom du religieux ; Batal Al Shishani, 2010b).

De plus, en 2010, des événements en Tchétchénie ont récemment porté un coup
à la crédibilité de Ramzan Kadyrov aux yeux des Tchétchènes mais aussi à ceux
des autorités fédérales russes en mettant en cause l'image, pour le moins ironique,
de la Tchétchénie comme « îlot » de stabilité relative à l'échelle du Caucase du Nord
(Malachenko, 2010). On pense notamment à l'attaque contre le Parlement tchéchène
(en octobre) mais aussi, fait peut-être encore plus symbolique, à l'attentat suicide
dans le village natal de Kadyrov, Tsentoroï, en août.

PERSPECTIVES

Le conflit en Tchétchénie a infligé des blessures en Russie et créé des failles dont
ce pays n'a pas fini de mesurer la profondeur et la gravité et qui ne sont pas étrangers à l'évolution funeste de la situation dans l'ensemble du Caucase du Nord, même
si la cause indépendantiste n'apparaît plus nécessairement au premier plan de
l'agenda des insurgés. En octobre 2010, la Commission européenne se déclarait
inquiète de la situation dans le Caucase du Nord – instabilité, attentats terroristes,
mais aussi atteintes aux journalistes et militants des droits de l'homme.

En 2010, le pouvoir russe nommait Alexandre Khloponine à la tête d'un « district
fédéral Caucase du Nord » nouvellement créé. Homme d'affaires de Krasnoïarsk
censé avoir contribué au dynamisme de sa région (il fut le directeur général de
Norilsk Nickel de 1996 à 2000), il est censé pouvoir faire la différence en raison de
ses qualités de gestionnaire, susceptible de remédier aux problèmes économiques
et sociaux de la région. Toutefois, la majorité des experts russes et occidentaux
doutent de la pertinence de solutions de nature avant tout administrative face à une
situation qui apparaît comme l'effet délétère durable de deux guerres (temps court)
et d'un conflit historique entre l'Empire russe et le Caucase (temps long). Pour
certains, les événements actuels dans le Caucase constituent, en fait, une étape
après d'autres de la fin de l'Empire russe – « *la Russie perd le Caucase du Nord* »
(Malachenko et Ikhlov, 2010).

BIBLIOGRAPHIE

BATAL AL-SHISHANI, M. (2010a). « Salafi-Jihadis and the north Caucasus : Is there
    a new phase of the war in the making ? », *Terrorism Monitor*, vol. 8, n° 27, 8 juillet.

BATAL AL-SHISHANI, M. (2010b). « Grozny attack indicates revival of chechen nationalist
    insurgency », Central Asia – Caucasus Institute <www.caciananalyst.org>, consulté le
    27 octobre.

LE HUÉROU, A. *et al.* (2005). *Tchétchénie : une affaire intérieure ?*, Paris, Autrement/
    CERI.

MALACHENKO, A. (2010). «Napadenie boevikov na tchetchenskiï parlament: pritchiny i posledstviia» [L'attaque des combattants contre le Parlement tchétchène: causes et conséquences], Centre Carnegie de Moscou <www.carnegie.ru>, consulté le 20 octobre.

MALACHENKO, A. et E. IKHLOV (2010). «Ostaëtsia li Severnyï Kavkaz vzryvoopasnym regionom Rossii?» [Le Caucase du Nord restera-t-il une région explosive pour la Russie?], Emission *Grani Vremeni,* Radio Svoboda <www.carnegie.ru>, consulté le 19 octobre.

SOULEIMANOV, E. (2010). «Dagestan: The emerging core of the north caucasus insurgency», Central Asia – Caucasus Institute www.caciananalyst.org>, consulté le 29 septembre.

VINATIER, L. (2010). «Nord-Caucase: les guerres inachevées», Institut Thomas More <http://institut-thomas-more.org>, consulté le 12 avril.

Chapitre

9

L'ASIE DU NORD-EST
Centre du monde du XXIe siècle?

Jules Lamarre et Frédéric Lasserre

L'Asie du Nord-Est regroupe la Chine, la Mongolie, la Russie orientale, les deux Corées, le Japon et Taïwan. Elle comprend une économie développée (Japon), une économie anciennement socialiste en voie de reconversion (Russie), trois anciens «Dragons» qui ont connu un développement économique rapide dans les années 1970-1990, et un immense pays, la Chine, géant démographique qui semble lui aussi avoir pris le chemin d'une croissance très rapide après avoir effectué de douloureuses expériences communistes. Ainsi, la Chine a entrepris en 1978 une course au développement qui l'a propulsée de pays du tiers-monde au rang de grande puissance économique mondiale. Mais cela ne saurait être vu comme un exemple qu'à la condition qu'elle surmonte ses problèmes majeurs de pollution, assure une meilleure distribution de la richesse et réponde à l'impatience de la population de la Chine intérieure, qui se sent exclue

Figure 9.1.
Des Asies multiples

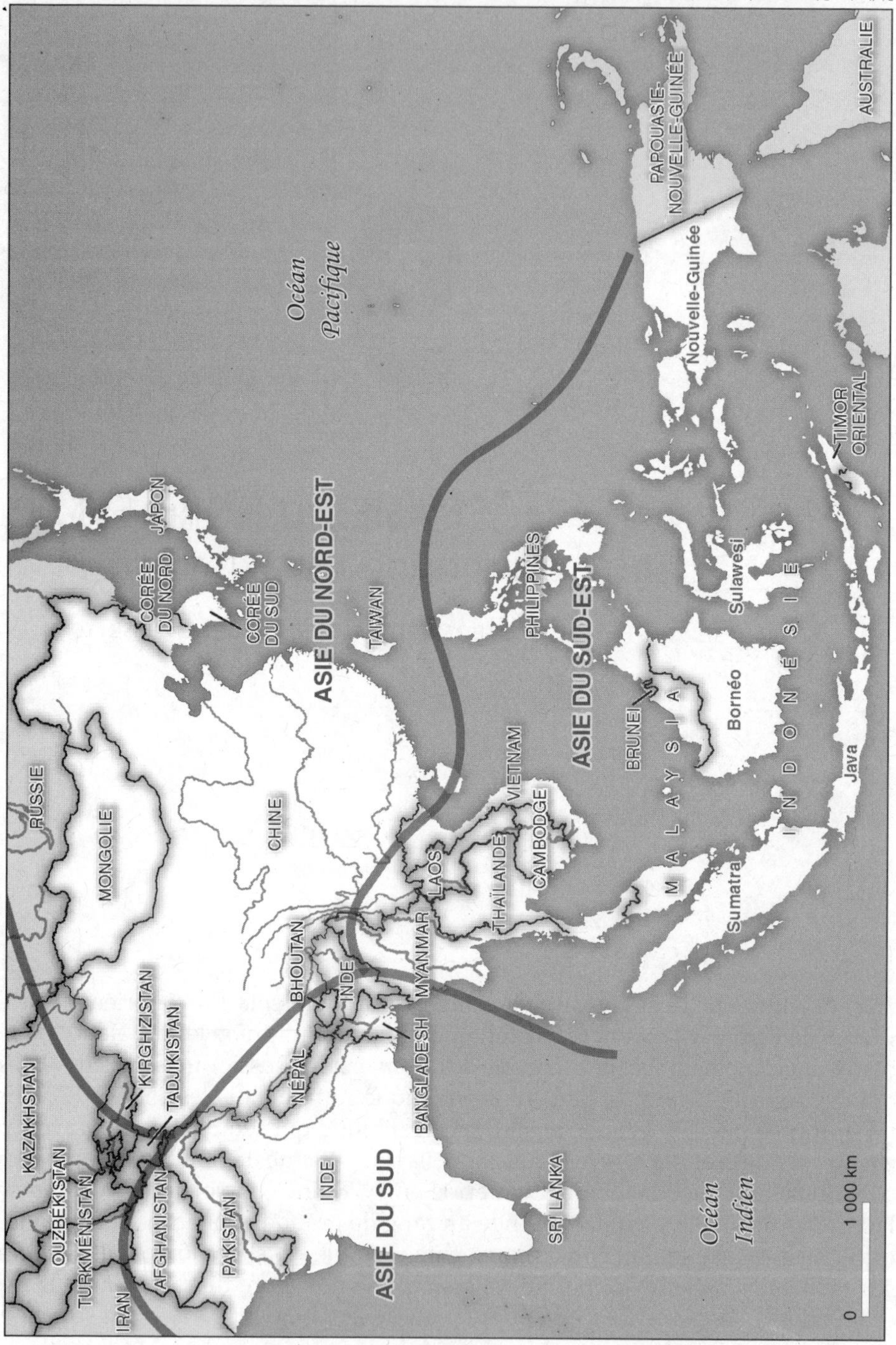

AUSTRALIE

PAPOUASIE-
NOUVELLE-GUINÉE

Nouvelle-Guinée

TIMOR
ORIENTAL

Océan
Pacifique

Sulawesi

PHILIPPINES

ASIE DU SUD-EST

I N D O N É S I E

Bornéo

BRUNEI

M A L A Y S I A

Java

Sumatra

JAPON

CORÉE
DU NORD

CORÉE
DU SUD

ASIE DU NORD-EST

TAIWAN

RUSSIE

MONGOLIE

CHINE

VIETNAM

LAOS

THAÏLANDE

CAMBODGE

MYANMAR

BHOUTAN

INDE

KAZAKHSTAN

OUZBÉKISTAN

TURKMÉNISTAN

KIRGHIZISTAN

TADJIKISTAN

AFGHANISTAN

IRAN

PAKISTAN

NÉPAL

BANGLADESH

INDE

ASIE DU SUD

SRI LANKA

Océan
Indien

0   1 000 km

de la forte croissance. De son côté, le Japon, longtemps la deuxième puissance économique mondiale (détrôné en 2010 par la Chine), a une économie qui stagne depuis les années 1990. Il cherche désespérément une avenue pour relancer sa croissance et se préserver d'une concurrence croissante avec Taïwan et la Corée du Sud. La Corée du Sud est dotée d'un dynamisme économique unique et, tout comme Taïwan, a su accompagner son développement d'une transition politique vers la démocratie. Mais elle se sent menacée par la Corée du Nord, un pays en faillite économique, écrasé sous une dictature qui se sert maintenant du chantage nucléaire pour faire avancer sa cause. Enfin, depuis l'effondrement de l'URSS, la Russie orientale est une région engourdie mais dont la localisation est exceptionnelle, comme nous le verrons plus loin, et qui possède des richesses naturelles considérables. Elle pourrait bien devenir un atout important du développement à venir de l'Asie du Nord-Est. Bref, cette région du monde s'annonce comme un futur pôle économique majeur. Mais, d'une part, ce rythme de développement très rapide n'est pas sans poser des problèmes que les pays de la région devront résoudre, dont de fortes tensions sociales, politiques et environnementales. D'autre part, la période de croissance économique ne gomme pas les diverses tensions géopolitiques dans la région, à commencer par le statut de Taïwan et la division des deux Corées.

9.1.   L'emprise des Han sur le territoire chinois

La Chine, troisième pays du monde pour sa superficie, après la Russie et le Canada, rassemble le cinquième de toute la population du monde, soit plus de 1,4 milliard d'humains[1]. Son territoire s'étend en éventail depuis le toit du monde, l'Himalaya et le plateau tibétain, et descend par paliers jusqu'à l'océan Pacifique situé plus à l'est. De grands fleuves coulent depuis le plateau du Tibet (Xizang), comme le Yangze (ou Changjiang, ou fleuve Bleu) et le Huang He (fleuve Jaune) vers les terres basses, où ils déposent leurs alluvions et créent des plaines et des vallées fertiles qui nourrissent des concentrations de populations parmi les plus imposantes de la planète. Mais l'Himalaya et le plateau du Xizang empêchent le passage des masses nuageuses venant du sud, en particulier de la mousson, ce qui explique en partie les conditions arides qui prévalent dans l'ouest de la Chine, ainsi qu'en Mongolie plus au nord.

9.1.1.   Trois espaces différents

D'un point de vue économique et de dynamique des populations, on peut distinguer trois ensembles géographiques en Chine. Depuis la mise en œuvre des réformes économiques, la croissance s'est principalement concentrée dans les provinces côtières (on y reviendra). Cette bordure maritime s'étend aux trois provinces du Nord-Ouest, Heilongjiang, Jilin et Liaoning, encore aux prises avec une difficile reconversion de

---

1. *World Factbook*, CIA (2009).

leur industrie lourde (sidérurgie, chimie lourde, charbon et pétrole) aux usines obsolètes et très polluantes, mais qui bénéficie du dynamisme induit par les échanges avec la Russie que stimule le règlement progressif des litiges frontaliers entre Beijing et Moscou (1991-2004). C'est dans cette région orientale et maritime, dont l'économie est tournée vers l'extérieur, que se concentrent le développement rapide, la hausse du revenu par habitant et la croissance urbaine.

Cette Chine s'oppose de plus en plus à la Chine dite intérieure, encore très rurale, agricole, grenier à blé (nord) et à riz (sud) du pays, mais dont la population commence à s'irriter du retard que met le développement que connaît la bordure maritime à se diffuser vers elle. Ces deux régions, intérieure et littorale, sont le domaine des Han, l'ethnie largement majoritaire en Chine, mais concentrée sur environ 40 % du territoire du pays. Les Han représentent environ 91,5 % de la population totale de la Chine (2009), mais dans la Chine extérieure (61 % du territoire), les Han ne forment que 64 % de la population ; ils ne sont que faiblement majoritaires au Qinghai et minoritaires au Xinjiang et au Tibet (Xijang).

Figure 9.2.
La population chinoise : une inégale répartition

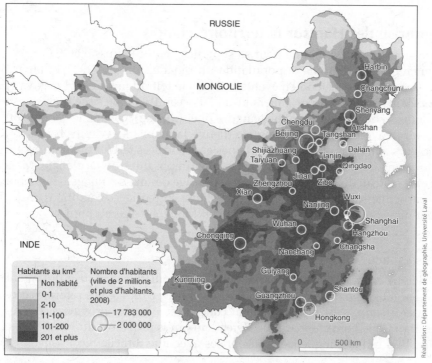

Source : PopulationData.net, < www.populationdata.net/indexcarte.php?option=pays&pid=43&mid=335 &nom=chine%20densite >, consulté le 21 octobre 2010.

Figure 9.3.
Trois espaces principaux en Chine

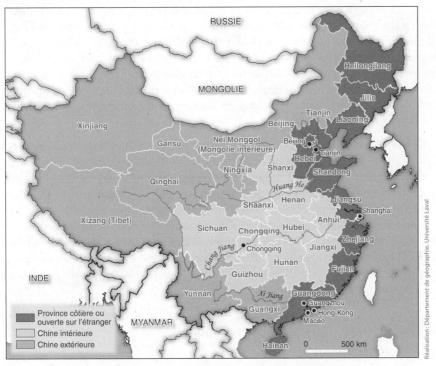

Sources: Thierry Sanjuan, «Chine: Géographie économique», dans Michel Foucher (dir.), *Asies Nouvelles,*
   Atlas de l'Asie, Paris, Belin, 2002, p. 277; J.-P. Larivière et J.-P. Marchand, *Géographie de la*
   Chine, Paris, Armand Colin, 1999, p. 86.

La Chine dite extérieure constitue la moitié ouest du pays. Par comparaison, elle semble vide de population: 212 millions d'habitants, soit une densité moyenne de 36,2 hab./km². On y trouve des steppes et des déserts, où les populations vivent d'élevage et d'agriculture pratiquée en zones d'oasis, et des zones montagneuses humides (Sud-Est) ou arides (Tibet, Qinghai). C'est là que sont concentrées les plus fortes proportions de représentants des minorités ethniques de Chine, soit au Tibet et au Qinghai (Tibétains), au Xinjiang turco-mongol (Ouïghours, Kazakhs, Kirghiz), dans le Ningxia (Hui, Han musulmans) et en Mongolie intérieure mongole. D'autres minorités vivent aussi dans la partie sud-est de la Chine, notamment au Guangxi, au Guizhou et au Yunnan, nombreux peuples que l'on retrouve aussi dans les montagnes d'Asie du Sud-Est: Dai, Hmong, Li, Miao, Yi, Zhuang.... En territoire chinois, où qu'elles soient, ces minorités subissent de fortes pressions assimilatrices de la part de la majorité han. Certaines sont déjà en bonne part assimilées, comme les Mandchous du Nord-Est. En Chine, la question des minorités ethniques prend un aspect géopolitique comme le démontre le cas du Tibet, où toute une population fait figure de peuple occupé depuis l'invasion chinoise de 1950, mais aussi au Xinjiang ouïghour : pour le gouvernement chinois, la présence de ces peuples non han est perçue comme une menace pour le maintien de ces régions sous la souveraineté chinoise. Pour la Chine, le Tibet faisait partie de la Chine depuis au moins le XVIIIe siècle ; pour les Tibétains, il était un État indépendant avant 1950, comme l'atteste l'administration autonome *de facto*. Pour contrer toute revendication politique de la part des peuples minoritaires dans ces régions frontalières de la Chine extérieure, d'ambitieux programmes de migration intérieure ont consolidé la présence han tout en s'efforçant de mettre en minorité les représentants des minorités ethniques.

Cet arrière-pays chinois sert de zone tampon entre la Chine intérieure et certains de ses puissants voisins frontaliers, dont l'Inde au sud-ouest et la Russie au nord. Le Tibet est ainsi devenu un élément majeur du dispositif de défense chinois, et on y trouve de nombreux sites de lancement de missiles nucléaires. Prolongeant la Chine extérieure vers le nord, la Mongolie est aussi un pays de steppes et de déserts. La Mongolie n'a pas d'accès à la mer et joue le rôle de zone tampon, cette fois entre la Chine et la Russie. Longtemps dans l'orbite politique soviétique (1924-1991), la Mongolie s'efforce aujourd'hui de ménager ses deux puissants voisins pour préserver son indépendance. Depuis la chute de l'Union soviétique, la situation économique de la Mongolie n'a fait que se détériorer.

9.1.2. De la chute de l'Empire à Deng Xiaoping : une histoire tourmentée

Avant 1800, la Chine était économiquement plus avancée que l'Europe. Mais cette avancée économique a été stoppée par, d'une part, le repli de la Chine sur elle-même après l'époque des grandes explorations chinoises du début du XVe siècle ; puis par l'irruption, au cours du XIXe siècle, des puissances européennes et des Japonais qui affaiblirent l'ancien empire chinois sans toutefois jamais parvenir à coloniser la Chine. Soucieux avant tout de pouvoir accéder au vaste marché chinois, notamment pour y écouler leur opium produit en Inde, les Britanniques ont livré et remporté deux guerres (1840-1841 puis 1858-1860 avec la France) contre la Chine. Après la première guerre, les autorités chinoises ont dû céder Hong-Kong aux Britanniques et les laisser commercer dans cinq villes portuaires, dont Guangzhou et Shanghai. Les Russes ont acquis la Province maritime (Vladivostok) en 1859. Par la suite, Allemands, Français et Russes ont eux aussi obtenu le droit d'administrer des villes côtières, qui demeuraient nominalement sous la souveraineté chinoise : c'était le système des concessions (Shanghai, Guangzhou, Guanzhouwan, Qingdao), enclaves européennes en terre chinoise, bénéficiant d'un régime de dérogation à la souveraineté chinoise, dotées d'une véritable organisation municipale, où les étrangers pouvaient résider et devenir propriétaires. Elles constituent encore à l'heure actuelle des quartiers inscrits dans le tissu urbain, caractérisés par leur plan quadrillé et une architecture du XIXe siècle (quartier du Bund à Shanghai notamment). En 1894, le Japon écrase militairement la Chine et annexe les îles Ryukyu et Formose (Taïwan).

En 1911, la dynastie Qing est renversée et l'Empire s'effondre. En 1912, Sun Yat-sen, à la tête du mouvement nationaliste chinois (Kuomintang), proclame la République de Chine. Le pays plonge dans la guerre civile entre nationalistes et communistes, dont le Japon profite alors pour annexer la Mandchourie, l'actuel Nord-Est chinois et, en 1937, envahir toute la partie nord et est de la Chine, soit l'essentiel de la zone fortement peuplée du pays. Les Japonais demeureront sur place jusqu'à la fin de la Deuxième Guerre mondiale, en 1945. Au cours de l'occupation, ils se livrent à de graves exactions à l'endroit de la population civile chinoise, faisant des millions de morts (dont lors de l'épisode de la prise de Nankin, en décembre 1937), d'où les débats acrimonieux récurrents sur les manuels scolaires japonais, le gouvernement chinois accusant Tokyo de tenter de minimiser les atrocités commises par l'armée japonaise pendant la Deuxième Guerre mondiale.

Après le départ des Japonais, la guerre civile a repris. Défaits en 1949, Chiang Kai-shek et ses troupes du Guomindang s'enfuient à Taïwan et y maintiennent le gouvernement de la République de Chine, tandis que Mao Zedong, soutenu par l'Union soviétique, proclame la République populaire de Chine le 1er octobre 1949. Mao s'efforce de mettre en place les principes de l'économie socialiste, mais les planificateurs communistes commettent des erreurs catastrophiques. La réforme du « Grand bond en avant » (1958-1962) accélère la collectivisation forcée des terres agricoles sous l'égide des communes populaires, organisations politiques à vocation de gestion publique de vastes zones agricoles, favorise le développement d'une industrie lourde parfois mal maîtrisée et tente de décentraliser les industries à la campagne en systématisant notamment les « petits hauts fourneaux » qui produisent un fer de très mauvaise qualité. Ces réformes sont un échec total qui désorganise l'économie et débouche sur une famine qui fait jusqu'à trente millions de morts. La « Révolution culturelle » (1966-1976) marque les luttes de pouvoir au sein du Parti communiste : Mao s'efforce de reprendre la direction du parti en déclenchant une campagne idéologique pour écarter les contestataires. On torture les présumés déviationnistes afin de leur faire avouer leurs crimes. Un de ces déviationnistes s'appelle Deng Xiaoping. Il a succédé à Mao après sa mort (1976) et, prenant le contrepied de la ligne très idéologique de ce dernier, il décide d'entreprendre la présente politique d'ouverture économique de la Chine (1978). Mais il est aussi celui qui ordonne le massacre de la place Tiananmen (1989).

Deng Xiaoping hérite donc d'un contexte social troublé, d'une économie désorganisée et lance des réformes économiques destinées à moderniser l'économie du pays. Dans le secteur agricole tout d'abord, Deng procède à la décollectivisation : les communes populaires sont supprimées en 1982. Après avoir rempli leurs quotas de production, les fermiers peuvent dorénavant produire ce qu'ils veulent et vendre leurs excédents. Les mécanismes du marché sont donc rétablis : les excédents se vendent librement aux prix du marché depuis 1993. La présence aux champs n'étant plus obligatoire et les gains de productivité étant possibles pour les agriculteurs efficaces, de nombreuses petites entreprises privées se sont développées en régions rurales, qui profitent de la main-d'œuvre libérée des obligations envers la ferme publique.

Dans le domaine industriel, tournant le dos à la politique maoïste d'auto-suffisance et de développement de l'industrie lourde, Deng Xiaoping décide de mobiliser les capitaux des Occidentaux et de la diaspora chinoise. Les zones franches qu'il institue à cet effet permettent d'attirer le capital étranger avec des conditions fiscales avantageuses et en faisant valoir la présence d'une main-d'œuvre peu chère, disciplinée et éduquée. L'expérience est d'abord limitée à quelques zones franches du sud de la Chine (Guangdong, Fujian), puis étendue, en 1988, à l'ensemble des villes du littoral, vers lesquelles affluent massivement les habitants des zones rurales environnantes, et, enfin, aux capitales des provinces situées plus à l'intérieur (Harbin, Changchun, Hohhot, Wuhan…). La croissance fulgurante que connaissent certaines villes ouvertes, grâce au développement des industries légères et d'assemblage, attire une population rurale que l'agriculture, qui stagne depuis quelques années, ne réussit plus à fixer en milieu rural. L'État conserve une réelle emprise sur la vie économique de la Chine en décidant des régions où le capital étranger peut être investi, mais il ne réussit pas à orienter les investissements étrangers vers les Chine intérieure ou extérieure, où le PIB par habitant croît très lentement, provoquant mécontentement et exode des populations vers les pôles urbains de la Chine littorale. Il en résulte des tensions sociales et politiques, que le gouvernement s'efforce de réduire en étendant son programme d'avantages fiscaux à des villes de l'intérieur (Chongqing en 1996, puis politique de développement de l'Ouest en 2000). Mais les investisseurs étrangers, encore essentiellement tournés vers la production de produits manufacturés destinés aux marchés internationaux, hésitent encore à investir dans la Chine intérieure, du fait des coûts supplémentaires rattachés à ces sites de production, et ce, malgré la hausse des salaires dans la Chine littorale.

9.1.3. Le fardeau démographique va-t-il s'alléger?

La Chine demeure le pays le plus peuplé: un milliard d'habitants en 1982, plus de 1,4 milliard d'habitants en 2009. Si l'Inde devrait dépasser la Chine vers 2025, il n'en reste pas moins que la taille de cette population demeure un enjeu essentiel dans l'évolution de la Chine. La transition démographique est presque achevée en Chine, et tant le nombre de naissances que l'excédent naturel diminuent rapidement, avec un taux de natalité de 14‰ et de mortalité de 7,1‰ en 2010. Il importe de souligner que si la politique de l'enfant unique, adoptée en 1979, n'est pas remise en cause, il n'en a pas toujours été ainsi, Mao ayant au contraire encouragé une politique nataliste jusqu'en 1972. La rapidité de la chute de la fécondité est à cet égard révélatrice de la rapidité des changements de comportements dans la société chinoise: en 1965, on comptait encore six enfants par femme, puis 4,7 en 1973, 2,9 en 1978, 2,3 en 1983, 1,8 en 1992, puis 1,7 en 2008, À ce titre, la natalité chinoise se rapproche rapidement

Figure 9.4.
Investissements étrangers en Chine et inégalités de richesse, 2009

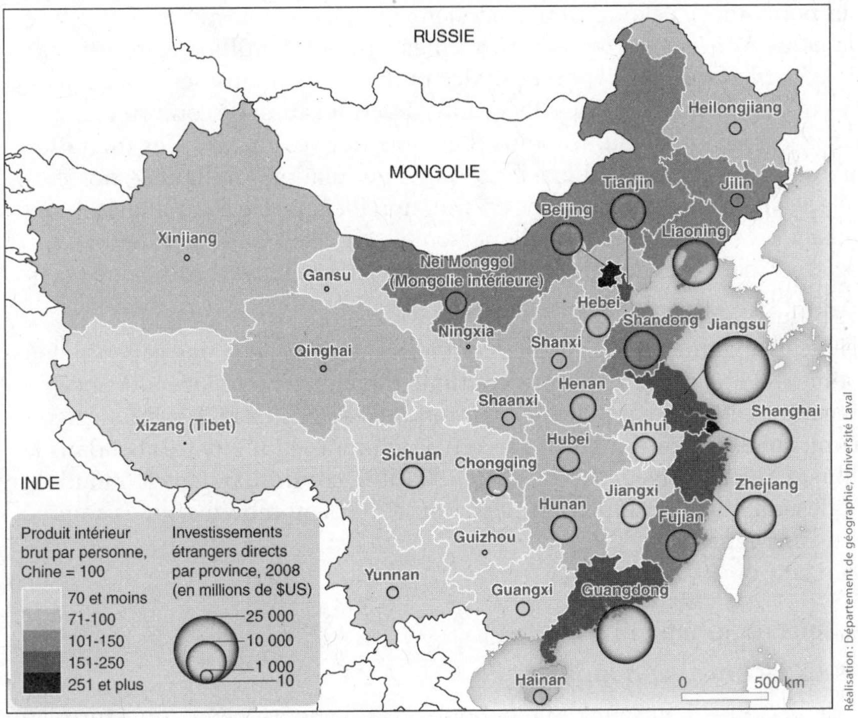

Source : *China Statistical Yearbook 2009*, Beijing.

du modèle occidental, avec en corollaire un vieillissement relatif (la part de la population âgée de plus de 65 ans est passée de 4,5 % en 1950 à 6,8 % en 2000, puis à 8 % en 2008 ; au Québec, elle s'élevait à 14,6 % en 2008) et, si les tendances se maintiennent, l'émergence de la problématique des coûts de santé liés à une population où s'accroît le nombre de personnes âgées.

La société chinoise change : elle s'urbanise rapidement avec le développement économique. En 2009, 45,7 % de la population était urbaine, contre 26 % en 1990. Malgré l'accroissement démographique, la population rurale diminue en valeur absolue : 716 millions de personnes en 2007, 807 millions en 2000, contre 841 millions en 1990. L'augmentation rapide de la population urbaine pose les problèmes classiques liés à la croissance rapide des espaces urbanisés : étalement urbain, coût d'infrastructures à bâtir rapidement, engorgement des transports urbains, densification de l'habitat et destruction des quartiers anciens.

C'est que la population chinoise est de plus en plus mobile. Malgré la permanence du *hukou*, le livret d'autorisation de résidence obligatoire, destiné à limiter la mobilité de la population, l'exode rural s'accélère, et deux à trois millions de ruraux se dirigent chaque année vers les grandes villes, un autre million vers les villes moyennes. Si cet afflux de population pose des problèmes urbains liés à la difficulté d'absorber ces migrants, aux yeux des dirigeants, il permet aussi de conforter le reflux démographique, car les urbains ont moins d'enfants que les ruraux. Ces migrations se traduisent aussi par l'existence d'une importante population « flottante », non enregistrée selon le système du *hukou*, et donc en situation illégale. De 50 millions en 1985, elle est estimée à près de 120 millions de personnes en 2009. Cette population, sans papier en règle, vit dans des conditions très précaires de logement (domaine encore très contrôlé par l'État) et d'emploi.

Mais ces changements sociaux s'accompagnent aussi de la permanence de la préférence pour les garçons, du fait de la coutume de rendre hommage aux ancêtres. C'est l'homme qui, en fait, a compétence pour rendre cet hommage. Il est donc nécessaire que chaque famille comprenne un garçon, d'où un déséquilibre très net dans les naissances : il naît 117 garçons en Chine pour 100 filles, contre 105 dans le monde en moyenne. Ce déséquilibre se traduit déjà par la difficulté de nombreux jeunes hommes à trouver une compagne.

9.1.4. Des défis régionaux divers

Le Nord-Est en reconversion industrielle

Le Nord-Est de la Chine, l'ancienne Mandchourie, est demeuré peu peuplé jusqu'au XIXᵉ siècle. Ce n'est qu'à partir de la fin du XIXᵉ siècle que le Nord-Est commence à être mis en valeur, en bonne partie par des colons russes conduits par les chemins de fer russes du Transsibérien et du Transmandchourien – d'où le caractère très européen de l'architecture du vieux centre de Harbin, par exemple. Le Nord-Est chinois est doté de richesses minières et pétrolières exceptionnelles ; le gisement pétrolier de Daqing, en voie d'épuisement, a permis à la Chine d'être autosuffisante en pétrole jusqu'en 1993. Ces richesses naturelles expliquent le choix de l'industrie lourde pour cette région. En 1949, le Parti communiste chinois, après les destructions de la Deuxième Guerre mondiale, décide d'investir massivement dans son développement industriel. Parallèlement, la région se transforme en un véritable front pionnier agricole, avec la mise en valeur de vastes espaces agricoles. En 1970, le chiffre de sa population dépasse les 100 millions d'habitants. Le Nord-Est était alors la zone économique la plus dynamique de la Chine, qui lui est redevable du quart de toute sa production manufacturière. Mais à partir des années 1980, cette région connaît un déclin industriel, à cause de ses entreprises d'État vétustes et de la disparition des investissements d'État. Elle se fait vite éclipser par la zone des provinces littorales, qui servent maintenant de fer de lance à la croissance économique de la Chine. C'est afin de donner un nouvel essor à l'économie que le gouvernement chinois a décidé d'ouvrir les principales villes de cette région aux investissements étrangers et au commerce avec la Russie.

La Grande Plaine du Nord

Plus au sud s'étend la Grande Plaine du Nord, berceau de la civilisation chinoise. Cette plaine habitée par 250 millions de personnes est structurée autour des fleuves Huang He, Hai et Huai. La région est confrontée à un grave problème de désertification et à une crise majeure de l'approvisionnement en eau.

Les pluies n'y sont abondantes qu'en été et font particulièrement défaut durant les autres saisons, alors que les besoins en eau d'une population de plus en plus urbaine, de l'industrie et surtout d'une agriculture irriguée encore traditionnelle, ne cessent d'augmenter. Grenier à blé de la Chine, la région a massivement développé l'irrigation, qui absorbe plus de 70 % des volumes disponibles, causant de fortes tensions pour le partage de l'eau et provoquant d'importants dégâts environnementaux. Les aquifères de la région s'épuisent rapidement : en certains lieux, leur niveau baisse de près d'un mètre par an. À plusieurs reprises, au cours de la décennie 1990, le Huang He s'est totalement asséché sur plusieurs centaines de kilomètres. Le Hebei comptait plus de mille lacs en 1985, il n'en reste plus aujourd'hui que 80.

Par ailleurs, la Grande Plaine du Nord est toujours soumise au risque d'inondation, même si le nombre de barrages construits sur le Huang He a réduit ce risque. Le Huang He, descendu du plateau tibétain, serpente à travers l'immense plateau de lœss (Ordos), sol très friable, où il se charge d'une grande quantité de sédiments. En arrivant dans la Grande Plaine du Nord, le fleuve laisse ces sédiments se déposer, s'exhaussant peu à peu et provoquant de fréquentes défluviations et inondations dont l'histoire se souvient encore. La dernière catastrophe du genre remonte à 1933, lorsque les troupes japonaises dynamitèrent les digues. Depuis des siècles les Chinois ont construit des digues et ouvrages hydrauliques de plus en plus considérables afin de contrôler le cours du Huang He, ainsi que ses crues. À cause des importantes modifications apportées à l'environnement par l'activité humaine, le risque d'inondations majeures est toujours présent.

Le bassin du Yangze

Le fleuve Yangze est traditionnellement compris comme la limite entre la Chine du Nord et la Chine du Sud. Le Nord agricole de la Chine est plutôt plat, manque d'eau et possède un climat qui rappelle celui du nord-est des États-Unis avec des hivers qui peuvent être froids. Par contre, au sud du bassin du Yangze, le climat devient progressivement tropical et il pleut beaucoup grâce à la mousson. Il y a donc surplus d'eau et on peut y cultiver du riz et du thé en abondance.

Le bassin du Yangze agit également comme zone de transition linguistique. Au nord, on parle surtout le mandarin, alors qu'au sud plusieurs dialectes chinois se partagent le territoire en autant de sous-régions. Par exemple, le cantonais est la langue parlée dans la province du Guangdong, là où se trouve Hong-Kong. Heureusement, comme le système d'écriture chinois est partout le même, il suffit de connaître la signification des idéogrammes chinois pour éliminer les barrières linguistiques, du moins pour la langue écrite.

Le Yangze est une formidable voie de pénétration vers l'intérieur de la Chine ; en fait, c'est l'avenue fluviale la plus achalandée du monde. Les navires océaniques le remontent sur plus de 1 000 kilomètres et des navires de plus faible tonnage peuvent ensuite atteindre Chongqing, ville située à plus de 2 000 kilomètres de l'océan. Grâce au Yangze, tout le centre de la Chine intérieure est rattaché au reste du monde par un bassin qui compte plus de 30 000 kilomètres de voies navigables allant vers le nord et le sud du pays. C'est en misant sur cet axe fluvial que le gouvernement entend résoudre en partie la question des transports en Chine, véritable goulot d'étranglement du développement qui freine la diffusion des investissements industriels vers l'intérieur. Un des objectifs du controversé barrage des Trois Gorges est, justement, de régulariser le cours du fleuve afin de faciliter la navigation de navires plus gros jusqu'à Chongqing.

Le cours moyen du Yangze est donc le site de la construction du barrage des Trois Gorges, un projet gigantesque achevé en 2009 : la plus grande centrale hydro-électrique du monde, avec une puissance installée de 18 200 MW. Le projet est surtout destiné à la production d'électricité devant alimenter la croissance économique du sud de la Chine. Le barrage sert aussi à contrôler les crues d'un fleuve très puissant : d'un débit moyen de 34 000 m³/s en moyenne (Saint-Laurent : 10 000 m³/s), il peut monter jusqu'à 83 000 m³/s en période de crue. La déforestation intense dans les montagnes du Sichuan a accentué la vulnérabilité du bassin aux inondations. Le gouvernement a interdit l'exploitation forestière sur tout l'amont du bassin en 2000. Mais, d'une part, cet interdit est diversement respecté ; d'autre part, la forêt mettra du temps à se rétablir.

La population chinoise soutenait largement ce projet dont les travaux ont débuté en 1993. Après avoir initialement appuyé le projet, la Banque mondiale s'en est retirée à cause des impacts environnementaux qu'elle juge à présent trop négatifs. Le gouvernement chinois a donc pris la relève avec l'appui financier de grandes banques étasuniennes. Le projet a impliqué le déplacement forcé de 1,5 million d'habitants. De plus, le barrage doit favoriser la croissance économique du sud de la Chine, ce qui contribuera à l'augmentation du niveau de pollution industrielle, lequel atteint présentement des niveaux critiques, même s'il s'agit là d'un effort du gouvernement chinois pour réduire la prépondérance du charbon très polluant dans la production d'électricité.

La Chine du Sud

Au sud du bassin du Yangze, le paysage est accidenté et la population s'entasse dans des vallées et des deltas où les densités d'occupation sont encore très élevées. La région est parcourue principalement par le fleuve Xi Jiang (rivière des Perles, aussi appelé Zhujiang). C'est à l'embouchure du Xi Jiang qu'est située Macao, ancienne colonie portugaise établie en 1557, rendue à la Chine en 1999. À l'est, sur l'autre rive de la baie du Zhujiang, se trouvent Shenzhen et Hong-Kong, ex-colonie britannique restituée en 1997. À cent kilomètres en amont se trouve Guangzhou : nous sommes au cœur de la province littorale de Guangdong, là où dans les années 1980 a commencé le « miracle » économique de la Chine, la forte croissance que connaît le pays.

Pour bien comprendre la nature de cette croissance, revenons un peu en arrière. En 1950 commence la guerre de Corée et l'ONU impose un embargo commercial à la Chine communiste. Alors colonie britannique, Hong-Kong s'est vue aussitôt coupée de son arrière-pays chinois. Sans matières premières, mais disposant d'une main-d'œuvre abondante et peu dispendieuse, Hong-Kong s'est lancée dans l'industrie légère et a rapidement inondé les marchés mondiaux de toutes sortes de produits bon marché. Puis, elle est passée à la fabrication d'appareils électriques et, petit à petit, est devenue un grand centre bancaire et portuaire international.

À partir de 1978, les planificateurs chinois ont jeté les bases de ce qui est devenu le miracle économique chinois, en créant les premières zones économiques spéciales, dont celle de Shenzhen. À cette époque, Shenzhen n'était qu'une petite ville de 20 000 habitants située à quelques kilomètres au nord de Hong-Kong. En y offrant des conditions économiques avantageuses pour les investisseurs étrangers, on espérait que le mécanisme qui avait fait la fortune de Hong-Kong pourrait faire celle de Shenzhen et des autres zones franches. Des milliers de manufactures de Hong-Kong se sont réimplantées à Shenzhen, puis ailleurs, pour profiter de salaires peu élevés. À cette échelle régionale, les gens se connaissent bien et la confiance règne. L'argent de Hong-Kong a pu s'investir massivement dans les zones économiques spéciales de ce pays communiste. En 30 ans, la population de l'agglomération de Shenzhen est passée de 20 000 habitants à 8 millions d'habitants (2009).

9.2. Un Japon sous haute tension

L'archipel du Japon forme un arc de cercle orienté nord-est sud-ouest, qui égrène une succession d'îles sur près de 3 000 km de la pointe nord-est de Hokkaido à l'extrémité sud-ouest des îles Ryukyu. Il comprend quatre grandes îles, Hokkaido, Honshu, Shikoku et Kyushu, qu'un chapelet de petites îles prolonge ensuite vers le sud, soit les îles Ryukyu, dont Okinawa qui abrite une base militaire étasunienne majeure. Comme le Japon s'étend approximativement du 46e au 24e degré de latitude Nord, le Japon présente une gamme de climats très divers, de tempéré froid à Hokkaido, jusqu'au climat tropical des Ryukyu. Situé le long de la ceinture de feu du Pacifique, le Japon compte près de 60 volcans actifs et subit fréquemment des tremblements de terre dont certains sont dévastateurs: le séisme de Tokyo de 1923 fit 143 000 morts; celui de Kobe en 1995 fit plus de 5 500 victimes. À chaque année, plusieurs typhons frappent également le pays.

Au cours de l'histoire, le caractère insulaire du Japon l'a protégé de la conquête chinoise. À partir du XVIIᵉ siècle, le Japon se replie sur lui-même, et encore au début du XIXᵉ siècle, les contacts commerciaux qu'il entretient avec les étrangers sont fort limités. Mais les choses changent rapidement quand les puissances coloniales européennes deviennent actives en Asie. Forcé, en 1854, d'ouvrir son marché aux produits occidentaux, le Japon n'a pas d'autre choix que de se moderniser à un rythme accéléré et ainsi éviter le traitement que les puissances coloniales ménagent à la Chine. La révolution Meiji (1867) permet d'amorcer une rapide modernisation et industrialisation du pays, qui se tourne ensuite dans des entreprises de conquête visant ses voisins. Coup sur coup, le Japon défait la Chine et la Russie et acquiert Taïwan et les Ryukyu (1895), les îles Kouriles et Sakhaline, et la Corée (1905). En 1931, le Japon envahit la Mandchourie (1931), puis la Chine côtière (1937). Tokyo ambitionne de former une «zone de coprospérité» asiatique sous domination japonaise. Mais après sa défaite, en 1945, le Japon perd son empire colonial et voit son territoire ramené à ses quatre îles principales, les Ryukyu et quelques petites îles du Pacifique. De cet épisode date le contentieux des îles Kouriles, annexées par l'URSS et dont la souveraineté est encore disputée entre Tokyo et Moscou.

Tournant le dos à un demi-siècle d'aventurisme militaire, le Japon, occupé par l'armée étatsunienne, fait face au défi d'une prospérité économique à rebâtir. Sans armée et sans matières premières, il s'appuie sur son abondante main-d'œuvre pour fabriquer et vendre aux pays occidentaux des produits manufacturés bon marché. Classique exemple des cycles industriels, avec l'accumulation du capital que permettent les exportations, le pays développe par la suite des secteurs industriels à plus forte valeur ajoutée, comme les chantiers navals, la construction automobile et le matériel électronique. Dès 1968, il se hisse au rang de 2ᵉ puissance économique du monde.

9.2.1. Une population de plus en plus à l'étroit?

Le Japon possède une superficie de 377 799 km² pour une population de près de 127 millions de personnes (en déclin depuis 2007), urbanisée à 79% (densité moyenne de 339,7 hab./km²). Le relief du Japon est très accidenté, et seulement 16% de son territoire est constitué de plaines utilisables, non seulement pour l'agriculture, mais aussi pour l'habitation et l'industrie. On y retrouve, par endroits, des densités de population qui dépassent les 2 400 hab./km², comme dans la plaine du Kanto (Tokyo, Yokohama). La densité moyenne ne signifie donc pas grand-chose, elle masque un contraste entre des régions peu peuplées et, à l'inverse, des plaines littorales très densément occupées.

Figure 9.5.
Le Japon: contrastes de peuplement

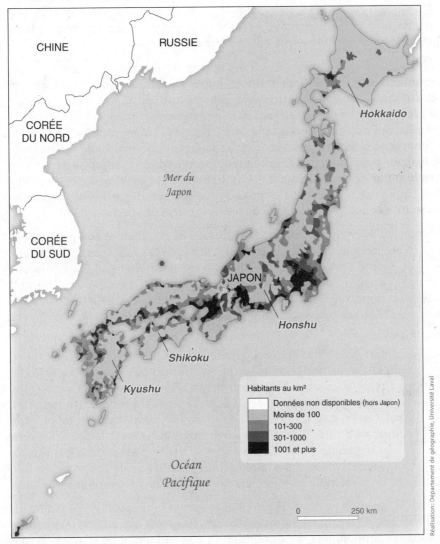

Source: Japan Population Density, 2000, CIESIN, Université Columbia, consulté le 12 octobre 2010.

Ce relief difficile alimente au Japon la représentation d'un territoire exigu, réduit et de forte densité, alors que la densité moyenne du Japon n'a rien d'exceptionnel, car plusieurs pays affichent des densités moyennes comparables ou supérieures: Belgique (355 hab./km²), Pays-Bas (400 hab./km²), Corée du Sud (488 hab./km²), Bangladesh (1 127 hab./km²). Bien plus, les faibles densités du Japon intérieur résultent bien davantage des choix de développement faits par le Japon au cours de son histoire que d'un obstacle réel que poseraient les montagnes. Cette représentation de « l'étroit-petitesse » (Pelletier, 1998) est très prégnante dans la mentalité japonaise, mais elle masque en réalité de grandes disparités de densité de population, le centre montagneux du pays étant beaucoup moins peuplé que les littoraux.

Les basses terres du Japon sont situées le long des littoraux ou coincées entre les hautes montagnes des Alpes japonaises. Il n'existe que trois grandes plaines au Japon, celles du Kanto, du Kansai et du Nobi. Tokyo est située au sud de la plaine du Kanto. C'est la plus étendue des trois avec 160 kilomètres de longueur et 130 kilomètres de largeur. Le Kansai accueille Osaka et le Nobi, Nagoya. L'agriculture du Japon est pratiquée d'une façon intensive, mais, du fait des faibles surfaces et d'une productivité limitée, elle n'arrive pas à nourrir sa population. En conséquence, le Japon est devenu un grand importateur de denrées alimentaires. Si les habitudes alimentaires se transforment avec l'influence occidentale, les Japonais demeurent de gros consommateurs de poisson, ce qui explique l'importance de leur industrie des pêches.

Le Japon s'efforce de demeurer autosuffisant en riz. Il en restreint fortement l'importation et les consommateurs payent leur riz plusieurs fois le prix du marché international. En même temps, de fortes subventions permettent aux agriculteurs, souvent à temps partiel, de demeurer en affaires. Cette politique s'explique surtout par le clientélisme politique, les agriculteurs soutenant traditionnellement le Parti libéral-démocrate (PLD), au pouvoir pratiquement sans interruption depuis 1955, sauf en 1993-1994 et depuis août 2009.

Jusqu'aux années 1960, le système urbain japonais était bipolaire. Vers l'est, Tokyo, la capitale, était le principal centre administratif du pays, dès le XVIIe siècle. Avec la ville portuaire de Yokohama, Tokyo concurrençait vivement Osaka, située plus à l'ouest, une ville commerciale et industrielle à laquelle Kobe servait de ville portuaire. À proximité d'Osaka se trouve Kyoto, l'ancienne capitale impériale du Japon et le haut lieu de la culture de l'élite. Toutefois, à partir des années 1960, le décollage économique permet à la région de Tokyo de distancer sa rivale, Osaka. En 2009, plus de 35,1 millions de personnes vivent dans la région métropolitaine de Tokyo tandis que celle d'Osaka-Kobe en rassemble 19 millions et celle de Nagoya, 9 millions.

Cette concentration extrême de population sur un petit territoire (la plaine du Kanto ne dépasse pas 15 000 km^2) induit des coûts croissants dus à l'engorgement, à la hausse des coûts immobiliers, à la pollution et à la vulnérabilité d'un ensemble industriel, administratif et économique face à un séisme majeur. Cette situation a amené le gouvernement du Japon à s'efforcer de limiter le gigantisme de la capitale, sans grand succès. La population de Tokyo vit avec la menace d'un tremblement de terre majeur, comme celui de 1923. L'expansion urbaine la plus notable se produit dans le corridor littoral reliant Tokyo et Osaka, lequel forme à présent un seul ensemble urbain continu. Vers l'ouest, cette mégapole se prolonge ensuite sur tout le pourtour de la mer intérieure formée par les îles de Honshu, Shikoku et Kyushu, jusqu'à

Figure 9.6.
La mégalopole du Japon

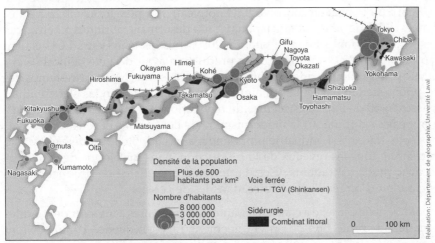

Sources : Rémy Knafou, (dir.) (1988). *Géographie*, Terminales STT, Paris, Belin, p. 145 ; City Population, <www.citypopulation.de/Japan.html#Stadt_gross>, consulté le 15 décembre 2005 ; Le Web Pédagogique, 2010, <http://lewebpedagogique.com/grunen/files/japon.png>, consulté le 12 octobre 2010.

Kitakyushu et Fukuoka. Ce gigantesque ensemble urbain (1 200 km de long) rassemble 80 % des entreprises japonaises sur un sixième du territoire du pays ; il constitue le territoire le plus densément utilisé de la planète.

9.2.2. Les délocalisations vers l'Asie

Par ailleurs, la production basée sur une forte utilisation de main-d'œuvre coûtait de plus en plus cher avec l'augmentation des salaires : dès les années 1970, les industries de main-d'œuvre (textile, transformation agroalimentaire de base, puis assemblage de produits manufacturés) commencent à se délocaliser en Corée du Sud, à Taïwan, en Asie du Sud-Est, puis en Chine. Le mouvement de délocalisation s'accélère alors que le pays connaît une nouvelle phase industrielle avec l'essor des hautes technologies parallèlement avec l'abandon des entreprises non rentables, souffre du renchérissement du yen dans les années 1980, qui pénalise les industries sans forte valeur ajoutée, et se retrouve aux prises avec des problèmes considérables de pollution industrielle des eaux (cas de la pollution au mercure à Minamata) et de l'air. Un fort investissement en R-D (au moins 3 % du PIB [3,4 % en 2007], contre 2 % dans l'Union européenne et 2,7 % aux États-Unis en 2007) permet aux industries japonaises de conserver un avantage compétitif face à leurs concurrents et de maintenir une production de produits de haute technologie au Japon. L'exemple des écrans de nouvelle génération est à ce titre instructif. On a assisté à une relocalisation de ces productions au Japon grâce au développement des appareils de technologie LCD ou plasma. Phénomène général, les produits sont laissés à la Chine ou à l'Asie du Sud-Est au fur et à mesure que Matsushita, Sharp ou Fujitsu en conçoivent de nouveaux, de plus forte valeur ajoutée ou plus avancés : 90 % des ordinateurs japonais sont désormais fabriqués à l'étranger. La course est rapide, il faut s'adapter vite. En 2000, tous les téléviseurs LCD étaient fabriqués au Japon. En 2003, un quart de la production avait déjà été délocalisé, car les pays du Sud-Est asiatique s'adaptaient eux-mêmes très vite. Mais, entre-temps, les fabricants nippons étaient parvenus à maintenir leurs usines d'agendas électroniques et étaient passés maîtres dans les systèmes de navigation automobile (GPS). De plus, l'industrie japonaise s'appuie sur la modernisation de liens étroits et constructifs avec le réseau des sous-traitants. L'industrie nipponne n'a pas adopté le modèle étasunien de la concurrence à tous les niveaux de la production, mais développe des relations privilégiées avec des sous-traitants. C'est la notion d'une chaîne de production que les idées parcourent d'un maillon à l'autre, dans les deux sens[2].

La pollution industrielle a conduit les autorités japonaises à imposer des normes sévères en matière de protection de l'environnement. En conséquence, comme le font les États-Unis et certains pays européens, des milliers de manufactures japonaises parmi les plus polluantes ont été réimplantées dans des pays voisins, dont la Chine. Il en va de même pour l'exploitation forestière : après avoir été largement exploitées, les forêts du Japon se portent aujourd'hui très bien et, à ce chapitre, le pays fait figure d'exception dans la région. Toutefois, la moitié de tous les produits du bois exportés depuis l'Asie du Sud-Est est destinée au Japon, lequel importe aussi des quantités croissantes de bois en provenance du Canada, de Russie, d'Afrique et du Brésil.

9.2.3. Un Japon désorienté

La société japonaise est l'une des plus homogènes qui soient des points de vue culturel et ethnique : l'immigration y est très restreinte et les populations autochtones du Nord, les Aïnous, sont presque totalement assimilées. On ne compte que 1,5 million d'étrangers au Japon. Illustration d'un sentiment assez nationaliste, les pouvoirs publics accordent difficilement la citoyenneté japonaise aux étrangers, même aux descendants de la minorité coréenne installés au Japon depuis plusieurs générations. Pourtant, dans les décennies qui viennent, le Japon devra se poser la question du recours possible à l'immigration, à cause du déclin démographique et du vieillissement de la population qui commencent à affecter le pays. Avec un taux de fécondité très bas (1,2 enfant par femme en 2010), une natalité à 7,41 ‰ pour une mortalité à 9,83 ‰, la croissance de la population n'était que de 0,04 % en 2006, avant de devenir négative, −0,22 en 2010. On compte déjà seulement 13,3 % d'individus de moins de 15 ans pour 22,6 % de plus de 65 ans.

---

2. *Le Monde*, 15 mai 2005.

Ainsi, en termes de population, le Japon a atteint un pic en 2006 avec 127,46 millions d'habitants. En 2050, si le taux de natalité reste le même, les personnes de 65 ans et plus représenteront 30 % de la population. Un long déclin de la population devrait alors faire passer le nombre de Japonais sous la barre des 100 millions vers 2050. Concrètement, cela devrait représenter 30 millions de salariés en moins, alors que parallèlement le nombre de personnes âgées aura presque doublé. Pour l'économie japonaise, cela signifie une forte chute potentielle de la consommation nationale. Cela implique aussi que les coûts de santé et de soins aux personnes âgées vont augmenter rapidement et peser de plus en plus sur la population active, ralentissant davantage la consommation. En cela, le Japon présente un comportement démographique qui n'est pas unique (on l'observe aussi en Allemagne, en Italie, au Québec et, à un moindre degré, dans l'ensemble des pays industrialisés), mais qui posera des problèmes majeurs à sa société.

D'autres malaises affectent la société japonaise. La jeunesse remet en question les valeurs confucéennes sur lesquelles repose son ordre social. Parallèlement s'observe une remontée du nationalisme japonais qui conteste la présence militaire étasunienne sur le territoire national et encourage le principe d'un réarmement du Japon, qui doit passer par l'amendement de l'Article 9 de la Constitution – écrite par les États-Unis – laquelle interdit au Japon d'avoir une armée. Une importante « force d'auto-défense » existe bien, créée pendant la guerre froide sous la pression de Washington, dotée d'équipement moderne et ressemblant en tous points à une armée moderne, mais l'autonomie de Tokyo en matière de politique militaire et de défense est encore très limitée par rapport aux États-Unis. Tout cela inquiète les pays voisins, qui craignent la perspective d'un Japon débarrassé de la tutelle militaire étasunienne.

Parallèlement à ces remises en cause de l'ordre post-guerre froide, le Japon voit son rôle de locomotive du développement lui échapper peu à peu en Asie. On a longtemps parlé de la création d'une zone yen en Asie orientale, zone économique où le dynamisme industriel japonais aurait permis l'émergence de relations économiques privilégiées dominées par le Japon. À la fois par impuissance politique et du fait du contrôle indirect qu'exerce Washington sur la politique japonaise, Tokyo n'a jamais pu mettre en œuvre ce projet. C'est la Chine qui aujourd'hui semble avoir pris l'initiative politique de l'organisation institutionnelle de la région, proposant à l'Asie du Sud-Est la création d'une zone de libre-échange et offrant à la Corée du Sud et au Japon de s'y associer. Si le Japon est longtemps demeuré économiquement plus puissant que la Chine (PIB nominal de 5 073 milliards de dollars américains en 2009, contre 4 990 milliards de dollars pour la Chine), sa faible croissance (inférieure à 2 % par an depuis plusieurs années) et une dette publique considérable (201 % du PIB en 2009) traduisent un réel marasme économique qui brise l'euphorie de la croissance des années 1970-1980. La Chine va facilement dépasser le Japon comme deuxième puissance économique en 2010. Afin de réduire l'influence de la Chine dans une zone commerciale intégrée, le Japon, qui se sait désormais trop faible pour contenir les ambitions chinoises, voudrait associer l'Inde et l'Australie à ce projet, ce que Beijing refuse pour le moment.

9.3.   Les deux Corées

La péninsule coréenne prolonge le Nord-Est chinois vers le sud en direction du Japon dont elle n'est séparée que par le détroit de Tsushima large d'à peine 200 km. Montagneuse, son climat, marqué par l'influence continentale, se compare à celui du nord-est des États-Unis. Aujourd'hui, plus de 70 millions de personnes y vivent, dont près de 24 millions en Corée du Nord et plus de 48,9 millions en Corée du Sud (2009), pour une densité de population d'environ 330,5 hab./km². La majeure partie de la population est concentrée dans les plaines alluviales et les bassins de l'ouest et du sud. Le riz domine l'agriculture au sud alors qu'au nord, on cultive le maïs et des plantes en culture pluviale. Depuis longtemps, la Corée du Sud souffre de déforestation.

Indépendante quoique parfois dominée par la Chine jusqu'en 1910, la Corée est alors annexée par l'empire japonais pour en faire une colonie d'extraction de matières premières. À la fin de la Deuxième Guerre mondiale, les forces alliées chassent les troupes japonaises, l'Union soviétique se chargeant temporairement d'administrer la partie nord du pays et les États-Unis, sa partie sud. Mais les nouveaux maîtres n'arrivent pas à s'entendre sur la façon de former une seule administration et, en 1950, éclate la guerre de Corée qui durera jusqu'en 1953 (voir la Capsule 9A, p. 375). Par la suite, la frontière temporaire qui séparait le nord et le sud de la Corée se pérennise et divise maintenant pays et familles depuis plus de 50 ans. Corée du Nord et Corée du Sud constituent deux pays distincts.

Plus montagneux que le sud de la péninsule, le nord, longtemps plus industriel et plus riche, dispose de matières premières (charbon, fer, cuivre, plomb, zinc) mais manque de terres agricoles. Les bassins alluviaux y sont rares alors qu'ils sont plus nombreux en Corée du Sud qui, elle, manque de matières premières. Mais les deux Corées adoptent des chemins séparés.

Afin de se développer, la Corée du Sud a suivi l'exemple du Japon et de Hong-Kong, en adoptant la stratégie de promotion des exportations. Grâce aux investissements des entreprises étasuniennes et japonaises, ainsi qu'à une main-d'œuvre abondante, éduquée et bon marché, la Corée du Sud s'est industrialisée rapidement, en écoulant l'essentiel de sa production sur le marché étasunien. Au cours des années 1980, sa croissance économique soutenue a permis à la Corée du Sud de devenir une des grandes puissances commerciales du monde tout en développant des secteurs industriels à plus forte valeur ajoutée (chantiers navals, automobile, informatique, construction électrique, électroménager).

Si, à la fin de la Deuxième Guerre mondiale, la population de Corée du Sud était rurale à plus de 70 %, aujourd'hui elle l'est à 18,5 %, et 7 % seulement de la population active travaillait dans le secteur agricole en 2008. C'est Séoul, la capitale de la Corée du Sud, qui a profité de l'exode rural pour devenir une grande agglomération de 10,8 millions d'habitants (2009) ; la ville d'Incheon, sur le littoral de la mer Jaune, rassemble 2,7 millions de personnes. Après Séoul, Busan est la seconde zone industrielle de Corée du Sud (3,9 millions d'habitants). Elle est située à l'extrémité sud-est de la péninsule. Et une troisième zone économique majeure s'est développée autour de Gwangju, située cette fois du côté sud-ouest de la péninsule. Busan et Gwangju se livrent une concurrence féroce.

Tout comme au Japon, l'économie sud-coréenne est caractérisée par une forte intervention de l'État dans la vie économique du pays, ce qui lui a tout particulièrement bien réussi. Toutefois, la crise asiatique de 1997-1998 a ébranlé la Corée du Sud. Cette crise a mis en lumière l'existence de dettes très importantes des entreprises et de liens de corruption entre quelques grands conglomérats – les *chaebols* –, le gouvernement et les banques de sorte que ces conglomérats ont pu longtemps fonctionner «dans le rouge» tout en évitant la sanction du marché.

Parallèlement, conformément au dogme qu'elle a adopté, la Corée du Nord poursuit une politique d'autosuffisance stricte. L'isolement que s'est imposé le régime communiste de la Corée du Nord permet au régime de survivre, mais accélère aujourd-'hui le déclin de son économie. Son revenu par habitant est très faible (1 900 $ contre 27 169 $ en Corée du Sud, en parité de pouvoir d'achat, 2009) et la pauvreté y est omniprésente. Au cours des années 1990, la population aurait souffert de la famine. C'est dans ce contexte qu'a débuté la crise nucléaire avec les États-Unis, le Japon et la Corée du Sud en 1994. Washington et les voisins de la Corée du Nord soupçonnent fortement l'existence d'un programme de construction de la bombe nucléaire. En 2002, la Corée du Nord a admis être en train de mettre au point l'arme atomique, malgré le Traité de non-prolifération qu'elle a signé en 1985 ; elle s'est d'ailleurs retirée du traité en 2003. Soupçons fondés : la Corée du Nord a procédé à deux essais nucléaires en octobre 2006 et mai 2009. Elle inquiète ses voisins à portée de missiles, dont le Japon et la Corée du Sud. Le président américain George Bush a inscrit la Corée du Nord dans sa liste des pays de «l'axe du mal».

Le souvenir indélébile de l'occupation japonaise continue de brouiller les rela-tions diplomatiques entre la Corée du Sud et le Japon. Tout comme au Japon, la société sud-coréenne est également traversée par un malaise profond. La jeunesse y remet aussi en cause les valeurs traditionnelles. La corruption semble omniprésente. De plus, son système d'éducation mériterait d'être repensé. Tout comme celui du Japon, le système d'éducation de la Corée du Sud est extrêmement compétitif, au point qu'obtenir de mauvais résultats scolaires au secondaire scelle le sort de toute une vie.

9.4.   Taïwan

L'île de Taïwan est située à moins de 200 km de la province chinoise de Fujian. D'une superficie comparable à celle de la Suisse, le centre et l'est de Taïwan sont montagneux et sa population de 23,1 millions d'habitants (2009) occupe l'étroite bande de terres alluviales de l'ouest, ainsi que le nord de l'île où elle atteint des densités parmi les plus élevées qui soient. En hiver, son climat est doux et l'île possède toujours de grandes forêts dans les hautes terres centrales, de même que du côté est.

Habitée durant des milliers d'années par une population d'origine malaise et polynésienne, l'île est conquise sous la dynastie Han, avant d'être colonisée par les Japonais, de 1895 à 1945. Cependant, la population ne devient majoritairement han qu'après l'afflux massif de réfugiés lors de la chute de la dynastie Ming, en 1644. Pendant la colonisation japonaise, Taïwan fournit au Japon nourriture, matières premières et débouchés pour ses produits finis. Pour accroître les rendements de leur colonie, les Japonais investissent dans la construction d'infrastructures de transport, améliorent les méthodes agricoles, etc. En 1949, Chiang Kai-shek, chef du Guomindang, maintient le gouvernement de la République de Chine après avoir été chassé de Chine continentale par les forces communistes de Mao Zedong (voir la Capsule 9B, p. 382). Longtemps considérée comme le gouvernement de Chine en exil, Taïwan a représenté la Chine aux Nations Unies jusqu'en 1971 !

Le statut politique de Taïwan demeure incertain : elle est indépendante *de facto* mais ne dispose que de très peu de reconnaissance internationale, le discours sur l'unicité de la Chine obligeant les pays tiers à choisir entre la reconnaissance de la République populaire ou de la République de Chine (Taïwan). Les autorités de la Chine populaire considèrent cet État comme une province rebelle, temporairement séparée de la Chine, et qui tôt ou tard reviendra sous son contrôle direct. En 2005, la Chine a fait savoir qu'elle s'autorisait à intervenir militairement si jamais Taïwan décidait de proclamer son indépendance de façon unilatérale, c'est-à-dire à renoncer à l'idée d'une Chine unique.

Taipei, la capitale de Taïwan, regroupe près de la moitié de la population du pays (8 millions d'habitants). Au sud, un second pôle économique s'est constitué autour de Kaohsiung 3 millions d'habitants), les deux villes formant les extrémités d'un corridor industriel moderne, le long de la côte ouest de l'île. Taipei importe des matières premières en grandes quantités pour alimenter son industrie. Grâce aux investissements provenant des États-Unis et au libre accès du marché étasunien à ses produits, tout comme la Corée du Sud, Taïwan est devenue une puissance économique importante en s'appuyant sur l'infrastructure mise en place par le Japon (1895-1945). Aujourd'hui, ses industries profitent également des conditions d'accueil préférentielles qu'offre la Chine aux entreprises étrangères. Taïwan s'en prévaut pour y réimplanter des manufactures polluantes et nécessitant une main-d'œuvre bon marché, lesquelles, autrement, ne seraient plus rentables à Taïwan. Dans le domaine de l'assemblage des composantes électroniques, l'augmentation des coûts de production a rendu nécessaires les réimplantations industrielles.

9.5.   Une Russie orientale tournée vers la Chine

Économiquement, l'Extrême-Orient russe vit au ralenti depuis l'effondrement de l'URSS (1991). Les subventions n'affluent pas comme autrefois vers ses entreprises d'État dont on exige à présent qu'elles soient compétitives sous peine de fermeture. Des navires de guerre rouillent dans le port de Vladivostok et les infrastructures se dégradent. Mais tout est en place pour que la Russie orientale s'intègre à l'économie est-asiatique.

En effet, la Russie orientale possède des atouts exceptionnels qui intéressent vivement les pays des environs. Premièrement, le nord-est de la Chine est connecté à cet Extrême-Orient russe bien doté en matières premières (forêts, minerais, pétrole, gaz) de même qu'en installations portuaires de première importance, comme Vladivostok et Nakhodka. Deuxièmement, la faiblesse actuelle du rouble rend la main-d'œuvre russe tout particulièrement abordable. De plus, la normalisation des relations sino-russes favorise le développement des relations économiques entre les deux pays. Le contentieux frontalier est définitivement réglé depuis octobre 2004, et la Chine comme la Russie ont décidé de faciliter les procédures de passage des frontières pour encourager le commerce bilatéral. Enfin, en réaction à une politique étasunienne jugée inamicale depuis 2001, la Chine et la Russie s'efforcent aujourd'hui de renforcer leur coopération.

9.6.   Conclusion : L'Asie du Nord-Est, entre la croissance et l'implosion

La croissance de la Chine est, sans conteste, l'événement qui a le plus marqué l'Asie du Nord-Est depuis la fin de la guerre froide en 1991. Elle vient confirmer l'image du développement en vol d'oies sauvages, le Japon ayant débuté son développement au XIXᵉ siècle et entraînant à sa suite d'autres pays de la région, Corée du Sud, Taïwan, puis Chine et Asie du Sud-Est. La Chine, sans être encore une superpuissance, est désormais en mesure de contester le leadership régional d'un Japon embourbé dans un marasme économique persistant. Elle affirme de plus en plus clairement sa volonté de gérer seule la question de Taïwan, au besoin par la force, et a proposé des négociations pour la création d'une zone de libre-échange asiatique qui graviterait autour d'elle. Le XXIᵉ siècle pourrait, en Asie, être celui du retour de la puissance chinoise, si les forts clivages internes ne remettent pas en cause ses succès économiques. Mais les tensions demeurent vives dans la région, malgré l'apaisement du différend sino-russe. Outre la question de Taïwan, la Corée du Nord cherche à se doter de l'arme nucléaire pour protéger son régime, et le désastre économique qu'elle connaît inquiète ses voisins quant aux volontés de Pyongyang à long terme. L'attrait de la croissance économique et de la coopération régionale sera-t-il suffisant pour stabiliser la région ?

Bibliographie

AUGUSTIN-JEAN, L. (2002). «Les entreprises rurales et le développement régional en République populaire de Chine. Partie 1 : le contexte institutionnel et les réformes économiques», *Géographie, Économie, Société*, n° 4, p. 323-336.

BOUISSOU, J.-M. (1997). *Le Japon depuis 1945*, Paris, Armand Colin.

BOUTEILLER, É. et M. FOUQUIN (2001). *Le développement économique de l'Asie orientale*, Paris, La Découverte.

BRUNET, M. et V. REY (1996). *Europes orientales, Russie, Asie centrale*, Paris, Belin/Reclus, coll. «Géographie universelle».

CHANCEL, C. et É.-C. PIELBERG (2004). *La façade asiatique du Pacifique*, Paris, Presses Universitaires de France.

FOUCHER, M. (dir.) (2002). *Asies Nouvelles, Atlas de l'Asie*, Paris, Belin.

GENTELLE, P. (dir.) (2004). *Chine, peuples et civilisation*, Paris, La Découverte/Poche.

GENTELLE, P., P. PELLETIER et J. PEZEU-MASSABUAU (1994). *Chine, Japon, Corée*, Paris, Belin/Reclus, coll. «Géographie universelle».

KOLLER, F. (2004). *Portraits d'une Chine*, Paris, Alvik.

LACOSTE, Y. (2000). «Asie du Nord-Est», *Hérodote*, vol. 97, p. 3-14.

LAMOUREUX, C. (2002). «Les pérégrinations d'un modèle géographique», numéro spécial «Le retour du marchand dans la Chine rurale», *Études rurales*, n°s 161-162, p. 263-272.

LARIVIÈRE, J.-P. et J.-P. MARCHAND (1999). *Géographie de la Chine*, Paris, Armand Colin.

LASSERRE, F. (dir.) (2006). *L'éveil du dragon. Les défis du développement de la Chine au XXIe siècle*, Québec, Presses de l'Université du Québec.

LEYS, S. (1998). *Essais sur la Chine*, Paris, Laffont.

MOREAU, M. (2000). *L'économie du Japon*, Paris, Presses Universitaires de France.

PELLETIER, P. (1998). *La Japonésie : Géopolitique et géographie historique de la surinsularité au Japon*, Paris, CNRS Éditions.

PEZEU-MASSABUAU, J. (1996). *Géographie du Japon*, Paris, Presses Universitaires de France.

SANJUAN, T. et P. TROLLIET (2010). *La Chine et le monde chinois : une géopolitique des territoires*, Paris, Armand Colin.

TROLLIET, P. (2000). *Géographie de la Chine*, Paris, Presses Universitaires de France.

CAPSULE 9A

PÉNINSULE CORÉENNE
La permanence d'une mise en tutelle stratégique

Gérard Hervouet

La péninsule coréenne peut, à bien des égards, être considérée comme une sorte de miroir de l'évolution de la configuration du système international depuis 1945. Soumise à un colonialisme japonais brutal, la population coréenne fut aussi humiliée et victime d'un fascisme militaire qui s'étendit sur une grande partie de l'Asie. Très rapidement, et cela, dès sa libération le 15 août 1945, la Corée devint l'un des tous premiers champs de manœuvre d'une « guerre froide » qui n'était pas encore formulée. À Yalta, en février 1945, puis à la conférence de Potsdam, le 2 août de la même année, il fut convenu que l'URSS désarmerait les troupes japonaises stationnées en Corée au nord du 38e parallèle et que les États-Unis feraient de même au sud. L'immense joie de la libération fut de courte durée. En contrariant, voire en trahissant, la volonté des Coréens d'avoir enfin un pays indépendant, l'URSS et les États-Unis souhaitèrent imposer un protectorat sur la péninsule et créèrent à cette fin une commission mixte américano-soviétique destinée à mettre en place un gouvernement d'union nationale. L'Histoire a peut-être oublié que tous les dirigeants coréens s'opposèrent, dans un premier temps, à cette tutelle et que leur vive opposition fut appuyée par de grandes manifestations populaires. En acceptant contre toute attente le protectorat, le Comité populaire du Nord dirigé par Kim Il Song indiquait son association avec l'URSS. Cette dernière fit savoir que les opposants à la tutelle ne pouvaient participer à la commission mixte. En quelques mois, toute la dynamique politique bascula dans le sillage d'une guerre froide dont les enjeux allaient se situer bien au-delà de la péninsule coréenne. Le 15 août 1948, la république fut proclamée au sud et le 18 septembre de la même année, le nord devint république populaire. Les États-Unis et leurs alliés appuyaient le président Singhman Rhee ; l'URSS puis la Chine en 1949 soutinrent Kim Il Song.

LES ENJEUX DE LA CONFRONTATION

La division de la péninsule le long du 38e parallèle est aujourd'hui établie et confortée par l'admission des deux États aux Nations Unies. Plusieurs pays occidentaux, mais surtout les États-Unis, ne reconnaissent toujours pas le régime du Nord. Après une longue succession de gouvernements autoritaires, la Corée du Sud est désormais solidement campée dans une démocratie que favorise un développement économique assez remarquable malgré la crise financière qui en interrompit pour un temps, en 1997-1998, la progression. Parmi tous les conflits issus de la guerre froide, celui de la péninsule coréenne est certainement le plus dangereux ; il est antérieur à celui de Taïwan, il a déjà provoqué une guerre de trois ans, et les dirigeants de Pyongyang brandissent l'utilisation d'armes nucléaires dont on ne sait exactement évaluer la puissance et le caractère opérationnel.

Le positionnement géographique de la péninsule coréenne accentue à l'évidence son importance stratégique. Adossée à la Chine, la Corée du Nord est aussi frontalière de la Russie alors que le sud s'ouvre sur des espaces maritimes très proches de l'archipel japonais. Cette proximité a favorisé de multiples et très anciens transferts du continent asiatique vers le Japon, en retour elle a aussi permis à ce dernier de s'établir et de convoiter dès la fin du XIXᵉ siècle tout ce nord-est continental dont les ressources étaient indispensables à l'envolée de la modernité du Japon. L'efferves- cence économique se propage désormais très rapidement dans cet espace géogra- phique. Les densités de population, les grands centres urbains et la présence massive de dispositifs militaires sont autant d'éléments qui légitiment l'extrême attention que la communauté internationale accorde aux velléités belliqueuses du régime de Pyongyang. Dans cet ensemble archipélagique et continental, la Corée du Nord détonne. Crispé sur un autoritarisme attardé qui « innove » en conciliant stalinisme, confucianisme et tradition impériale, le régime du Nord s'appuie sur une idéologie (*djoutché*) d'autarcie traduisant la fragilité d'un gouvernement quelque peu « hors du temps ». Le trop grand empressement à vouloir anticiper la chute des dirigeants a provoqué cependant depuis plusieurs années des errements stratégiques. De Tokyo à Séoul, mais surtout bien sûr à Washington, l'attente d'une révolution ou d'une révolte d'une population trop endoctrinée pour l'être véritablement a temporisé des actions cherchant à réinsérer la Corée du Nord dans le système des États. Des thèses mar- ginales estiment qu'il conviendrait peut-être de satisfaire les besoins économiques de la Corée du Nord par une aide non conditionnelle à des exigences immédiates. Les politiques dominantes considèrent, en revanche, qu'il n'existe pas de circonstances atténuantes à un régime qui ne cessera jamais d'exercer un impitoyable enfermement de sa population. Depuis plus de vingt ans, les évaluations des intentions et des capacités du régime de Pyongyang à se doter d'un armement nucléaire provoquent les plus grandes inquiétudes. Le retrait effectif de la Corée du Nord du Traité de non- prolifération depuis le 11 janvier 2003 et deux essais nucléaires intervenus en 2006 et 2009 mobilisent les pires appréhensions. Que veut le régime nord-coréen ?

La simplification de la réponse ne peut qu'occulter un très grand nombre d'arrière- pensées mais peut se résumer par l'obsession des dirigeants du Nord à obtenir une reconnaissance de la légitimité de la Corée du Nord par les États-Unis. Cette recon- naissance conforterait la permanence des institutions autoritaires et redonnerait une certaine crédibilité au régime tout en l'autorisant à déployer des politiques destinées à asseoir le statut de sa pleine souveraineté face aux voisins régionaux mais en particulier la Corée du sud. Les probabilités que les États-Unis accèdent à cette volonté sont infimes. De façon très concise, les comportements du régime nord- coréen visent donc à assurer une survie de plus en plus précaire et soumise aux volontés de la Chine. L'échec des politiques économiques improvisées en 2009,

Figure 9a.1.
La Corée du Nord et la Corée du Sud

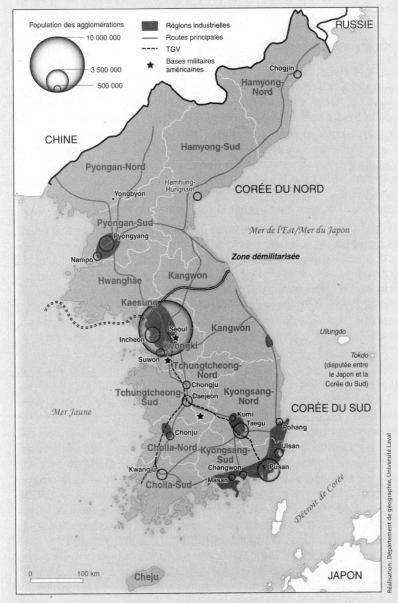

Sources : « La Corée divisée », *Le Monde diplomatique*, novembre 1994 ; <www.citypopulation. de>, consulté le 8 juin 2005 ; <ktx.korail.go.kr/eng/about/index.html>, consulté le 8 juin 2005.

puis le flou entourant la mise en place très incertaine du fils de Kim Jong Il comme successeur aux commandes de l'État soulignent plus que jamais la vulnérabilité de la dictature.

LES MALENTENDUS PROGRAMMÉS

Depuis sa création, la République populaire démocratique de Corée cultive l'ambivalence. Le 25 juin 1950, la Corée du Nord lança une offensive vers le Sud persuadée peut-être que les États-Unis, empêtrés à l'époque dans des déclarations contradictoires, n'interviendraient pas. Jusqu'à l'armistice du 27 juillet 1953, les risques de dérapage et de montée aux extrêmes furent nombreux dans un conflit où le gouvernement des États-Unis évoqua le recours à l'arme nucléaire, où intervinrent les Nations Unies et surtout la Chine qui lança dans les combats des centaines de milliers de «volontaires». Dans un positionnement faussement distant, l'URSS stalinienne semblait vouloir manipuler l'ensemble de cette tragédie dont le cessez-le-feu ramena tous les protagonistes exactement à leur point de départ.

La suite de l'histoire ne fut qu'une longue série de tensions et d'accalmies. Soutenu à la fois par Moscou et Beijing – et cela même pendant tout le conflit sino-soviétique – le régime du Nord a maintenu en état d'alerte les troupes américaines déployées le long de la ligne de démarcation. Au-delà des invectives, la dynamique des rapports entre le Nord et le Sud fut ponctuée d'innombrables exactions. Envois de commandos, assassinats, attentats et interceptions d'avions et de navires visèrent surtout les gouvernements de Séoul qui demeurèrent attentifs à ne pas se laisser détourner de la priorité absolue accordée à cette époque au développement économique.

De façon épisodique, et cela malgré les tensions, Séoul et Pyongyang concédaient, par le biais de la Croix Rouge le plus souvent, à quelques familles le droit de se retrouver et de faire jouer dans une équipe commune quelques sportifs. Comme dans tous les conflits qui perdurent, le jeu de dupes devient un rituel, une banalisation à laquelle il est très risqué de s'accoutumer. En 1985, la Corée du Nord adhéra au Traité de non-prolifération et, dans le même temps, la nouvelle diplomatie soviétique de Michael Gorbatchev se fit plus encourageante. Dès 1986 cependant, la centrale nord-coréenne de Yongbyon était achevée et, en 1988, l'URSS suspendit son aide militaire. Aux espoirs succédaient les déceptions et la cyclicité de la tension et de la détente reprit très vite sa cadence lorsque intervint l'implosion de l'URSS. Lâché par ses deux alliés traditionnels, le régime nord-coréen eut beaucoup de mal à supporter l'affront d'une reconnaissance de la Corée du Sud par Moscou puis par Beijing en 1992. Alors que se déroulaient depuis 1990 d'épuisantes rencontres entre les gouvernements du Nord et du Sud, Pyongyang choisit – après avoir attendu l'évolution incertaine des événements politiques à Moscou – le 13 décembre 1991 pour parvenir avec Séoul à «un accord sur la réconciliation, la non-agression, la collaboration et les échanges entre le Nord et le Sud». Le pacte soulignait le respect réciproque des systèmes politiques des deux pays, la non-ingérence dans les affaires intérieures et la renonciation à toute tentative de subversion.

Assorti d'un engagement de non-agression, le document définissait les premières étapes d'un désarmement progressif de la péninsule, prévoyait le rétablissement des communications et des transports qui devait favoriser les rencontres et les échanges entre familles divisées par la ligne de démarcation. Malgré des préoccupations de plus en plus précises à propos de la centrale de Yongbyon, les États-Unis acceptèrent de concert avec le gouvernement du Sud de retirer leurs armements tactiques en 1991. En retour, en janvier 1992, la Corée du Nord signait un accord de pleine adhésion aux dispositifs de surveillance de l'AIEA (Agence internationale pour l'énergie atomique). Alors que tous ces gestes semblaient participer à l'apaisement général consécutif à la fin de la guerre froide, l'AIEA fit la découverte d'écarts suspects dans la production de plutonium; ses inspecteurs exigèrent l'inspection de deux sites non déclarés par Pyongyang, ce qui fut refusé par la Corée du Nord qui, en mars 1993, annonça son intention de se retirer de l'AIEA. Au mois de mai de la même année, le premier missile *Rodong-1* était tiré. La Corée du Nord démontrait ainsi qu'elle pouvait disposer à la fois d'un vecteur mais éventuellement d'une charge nucléaire qui pourrait atteindre facilement les grandes villes japonaises et, bien sûr, l'ensemble de la Corée du Sud. Les États-Unis, soucieux de ne pas provoquer inutilement le Nord, renouvelèrent leur promesse de ne pas employer la force et de ne pas s'ingérer dans les affaires intérieures du Nord. Washington accepta même un premier dialogue à New York mais il apparut très vite que les autorités de Pyongyang n'entendaient pas se faire dicter leur conduite par les inspecteurs de l'AIEA. Les multiples échanges entrepris s'inscrivaient cependant dans une dynamique de négociations et c'est bien ce qui importait pour la Corée du Sud et le Japon.

1994: L'ANNÉE DE TOUS LES DANGERS

En fait, les espoirs se dissipèrent très vite lorsque, en avril 1994, la Corée du Nord prit la décision de retirer les barres de combustible irradié de la centrale nucléaire de Yongbyon sans la présence des inspecteurs de l'AIEA. Ce geste fut perçu comme la preuve additionnelle que le gouvernement nord-coréen entendait poursuivre son programme nucléaire. Il eut pour conséquence immédiate de provoquer, d'une part, une résolution du conseil de l'AIEA mettant fin à l'assistance technique de l'Agence et, d'autre part, de précipiter l'annonce d'un plan américain de sanctions économiques approuvées par la Corée du Sud et le Japon. Comme à l'accoutumée, mais cette fois-ci dans un climat de plus grande incertitude, la Corée du Nord réagit vivement en menaçant de «noyer Séoul dans une mer de feu» si des sanctions économiques étaient prises contre elle. L'inquiétude gagna Séoul où la Bourse perdit 25% en deux jours; de nombreuses personnes commencèrent à faire des stocks de produits essentiels et certains diplomates – en particulier américains – rapatrièrent leur famille. C'est dans ce contexte, et afin de décrisper les relations sur le point de dériver vers une confrontation réelle, que la Maison-Blanche avalisa la mission de l'ancien président Jimmy Carter en Corée du Nord. Les deux parties furent ainsi en mesure de « sauver la face » et surtout de reprendre les négociations à Genève. Le 21 octobre 1994, les deux parties parvinrent à un accord de principe désormais connu comme l'Accord-cadre de 1994. De cet accord, on retiendra les trois points suivants :

1. La Corée du Nord acceptait d'interrompre le fonctionnement de ses réacteurs de cinq mégawatts et de ne pas retraiter le combustible irradié extrait antérieurement. L'adhésion au Traité de non-prolifération était maintenue et Pyongyang reconnaissait l'obligation de se plier aux inspections de l'AIEA.

2. Les États-Unis s'engageaient en retour à établir un Consortium international : la Korean Peninsula Energy Development Organization (KEDO) afin d'équiper la Corée du Nord de deux réacteurs à refroidissement par eau légère de 1 000 mégawatts chacun. Le KEDO fournirait, jusqu'à leur mise en service, 500 000 tonnes de pétrole lourd par an pour couvrir les besoins en chauffage et électricité. Les États-Unis devaient s'abstenir de formuler des menaces à l'endroit de la Corée du Nord et retiraient toutes les sanctions visant à empêcher les transactions commerciales, les investissements et les télécommunications.

3. La Corée du Nord s'engageait à appliquer la Déclaration conjointe sur la dénucléarisation de la péninsule coréenne, déclaration acceptée par le Nord et le Sud en janvier 1992, et à entamer un dialogue avec Séoul.

La Corée du Nord salua cet accord comme une grande victoire ; non seulement avait-elle obtenu des dispositions concrètes relatives au problème crucial du ravitaillement des produits énergétiques et la levée des sanctions économiques mais, surtout, les Nord-Coréens avaient aussi le sentiment d'avoir obtenu une reconnaissance par les États-Unis de la légitimité de leur régime puisque Washington acceptait, selon une échéance à déterminer, d'ouvrir un bureau de liaison à Pyongyang, première étape en principe vers l'établissement de relations diplomatiques complètes.

Les Sud-Coréens, en revanche, demeurèrent beaucoup plus sceptiques et manifestèrent un certain nombre de réserves à propos de plusieurs éléments de l'accord y compris celui de devoir assumer l'essentiel des coûts de construction des deux réacteurs. Le gouvernement sud-coréen désapprouvait surtout le fait d'avoir été tenu à l'écart des négociations par les autorités américaines.

INCERTITUDES ET NOUVELLES MENACES

Le rappel trop vite esquissé des points de repère dans l'histoire récente du contentieux permet cependant de mieux en comprendre l'actualité. Depuis l'Accord-cadre de 1994 et les promesses d'apaisement, de nombreux éléments ont évolué mais les acteurs et les enjeux demeurent à peu près identiques. En l'an 2000, le président sud-coréen Kim Dae-Jong voulut reprendre l'initiative d'une négociation trop contrôlée par les États-Unis et effectua une visite spectaculaire à Pyongyang. Son homologue Kim Jong-Il, après avoir profité de tout le prestige que lui conférait cette rencontre, s'abstint de tout geste de réciprocité. Encouragé par l'administration Clinton, Kim Dae-Jong fut sévèrement critiqué après l'élection des républicains à Washington.

Les dégradations des conditions de vie de la population nord-coréenne sont désormais atténuées par les médias au profit d'une actualité encore plus dramatique centrée sur la question nucléaire. Les centrales nucléaires promises n'ont jamais été livrées et la Corée du Nord a accéléré son programme d'enrichissement d'uranium en réactivant la centrale de Yongbyon mais en dévoilant aussi l'existence d'un vaste complexe de centrifugeuses. Depuis le mois d'août 2003, des négociations à six – les deux Corées, le Japon, la Russie, la Chine et les États-Unis – ont cherché une fois encore à désamorcer une tension qui perdure. En 2007, ces négociations permirent d'aboutir à des engagements nord-coréens pour démanteler et désactiver les installations nucléaires. Les États-Unis en guise de satisfaction retirèrent la Corée du Nord de la liste des États terroristes et des carburants furent livrés à Pyongyang. En 2008, toutefois, le régime nord-coréen refusa le calendrier des inspections. Depuis, les pourparlers ont été interrompus et la Corée du Nord a procédé à un deuxième essai nucléaire en 2009. Le torpillage, en mars 2010, d'une corvette sud-coréenne puis les tirs d'artillerie en novembre de la même année sur Yeonpyeong, île située dans la mer Jaune à la limite des eaux territoriales de la Corée du Sud, ont aggravé les tensions. Le président sud-coréen Lee Myung-bak, qui lors de son élection en 2008 promettait une plus grande fermeté à l'endroit du Nord, a été pris de court et vivement critiqué. Son gouvernement doit désormais faire la preuve d'une détermination sans faille. Dans ce contexte de menaces nouvelles, le président Obama demeure inflexible dans son soutien à ses alliés sud-coréen et japonais. La Chine tente, comme à l'accoutumée, de bloquer ou d'atténuer les sanctions des Nations Unies à l'endroit de la Corée du Nord et demeure la seule garante d'un statu quo désormais bien fragile dans la péninsule

BIBLIOGRAPHIE

BECKER, J. (2004). *Rogue Regime : Kim Jong Il and the Looming Threat of North Korea*, Oxford, Oxford University Press.

CHA, V. (2003). *Nuclear North Korea : A Debate on Engagement Strategies*, New York, Columbia University Press.

CUMINGS, B. (2004). *North Korea Another Country*, New York, New Press.

FUNABASHI, Y. (2007). *The Peninsula Question. A Chronicle of the Second Korean Nuclear Crisis*, Washington, Brooking Institution Press.

NAUTILUS INSTITUTE FOR SECURITY AND SUSTAINABILITY. <nautilus.org>.

NOLAND, M. (2004). *Korea After Kim Jong Il*, Washington D.C., Institute for International Economics.

O'HANLON, M. et M. MOCHIZUKI (2003). *Crisis on the Korean Peninsula : How to Deal with a Nuclear North Korea*, 1re édition, New York, McGraw-Hill.

SCHOFF, J. L., C. M. PERRY et J. K. DAVIS (2004). *Building a Six Party Capacity for a WMD Free Korea*, Dulles (Virginia), Institute for Foreign Policy Analysis.

LA QUESTION IDENTITAIRE TAÏWANAISE

André Laliberté

Le « miracle taïwanais » est souvent évoqué pour faire référence à une sortie rapide du sous-développement. Toutefois cette transition s'est accompagnée d'un autre fait largement méconnu : le passage vers la démocratie. Ce dernier s'est accompli sans désordre majeur ; apportant de fait un démenti à la thèse des valeurs asiatiques qui affirme que le libéralisme, et l'importance que ce dernier attache à l'individualisme, aux droits de la personne et à la démocratie, est incompatible avec la tradition confucéenne de respect de l'autorité qui continue d'influencer cette partie du monde[1]. Une hypothèque très lourde pèse cependant sur la prospérité de Taïwan et la stabilité politique qui en est garante : l'indépendance *de facto* de l'île est remise en question par la Chine populaire, qui a menacé d'attaquer l'île si ses dirigeants décidaient de déclarer une indépendance politique *de jure*. L'objet de ce court texte est double : présenter brièvement les réalisations taïwanaises, malgré des conditions géographiques parfois peu clémentes, et offrir un éclairage historique sur la question de l'identité nationale taïwanaise qui a émergé malgré les prétentions chinoises.

ILHA FORMOSA, MEILIDAO : LA « BELLE ÎLE »

Située sur la « ceinture de feu » du Pacifique, Taïwan est souvent affectée par des secousses sismiques[2]. Traversée par le tropique du Cancer, l'île est influencée par un climat tropical humide et est régulièrement balayée par des typhons (en mandarin, *taifeng*, « grand vent ») pendant l'été. Elle est affligée par des épisodes de sécheresse de plus en plus fréquents, surtout au sud, et une concentration des pluies[3], avec des orages et des averses de plus en plus violents, et, conséquemment, des inondations plus destructrices et plus fréquentes. À ces dégâts causés par les éléments naturels s'ajoutent les dangers d'érosion causés par l'activité humaine : par exemple, l'expansion de la culture du bétel, très lucrative mais aussi très exigeante en eau, a aggravé durant les dernières années les risques de glissement de terrain[4].

---

1. À propos du débat sur les valeurs asiatiques, on pourra lire Marrès et Servais (2002).
2. Le séisme du 21 septembre 1999 avait fait plus de 2 000 victimes.
3. Lorsque les pluies sont plus concentrées, la pluviométrie se maintient d'une année à l'autre, mais les jours de pluie diminuent.
4. Cette culture était encore la deuxième en importance au pays en 2009.

Figure 9b.1.
Taïwan

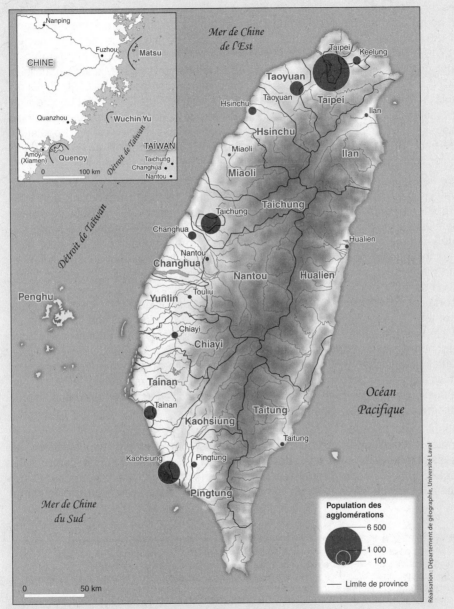

Sources: *Le Grand Atlas du Canada et du Monde*, ERPI/De Boeck, Bruxelles, 2005 ; bases de données cartographiques, LATIG, Département de géographie, Université Laval.

À ces intempéries qui peuvent rendre l'île très inhospitalière s'ajoute le problème de l'extrême exiguïté de l'espace taïwanais. Sa topographie montagneuse réduit considérablement la superficie habitable et la disponibilité des terres arables. Avec une population de 23 millions d'habitants répartis sur un territoire à peine plus grand (36 180 km²) que l'île de Vancouver, la densité de population de ce pays est estimée en 2010 à 640 hab./km², soit la deuxième plus importante de la planète derrière le Bangladesh, si on fait abstraction de micro-États tels Hong-Kong et Macao (République de Chine, Statistiques nationales, 2010; Population Reference Bureau, 2010). Si on établit un ratio entre population et terre arable, la situation de Taïwan est encore plus exceptionnelle. Une autre caractéristique notable de la démographie de ce territoire est son taux d'urbanisation élevé: 78% des Taïwanais sont des citadins (Population Reference Bureau, 2010)[5] et pas moins de 6,5 millions d'entre eux vivent dans l'agglomération de Taipeh (République de Chine, Statistiques nationales, 2010)[6].

Le développement économique de Taïwan est alimenté par les exportations, dont la valeur totale représentait, en 2009, 203,4 milliards de dollars américains, soit 54% du PIB. Par ailleurs, les importations de l'île, qui atteignaient 172,7 milliards de dollars américains pour la même année, en font une économie extrêmement ouverte sur l'extérieur. Les pièces et appareils électriques et mécaniques comptent pour plus de la moitié des exportations taïwanaises, mais elles représentent aussi une importante partie de ses importations. Quelques données permettent d'apprécier l'intégration de Taïwan à l'économie mondiale: elle constitue le 19e plus important pays exportateur et le 20e plus important importateur de la planète, et détient la 5e plus importante réserve de devises étrangères, après le Japon, la Chine, la Russie et l'Arabie Saoudite. Bien que Taïwan bénéficie considérablement de son intégration à l'économie-monde libérale, et qu'elle ait dû attendre l'accession de la République populaire de Chine (RPC) à l'Organisation mondiale du commerce avant d'être admise à titre de «territoire douanier de Taïwan, les Pescadores, Jinmen et Mazu», la stratégie de développement qu'a choisie ce pays ne correspond pas aux prescriptions néolibérales du «consensus de Washington[7]».

Inspiré par le précédent japonais et encouragé par la politique étasunienne d'endiguement dirigée contre le bloc soviétique, le gouvernement nationaliste a opté dès les années 1950 pour une stratégie développementaliste où l'État joue un rôle directeur important, par l'entremise de plans orientant les investissements. Cette stratégie continue d'être mise en œuvre, bien qu'elle soit devenue indicative plutôt

---

5. Cette donnée doit par ailleurs être replacée dans son contexte: la campagne taïwanaise, comme dans les pays de l'OCDE, est électrifiée et bien dotée en infrastructures.
6. Soit la municipalité de Taipeh (ou Taipei) et les banlieues du district de Taipeh.
7. Le «consensus de Washington» est fondé, *inter alia*, sur la libéralisation financière, la libéralisation des échanges, la suppression des barrières à l'investissement direct étranger et la privatisation des entreprises publiques. Le gouvernement de la RDC (Taïwan) n'a pas appliqué ces politiques jusqu'à son accession à l'OMC, et encore, des résistances demeurent. Sur le «consensus de Washington», voir Williamson (1993).

que directive, comme en témoignent les termes très généraux définissant le plus récent des plans présentés par la Commission pour le développement et la planification économique (*Jingji jianshe weiyuanhui*). En juillet 2009, celle-ci se contentait de proposer l'atteinte de six objectifs prioritaires pour 2012 : renforcement des technologies de l'information, création d'avantages compétitifs pour l'industrie, amélioration de la qualité de vie, promotion du développement durable, amélioration des capacités publiques en science et technologie, et renforcement de l'autonomie nationale en termes de technologies de la défense (Government Information Office, 2009)[8].

L'avance dont a disposé Taïwan durant les années 1980 sur le plan de la performance économique s'est cependant graduellement rétrécie dans le contexte de l'internationalisation grandissante de la Chine. En effet, la croissance chinoise dépasse désormais celle de Taïwan, au point où l'économie continentale, non seulement surpasse celle de Taïwan en termes d'investissements directs étrangers, mais la déclasse aussi dans certains secteurs où elle détenait un avantage à cause de sa main-d'œuvre très qualifiée. De plus en plus de Taïwanais semblent déterminés à tirer leur épingle du jeu et à profiter de la situation. Ce processus a culminé en juin 2009 avec la signature d'un Accord-cadre de coopération économique à Chongqing, entre une organisation non gouvernementale, la Fondation pour les échanges dans le Détroit[9], et sa contrepartie chinoise, l'Association pour les relations à travers le détroit de Taïwan[10]. Les autorités de Taipeh ont, sous les administrations de Lee et Chen, cherché à empêcher une trop grande dépendance de l'économie insulaire envers le continent ; sous celle de Ma Ying-jeou, elles ont fait le pari d'intensifier les échanges économiques entre les deux rives du détroit, gageant que l'économie insulaire en sortirait renforcée, au grand dam des nombreux Taïwanais qui craignent que cette situation ne rende leur société plus vulnérable aux pressions de Beijing.

Ces données ne doivent cependant pas faire oublier que Taïwan dispose encore de plusieurs atouts importants : un système politique stable, une administration publique efficace et des indicateurs de développement humain qui placent ce pays en très bonne position. La croissance de l'économie a été accompagnée par un « miracle politique » moins connu à l'étranger : celui d'une transition ordonnée et pacifique vers la démocratie. Même si l'alternance politique entre le Parti nationaliste (Guomindang, GMD) et le Parti démocratique progressiste (PDP) n'est pas entièrement complétée (il faudrait pour cela que le PDP et ses alliés réussissent à obtenir une majorité absolue au Yuan législatif, le parlement unicaméral de Taïwan), la protection des droits civils et politiques (liberté de presse et d'association), la vigueur de la société civile et la tenue régulière d'élections présidentielles, législatives et locales depuis 1992 attestent d'un large consensus dans la société taïwanaise. Ce consensus se forme autour de la poursuite des orientations économiques fondamentales, mais

---

8. Voir <http://www.gio.gov.tw/taiwan-website/5-gp/yearbook/ch10.html>, consulté le 12 décembre 2010.
9. Connue sous son acronyme SEF (Strait Exchange Foundation).
10. Association for Relations Across the Taiwan Straits (ARATS).

surtout sur la question du statut d'indépendance *de facto* de la République de Chine (RDC, le titre officiel de Taïwan), et le refus de tomber sous la coupe de la Chine populaire dans les conditions actuelles.

LA MONTÉE D'UN SENTIMENT NATIONAL TAÏWANAIS

À travers tous les changements économiques et politiques, une seule constante : le nœud gordien de « l'impossible réunification[11] », cette dernière est voulue par les dirigeants de la Chine populaire mais rejetée par la population de Taïwan. Depuis 1949, deux enjeux opposent la RPC dirigée par le Parti communiste de Chine (PCC) à la RDC (Taïwan), dirigée par le GMD : l'autorité politique sur l'ensemble de la Chine, d'une part, et la résolution de la guerre civile qui opposait les deux partis depuis 1947, d'autre part. À compter des années 1990, le *casus belli* s'exprime à travers le refus de la société taïwanaise d'être dirigée par le PCC. Face à la volonté de ce dernier de recouvrer Taïwan pour le compte de la nation chinoise émerge le désir de la population de s'affirmer comme nation indépendante *de facto*, sinon *de jure*[12].

L'intensité des nationalismes concurrents des deux côtés du détroit de Taïwan peut sembler une querelle obscure à propos d'enjeux purement symboliques. La communauté internationale a du mal à comprendre le courroux des dirigeants chinois lorsque Lee Teng-hui, président de Taïwan de 1988 à 2000, affirmait en 1999 qu'il existe entre les deux rives « une relation spéciale d'État à État »[13], ce qui correspond pourtant à la situation sur le terrain, ni pourquoi les Taïwanais refusent l'offre apparemment généreuse du PCC pour « un pays, deux systèmes », qui procurerait aux insulaires le droit de conserver leurs institutions politiques, leur système économique et leurs forces armées, à condition que les autorités de l'île reconnaissent la souveraineté de la Chine[14].

L'aggravation récente du conflit larvé opposant la Chine à Taïwan est en bonne partie reliée à l'évolution politique interne de Taïwan et au refus des dirigeants de la RPC de comprendre et d'accepter ces changements. La politique d'« un pays, deux systèmes » proposée par le PCC demeure à l'ordre du jour mais a perdu de sa force d'attraction à Taïwan : outre que la population de la RDC répugne à croire aux bonnes intentions d'un gouvernement qui n'a pas hésité à noyer dans le sang

---

11. Pour un résumé succinct des enjeux, en français, voir l'ouvrage de Cabestan (1995).
12. La RDC est un état souverain *de facto* (de fait) selon les définitions classiques : son territoire est bien délimité, un gouvernement administre ce territoire, celui-ci possède la capacité de se défendre et de protéger ses administrés et, enfin, la population a la possibilité de s'exprimer sur son propre gouvernement. Cette souveraineté n'est pas reconnue *de jure*, c'est-à-dire qu'elle n'est pas entérinée par le droit international, notamment en raison des pressions de la RPC en ce sens. On notera que beaucoup de pays souverains *de jure* jouissent d'une souveraineté *de facto* limitée. C'est le cas notamment d'États effondrés ou déliquescents tels que la Somalie.
13. Lors d'une entrevue à *Deutsche Welle*, 9 juillet 1999.
14. Pour un aperçu historique succinct des positions des deux parties, voir Clough (1999).

une manifestation pacifique menée par des étudiants en 1989, un nombre grandissant de Taïwanais s'identifient de moins en moins à la Chine. Avec l'accélération du processus de démocratisation entamé depuis 1987, un nombre croissant d'entre eux considèrent que l'ancienne querelle entre le PCC et le GMD (*Guomindang*) à propos de la Chine ne les concerne pas. L'ex-président Lee Teng-hui lui-même avait déjà exprimé ce point de vue en 1995, lorsqu'il avait déclaré lors d'une entrevue au journaliste japonais Ryoturo Shiba que le GMD[15] de même que les autorités japonaises qui l'ont précédé représentaient des régimes étrangers, et qu'il était nécessaire, pour assurer l'avenir de Taïwan, de procéder à une « indigénisation (*bentuhua*) » du parti (Clough, 1999, p. 80). L'élection en 2000 du candidat de l'opposition Chen Shui-bian à la présidence, et sa réélection à ce titre en 2004, a semblé concrétiser l'accomplissement de la transition vers la démocratie. L'administration de Chen, cependant, a représenté une période houleuse, puisque la formation qui le soutenait, le Parti démocratique progressiste (PDP), ne disposait pas de la majorité au Parlement. Comme les statuts de ce parti préconisent la proclamation d'une « République de Taïwan », les autorités de Beijing n'ont cessé de critiquer cette affirmation de la « désinisation » de Taïwan. Même si le GMD a repris le pouvoir avec l'élection de son candidat Ma Ying-jeou à la présidence en 2008, les gouvernements de Taipeh et de Beijing ne peuvent ignorer l'attachement de la majorité des Taïwanais à leur indépendance *de facto*.

Les revendications historiques de la Chine sur Taïwan, dans l'Asie orientale de civilisation plurimillénaire, sont controversées. Si les Taïwanais admettent volontiers que leur culture est apparentée à celle de la Chine, leur identification à une communauté politique chinoise est contestée. Pendant des siècles, l'influence chinoise sur la côte ouest de l'île se limite à une présence sporadique de pêcheurs, trafiquants et pirates, et Taïwan ne représente qu'un relais sur les routes maritimes entre l'Asie du Sud-Est et le Japon. Les Portugais sont les premiers Européens à atteindre Taïwan (qu'ils baptisent *ilha formosa*, la « belle île », ce qui sera francisé en Formose), en 1517, mais il faudra attendre un autre siècle avant qu'une puissance étrangère revendique l'île, lorsque les Néerlandais fondent, en 1642, le port de Zeelandia. Ce n'est qu'après l'effondrement de la dynastie des Ming en 1644, à la suite de l'invasion des Mandchous, que Taïwan devient un enjeu stratégique pour un gouvernement chinois. Un loyaliste Ming, Zheng Chenggong (aussi connu en Occident sous le nom de Koxinga), déloge les Néerlandais en 1661 et tente d'utiliser Taïwan comme une base arrière à partir de laquelle reconquérir la Chine et renverser la nouvelle dynastie Qing. Le projet échoue lorsque le petit-fils de Zheng se soumet en 1683. Pendant toute cette période, on ne comptait que 7 000 Chinois résidant de façon permanente à Taïwan.

---

15. Ce point est élaboré ultérieurement.

Pendant les deux siècles suivants, l'île est une zone frontière où il est par ailleurs interdit d'émigrer. Les autorités chinoises jugent que Taïwan est inhospitalière à cause de l'hostilité de la population insulaire, qui est jugée « barbare » : elles ne sont pas intéressées à s'embourber dans des expéditions punitives pour punir les exactions qui pourraient être commises contre des colons chinois. Les premiers habitants (*yuanzhumin*) de Taïwan, établis sur l'île depuis des millénaires, ne sont pas d'ethnie chinoise : ils parlent des langues du groupe indonésien et ils sont apparentés aux peuples des Philippines. Malgré les interdictions officielles, des émigrants illégaux de plus en plus nombreux originaires des provinces de Guangdong et Fujian vont graduellement déloger les *yuanzhumin* vers les montagnes au cours des XVIIIe et XIXe siècles. Aujourd'hui, cette population se concentre principalement dans les montagnes du centre de l'île. Son statut au sein de la société taïwanaise, caractérisé par une marginalisation sur le plan économique, évoque celui des premières nations canadiennes, australiennes ou étasuniennes, par exemple. Pour les partisans de l'indépendance d'une putative « République de Taïwan », l'existence de ces populations est cependant devenue très utile : elle permet de souligner l'existence d'une identité taïwanaise distincte de celle de la Chine[16].

Sous les Qing, Taïwan n'est qu'une préfecture de la province de Fujian et ce n'est pas avant 1887 qu'elle devient une province. Ce statut sera très bref : en vertu des termes du traité de Shimonoseki qui conclut la guerre sino-japonaise de 1894-1895, la Chine cède le contrôle de Taïwan au Japon. Les autorités coloniales japonaises tentent alors d'acculturer la population de Taïwan en imposant la pratique du shintoïsme d'État[17] et l'apprentissage du japonais à tous les écoliers. L'objectif est de faire de Taïwan une « colonie modèle ». Bien que ces visées servaient avant tout le Japon, elles ont favorisé le développement des infrastructures. Après la reddition de l'armée impériale japonaise, qui se traduit par la « rétrocession » de Taïwan à la Chine, l'île se retrouve sous l'autorité de la RDC et redevient une province dans un État chinois : le gouvernement républicain impose le mandarin comme langue officielle et élimine tous les vestiges de l'administration coloniale. Cette communauté de destin durera à peine plus de quatre ans.

L'administration mise en place par le GMD (parti au pouvoir en Chine à l'époque) pour gouverner Taïwan était cependant corrompue et a rapidement été ressentie par la population locale comme étant une occupation étrangère. Les exactions du GMD ont provoqué un mécontentement populaire qui culmine le 28 février 1947 par une insurrection s'étendant à toute l'île, laquelle sera brutalement réprimée par le régime : jusqu'à dix mille membres des élites locales ont été éliminés (Lai, Myers et Wou, 1991) et, depuis ce jour, la méfiance s'est installée entre les *bendiren*, qui

16. Sur cet aspect de la récupération des peuples aborigènes, voir Stainton (1999).
17. Ce culte préconisait la vénération du Tennō Hirohito, qui agissait à titre d'empereur et de pontife suprême.

signifie tout simplement « gens d'ici », et « ceux de l'extérieur de la province », les *waishengren*. En 1949, après la défaite du GMD en Chine continentale face aux troupes communistes de Mao, ce clivage va s'aggraver davantage avec la plus importante vague d'immigration qu'ait connue l'île. Plus d'un million d'individus quittent le continent afin de s'établir à Taïwan, dont des fonctionnaires, de simples soldats, des membres du parti GMD, ou tout simplement des réfugiés (Government Information Office, 2004, p. 50). Toutefois, sous le prétexte que Taipeh constitue le siège du gouvernement en exil de la « Chine libre » en vue d'une éventuelle reconquête du continent, les *waishengren* contrôleront pendant quatre décennies tous les rouages politiques de l'État.

Ce qu'il est convenu de désigner sous l'ethnonyme de *bendiren* ne recoupe pas, par ailleurs, un groupe ethnique homogène. La principale composante de ce groupe (75 % de la population taïwanaise) est constituée de « Hokkiens », les descendants de colons provenant de la province de Fujian, située sur l'autre rive du détroit (Vermeer, 1999). À cette communauté majoritaire s'ajoute un deuxième groupe, la communauté « Hakka », provenant du nord de la province de Guangdong, et qui compte un peu plus de deux millions de personnes. Cette communauté, plus étroitement soudée que celle des Hokkiens, a connu des affrontements avec cette dernière durant les premiers siècles de la colonisation de l'île relativement à l'appropriation des terres. Avec les 450 000 *yuanzhumin* (premiers habitants de Taïwan), ces deux groupes se distinguent des *waishengren*, mais le GMD a longtemps su exploiter leurs rivalités pour gouverner. Ces clivages ethniques continuent d'influencer la politique taïwanaise, même si les dirigeants de tous les partis affirment vouloir parler au nom des « nouveaux Taïwanais » (*xin Taïwanren*) sans distinction.

La proclamation de la RPC par le PCC (Parti communiste chinois) en octobre 1949 et le transfert, en décembre de la même année, du gouvernement nationaliste (GMD) depuis la capitale Nanjing (Chine continentale) jusqu'à la capitale provisoire de Taipeh a réintroduit un clivage entre les deux rives du détroit de Taïwan qui rappelle l'épisode antérieur de Zheng Chenggong. Si Chiang Kai-shek affirmait publiquement qu'il considérait Taïwan comme étant une base de repli dans la perspective d'une reconquête du continent, dans les faits, il a dû renoncer à cette possibilité après en avoir été dissuadé discrètement par les Étasuniens. Chiang s'est efforcé de gagner la lutte contre la Chine communiste sur le plan idéologique en développant Taïwan et en cherchant à démontrer que son modèle de développement est supérieur à celui de la Chine continentale (Tsang, 1993). Pour parvenir à ses fins, il a installé un gouvernement autoritaire, décrété la loi martiale, imposé aux insulaires une administration publique composée de fonctionnaires continentaux et transformé l'éducation de façon à inculquer l'identification à la Chine et le dénigrement de l'identité taïwanaise. La politique autoritaire de Chiang s'est traduite par une « terreur blanche » visant toute personne susceptible de soutenir l'indépendance de Taïwan ou soupçonnée de sympathies pour le Parti communiste.

Pour assurer la survie de son régime, Chiang a néanmoins accompagné cette politique d'un important effort de réformes économiques. Grâce à une aide économique importante de la part des États-Unis, Chiang a posé les premiers jalons du développement économique de Taïwan. Le GMD a pris le contrôle de tous les monopoles et propriétés détenus par le gouvernement japonais et était devenu en conséquence le parti politique le plus riche de la planète en 2002, avec des avoirs estimés à 1,5 milliard de dollars américains (Lu, 2003)[18]. Ayant assimilé les leçons de sa faillite sur le continent, le GMD a entrepris une réforme radicale, en éliminant la corruption, en recrutant au sein de la population locale et, surtout, en réalisant une réforme agraire qui a permis de déclencher rapidement un processus d'accumulation du capital, lequel a débouché sur l'industrialisation du pays. Les résultats de ces choix seront impressionnants. En un demi-siècle, Taïwan est passé du statut de pays sous-développé à celui d'économie avancée, dont le revenu par habitant se situe au trentième rang mondial. Cette stratégie, couronnée de succès sur le plan économique, sera accompagnée sur le plan politique par une véritable métamorphose du GMD lui-même, de plus en plus soutenu par les *bendiren*. Le processus a culminé, on l'a vu, avec Lee Teng-hui, lui-même un *bendiren*, qui a contribué lors de sa présidence à amener le parti à affronter le verdict des électeurs[19].

On l'a vu plus haut, si Taïwan a longtemps été perçue comme une « île rebelle », mais marginale, par le gouvernement chinois, et une contrée éloignée, en marge du Pacifique et de l'Asie de l'Est, par les Occidentaux, elle est devenue durant la deuxième moitié du XXe siècle un enjeu stratégique majeur : aboutissement ultime du processus de réunification nationale aux yeux des dirigeants de la Chine populaire, affirmation d'une modernité sinisée qui est pluraliste et libérale aux yeux de ceux qui aspirent à une démocratisation de la Chine elle-même. Avant-poste de l'influence étatsunienne en Asie de l'Est dès le début de la guerre froide, la perception de Taïwan comme un enjeu stratégique a été éclipsée brièvement par l'émergence de l'île comme un des quatre « Dragons » d'Asie dans la décennie qui a suivi le début de la période d'ouverture de la Chine populaire déclenchée par Deng Xiaoping. Dès les années 1990, avec la percée très importante des industries de pointe taïwanaises sur le marché mondial[20], il est cependant devenu clair qu'un conflit entre la

---

18. En 1950, les entreprises publiques – en majeure partie contrôlées par le GMD puisque celui-ci monopolisait le pouvoir politique – représentaient 57 % de la production industrielle et employait 20 % de la main-d'œuvre. En 1992, 60 entreprises publiques contrôlaient encore 15 % du capital national. Voir Field (1998).

19. Son prédécesseur, le président Chiang Ching-kuo – le fils de Chiang Kai-shek –, avait mis en place les premiers jalons du processus de démocratisation en levant la loi martiale en 1987, quelques mois avant son décès, mais Lee, surnommé « monsieur démocratie » par les Taïwanais et la presse étrangère, a posé les gestes décisifs en passant des lois autorisant la création d'organisations et de partis politiques indépendants dès 1989 et en se soumettant lui-même au verdict des électeurs en 1996, en face de candidats soutenus par des partis d'opposition.

20. En 2008, Taïwan est le premier producteur mondial pour cinq composants informatiques et le deuxième pour six autres. Voir Government Information Office, 2009.

RPC et la RDC aurait des conséquences importantes pour l'économie mondiale. La Chine étant désormais considérée comme la deuxième économie mondiale, il est certain qu'un tel conflit aurait des conséquences incalculables autant qu'imprévisibles, l'économie des États-Unis étant de plus en plus interdépendante avec l'économie chinoise : les États-Unis viendraient-ils en aide à Taïwan en cas d'agression chinoise contre la « belle île » comme ils l'ont fait en 1996 et en vertu de la Loi sur les relations avec Taïwan ? Comme en témoignent les mises en garde de l'administration Bush adressées au président Chen Shui-bian en 2004 contre la tenue d'un référendum sur l'indépendance de Taïwan, les États-Unis ont démontré que leur soutien à Taïwan est loin d'être inconditionnel. Depuis l'arrivée de l'administration de Ma en 2008 et ses efforts de rapprochement avec la Chine, la question est devenue hypothétique, au moins jusqu'à la prochaine échéance aux présidentielles de 2012.

CONCLUSION

Taïwan est à la fois bénéficiaire et victime de la mondialisation : bénéficiaire puisque son économie a pu croître grâce à l'ouverture du marché mondial à ses exportations dès les années 1960, victime parce que l'île risque de plus en plus d'être déclassée par une Chine qui joue les mêmes cartes, mais à une échelle autrement plus grande. La transition politique réussie de Taïwan a néanmoins une valeur de symbole dont la portée dépasse de loin les dimensions de ce petit territoire : elle apporte un cuisant démenti à la thèse des « valeurs asiatiques » qui affirme que le libéralisme est incompatible avec la tradition confucéenne. Si la démocratie taïwanaise ne résulte pas d'une imposition venue de l'extérieur, mais bel et bien des efforts de sa population et de l'action de ses politiciens, son avenir, en revanche, dépend en partie des actions du gouvernement de la Chine populaire à son égard, et de la tolérance de cette dernière à accepter qu'une population de culture chinoise puisse choisir de se gouverner autrement que par ce qui est actuellement permis sous le PCC.

BIBLIOGRAPHIE

CABESTAN, J.-P. (1995). *Taïwan Chine populaire : l'impossible réunification*, Paris, Dunod.

CHUNG, L. (2003). « Taïwanese investments in China at new high », *Straits Times*, 1er mars.

CLOUGH, R.N. (1999). *Cooperation or Conflict in the Taïwan Strait?*, New York, Rowman and Littlefield.

CONSEIL POUR LE DÉVELOPPEMENT ÉCONOMIQUE DU YUAN EXÉCUTIF (2002). *Challenge 2008 : National Development Plan*, Taïwan, <www.cepd.gov.tw/upload/EconPolicy/EconPolicy/challenge2008@151832.26372395252@.ppt#0>.

FIELD, K.J. (1998). « KMT, Inc. : Party Capitalism in a Development State », *Japan Policy Research Institute Working Paper* 47, juin.

GOVERNMENT INFORMATION OFFICE (2004). *Taïwan Yearbook 2009*, Taipei, GIO.

GOVERNMENT INFORMATION OFFICE (2004). *Taïwan Yearbook 2004*, Taipei, GIO.

LAI T-Y., R. MYERS et W. WOU (1991). *A Tragic Beginning: The Taïwan Uprising of February 28, 1947*, Stanford, Stanford University Press.

LU, F. (2003). « Kuomintang to put assets in trust fund », *Taïwan News*, 23 janvier.

MARRÈS, T. et P. SERVAIS (dir.) (2002). *Droits humains et valeurs asiatiques: un dialogue est-il possible?* Louvain-la-Neuve, Academia-Bruylant.

OFFICE DU PORTE-PAROLE DU GOUVERNEMENT, RDC (2002). *The Republic of China Yearbook: Taïwan 2002,* Taipeh, Government Information Office.

POPULATION REFERENCE BUREAU (2005). *2004 World Population Data Sheet*, Washington, D.C.

STAINTON, M. (1999). « The politics of Taïwan aboriginal origins », dans M. RUBINSTEIN (dir.), *Taïwan: A New History*, Armonk, New York, M.E. Sharpe, p. 27-44.

TSANG, S. (dir.) (1993). *In the shadow of China: Political developments in Taïwan since 1949*, Hong-Kong, Hong-Kong University Press.

VERMEER, E.B. (1999). « Up the mountain and out to the sea: The expansion of the Fukienese in the Late Ming Period », dans M. RUBINSTEIN (dir.), *Taïwan: A New History*, Armonk, New York, M.E. Sharpe, p. 45-83.

WILLIAMSON, J. (1993). « Democracy and the "Washington Consensus" », *World Development*, vol. 21, n° 8, p. 1329-1336.

Chapitre

10

LE SUD-EST ASIATIQUE
Une charnière du Monde

Rodolphe De Koninck

À l'issue de la Deuxième Guerre mondiale, le Sud-Est asiatique faisait largement partie du monde pauvre, de ce qui fut bientôt désigné du terme de tiers-monde. Projection de l'Asie vers les mers tropicales, sas entre l'océan Indien et l'océan Pacifique, entre les mondes indien et chinois, se distinguant de l'un parce qu'appartenant partiellement à l'autre, et vice versa, cet ensemble péninsulaire et insulaire allait progressivement devenir l'une des principales fournaises politiques de la planète. Quelques-unes des plus importantes guerres de libération coloniales s'y sont alors déroulées, notamment en Indonésie et au Vietnam, les Philippines et la Malaisie ayant également été en proie à d'intenses luttes armées.

Outre qu'elles aient toutes été liées à la décolonisation, dont l'occupation japonaise de 1942 à 1945 n'avait fait que précipiter la nécessité, ces luttes et ces guerres ont permis au communisme soit de s'installer à demeure, soit de menacer les démocraties naissantes. Les victoires militaires des communistes, tout particulièrement au Cambodge et au Vietnam en 1975, n'ont fait que conforter ceux dans le monde industriel capitaliste qui croyaient nécessaire d'appuyer les régimes musclés. C'est ainsi que furent soit établis, soit cautionnés, voire solidement appuyés, des régimes militaires de droite, le «chef-d'œuvre» en la matière ayant été réalisé en Indonésie, avec celui dit de l'Ordre Nouveau, officiellement en place de 1967 à 1998. Cette année-là, la chute du président Suharto, ex-général s'étant précisément illustré dans la lutte anticommuniste, a marqué la fin d'une ère en Asie du Sud-Est, celle des clivages hérités de la guerre froide. Pendant l'entière durée de celle-ci, tous les régimes en place, de la Birmanie aux Philippines, en passant par la Thaïlande, les trois pays issus de l'ancienne Indochine française que sont le Vietnam, le Laos et le Cambodge – ce dernier ayant vécu un épisode particulièrement atroce sous le régime sanglant des Khmers rouges (1975-1979) – et même la Malaysia[1], Singapour, Brunei ou l'Indonésie, se sont réclamés d'un camp ou d'un autre, parfois jouant sur les alliances.

Ce jeu de division est maintenant terminé, même si deux pays, le Vietnam et le Laos, sont toujours sous le contrôle de partis encore largement communistes et qu'un autre, la Birmanie[2], demeure aux prises avec la junte militaire probablement la plus corrompue et la plus habile de l'histoire moderne, survivant en bonne mesure grâce à l'appui de la Chine. Malgré cela, sous la pression de ses deux puissants voisins que sont l'Inde et la Chine, sous la pression aussi des forces de la mondialisation, tout aussi concrètes, tout aussi pesantes, l'Asie du Sud-Est se consolide. Elle se consolide comme région économique à forte croissance, comme entité géopolitique distincte, rassemblée tant sous l'égide de l'ASEAN[3] que sous celle d'une solidarité de plus en plus indispensable devant ces voisins et face à cette mondialisation. L'accession du Timor oriental à l'indépendance formelle en 2002 et son accession prochaine à l'ASEAN soulignent la maturité de cet ensemble. Rassemblant à la mi-2010 près de 600 millions d'habitants et étant constitué de 11 États souverains d'une infinie variété au plan tant culturel que politique et économique – comprenant l'un des États les plus prospères du monde, en l'occurrence la cité-État de Singapour, et trois pays très pauvres, le Timor

---

1. J'utilise le terme Malaisie pour désigner la seule péninsule malaise, laquelle, correspond à la Malaisie proprement dite, celle d'avant la constitution de la Fédération de Malaysia en 1963. La création de cette Fédération a permis de rassembler autour de cette Malaisie tant Singapour que les deux territoires de Sabah et de Sarawak situés sur le versant nord de l'île de Bornéo. En 1965, Singapour s'est retirée de la Fédération de Malaysia.
2. Je souligne ici que je continue à refuser de désigner ce pays du nom de Myanmar, celui que lui a unilatéralement donné en 1989 la junte militaire au pouvoir. Pour plus de précision sur ce problème, voir mon ouvrage *L'Asie du Sud-Est* (Paris, Armand Colin, 2005, p. 226).
3. Pour *Association of South-East Asian Nations*. On emploie aussi parfois le terme d'ANASE, pour Association des nations d'Asie du Sud-Est.

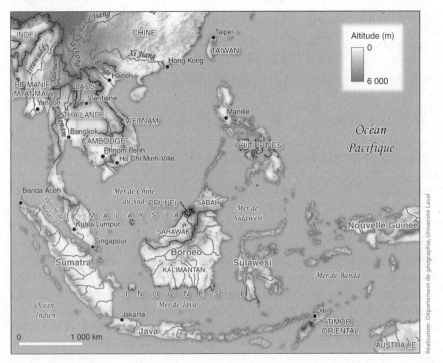

oriental, le Laos et le Cambodge –, le Sud-Est asiatique doit continuer à composer avec des problèmes sérieux. Plusieurs sont issus de cette période de formation et de recomposition qui en font, encore et toujours, une charnière du monde asiatique, voire du monde tout court.

Quelques-uns de ces problèmes seront brièvement examinés ici, autour de trois grandes questions, elles-mêmes étroitement associées : la transition agraire, la pression sur l'environnement et sur les ethnies minoritaires et, enfin, les enjeux géopolitiques.

10.1. La transition agraire

En Asie du Sud-Est, au terme de la Deuxième Guerre mondiale, et plus encore à compter des années 1960, il apparaissait clair que la lutte contre la pauvreté qui, disait-on, rendait les populations vulnérables à la tentation communiste, devait reposer sur une amélioration tous azimuts de la production agricole. La pauvreté étant d'abord rurale, c'est dans les campagnes qu'il fallait intervenir. À la révolution rouge, il fallait opposer la révolution verte. Cela signifiait, en substance, intensifier la production vivrière, d'abord et avant tout rizicole. C'est ainsi que dans plusieurs pays de la région, tout particulièrement en Indonésie, de loin le pays le plus peuplé de la région, aux Philippines et en Malaysia, des programmes d'intensification rizicole furent lancés, en large partie grâce à des appuis financiers internationaux. Reposant sur le recours aux variétés hybrides de riz à croissance rapide et donc sur l'utilisation d'intrants d'origine industrielle – engrais, pesticides, insecticides –, ils allaient permettre non seulement d'accroître les rendements de la récolte, mais aussi, plus fondamentalement de répandre la pratique de la double récolte annuelle. Pour que celle-ci soit possible, les disponibilités en eau devaient donc être également doublées, ce qui nécessitait des investissements massifs dans les réseaux d'irrigation de la part des États. Cette large prise en charge de l'agriculture paysanne par ceux-ci a représenté une caractéristique fondamentale de la révolution verte sud-est asiatique, laquelle ne faisait qu'imiter, sur ce plan du moins, ce qui s'était déroulé avant comme après la Deuxième Guerre mondiale au Japon, en Corée du Sud et à Taïwan. Car, au plan des structures agraires, les évolutions furent fort différentes.

En effet, dans les campagnes des trois «Dragons» capitalistes de l'Asie de l'Est, à la suite de la Deuxième Guerre mondiale, de vigoureuses réformes agraires de type capitaliste avaient été appliquées, reposant sur l'expropriation partielle mais bien rétribuée des grands et moyens propriétaires, absentéistes ou pas. Les parcelles confisquées furent redistribuées, moyennant le versement bien étalé de redevances, aux petits exploitants jusqu'alors sans terre ou du moins minifundistes. Tout en décuplant la production agricole, ces réformes favorisèrent l'industrialisation des campagnes et la transition agraire. Rien d'équivalent ne fut réalisé en Asie du Sud-Est. Ici, parallèlement à la révolution verte, point de révolution agraire. On a plutôt misé sur une révolution du territoire : afin de décongestionner les basses terres densément occupées, afin de désamorcer l'explosion sociale des campagnes, une autre forme de révolution fut associée à celle des technologies : l'élargissement des terroirs, c'est-à-dire l'ouverture de la frontière agricole, permettant l'expansion des superficies consacrées à l'agriculture.

Selon des calendriers et suivant des rythmes différents, avec des résultats là aussi loin d'être uniformes, mais permettant partout un accroissement de la production agricole beaucoup plus rapide que celui de la population, les transformations des agricultures paysannes ont favorisé la transition agraire. Plus productive, contribuant massivement, surtout grâce à l'expansion des cultures de rente – en particulier caoutchouc, huile de palme, café, thé, cacao – aux exportations et aux rentrées de devises, l'agriculture a pu fonctionner avec moins de main-d'œuvre, offrant ainsi ses surplus à l'industrie et à la ville.

Mais les transformations de l'agriculture et des campagnes qui les soutiennent n'ont pas entraîné que des succès. Ceux-ci ont été très inégaux, croissance capitaliste oblige, tant dans l'espace qu'au sein des populations. Certains pays, en particulier la Birmanie, le Laos, le Cambodge et le Timor oriental, sont loin d'être avancés dans cette transition agraire, la pauvreté y étant encore largement répandue. Dans la plupart des autres pays, plusieurs régions accusent de profonds retards : on pense notamment à l'est et au sud de la Thaïlande, à la majeure partie des Philippines, à presque toutes les petites îles de la Sonde en Indonésie, aux régions montagneuses du Vietnam. De plus, au-delà de la croissance des villes, malgré l'évidente richesse qui s'y accumule, en particulier parmi les plus grandes, de profondes inégalités s'y observent, alors que la métropolisation, en particulier celle de Jakarta, Bangkok et Manille, se fait sur fond de paupérisation de larges pans de la population.

Enfin et surtout, la recette apparemment gagnante, associant intensification et expansion agricole, révolution verte et révolution territoriale, entraîne, sur le terrain même de ses réalisations, de sévères conséquences. Celles-ci s'appellent détérioration environnementale et marginalisation grandissante des minorités ethniques.

10.2. La pression sur l'environnement et sur les peuples minoritaires

Partout dans le monde, l'histoire de l'agriculture est étroitement associée à celle de son expansion territoriale. De ce point de vue, l'agriculture sud-est asiatique ne fait pas particulièrement preuve d'originalité, sauf sur trois plans. Premièrement, cette expansion se réalise à un rythme sans doute inégalé, sauf au Brésil ; deuxièmement, elle est étroitement associée à l'intensification agricole ; enfin, elle se réalise aux dépens d'un ensemble de peuples, pour la plupart dits de la forêt, qui n'ont aucun équivalent dans le monde, même pas au Brésil.

Les problèmes qui en découlent sont d'une telle complexité qu'on ne saurait en faire ici l'inventaire et encore moins l'analyse approfondie. Rappelons seulement quelques-unes des caractéristiques et des contradictions de l'expansion agricole, encore très active en Indonésie et au Vietnam. Celle-ci ne poursuit pas que des objectifs économiques, voire sociaux : croissance de la production et amélioration du sort des paysanneries. L'expansion territoriale de l'agriculture poursuit aussi, et peut-être surtout dans certains cas, des objectifs géopolitiques. Ainsi, presque partout dans la région – on pourrait en dire autant du Brésil et de la Chine –, l'agriculture conquiert des territoires marginaux, au plan strictement politique du terme, c'est-à-dire les marches du pays, ses marges, des régions qui sont en principe moins bien contrôlées par l'État que le cœur du pays. Dans le contexte du Sud-Est asiatique, il se trouve que de telles réserves territoriales sont le domaine de la forêt tout comme, souvent, celui de minorités ethniques, lesquelles – les minorités associées à la forêt – représentent dans la plupart des pays, entre 2 à 10 % des populations. Tout État doit domestiquer ses marges, forestières ou pas, habitées ou pas, l'histoire de l'Europe, celle de l'Amérique du Nord aussi en témoignent. Que cela permette également la domestication de peuples jusqu'alors peu associés à l'État en question, voire peu prisés par lui, ne peut apparaître que comme une aubaine, du moins pour celui-ci.

Il ne s'agit certes pas de réduire ici l'expansion agricole à cette seule dure logique, toute dédoublée qu'elle soit, mais bien d'en souligner les irréductibles consé-quences. Les progrès économiques et sociaux d'une agriculture en expansion contri-buent au recul de la forêt et à l'érosion du cadre de vie des minorités ethniques qui y vivent et en vivent. Celles-ci, autrefois à Mindanao, hier à Bornéo et en Papouasie indonésienne, aujourd'hui sur les Plateaux centraux du Vietnam, doivent s'adapter ou périr. S'adapter signifie, au moins, abandonner des genres de vie étroitement asso-ciés à la vie en forêt ou sur ses marges. L'adaptation peut aussi signifier, au mieux, une saine intégration au tissu économique de la région, voire du pays ; ou, au pire, une marginalisation plus poussée, associée à un degré d'indigence plus grand encore que ce qui caractérise généralement la vie de ces minorités ethniques.

Tout découle bien sûr de la disparition du couvert forestier, d'autant plus rapide que la logique de l'expansion agricole demeure étroitement associée à la logique commerciale, celle de l'industrie forestière. Qui dit déboisement, dit enrichissement, pas seulement des terres agricoles, mais aussi d'une industrie puissante, celle du bois et de ses dérivés. Ainsi, toutes logiques confondues, le résultat est partout impression-nant. Entre 1970 et 1990, selon les chiffres de la FAO, le couvert forestier de l'ensemble du Sud-Est asiatique serait passé de 65 % à 50 % du territoire. Depuis, le rythme de ce recul n'a pas en moyenne beaucoup fléchi. Même si, dans quelques pays, en particulier en Thaïlande et au Vietnam, il serait en voie de stabilisation, voire de régression ; dans l'archipel, dont l'immense Indonésie, il s'est maintenu, voire accru. De plus, la pratique de la mise à feu de la forêt, aux fins de son déboisement, continue à causer d'immenses dégâts dans ce dernier pays. Ceux-ci comprennent non seulement des incendies qui deviennent incontrôlables et entraînent d'immenses pertes, comme ce fut le cas en 1997 et 1998 ; en provenance de Sumatra, les gigantesques nuages de fumée que produisent de tels incendies contribuent aussi à polluer massivement l'air, parvenant même à franchir le détroit de Malacca. En témoigne la situation qui prévalait dans la péninsule malaise à la mi-août 2005, les autorités de Kuala Lumpur devant même exiger la fermeture des écoles pendant plusieurs jours dans l'État de Selangor.

Le recul de la forêt n'est pas seulement actif sur les marges intérieures et montagneuses des pays de la région, mais aussi sur les littoraux. Sont ici en jeu les forêts de mangrove, difficilement remplaçables, et dont le rôle écologique apparaît au moins aussi crucial que celui des grandes forêts ombrophiles de l'intérieur. Ces forêts littorales, amphibies, sont détruites pour laisser place à l'aquaculture, généralement et plus précisément la crevetticulture. L'expansion de celle-ci se réalise en réponse à une demande provenant des pays industriels, y compris asiatiques, en particulier le Japon et la Corée, mais aussi, et de plus en plus, de la Chine. L'élevage industriel des crevettes, dans des bassins creusés à même les mangroves au préalable déboisées, repose sur une utilisation intensive de plusieurs intrants d'origine industrielle, dont des antibiotiques. À l'occasion de la «récolte» des crevettes, les bassins d'élevage sont évacués, leurs eaux polluées pénétrant dans les estuaires et se répandant sur le littoral, tout comme dans les zones de pêche plus au large.

Cela ne fait que s'ajouter à la pollution des eaux fluviales et marines qui découle tant de l'intensification agricole que du déboisement massif des zones forestières intérieures. Ce dernier accentue la sédimentation des cours d'eaux, laquelle à son tour perturbe les équilibres écologiques. Les manifestations en sont fréquentes partout dans la région, mais avec une intensité toute particulière dans l'immense bassin multinational du Mékong. Ici et là, notamment dans la plaine centrale du Cambodge, le rythme naturel des inondations, autrefois si bénéfique à l'agriculture, est totalement perturbé, ce qui entraîne des conséquences négatives au plan des rendements. La chaîne des causalités se poursuit en fait très loin, dans les mers de la région, elles-mêmes soumises à la surpêche, en bonne partie attribuable aux flottes étrangères. Mais nous entrons là dans un autre domaine, tout aussi complexe, aux larges ramifications géopolitiques et qu'il ne nous est pas possible d'approfondir dans le contexte de la présente brève étude.

Tableau 10.1.
Les États de l'Asie du Sud-Est et leurs populations, 2010

Pays	Population en millions	Superficie en km²	Densité hab./km²
Birmanie	53,4	676 578	79
Brunei	0,4	5 765	66
Cambodge	15,1	181 035	83
Indonésie	235,5	1 904 569	124
Laos	6,4	236 800	27
Malaysia	28,9	329 847	88
Philippines	94,0	300 000	313
Singapour	5,1	697	7 317
Thaïlande	68,1	513 120	133
Timor oriental	1,2	14 874	81
Vietnam	88,9	331 210	268
TOTAL	597,0	4 494 495	133

Source principale: Population Reference Bureau (2010).

10.3. Parmi les enjeux géopolitiques et les conflits

10.3.1. Le détroit de Malacca

S'agissant d'enjeux géopolitiques, notamment maritimes (figure 10.2), il en est un que l'on peut brièvement évoquer ici. Il s'agit de l'utilisation du détroit de Malacca. Rappelons que ce long couloir maritime, qui sépare la péninsule malaise de l'île indonésienne de Sumatra, représente un enjeu stratégique étroitement associé à l'expansion coloniale dans la région. Du XVe au XVIIe siècles, les puissances régionales, en particulier le sultanat de Malacca et celui d'Aceh, ont fondé leur pouvoir sur le contrôle qu'elles exerçaient sur l'accès à ce détroit, voie de passage essentielle entre l'océan Indien et les mers accédant au Pacifique, entre le monde indien et le monde chinois. C'est d'ailleurs pour mieux assurer leur commerce avec la Chine, le fameux *China trade* – ce qui comprenait celui de l'opium –, que les Britanniques en vinrent à fonder un emporium à Singapour en 1819. Après les Portugais puis les Hollandais, les uns et les autres ayant pendant un temps été en possession de Malacca, ils prenaient ainsi pour longtemps le contrôle de ce passage qui n'a aucun équivalent au monde. Après l'ouverture du canal de Suez en 1869, son importance tout comme celle de sa ville de commandement, Singapour, ont été décuplées, alors que le détroit de la Sonde et Batavia n'en furent que marginalisés davantage. Pendant les siècles qu'a duré la compétition intracoloniale pour le contrôle de ce passage, toutes les puissances européennes, mais en particulier la Hollande et la Grande-Bretagne, eurent à lutter contre la piraterie, pratiquée depuis longtemps dans les eaux de la région. Ce n'est qu'après être parvenus à en marginaliser la pratique, ou plus exactement à l'avoir repoussée loin du détroit, que les Britanniques purent faire prospérer la liaison Calcutta/Singapour/Canton.

Aujourd'hui, le détroit de Malacca est de loin le passage maritime le plus achalandé du monde. Long de quelque 900 kilomètres, il a vu passer plus de 70 000 navires en 2007. Plus du quart des marchandises et près de la moitié du pétrole circulant par mer dans le monde y transitent. Ce n'est pas pour rien que le port de Singapour est devenu le plus actif au monde, manutentionnant plus de 515 millions de tonnes de marchandises en 2008. Non seulement son trafic total a-t-il ainsi dépassé celui du port de Rotterdam, mais son trafic de conteneurs a même surpassé celui du port de Hong-Kong, son grand rival dans les mers du Sud. Enfin et surtout, le détroit de Malacca est victime de son importance. Il est redevenu un important lieu d'activité des pirates qui n'ont jamais totalement déserté les mers de la région. Les littoraux de Sumatra, en particulier ceux de l'archipel des îles Riau, sont largement marécageux et percés de profonds estuaires. La tradition de s'y réfugier y a été maintenue ou du moins reprise par des bandes armées, utilisant des vedettes rapides pour s'attaquer aux grands cargos et aux pétroliers dont ils détroussent les équipages.

Bien qu'en 2004 une quarantaine d'attaques eussent été recensées et malgré la publicité qui les entoure parfois, le trafic maritime n'en a pas été perturbé. D'ailleurs, depuis, les attaques se sont faites de plus en plus rares, seulement deux ayant été répertoriées en 2009. La persistance de cette piraterie souligne tout de même, si besoin

Figure 10.2.
Les mers d'Asie du Sud-Est au centre des enjeux

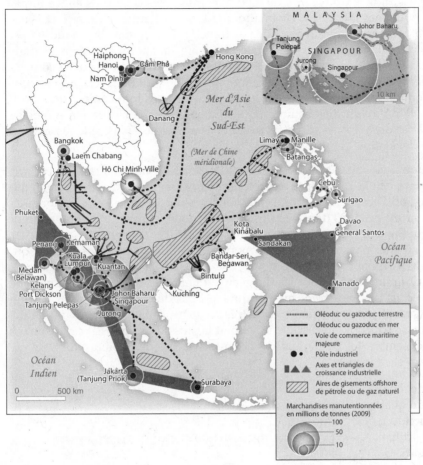

Source : Rodolphe De Koninck, *L'Asie du Sud-Est*, Paris, Armand Colin, 2005.

était, à la fois les enjeux et les problèmes des « mers du Sud ». Premièrement, la région est à la fois le lieu de l'étalement des richesses du monde, celles qui s'échangent notamment entre l'Europe et le Moyen-Orient, d'un côté, et l'Asie orientale, de l'autre, tout comme elle partage ces richesses. Ou du moins, deuxièmement, certaines de ses composantes, dont l'opulente république de Singapour mais aussi les aires industrialisées de plusieurs pays de la région, prennent part à cet enrichissement. Troisièmement, et c'est là que le bât blesse, des communautés entières sont laissées pour compte alors que la mondialisation de la richesse se poursuit.

10.3.2. L'islamisme radical

Comme par hasard, il se trouve que de telles communautés sont, plus souvent qu'à leur tour, musulmanes. De là à en conclure que l'une et l'autre, pauvreté et islam, soient étroitement reliés, il y a un pas à ne pas franchir. Tout comme il ne faudrait pas non plus associer islam et piraterie. Mais le problème suivant existe : dans les campagnes du Sud-Est asiatique, voire dans plusieurs de ses villes, alors que la course à l'enrichissement se poursuit, les cas de marginalisation et de paupérisation se multiplient. En sont témoins ces régions du sud des Philippines tout comme du sud de la Thaïlande, là où vivent des communautés musulmanes, majoritaires sur place, mais minoritaires dans le pays. Ce n'est pas un hasard, ici non plus, si le radicalisme islamique s'y développe.

Quoi qu'il en soit, cette question aussi, celle de l'islamisme radical, est trop complexe pour que nous puissions l'approfondir ici. Soulignons, provisoirement, que sur ce plan, le Sud-Est asiatique, où les communautés musulmanes sont nombreuses, voire largement majoritaires dans certains cas – l'Indonésie, avec une population de quelque 236 millions d'habitants, musulmans pour 88,0 % d'entre eux, est au plan statistique le premier pays musulman au monde –, n'apparaît pas plus menacé que d'autres régions du monde. Il l'est sans doute moins que la Malaysia, où les musulmans sont aussi majoritaires, mais dont les dirigeants jouent depuis quelques années un double jeu avec les islamistes radicaux, ce qui n'est pas de bon augure pour l'avenir politique d'un pays pour le moment encore très prospère. Enfin, Aceh, province indonésienne la plus irréductible au chapitre islamique, la plus dévastée aussi par le tsunami meurtrier de décembre 2004, a depuis lors donné des leçons de stabilité à tout le pays. Bref, tout cela reste à suivre.

Bibliographie

ANTHEAUME, B., J. BONNEMAISON, M. BRUNEAU et C. TAILLARD (dir.) (1995). *Asie du Sud-Est Océanie*, Paris, Belin-Reclus.

BARBAGE, R. et S. BATEMAN (dir.) (1993). *Maritime Change. Issues for Asia*, Singapour, ISEAS.

CHIA, L.S. (dir.) (2003). *Southeast Asia Transformed. A Geography of Change*, Singapour, ISEAS.

COLLINS, M. *et al.* (dir.) (1991). *The Conservation Atlas of Tropical Forests. Asia and the Pacific*, Toronto, Simon and Schuster.

DE KONINCK, R. (1992). *Malay Peasants Coping with the World*, Singapour, ISEAS.

DE KONINCK, R. (1995). « L'angle de l'Asie : continentalité et insularité », dans B. ANTHEAUME *et al.* (dir.), *Asie du Sud-Est Océanie*, Paris, Belin-Reclus, p. 10-18.

DE KONINCK, R. (1997). *Le recul de la forêt au Vietnam*, Ottawa, CRDI.

DE KONINCK, R. (2003). « Southeast Asian agriculture Post-1960 : Economic and territorial expansion », dans L.S. CHIA (dir.), *Southeast Asia Transformed. A Geography of Change*, Singapour, ISEAS, p. 191-230.

DE KONINCK, R. (2005). *L'Asie du Sud-Est*, Paris, Armand Colin.

DE KONINCK, R. (2006). *Singapour, la cité-État ambitieuse*, Paris, Belin.

DE KONINCK, R. (2007). *Malaysia, la dualité territoriale*, Paris, Belin.

DE KONINCK, R., J. DROLET et M. GIRARD (2008). *Singapore, an Atlas of Perpetual Territorial Transformation*, Singapour, NUS Press

DE KONINCK, R., F. DURAND et F. FORTUNEL (dir.) (2005). *Agriculture, environnement et sociétés sur les Hautes terres du Vietnam*, Toulouse, Arkuiris.

DIXON, C. (1991). *South East Asia in the World-Economy*, New York, Cambridge University Press.

DUNCAN, C.R. (dir.) (2004). *Civilizing the Margins. Southeast Asian Government Policies for the Development of Minorities*, Ithaca/Londres, Cornell University Press.

GOLDBLUM, C. (1987). *Métropoles de l'Asie du Sud-Est*, Paris, L'Harmattan.

FOUCHER, M. (dir.) (2002). *Asies nouvelles*, Paris, Belin.

KELLY, P. et T.G. McGEE (2003). «Changing spaces: Southeast Asian urbanization in an era of volatile globalization», dans L.S. CHIA (dir.), *Southeast Asia Transformed. A Geography of Change*, Singapour, ISEAS, p. 257-285.

LASSERRE, F. (1996). *Le dragon et la mer. Stratégies géopolitiques chinoises en mer de Chine du Sud*, Paris, L'Harmattan.

LIM, J.J. (1984). *Territorial Power Domains, Southeast Asia and China: The Geo-Strategy of an Overarching Massif*, Singapour, ISEAS.

LOMBARD, D. (1990). *Le carrefour javanais. Essai d'histoire globale*, 3 volumes, Paris, Éditions de l'ÉHESS.

MCGEE, T.G. (1967). *The Southeast Asian City*, Londres, G. Bell.

MORGAN, J.R. et M.J. VALENCIA (1983). *Atlas for Marine Policy in Southeast Asian Seas*, Berkeley, University of California Press.

PELLETIER, P. (dir.) (2004). *Identités territoriales en Asie orientale*, Paris, Indes savantes.

POPULATION REFERENCE BUREAU (2010). *World Population Data Sheet*.

RIGG, J. (1991). *Southeast Asia. A Region in Transition*, Londres, Unwin Hyman.

RIGG, J. (2003). *Southeast Asia. The Human Landscape of Modernisation and Development*, 2e édition, Londres, Routledge.

STONICH, S. et P. VANDERGEEST (2001). «Violence, environment and industrial shrimp farming», dans N.L PELUSO et M. WATTS (dir.), *Violent Environments*, Ithaca, Cornell University Press.

TAILLARD, C. (dir.) (2004). *Intégrations régionales en Asie orientale*, Paris, Indes savantes.

TARLING, N. (dir.) (1999). *The Cambridge History of Southeast Asia*, 4 volumes, New York, Cambridge University Press.

LA DÉFORESTATION AU VIETNAM

Yann Roche

La forêt constitue un enjeu majeur pour le développement du Vietnam, et ce, à la fois de manière directe et indirecte. Il s'agit tout d'abord d'un enjeu direct, car elle a subi au cours des dernières décennies une intense dégradation, une déforestation aux conséquences écologiques et économiques graves. C'est aussi un enjeu indirect puisque la pression internationale se fait de plus en plus forte sur le Vietnam comme sur les pays possédant des forêts tropicales, afin de les inciter à protéger des ressources le plus souvent fortement surexploitées et considérées comme un patrimoine mondial. Bien plus que les discours écologistes en effet, il semble que ce soit la menace de sanctions économiques de la part des bailleurs de fonds internationaux qui constitue l'incitatif le plus puissant pour pousser les États à obtenir des résultats en termes de freinage de la déforestation et de reboisement. Cette courte capsule se propose d'étudier les caractéristiques de la déforestation au Vietnam, puis ses causes et ses enjeux, pour finir en analysant les perspectives d'avenir pour la forêt vietnamienne et ceux qui en dépendent.

UN IMPORTANT CAPITAL NATUREL

Pour qu'il y ait déforestation, il faut bien entendu qu'il y ait préalablement eu un couvert forestier. À cet égard, le Vietnam, fort de conditions climatiques et pédologiques très favorables, était doté à l'origine de vastes forêts aux caractéristiques assez diversifiées, mais relevant principalement du type forêt tropicale humide.

La structure territoriale du pays qui allait devenir la République socialiste du Vietnam s'articule autour de deux grands deltas rizicoles: celui du fleuve Rouge au nord et celui du Mékong au sud, résultat d'une suite de vagues migratoires du nord vers le sud, le long des plaines littorales. Les Kinh (ou Viet), qui représentent l'ethnie dominante du Vietnam, pratiquent en effet principalement la riziculture inondée, et pour eux les basses terres sont plus attractives que les collines ou les montagnes qui constituent, avec la cordillère annamitique (*Truong Son*) la colonne vertébrale du pays. Les fortes densités de population associées à la riziculture intensive, concentrées dans les deltas et les régions côtières à faible relief, étaient contradictoires avec le maintien du couvert forestier et très tôt la forêt s'est trouvée confinée aux secteurs accidentés, aux marges, au propre et au figuré, de l'espace national façonné par les Kinh.

UN RECUL SPECTACULAIRE

Malgré cette compétition avec les humains pour l'espace, la forêt est longtemps demeurée une composante importante des paysages vietnamiens, ne fût-ce qu'en arrière-plan des plaines rizicoles. En 1943, en effet, elle couvrait encore 43 % du territoire national (Vo Quy, 1996). Le recul qui a suivi n'en a été que plus spectaculaire puisque, selon le World Conservation Monitoring Centre, la forêt ne représentait plus, en 1996, que 16 % du territoire national (WCMC, 1996), dont 10 % en forêt protégée. Cet assaut en règle s'est effectué progressivement depuis le cœur des zones densément peuplées vers les régions périphériques, n'épargnant que quelques pans de forêt, protégés plus par leur inaccessibilité physique que par l'effet dissuasif d'une quelconque mesure politique de protection. Selon Donnelly et Ogle, pourtant, le pourcentage de couverture forestière était remonté à 35,8 % en 2004, après avoir atteint 33,4 % en 1999 (Donnelly et Ogle, 2004). Cette remontée est confirmée par les différentes sources, disponibles, malgré des écarts notables dont l'ampleur s'explique par des interprétations fort variées de ce qu'est une couverture forestière. La FAO , dont les chiffres sont nettement supérieurs à ceux de certaines sources, est même accusée par certaines ONG de manipuler les données et de présenter ainsi des chiffres anormalement élevés en comptabilisant certaines plantations – comme l'hévéa – ou en modifiant la définition de ce qui est considéré comme forêt, passant de 20 à 10 % de couverture arborescente entre 1995 et 2000 (WRM, 2001). Malgré ces réserves, la FAO demeure la principale source statistique concernant le couvert forestier mondial, et, pour le Vietnam, ses dernières évaluations parues en 2010 s'appuient sur les données du Département de protection forestière[1] (Forest Program No. 32) de 2007. Si elles confirment que le pourcentage de couverture forestière du Vietnam est toujours de 45 %, les estimations de la FAO répartissent cette forêt entre forêt de production (47 %), forêt de protection (37 %) et zones de conservation de la biodiversité (16 %). Une place de plus en plus importante est donc faite à la production et aux plantations plutôt qu'à une simple protection forestière, illustration du pragmatisme vietnamien (FAO, FRA, 2010).

Tableau 10a.1.
Pourcentage de couverture forestière au Vietnam selon différentes sources

Sources	1943	1976	1993	1997	1999	2004	2010
Ministère de l'Agriculture (MARD)	43 %	33,7 %	27,7 %	28 %			
WCMC				16 %			
FAO			28 %		40,8 %	45,8 %	45,3 %
Donnelly et Ogle, 2004					33,4 %	35,8 %	

---

1. Programme gouvernemental de recensement des ressources forestières ayant lieu tous les cinq ans sous l'égide du Forest Inventory and Planning Institute (FIPI), collectant et compilant ces données du plan local au plan national.

QUELLES CAUSES ?

Un phénomène d'une telle ampleur ne pouvait que susciter un grand nombre d'études sur son étendue réelle et sur ses causes. Pointés du doigt à cause de leurs pratiques culturales d'abattis-brûlis, certains groupes ethniques minoritaires au Vietnam, comme les Hmong ou les Yao, ont longtemps servi – et servent encore selon plusieurs – de boucs émissaires (Gourou, 1940). Il est vrai que leurs pratiques, basées sur la culture temporaire de parcelles forestières préalablement défrichées par le feu puis laissées en jachère, peuvent a priori sembler destructrices. En fait, de l'avis de nombreux auteurs (Condominas, 1957 ; Dove, 1983 ; De Koninck, 1997 et 1999), elles ont au contraire des effets bénéfiques sur la forêt car elles en facilitent la régénération, à condition que les cycles de jachère soient assez longs pour que cette dernière ait le temps de s'effectuer. C'est donc surtout le raccourcissement du cycle qui a des effets destructeurs, le couvert forestier commençant alors à se dégrader. Ce raccourcissement est en partie lié à la pression démographique, la population vietnamienne étant passée de 60 à 89 millions entre 1985 et 2010 (Population Reference Bureau, 2010). Cette pression commence à atteindre les régions montagneuses où ces groupes ethniques avaient jusque-là maintenu un équilibre relativement durable entre leurs pratiques culturales et leur milieu physique.

D'après plusieurs auteurs, dont De Koninck (1994 et 2000), il faut plutôt chercher les causes de la déforestation du côté de la colonisation agricole et de l'exploitation commerciale plus ou moins légale du bois. La colonisation agricole surtout, car elle a notamment pour ambition de tenter de soulager la pression démographique dans les plaines rizicoles et de permettre à l'État, en y implantant des colons appartenant à l'ethnie majoritaire Kinh, de s'assurer un relatif contrôle sur des régions géographiquement et culturellement périphériques du Vietnam (De Koninck, 1996 et 2000). Pour ces colons, issus des régions de plaine et peu au fait des pratiques culturales adaptées au milieu dans lequel ils s'implantent, la forêt est une ressource à exploiter au plus vite. C'est aussi une concurrente pour l'espace qu'ils veulent s'approprier, d'autant plus qu'ils la considèrent déjà par leur héritage culturel comme un milieu hostile et malsain. Quant à l'exploitation commerciale, alimentée par le goût de certains pays – notamment le Japon – pour les produits ligneux et par les besoins croissants d'une industrie des pâtes et papier fortement subventionnée par l'État (Lang, 1996), elle fut longtemps très intensive, mais elle s'essouffle faute de terres forestières accessibles. Depuis la fin des années 1990, d'importants efforts ont été déployés pour améliorer l'approvisionnement, notamment par d'ambitieux programmes de plantation subventionnés par la Banque mondiale notamment et généralement très peu préoccupés de restaurer la biodiversité au Vietnam (Lang, 1996).

ENJEUX ENVIRONNEMENTAUX, ÉCONOMIQUES ET HUMAINS

Au-delà des chiffres de la déforestation, ses enjeux sont divers et variés, et souvent interreliés. Du point de vue environnemental tout d'abord, la disparition des forêts vietnamiennes a des effets négatifs, voire catastrophiques. Faute d'un couvert forestier en amont des bassins versants, les inondations récurrentes que subit le pays ont des conséquences humaines et économiques de plus en plus graves ; tandis que les glissements de terrain sont plus fréquents et plus importants, les processus d'érosion s'intensifient, entraînant d'importantes pertes de terres agricoles. Dans un pays dont les trois quarts du territoire sont situés en terrain montagneux ou accidenté, l'absence de couvert végétal protecteur a des effets négatifs directs et rapides.

Les enjeux économiques sont liés à la course au développement menée par l'État depuis son indépendance et surtout depuis la fin de la seconde guerre d'Indochine en 1975. Comptant sur ses principaux atouts, les ressources naturelles, le Vietnam est tenté de les exploiter à outrance pour se développer le plus vite possible. La forêt, que l'Oncle Ho[2] comparait à de l'or (Gilmour et Van San, 1999), était l'un de ces atouts mais c'est la notion de court terme qui a dominé les actions et mesures entreprises par le pays pour en tirer parti. Depuis 1986, avec la mise en place du *Doi Moi* (littéralement Le Renouveau), que l'on pourrait définir comme un socialisme de marché, la tendance à la surexploitation des ressources ne s'est pas inversée, loin de là.

Les forêts restantes ont de surcroît une grande importance politique et stratégique, car elles sont principalement localisées sur les marges montagneuses. Pour l'État vietnamien, il est en effet vital de s'assurer le contrôle de ces zones périphériques et frontalières, peuplées en majorité de groupes ethniques non Kinh, parfois nomades, mais surtout « suspects » politiquement. Par des mesures de déplacement plus ou moins volontaires de populations Kinh depuis les plaines rizicoles vers les montagnes, il compte diminuer la pression démographique dans les basses terres, mieux exploiter la ressource forestière et les autres ressources naturelles dont regorgent ces régions, assurer un meilleur contrôle politique de ces zones stratégiques et finalement noyer les autres groupes ethniques sous un afflux de colons Kinh.

Toujours du point de vue politique, dans la foulée du rapport Brundtland de 1987 et de l'émergence des préoccupations mondiales en matière de développement durable, le Vietnam a comme beaucoup d'autres pays du Sud été soumis à de fortes pressions de la part des bailleurs de fonds internationaux. On lui demande de freiner la déforestation et de reboiser, faute de quoi des sanctions seront prises en matière de subventions. Cette obligation de résultat a mené à la mise en place de zones protégées, de zones tampons et à la promulgation de plusieurs décrets en faveur du reboisement.

LE DÉCRET 327 ET LE 5 MHRP

En 1993, le National Forestry Action Plan fut appliqué par le gouvernement, concrétisant cette volonté officielle de lutter contre la déforestation, et menant à la promulgation du Programme 327. L'objectif de ce programme quinquennal était de « reverdir

2. Ho Chi Minh, principale figure de la lutte pour l'indépendance.

les hautes terres du pays». En effet, comme le souligne De Koninck (1999), l'une des caractéristiques de la déforestation au Vietnam était le fait que la grande majorité des terres forestières défrichées ne sont cultivées que pour une très courte période avant de devenir des terres dénudées. Succédant à ce programme en 1998, le 5 MHRP (Five Million Hectares Reforestation Programme) était encore plus ambitieux puisqu'il s'agissait, à l'horizon 2010, de ramener le couvert forestier du pays au niveau qui était le sien en 1943, soit 43% de sa superficie. Ce programme, qui vise la reforestation de cinq millions d'hectares, entendait dans le même temps relancer la productivité de la foresterie vietnamienne (en transformant deux millions d'hectares de terres «dégradées» en plantations forestières à vocation industrielle), officiellement avec un certain succès jusqu'à présent (Do Dinh *et al.*, 2003). Les chiffres de la FAO tendent à confirmer le succès relatif de ce programme, au moins sur le plan quantitatif, même si l'aspect qualitatif de cette reforestation n'est apparemment pas aussi indéniable.

Les enjeux humains de la déforestation sont également fondamentaux. Le rôle de la forêt dépasse en effet largement les enjeux économiques traditionnels, cette dernière étant souvent présentée comme un atout majeur pour la lutte contre la pauvreté, laquelle est essentiellement rurale au Vietnam. À cela s'ajoute la question ethnique, particulièrement épineuse dans un pays qui compte officiellement 54 groupes ethniques différents (Khong, 1995), et où plusieurs de ces groupes sont concentrés, voire majoritaires, dans les régions encore boisées des marges montagneuses du pays. Pointés du doigt comme responsables de la déforestation (Roche et Michaud, 2000), soumis à des programmes intensifs de sédentarisation et de vietnamisation, ces groupes ethniques figurent parmi les principaux perdants de la déforestation.

QUEL AVENIR POUR LA FORÊT VIETNAMIENNE?

Les plus récentes statistiques pourraient pousser à un relatif optimisme. Elles font en effet état d'un freinage de la déforestation et du succès des mesures de reboisement. Il faut toutefois recevoir ces chiffres avec précaution, car les enjeux économiques et politiques sont tels pour l'État vietnamien qu'il ne saurait être question de présenter de mauvais résultats. Et si l'aspect quantitatif des résultats des programmes de reboisement est sujet à caution, il en est de même de l'aspect qualitatif puisqu'il s'agit dans certains cas de plantations d'eucalyptus, mal adaptées aux conditions locales et très pauvres en matière de biodiversité.

Du point de vue ethnique, la situation semble s'être stabilisée, après les troubles qui ont agité la région des Hauts Plateaux centraux en 2001 et 2004 (Agence France Presse, 7 février 2001; Associated Press, 12 avril 2004). Quant à la dimension environnementale, si elle semble préoccuper l'État à travers ses programmes de reboisement, il en va tout autrement des retombées négatives de l'exploitation industrielle des ressources ligneuses, notamment les usines de pâtes et papier (O'Rourke, 2004).

En fait, la situation de la forêt vietnamienne demeure vraiment préoccupante. Certes, des mesures sont prises pour tenter de la préserver, voire de la reconstituer, mais ces mesures sont souvent insuffisantes ou inadéquates et la prise de conscience qui a mené à leur mise en place est loin d'être basée sur une compréhension de la globalité du problème et sur la diversité et la complexité de ses enjeux. Leur efficacité ne peut donc qu'être, au mieux, partielle. Si la forêt vietnamienne ne semble plus forcément vouée à la disparition, il n'en est pas de même des formations forestières naturelles du pays et de leur biodiversité originelle.

BIBLIOGRAPHIE

BRUNDTLAND, G.H. (1987). *Our Common Future: The Report of the World Commission on Environment and Development*, New York, Oxford University Press.

CENTRAL INTELLIGENCE AGENCY (2004). *The World Factbook*.

CONDOMINAS, G. (1957). *Nous avons mangé la forêt de la Pierre Génie-Gôo*, Paris, Mercure de France.

DE KONINCK, R. (2000). « The theory and practice of frontier development: Vietnam's contribution », *Asia Pacific Viewpoint*, vol. 41, n° 1, p. 7-21.

DE KONINCK, R. (dir.) (1994). « Le défi forestier en Asie du Sud-Est », *Documents du GÉRAC*, n° 7.

DE KONINCK, R. (1996). « The peasantry as the territorial spearhead of the state: The case of Vietnam », *Sojourn: Social Issues in Southeast Asia*, vol. 11, n° 2, p. 231-258.

DE KONINCK, R. (1997). « La logique de la déforestation en Asie du Sud-Est », *Les Cahiers d'Outre-Mer*, vol. 51, n° 204, p. 339-366.

DE KONINCK, R. (1999). *Deforestation in Vietnam*, Ottawa, CDRI, <www.idrc.ca/books/focusf.html>.

DO DINH, S. *et al.* (2003). *How Does Vietnam Rehabilitate Its Forest?*, Rapport du CIFOR, CIFOR, Bogor, Indonésie, <www.cifor.cgiar.org/rehab/download/vietnam_rehab_forest.pdf>.

DO DINH, S. (1994). *Shifting Cultivation in Vietnam: Its Social, Economic and Environmental Values Relative to Alternative Land Use*, Londres, International Institute for Environment and Development.

DONNELLY R. et A. OGLE (2004). « Vietnam: International perspectives. New vistas in Vietnam », *New Zealand Forest Industries Magazine*, novembre.

DOVE, M. (1983). « Theories of swidden agriculture and the political economy of ignorance », *Agroforestry Systems,* vol. 1, p. 85-99.

FAO (2010). *Global Forest Resources Assessment. Country Report for Vietnam*, FAO, Rome.

GILMOUR, D.A. et N. VAN SAN (1999). *Buffer Zone Management in Vietnam,* Hanoi, IUCN Vietnam.

GOUROU, P. (1940). *L'utilisation du sol en Indochine française*, Paris, Publications du Centre d'études de politique étrangère.

KHONG, D. (1995). *Demography of the National Minorities of Vietnam (en vietnamien)*, Hanoi, National Press in Foreign Languages.

LANG, C. (1996). « A critique of Vietnam's tropical forestry action plan », dans R. PARNWELL et M. BRYANT (dir.), *Environmental Change in South East Asia*, Londres, Routledge.

O'ROURKE, D. (2004) « Watershed 9 (3) March-June 2004 », dans *Community-Driven Regulation: Balancing Development and the Environment in Vietnam,* Cambridge, The MIT Press.

RAMBO, A.T. (1995). « Defining highland development challenges in Vietnam », dans A.T. RAMBO *et al.* (dir.), *The Challenges of Highland Development in Vietnam*, Honolulu, East-West Center, Program on Environment; Hanoi (Vietnam), University of Hanoi, Center for Natural Resources and Environmental Studies; Berkeley, University of California, Center for Southeast Asian Studies, p. xi-xxvii.

ROCHE, Y. et R. DE KONINCK (2002). « Les aspects humains du recul de la forêt au Vietnam », *Vertigo*, avril, vol. 3, n° 1, <www.vertigo.uqam.ca>.

ROCHE, Y. et J. MICHAUD (2000). « Mapping ethnic groups in Lao Cai Province, Vietnam », Research Note, *Asia Pacific Viewpoint,* vol. 41, n° 1, p. 101-110.

VO QUY (1996). « The environmental challenges of Vietnam's development », dans *Regional Seminar on Environmental Education*, Draft report, 19-22 mars, University of Hanoi, Hanoi Vietnam.

WORLD CONSERVATION MONITORING CENTRE (1996). *The Socialist Republic of Vietnam*, <www.unep-wcmc.org/>.

WRM BULLETIN (2001). « The FAO forest assessment: Concealing the truth », n° 45, avril.

LE MÉKONG
De l'hydrologie à la géopolitique

Bastien Affeltranger

Des profondes vallées du Yunnan, en Chine, à la vaste plaine fertile du delta au Vietnam, le Mékong offre à l'observateur des paysages contrastés (figure 10b.1). Pour qui parcourt les capitales des six pays du bassin versant[1], des différences frappantes sont également visibles en termes de niveau de développement économique (tableau 10b.1). Du temps des colonies à celui de la guerre froide, le bassin du Mékong a été le théâtre de nombreux temps forts des relations internationales.

Fleuve majeur d'Asie du Sud-Est, le Mékong fait depuis les années 1950 l'objet d'un effort international de mise en valeur des ressources en eau, au service du développement social et économique des pays du bassin. Cette démarche, portée initialement par les Nations Unies et les États-Unis, puis soutenue par des bailleurs de fonds occidentaux et notamment européens, a reposé en grande partie sur la mise en place d'un mécanisme institutionnel (*environmental regime*) regroupant les pays du sous-bassin (ou bas-Mékong): le Laos, la Thaïlande, le Cambodge et le Vietnam.

L'étude de ce processus institutionnel initié en 1957 – et relancé en 1995 par la création de la Mekong River Commission (MRC) – permet de constater que la gestion de la ressource en eau, sur ce bassin versant, oscille en permanence entre préoccupations hydrologiques, d'une part, et enjeux géopolitiques, d'autre part. Plus précisément, deux observations peuvent être formulées.

Premièrement, l'espace du Mékong a été et demeure un lieu de rencontre d'idéologies: d'abord avec l'opposition Est-Ouest, ensuite à travers les différentes conceptions ou visions du développement régional. C'est notamment le cas des options techniques de mise en valeur de la ressource en eau – les acteurs situés en aval ne partagent pas nécessairement l'intérêt de leurs voisins, situés en amont, à construire des barrages sur certains affluents du fleuve. Deuxièmement, le Mékong reste, aujourd'hui encore, un espace conflictuel. Les luttes armées, progressivement éteintes à partir du règlement du dossier cambodgien au début des années 1990, ont fait place à une compétition économique régionale dans laquelle chacun constitue un partenaire, mais aussi une menace pour l'autre.

La ressource en eau s'inscrit ainsi, sur le Mékong, au cœur de multiples enjeux associant concurrence économique, luttes d'influences dans la sous-région et rapports de forces politiques, voire militaires. Tout à la fois causes et conséquences, les

---

1. Chine, Birmanie, Thaïlande, Laos, Cambodge, Vietnam.

Figure 10b.1.
Le bassin versant du Mékong

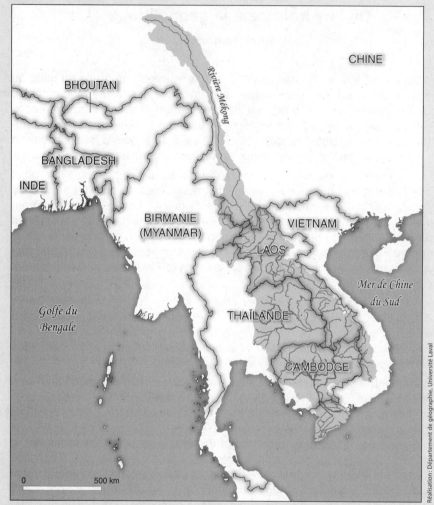

Source: Affeltranger et Lasserre (2003).

modes de valorisation du fleuve témoignent du paysage hydropolitique créé par ces multiples enjeux. Le Mékong est ainsi, selon les cas, moteur de la production hydroélectrique au Yunnan (sud-ouest de la Chine), voie navigable pour les activités commerciales au Laos (ou transitant par celui-ci), atout stratégique pour le

Tableau 10b.1.
Le Mékong en quelques chiffres

- Superficie du bassin versant: 765 000 km². Population: 60 millions d'habitants;
- Pays du Mékong (avec pourcentage de leur part du bassin versant): Chine (22 %), Birmanie (3 %), Laos (25 %), Thaïlande (25 %), Cambodge (21 %), Vietnam (4 %);
- Précipitations: de 1 000 à 4 000 mm/an. Moyenne du bassin: 2 600 mm/an. Évapotranspiration: de 1 500 à 1 800 mm/an;
- Débits (à Phnom Penh): 1 500 m³ (minimum); 12 600 m³ (moyen); 60 000 m³ (maximum). Rapport max/min établi à 50: 1;
- Écarts de produit national brut (PNB): de 2000 $US/habitant/an (Cambodge) à 8 700 $US/habitant/an (Thaïlande).

Sources: Adapté de Affeltranger et Lasserre (2003); *CIA Factbook* pour valeurs PNB (estimations 2010).

développement agricole du plateau du Khorat (nord-est de la Thaïlande), ressource pour l'irrigation et la pêche au Cambodge, et enfin facteur de production agricole dans le delta (sud du Vietnam).

Quelles ont été les grandes étapes du développement institutionnel sur le bas Mékong? Quel a été le rôle joué par la Chine? Quelles ont été les orientations hydrauliques prises par les pays riverains, et avec l'influence de quels pays extra-régionaux? Comment, finalement, le Mékong est-il devenu ce qu'A.R. Turton (Turton et Henwood, 2002) appelle un «complexe hydropolitique régional», dans lequel les facteurs politiques semblent céder peu à peu (mais pas totalement) la place aux enjeux économiques?

L'objectif de ce texte est d'apporter à ces questions des éléments de réponse. D'abord, on explique comment on a pu assister à une progressive internationalisation des enjeux du Mékong, comme fleuve et comme bassin versant. Ensuite, on discute des outils institutionnels mis en place afin de permettre, pour les questions relatives à la ressource en eau, une prise de décision concertée à l'échelle du (sous-)bassin versant. Enfin, on explique comment la circulation des données hydrologiques entre les pays du bassin peut constituer un indicateur de la coopération entre gouvernements riverains.

ENJEUX DU MÉKONG: UNE PROGRESSIVE INTERNATIONALISATION

Fleuve «au passé turbulent et au futur incertain» (Osborne, 2000), le Mékong est riche d'une longue histoire, commencée avec la civilisation du Funan vers le Ier siècle de l'ère chrétienne. Certains territoires du bassin se trouvent très tôt en contact avec ce qui tient alors lieu d'Occident. On a ainsi retrouvé à Oc Eo (près de l'actuelle Rach Gia, dans le delta du Mékong au Vietnam) des pièces de monnaie frappées par l'Empire romain. Le premier Européen à redécouvrir ensuite le Mékong est le

Portugais Antonio de Faria, en 1540. L'intérêt occidental pour la région est alors sporadique : on ne compte que quelques expéditions missionnaires et commerciales, conduites par des Espagnols, des Portugais ou des Hollandais. On doit aux Français la première exploration systématique du fleuve entre 1866 et 1868, grâce à un périple qui les mènera jusqu'au Yunnan. À partir de 1893, Paris étend son contrôle du fleuve à l'intérieur des terres, et ce, jusqu'au cœur du Laos. L'Indochine française vient de naître.

Dans la seconde moitié du XXe siècle, les guerres de libération nationale, la guerre froide et les guerres civiles (motivées, le cas échéant, par le narcotrafic) entraînent une recomposition du paysage politique de la région du Mékong. De nouveaux rapports de force se mettent en place entre les pays riverains, depuis peu indépendants, ainsi qu'entre l'Asie du Sud-Est et le reste du monde. En témoignent les origines du *Mekong Committee*, créé en 1957. Deux acteurs politiques majeurs sont ici à l'œuvre.

D'une part, l'Organisation des Nations Unies (ONU) est à l'époque dans une phase de construction de sa crédibilité technique (contribuer au bien-être des nations) et de sa crédibilité politique (favoriser le dialogue entre États). Le bassin du Mékong va donc se révéler pour l'ONU une occasion exceptionnelle de démontrer son savoir-faire.

D'autre part, les États-Unis s'inquiètent d'une possible diffusion du communisme (chinois) à travers le Sud-Est asiatique. Théorie des dominos et logique de *containment* motivent alors une ingérence des États-Unis dans les destinées nationales de la sous-région. Il s'agit alors d'exclure la Chine du rapprochement diplomatique et opérationnel qui s'opère sous l'égide de l'ONU, entre les quatre pays du « bas Mékong » : Cambodge, Laos, Thaïlande et Vietnam. Cette instrumentalisation géopolitique du Mékong alimente, dans les années 1950, une véritable rivalité entre l'ONU et les États-Unis.

De « ligne de front » durant la guerre froide, le bassin versant du Mékong va être progressivement perçu comme un « corridor de commerce » par les gouvernements des pays riverains, les puissances extrarégionales et les investisseurs internationaux. La mise en place depuis 1992, par la Banque asiatique de développement (BAD), de l'initiative d'intégration économique régionale Greater Mekong Subregion (GMS) influencera fortement cette nouvelle perception du Mékong. Plus particulièrement, la valorisation hydraulique ou hydroélectrique de la ressource en eau[2] est représentative de cette évolution. Jusqu'aux années 1990, les activités du Mekong Committee se limitent ainsi à des objectifs techniques : hydroélectricité, irrigation, contrôle des crues, navigation et qualité de l'eau.

---

2. On différencie ici les valorisations hydrauliques de la ressource en eau (irrigation ; stockage et approvisionnement ; contribution au débit), de la mise en valeur hydroélectrique (utilisation de la force motrice pour produire de l'électricité).

L'émergence de mouvements environnementaux régionaux (par exemple TERRA en Thaïlande) et, à partir des années 1990, l'influence de bailleurs de fonds européens[3] contribuent alors au développement progressif de controverses environnementales, phénomène nouveau dans la région du Mékong. Avec la création de la Mekong River Commission (MRC) en 1995, le concept de développement durable intègre explicitement le mandat du mécanisme institutionnel[4]. L'influence de financeurs extrarégionaux contribue ici à expliquer que les gouvernements riverains (dont la Chine) se soient peu approprié ces principes « progressistes » (protection des écosystèmes, participation des acteurs locaux, transparence de l'action publique).

On constate donc que les pays riverains, les agences d'aide au développement et les investisseurs sont en réalité porteurs d'autant de « visions » de ce que devrait être le futur du Mékong – et de comment ce futur peut, ou devrait, se réaliser. Ce sont bien ces visions qui font débat.

Les projets de développement reposant sur une mise en valeur de la ressource en eau reflètent ces divergences. La ressource en eau du Mékong constitue, en ce sens, le cœur d'une lutte d'influence entre les pays riverains.

Ces évolutions ont rendu de plus en plus complexe, et donc de moins en moins lisible, la géopolitique des acteurs du bassin du Mékong (États, organisations non gouvernementales, organisations internationales, institutions financières, etc.). La difficulté majeure tient au fait que ces acteurs revendiquent, d'une manière ou d'une autre, la légitimité de présider (ou de participer) aux grandes décisions hydrauliques engageant l'avenir environnemental du bassin (ou de certaines parties de celui-ci).

Cette situation pose alors la question du mode de gouvernance le plus adapté pour la prise de décision et la gestion de cet espace transfrontalier, et de la ressource en eau en particulier. Dans les faits, la gestion concertée de la ressource en eau à l'échelle du bassin versant est un objectif porté essentiellement par les organisations pro-environnementales et les bailleurs de fonds extra-régionaux. À ce jour, les gouvernements riverains n'y ont apporté qu'un soutien limité. En conséquence, les décisions de développement hydraulique, qui concernent principalement les affluents majeurs du Mékong (au Laos, en Thaïlande, au Vietnam) restent prises de manière unilatérale, par chaque État. Ainsi, toute critique de ces décisions est interprétée (ou exploitée) par les gouvernements concernés comme une remise en cause de la souveraineté nationale.

Cette situation se traduit par d'importantes tensions en termes de relations de pouvoir, tout à la fois entre les pays du bassin, ainsi qu'entre ceux-ci et leurs propres acteurs non étatiques. La section suivante étudie ainsi la (lente et difficile) construction d'outils institutionnels de gouvernance régionale sur le bassin du Mékong[5].

---

3. Par leur culture environnementale, les pays scandinaves ont joué un rôle particulièrement important dans ce processus.
4. Visiter le site Web de la MRC : <www.mrcmekong.org>.
5. Sur les mécanismes institutionnels environnementaux, lire notamment : Young (2002). Lire également : Bernauer (2002).

UN ESPACE DONT LE MODE DE GOUVERNANCE EST ENCORE EN CONSTRUCTION

Le Mékong a suscité, dès le début des années 1960, de nombreuses analyses portant sur l'influence des relations intergouvernementales sur la gestion de la ressource en eau. La question centrale a été de savoir dans quelle mesure une gestion concertée de la ressource était possible. L'étude des mécanismes institutionnels successifs, de type organisme de bassin, a montré que trois facteurs majeurs ont influencé cette gestion. Il s'agit de la perception de la sécurité régionale, des représentations de la ressource en eau et des enjeux non hydrologiques de la coopération (ou de la concurrence) intergouvernementale.

Sécurité régionale

Le Mékong est d'abord considéré comme un enjeu de la guerre froide : transport des troupes et matériels vietcongs, champ de bataille dans le delta, frontière symbolique entre la Thaïlande pro-étasunienne à l'ouest et le Vietnam communiste à l'est, etc. Le fleuve alimente ensuite progressivement la représentation, plus positive, d'une opportunité pour le développement économique. Le rôle des acteurs non étatiques croît progressivement, sans toutefois être nécessairement reconnu par les gouvernements riverains. Le concept de « sécurité régionale » se voit alors adjoindre, dans les discours tout au moins, un objectif de préservation du capital environnemental et des processus écologiques transfrontaliers (He, Zhang et Hsiang-te, 2001)[6]. Puis, les relations intergouvernementales s'apaisant sur le plan militaire, la ressource en eau perd en partie son statut d'enjeu de « sécurité nationale ». La sécurité régionale n'est plus envisagée par les pays comme seulement militaire, mais intègre une dimension économique croissante. Cette évolution trouve cependant une limite dans la réticence des États du Mékong à réviser leur propre conception de la sécurité nationale, notamment la souveraineté territoriale sur la ressource en eau.

Représentations

Chaque catégorie d'acteurs perçoit le Mékong d'une manière qui lui est propre. Coexistent ainsi différents « imaginaires géopolitiques » (Bakker, 1999) du fleuve, auxquels on peut se référer pour considérer la gestion du bassin dans une perspective constructiviste[7]. Ces imaginaires sont produits à partir des discours officiels sur le développement du Mékong – une parole à laquelle n'ont pas accès, sauf exception, les acteurs de la « société civile », ou de ce qui en tient lieu compte tenu de la nature peu démocratique des régimes en place. Cette existence de différentes perceptions

---

6. Cette évolution est également perceptible dans les travaux de certains universitaires chinois, particulièrement au Yunnan. Consulter : He *et al.* (2001).
7. Sur cette « école » particulière des relations internationales, lire Lasserre et Gonon (2001).

du Mékong avait été observée dès le début des années 1960 (White, 1963) – les différents usages possibles de l'eau (irrigation, hydroélectricité, écosystème, etc.) constituant autant de priorités particulières propres aux différents acteurs.

Considérons, par exemple, la non-participation des populations locales au choix des modes de valorisation de la ressource en eau et aux débats environnementaux. Cette réalité politique témoigne de la primauté accordée, par les décideurs, aux enjeux macroéconomiques, au détriment des conséquences locales de leurs décisions. L'aménagement du territoire du bassin ne procède pas, pour l'heure, d'une démarche concertée au plan local. À une autre échelle, les gouvernements eux-mêmes se retrouvent également exposés aux aléas de l'unilatéralisme manifesté par leurs propres voisins. Ainsi, le Cambodge et le Vietnam sont-ils inquiets des risques de dégradation environnementale induits par les aménagements hydrauliques et hydroélectriques réalisés en amont (Chine-Yunnan, Laos, Thaïlande).

Coopération et concurrence

En termes de partenariats intergouvernementaux, le bassin du Mékong présente un double défi. D'une part, les objectifs éthiques d'une (très théorique) équité du partage de la ressource, et de la préservation des écosystèmes, requièrent une coopération hydrologique entre les pays. D'autre part, le développement économique de l'Asie du Sud-Est suppose que les pays intègrent certains aspects de leur économie, tout en préservant leurs intérêts nationaux, dans une logique de concurrence.

Ces différentes dimensions conduisent à deux observations. D'une part, elles confirment, si besoin était, que le Mékong constitue, à l'instar d'autres bassins internationaux, une étude de cas intéressante pour les recherches en géopolitique (Lasserre et Gonon, 2001)[8] et en géoéconomie. D'autre part, on comprend mieux les difficultés et les controverses associées à la gestion de la ressource en eau à l'échelle du bassin.

Plus particulièrement, on peut douter de l'existence d'une volonté réelle des États de coopérer dans le domaine hydrologique. Certains observateurs saluent ainsi la bienveillance d'un mythique « esprit du Mékong » (Nakayama, 2000) – l'idéalisation d'une volonté (ou d'un intérêt) indéfectible des pays riverains à coopérer entre eux. En ce sens, le Mékong est présenté comme un exemple que les autres bassins transfrontaliers gagneraient à imiter. D'autres observateurs en revanche regrettent « l'échec d'une grande ambition » d'aménagement du territoire (Lacroze, 1998) du bassin du Mékong. Ce point de vue probablement plus réaliste est soutenu par le

8. On définit ici la géopolitique comme « une approche qui permet de rendre compte des enjeux de pouvoir sur des territoires, et sur les images que les hommes s'en construisent » (Lasserre et Gonon, 2001, p. 10).

constat que les principes «occidentaux» du développement durable se heurtent, dans les faits, souvent aux objectifs de développement et aux pratiques (techniques et politiques) des autorités des pays riverains (Affeltranger et Lasserre, 2003).

Il est alors légitime de se demander dans quelle mesure la Mekong River Commission (MRC), seul mécanisme institutionnel existant dont le mandat est explicitement la gestion intégrée de la ressource en eau et du bassin versant, s'avère efficace pour catalyser et réconcilier les objectifs apparemment contradictoires décrits ci-dessus.

QUEL RÔLE POUR LA COMMISSION DU MÉKONG (MRC)?

Afin de bien comprendre la situation, il est important de dissocier les différents organes institutionnels de la MRC. Ceux-ci n'ont ni la même portée politique (et capacité d'influence) ni la même fonction technique: Council (intervenants de niveau ministériel), Joint Committee (JC: niveau directeurs de services), secrétariat (MRCS), comités nationaux (National Mekong Committees, NMC) et Lines Agencies (LA: administrations nationales dont les activités sont liées aux thèmes du mandat de la MRC).

On peut dire que la MRC a le mérite d'exister, et qu'elle sert effectivement de cadre à certaines des discussions environnementales relatives au Mékong. Il s'agit en cela d'une contribution essentielle, bien que peu quantifiable en pratique, à la stabilité hydropolitique de la région. L'inertie politique et la viscosité institutionnelle introduites par la MRC permettent en effet de temporiser quelque peu les décisions nationales de gestion des ressources en eau. Dans une certaine mesure, l'existence de la MRC améliore également la transparence de la gestion de ces ressources, notamment pour les ONG nationales, régionales et internationales. Celles-ci disposent ainsi d'un interlocuteur unique auprès de qui se faire entendre.

En pratique, la MRC n'a toutefois pas été en mesure d'infléchir la politique hydraulique chinoise dans la région («cascade» de barrages au Yunnan). La seule évolution tolérée par la Chine a consisté en un discours plus empathique, à l'intention des États situés en aval. Il en va de même pour les infrastructures hydrauliques envisagées sur le bas-Mékong: la Commission ne les a guère freinés.

DES NUAGES SUR LA COOPÉRATION HYDROLOGIQUE?

Les pays du Mékong sont-ils, et seront-ils capables d'honorer les engagements inscrits dans les accords de coopération que leurs gouvernements ont signés depuis 1995? Plusieurs obstacles peuvent être signalés, principalement au plan des administrations nationales responsables des activités météorologiques et hydrologiques.

Les difficultés rencontrées sont d'ordre technique (mauvais état du réseau hydrométrique; absence de standards pour la collecte des données), financier (bas salaires; facturation de l'accès aux données), organisationnel (inertie bureaucratique; luttes de pouvoir utilisant les données comme monnaie d'échange), réglementaire (statut patrimonial des données), stratégique (sécurisation des données dans le cas de projets hydrauliques) et diplomatique (influence d'autres dossiers conflictuels susceptibles de freiner la coopération hydrologique). La capacité effective d'engagement des services étatiques nationaux conditionne ici la mise en œuvre de la coopération hydrologique intergouvernementale.

La MRC est donc plus que jamais essentielle pour la gestion de la ressource en eau sur le bassin versant. Forum de dialogue, centre d'expertise et de ressources informationnelles, la Commission catalyse la coopération hydrologique régionale. On peut toutefois s'inquiéter du peu de poids politique dont dispose, pour l'heure, son secrétariat – tant en termes de contribution aux processus politiques que d'influence à l'égard des choix techniques. Le poste de directeur (CEO) de la Commission est à présent choisi parmi les ressortissants d'un des États riverains. Peut-être est-ce une chance d'appropriation accrue du processus de coopération hydrologique, par ces mêmes États. Mais est-ce une chance pour l'environnement?

BIBLIOGRAPHIE

AFFELTRANGER, B. et F. LASSERRE (2003). « Le Mékong : des principes écologiques à la contrainte géopolitique », *Vertigo*, vol. 4, n° 3, décembre, Montréal, <www.vertigo. uqam.ca>.

BAKKER, K. (1999). « The politics of hydropower : Developing the Mekong », *Political Geography*, vol. 18, p. 209-232.

BERNAUER, T. (2002). « Explaining success and failure in international river management », *Aquatic Science*, vol. 64, p. 1-19.

HE, D., G. ZHANG et K. HSIANG-TE (dir.) (2001). *Towards Cooperative Utilization and Co-Ordinated Management of International Rivers*, Actes de l'International Symposium ISCUCMIR 1999, 25-30 juin, Kunming, China, Tokyo, UNU ; New York, Science Press.

LACROZE, L. (1998). *L'aménagement du Mékong, 1957-1997 : l'échec d'une grande ambition?*, Paris, L'Harmattan.

LASSERRE, F. et E. GONON (2001). *Espaces et enjeux : méthodes d'une géopolitique critique*, Paris, L'Harmattan, coll. « Raoul-Dandurand ».

NAKAYAMA, M. (2000). *Mekong Spirit as an Applicable Concept for International River Systems*, Actes du séminaire SIWI, Seminar Water security for multinational water systems – Opportunity for development, 19 août, Stockholm, Suède.

OSBORNE, M. (2000). *The Mekong : Turbulent Past, Uncertain Future*, New York, Grove Press.

TURTON, A.R. et R. HENWOOD (dir.) (2002). *Hydropolitics in the Developing World – A Southern African Perspective*, Pretoria (RSA), University of Pretoria.

WHITE, G.F. (1963). « Contributions of geographical analysis to river basin development »,
  Geographical Journal, vol. 129, décembre, p. 412-432.

YOUNG, O.R. (2002). « Matching institutions and ecosystems : The problem of fit », conférence donnée dans le cadre du Séminaire « Économie de l'environnement et du
  développement durable », 25 juin, Paris, IDDRI.

Chapitre

11

ASIE DU SUD
Entre Occident et Orient

Emmanuel Gonon

11.1. Sites, situation, position : repérages

L'Asie du Sud est un ensemble géoéconomique et géopolitique unique au monde, caractérisé par son poids démographique, par la profondeur et la richesse de ses héritages culturels. Bien qu'elle n'ait pas encore connu une croissance économique généralisée, elle est toutefois marquée par l'ampleur des transformations économiques et sociales en cours, ainsi que par la complexité de la transition géostratégique qui y prend place. Si la conférence initiant l'émergence d'un tiers-monde s'est tenue à Bandung (Indonésie) il y a cinquante ans, elle le fut à l'initiative d'hommes politiques sud-asiatiques sous la direction de Jawaharlal Nehru, alors premier ministre de l'Inde[1]. Le non-alignement, entériné par la conférence, fut une doctrine qui, refusant l'alternative géostratégique

---

1. Voir le chapitre 3.

de l'époque, adoptait un positionnement « à l'écart », supposé assurer une plus grande liberté dans le développement économique à des États à peine sortis du processus de décolonisation. Paradoxalement, ce non-alignement qui a placé les pays d'Asie méridionale en retrait de l'affrontement Est-Ouest les a aussi écartés plus longtemps que d'autres d'un processus de développement économique et de mondialisation amorcé dès les années 1970 au Japon et en Corée du Sud ; puis, une décennie plus tard, dans les autres pays d'Asie orientale, dont la Chine.

Bref, c'était une moitié d'Asie qui a longtemps ignoré l'autre moitié, sauf à revenir sur des impératifs sécuritaires – ainsi l'Inde face à la Chine depuis au moins 1962 – et qui a plutôt regardé vers l'Occident (États-Unis, mais aussi Europe) pour nouer des partenariats commerciaux ou économiques. Creux géopolitique, l'Asie du Sud est longtemps restée un vide géoéconomique, repliée sur elle-même et en quasi-autarcie, qui ne s'est ouvert sur l'étranger que depuis une vingtaine d'années.

L'Asie du Sud compte sept pays pour un peu moins de 1,6 milliard d'habitants. Le concept politico-culturel d'unité n'est pas familier à ses élites ; il n'y a pas d'organisation pour l'unité sud-asiatique ni même de structure de sécurité collective même si, à l'image de l'Europe, elle a connu de longues périodes d'unification. Pour comprendre cette portion d'Asie, il s'agit d'abord de penser sa réalité dans la longue durée, celle qui a permis l'émergence d'un fond culturel et social commun, mais sans négliger le temps court, celui des luttes et affrontements qui sont un préalable à la situation actuelle. C'est dans ce contexte qu'on peut appréhender ces sociétés structurées par une aspiration commune à la réussite durable et à la modernité maîtrisée, respectueuse des traditions.

Les spécificités géopolitiques de la région peuvent être envisagées sous plusieurs registres :

- c'est un espace géographique fortement humanisé, en profonde mutation, offrant de nombreux traits communs et des contrastes prononcés ;
- la région a une histoire récente marquée par le fort engagement des États dans la construction nationale et le développement ; elle est un champ d'interaction stratégique complexe et en transition ;
- l'espace y est composé d'aires régionales bien individualisées, même à l'intérieur des États.

11.2. Analyse sur les temps longs

11.2.1. Une géographie partagée

Hindoustan autrefois, monde Indien pour d'autres raisons géohistoriques, l'Asie du Sud se prête à des déclinaisons sémantiques portant toutes une identité commune, celle d'un espace proprement défini, plus qu'une unité de milieu. Monde semi-péninsulaire,

Figure 11.1.
L'Asie du Sud : le monde indien

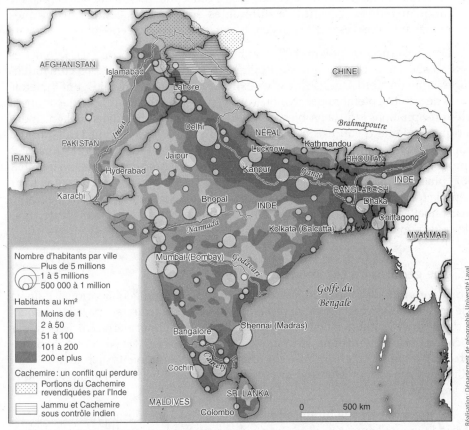

Source : *Le Grand Atlas du Canada et du Monde*, ERPI/De Boeck, Bruxelles, 2005 ; bases de données cartographiques, LATIG, Département de géographie, Université Laval.

l'Asie du Sud est un lieu clos (ou perçu comme tel), borné du nord-ouest au nord-est par un système de chaînes de montagnes culminant à plus de 8 000 mètres dans sa portion centrale. Au sud, cet espace se poursuit dans l'océan éponyme par deux systèmes archipélagiques à l'ouest et à l'est de l'île de Ceylan.

À l'intérieur, l'espace est structuré par les axes que constituent les grands fleuves au nord et autour du plateau du Deccan :

- le système du Gange et du Brahmapoutre, dont la confluence crée le delta du Bengale, compose un axe est-ouest qui se renforce à l'ouest par l'axe méridien de l'Indus ;

- la Mahanadi, la Godavari, la Krishna et la Narmada entaillent l'ensemble de moyennes montagnes du Deccan de larges vallées qui ont, autant que l'ensemble indo-gangétique, constitué à différentes époques des centres historiques rayonnant, si ce n'est sur le sous-continent, au moins sur l'ensemble du Deccan.

Dans cet espace de près de 4 000 kilomètres d'est en ouest et de 3 000 kilomètres du nord au sud, de part et d'autre du tropique du Cancer, les variations climatiques sont fortes entre un Nord-Ouest aride et un extrême Sud équatorial. Elles sont toutefois atténuées de juin à septembre par la mousson d'été, qui apporte sur le sous-continent de fortes précipitations indispensables aux cultures de riz irriguées dans la plaine indo-gangétique (la lame d'eau est de 800 mm en moyenne à Delhi ; de 11 000 mm à Cherrapunji). Les variations interannuelles de ces pluies d'été sont fortes et suffisantes pour provoquer localement sécheresse ou inondations (comme dans la région de Bihar en 1987, plus de 1 500 morts, trois millions de déplacés), pourtant nécessaires pour entretenir la fertilité des sols. C'est notamment le cas du delta du Gange dont les inondations annuelles sont nécessaires au maintien d'une productivité agricole forte, mais dont le coût humain est souvent élevé.

11.2.2. Une géohistoire commune

Cette relative unité de milieu est confortée par une identité géohistorique. Pour la période actuelle, les divergences sont profondes, mais elles recouvrent paradoxalement un fonds culturel commun, même si l'histoire régionale est une alternance de périodes d'unification et d'éclatement et de formation d'entités régionales en conflit. L'identification d'un « monde indien » repose sur plusieurs traits dominants ; le principal étant celui d'un système social hiérarchisé (un système de castes), hérité de l'époque védique (–2000 ans environ).

Ce premier héritage fut introduit en Asie du Sud par des populations nomadisantes indo-européennes sans doute issues d'Iran ou d'Asie centrale. Leur pénétration du territoire fut lente et mit près d'un millénaire pour atteindre le sud de la péninsule. Ce fut une occupation sélective, privilégiant les zones favorables à la riziculture irriguée qui était devenue la caractéristique dominante des nouveaux arrivants et délaissant tant les territoires impropres à cette activité agricole que leur population : les *Adivasis*, dont subsistent encore des foyers en Inde.

Le bouddhisme est la seule religion autochtone au sous-continent, né au VIᵉ siècle av. J.-C. dans le piedmont himalayen et devenant, le temps des dynasties Maurya et Gupta, religion d'État du monde indien. Son influence fut limitée par une « contre-réforme » védique, qui donna naissance au brahmanisme tel qu'il est aujourd'hui connu : le bouddhisme disparaît pratiquement d'Asie du Sud, sauf sur l'île de Ceylan, dans la zone des collines de Chittagong et au Népal. Hors du sous-continent, il a connu une fortune autre, marquant profondément Tibet, Chine et Japon, mais aussi l'Asie du Sud-est.

L'islam a pénétré la région au Moyen Âge. Les premiers contacts furent terrestres et maritimes, par les commerçants arabes ou iraniens. Mais l'influence déterminante est venue plus tard et l'islamisation des populations est plus le fait de groupes organisés originaires d'Asie centrale qui firent de l'islam une religion permanente dans le nord du monde indien dès le XIᵉ siècle. Le groupe qui marqua le plus le territoire fut les Moghols, peuple turc imprégné de culture persane, qui contrôlèrent la majeure partie de la péninsule pendant près de trois siècles, jusqu'à la montée en puissance des colons britanniques, à la fin du XVIIIᵉ siècle.

Le dernier apport en date est celui de la colonisation occidentale, surtout britannique, qui a façonné, directement ou par l'exemple, les systèmes administratifs et judiciaires des États actuels, les structures et comportements sociaux, et les paysages. Déjà sensible au XVIIIᵉ siècle, l'influence britannique devient déterminante au siècle suivant. Dans un espace qui comptait à l'indépendance plus de 540 États princiers, les Britanniques pratiquèrent une administration indirecte (*indirect rule*), maillant toutefois l'espace d'un réseau de routes et surtout de voies ferrées (désormais plus de 80 000 kilomètres de voies ferrées), désenclavant plus complètement les territoires que ne le faisait le réseau routier moghol, structuré autour de la Grand Trunk Road reliant à partir du XVIᵉ siècle le Bengale à Lahore. Le second apport britannique majeur fut la création d'une administration centralisée à partir de 1858, dirigée par une élite issue de l'Indian Civil Service, ouverte aux indigènes vers la fin du XIXᵉ siècle et dont la continuité sous d'autres appellations dans les trois principaux pays leur garantit depuis l'indépendance la formation d'élites administratives parlant presque la même langue et partageant une fidélité certaine à la notion d'État et de nation.

11.2.3. Une histoire présente divisée

Cette trajectoire commune prit fin à l'Indépendance, quand les élites musulmanes revendiquèrent un État séparé pour les musulmans : la partition de l'Inde et la naissance du Pakistan le 15 août 1947 furent vécues par les intellectuels et les populations comme un traumatisme majeur, qui provoqua de gigantesques mouvements de masse (15 millions de déplacés, hindous et sikhs fuyant les territoires désormais musulmans et musulmans fuyant une Inde définie comme laïque, mais perçue comme hindoue ; de 200 000 à un million de morts). En 1971, une partition du Pakistan, favorisée par l'action de l'Inde, donna naissance au Bangladesh, État musulman de langue bengalie.

Le traumatisme d'une indépendance partagée, sur des bases religieuses, a façonné l'histoire récente du sous-continent en des conflits successifs opposant l'Inde et le Pakistan, sans que les relations entre celle-ci et les autres États soient plus stables, même si elles n'ont pas débouché sur des conflits armés :

- Malgré l'aide qu'elle lui a apportée pour accéder à l'indépendance, le Bangladesh n'a jamais noué de relations amicales avec l'Inde. Il est vrai que les deux pays se querellent sur le partage des eaux du Gange, la migration clandestine annuelle de quelque 200 000 Bangladeshis dans l'Assam indien et l'utilisation de ce territoire comme base de repli par les maoïstes bangladeshi. Paradoxalement, le pays entretient de meilleures relations avec le Pakistan, qu'il a combattu pour accéder à l'indépendance, qu'avec l'Inde qui l'a aidé à l'obtenir en 1971.

- Le Népal et l'Inde ont établi dès 1950 une « frontière ouverte » (*open boundary*) facilitant la circulation des biens et personnes par la suppression des contraintes douanières pour les nationaux des deux pays. Les relations généralement amicales entre les deux gouvernements deviennent régulièrement tendues, dès que doit être renégocié le Traité de commerce et de transit, ou dès qu'une action de l'Inde est perçue comme remettant en cause la souveraineté népalaise. Le pays maintient de fait un équilibre diplomatique avec l'Inde en développant ses relations avec la Chine, à sa frontière nord.

- Après avoir longtemps laissé les groupes tamouls du sud du pays apporter leur soutien aux revendications d'autonomie des tamouls localisés majoritairement dans le nord du Sri Lanka, l'Inde entreprit à la fin des années 1980 d'aider à la résolution du conflit qui oppose les tamouls hindous du Nord aux cinghalais bouddhistes du Sud, détenteurs du pouvoir politique.

En fait, l'Inde est le pays dominant d'Asie du Sud, sa taille et sa démographie lui permettant de se proclamer comme héritière du *British Raj*. De ce positionnement idéologique est né un positionnement stratégique faisant de l'Inde l'hégémon du sous-continent, longtemps soupçonné par ses voisins de visées expansionnistes, comme ce fut le cas pour le Sikkim. La monarchie régnante de Gangtok a été, dès lors qu'elle est devenue parlementaire sous la pression de l'Inde indépendante, mise en minorité puis supprimée par un parlement majoritairement issu de l'immigration népalaise qui vota l'intégration du royaume à l'Inde en 1975.

C'est aussi un État qui se perçoit comme stable, comparé à ses voisins : malgré des violences intercommunautaires récurrentes et dénombrées dans les statistiques annuelles nationales, malgré la présence de quelque 200 groupes armés autonomistes ou indépendantistes dans le pays (pour l'essentiel, il est vrai, localisés dans le Nord-Est et au Jammu-et-Cachemire), l'Inde est une démocratie parlementaire stable. À l'inverse, le Pakistan a connu une évolution politique chaotique marquée par la promulgation de trois constitutions consécutives et par plusieurs coups d'État : depuis l'indépendance, le pouvoir aura été détenu pendant plus de trente ans par des généraux de l'armée pakistanaise, épaulés par des autorités religieuses du pays de plus en plus présentes dans le jeu politique, dans un contexte d'islamisation croissante du dispositif légal depuis 1982. La même dynamique a affecté le Bangladesh, qui n'a recouvré des institutions démocratiques qu'au début des années 1990, lesquelles restent fragilisées par la pression constante que font peser sur elles les mouvements musulmans intégristes. Déchiré par la guerre civile entre Tamouls indépendantistes du Nord et de l'Est et le gouvernement depuis 1983, le Sri Lanka connaît quant à lui une paix précaire depuis la défaite des LTTE (les Tigres de libration de l'Eelam tamoul) au printemps 2009.

Sans doute cette fragilité intrinsèque des pays les a poussés, autant que la crainte qu'ils ressentent à l'égard de l'Inde, à concevoir une alliance régionale de coopération en 1985 (South Asian Association for Regional Cooperation ou SAARC), sur le modèle de l'ASEAN ou de l'Union européenne, qui regroupe tous ces pays d'Asie du Sud. Mais sans volet politique et avec des échanges économiques ne dépassant pas 10 % du commerce extérieur des pays, l'association a surtout servi de plate-forme de normalisation à contenu technique (standardisation des normes, lancement de programmes de coopération sans contenu stratégique, comme dans le domaine des télécommunications). Ce n'est que depuis l'amorce de rapprochement indo-pakistanais que la SAARC a commencé à être plus qu'une structure technique, notamment depuis le lancement du SAPTA (SAARC Preferential Trading Arrangement) en 1997, facilitant le contexte des échanges entre les pays et préparant la voie à la zone de libre-échange qu'est le SAFTA (SAARC Free Trade Arrangement) depuis 2005.

11.3. L'Asie du grand nombre

Avec 1,6 milliard d'habitants pour un peu moins de 4,5 millions de km², l'Asie du Sud regroupe en 2010 près du quart de la population de la Terre sur environ 2 % des terres habitées. C'est une extraordinaire accumulation de populations dans un espace somme toute petit, divisé de plus en un faible nombre d'États. C'est un espace plein, abritant un peuplement dense et continu, sans guère de vides, sauf dans les périphéries montagneuses. La densité moyenne est de 324 hab./km², mais elle est particulièrement élevée dans les grandes plaines fluviales, Indus, Gange, Brahmapoutre, où elle dépasse souvent 1 000 hab./km². À l'exception de la côte occidentale du Pakistan, les littoraux sont presque aussi peuplés, atteignant au Kerala et au Bangladesh les densités les plus fortes. Il n'y a guère que le Deccan, cœur de l'Inde, où les densités de peuplement diminuent un peu.

La caractéristique majeure de cette population, partagée d'ailleurs par la plupart des pays d'Asie, est sa ruralité : la part de population urbaine varie de 15 % au Sri Lanka à 35 % au Pakistan. En moyenne, les trois quarts de la population d'Asie du Sud vivent dans des groupements humains ne dépassant pas 5 000 personnes. S'il existe un exode rural, il n'est pas un phénomène dominant à l'heure actuelle et l'accroissement démographique soutenu qui marque l'espace se fait autant dans les campagnes que dans les villes, faiblement alimenté par les migrations : en Inde, la croissance démographique des vingt dernières années a été quasi identique dans les mondes rural et urbain (1,5 % par an en moyenne). De fait, la part des migrations internes relevant de l'exode rural est très faible : au Pakistan, sur la période 1980-1990, la croissance naturelle urbaine fut de 3,36 %, tandis que l'apport migratoire s'élevait à 0,83 % et la requalification urbaine à 0,11 %, les conditions sanitaires présentes favorisant cette forte croissance naturelle urbaine.

C'est un paradoxe démographique de cette partie de l'Asie qu'à côté des très fortes densités rurales existent de très grandes villes : les deux tiers des citadins vivent dans des villes de plus de 100 000 habitants, le quart dans des villes millionnaires, 10 % dans cinq mégapoles (soit des agglomérations dépassant 10 millions d'habitants) : Mumbai (Bombay), Delhi, Calcutta, Karachi et Dhaka. Chacune d'entre elles ayant crû de façon spectaculaire lors de son élévation au statut de capitale ou au moment de l'indépendance, alimentées par les flux de réfugiés que la partition du *British Raj* a entraînés.

Villes comme campagnes sont pleines dans leurs dynamiques actuelles et ne sauraient accueillir le poids additionnel de population qu'une croissance démographique encore soutenue continue de générer. Les pays de la région ont des taux de croissance démographique modérés (1,4 % pour l'Inde ; 1,3 % pour le Bangladesh, le Népal et le Bhoutan ; 0,9 % pour le Sri Lanka) ; les Maldives seraient même en perte de population avec un taux de −0,2 %. L'agriculture, si elle emploie environ 50 % de la population, ne contribue en moyenne qu'à 19 % des PIB nationaux. Elle est symptomatique d'habitants plus engagés dans un processus de survie ou d'autosubsistance que d'économie de marché : l'Asie du Sud abrite 52 % de la population mondiale vivant avec moins d'un dollar par jour. Malgré le fort rendement des cultures dans un milieu tropical ou subtropical autorisant au moins deux récoltes annuelles (appelées *kharif* en été et *rabi* en hiver), voire trois, qui a permis aux pays d'atteindre une autosuffisance alimentaire par l'utilisation accrue de semences et d'intrants, ainsi qu'une diffusion de l'irrigation, la sécurité alimentaire, obtenue il y a une quarantaine d'années, tend à se réduire. Ainsi, la disponibilité de grains par personne en Inde est passée de 177 kg/an à 153 kg/an entre 1992 et 2007. Le phénomène est général en Asie du Sud, tenant pour une large part à l'accent mis par les autorités nationales sur la nécessité de développer des cultures industrielles, favorisées par des fiscalités préférentielles et des facilités bancaires. Au Pakistan, le problème se double de la détérioration des sols par épuisement et remontée des sels. Cette évolution de la production agricole risque dans un proche avenir d'accélérer les migrations temporaires des petits exploitants, qui, pour les deux tiers d'entre eux, disposent de moins de 2 hectares de terres agricoles, ou d'accroître la masse des paysans sans terre.

Cette situation ne saurait toutefois perdurer et un véritable exode rural devrait se mettre en place d'ici 2030, au bénéfice surtout des très grandes villes, faute de perspectives économiques dans les villes petites ou moyennes. Ces « mégacités » ne sont toutefois pas équipées pour absorber une population supplémentaire, pour l'essentiel pauvre et peu éduquée qui ne fait qu'accroître la masse des pratiquants de base d'une économie parallèle qui représente de 40 % à 60 % des PIB nationaux. À Delhi comme à Mumbai, le quart de la population vit dans des *jhuggis* (bidonvilles) présentant une densité moyenne de 300 000 hab./km² ; à Karachi, c'est presque la moitié de la population qui vit dans des *katchi abadis* (logements informels).

Le seul espoir face à ce double engorgement, rural et urbain, réside dans le développement des activités péri-agricoles dans les bourgs ou petites villes, qu'un mode d'organisation agricole trop traditionnel avait négligé jusqu'à présent. Les grandes villes doivent se restructurer après plusieurs décennies d'une croissance et d'une extension anarchiques qu'a aggravées une spéculation foncière généralisée : outre des voiries souvent négligées, les villes se caractérisent surtout par une alimentation aléatoire en eau (rarement potable) et électricité.

Le développement économique que connaissent les pays depuis les années 1990, s'il permet qu'émerge une classe moyenne et supérieure urbaine éduquée et au niveau de vie proche des standards européens (en 2010, 20 *crorepati* ou millionnaires émergent chaque jour), contribue inversement à l'accroissement des contrastes intersociétaux, dans des sociétés construites sur l'inégalité. Les deux freins majeurs à la modernisation des secteurs économiques sont la survivance des inégalités foncières en milieu rural, ainsi que celle des castes, dans la plupart des pays.

11.4. Des réformes agraires inachevées

Le monde agricole conserve encore de nombreux archaïsmes fonciers que les différentes réformes agraires n'ont pas supprimés. Les Britanniques s'étaient largement appuyés sur les pouvoirs locaux, notamment sur les *zamindars*, régisseurs de la rente foncière, chargés par surcroît de collecter les impôts. L'indépendance s'est déroulée sans tenir compte d'une classe étendue de paysans sans terre et d'une grande variété de situations presque toutes marquées par l'absence de cadastres situant clairement les propriétés et les exploitations.

À l'Indépendance, aucun des États issus du *Raj* n'a réellement réalisé de réformes foncières. L'élimination des propriétaires absentéistes fut acquise en Inde en 1970, les terres étant annexées par les États et leurs propriétaires indemnisés, tandis que quelque vingt millions de *zamindars*, tenants effectifs des terres, ont pu acquérir le droit d'exploitation de celles-ci, constituant ainsi une classe moyenne agricole (même s'ils furent dépouillés de leur rôle de collecteur d'impôt au bénéfice de l'État). L'expropriation des grands propriétaires a été étendue aux terres en friche ou non arables, y compris les forêts, les étangs et les autres biens fonciers.

L'Union indienne instaura en outre un plafond à la propriété individuelle : les terres excédant ce plafond furent cédées à l'État qui les revendit à des paysans sans terre, y associant une politique de remembrement. Toutefois, la conduite de cette réforme majeure fut déléguée aux États de l'Union : ils adoptèrent la législation nécessaire, mais souvent lacunaire, tandis que les modalités de son application l'ont largement vidée de sens (délais, exemptions, fraudes, mises à prix excessives, retards des cadastres…). La pratique la plus courante fut que, par donations, partages et avancements d'hoiries, les domaines les plus vastes ont été morcelés en fractions « sous plafond », afin que leur exploitation reste aux mains d'une même famille.

En 1970, l'exploitation moyenne était de 2,3 hectares ; dix ans plus tard, la moyenne était tombée à 1,7 hectare, avec de grandes variations entre les États de l'Union indienne. Sur des terres riches, aptes à produire plusieurs récoltes annuelles, la petite ferme à main-d'œuvre familiale, dotée d'une paire de bœufs plus souvent que d'un tracteur, est encore de règle, tandis que le nombre des paysans sans terre a été alimenté par la croissance démographique. En fait, seul le progrès apporté par l'irrigation et l'usage plus systématique des engrais et de semences sélectionnées a permis l'accroissement des récoltes, au travers de la « révolution verte », lancée à la fin des années 1960.

Dans les autres pays, l'évolution a été similaire. Au Pakistan, où la propriété latifondiaire était fréquente, la réforme a souvent été prévenue par une division intra-familiale des grands domaines, tandis que la pression en vue d'une réforme agraire a été plus faible encore qu'en Inde, paralysée par l'action politique des grands propriétaires du Penjab et du Sind, qui constituent aussi la classe politique du pays. Au Népal, la propriété éminente de l'État sur les terres n'a pas conduit à leur partage, mais souvent à leur conversion en propriétés privées d'ampleur inégale. Au Bangladesh, 5 % des propriétaires disposent du quart des terres arables, tandis qu'à l'inverse 70 % de la population se partagent 29 % de celles-ci. Au Sri Lanka, une loi adoptée en 1972 a soumis la propriété individuelle des terres à une réforme sérieuse, dont furent exemptés les domaines détenus par des sociétés anonymes – c'est-à-dire les plantations (thé ou caoutchouc) –, puis un amendement de 1975 fit passer ces domaines sous le contrôle de l'État qui indemnisa les actionnaires et confia l'exploitation à deux agences publiques spécialisées.

L'absence de véritables réformes foncières entretient un réservoir de paysans sans terre que la Banque mondiale a corrélé avec l'extrême pauvreté d'une tranche de la population. Selon elle, celle-ci concerne 42 % des familles au Népal, et 33 à 34 % au Pakistan et au Bangladesh. L'Inde est moins mal lotie (29 %) ainsi que le Sri Lanka, avec 25 % de familles très pauvres.

11.5. Le poids de l'ordre social ancien

Le sous-continent abrite une des plus anciennes formes de démocratie du monde, au travers du système du *panchayat* – ou conseil villageois – qui se charge de gérer les questions sociales, culturelles ou économiques. Mais en même temps, cette structure constitue le principal conservatoire des castes, c'est-à-dire de la variante microrégionale d'une hiérarchisation formelle des familles qui s'étend de la division du travail à la symbolique des divers rôles sociaux, habillée d'idéologies traditionnelles où la pureté et l'impureté supposées sont rigoureusement différenciées dans le travail et l'habitat, comme par des interdits matrimoniaux. L'organisation des castes (ou *varnas*) est la version contemporaine de l'antique schéma védique :

- Les prêtres, ainsi que les clercs, les intellectuels et les enseignants composent la caste des *brahmanes*.

- Les guerriers, les gouvernants et leurs grands auxiliaires sont des *kshatriyas*.

- Les marchands (négociants, banquiers…) sont distingués comme des *banyas*.

- Les agriculteurs et autres travailleurs manuels forment le vaste ensemble des *shudras* et OBC (*other backward casts*), qui regroupe plus de la moitié de la population.

- Enfin, au bas de l'échelle sociale à cause des tâches qui leur sont réservées, qui touchent au sang, aux excréments, à la mort et à toutes autres impuretés, se trouvent les intouchables, *parias* ou *dalits*, lesquels composent 15 % de la population.

- Par ailleurs, la population des tribus est comptée à part (7 %).

Dans son expression locale, ce schéma est rigidifié par les familles auxquelles les individus sont coutumièrement subordonnés, lesquelles étant elles-mêmes soumises aux groupes villageois qui les encadrent. On recense plusieurs milliers de *jatis*, ou corporations, qui différencient au sein d'une même caste les populations exerçant la même profession. Quitte à se transformer, notamment par ajout de nouvelles *jatis*, le système des castes a survécu aux grandes mutations de l'histoire, qu'il s'agisse des conquêtes irano-afghanes ou mogholes, ou des novations religieuses dues au bouddhisme, voire à l'islam. Il est d'ailleurs certain que l'attrait d'une société égalitaire que prône l'islam ait attiré de nombreux membres des castes les plus basses, favorisant la pénétration de cette religion dans le sous-continent, ainsi que du christianisme.

Les réformes et même les dégradations du système des castes ont pris de la force grâce au processus d'urbanisation massive et d'industrialisation. L'effacement du système est patent dans la vie publique (K.R. Narayanan, intouchable, fut président de l'Inde de 1997 à 2002), mais il n'affecte pas directement la vie quotidienne, familiale, matrimoniale. C'est seulement à partir de l'Indépendance que l'abolition des castes est devenue un objectif politique affiché, quoique rarement budgétisé : seule la discrimination à l'égard des intouchables (renommés « *harijans* ») est (légalement) proscrite. Les élections, les lois, l'enseignement public, l'administration de la justice, les normes imposées par les services publics et parfois même des politiques de discrimination au bénéfice des basses castes et des intouchables ont abouti, sinon à l'abolition des castes, au moins à une nette réduction de leur prégnance dans les domaines de la vie sociale les plus sensibles aux impulsions données par le pouvoir central et par ceux des pouvoirs de rang inférieur qui en ont la volonté politique. Mais les cultures communes des populations opposent une inertie marquée à ces tentatives, sans négliger les occasionnelles contre-offensives d'intérêts lésés, tel celui des brahmanes qui souffrent des postes réservés à leurs « inférieurs », l'inertie principale étant évidemment celle des immenses campagnes surchargées de paysans sans terre, mais garnies de peu d'enseignants.

En Inde, le système des castes perdure parce que la pauvreté ravage les campagnes plus encore que les villes et que la démocratie locale demeure souvent une fiction, sauf dans le Kerala et le Bengale occidental qui ont opéré une réelle réforme agraire. Son érosion se poursuit au rythme des modernisations urbaines et s'accélère même dans les États de tradition plus égalitaire qu'ailleurs (Penjab, Haryana et Uttar Pradesh). Mais le phénomène des castes ne survit pas seulement en Inde. Dans les autres pays, ces dernières continuent à structurer les sociétés, même si c'est à des degrés moindres. Ainsi, au Pakistan et au Bangladesh, l'égalitarisme de l'islam, effectivement promu par certaines tendances musulmanes, voile quelque peu des hiérarchies de castes qui demeurent vivaces dans les cultures communes. Il en va de même au Sri Lanka, déjà plus évolué.

C'est seulement dans les zones frontalières montagneuses où les populations sont agencées en tribus que les hiérarchisations variées de ces dernières occupent, dans leurs cultures respectives, la place fondamentale qui revient, ailleurs, aux systèmes de castes. Hormis ces marges tribales, les castes fédèrent les véritables handicaps des Indes tout entières: hiérarchies figées, paysans sans terre, extrêmes misères, inerties freinant les modernisations, même parmi les masses croissantes émigrées dans les bidonvilles et taudis urbains.

11.6. Des économies dynamiques, mais de forts déséquilibres régionaux

Paradoxalement, ces sociétés relativement traditionalistes n'empêchent pas que les économies nationales soient dynamiques. Ou plutôt que le dynamisme d'une frange relativement réduite de la population suffise à favoriser le décollage économique des pays, amorcé au cours des années 1990. Il faisait suite à une période dominée par une politique économique d'autosuffisance basée sur un tissu industriel inégalement hérité de la domination britannique (l'Inde hérita d'environ 90 % des industries britanniques). Cette période de transition post-indépendance a été marquée dans tous les pays par une tentative de développement et de diversification des tissus industriels nationaux, dans une dynamique générale d'interventionnisme étatique jusqu'au début des années 1990. Malgré la volonté affichée par tous les gouvernements d'atteindre cette autosuffisance de production, les tissus industriels des pays sont inégalement développés, tant dans leurs productions que dans leur maillage des territoires, sans avoir réellement rééquilibré le paysage industriel mis en place par les Britanniques.

La zone la plus développée est sans conteste le quadrilatère Delhi-Mumbai (Bombay)-Chennai (Madras)-Kolkata (Calcutta), qui concentre pouvoir financier et majorité du potentiel industriel. Capitale de l'Inde, Delhi est avant tout le cœur politique du pays, mais dispose d'un secteur agroalimentaire profitant de la richesse agricole du Penjab voisin, ainsi qu'un secteur chimique et pharmaceutique développé. Mumbai, dont la fonction portuaire s'est développée autour du commerce du coton (pour compenser la chute de la production due à la guerre de Sécession) puis de l'industrie textile, est aussi la première place financière du sous-continent, abritant en outre des industries légères et moyennes qui ont essaimé le long du littoral, ainsi que dans son arrière-pays. L'industrie lourde est concentrée à Kolkata, qui s'appuie sur les centres sidérurgiques et miniers des vallées de la Damodar et de la Mahanadi. L'ancienne capitale du Raj a perdu de sa puissance économique au profit de Delhi, tandis que les villes du Sud, en premier lieu Chennai (anciennement Madras), mais aussi Hyderabad et Bangalore, connaissent de fortes croissances.

Le Bangladesh demeure très marqué par l'activité textile héritée de la colonisation, que le gouvernement a pourtant su élever au stade de l'exportation, malgré la perte du centre régional de commandement qu'était Calcutta jusqu'en 1947. Quoique incomplet, le pays est quand même parvenu à se doter d'un tissu industriel diversifié, où domine l'industrie pharmaceutique (Dhaka, Khulna, Chittagong), disposant en outre de vastes réserves de gaz dans la région de Sylhet.

Le Penjab pakistanais est sans conteste la zone agricole la plus performante de la région, grâce notamment au réseau dense de canaux d'irrigation la traversant, ainsi que d'une révolution agricole mieux conduite qu'ailleurs. Il est le lieu d'une industrie agroalimentaire dynamique, suffisante à satisfaire les besoins du pays.

Ancienne capitale du Pakistan, Karachi est demeurée capitale économique et la porte d'entrée des pays de l'Indus. Autour de l'activité portuaire s'est développé un tissu économique qui concentre l'essentiel de l'activité industrielle du pays, insuffisamment diversifiée puisque reposant comme au Bangladesh sur l'activité textile. Principal centre économique du pays, Karachi est aussi le reflet de sa complexité ethnique, comme de la difficile cohabitation entre groupes de langues et de cultures différentes. L'opposition majeure est là entre les Sindhi, dominant la propriété foncière et l'activité économique, et les mohajirs, populations musulmanes ayant trouvé refuge dans la région au moment de l'Indépendance.

Le Sri Lanka, peu industrialisé avant l'Indépendance, dispose d'une économie relativement diversifiée, où dominent les industries textiles et agroalimentaires, concentrées surtout dans la capitale, Colombo. Mais le pays a su valoriser sa situation en bordure de l'océan Indien pour s'imposer comme *hub* majeur de l'océan, sur la route maritime Suez-Singapour.

Le taux de croissance du PIB indien, bien qu'en légère baisse ces dernières années, conserve une croissance annuelle supérieure à 6 % (7,4 % en 2008 et 6,9 % en 2009). Dans les autres pays, la croissance est plus faible mais tend à rejoindre cette dernière, soutenue par une bonne tenue de l'industrie manufacturière au Bangladesh et au Pakistan, et par le renforcement du secteur des services au Népal et au Sri Lanka. Les prévisions de croissance à long terme tablent sur un taux annuel de 7,8 %, grâce notamment à l'essor du secteur privé. Conséquence d'une économie qui devrait être en croissance stable pour les dix prochaines années, le revenu par habitant devrait connaître une croissance annuelle régulière d'environ 4,1 %. Mais le frein majeur au développement économique à long terme demeure dans ce domaine le faible essor du marché intrarégional (4,31 %, alors qu'il est de 50 % dans l'ASEAN), comme plus généralement du commerce extérieur des pays, qui représente une part du PIB parmi les plus faibles des États en développement. L'exception demeure l'Inde grâce à la croissance extrêmement rapide de son industrie informatique.

Une seconde cause en est la lenteur avec laquelle les pays se sont dotés de règles d'encadrement des IDE et ont libéralisé leur commerce. L'Asie du Sud demeure la région du monde où les barrières douanières sont les plus élevées, malgré la signature de l'accord de libre échange en 2005 (SAFTA).

11.7. Zones de revendications régionalistes et de crise

Le réveil économique encore incertain des pays est somme toute confiné à certains secteurs d'activité et à certains territoires. Ailleurs, l'évolution est largement freinée par des situations politiques ou sociales conflictuelles, notamment dans ce qu'il est coutume d'appeler la zone des collines. Les massifs montagneux de la périphérie du sous-continent sont par tradition désignés comme les collines (*the hills*), différenciation d'avec les plaines qui ne porte pas tant sur les pratiques culturales, juste adaptées au relief accidenté (cultures en terrasse), que sur le peuplement, qui les singularise : parfois reliquats de groupes ayant fui les plaines, parfois ethnies établies sur les deux versants, tous ont des identités particulières par rapport aux ethnies des plaines, voire des religions différentes.

À l'exception de l'ouest de la zone, dont la fonction de passage stratégique (passe de Khaiber) l'a irrémédiablement lié au destin des constructions étatiques émergentes d'un côté ou de l'autre de la chaîne de montagne, les périphéries montagneuses de l'Asie du Sud ont rarement été sur le long terme intégrées à la dynamique des luttes politiques des plaines. Elles sont de plus restées à l'écart du processus de développement industriel et commercial que ces dernières ont connu. Certaines sont désormais des États indépendants, d'autres ont acquis un statut particulier au sein des États-nations. Toutefois, ces périphéries ont en commun l'héritage historique d'une colonisation britannique qui les a largement ignorées : NWFP (Northwest Frontier Province), Jammu-et-Cachemire, Bhoutan ou Arunachal Pradesh partagent l'héritage d'une mise sous tutelle lâche plus que d'une colonisation formelle.

L'ensemble est – relativement – peu peuplé. Avec une superficie de près de 1,2 million de km^2 pour 73 millions d'habitants, la densité moyenne est de 61 hab./km^2, mais varie tout au long du dispositif montagneux, trouvant les valeurs les plus fortes au Népal, où elles se différencient peu de celles des plaines. Ailleurs, les densités dépassent rarement 50 hab./km^2 et chutent à moins de 10 dès que l'altitude est supérieure à 3 000 mètres.

Pendant la période coloniale, ces espaces furent des interfaces, des marches stratégiques face à d'autres empires ; États ou zones tampons mis en place ou pensés comme tels par les stratèges britanniques, tout au long de leur lente conquête de l'Inde. Ces positions de « marches » stratégiques furent reconduites ou confirmées à l'Indépendance, soit par une indépendance internationalement reconnue, soit par l'octroi ou le maintien de statuts particuliers au sein des États émergents. À l'écart de la dynamique politique du reste du sous-continent, ces régions sont aussi demeurées à l'écart de son développement économique.

La bordure occidentale du Pakistan, du Baloutchistan aux Federally Administered Tribal Areas (FATA), est le legs incertain fait par le *British Raj* au Pakistan. Elle englobe des territoires caractérisés par la sécheresse qui, vers le nord, se combine à l'altitude pour constituer des milieux de mise en valeur difficile, d'agriculture de fond de vallées et surtout d'élevage transhumant, voire localement de semi-nomadisme. La caractéristique majeure des populations est leur forte identité ethnoculturelle : les groupes sont assez nettement définis et revendiquent volontiers le statut de nations, même s'ils sont *de facto* extrêmement fragmentés en sous-groupes ou tribus ; unités de production économique, de parenté et de pouvoir contrôlées par une aristocratie de fait, les *sardars*, sur laquelle se reposaient les Britanniques et qui continue à exister dans le Pakistan actuel.

Les Baloutches sont majoritaires dans la province du Baloutchistan, mais participent peu au développement économique de leur région, confisqué par d'autres groupes, comme la mise en valeur du nouveau port de Gwadar, contrôlée par des financiers pendjabi, ou l'exploitation du champ gazier de Sui, sous le contrôle du gouvernement central. L'action politique a trop été orientée jusqu'à présent sur une revendication d'autonomie au détriment de projets de développement économique pourtant souhaités par une classe moyenne urbaine et laïque émergente. L'autonomie, inscrite dans la Constitution de 1973, mais jamais accordée, est revendiquée autant par ces classes urbaines et certains groupes tribaux peu religieux que par les autorités locales et les mouvements religieux. Pour ces derniers, il s'agit moins de l'obtenir que d'instrumentaliser sa revendication pour mieux préserver la convergence d'intérêts construite par Zia ul Haq entre les grands *Sardars*, l'armée et certains mouvements religieux salafites, qu'a dans un premier temps conforté le président Musharraf. Il s'agissait alors (et il s'agit toujours) de garantir la stabilité de la province, qui avait connu en 1948, 1968 et en 1973 des soulèvements indépendantistes.

La situation est similaire dans les FATA et la NWFP, structures directement héritées du *British Raj* dans sa volonté de préserver les abords occidentaux de l'Inde et que sanctionna le traçage de la « ligne Durand ». Porte d'entrée de l'Asie centrale pour le Pakistan, ces deux régions sont aussi l'axe majeur d'approvisionnement en armes et munitions de l'Afghanistan et la zone principale d'implantation des réfugiés fuyant ce pays et important leurs querelles intertribales. Si les mécanismes d'expression politique sont similaires à ceux observables au Baloutchistan, ils varient en magnitude du fait de l'enjeu que constituent ces territoires pour le Pakistan.

À l'angle de la rencontre de l'Indou-Koush et du Karakoram se situe le Cachemire. Objet de trois conflits ouverts entre l'Inde et le Pakistan, partagé en deux depuis 1949, sujet d'un conflit de basse intensité depuis 1984 dans le secteur montagneux du Siachen, d'une guerre par procuration depuis 1989 et d'un bref conflit au printemps 1999, le Cachemire est un territoire en guerre.

Le Cachemire occupe l'extrémité occidentale de l'ensemble Karakoram-Himalaya, plus arrosé que les confins ouest du Pakistan grâce aux flux de mousson. Cet immense espace, qui clôt au nord le sous-continent, a une dynamique autre : il n'est plus question là de jeux ethniques transfrontaliers et transmontagnards parce que la composante qui avait poussé les Britanniques à poursuivre sur ces marches les pratiques inventées en deçà de la ligne Durand – le pouvoir politique tibétain – a disparu avec l'occupation chinoise du Tibet en 1951, ôtant aux peuplements bhotias d'altitude toute alternative à l'hégémonie politique de la plaine. C'est donc une dynamique plaine-pentes, voire plaine-plaine, qui affecte ces territoires. Il s'agit de plus d'un contexte où les revendications territoriales sont globalement absentes, même s'il est parfois évoqué en Inde le spectre d'un « grand Népal ». Cette dynamique plaine-pentes varie au long du massif, mais repose sur le même schéma d'un pouvoir politique ancien, localisé en altitude, qui perd actuellement de sa représentativité à la suite du peuplement et de la mise en valeur des terres de basse altitude. La seule exception est le Cachemire, où dynamiques économique et démographique demeurent localisées dans la cuvette de Srinagar. Ailleurs, la perte de représentativité a engendré (sauf au Népal et au Bhoutan) un glissement du pouvoir politique vers les basses altitudes et sa captation dans le jeu politique des plaines, en Inde. Ainsi, la création du nouvel État indien d'Uttaranchal en 2000, détaché de l'Uttar Pradesh, répondait certes à la satisfaction d'une revendication ancienne d'un État des collines, mais aussi à la volonté plus actuelle d'augmenter le nombre d'acteurs dans la *Hindi belt* tout en affaiblissant l'État électoralement instable d'Uttar Pradesh.

Dans le cas du Népal et du Bhoutan, la crainte n'est pas celle d'un glissement du pouvoir vers les plaines, mais celle de l'intégration de l'État dans une Inde perçue comme expansionniste. Le cas d'école est l'annexion de l'État du Sikkim en 1975 : ce scénario, craint par les royautés népalaise et bhoutanaise, est à l'origine de l'expulsion massive d'une centaine de milliers de personnes de langue népali des basses terres qu'elles occupaient dans le sud du Bhoutan et de leur exil dans l'est du Teraï népalais en 1990.

Au Népal, une autre forme de revendication est apparue, qui remet en question le principe même d'une monarchie dans le pays, mais pas son indépendance. Absolutiste jusqu'en 1990, date à laquelle une monarchie parlementaire est mise en place, la royauté népalaise doit faire face depuis 1996 à une insurrection maoïste, qui a pris naissance dans le Népal central et s'est peu à peu diffusée dans l'ensemble du pays.

S'il se déclare maoïste, notamment à cause de ses techniques d'endoctrinement de masse, ce mouvement se rapproche plus d'une filiation naxalite[2] et il ne peut se prévaloir d'un lien quelconque avec la Chine, le gouvernement de cette dernière l'ayant condamné.

L'Asie du Sud est régulièrement le théâtre d'affrontements interconfessionnels, mais aussi de mouvements revendicateurs ou autonomistes armés. Le mouvement naxalite est sans doute le plus ancien de ces derniers, mais aussi le plus développé, tant au regard des effectifs qu'à celui du territoire couvert. Il est apparu dans le village bengalais de Naxalbari au milieu des années 1960, en réaction à une réforme agraire qui laissait trop de paysans sans terre. Le mouvement fut mis hors la loi mais continua d'exister dans la clandestinité jusqu'au pardon accordé par les autorités indiennes à la fin des années 1970. Celui-ci n'attira pas tous les militants et certains poursuivirent leur lutte à travers différentes organisations, continuant de recruter parmi les hors castes ou les populations tribales et survivant par la levée «d'impôts révolutionnaires» dans les zones qu'ils contrôlent. Aujourd'hui, le mouvement, en tête duquel se trouve la «People War Army» s'étend de l'Andhra Pradesh au Bihar, dans une zone montagneuse et fortement boisée, et il entretient des relations continues avec les autres mouvements armés dans le Nord-Est indien, au Cachemire et au Népal mais aussi avec des mouvements du Bangladesh, ce qui est symptomatique du malaise des populations qui se sentent oubliées par les gouvernements de tutelle et exclues du développement économique.

11.8. Perspectives

Tous les pays d'Asie du Sud sont désormais entrés dans un processus de croissance forte et de développement économique. Toutefois, comme en Chine, le maintien de cette dynamique est tributaire de la capacité des pays à mettre en œuvre une politique énergétique apte à pallier les insuffisances des infrastructures actuelles, tandis que la consommation d'énergie primaire a augmenté de 89 % entre 1992 et 2008. Pour l'heure, la faiblesse tient autant aux difficultés d'approvisionnement qu'aux déficits de distribution et tous les pays de ce monde indien de l'Asie du Sud souffrent de ruptures d'approvisionnement : les coupures d'électricité sont quotidiennes ; sa qualité varie fortement en voltage et en fréquence et les pertes dues au transport atteignent 30 % au Pakistan et 40 % au Bangladesh. La situation est telle que les entreprises du domaine des technologies de l'information et des communications (TIC) investissent dans des générateurs électriques, pour garantir leur croissance. À ce premier obstacle s'ajoute celui d'un approvisionnement accru, pour soutenir le développement économique et pour alimenter une population qui demeure en grande majorité dépendante des

---

2. Les Naxalites sont les membres du mouvement Naxal, qui est en activité depuis 1965 dans neuf États de l'Inde centrale. Les Naxalites cherchent à organiser les paysans pour provoquer une réforme agraire par des moyens radicaux, y compris la violence.

combustibles traditionnels (bouse, charbon de bois). L'Inde doit, en 2010, importer 70 % du pétrole qu'elle consomme et 40 % du gaz naturel ; le Pakistan 80 % du pétrole mais il est autosuffisant en gaz tout comme le Bangladesh. D'ici 2020, la demande de pétrole devrait doubler, pour atteindre 156 millions de tonnes. Si les réserves autochtones de gaz du Pakistan et surtout du Bangladesh devraient suffire à couvrir leurs besoins futurs, l'Inde doit trouver une alternative aux coûteuses importations de gaz naturel liquéfié et l'ensemble de la région, une source stable de pétrole. Le projet, approuvé en 2005, d'un gazoduc reliant les champs de South-Pars en Iran à l'Inde, en passant par le Pakistan, est une réponse à cette dépendance énergétique, mais les travaux n'avaient pas commencé en 2010. C'est surtout une étape majeure dans le rapprochement entre l'Inde et le Pakistan, amorcé sans succès notoire jusqu'à présent au cours des années 1990, qui, à terme, permettra de faire oublier que le sous-continent indien est, depuis l'accession à l'indépendance de ces États, un territoire de luttes et d'affrontements.

Bibliographie

BOSE, S. et A. JALAL (2004). *Modern South Asia : History, Culture, Political Economy*, Delhi, OUP.

FOUCHER, M. (dir.) (2002). *Asies Nouvelles*, Paris, Belin.

GUIMAUD, J. (1998). *Le régionalisme en Asie du Sud : L'expérience de la SAARC (1985-1997)*, Paris, L'Harmatan.

NEHRU, J. (1946). *The Discovery of India*, Calcutta, The Signet Press.

LE CACHEMIRE
Entre deux destins

Emmanuel Gonon

Aux yeux de l'opinion internationale, la question du Cachemire relève des revendications croisées de deux États, l'Inde qui contrôle ce territoire et le Pakistan qui le revendique, et d'une population qui, dans sa grande majorité, souhaite son rattachement à ce dernier. Cette représentation à usage généraliste néglige de rendre compte, d'abord, de l'extrême diversité sociale et politique propre au Cachemire, ensuite, de la variété des revendications formulées par les différentes composantes de la population de l'État indien de Jammu-et-Cachemire et de celle du territoire du Cachemire sous l'autorité du gouvernement pakistanais.

1846-1947-2005 : UN ÉTAT DE BRIC ET DE BROC

La première caractéristique qui vient à l'esprit est la dimension ethnoreligieuse que l'on accorde au conflit, largement mise en exergue par le gouvernement pakistanais, qui y puise la légitimité du soutien moral, matériel et financier qu'il apporte aux rebelles cachemiriens : un État indien à population majoritairement musulmane, dans un pays à majorité hindoue ; la réalité est plus complexe. De fait, l'appréciation d'un assemblage disparate (*a ramshakle state*) est fréquente en Inde pour désigner l'actuel État de Jammu-et-Cachemire et rendre compte de la diversité d'un territoire différencié en trois régions aux caractéristiques géographiques distinctes, confortée par des identités linguistiques et religieuses. Elle s'appliquait déjà au royaume princier de Jammu-et-Cachemire qui est né le 16 mars 1846, quand les représentants britanniques et le Maharadjah de Jammu signèrent le traité d'Amritsar, par lequel ils lui reconnaissaient la possession des zones collinéennes du royaume sikh de Lahore (dont la vallée du Cachemire), qu'ils venaient de conquérir, en remerciement de la neutralité qu'il avait observée pendant le conflit. Ajoutant la vallée du Cachemire à d'anciennes conquêtes (Baltistan, Ladakh) et à son domaine initial (la région de Jammu), le maharadjah Gulab Singh, d'ethnie dogra et de religion hindoue, se retrouvait à la tête d'un État dont la diversité tenait autant à la variété des paysages qu'à celle du peuplement.

Le gouvernement de l'État indien de Jammu-et-Cachemire étend sa juridiction sur un territoire d'environ 101 000 km² et une population de 12,22 millions d'habitants. La région de Jammu est constituée du flanc sud du Pir Panjal et d'une étroite portion de la plaine de l'Indus (20 kilomètres de large en moyenne), coincée entre le bas des pentes et la Ligne de contrôle effectif de 1972. La population (45 % du total) est majoritairement hindoue (66 %)[1], concentrée à basse altitude (50 % de la population

---

1. Les musulmans constituent 30 % de la population ; les 4 % restants sont des sikhs pour l'essentiel.

Figure 11a.1.
Le Cachemire : morcellement et autonomies

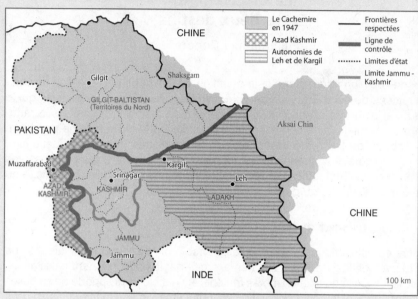

Source : Emmanuel Gonon, « Représentations nationales et revendications régionales : le Cachemire, entre extrémismes », dans F. Lasserre et E. Gonon (2002). *Espaces et enjeux : méthodes d'une géopolitique critique*, Montréal et Paris, Université du Québec à Montréal et L'Harmattan, coll. « Chaire Raoul-Dandurand », p. 371.

dans les districts de Jammu et de Kathua), tandis que les pentes supérieures du Pir Panjal, très boisées, sont plus faiblement peuplées. Au nord, la vallée du Cachemire (la Vallée) se présente comme une cuvette très densément peuplée (52 % du total) et d'obédience musulmane (95 % en 2001). À l'est, le Ladakh présente une population plus réduite, bouddhiste et musulmane.

Entre ces ensembles contrastés existent des zones de transition, à peuplement mixte : la région de Doda et le nord des districts d'Udhampur et de Rajauri présentent une forte minorité musulmane ; le district de Kargil abrite un fort peuplement musulman, d'obédience chiite, alors que la population musulmane de la Vallée est sunnite[2].

Cet État est appréhendé par les autorités pakistanaises comme le Cachemire occupé par l'Inde (Indian Occupied Kashmir, IOK), par opposition au Cachemire libre (Azad Kashmir, AK), sous contrôle pakistanais. L'appellation regroupe les 10 districts

---

2. Il existait une petite minorité chiite dans la Vallée (5 % de sa population), qui s'opposait réguliè- rement aux sunnites majoritaires en des affrontements parfois sanglants, comme celui de 1872.

Figure 11a.2.
Le Cachemire, vision indienne et pakistanaise

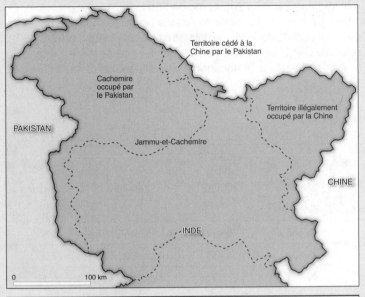

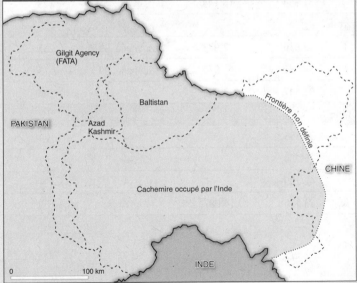

Source : Emmanuel Gonon, «Représentations nationales et revendications régionales : le Cachemire, entre extrémismes»,
dans F. Lasserre et E. Gonon (2002). *Espaces et enjeux : méthodes d'une géopolitique critique*, Montréal et
Paris, Université du Québec à Montréal et L'Harmattan, coll. «Chaire Raoul-Dandurand», p. 371.

à peuplement majoritairement musulman sunnite, à l'ouest et au nord-ouest de la Ligne de contrôle effectif (LCE), en rive gauche de la Jhelum et de la Neelam, qui disposent en théorie d'un gouvernement autonome de l'État pakistanais depuis 1949, siégeant à Muzaffarabad. En sont en revanche exclus les Territoires du Nord (le Gilgit-Baltistan depuis 2009), qui sont directement administrés par Islamabad depuis 1972. À l'exception du district de Gilgit, où dominent les sunnites, ce territoire est peuplé par une population de confession chiite (à dominante ismaélienne) et de parler bhotia[3].

Tableau 11a.1.
Le Cachemire en quelques chiffres

Région	Superficie (km²)	Population 2001 (x 1000)	Religion	Densité
Sous contrôle de l'Inde				
Kashmir	15 668	5 477	Musulmane, 97 %	349
Jammu	25 891	4 430	Hindouiste, 65 %	171
Ladakh	40 395	237	Bouddhiste, 46 %	6
Total	81 954	10 144		123
Sous contrôle du Pakistan				
Azad Kashmir	12 616	2 973	Musulmane, 99 %	235
Territoires du Nord	84 931	970	Musulmane, 99 %	11
Total	97 547	3 943		40
Sous contrôle de la Chine				
Aksai Chin	37 555	*	—	—
Shaksgam	5 180	*	—	—
Total	42 735	*	—	—
Grand total	222 236	14 087		63

3. Le balti, parlé au Baltistan, le ladakhi et le tibétain font partie de la même branche de la famille tibétobirmane et sont répertoriés en Asie du Sud comme langues bhotia.

Même si les populations des deux portions pakistanaises du Cachemire se caractérisent par une foi identique à l'islam, les différenciations ethniques et les courants religieux sont suffisants pour introduire une différenciation aussi forte que de l'autre côté de la ligne de contrôle, pouvant susciter des oppositions marquées[4].

DES REPRÉSENTATIONS CONTRAIRES APPLIQUÉES AU CAS DU CACHEMIRE

Le discours officiel pakistanais s'affirme comme de plus en plus islamisé et, dans le cas du Cachemire, oppose l'islamisme au nationalisme laïc dans sa lecture de la revendication première des populations de la Vallée, soit l'organisation d'un référendum d'autodétermination tel qu'il a été proposé par l'ONU dans les résolutions d'avril 1948 et de janvier 1949. Le Pakistan soutient la demande parce qu'il considère qu'un référendum se conclurait inévitablement par l'intégration du Cachemire, d'autant plus que les résolutions de l'ONU ne mentionnent pas l'hypothèse de la troisième voie, celle de l'indépendance.

À l'inverse, l'Inde rejette autant le projet de référendum que la remise en cause de l'accession du Cachemire à son territoire, considérant que les modalités de cette dernière ont respecté le cadre défini par l'*Independance Act* de juillet 1947. Elle repousse l'idée d'une consultation populaire, considérant depuis 1972 que les élections qui se sont déroulées dans l'État depuis l'indépendance constituent une acceptation populaire tacite du projet national indien[5]. Elle ne peut accepter l'idée de référendum parce que ce dernier, reposant sur un présupposé de différenciation religieuse, serait en contradiction avec la notion de laïcité (*secularism*) qui est à la base du principe politique indien, inscrit dans la constitution du pays[6].

Les deux États paraissent plus s'intéresser à la dimension territoriale du Cachemire qu'à sa société. Le gouvernement d'Islamabad recherche, par l'annexion complète du Cachemire, une plus-value territoriale lui permettant de repousser la frontière vers le nord et le nord-est tout en élargissant l'accès à son allié privilégié, la Chine[7]. Auparavant « État idéologique », comme l'avait caractérisé Zia ul-Haq (1981), le Pakistan

---

4. La montée en puissance d'un islam salafiste peu tolérant au Pakistan (proche du mouvement wahhabite), se réclamant d'une orthodoxie rigoureuse, permet à ses fidèles de demander la condamnation des tenants des sectes non orthodoxes comme apostats, notamment l'école de pensée chiite.

5. Jusqu'à présent, les découpages territoriaux indiens successifs ont toujours été réalisés sur la base de critères linguistiques et non pas religieux (même si dans certains cas le *distinguo* fut subtil).

6. Implicitement, la sécession d'un État de l'Union indienne pour des raisons religieuses serait un aveu d'échec du principe de laïcité et de tolérance du pays. Le *secularism* est moins l'expression d'une franche laïcité que celle d'une neutralité à l'égard des confessions religieuses.

7. Dans un article intitulé « Islamabad's road warriors » (1995), Freeman Center for Strategic Studies, <www.freeman.or>, Yossef Bodansky suggère que la pression supplémentaire exercée par le Pakistan sur le Cachemire résulte d'une analyse concluant que le Cachemire indien constitue la meilleure porte d'entrée, d'un point de vue technique et économique, de l'Asie centrale pour le pays, par le Ladakh et la Chine.

cherche depuis une vingtaine d'années à être défini comme le « pays de l'Indus ». Ce nouveau positionnement, s'il permet d'ancrer le pays dans un passé historique plus ancien que l'islam (civilisation de Mohenjo Daro, IIIe millénaire av. J.-C.), n'est guère plus achevé que le précédent, mais fournit au moins une base idéologique à l'expansion territoriale désirée.

Héritière autoproclamée de l'empire britannique des Indes, l'Inde n'a jamais cherché à définir un territoire qui s'étend, selon la devise du *Survey of India*, « du Cap Cormorin aux Himalayas », et que la constitution définit de manière sibylline comme Bharat (la terre). Pour les Indiens, le Cachemire fait implicitement partie d'un Hindoustan transhistorique, haut lieu de l'antiquité hindoue et un des joyaux des dynasties mogholes, ainsi que lieu de pèlerinages religieux (grotte d'Amarnath). C'est un acquis de l'indépendance, dont la valeur stratégique n'a jamais réellement fait l'objet de débats en Inde, si ce n'est comme protection en profondeur de la plaine du Gange, face à une menace venant du nord. Mais c'est plus un héritage de l'empire britannique qu'un questionnement sur la géométrie actuelle du pays.

Les conflits successifs ont incité les deux gouvernements à ancrer à leur espace national les territoires qu'ils contrôlent par la mise en place de connexions terrestres et aériennes, par l'instauration d'une présence administrative, policière ou militaire, mais sans établir des régimes normalisés. Ces gouvernements ont au contraire conservé les systèmes hérités du dispositif frontalier de protection de l'empire, mis en place par les Britanniques à partir de 1872. Le maintien d'un système de contrôle territorial de type impérial dans le cadre d'un État national était, jusqu'à la fin des années 1980, la norme sur le piedmont indien de l'Himalaya, traduisant surtout le désintérêt des autorités pour ces périphéries montagneuses. Au Cachemire, ce maintien correspond, au contraire, à une volonté politique de préserver les structures administratives existantes, faute sans doute de pouvoir – ou d'oser – les réformer. Le Cachemire fut avant les indépendances un royaume unitaire, à l'exception de Gilgit qui, dans le cadre de la *forward policy,* fut élevé en une *Agency* sous contrôle britannique en 1877[8]. C'est désormais un territoire sur lequel coexistent cinq statuts administratifs différents les uns des autres, autant que des territoires nationaux auxquels ils sont rattachés, même si tous bénéficient de lignes dans les budgets des États propriétaires.

Le Jammu-et-Cachemire est un État au sein de l'Union indienne, depuis le 15 février 1954, mais dont le gouvernement dispose d'une relative autonomie, que l'article 370 de la Constitution indienne lui garantit. Cette marge de manœuvre bénéficie essentiellement aux populations de la Vallée, au détriment de celles du Ladakh ou du Jammu qui sont en outre peu représentées dans la fonction publique de l'État, au *prorata* des populations concernées, et non des superficies respectives.

---

8. Gilgit et le Baltistan, au nord du Grand Himalaya, qui furent finalement cédés à bail aux Britanniques en 1935.

La revendication d'un statut distinct pour le Ladakh, de la création d'un État particulier, seul ou fusionnant avec le Jammu, ou d'une autonomie interne étendue, fut formulée dès les premiers temps de l'indépendance par l'association des bouddhistes du Ladakh. Elle fut constamment repoussée, malgré l'avis favorable de plusieurs commissions gouvernementales *ad hoc*. Elle ne fut réalisée qu'au printemps 1997, sur un mode mineur, celui d'un Autonomous Hill Council qui assure en théorie au district de Leh une autonomie accrue en matière de développement régional, un budget particulier et une représentation politique renforcée. Devant la relative réussite de la formule, les milieux politiques du Jammu ont récemment entamé une démarche pour bénéficier du même statut, qui fut accordé au district de Kargil courant 2003. Mais le gouvernement indien hésite à affaiblir plus encore le pouvoir des autorités du Jammu-et-Cachemire.

De l'autre côté de la ligne de contrôle, la situation est toute différente, puisque si l'Azad Kashmir (AK) et les Territoires du Nord sont circonscrits par les frontières du Pakistan, ils n'en font pas officiellement partie. Leurs habitants, bien que disposant d'un passeport pakistanais, n'ont pas droit de vote dans le pays. Les populations de l'AK disposent toutefois d'un président, d'un gouvernement et d'une assemblée élue à la proportionnelle (et même d'un drapeau). Ses pouvoirs demeurent limités par le contrôle exercé par le gouvernement d'Islamabad, qui ne manque de rappeler les termes de la constitution provisoire de 1949, selon lesquels toute action politique remettant en cause le futur pakistanais de l'AK est interdite. Par contre, les Territoires du Nord sont dans une situation constitutionnelle ambiguë : ils ne font pas partie du Pakistan (article 1.2. de la Constitution), ni de l'Azad Kashmir, mais de l'État de Jammu-et-Cachemire. Ils sont sous le contrôle direct du gouvernement fédéral, administrés depuis 1950 par le ministère des Affaires cachemiriennnes et du Nord.

Sans remettre en cause les structures administratives héritées, les deux gouvernements ont œuvré à réduire au fil du temps l'autonomie qu'elles permettaient. Sur le côté pakistanais de la ligne de contrôle, l'autorité du gouvernement d'Islamabad est, depuis l'émergence de la rébellion cachemirienne, renforcée par l'action prosélyte conjointe de la Jammat-e-islami. Dans les Territoires du Nord, la création d'un Conseil législatif en novembre 1999, sous le contrôle d'un président, qui est en même temps chef de l'exécutif des Territoires et ministre des Affaires cachemiriennes et des Territoires du Nord, renforce l'ancrage de la région au Pakistan, même si la fiction d'une non-appartenance au pays est maintenue.

Mais c'est au Jammu-et-Cachemire que l'action normalisatrice du gouvernement central fut la plus forte, sans doute parce que l'autonomie y était la plus grande. D'une part, les autorités indiennes se sont efforcées avec succès de vider peu à peu de son contenu l'article 370 de la Constitution, tout en intervenant régulièrement (souvent de façon illégitime) dans la politique intérieure de l'État, n'hésitant pas à emprisonner avec une certaine constance son chef historique et charismatique, Sheikh Abdullah. D'autre part, le gouvernement indien s'est efforcé de promouvoir la diffusion de l'ourdou, langue de l'élite choisie par l'Assemblée constituante en 1951, au détriment du cachemiri, langue populaire.

DÉRIVES IDENTITAIRES RÉGIONALES ARMÉES

C'est paradoxalement le modèle indien, ou plutôt le trop grand écart par rapport à ce dernier dans l'État, qui incita les populations de la Vallée à remettre en question leurs relations à l'Inde, en raison du népotisme et de la corruption présents à tous les niveaux de la hiérarchie administrative, favorisés par la liberté de manœuvre qu'assuraient au gouvernement de l'État les provisions de l'article 370. S'ajoutait une dotation budgétaire lui assurant une large autonomie financière[9]. Le reproche fondamental fait aux autorités indiennes fut sans doute leur enfermement dans cette dynamique de soutien et de combat du gouvernement de l'État, à seule fin de favoriser l'implantation régionale du parti du Congrès, au détriment de la Conférence Nationale (NC), parti régional fondé avant l'indépendance par Sheikh Abdullah, que dirige depuis 1982 son fils Farooq Abdullah[10]. De fait, le problème majeur de l'Inde jusqu'en 1989 fut l'absence d'une stratégie politique claire du gouvernement central vis-à-vis de celui de l'État, alternant soutien sans condition et arbitraire politique (Sheikh Abdullah passa de nombreuses années en prison), faute sans doute d'un interlocuteur politique autre que la Conférence Nationale (Ganguly, 1996).

Dans ce duel Centre-NC qui rythma l'histoire de l'État, les revendications des populations furent largement négligées par les deux adversaires, autant que la menace potentielle qu'elles représentaient. Ce que comprit parfaitement le ISI (Inter-Services Intelligence – services secrets pakistanais), qui arma et entraîna les membres du Jammu & Kashmir Liberation Front (JKLF), organisation clandestine implantée depuis plusieurs années en Azad Kashmir, qui initia la rébellion dans la Vallée à la mi-1989. Les autorités indiennes caractérisent la rébellion au Cachemire comme une « guerre par procuration » (*proxy war*) menée par le Pakistan à l'instigation de son ancien dirigeant Zia-ul-Haq. Il en aurait exposé les principales séquences, lors d'une réunion des chefs d'état-major en avril 1988, sous le nom de code « Tupac » : « notre objectif reste parfaitement clair et ferme – la libération de la vallée du Cachemire ; nous devons libérer nos frères musulmans » (Kumar, 1994, p. 8 ; traduction libre).

L'accroissement du nombre d'incidents le long de la LCE dans les années 1990 est de nature à conforter l'hypothèse indienne d'un plan concerté pakistanais, d'autant plus que les accrochages sont concentrés dans des lieux où l'armée indienne est bien implantée car la LCE y est particulièrement vulnérable[11](Uri, Rajauri et surtout

---

9. La seule constante de la politique du Centre (le gouvernement fédéral) fut l'allocation budgétaire versée au Jammu-et-Cachemire, qui a régulièrement oscillé autour de 80 % de dons et de 20 % de prêts, à la différence des autres États, pour lesquels elle est au mieux de 50 %-50 %.

10. Surnommé le Lion du Cachemire, Sheikh Abdullah bénéficia, malgré la corruption du gouvernement, du prestige lié à sa capacité à représenter le Cachemire auprès du gouvernement central et à négocier les termes de l'autonomie de l'État. Ce prestige permit à son fils de lui succéder, mais sa gestion autoritaire de l'État et de la vie politique empêcha l'émergence d'une opposition politique d'essence régionale crédible.

11. Au cours des deux mois de juin et juillet 1998, la quantité de munitions employées dans les duels d'artillerie dépassait de beaucoup celle qui avait été dépensée lors des conflits de 1965 et 1971 réunis.

Kargil). Un même regain d'activité est observable en d'autres points de la ligne : dans le secteur du Siachen, les accrochages se faisaient beaucoup plus violents depuis 1992 et surtout 1996. Ils ont même évolué en un rude affrontement armé, au printemps 1999, pour le contrôle de la ville indienne de Kargil. Mais quelle que soit la réalité de ce plan, notons quand même que la guerre par procuration est moins coûteuse pour le Pakistan qu'un conflit traditionnel, puisqu'il ne dispose ni des moyens financiers pour le déclencher, ni des moyens matériels pour le gagner.

Les différents acteurs de la rébellion au Cachemire sont regroupés en trois grandes organisations militantes parmi une nébuleuse d'organisations – une quarantaine sont connues, dont les plus importantes sont le Hezb-ul-Mujahedin et le Jammu & Kashmir Liberation Front. Toutes n'ont pas inscrit la lutte armée dans leur programme, mais les liens existant entre groupes militarisés et groupes politiques relèvent au moins de la filiation idéologique.

AU-DELÀ DE L'ÉCŒUREMENT, QUELQUES CHIFFRES

Deux tendances majeures semblent différencier ces groupes militants, selon leur revendication, même s'ils s'opposent au projet régional d'une plus grande autonomie accordée au Jammu-et-Cachemire. Si les mouvements comme le JKLF revendiquent l'indépendance du Cachemire, les autres réclament un rattachement du territoire au Pakistan. De fait, les divergences d'objectifs entre les deux tendances, pro-indépendance et pro-pakistanaise, sont clairement visibles à travers les actions entreprises par les différents groupes, dans et autour de la Vallée, ainsi que dans leur évolution depuis la fin de 1989.

Si l'on considère comme terroriste tout acte contre civils et représentants des autorités politiques, visant à remettre en cause par la violence délibérée une situation politique et sociale donnée, il faut tenir compte de deux sources de violence complémentaires s'exerçant sur le territoire du Cachemire : l'armée pakistanaise et les groupes terroristes, dont la complémentarité dans l'action semble s'être accrue au fil des ans. L'armée indienne estime à 2 300 le nombre de terroristes au Cachemire (dont 900 étrangers), tandis que les organisations militantes l'estiment à plus de 20 000. Des écarts identiques apparaissent quand il s'agit de comptabiliser le nombre de victimes. Selon les sources, les chiffres varient entre 15 000 et 50 000 morts, mais les valeurs les plus communément admises sont autour de 20 000 morts depuis 1989[12]. La seule certitude vient des dégâts matériels causés par les combats, estimés en 1998 par le gouvernement du Jammu-et-Cachemire à 3,8 milliards de roupies (89 millions de dollars américains) : de 1989 à 1994, plus de 1 500 bâtiments publics, 7 000 habitations, 300 ponts et 300 routes ont été détruits[13].

---

12. Pour la période de la President's Rule – juillet 1990 à septembre 1996 –, le gouvernement indien a donné les chiffres de 13 000 tués, dont 6 900 militants et 1 300 soldats.
13. Le coût de l'action armée a été estimé, par le JKLF, pour les forces indiennes à un million de dollars par jour. Mais il semblerait que l'organisation y inclut le coût des opérations menées dans la région du Siachen.

L'analyse du genre et de la localisation des destructions permet de différencier deux types d'action terroriste dans et autour de la Vallée : l'attaque des symboles de la présence indienne (bâtiments gouvernementaux, écoles, dispensaires) et la destruction des infrastructures de transport. Ces deux formes d'action terroriste poursuivent des objectifs divergents, et par là sont le fait de groupes distincts. Tandis que les destructions de bâtiments publics sont réparties sur l'ensemble de la Vallée et de ces périphéries nord et ouest (à proximité de la LCE[14]), les destructions des axes de communication et des ponts sont plus concentrées en un certain nombre de lieux stratégiques. Outre la région de Doda, que traverse le seul axe routier reliant le Jammu à la Vallée, ce sont les axes de communication depuis Srinagar, en direction de la LCE, mais aussi du Ladakh, qui sont concernés. Il semblerait bien qu'il y ait là une volonté de désorganiser le système de communication de la Vallée pour l'isoler non seulement du reste de l'Inde, mais aussi de la LCE, afin d'affaiblir les capacités d'intervention de l'armée indienne le long de la ligne. La présence de terrains minés par les terroristes dans les zones de patrouille des forces de sécurité confirme cette hypothèse d'une complémentarité construite entre les actions militantes et les objectifs militaires pakistanais.

Le troisième vecteur de violence est celui que constituent les forces de sécurité indiennes, dont les exactions ont été condamnées par des ONG comme Asia Watch ou Amnistie internationale[15]. Paradoxalement, l'extrémisme dont elles ont fait preuve a contribué à faire évoluer le conflit, incitant les militants à recourir à une forme d'action plus brutale : selon certaines sources, il y aurait un militaire par habitant dans la Vallée[16].

Les forces armées indiennes ont effectivement mené des opérations de répression très violentes, incluant arrestations arbitraires et usage de la torture. Elles sont soutenues dans leur action par un cadre législatif leur octroyant de larges pouvoirs. Le lancement de l'opération *Catch and Kill* par la police indienne en 1992 a favorisé le durcissement des actions terroristes[17] qui, à partir de 1993-1994, ont été caractérisées par un usage beaucoup plus massif d'explosifs, faisant naître au sein de la population un double sentiment d'insécurité, à l'égard des actions des forces indiennes, mais aussi de celles des militants.

La radicalisation du discours islamiste au Pakistan et un certain rejet de la violence par la population ont découragé nombre de postulants au militantisme. Devant cette perte relative d'audience, l'ISI a dû faire appel à des combattants étrangers,

---

14. À quelques exceptions près, dans les régions de Leh et de Kargil.
15. Voir entre autres : U.S. Department of State (1998). *Report on Human Rights Practices in India*.
16. Outre l'armée qui surveille la frontière, sont présentes les formations militaires des Border Security Forces (56 des 148 bataillons existants). Leur nombre est officiellement de 235 000 ; 600 000 selon les organisations militantes, mais ce dernier chiffre intègre les effectifs de l'armée indienne déployés au Siachen.
17. Une tactique similaire, appliquée au Penjab, avait permis aux forces de sécurité de casser les liens de solidarité qui unissaient la population aux militants sikhs.

des « Afghans », vétérans de la guérilla en Afghanistan, dont l'efficacité militaire est supérieure grâce à leur entraînement et à un armement plus sophistiqué. Mais, avec un soutien plus réduit de la population du Cachemire, ces groupes, majoritaires dans un certain nombre de mouvements terroristes, agissent plus fréquemment en milieu rural qu'en milieu urbain et sont les principaux acteurs de la diffusion de la violence hors de la Vallée, notamment dans les régions à peuplement mixte significatif, comme Doda, Anantnag et même dans l'Himachal Pradesh voisin. Ils tentent, par une pratique confirmée de « nettoyage ethnique » de favoriser l'islamisation des territoires en périphérie de la Vallée[18].

LES NOUVELLES FORMES DE LA CONTESTATION

L'éclatement de l'action terroriste entre les différents groupes a contribué à en affaiblir la portée et plusieurs tentatives de fédération ont été menées pour constituer une plate-forme politique apte à ouvrir des négociations avec le gouvernement indien. La plus ancienne, le Tehreek-iHurriyat-i-Kashmir (THK), fut formée en mars 1990. Si le THK est parvenu à diffuser la revendication d'indépendance au sein de la population cachemirienne (organisant des opérations de désobéissance civique, des manifestations, des grèves), il n'a pas réussi à fédérer les parties autour d'un projet politique unique, ni à éviter qu'émergent des dissensions internes. Il est concurrencé depuis mars 1993 par la All-Parties Hurriyat Conference (Conférence nationale pour la liberté) qui regroupe une vingtaine d'organisations. Son manifeste s'appuie sur la résolution de l'ONU garantissant le droit à l'autodétermination du peuple cachemiri pour renforcer sa revendication d'indépendance. Parce qu'il se veut consensuel, le mouvement développe une rhétorique anti-indienne, plus qu'il ne définit un programme clair de revendications ou d'actions. S'inscrivant toutefois dans une logique régionale, en refusant que le Pakistan soit reconnu comme le porte-parole de la cause cachemirienne, le mouvement privilégie implicitement la voie de l'autonomie, ou celle de l'indépendance.

Face à la violence accrue, on assiste au réveil de revendications dormantes, pour les populations de la Vallée comme pour celles des autres territoires du Cachemire, auxquelles ni l'Inde, ni le Pakistan, ni même les groupes terroristes n'ont su offrir de réponse. Deux échelles d'analyse se dessinent.

La première a pour cadre la Vallée. L'écœurement des populations civiles, face aux exactions des forces armées indiennes et à celles des militants, a suscité une renaissance de la vie politique et une volonté de normalisation de la vie civile. Un sondage[19], réalisé à l'été 1995 dans la Vallée, s'il conclut sans surprise à la condamnation

---

18. Le nombre de « mercenaires » étrangers n'est pas connu. Toutefois, l'armée indienne a noté un pourcentage de plus en plus élevé de ces derniers parmi les militants arrêtés ou tués : entre 33 % et 69 % entre 2000 et 2005.

19. Sondage réalisé par et publié dans la revue *Outlook* du 8 octobre 1995.

de l'action indienne, condamne tout autant le soutien pakistanais aux militants. Les personnes interrogées désapprouvent majoritairement (à 65%) l'irruption du fonda-mentalisme musulman dans la Vallée et considèrent que l'indépendance est la seule solution pour l'État (à 72%, contre 19% favorables à une intégration au Pakistan et 7% à une citoyenneté indienne). Un sondage, conduit en 2002 par la société MORI, donne des résultats similaires. Cette prise de conscience s'est concrétisée par des taux de participation assez élevés pour l'Inde lors des élections de 1998 : si le taux de 58% en 1996 est une exception due à l'action des forces policières[20], les taux variaient entre 40% et 55% selon les circonscriptions. Les élections locales de janvier 2002 ont confirmé ce sursaut politique, avec un taux de participation de 48%.

En même temps, le refus d'une islamisation de la vie sociale telle que la diffusent les militants a favorisé l'émergence des Sarkari, groupes paramilitaires constitués par les forces indiennes à partir des « terroristes repentis », sans doute quelque 3 000 hommes. En parallèle à cette contre-insurrection se confirment peu à peu les clivages sociaux internes que l'enthousiasme (ou les violences) des premières années de révolte avait masqués. La plus importante fracture, et la plus négligée, apparaît au sein de la communauté musulmane du Cachemire, entre sunnites et chiites. Ces derniers, estimés à un million de personnes, mais géographiquement éclatés entre les trois territoires de l'État[21], ne se reconnaissent pas dans le discours islamiste délivré par les militants, ni dans un Cachemire intégré au Pakistan, dont l'attitude à l'égard des chiites est de moins en moins tolérante.

AU-DELÀ DES VIOLENCES, L'ESPOIR

La seconde échelle d'analyse concerne l'ensemble des territoires, de part et d'autre de la LCE. Les troubles dans la Vallée et la remise en question des loyautés, tant envers de l'Inde que le Pakistan, ont favorisé l'émergence de partis politiques reven-diquant l'autonomie de leur territoire dans le cadre national, voire l'indépendance. Ce sont désormais les habitants du Jammu qui revendiquent un statut similaire, qui s'éten-drait à toutes les terres à peuplement majoritairement hindou ou sikh de l'État. Mais les populations hindoues de la Vallée, et surtout les représentants des 250 000 hin-dous (pandits) réfugiés au Jammu depuis le début du conflit, demandent la création d'un État autonome, d'un *Panun Kashmir,* qui couvrirait plusieurs districts de la Vallée. Des négociations sont en cours entre ces représentants et la direction collégiale de l'APHC pour permettre leur retour.

L'évolution la plus marquée touche en fait la partie pakistanaise du Cachemire, où émergent des mouvements politiques qui s'affirment clairement comme antipa-kistanais et revendiquent, si l'indépendance n'est pas possible, une véritable structure

---

20. En même temps que l'action musclée des militaires pour inciter les populations à voter, largement commentée dans la presse nationale et internationale, voir par exemple *The Times* du 24 mai 1996.
21. Voir notamment Om (1995).

territoriale autonome vis-à-vis du régime d'Islamabad. Ces revendications, repoussées par les organisations militantes islamistes (surtout par la Jamaat-e-Islami), sont au contraire soutenues par le JKLF, qui a contribué à la naissance d'une organisation politique, le Kashmir-Karakoram Solidarity Movement. C'est aussi à travers cette évolution des mentalités qu'il faut replacer le bref affrontement qui a affecté les environs de la ville de Kargil en 1999 : une tentative pour les groupes islamistes de renforcer leur présence au nord du Grand Himalaya et pour les forces armées pakistanaises, d'enlever toute tentation autonomiste dans ce secteur.

La réaction étasunienne aux attentats du 11 septembre 2001 a introduit une nouvelle dynamique dans la question cachemirienne en revalorisant aux yeux des autorités étasuniennes leur allié pakistanais, délaissé au profit de l'Inde pendant l'administration Clinton. Le renouvellement d'un soutien financier étasunien n'est plus inconditionnel et passe désormais par le désengagement pakistanais vis-à-vis des groupes militants implantés en Azad Kashmir, où ailleurs dans le pays. Toutefois, l'étroitesse des liens entre forces armées, services secrets (ISI) et organisations religieuses militantes limite la marge de manœuvre du gouvernement Gilani, qui reste tributaire de ces dernières pour « pacifier » les tribus des Federally Administered Tribal Areas (FATA) ou de la Northwest Frontier Province (NWFP) désormais bastion taliban en bordure de l'Afghanistan. L'Inde aussi a assoupli sa position en proposant un cessez-le-feu relativement respecté depuis 2003. Mettant en place un train de « mesures de construction de confiance » qui se sont entre autres concrétisées par l'ouverture d'une ligne de bus Srinagar-Muzaffarabad en avril 2005, les deux pays tentent de régler leur différend territorial, plus conscients aujourd'hui du coût financier, social et diplomatique de leur querelle. Toutefois, l'apaisement peut à tout moment être compromis par l'action de groupes militants islamistes (comme en mars 2008) cherchant autant à déstabiliser l'action du gouvernement indien au Jammu-et-Cachemire que celle du gouvernement pakistanais sur son propre sol.

BIBLIOGRAPHIE

GANGULY, S. (1996). « Explaining the Kashmir insurgency », *International Security,* vol. 21, n° 2, automne.

KUMAR, D. P. (1994). *Kashmir : Pakistan Proxy War*, Delhi, Har-Anand Pub.

OM, H. (1995). « Ethnic identities and political deadlock in Jammu and Kashmir », *Indian Defence Review,* en ligne, Delhi, Lancer.

RACINE, J.-L. (2002). *Cachemire, au péril de la guerre*, Paris, CERI/Autrement.

UL HAQ, Z. (1981). « Otez l'islam au Pakistan, faites-en un État laïc et il s'effondrera », *The Economist,* 12 décembre.

BANGALORE (BENGALURU)
Une technopole en milieu sous-développé

Emmanuel Gonon

Depuis 30 ans, des centaines d'entreprises se sont implantées à Bangalore (Inde) pour bénéficier du climat tempéré et de l'atmosphère dénuée de poussière, d'un immobilier bon marché et d'une force de travail éduquée et compétente dans le domaine des technologies de l'information et des communications (TIC). Mais la croissance économique a mis à mal les atouts initiaux de la ville : en trois décennies, la population a quadruplé, les prix de l'immobilier ont été multipliés par six et la ville est saturée par la circulation et polluée à l'extrême. C'est le prix payé par la ville pour produire le quart des exportations de logiciels et services informatiques du pays qui se montent à 50 milliards de dollars américains, soit 20 % des exportations et 2,4 % du PIB de l'Inde en 2010. Comment cette ville a-t-elle su attirer ces investissements étrangers et indiens ? Comment le tissu social local a-t-il été transformé par cette explosion de la production de haute technologie ?

NAISSANCE D'UN SITE HIGH-TECH

Bangalore, qui compte en 2010 plus de six millions d'habitants, est située sur le plateau du Deccan, pratiquement au centre de la péninsule indienne. À une altitude de 920 mètres, la ville est réputée pour son climat « sain », tempéré tout au long de l'année et était considérée jusqu'à récemment comme le « paradis des retraités » parce qu'elle apparaissait comme une petite ville endormie, selon les critères indiens. Son essor avait débuté quand les Britanniques, appréciant son climat, en firent une ville de cantonnement. Au tournant du XIXe siècle, le maharaja progressiste de Mysore mit en œuvre un programme de développement économique qui insistait sur le développement technique de l'État : Bangalore fut la première ville de l'Inde à être électrifiée en 1905. Cet environnement favorable incita l'industriel Jamsetji Nasarwanji Tata à bâtir une université de science et technologie sur un terrain de 372 acres au nord-ouest de la ville en 1909, qui devint rapidement la plus prestigieuse école technique du pays.

À l'indépendance, la tradition d'intervention de l'État dans le développement du secteur public de la ville fut poursuivie, renforcée par la décision prise par Jawaharlal Nehru, alors premier ministre, d'en faire « une ville du futur », la « capitale intellectuelle de l'Inde ». Dès les années 1950, de nombreuses sociétés publiques y sont implantées : Hindustan Aeronautics, Bharat Electronics Limited s'installent avant 1960 dans ce lieu dépourvu de poussière. La Indian Space Research Organization, le National Aeronautical Laboratory et le Bharat Heavy Electronics Limited s'y établissent dans les années 1970. Ces sociétés, premiers éléments d'un complexe militaro-industriel indien naissant, ainsi que les milliers d'ingénieurs et scientifiques qui les animent, firent de Bangalore le centre «naturel» de la technologie indienne, qui accueille dans les années 1980 les secteurs high-tech que les entreprises de Mumbai (Bombay) délocalisent en raison du manque d'espace et du prix de l'immobilier.

LES FRUITS INDIRECTS DE L'ISOLEMENT DU PAYS

En 1977, le gouvernement interventionniste du pays chercha à favoriser l'industrie autochtone en limitant les investissements étrangers et en demandant aux sociétés étrangères, dont IBM, de partager leur savoir-faire. Leur refus aboutit à leur départ et à la naissance d'une industrie indienne de l'informatique. L'isolement technologique de l'Inde et le refus du gouvernement d'acquérir en devises une technologie étrangère (IBM) poussèrent les informaticiens à développer leurs propres logiciels sur une base ouverte, celle d'UNIX, et les industriels à démarrer une industrie électronique. C'est ainsi que Wipro, alors fabricant d'huile végétale, de savons et de produits d'entretien, devint fournisseur de logiciels, tandis que le groupe Tata se lançait dans la fabrication d'ordinateurs. Le faible niveau technologique des premiers ordinateurs indiens obligea les informaticiens à optimiser à outrance les performances des programmes, leur permettant ainsi d'acquérir une compétence dépassant celle de la plupart des programmeurs occidentaux.

La libéralisation économique du pays, qui se fit en juillet 1991 à l'initiative du gouvernement Rao, favorisa le retour en Inde des sociétés étrangères, dont étasuniennes. Elles y trouvèrent un vivier d'informaticiens capables de produire des logiciels simples et bon marché: des alliances furent conclues entre Wipro et Intel, Tata et IBM, Satyam et Dun & Bradstreet. Dès que les mesures protectionnistes furent levées pour stimuler l'économie indienne, d'autres sociétés suivirent: Hewlett-Packard, Fujitsu, Hughes, Sony, Siemens, Deutsche Bank s'implantèrent à Bangalore. Aujourd'hui, 100 des 1 300 firmes du secteur des TIC présentes dans la ville sont des multinationales étrangères, certaines y ayant même délocalisé une partie de leur unité R-D (Novell y investit 5% de son budget de recherche).

Des mesures antérieures d'assouplissement du dispositif protectionniste indien (notamment la *New Computer Policy* de 1984, réduisant de 135% à 60% les taxes à l'importation d'ordinateurs) attirèrent notamment Texas Instruments qui, en 1986, établit le premier centre étranger à Bangalore. La médiocrité des connexions téléphoniques locales l'obligea à implanter une station satellitaire dont le surplus de bande passante fut loué à d'autres sociétés locales, permettant le véritable démarrage de la ville comme centre de TIC et le début de son expansion rapide.

SILICON BAZAR

Après trois décennies, l'industrie des TIC emploie un peu plus de 170 000 personnes, dans une quinzaine de sites, financés par des fonds publics ou privés, dispersés sur le territoire de Bangalore. Les densités les plus fortes de sociétés sont au centre-ville (environ 25 % du total), mais sa saturation a fait naître une seconde localisation en périphérie à une huitaine de kilomètres du centre, le long de la Ring Road. Les plus grosses sociétés sont plutôt concentrées dans des zones technologiques semi-spécialisées en grande périphérie (15 à 20 kilomètres), à l'est et au sud. La Software Technology Parks of Indian (STPI) est la plus ancienne d'entre elles, fondée en 1991 ; elle fut suivie de la Electronic City et du International Tech Park Ltd. Le premier atout de ces parcs fut sans doute les avantages fiscaux initialement accordés : importations détaxées, exemption d'impôts sur les bénéfices jusqu'en 2010, facilitation des procédures à l'exportation, possibilité d'établir des sociétés sans participation locale. Ces parcs disposent en outre de réseaux Intranet et de connexions Internet à large bande, notamment par des liaisons satellitaires, ainsi que d'une alimentation électrique régulière, voire de logements proches. Ces localisations profitent aussi de la proximité de l'aéroport, qui demeure la meilleure porte d'entrée de la ville.

L'ensemble de l'activité bénéficie surtout du « parc de cerveaux » que constituent les trois universités, la vingtaine d'écoles d'ingénieurs et les nombreux instituts de recherche en sciences, santé, aéronautique, recherches spatiales, agriculture et électronique, qui produisent plus de 20 000 diplômés par an. Cette main-d'œuvre trouve sur place un marché du travail très ouvert, en concurrence forte avec les chasseurs de têtes, notamment étasuniens, qui recrutent pour un temps déterminé des programmeurs indiens (10 % des informaticiens de Microsoft seraient Indiens ; ils sont payés, à compétences égales, deux fois moins que leur équivalent étasunien). Le secteur des TIC a une activité très diversifiée, allant de la saisie de données à l'écriture de logiciels pour les systèmes. Mais les deux activités dominantes sont pour l'instant l'« *outsourcing* »[1] et l'intégration de logiciels, représentant 60 % des revenus d'exportation et 75 % au plan national.

Le problème majeur de cette « *Silicon Valley* indienne » est sa trop rapide crois-sance : la population est passée en un demi-siècle de un million à plus de six millions d'habitants, dont 1,5 million pour la période 1991-2001. Une part de la croissance démographique provient de la croissance interne et de l'exode rural, mais l'essentiel repose sur l'attractivité de la ville : dans un premier temps, étudiants ingénieurs restant sur place pour profiter d'un climat plaisant et des emplois du secteur militaro-industriel, puis migrants de toute l'Inde attirés par les offres d'emploi du secteur informatique. Cela a abouti à l'émergence d'une société urbaine cosmopolite, occi-dentalisée et moins traditionnelle que dans d'autres villes du pays, disposant de revenus supérieurs à ceux que peuvent procurer d'autres secteurs d'activité.

---

1. Opération qui consiste, pour une entreprise, à confier à des consultants extérieurs ou à des prestataires de services une partie de ses activités.

Si les pubs, restaurants, lieux de spectacles se sont multipliés, les inconvénients liés à une croissance urbaine trop rapide aussi. La pollution liée au développement des industries électroniques a singulièrement mis à mal l'image d'une ville au climat sain. Mais d'autres problèmes plus graves risquent de remettre en question le développement de la ville :

- Le réseau de voirie n'a pas évolué au rythme de la ville : il couvre environ 17 % du territoire municipal, contre 25 % à 30 % en moyenne dans les autres villes, en plus d'être très détérioré.

- Bangalore ne bénéficie pas de la présence d'un cours d'eau majeur et la majorité de l'alimentation en eau de la ville repose sur la vingtaine de réservoirs construits en périphérie dont le remplissage dépend des précipitations, ainsi que des ponctions dans le fleuve Cauvery, assez distant.

- Cette tension hydraulique est d'autant plus préjudiciable que la majeure partie de la production d'électricité (70 %) repose sur un complexe hydroélectrique très sensible aux variations climatiques. De fait, les coupures d'électricité sont quotidiennes et atteignent quatre à sept heures en période de sécheresse, représentant un manque à gagner quotidien moyen de 85 millions de dollars.

- Bangalore a dû attendre 2008 pour disposer d'un aéroport national de taille suffisante pour absorber le trafic actuel (huit millions de passagers par an).

- Le développement spectaculaire de la ville a aussi attiré une population non éduquée, qui ne peut se loger que dans les bidonvilles de la périphérie : plus du quart de la population totale.

Le contexte local initialement favorable à l'instauration d'une industrie « propre » s'est peu à peu dégradé, à tel point qu'un parc technologique japonais (30 millions de dollars américains) qui devait s'ouvrir à Bangalore a été en fin de compte implanté à Gurgaon, ville satellite de la banlieue, au sud de Delhi.

QUEL AVENIR POUR BANGALORE ?

La NASSCOM (National Association of Softwares and Service Companies) place toujours Bangalore comme destination privilégiée des industries de TIC pour 2010, mais la ville connaît une concurrence croissance de la part de pôles informatiques développés d'autres États comme Mumbai, Kalkota, Pune ou Hyderabad. Des grandes sociétés comme Wipro ou Infosys avaient en outre menacé de se délocaliser vers ces centres si le gouvernement de l'État ne lançait pas un plan d'envergure pour décongestionner la ville, accroître le parc immobilier ou simplement améliorer la qualité des écoles. Devant la difficulté de réformer les infrastructures de Bangalore, le gouvernement du Karnataka a privilégié le développement de villes satellites proches : Mysore, à 160 km, est devenue une localisation intéressante, de même que Mangalore qui a généré 4,6 millions de dollars américains en 2004 : une autoroute Bangalore-Mysore a été mise en service, et l'État envisage d'accroître l'attractivité de ces villes en y construisant des centres commerciaux. Enfin, un aéroport international, à 30 km au nord de Bangalore, sur la route d'Hyderabad, fut complété en 2008 et celui de Mangalore sera prochainement capable d'accueillir des gros porteurs.

La réussite de Bangalore est trop fascinante pour ne pas susciter des émules, hors de l'État, qui fournit 35 % des exportations totales d'IT de l'Inde. Mais la concurrence est désormais internationale : si pour l'heure l'Inde en général et Bangalore en particulier demeurent très compétitives, tant par les coûts de production que par leur décalage horaire par rapport aux États-Unis et à l'Europe occidentale (autorisant un travail « du jour au lendemain »), la Chine commence à intéresser les compagnies internationales, malgré une compétence sans doute moins grande, mais suffisante pour des opérations de « *data processing* » (traitement de données), tout comme le Pakistan. La seule sortie possible pour l'informatique indienne passe par sa diversification, notamment dans les secteurs apportant une meilleure plus-value : systèmes d'exploitation, logiciels personnalisés ou particuliers, ainsi que celle de sa clientèle, qui est 60 % étasunienne, alors que l'Asie proche ne représente que 9 % de son marché, derrière l'UE, avec 25 %. Certaines sociétés, comme Tata, se spécialisent dans les logiciels Internet ou multimédias ou les communications micro-ondes ; d'autres s'allient à des fabricants de *hardware* pour développer de nouveaux secteurs comme les nanotechnologies ou les matériaux magnétiques. Mais un objectif à court terme est sans aucun doute la conquête du marché indien, qui est paradoxalement l'un des principaux enjeux du secteur informatique mondial : en 2007, l'Inde comptait seulement 3,2 % d'abonnés au téléphone, mais 20 téléphones portables pour 100 habitants (Canada : 55 pour 100)[2] et 6,9 connexions Internet pour 100 habitants (États-Unis : 71,2 pour 100[3]).

2. *Information Society Statistical Profiles 2009*, UIT, 2009.
3. *Ibid.*

L'OCÉANIE
Un espace émietté, sous influences

François Merceron
et Pierre-Marie Decoudras

Lorsqu'au milieu des années 1980, les échanges commerciaux transpacifiques dépassèrent ceux des partenaires de l'Atlantique Nord, les experts en géostratégie purent penser que le plus grand bassin océanique de la planète était devenu le «nouveau centre du monde». Il convient cependant de bien distinguer la façade pacifique de l'Amérique du Nord et l'Extrême-Orient asiatique, puissants et dynamiques, des immensités océaniennes aux petites collectivités insulaires, en voie de développement, partiellement dominées par les deux pôles régionaux que sont l'Australie et la Nouvelle-Zélande. Dispersée sur 8,5 millions de kilomètres carrés, avec seulement 37 millions d'habitants et une production annuelle de richesses inférieure à celle de l'Espagne, l'Océanie apparaît comme une périphérie particulièrement dépendante des décisions prises par les grands centres de l'hémisphère Nord. Menée à différentes échelles, l'analyse de cet espace révèle de nombreux contrastes et des dynamiques propres aux différentes aires culturelles, initiées dès l'époque coloniale et renforcées par les choix politiques et économiques opérés au cours des dernières décennies.

En dépit des efforts accomplis par les Océaniens pour resserrer leurs liens au sein de plusieurs organisations régionales tels la Communauté du Pacifique ou le Forum du Pacifique, la région reste profondément hétérogène et vulnérable.

12.1. Les aires naturelles

Du sous-continent australien au plus petit des atolls de la Polynésie orientale, l'Océanie est d'abord un espace insulaire dont les éléments semblent prolonger le continent asiatique et ses archipels bordiers. En fait, cet amenuisement des terres émergées est à mettre en relation avec leur appartenance à trois régions géomorphologiques différentes.

Au sud-ouest, le bouclier australien présente, sur plus de six millions de kilomètres carrés, des reliefs monotones de bassins sédimentaires encadrés par des plateaux et massifs inférieurs à 1 500 mètres, longuement pénéplanés depuis leur formation à l'ère précambrienne. Le long de la façade pacifique, un bourrelet montagneux d'élévation modérée (2 231 mètres au mont Kosciusko) s'est mis en place à l'ère secondaire et ne constitue pas un véritable obstacle aux communications vers l'intérieur du pays.

À l'est et au nord des mers de Corail et de Tasmanie, plusieurs arcs insulaires s'alignent sur une équerre, de la Nouvelle-Zélande, aux îles Fidji et à la Papouasie–Nouvelle-Guinée. Les grandes îles qui les composent correspondent à des chaînes plissées ou à des morceaux de socle striés de champs de failles, souvent affectés par des phénomènes volcaniques. La Nouvelle-Zélande et la plus grande partie de la Mélanésie appartiennent en effet à la ceinture de feu du Pacifique, zone géomorphologique complexe à forte séismicité, située à la verticale de la ligne de subduction qui voit la plaque lithosphérique du Pacifique glisser sous la plaque indo-australienne. Les reliefs jeunes, associés à ces mouvements tectoniques, sont souvent vigoureux (3 766 mètres au mont Cook, 4 694 mètres au mont Wilhelm, point culminant de la Nouvelle-Guinée). Les lignes de crêtes et les vallées profondes cloisonnent certaines îles, isolant des communautés et retardant leur développement. Les autres archipels de l'Océanie composant la Micronésie et la Polynésie sont généralement formés de petites îles[1] alignées sur un axe sud-est/nord-ouest et aux altitudes décroissantes dans la même direction. Ils ont pour origine un volcanisme intraplaque lié, pour chacun d'entre eux, à l'activité intermittente d'un « point chaud » où le magma, animé de courants ascendants à très haute température, est susceptible de percer la lithosphère et de produire un édifice de laves,

---

1. En général, inférieures à 1 500 km², à l'exception de Hawaï qui, au sud-est de l'archipel du même nom, atteint 10 456 km².

le plus souvent basaltiques. Le volcan suit la direction prise par la plaque-support qui se déplace vers le nord-ouest à la vitesse moyenne de 10 cm/an et subit à la fois l'érosion et un enfoncement dû à son propre poids. Plusieurs millions d'années plus tard n'émerge plus qu'un atoll, couronne récifale construite par les coraux, dont le diamètre est proportionnel à la surface du support volcanique.

La répartition des richesses naturelles est très inégale. L'Australie et les grandes îles de Mélanésie peuvent tabler sur d'importants gisements de matières premières qui placent la région aux premiers rangs mondiaux des fournisseurs de minerai de fer, de charbon, de bauxite, de cuivre et de métaux précieux. Les gisements de phosphates de quelques atolls tels que Makatea, Banaba, Nauru, sont épuisés ou en voie de l'être. Quant aux ressources halieutiques, elles se concentrent sur les zones d'*upwelling* (remontées d'eaux abyssales) le long des côtes d'Amérique du Sud et de l'équateur ou encore à proximité des terres émergées les plus vastes, capables d'alimenter la chaîne biologique marine en sels minéraux et autres éléments nutritifs. Une grande partie du Pacifique tropical maritime reste par contre un quasi-désert biologique.

Par la beauté de ses paysages terrestres, littoraux et sous-marins et la relative douceur du climat, ce monde insulaire a pu faire rêver les habitants d'autres parties du monde qui l'ont idéalisé. Le mythe du paradis des mers du Sud est un atout, mais l'Océanie subit aussi de lourdes contraintes. Les distances souvent considérables (13 000 km de Sydney à Los Angeles, 17 000 km de Tokyo à Santiago du Chili) grèvent le coût des transports et entravent le développement touristique des îles éloignées des grands marchés. Les risques naturels sont élevés et variés, surtout dans la moitié occidentale du bassin. Une trentaine de cyclones affectent chaque année un vaste secteur compris entre les îles Samoa, le Japon et la mer de Corail. Les sécheresses prolongées peuvent toucher toutes les îles et l'Australie, particulièrement lors des épisodes El Niño, déplacement vers l'est des eaux chaudes de surface du Pacifique tropical, probablement lié à l'affaiblissement temporaire et aléatoire de la ceinture anticyclonique. La zone de cyclogenèse suit ce transfert de l'ouest vers le centre, voire l'est du Pacifique et perturbe tous les équilibres naturels de la région. Enfin, les séismes sous-marins qui se produisent le long de la zone de subduction peuvent provoquer des tsunamis tel celui qui ravagea la côte nord de la Nouvelle-Guinée en juillet 1998 et provoqua la mort de 8 000 riverains.

12.2. Les héritages coloniaux

Un demi-siècle après l'achèvement de la longue période d'exploration du Pacifique, les Occidentaux ont progressivement imposé leur domination impérialiste sur la totalité de l'espace océanien entre 1840 et 1906. La France et le Royaume-Uni se sont partagés la plus grande partie du Pacifique Sud alors que le Nord fut un enjeu pour l'Allemagne, le Japon et les États-Unis qui, déjà établis à Hawaï depuis 1898, restèrent seuls maîtres des archipels de la Micronésie après la Deuxième Guerre mondiale. Les grandes puissances cherchaient ainsi à contrôler les escales indispensables sur les longues routes transpacifiques et à protéger les intérêts des colons dont les initiatives avaient par ailleurs considérablement modifié les paysages et l'organisation des espaces insulaires.

La mise en œuvre d'une agriculture de plantation s'est accompagnée d'un enrichissement du stock végétal avec l'introduction de la canne à sucre, des hévéas, caféiers, cacaoyers, cotonniers, ananas, agrumes… ou de l'extension considérable des cocoteraies notamment sur les atolls. Un vif contraste est alors apparu entre la propriété coloniale latifundiaire ou organisée en lotissements, aux parcellaires géométriques, et les terres autochtones restant souvent collectives ou en indivision et vouées aux cultures vivrières destinées aux circuits de la consommation informelle. Le développement de l'économie de traite, exportatrice de produits agricoles ou miniers a nécessité le recrutement d'une main-d'œuvre que ne pouvaient fournir les petites îles touchées par l'effondrement démographique du XIXᵉ siècle[2]. Aux communautés d'origine européenne qui imposèrent leur langue véhiculaire sont donc venus se joindre des Asiatiques : Chinois dans la plupart des archipels, Indochinois et Indonésiens en Nouvelle-Calédonie, Philippins et Coréens à Hawaï, Indiens à Fidji. Le métissage est très répandu en Polynésie et en Micronésie, beaucoup plus rare en Mélanésie. Les conflits interethniques ne sont pas pour autant absents de cette partie du monde. Les Australiens n'ont accepté l'immigration asiatique qu'à partir de 1975 et restent réticents à l'installation des Mélanésiens. À Fidji, le dynamisme de la communauté indienne, tant économique que démographique, et l'accession de celle-ci au pouvoir ont pu inquiéter les Mélanésiens au point de susciter trois coups d'État : en 1987, 2000 et 2006. Quant aux Aborigènes d'Australie, aux Polynésiens d'Hawaï et aux Maoris de Nouvelle-Zélande, souvent déclassés par leur manque de qualification ou leurs difficultés d'adaptation, parfois spatialement marginalisés, ils entretiennent une certaine nostalgie de l'époque précoloniale que partagent une partie des Kanaks de Nouvelle-Calédonie, des Polynésiens de Tahiti ou des Chamorros de Guam.

L'ouverture de l'Océanie au monde imposée par le système économique colonial a engendré une nouvelle organisation de l'espace dans chaque archipel. Au cloisonnement en collectivités ou chefferies multiples est venu se superposer un réseau de communications maritimes et terrestres centré sur le comptoir, ensemble d'infrastructures portuaires et commerciales drainant les productions régionales. Cette interface, souvent enrichie d'une fonction politique et administrative, a concentré la vie urbaine de la colonie au point d'en devenir généralement l'unique pôle. La plupart des pays ou territoires et chacun des États australiens sont ainsi macrocéphales. La part de la population nationale ou régionale regroupée dans ces centres urbains atteint 25 % dans le cas d'Auckland, 43 % à Brisbane (capitale du Queensland), 56 % à Majuro

---

2. Dans la plupart des îles de Polynésie et de Micronésie, les populations non immunisées contre les maladies propagées par les Occidentaux (grippes, variole, syphilis…) perdirent jusqu'à 90 % de leurs effectifs. La consommation d'alcool et l'utilisation d'armes à feu jouèrent aussi un rôle dans ce collapsus.

(îles Marshall), 72% à Honolulu (Hawaï). Nœuds modernes des réseaux de commu-nications et télécommunications, ces agglomérations sont les relais essentiels de l'influence exercée par les grands centres internationaux.

12.3. Le Pacifique : un enjeu pour les grandes puissances

Le mouvement de décolonisation initié en Asie et en Afrique après la Deuxième Guerre mondiale s'est étendu au Pacifique à partir de 1962. Les statuts des différents archipels sont cependant très variés (tableau 12.1) et seuls neuf d'entre eux ont acquis une indé-pendance pleine et entière. Les 15 autres collectivités ont choisi une indépendance-association ou une autonomie plus ou moins poussée, deux types de relations avec une métropole qui garantissent une précieuse aide financière ou technique. L'Australie et la Nouvelle-Zélande elles-mêmes n'ont pas accédé au régime républicain et recon-naissent le souverain britannique comme chef d'État, comme au Canada. Quels que soient leur statut et leur niveau de vie, les îles du Pacifique sont économiquement fragiles et structurellement en voie de développement. Elles sont devenues très dépen-dantes de l'aide internationale, des flux de la solidarité nationale pour les territoires autonomes et des accords en matière de commerce et d'immigration[3]. Six puissances de rang variable exercent donc une influence sur le Pacifique insulaire.

Après la victoire remportée par les États-Unis sur le Japon en 1945, le Pacifique est devenu un « lac américain ». La première puissance du monde entretenait un vaste réseau de bases militaires des Philippines jusqu'aux îles Aléoutiennes, face à l'URSS et à la Chine communiste. Elle avait signé le traité d'alliance militaire ANZUS[4] avec l'Australie et la Nouvelle-Zélande en 1951 et le prestige acquis lors de la reconquête du Pacifique étayait sa domination matérielle et culturelle. L'intérêt des États-Unis pour le Pacifique reste essentiellement stratégique et se concentre sur le Pacifique Nord. La fin de la guerre froide a conduit à la mise en sommeil de nombreuses bases mais Hawaï garde le centre de commandement des forces armées pour la région et Guam demeure la principale base avancée. L'aide financière négociée dans le cadre des accords de libre association avec les États indépendants de Micronésie a par ailleurs une contrepartie militaire et diplomatique, par exemple la possibilité d'utiliser l'atoll de Kwajalein (îles Marshall) pour tester de nouvelles armes balistiques.

---

3. Les envois de dons en argent ou en nature à leurs familles par les émigrés en Australie, Nouvelle-Zélande ou aux États-Unis sont un complément de ressources très attendu dans les îles.
4. Australie/Nouvelle Zélande/États-Unis.

Tableau 12.1.
Principales données statistiques et statutaires des pays et territoires de l'Océanie

Pays ou territoires	Superficie (en km²)	Population (est. 2010)	Densité (hab./km²)	PIB/hab. en $US 2009	Statut
Australie	7 741 220	21 262 641	3	40 000	État fédéral indépendant
Nouvelle-Zélande	267 710	4 213 418	16	27 400	État indépendant
Îles Fidji	18 274	944 720	52	3 900	République indépendante
Nouvelle-Calédonie	18 575	227 436	12	36 628 (2007)	Territoire français d'outre-mer
Papouasie-Nouvelle-Guinée	462 840	5 940 775	13	2 300	État fédéral indépendant
Îles Salomon	28 896	595 613	21	2 500	État indépendant
Vanuatu	12 189	218 519	18	5 300	État indépendant
Total Mélanésie	**540 774**	**7 927 063**	**14,7**		
Îles Cook	236	20 050	85	10 474	État associé à la Nouvelle-Zélande
Hawaï	16 641	1 290 188	77,5	42 000	État des États-Unis
Kiribati	811	112 850	139	6 100	État indépendant
Niue	260	1 398	5	7 160	État associé à la Nouvelle-Zélande
Île de Pâques	171	4 800	28,1	n.d.	Province du Chili
Clipperton	9	0	0	–	Possession française du Pacifique
Polynésie française (2007)	4 167	259 506	62,3	17 500	Territoire français d'outre-mer
Samoa américaines	197	65 600	333	8 638	Territoire non incorporé des États-Unis
Samoa occidentales	2 831	178 800	63,2	5 782	État indépendant

Tableau 12.1. (suite)
Principales données statistiques et statutaires des pays et territoires de l'Océanie

Pays ou territoires	Superficie (en km²)	Population (est. 2010)	Densité (hab./km²)	PIB/hab. en $US 2009	Statut
Tokelau	12	1 416	118	1 000 (1993)	Territoire néo-zélandais
Tonga	747	120 898	162	6 300	Monarchie constitutionnelle indépendante
Wallis et Futuna	142	15 289	108	3 800 (2004)	Territoire français d'outre-mer
Total Polynésie	**26 224**	**2 070 797**	**79**		
États fédérés de Micronésie	702	107 434	158	2 200 (2008)	État librement associé aux États-Unis
Guam	544	178 430	328	15 000 (2005)	Territoire non incorporé des États-Unis
Mariannes du Nord	475	86 616 (2007)	182,3	12 500	État indépendant, membre du Commonwealth des États-Unis
Îles Marshall	181	63 174 (2008)	349	2 500 (2008)	État librement associé aux États-Unis
Nauru	21	14 019	667	5 000 (2005)	État indépendant
Palau	458	20 796	45,4	8 941	État librement associé aux États-Unis
Tuvalu	26	13 373	514	1 600 (2002)	État indépendant
Total Micronésie	**2 412**	**483 842**	**200,6**		

Sources: United Nations Economic and Social Commission for Asia and the Pacific, *CIA World Factbook (2010)*, Secrétariat général de la Communauté du Pacifique, Instituts statistiques nationaux et territoriaux et Population Reference Bureau (2010).

Dans ce contrôle du Pacifique par les puissances occidentales, l'Australie et la Nouvelle-Zélande ont reçu une délégation de pouvoir sur le Pacifique Sud, d'abord par le Royaume-Uni (aujourd'hui totalement désengagé de la région) puis par les États-Unis. L'Australie est en charge de la Mélanésie, ce qui lui permet d'assurer sa propre sécurité sur son flanc nord-est et de préserver les intérêts de ses puissantes sociétés minières, principalement en Nouvelle-Guinée (voir la Capsule 12B, p. 474). La Nouvelle-Zélande a pour principal souci de ménager sa minorité maorie (640 000 habitants sur 4,3 millions) en renforçant son intégration au triangle polynésien. Elle ne ménage donc pas son aide à ses voisins, notamment à ses deux États associés que sont Niue et les îles Cook, et s'ouvre largement à l'immigration océanienne.

Dans le Pacifique Sud, très anglophone, la présence française a longtemps paru incongrue, voire nocive pendant la période des essais nucléaires menés en Polynésie française (1966-1995). Elle est aujourd'hui beaucoup mieux acceptée car la France a su accompagner ses territoires d'outre-mer vers une autonomie renforcée en leur conservant une aide financière considérable équivalant à plus de trois milliards de dollars par an : deux facteurs qui participent au maintien de la stabilité régionale.

Le Japon et la Chine sont entrés plus récemment dans le cercle des puissances influentes mais accentuent fortement leur présence. Leur objectif est d'obtenir des accords pour l'exploitation des ressources halieutiques, agroalimentaires et minérales et pénétrer les marchés locaux. Mais le lobbying politique est tout aussi important : il s'agit pour le Japon d'associer les 12 pays insulaires membres de l'ONU au soutien de sa candidature de membre permanent au Conseil de sécurité. Pour la Chine, l'enjeu consiste, comme dans d'autres régions du monde, à obtenir l'éviction de Taïwan de l'espace diplomatique.

12.4. Logiques spatiales et dynamiques régionales

12.4.1. Les modes de gestion de l'espace

Les atouts et les contraintes des milieux, la charge démographique, les valeurs socioculturelles et les apports extérieurs se sont combinés pour produire une mosaïque d'espaces océaniens souvent interdépendants. Trois grands types peuvent être définis et éventuellement déclinés.

Les espaces modelés par des communautés anglo-saxonnes aujourd'hui très majoritaires englobent l'Australie, la Nouvelle-Zélande et Hawaï. Les modes d'implantation et d'aménagement y rappellent l'Amérique du Nord par bien des aspects. Les réseaux urbains s'articulent autour de puissantes agglomérations et regroupent plus de 80 % de la population totale. Sydney (4,5 millions d'habitants), Melbourne (4 millions), Brisbane (2 millions), Perth (1,7 million), Auckland (1,4 million) et Honolulu (906 000 habitants) sont autant de relais efficaces vers l'espace-monde et de pôles structurants pour leur arrière-pays. C'est à partir de ces métropoles qui ont très tôt concentré les pouvoirs de décision, les fonctions industrielles et constitué les têtes de réseaux des voies de communication que s'est opérée la mise en valeur des régions intérieures. Au-delà de ces villes au profil nord-américain, où un centre des affaires s'entoure de vastes banlieues de résidences individuelles, le maillage spatial est étroitement corrélé au peuplement. Les exploitations de taille moyenne consacrées à l'élevage bovin, aux productions fourragères, fruitières et légumières caractérisent la ceinture verte australienne et l'île du nord de la Nouvelle-Zélande. Plus loin, les régions faiblement humanisées du *bush* australien, du sud de la Nouvelle-Zélande, des îles de l'archipel des Hawaï, se partagent entre les grands domaines extensifs voués respectivement aux céréales, à l'élevage ovin et aux cultures de la canne à sucre ou de l'ananas. Sur cette trame viennent se superposer des pôles à forte productivité : les grands centres miniers australiens du Hammersley Range, de Mount Isa, Tennant Creek et les stations touristiques de la Gold Coast, des Alpes néo-zélandaises ou de Oahu[5]. Ces espaces économiques très extravertis se nourrissent du dynamisme de l'Extrême-Orient et de l'Amérique du Nord, gros consommateurs de matières premières et principaux marchés émetteurs du tourisme international. Les grands axes aériens et maritimes qui les unissent ignorent la plupart des pays insulaires.

Les trois pays de la Mélanésie pauvre (Papouasie–Nouvelle-Guinée, Salomon et Vanuatu) disposent aussi de vastes superficies avec une charge démographique inférieure à 20 hab./km^2, mais les structures spatiales y sont radicalement différentes de celles du groupe précédent. La pénétration coloniale s'est en général limitée à quelques marges littorales et la population mélanésienne reste largement majoritaire et rurale. Les clans ou tribus, fortement territorialisés et relativement fermés aux influences extérieures, ne communiquent que sur de courtes distances. Le mode de gestion de l'espace relève donc pour l'essentiel de traditions séculaires donnant la priorité aux productions vivrières : élevage de porcs, cultures de l'igname et du taro. Pratiquées à l'aide de techniques rudimentaires sur une faible part du finage (territoire d'un village) collectif, elles restent vulnérables aux aléas naturels et ne couvrent pas toujours les besoins d'une population en augmentation rapide. La fragmentation de l'espace, tant physique que sociale, explique aussi l'extraordinaire mosaïque linguistique régionale[6] et le faible ancrage du sentiment national souvent mis à mal par des velléités de séparatisme. Élément d'un réseau urbain indigent, la ville mélanésienne n'est pas un moteur du développement et concentre toutes les formes de la dégradation économique et sociale que traduisent les bidonvilles, les graves dysfonctionnements des services publics et la délinquance qui classent Port-Moresby et Honiara parmi les villes les plus dangereuses du monde.

À l'inverse, chacun des archipels de Polynésie et de Micronésie, auxquels on peut associer la Nouvelle-Calédonie et Fidji, est doté d'un centre urbain souvent unique et surdimensionné. L'ancien comptoir que fut cette agglomération-capitale fonctionne

---

5. L'île la plus peuplée des Hawaï (Honolulu, Pearl Harbour, Waikiki).
6. On a recensé plus de 700 langues en Papouasie–Nouvelle-Guinée, soit le quart du patrimoine linguistique mondial.

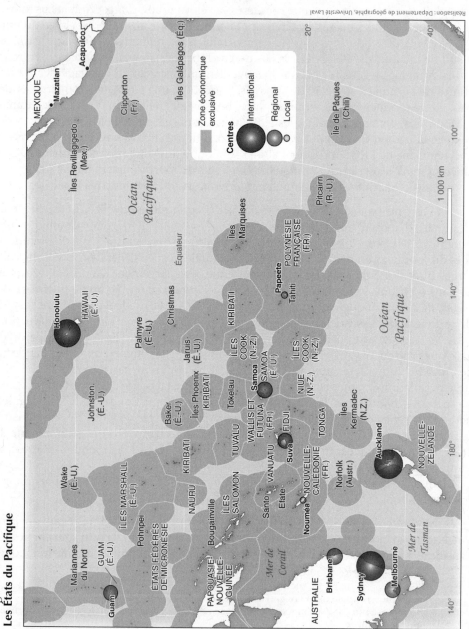

Figure 12.1.
Les États du Pacifique

Source: LATIG, Département de géographie, Université Laval.

aujourd'hui à l'envers. À l'exception de Nouméa, qui reste un port exportateur de nickel, les expéditions de produits bruts ont en effet fortement diminué, qu'il s'agisse du coprah, concurrencé par des produits de synthèse, ou des phosphates, épuisés. Au contraire, les importations se sont accrues rapidement grâce aux revenus du tourisme et, surtout, aux aides financières de toutes origines qui font de ces petits États et territoires les collectivités les plus assistées de la planète. Les archipels les plus riches ont développé leurs propres grandes villes, centres de services bien étoffés, alors que pour les pays les plus pauvres les véritables capitales sont Auckland, Honolulu, Guam ou Sydney. Quel que soit le centre, il impose une attraction telle que les îles périphériques subissent une nette déprise, partiellement compensée par l'essor de la perliculture (Tuamotu[7], îles Cook, Marshall) et du tourisme (îles Sous-le-Vent[8], Viti Levu[9], Marianne du Nord). Dans la très grande majorité des îles, le mode d'occupation de l'espace est annulaire, qu'il s'agisse des atolls ou des îles hautes aux reliefs centraux trop accusés pour être aménagés. Cette répartition des hommes les oriente naturellement vers l'exploitation de l'espace maritime, complément indispensable à des ressources terrestres limitées. Une baie profonde, une passe entre lagon et océan ont toujours été des facteurs favorables à l'économie des communautés insulaires. L'opposition côte au vent (très humide et mal protégée des houles)/côte sous le vent n'a par contre de véritable signification que pour certaines grandes îles telles que Tahiti, Guam ou la grande terre calédonienne.

12.4.2. Du quart-monde aux sociétés postindustrielles

Les 25 pays ou territoires océaniens se répartissent sur un éventail de performances économiques et sociales très étendu. Dix-sept d'entre eux sont des pays très peu développés dont quatre parmi les pays les plus pauvres de la planète. Il s'agit des petits atolls isolés du Kiribati et de l'«arc noir» mélanésien[10](Papouasie–Nouvelle-Guinée, Vanuatu, Salomon) où l'espérance de vie varie de 59 à 67 ans tandis que la mortalité atteint 6 à 10‰, chiffre élevé pour des populations jeunes dont l'indice de fécondité est de plus de quatre enfants par femme. Ces pays, mal équipés aux plans éducatif et sanitaire, sont en proie à des troubles intertribaux récurrents, à la délinquance urbaine et à l'instabilité politique. Leur alliance dans le Groupe Fer de Lance, qui se veut très revendicatif à l'égard des grandes puissances «néocoloniales», accroît la méfiance des investisseurs étrangers. La corruption généralisée y facilite néanmoins la pénétration d'entreprises dont l'activité confine parfois au pillage des ressources, telles les sociétés

---

7. Polynésie française.
8. Polynésie française.
9. Fidji.
10. La situation catastrophique de ces pays conduisait même le géographe François Doumenge à les considérer comme le «trou noir» du Pacifique dans un article consacré à «La Nouvelle-Calédonie face à l'africanisation de la Mélanésie» (*Tahiti-Pacifique*, octobre 2002, n° 138, p. 15-23).

forestières malaises et thaïlandaises ou les flottes de pêche chinoises et étasuniennes. Dans un autre registre, l'absence de ressources locales et de réglementation encourage les pays les plus démunis à héberger nombre de banques offshore permettant le blanchiment d'argent (Nuie, Vanuatu, Salomon).

Le groupe des 11 pays (Fédération des États de Micronésie, îles Marshall, îles Salomon, Kiribati, Nauru, Papouasie–Nouvelle-Guinée, Tonga, Tuvalu, Vanuatu, Wallis et Futuna, Tokelau) dont le revenu par habitant s'étage entre 1 000 et 6 300 $/an est essentiellement formé d'archipels micronésiens et polynésiens. Les structures sociales de type clanique, voire monarchique (Tonga, Wallis et Futuna) freinent le développement d'économies dominées par les productions vivrières et par la bureaucratie. L'aide des grandes puissances et les envois de dons par les émigrés contribuent à la formation de 20 à 50% des PIB. Les îles Fidji émergent quelque peu de cette catégorie grâce au tissu de petites et moyennes entreprises créées par la communauté indienne, notamment dans le domaine de la confection. S'y ajoutent la production de sucre et surtout l'essor du tourisme (542 000 visiteurs en 2009) et de la pêche thonière.

La catégorie des pays et territoires à haut niveau de vie semble très hétérogène tant on peut opposer l'Australie et la Nouvelle-Zélande, à l'économie très diversifiée, aux autres entités toutes sous tutelle d'une métropole qui leur offre une assistance financière et technique considérable. Ces pays présentent cependant deux traits communs. L'un réside dans la relative faiblesse de l'industrie (le quart du PIB australien ou néo-zélandais, 15% ailleurs[11]). L'autre tient à l'importance des investissements d'origine étrangère qu'il s'agisse des firmes industrielles ou des chaînes hôtelières étasuniennes ou japonaises qui exploitent le potentiel touristique d'Hawaï, de Guam, des Mariannes du Nord ou de la Polynésie française. Ces investissements y apprécient la stabilité politique, le pouvoir d'achat et le dynamisme de populations qualifiées, dont la jeunesse tient autant à l'immigration qu'à des taux de croissance naturelle encore robustes.

12.4.3. L'Océanie en mouvement

La circulation des hommes a toujours été une composante du mode de vie océanien, sur de courtes distances à l'époque précoloniale puis plus lointaine au fur et à mesure que les îles s'ouvraient au monde par des moyens de transport plus performants. Les flux migratoires s'orientent aujourd'hui des périphéries vers les centres mais ces derniers ont un pouvoir d'attraction très variable qui permet de les répartir en trois catégories.

---

11. À l'exception des Samoa américaines où est implantée la Samoa Packing, puissante conserverie de poisson résultant de la fusion des sociétés Van Camp et Star Dust implantées depuis 1954 grâce à l'ouverture totale du marché étasunien à leurs exportations.

Les centres internationaux occupent les rives opposées du Pacifique. Il s'agit des grandes agglomérations de la façade pacifique de l'Amérique du Nord : Honolulu, Auckland, Brisbane et Sydney, vers lesquelles se dirigent près de 12 000 émigrants sur les 15 000 recensés[12] dans l'ensemble de la région. Ils se recrutent essentiellement dans le triangle Wallis-Fidji-Cook qui inclut aussi les Samoa occidentales et Tonga.

Les centres régionaux de premier ordre dont l'offre d'emplois et de services rayonne sur plusieurs archipels voisins en voie de développement sont principalement Guam et Pago-Pago. À Guam, les activités induites par la base militaire et l'essor du tourisme drainent chaque année un millier de migrants de Micronésie et des Philippines. Cette île exerce aussi un rôle central par le rayonnement de son université, de ses médias et la présence du seul aéroport international de Micronésie. Aux Samoa américaines, c'est l'industrie de la conserverie, épaulée par de nombreuses PME de l'agroalimentaire, de la confection, de l'emballage et de l'horlogerie, qui draine la main-d'œuvre des Samoa occidentales et de Tonga (1 200 personnes/an). Une partie des migrants se fixe dans l'un ou l'autre de ces deux territoires étasuniens, mais pour beaucoup il ne s'agit que d'une étape vers l'eldorado que semblent symboliser Hawaï et la Californie.

Fidji se classe à part en ayant organisé une zone d'influence d'une autre nature. Son économie en voie de développement, troublée par les coups d'État de 1987, 2000 et 2006, est loin d'assurer le plein emploi des nationaux. Viti Levu, l'île principale, est une plaque tournante du transport aérien régional incontournable pour les archipels voisins faiblement équipés. L'Université du Pacifique Sud, sise à Suva, largement subventionnée par l'aide internationale, accueille un millier d'étudiants de la région et a créé une dizaine d'antennes, des îles Marshall au Vanuatu et aux îles Cook. Fidji héberge par ailleurs de nombreuses représentations diplomatiques et des organismes internationaux dont les missions s'étendent aussi aux petites nations du Pacifique central.

Au niveau le plus modeste des centres régionaux figurent Papeete et Nouméa, isolés par leur francophonie et polarisant principalement leur espace territorial. Papeete a pu recruter un peu de main-d'œuvre aux îles Cook et attire quelques Wallisiens dont la forte communauté établie en Nouvelle-Calédonie s'intègre moins facilement dans l'univers mélanésien.

L'espace insulaire du Pacifique subit donc des forces centrifuges qui suivent les canaux historiques de la dépendance à l'égard des grandes puissances, qu'ils soient directs ou qu'ils passent par un centre intermédiaire. De véritables «cordons ombilicaux» se sont ainsi établis entre, par exemple, la Nouvelle-Guinée et l'Australie, les Tonga ou les Cook et la Nouvelle-Zélande, les États fédérés de Micronésie et Guam,

---

12. En moyenne annuelle sur la période 1995-2003 (Sources : Offices de l'immigration des différents pays concernés).

Guam et les États-Unis, Tahiti et la France... Les États-Unis attirent encore mais l'ouverture et le dynamisme des économies australienne et néo-zélandaise sont tels que les diasporas samoanes, tongiennes ou cookiennes sont déjà plus nombreuses que les populations dans leurs pays d'origine.

Dans le même temps, l'Océanie tente de se construire une unité par le biais d'organisations de coopération. La Communauté du Pacifique créée en 1948 à l'initiative de l'Australie et de la Nouvelle-Zélande accueille à Nouméa les représentants des 27 pays et territoires de la région. Elle finance divers programmes d'aide au développement (agriculture, éducation, santé, échanges culturels) et complète l'action des organisations liées à l'ONU. Le Forum du Pacifique, fondé en 1971 par le leader fidjien Kamisese Mara mais également financé par l'Australie et la Nouvelle-Zélande, ne compte que des États indépendants ou associés. Son objectif est en effet de constituer une tribune et un groupe de pression apte à sauvegarder les intérêts politiques et économiques, ainsi que les différences et patrimoines culturels des petits États face aux grandes puissances. La Communauté et le Forum ont prouvé leur utilité mais il semble très difficile d'aller plus loin dans l'intégration régionale sur un espace aussi vaste, morcelé et soumis aux luttes d'influence entre les centres riverains.

Bibliographie

ANTHEAUME, B. et J. BONNEMAISON (1988). *Atlas des îles et États du Pacifique Sud*, Paris, Éditions GIP-RECLUS/Publisud.

CENTRAL INTELLIGENCE AGENCY (CIA) (2010). *The World Factbook*, <www.cia.gov/library/publications/the-world-factbook/index.html>, consulté le 20 septembre 2010.

CONNELL, J. (1990). *Migration and Development in the South Pacific*, Canberra, National Center for Development Studies, Australian National University.

CROCOMBE, R. (2001). *The South Pacific, Suva*, Institute of Pacific Studies, University of the South Pacific.

DOUMENGE, F. (2002). « La Nouvelle-Calédonie face à l'africanisation de la Mélanésie », *Tahiti-Pacifique*, octobre, n° 138, p. 15-23.

DOUMENGE, F. *et al.* (1991). *Le Pacifique. L'océan, ses rivages et ses îles*, Université de Bordeaux, Centre de recherche sur les espaces tropicaux.

L'AUSTRALIE
Un *big brother* océanien?

François Merceron

Puissance économique secondaire, située au 14e rang mondial, l'île-continent fait pourtant figure de géant pour les micro-États et territoires du Pacifique insulaire. Loin de les négliger, l'Australie sait toute l'importance stratégique de ses voisins et l'intérêt qu'ils présentent pour certaines de ses entreprises. Mais cette relation est complexe car elle peine à s'affranchir des rapports de domination établis à l'époque coloniale alors que le contexte international et régional se charge d'incertitudes.

SOLLICITUDE OU NÉO-COLONIALISME?

À l'ombre de la puissance tutélaire britannique, les entreprises australiennes ont déployé leurs activités en direction des îles du Pacifique dès le début du XIXe siècle. Au commerce triangulaire qui acheminait le bois de santal des îles vers la Chine et ramenait le thé de Canton ou Shanghai vers Sydney a succédé une implantation économique plus systématique. Il en allait ainsi de la Colonial Sugar Refining (CSR) avec ses plantations de canne à sucre à Fidji, de Burns Philp & Carpenters dominant le commerce interinsulaire, des firmes exploitant les phosphates de Nauru ou des îles de la Ligne, ou des sociétés minières de plus en plus impliquées en Papouasie–Nouvelle-Guinée. L'Australie étant colonie britannique (jusqu'en 1901), c'est donc en grande partie pour protéger les intérêts de ses milieux d'affaires que le Royaume-Uni poursuivit son expansion impérialiste dans le Pacifique à partir des années 1870.

Un siècle plus tard, la décolonisation n'a pas affaibli la domination économique australienne, mais celle-ci s'est concentrée sur deux pôles: Fidji et la Papouasie–Nouvelle-Guinée. Dans le premier archipel, la CSR a cédé ses actifs à l'État fidjien, mais la moitié de l'économie touristique est sous contrôle australien par l'intermédiaire des chaînes hôtelières et des agences de voyage. Par ailleurs, l'expérience acquise par les sociétés minières dans leur propre pays leur a permis de valoriser les grands gisements de Papouasie et de Nouvelle-Guinée, surtout à partir des années 1970. Broken Hill Proprietary exploite ainsi l'or et le cuivre à Ok Tedi, Rio Tinto a exploité une des plus grandes mines de cuivre du monde à Bougainville jusqu'en 1989, MIM Holding et Union Mining ont la concession des gisements aurifères de Porgera et Wapolu. À ces implantations localisées viennent se superposer les réseaux bancaires (Westpac, ANZ Bank) et aériens des sociétés australiennes et de leurs filiales. Les relations financières avec le Pacifique Sud ne sont évidemment pas unilatérales. Les entreprises elles-mêmes versent des redevances et des impôts, et dotent les collectivités locales de routes, d'écoles ou de dispensaires.

L'aide bilatérale australienne aux pays de l'Océanie s'élevait à 922,7 millions de $A (832,8 M $US) en 2009 (dont 395 M pour la Papouasie–Nouvelle-Guinée et 216 pour les îles Salomon), soit 33,3 % de son programme mondial contre 38 % en 2004[1]. L'aide multilatérale transite essentiellement par le budget des organisations régionales. Un tiers des frais de fonctionnement de la Communauté du Pacifique, du Forum du Pacifique, de la Forum Fisheries Agency et de la South Pacific Applied Geoscience Commission est pris en charge par l'Australie. Il faut ajouter à ce dispositif celui des accords commerciaux SPARTECA (South Pacific Regional Trade and Economic Co-operation Agreement) et PATCRA (Papua-Australia Trade and Commercial Relations Agreement) qui garantissent la libre entrée des produits des pays membres en Australie sans exigence de réciprocité. Pour les insulaires, il ne s'agit là que d'un juste retour des choses dans la mesure où ils s'estiment exploités par le capitalisme australien. L'Australie voit au contraire dans ces accords la preuve de son sens de la solidarité et ne se cache pas de vouloir favoriser le développement et surtout la stabilité de son « arrière-cours ».

UNE HÉGÉMONIE SUR LE DÉCLIN

Très éloignée de ses alliés les plus sûrs (Grande-Bretagne jusqu'en 1940 puis États-Unis), l'Australie a toujours été très soucieuse de sa sécurité, plus encore que de ses intérêts économiques. Elle s'est inquiétée successivement des ambitions impérialistes de la France au début du XIXe siècle, de l'Allemagne (particulièrement en Nouvelle-Guinée à la fin du XIXe siècle) puis du Japon lors de la Deuxième Guerre mondiale. Le traité de l'ANZUS, signé en 1951 avec les États-Unis et la Nouvelle-Zélande, semble la placer sous la protection étasunienne, mais les menaces extérieures perçues se sont multipliées et diversifiées, en Asie en particulier.

Sur le plan économique, la concurrence des produits et services japonais, chinois, thaïlandais et malais s'est intensifiée. Elle va de pair avec une influence politique de plus en plus marquée qui se traduit par des aides en tous genres. Or l'Australie ne peut que difficilement lutter contre une puissance nippone sept fois supérieure à la sienne et une Chine qui est devenue la deuxième économie mondiale en 2010. Sa zone d'influence est également réduite à l'est par le domaine d'influence néo-zélandais dont les limites sont assez floues pour que le petit voisin s'autorise des initiatives diplomatiques comme des médiations dans les conflits à Bougainville et aux îles Salomon.

Mais le principal souci de l'Australie réside dans l'instabilité chronique des pays situés sur son flanc nord. L'unité indonésienne semble fragilisée par des mouvements séparatistes à Sumatra et en Irian Jaya tandis que l'islamisme progresse. La Papouasie–Nouvelle-Guinée et les îles Salomon sont incapables d'amorcer leur développement,

---

1. Australia International Development Assistance Budget 2010-11, <www.budget.gov.au/2010-11/content/ministerial_statements/ausaid/html/ms_ausaid-04.htm>, consulté le 11 novembre 2010.

minées par les tensions intertribales, la corruption et la progression du sida. Il y a
là un terreau favorable à tous les extrémismes aux portes d'une Australie qui fait
figure d'Amérique du Pacifique Sud. Elle suscite en effet les mêmes réflexes de
défiance quand elle s'aligne systématiquement sur les choix politiques des États-Unis
ou quand elle prend des accents néocoloniaux pour fustiger les gouvernements insulaires incapables d'utiliser valablement sa manne financière. Dans le même temps, elle
paraît impuissante face aux coups d'État fidjiens et aux guerres civiles ensanglantant
Bougainville et Guadalcanal. Et pourtant le « rêve australien » attire chaque année plus
d'un million de candidats à l'immigration, dont près de 50 000 Océaniens.

BIBLIOGRAPHIE

ANTHEAUME, B. et J. BONNEMAISON (1991). « L'Australie », dans *L'Asie du Sud-Est et l'Océanie*, Paris, Belin-Reclus, coll. « Géographie universelle ».

BONWICK, J. (2010). *Geography of Australia*, Charleston, Nabu Press.

PONS, X. (1988). *Le géant du Pacifique*, Paris, Economica.

LES MAQUIS MINIERS CALÉDONIENS
Caractères, fonctions et conservation

Jean-Michel Lebigre

Connue pour ses abondantes ressources en nickel, la Grande Terre de Nouvelle-Calédonie aligne, sur toute sa longueur, une série de massifs montagneux, qualifiés d'ultramafiques (roches riches en métaux lourds) ou d'ultrabasiques. Ceux-ci couvrent environ 500 000 hectares et culminent souvent à plus de mille mètres d'altitude (figure 12b.1) : on citera le Grand massif du Sud (1 618 mètres au mont Humboldt) ainsi que les massifs de Me Mayoa (1 508 mètres), de Kopéto-Boulinda (1 330 mètres), du Koniambo (902 mètres), du Kaala (1 033 mètres) et de Tiébaghi (587 mètres).

Figure 12b.1.
Localisation des massifs ultramafiques du maquis minier en Nouvelle-Calédonie

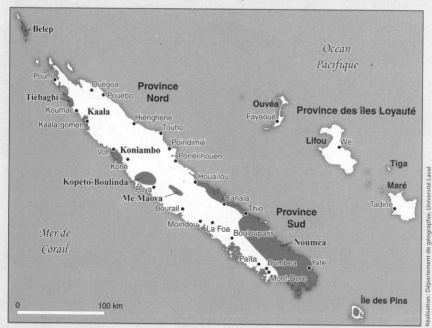

Source : Carte géologique « Nouvelle-Calédonie » du Bureau de recherches géologiques et minières (BRGM), Paris.

Figure 12b.2.
Maquis minier à Canala

Photographie: Jean-Michel Lebigre.

La mise en place de ces massifs résulte d'un phénomène tectonique nommé « obduction ». D'une manière générale, lorsque deux plaques lithosphériques se rencontrent, la croûte océanique glisse sous la croûte continentale plus légère : c'est la subduction. Mais quand un panneau de ce plancher sous-marin vient recouvrir un continent ou une île, il y a obduction. C'est ce qui s'est passé en Nouvelle-Calédonie au cours de l'Éocène supérieur, il y a environ 40 millions d'années. Les copeaux de plancher océanique formés d'ophiolites, un ensemble de serpentines (des péridotites altérées), de gabbros et de basaltes, se sont déposés sur des terrains volcaniques métamorphiques et sédimentaires plus anciens. Ils ont subi depuis, une érosion remarquable. De grands bassins de dissolution ont été façonnés par les eaux de pluie tandis qu'une multitude de formes karstiques moins étendues, de type doline, apparaissent çà et là.

La végétation qui a colonisé ces reliefs n'est pas moins remarquable. Elle est formée principalement de forêts pluviales et de « maquis miniers ». Ce dernier terme a été créé par analogie physionomique avec les maquis méditerranéens, cette forme de dégradation de la forêt de chênes-lièges, le qualificatif de « minier » faisant référence aux ressources minérales du substrat. On doit cependant observer qu'à la différence du maquis corse ou de celui de l'Estérel (Provence), les maquis calédoniens comportent généralement une strate herbacée à Fougères ou à Cypéracées. Il s'agit d'une multitude de groupements végétaux sclérophylles : le feuillage est sempervirent, les feuilles coriaces et parfois vernissées, les ligneux sont généralement de petite taille mais il existe des maquis paraforestiers formés de petits arbres. On a là un des types de végétation les plus originaux de la planète.

Les maquis miniers d'altitude occupent, quant à eux, les crêtes balayées par les alizés. Il s'agit de fourrés de faible hauteur (un à deux mètres), floristiquement différents du maquis de basse altitude. Un bambou buissonnant, *Greslania montana*, s'y présente comme l'une des plantes les plus originales. Les seuls vrais arbres sont des Conifères qui s'élèvent au-dessus du fourré qui s'étend en mosaïque avec des formations herbeuses à Cypéracées, Fougères et Lycopodes.

Les maquis miniers se développent dans des conditions hydriques diverses, des secteurs les plus secs de la côte Ouest (moins de 850 mm à Ouaco) aux secteurs très arrosés de la façade orientale (plus de 3 000 mm de précipitations annuelles à Yaté et en altitude), sur des sols le plus souvent carencés en phosphore, potassium et calcium mais anormalement riches en magnésium, nickel, manganèse, chrome et cobalt. Une espèce est qualifiée d'hyperaccumulatrice lorsqu'elle peut, sans être intoxiquée, posséder des teneurs supérieures à 0,1 % de nickel dans ses tissus. Des teneurs en nickel de plus de 4 % ont été mises en évidence dans les feuilles d'une Rubiacée, *Psychotria douarrei*, et supérieures à 20 % dans le latex d'une Sapotacée, *Niemeyera acuminata*. Plus de 50 espèces hyperaccumulatrices de nickel ont ainsi été recensées par un botaniste de l'Institut de recherche sur le développement (IRD), Tanguy Jaffré. Celles-ci peuvent être utilisées pour détoxifier les sols.

Le caractère le plus marquant des maquis miniers, c'est leur phytodiversité. Un grand nombre d'espèces, presque toutes endémiques, se sont lentement adaptées à des contraintes pédologiques originales. Les Myrtacées, les Protéacées, les Cunoniacées, les Rubiacées, les Rutacées sont quelques-unes des familles les mieux représentées. On a recensé 1 144 espèces de plantes vasculaires, dont 89 % sont endémiques à la Nouvelle-Calédonie. Cette richesse résulte à la fois d'une forte dynamique de spéciation au cours des 40 millions années qui nous ont précédés mais également de la diversité des biotopes. Les espèces introduites, contrairement à ce qui se passe sur les autres substrats de Nouvelle-Calédonie où prolifèrent lantanas, goyaviers, faux mimosas et Graminées allogènes, ont des difficultés à concurrencer les autochtones : les sols jouent le rôle de facteur limitant vis-à-vis des premières, le Pin des Caraïbes constituant une rare exception.

Avec un taux d'endémisme élevé, les reptiles, les oiseaux et les insectes constituent la part la plus originale de la faune des maquis. Les espèces de mammifères que l'on peut y rencontrer ont toutes été introduites, notamment le cerf rusa et les cochons sauvages qui y transitent et s'y cachent.

Doit-on considérer les maquis miniers comme des formes de dégradation de la forêt pluviale sur péridotites ou au contraire comme des formations « primaires » ? Il semble bien que la multiplicité de faciès propre aux maquis recouvre ces deux grands types de dynamiques. Si un peu partout la forêt pluviale coexiste avec les maquis, il semble indéniable qu'elle n'a pas vocation à coloniser les cuirasses ou les altérites dégagées par le ruissellement. En revanche, un peu partout, le feu de même que les défrichements occasionnés par l'exploitation minière et celle de la forêt ont détruit des boisements de taille plus élevée et de densité plus forte que celles des divers faciès de maquis qui leur ont succédé.

Depuis quelques années, les diverses fonctions des maquis miniers sont mieux mises en lumière. Leur principale fonction naturelle consiste à créer des sols à partir d'un substrat particulièrement ingrat ainsi qu'à protéger les versants des processus mécaniques d'érosion. Mais aujourd'hui existe aussi la possibilité de faire émerger des fonctions sociales. Ainsi, la fonction éducationnelle et de loisirs est déjà exploitée dans le cadre des aires protégées pour la plupart ouvertes aux visiteurs. Les différentes formes de vie très originales que l'on découvre dans le maquis représentent quant à elles des ressources potentielles fort prometteuses. C'est le cas des bactéries et des champignons mycorhiziens qui recèlent des molécules susceptibles d'être transformées en substances pharmaceutiques, cosmétiques ou même alimentaires, par l'industrie. De nombreuses recherches ont été entreprises à ce sujet dans les laboratoires de recherche. La conservation de ce milieu apparaît donc à tous comme une impérieuse nécessité. Elle s'oriente dans trois voies différentes : la restauration, la prévention contre divers aléas et la création d'aires protégées.

Fondés sur la mise en place de pépinières spécialisées, divers programmes de restauration du maquis sur les versants en proie à l'érosion sont actuellement en cours. Ils s'intensifieront avec l'ouverture des deux grands chantiers miniers de Goro et du Koniambo. Le feu et l'introduction d'espèces animales invasives constituent deux menaces importantes pour le maquis. Longtemps considérés comme une fatalité, les feux de brousse sont aujourd'hui l'objet de programmes de prévention susceptibles de mettre en œuvre des moyens de lutte plus efficaces que par le passé.

La création d'aires protégées en Nouvelle-Calédonie date déjà de plusieurs décennies, la plupart des aires terrestres ayant été fondées entre 1950 et 1972. Le mont Panié, le mont Humboldt (3 200 ha), la montagne des Sources (5 878 ha), la plaine des Lacs (4 467 ha) et le mont Mou (675 ha) sont classés comme réserves depuis 1950. S'y ajoutent des créations plus récentes comme le Parc de la Rivière Bleue (1980, 9 045 ha), la réserve des chutes de la Madeleine (1990, 400 ha). En dépit d'effets négatifs sur le milieu (pression sur des espaces rares, détritus plastiques et métalliques abandonnés par les adeptes des « raids » et de la randonnée) relevant de la fréquentation de ces espaces, les aires protégées apparaissent comme un moyen efficace de sensibilisation de la population calédonienne à un des écosystèmes les plus originaux de la planète.

BIBLIOGRAPHIE

JAFFRÉ, T. (1980). *Végétation des roches ultramafiques en Nouvelle-Calédonie*, travaux et documents de l'ORSTOM, nº 124, Paris.

JAFFRÉ, T, F. RIGAULT et G. DAGOSTINI (1998). « Impact des feux de brousse sur les maquis lignoherbacés des roches ultramafiques de Nouvelle-Calédonie », *Adansonia*, série 3, vol. 20, nº 1, p. 173-189.

CAPSULE 12C

LES HOMMES ET LA TERRE EN POLYNÉSIE FRANÇAISE

Bruno Saura

Le peuplement de l'actuelle Polynésie française est relativement récent : il remonte au début du premier millénaire de l'ère chrétienne, à la faveur de migrations venues de l'ouest. Une fois installés dans ces îles, les Polynésiens y ont développé une culture très tournée vers la mer, mais également un attachement viscéral à leurs nouvelles terres. Le terme viscéral semble particulièrement approprié à l'expression de ce lien, puisque le mot qui désigne la terre dans les langues polynésiennes (en tahitien : *fenua*) est aussi utilisé pour nommer le placenta (*pufenua* : noyau de terre) du nouveau-né. Suivant des traditions qui se perpétuent largement aujourd'hui, ce placenta est mis en terre après la naissance, à proximité d'un arbre fruitier, dans une double logique symbolique de continuité de fructification et d'ancrage identitaire de l'homme dans le lieu qui l'a vu naître. C'est dire si la terre n'est pas en Polynésie perçue comme une simple matière, encore moins comme une matière inanimée existant objectivement, indépendamment des hommes. Pour autant, une spiritualisation à outrance de « la terre polynésienne » (*te fenua ma'ohi*) appelle la méfiance ; ce genre de sacralisation se développe surtout aujourd'hui en réaction à la colonisation, à la mondialisation et à la fragilisation des milieux naturels.

Avant l'arrivée des premiers Européens (Wallis, 1767), la terre en Polynésie était essentiellement perçue et utilisée comme une réserve de nourriture, dans une société qui valorisait les grands repas communautaires, la consommation du porc, des fruits et des tubercules, à côté des produits de la mer. Compte tenu de l'exiguïté des îles et des ravages dans les plantations occasionnés par de fréquentes guerres, les périodes de restrictions alimentaires n'étaient pas rares. Le système dit *rahui* – interdit de récolte en un lieu et un temps (s'étendant de quelques jours à plusieurs années) –, sorte de « fait social total » présentant une dimension écologique, politique et religieuse, permettait une gestion rigoureuse des ressources alimentaires et leur renouvellement. Le *rahui* s'étendait au lagon, à ses produits et lieux de pêche, suivant la logique polynésienne d'appropriation du territoire qui pose un continuum de la crête des collines jusqu'au récif barrière. Les terres faisaient l'objet de droits de propriété et de droits d'usage liés à un système de chefferies très hiérarchisé posant des droits inégaux suivant le rang des individus, familles et branches de la société (la part belle étant réservée aux aînés et groupements aînés, dits *matahiapo*). La disparition des chefferies au profit d'une royauté unique centralisée à Tahiti (en 1815) puis le protectorat (1842) et l'annexion (1880) par la France ont fait évoluer considérablement ce système ancestral.

L'établissement des titres de propriété (sur la base de déclarations, dites *tomite*) date de la deuxième moitié du XIXe siècle, accompagné par la mise en place du cadastre et de l'état civil. Concrètement, il n'existe aucune certitude quant à l'étendue des droits de propriété avant ces *tomite*. Toutefois, au moment de l'établissement des *tomite*, la dépopulation due aux maladies était devenue telle que chaque famille disposa finalement d'un patrimoine foncier suffisant à ses besoins, ce qui fait que les *tomite* sont toujours relativement bien considérés aujourd'hui. En revanche, la terre étant devenue un bien cher, nombreux sont ceux qui réclament le respect des *tomite* du XIXᵉ siècle, parfois bousculés par des ventes illicites, déplacements de limites de terres au gré des cadastres successifs et autres irrégularités. La rancœur envers l'État n'est qu'une composante d'un ressentiment assez général des Polynésiens en matière foncière ; eux-mêmes sont souvent en procès avec leurs proches parents au sujet de biens indivis rattachés à un ancêtre commun à l'origine d'un *tomite*. Dans la tradition locale, les droits de propriété portaient sur des familles étendues dite *ôpu*, composées de frères et sœurs et de leurs descendants sur un total de trois générations. De leur vivant, les membres du *ôpu* ne recevaient que des droits d'usage provisoires pour entretenir des plantations et construire une habitation en matériaux végétaux. Une fois décédés l'ensemble des parents à l'origine du *ôpu*, la terre était partagée par souches, entre leurs descendants détenteurs de droits provisoires jusqu'à leur propre décès. Finalement, seuls les morts étaient véritablement propriétaires de droits permanents ! Ce système empêchait toute cession de terre par un individu (c'est-à-dire la dépossession de ses descendants). Néanmoins, les droits provisoires se perdaient au-delà de trois générations par le non-usage. L'application du Code civil (autour de 1870) contredit ce système coutumier. Nombre de terres sont aujourd'hui en indivision depuis six ou sept générations, une indivision certes protectrice puisqu'elle limite les possibilités de vente hors de la famille, mais coûteuse en procédures judiciaires lorsque l'on tente d'en sortir. Au total, les affaires de terres, au carrefour des représentations collectives et des égoïsmes individuels, demeurent en Polynésie française, selon les termes d'une loi tahitienne du XIXᵉ siècle, un réel « objet de douleur » (*tao'a mauiui*).

BIBLIOGRAPHIE

BAMBRIDGE, T. (2005). *La terre dans l'archipel des Australes (Polynésie française)*, Paris, IRD/Société des Océanistes, Musée de l'Homme.

OTTINO, P. (1972). *Rangiroa. Parenté étendue, résidence et terres dans un atoll polynésien*, Paris, Cujas.

PANOFF, M. (1970). *La terre et l'organisation sociale en Polynésie*, Paris, Payot.

SAURA, B. (2003). *Entre nature et culture. La mise en terre du placenta en Polynésie française*, Papeete, Haere Po.

LE TOURISME INTERNATIONAL
EN POLYNÉSIE FRANÇAISE
Évolution, enjeux, lieux et pratiques

Caroline Blondy

La Polynésie française fait partie de ces destinations touristiques mythiques. Tahiti est sans doute un toponyme qui parle à bon nombre d'Occidentaux mais aussi à bien d'autres sociétés. Son statut de destination rêvée pour « *honeymooners* » européens, étasuniens, asiatiques en est la preuve. La mise en tourisme de ces îles polynésiennes s'appuie sur la célèbre trilogie « *sea, sex and sun* ». Le cliché des plages de sable blanc baignées par les chaudes eaux turquoise d'un lagon et protégées par les cocotiers où s'étirent de belles vahinés est largement utilisé par les brochures de voyages commercialisant la Polynésie. Mais la mise en tourisme de la Polynésie a été favorisée également par le mythe polynésien construit par les navigateurs, les artistes et les récits de voyage. L'histoire a joué un grand rôle préparatoire. La colonisation, mais aussi la désignation de Bora Bora comme base arrière étasunienne pendant la Deuxième Guerre mondiale, expliquent également l'émergence de la Polynésie touristique, permettant l'ouverture maritime et aérienne de ces îles et leur découverte par les Européens et Étasuniens qui en feront plus tard une destination touristique.

Même si la Polynésie française semble être un ensemble archipélagique « inventé pour le tourisme », le nombre de touristes internationaux reste modeste et ne progresse que très lentement. Il est passé de 101 595 en 1984[1] à 166 086 en 1994 et au tournant des années 2000 il plafonnait entre 200 000 et 220 000 entrées, avant de connaître une chute importante en 2009 avec 160 447 entrées (196 496 en 2008). À l'échelle du Pacifique, la Polynésie française reste une destination touristique notable mais loin derrière Hawaï (6,4 millions d'entrées touristiques en 2009), l'Australie (5,6 millions), la Nouvelle-Zélande (2,5 millions) et sa principale concurrente dans le Pacifique Sud, les Fidji (539 000 touristes). Les touristes sont majoritairement des Étasuniens (26 % environ en 2009), des Européens (45 %), dont une part importante vient de France métropolitaine (21 %), et des Japonais (10 %). Le coût de la destination et la situation géographique de ces îles peuvent expliquer cette stagnation. Dans un Pacifique où l'influence anglo-saxonne est forte, la langue française est sans doute une barrière. Les foyers émetteurs régionaux principaux peuvent être attirés par des destinations plus proches linguistiquement et géographiquement plus accessibles en termes de desserte : les Australiens et les Néo-Zélandais

---

1. Les chiffres sont tous issus de l'ISPF (Institut des statistiques de la Polynésie française) et SDT (Service du Tourisme).

préfèrent les Fidji ou les îles Cook, les Étasuniens disposent des îles Hawaii qui leur assurent le dépaysement recherché sans franchir de frontières. Le coût très élevé de l'acheminement, de l'hébergement, des déplacements et des activités sur place, l'éloignement et la barrière de la langue font de la Polynésie une destination peu accessible. Cette destination éloignée constitue souvent le voyage d'une vie : voyage de noces payé par la famille et les amis ou « voyage de la maturité » payé par des économies parfois faites sur le long terme. Un tiers des touristes a en effet entre 25 et 34 ans, et un quart a plus de 55 ans.

Ce tourisme est essentiellement un tourisme de séjour. En 2009, 19 % des touristes ont effectué une croisière. Arrivant à l'aéroport international de Faa'a, ils séjournent pour 98 % d'entre eux à Tahiti en 2008. Leur périple les mène également dans les deux îles les plus touristiques : Moorea, l'île sœur peu éloignée et accessible à un coût moins élevé (67 % d'entre eux) et Bora Bora (62 %), île mythique s'il en est, notamment pour les Étasuniens et les Japonais. D'autres îles Sous-le-Vent comme Raiatea ou Huahine attirent un peu moins du quart des touristes. Il s'agit ici d'Européens en très grande partie. Les Tuamotu, et en particulier Rangiroa, Tikehau, voire Fakarava ne reçoivent que 5 à 6 % des touristes, essentiellement des Européens attirés par les sites de plongée et la découverte d'un atoll ; les Marquises encore plus éloignées ne sont visitées que par 6 % des touristes.

Si la nationalité du touriste conditionne souvent le choix des îles visitées, elle a souvent également une importance dans le choix du mode d'hébergement. L'hôtel-lerie classée accueille beaucoup d'Étasuniens et de Japonais. Les métropolitains et les Européens optent souvent pour l'hébergement « chez l'habitant » où il n'y a pas ou moins de barrière linguistique qui peut freiner les touristes anglophones ou japonais et c'est une formule moins onéreuse qui permet de réduire le budget logement au profit du budget activités et visites des îles.

À l'échelle de la Polynésie, seulement 13 îles sur les 118 de la Polynésie sont équipées d'hôtels, elles sont situées dans l'archipel de la Société, des Tuamotu et des Marquises. L'hôtellerie classée avec 52 hôtels en 2009 possède la plus grande capacité d'accueil avec 3 477 chambres, néanmoins les 283 structures d'hébergement « chez l'habitant » ne sont pas négligeables (1 351 chambres) et jouent un rôle pion-nier en ouvrant une vingtaine d'îles au tourisme dans les cinq archipels polynésiens, étendant ainsi l'espace touristique. La desserte aérienne souligne aussi cette inégale ouverture des îles au tourisme. Alors que Moorea et Bora Bora sont dotées de liaisons aériennes quotidiennes nombreuses, certaines îles ne connaissent aucun vol régulier. À l'échelle de l'île, ce sont souvent les plus beaux littoraux et les plus beaux points de vue qui accueillent la majorité des infrastructures touristiques : la côte ouest/nord-ouest à Tahiti, la côte nord à Moorea, la pointe Matira et les *motu* à Bora Bora. Les plages de sable noir et les côtes au vent sont souvent délaissées. Ce tourisme, essentiellement tourné vers le lagon, tente d'ouvrir l'intérieur des îles hautes par des chemins de randonnée comme à Moorea, des pistes pour les safaris en véhicules 4×4 à Bora Bora.

Drainant environ 50 milliards de francs Pacifique (515,4 millions de dollars américains) de devises et représentant environ 16 % de l'emploi polynésien, le tourisme est l'une des principales ressources économiques de cet espace insulaire dont l'économie, depuis la période coloniale, a connu des cycles successifs : cycle du coton profitant de la guerre de Sécession aux États-Unis, de la vanille, de la nacre, du coprah, du Centre d'expérimentation du Pacifique, et aujourd'hui de l'exploitation de l'« or bleu », c'est-à-dire du lagon, à travers la perliculture et le tourisme. Le tourisme est également facteur d'affirmation de la culture et de l'identité polynésiennes.

Dans un contexte de mondialisation et de concurrence internationale entre les destinations tropicales insulaires, les manifestations culturelles (le *Heiva*, fête traditionnelle annuelle ; *Tattoonesia*, le premier festival international du tatouage en novembre 2005 à Moorea, etc.), les manifestations sportives (compétitions de surf à Teahupoo, courses de pirogues dont l'Hawaaïki Nui, etc.), les sites archéologiques (valorisation des *marae* de Arahurahu ou de Taata à Tahiti lors de reconstitutions historiques), la danse (spectacles donnés dans les hôtels, notamment par les Grands Ballets de Tahiti dont les spectacles à l'étranger renforcent le mythe polynésien), l'artisanat (le salon du *tifaifai* à la mairie de Papeete chaque année en mai, la mise en place de stands d'artisans sur le quai à Papeete, les centres artisanaux de Fare, de Vaitape, etc.) sont autant de moyens de se démarquer des îles rivales.

Le développement du tourisme à travers la construction de structures hôtelières, le développement des flux touristiques, la fréquentation de lieux posent enfin des questions environnementales et sociales en termes de gestion des déchets et des eaux usées, de mise en place de réseaux d'eau potable, de sauvegarde de la faune et de la flore, de partage du lagon entre usagers. Ces problèmes sont d'autant plus aigus que l'on se trouve dans des espaces insulaires ou micro-insulaires isolés et aux ressources limitées. Seules Tahiti, centre économique et politique de la Polynésie française, les îles très touristiques comme Bora Bora, Moorea ou des îles plus densément habitées et développées (Raiatea) arrivent à mener une politique de protection environnementale permettant d'assurer le développement du tourisme et d'en gérer les effets.

BIBLIOGRAPHIE

BACHIMON, P. (1996). « De l'Eden au paradis touristique, Tahiti dans la géographie des espaces paradisiaques », dans P. LE BOURDIEC *et al.* (dir.), *Geo-Pacifique des espaces français*, p. 163-176.

BLONDY, C. (2002). *Tourisme, développement local et représentations en Polynésie française : vers une nécessaire diversification de l'image touristique ?*, DEA de Géographie, sous la direction de François Bart et Guy Di Méo, Université Bordeaux III.

BLONDY, C. (2005). « Le tourisme en Polynésie française : les acteurs privés de l'hébergement dit "Chez l'habitant" (exemples des îles hautes de Tahiti et Moorea, archipel de la Société) », *Les Cahiers d'Outre-Mer*, vol. 58, n° 230, p. 153-188.

BLONDY, C. (2007). « Les habitants de la Polynésie française face au tourisme » dans P. FRUSTIER (dir.), *Les identités insulaires face au tourisme*, La Roche-sur-Yon, Éditions Siloé-IUT, pp.167-174.

BLONDY, C (2010). *Les territoires touristiques polynésiens : une lecture géographique de la participation de la société locale au système touristique*, thèse de doctorat, Bordeaux III, 781 p.

BLONDY, C. (à paraître), « *Touristes* » et « *société locale* », *quelle catégorisation dans le système touristique polynésien ?*, [en ligne], publication de communication aux Doctoriales du tourisme, <http://www.adrets.net/textesdoctoriales.htm>.

GAY, J.-C. (1994) « Le tourisme en Polynésie Française », *Annales de géographie*, vol. 103, n° 577, p. 276-292.

GAY, J.-C. (2009), *Les cocotiers de la France : le tourisme en outre-mer*, Paris, Belin, 135 p.

LE MOYEN-ORIENT
Présentation

Frédéric Lasserre

Le Moyen-Orient se trouve souvent sous les projecteurs de l'actualité, mais il demeure mal connu par les Occidentaux. Approximations culturelles, méconnaissance de l'héritage historique même récent, représentations tronquées des enjeux géopolitiques : une meilleure compréhension de la région, au cœur des stratégies de la plupart des puissances mondiales, demeure nécessaire pour saisir les enjeux planétaires.

I.   Le Moyen-Orient, un carrefour et un foyer de civilisations

I.1.   Un foyer de civilisations et de religions

Berceau de grandes civilisations depuis l'Antiquité (Égypte, nombreuses civilisations mésopotamiennes, Empire perse), le Moyen-Orient a déjà été le foyer d'empires à vocation mondiale : empire macédonien d'Alexandre le Grand, empire arabe du VIIe au Xe siècle notamment.

La région est également le berceau des trois grandes religions monothéistes mondiales :

- Le judaïsme est la plus ancienne. Religion des anciens Hébreux, c'est sur cette réalité religieuse que repose l'identité de l'État d'Israël, créé en 1947 et à l'origine de cinq guerres majeures depuis (1947-1948, 1956, 1967, 1973, 1982).

- Le christianisme apparaît voici 2 000 ans et repose sur l'avènement du Messie en la personne de Jésus, comme annoncé dans l'Ancien Testament : le christianisme découle du judaïsme avec lequel il partage l'Ancien Testament.

- L'islam apparaît au début du 7e siècle après J.-C. lorsque Mahomet qui est né à La Mecque reçoit de l'ange Gabriel le mandat de prêcher la parole d'Allah. Cette révélation a lieu en 612 ap. J.-C. Comme pour le judaïsme et le christianisme, l'enseignement de l'islam repose sur un livre, le Coran, d'où l'expression de « religions du livre ».

- Jérusalem est une ville sacrée pour ces trois religions : pour les Juifs, elle abrite le site du Temple bâti par Salomon ; elle est le site du tombeau du Christ pour les chrétiens et de la mosquée d'Omar pour les musulmans. Depuis 1947, le partage de la ville est l'objet de tensions et de conflits entre les communautés.

Aujourd'hui, 95 % des habitants du Moyen-Orient sont musulmans. L'islam n'est pas monolithique, et les musulmans sont divisés en deux groupes principaux :

- les Sunnites, environ 80 %, qui suivent la tradition ;

- les Chiites, environ 20 %, majoritaires en Iran, en Irak, à Bahreïn, et qui restent fidèles à Ali, gendre du Prophète.

Les 5 % restants se partagent entre juifs, majoritaires en Israël, et chrétiens peu nombreux, dispersés, qui ne constituent une minorité significative qu'au Liban (chrétiens maronites) : preuve que tous les Arabes ne sont pas musulmans, de même que tous les musulmans ne sont pas Arabes.

I.2.   Une mosaïque de peuples

Contrairement au stéréotype largement répandu, la région n'est pas très majoritairement peuplée d'Arabes. À la différence de la relative homogénéité religieuse, on y trouve une grande diversité culturelle. Les Arabes ne représentent que 49 % de la population du Moyen-Orient tel que défini ci-dessous. D'autres peuples affichent des effectifs importants : Turcs ; Kurdes ; Persans, principal groupe en Iran ; Pachtounes ; Juifs israéliens notamment ; et une importante communauté issue de l'immigration économique récente, présente dans les monarchies du golfe Arabo-Persique (Koweït, Qatar, Émirats arabes unis, Oman, Arabie Saoudite) et des immigrés d'origine iranienne du sous-continent indien ou d'Asie du Sud-Est.

I.3.   Un carrefour de communications terrestres et maritimes

Dès l'Antiquité, le Moyen-Orient a vu l'apparition d'importantes routes commerciales entre Europe, Afrique et Asie, par voie terrestre tout d'abord. Le Moyen-Orient est aussi ouvert sur plusieurs régions du monde par voie maritime, ce qui renforce l'enjeu stratégique de plusieurs détroits ou canaux :

- le détroit d'Ormuz entre le golfe Arabo-Persique et l'océan Indien ;

- le détroit de Bab el-Mandeb entre l'océan Indien et la mer Rouge ;

- le canal de Suez (achevé en 1869), qui relie la Méditerranée à l'océan Indien en passant par la mer Rouge.

I.4.   Une région à géométrie variable

Héritage de cette position de carrefour qu'avaient bien remarqué les puissances européennes, le Moyen-Orient a suscité les convoitises de celles-ci, à la fois comme espace d'expansion coloniale et comme étape le long des routes desservant les grands empires coloniaux. Ainsi sont nées les expressions, d'origine européenne, de *Levant* (qui n'a de sens que par rapport à l'Europe), de *Proche* ou de *Moyen-Orient* (dérivé du nom anglais *Middle East*), qui n'a de sens que par rapport à l'Orient (empire des Indes britanniques), et d'Extrême-Orient, ou Asie du Pacifique. Ce flou et cette origine occidentale du nom de la région expliquent pourquoi, selon les auteurs, la géographie de cette région peut varier. Certains géographes y incluent le Pakistan et l'Afghanistan ; d'autres ajoutent les républiques ex-soviétiques du Caucase, notamment l'Azerbaïdjan, ou encore le Soudan. Ici, nous considérerons le Moyen-Orient comme comprenant la péninsule arabique, l'Égypte, les États et territoires de la façade méditerranéenne (Israël, Palestine, Jordanie, Liban, Turquie), du bassin du Tigre et de l'Euphrate (Syrie, Irak, Iran, Koweït), ainsi que l'Afghanistan.

II.   Une région convoitée par les grandes puissances

L'intérêt des grandes puissances pour la région remonte au xixᵉ siècle, lorsque sa position stratégique comme lien entre l'Europe et les empires coloniaux en Asie est apparue. Cet intérêt s'est trouvé renforcé avec le déclin de l'Empire ottoman, qui dominait une grande partie de la région jusqu'à son effondrement en 1918 à la fin de la Première Guerre mondiale : appétits territoriaux des Européens et souci de contrôler une nouvelle source d'énergie, le pétrole, accroissent leurs ambitions, d'où les mandats coloniaux obtenus par la France (Syrie, Liban) et le Royaume-Uni (Irak, Jordanie et Palestine) dès 1920.

Aujourd'hui, malgré la diversification des zones de production, 65 % des réserves prouvées de pétrole se trouvent au Moyen-Orient (dont Irak et Koweït, 10 % chacun ; Arabie Saoudite, 25 %).

Après 1945, l'influence européenne s'efface au profit de l'URSS et des États-Unis. Le Moyen-Orient devient un enjeu de la guerre froide : les conflits régionaux s'ancrent dans cette logique bipolaire et les États s'alignent sur Moscou ou sur Washington, cristallisant ainsi les conflits dans une logique mondiale. Après 1991, la chute de l'URSS et la fin de la guerre froide, les États-Unis pensent être le seul maître du jeu. Ils n'hésitent pas à agir de manière unilatérale avec le risque de sous-estimer la complexité de la région et de pousser, par leurs interventions (en 1990-1991 puis en 2003, contre l'Irak ; en 2001, en Afghanistan), des populations musulmanes modérées à se tourner vers les courants les plus radicaux de l'islamisme

III.   Une région divisée par de nombreux conflits depuis 1945

III.1.   Des conflits issus de l'intervention des Occidentaux dans la région

La création d'Israël, décidée par les Nations Unies en 1947 et appuyée principalement par les Occidentaux, a été très mal acceptée par les populations arabes de la région, qui souvent continuent de refuser le principe même de l'existence d'Israël. De son côté, Israël a conquis le territoire de l'État palestinien prévu par le plan de l'ONU de 1947 et refuse d'accorder son indépendance à l'Autorité palestinienne. Ce conflit, non pas religieux mais bien fondé sur le partage du territoire est, on l'a vu, à l'origine de cinq guerres majeures, plus deux grandes interventions militaires israéliennes, en 2006 contre le Liban et en 2008 contre Gaza.

Les Kurdes, à qui les Occidentaux avaient promis un État en 1920, se trouvent toujours écartelés entre la Turquie, la Syrie, l'Irak et l'Iran. Plusieurs mouvements de guérilla luttent pour l'autonomie ou l'indépendance d'une partie du Kurdistan, en particulier en Turquie. En Irak, le Kurdistan bénéficie d'une grande autonomie *de facto*, et les Kurdes souhaiteraient entériner cette situation dans la Constitution, ce que redoutent tant les Irakiens arabes que les Turcs, car cela créerait un précédent qui pourrait inspirer leur propre population kurde.

La guerre civile qui ravage l'Irak découle en bonne part de l'intervention militaire américaine de 2003. En renversant le régime militaire de Saddam Hussein, qui consacrait le pouvoir de la minorité sunnite, Washington n'avait pas prévu que le vide politique alimenterait le désir des chiites, majoritaires, de prendre le contrôle du pays. En Afghanistan, l'intervention militaire de 2001 n'a pas pu enrayer l'état chronique de guerre civile depuis le départ des Soviétiques en 1989.

III.2.   Des conflits liés aux tensions religieuses

Contrairement aux écrits simplistes d'auteurs comme Samuel Huntington (*Le Choc des civilisations*), les clivages religieux divisent bien plus les sociétés du Moyen-Orient qu'ils n'alimentent une opposition contre les Occidentaux. Les extrémistes islamistes, sunnites pour Al-Qaïda, ont été très actifs dans la guerre civile en Irak contre la majorité chiite ; les talibans afghans ont également persécuté la minorité Hazara chiite et ont failli déclencher un conflit armé contre l'Iran en 1998 ; les islamistes du Hamas palestinien mènent une lutte fratricide pour le pouvoir face au Fatah, principal parti palestinien. De nombreux attentats ont été perpétrés par des islamistes radicaux contre les monarchies du golfe Arabo-Persique, jugées trop pro-occidentales.

Par ailleurs, l'avènement de la République islamique d'Iran a effrayé bon nombre de pays de la région, inquiet du prosélytisme chiite affiché par Téhéran. C'est cette crainte qui a expliqué le long soutien des pays de la région envers Saddam Hussein pendant la guerre Iran-Irak (1980-1988).

III.3.   Des conflits liés aux ambitions régionales

Héritage du démembrement de l'Empire ottoman en 1920 et de l'épisode colonial, le monde arabe est divisé en plusieurs États souvent rivaux. La Syrie, l'Égypte et l'Irak se sont parfois violemment opposés politiquement dans les années 1960 et 1970, chacun estimant incarner l'idéal de l'unité arabe et alimentant une grande rivalité politique afin de prendre le contrôle du mouvement panarabe. Encore aujourd'hui, une grande méfiance caractérise les relations entre les pays arabes du Moyen-Orient, incapables de transcender leurs divisions politiques.

De même, l'Arabie Saoudite, afin d'asseoir sa prépondérance politique sur la péninsule arabique, a longtemps cherché à affaiblir ses voisins, jouant sur leurs divisions politiques, notamment face au Yémen ou à Oman, pendant la rébellion du Dhofar (1962-1975).

La Turquie ne cherche pas à développer de contrôle politique sur la région, mais la défense de ses intérêts a provoqué des conflits avec ses voisins, notamment son alliance militaire avec Israël depuis 1986 (mise à mal récemment par la politique israélienne envers les Palestiniens) et sa politique hydraulique, avec la construction de nombreux barrages sur le Tigre et l'Euphrate, au grand déplaisir de la Syrie et de l'Irak en aval. L'eau, sans être encore un objet de conflit violent, suscite des rivalités importantes dans la région.

Enfin, l'Iran, qui nourrit lui aussi des ambitions de puissance régionale, inquiète d'autant plus ses voisins qu'il poursuit un programme nucléaire aux objectifs inavoués, dont les analystes soupçonnent qu'il est destiné à lui fournir l'arme nucléaire. Pour Téhéran, la bombe atomique serait non seulement un outil de puissance régionale, mais aussi un instrument de dissuasion, à la fois contre un Israël nucléarisé depuis les années 1970, et contre ce que Téhéran perçoit comme une menace américaine pour son régime:

Chapitre 13

LE MOYEN-ORIENT
Ruptures et continuités

Pierre Beaudet et Anne Latendresse

13.1. Mondialisation et Moyen-Orient

Pour plusieurs, la mondialisation en cours est synonyme de chaos et de désordre, ou encore de «basculement du monde» (Beaud, 1989). Pour d'autres, elle se décline sous la forme d'une transition, du passage d'un ordre établi à un autre dont le contour encore flou prend la forme d'une «globalisation» économique (Touraine, 2005). La mondialisation, entendue ici comme un processus de transformation du capitalisme, provoque des restructurations sociospatiales supposant des changements scalaires et territoriaux où l'affirmation de l'échelle régionale se manifeste par la construction territoriale, économique, politique et parfois identitaire des territoires (Laïdi, 1998 ; Dolfus, 2001). Dans cette reconfiguration sociospatiale à l'échelle du monde, certaines régions apparaissent comme «gagnantes» en s'insérant d'une manière avantageuse dans la mondialisation, alors que d'autres semblent confinées à un rôle subalterne. Cette situation par ailleurs est changeante. Des régions ou des sous-régions que l'on considérait «périphériques» deviennent «émergentes» alors que d'autres parcourent le chemin inverse. Devant ces mutations, le principal défi des géographes consiste à proposer une nouvelle intelligibilité car «jamais dans son histoire, l'humanité n'a connu une accélération de changements aussi forte qu'au cours des cinquante dernières années» (Dolfus, 2001, p. 8).

Dans cette nouvelle configuration mondiale, le Moyen-Orient occupe une place particulière. Cette région, dotée d'importantes ressources en hydrocarbures, constitue un espace traversé de conflits persistants et complexes ayant des répercussions régionales et parfois même mondiales. Elle est marquée par une histoire, avec des populations plurielles qui ont vécu à certaines époques sous des entités étatiques régionales de grande envergure. Depuis les années 1970, cette région «éclatée», expression empruntée au sociologue et historien libanais Georges Corm (2003), est traversée par de nombreux enjeux complexes qui par ailleurs débouchent (depuis le début de 2011) sur des ruptures importantes à tous les niveaux. C'est ce que nous allons présenter dans ce chapitre.

13.2. Territoires et populations

Selon le point de vue où l'on se place, la région dont on parle se présente sous plusieurs appellations : Moyen-Orient, Proche-Orient, Levant, Machrek. Corm (2003) explique que cette confusion sémantique, et nous ajouterions géographique, est liée aux évolutions de la géopolitique mondiale. Comme l'a fait valoir le regretté Edward Saïd (1980), intellectuel palestinien et professeur de littérature anglaise à l'Université de Columbia de New York, notre lecture de cette région part d'un point de vue occidental, et plus précisément européen, qui a grandement influencé nos représentations de cette région, y compris en ce qui concerne sa dénomination. Dans ce chapitre, nous utiliserons l'appellation la plus courante, le Moyen-Orient, même si le terme est historiquement «piégé» car il provient de l'expression anglaise, *Middle East*, élaborée au tournant du XXe siècle lorsque la région se trouvait à «mi-chemin», en termes de distance, entre Londres et l'Inde. C'était pour l'empire britannique «leur» Orient à mi-parcours (Fabriès-Verfaillie, 1998)! Mentionnons enfin que, dans la tradition du monde arabe auquel le Moyen-Orient a été associé, ce dernier est désigné sous le nom de *Machrek*, qui en arabe signifie littéralement le «Levant» par opposition au *Maghreb* qui désigne là où le soleil se couche.

13.2.1. Quel Moyen-Orient?

La délimitation géographique de cette région est également un sujet de débats. En règle générale, on s'entend sur le cœur de la région, défini par les États de la Méditerranée occidentale et de la basse Mésopotamie, difficilement contestable. Mais sa périphérie l'est davantage. Doit-on y inclure des pays comme la Turquie, l'Iran et l'Afghanistan?

> Si l'on soumettait à dix spécialistes de l'Asie une carte de celle-ci, en leur demandant d'y délimiter le Proche-Orient, le Moyen-Orient et l'Extrême-Orient, il est probable que l'on obtiendrait dix réponses différentes. Sur certaines cartes, des pays seraient oubliés (l'Inde fait partie de quel Orient?), sur d'autres des pays qui ne font pas partie de l'Asie (ainsi de l'Égypte) apparaîtraient et, surtout, l'établissement de la limite entre le Proche et le Moyen-Orient poserait des problèmes à la plupart des interrogés (De Koninck, 1999, p. 183).

Sur un plan géographique, il est possible de délimiter cette région par ses limites maritimes : au nord les mers Noire et Caspienne, à l'ouest la Méditerranée, au sud-ouest et au sud-est la mer Rouge et la mer d'Arabie, alors qu'à l'est la limite correspond – assez arbitrairement il faut le dire – à la frontière entre l'Iran, l'Afghanistan et le Pakistan (De Koninck, 1999). Bref, un ensemble qui va de la Turquie à l'Iran et englobe la péninsule arabique; certains auteurs y ajoutent l'Égypte. Ajoutons que les frontières d'un bon nombre des pays du Moyen-Orient ont été tracées au xxe siècle à la suite du retrait des grandes puissances européennes qui ont partagé cette région en zones d'influence. Cet héritage colonial a créé de vives tensions et la question des frontières est encore source de contestations (Mutin, 2001).

Par ailleurs, sur le plan politique, le Moyen-Orient est fortement associé à une réalité plus vaste et contradictoire qu'on appelle généralement le «monde arabe» et parfois même le «monde arabo-musulman». Comme on le constate, les termes «Arabe» et «musulman», ou «Arabe» et «islam» sont souvent associés, voire confondus. Il importe donc d'apporter certaines distinctions préliminaires et nécessaires à une meilleure connaissance de la région.

Précisons d'abord ce qu'on entend par Arabe. Comme le souligne avec justesse Rodinson (2002), il est parfois difficile de définir avec précision des groupes ethno-nationaux, surtout lorsque ceux-ci sont divisés entre de nombreux États. Tout ce que nous pouvons faire, dit-il, c'est délimiter plus ou moins nettement une entité, un ensemble social qui, dans les faits, fonctionne, à certains égards au moins, comme une unité. Nous pouvons, dans ces limites, considérer comme appartenant à une ethnie, peuple ou nationalité arabe ceux qui ont pour langue maternelle une variante de la langue arabe, qui considèrent comme leur patrimoine l'histoire et les traits culturels du peuple arabe, ces traits culturels englobant depuis le viie siècle l'adhésion massive à la religion musulmane (qui est loin d'être leur exclusivité), qui revendiquent une identité arabe et ont une conscience de l'arabité (Rodinson, 2002, p. 50-51). Cette conscience n'exclut pas des identités locales, comme un sentiment d'identité syrien, égyptien, omanais…

La définition proposée par ce spécialiste du monde arabe permet ainsi de comprendre qu'associer arabe et islam à une même représentation géopolitique contribue à entretenir une vision homogénéisante qui ne tient pas compte de la diversité des religions et des peuples présents dans cette région du monde. Car bien que neuf Arabes sur dix soient musulmans, il existe également des Arabes chrétiens et juifs. Ces deux religions, le judaïsme et le christianisme, antérieures à l'islam, sont encore pratiquées dans cette région du monde.

Figure 13.1.
Le Moyen-Orient arabe

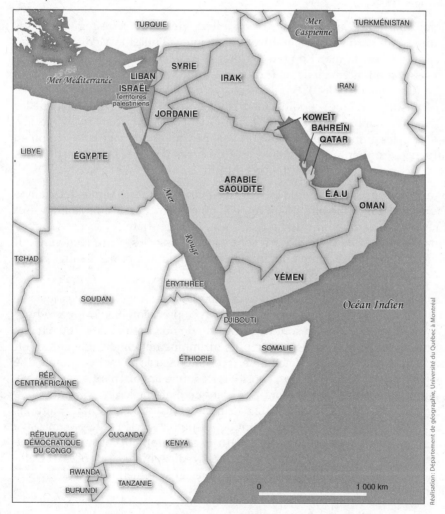

Réalisation: Département de géographie, Université du Québec à Montréal

Pour sa part, le musulman est celui ou celle qui professe la religion de l'islam. Née au VIIe siècle en Arabie, cette religion s'est diffusée dans plusieurs régions du monde. Aujourd'hui, nous comptons plus d'un milliard de musulmans dans le monde entier. L'Indonésie est le pays où l'on retrouve le plus grand nombre de musulmans dans le monde. Ils sont aussi présents dans plusieurs pays africains (Sénégal, Burkina Faso, etc.) ainsi que dans certains pays de l'Asie comme l'Inde ou les Philippines. Précisons enfin que bien que la Turquie, l'Iran, l'Afghanistan et le Pakistan soient des pays où l'islam est la religion de la majorité de la population, ces pays n'appartiennent pas au Moyen-Orient arabe.

Dans ce chapitre, nous nous pencherons davantage sur la composante arabe de la région qui englobe la Syrie, le Liban, la Jordanie, la Palestine, l'Irak, l'Arabie Saoudite, le Qatar, Bahreïn, les Émirats arabes unis, le Koweït, le Yémen et Oman. Bien que l'Égypte ne soit pas située en Asie, nous l'inclurons dans cette région. De plus, bien qu'il ne fasse pas partie des pays arabes, nous ajouterons Israël à cette liste car ce dernier est trop intimement lié à la région pour en être exclu. Rappelons simplement qu'Israël a été créé et proclamé État indépendant en 1948, de façon unilatérale, sur un territoire revendiqué par les habitants palestiniens de la région. Encore aujourd'hui, l'expansion territoriale israélienne sur la partie arabe de Jérusalem (annexion illégale selon les Nations Unies et la IVe Convention de Genève) et sur une grande partie de la Cisjordanie et du Golan syrien fait en sorte que le sort de cet État est lié, qu'on le veuille ou non, au sort des populations palestinienne et arabe de la région. Enfin, mentionnons la Turquie et l'Iran, que certains auteurs incluent dans le Moyen-Orient, et qui ne seront pas traités de façon particulière compte tenu de notre délimitation de cette région.

On constate ici que l'exercice de délimitation géographique, qui repose sur un choix bien subjectif, constitue un exercice périlleux!

13.2.2. Une région aride et contestée

L'histoire de cette région est en grande partie associée à une géographie des lieux. En tant que passage obligé entre les continents et les régions fertiles et habitées de l'Afrique, de l'Europe et de l'Asie, ce positionnement géographique en a fait une zone stratégique où les rivalités se sont multipliées. Le Moyen-Orient est constitué d'un vaste territoire partagé entre des zones fertiles principalement le long des côtes et des rivières, d'une part, et d'immenses zones désertiques, d'autre part. De manière générale, l'aridité s'impose comme une donne déterminante des contraintes auxquelles les pays ont à faire face. Dans le passé et encore aujourd'hui, elle a grandement structuré le peuplement et l'aménagement des territoires confrontés à la rareté de l'eau.

La question centrale du contrôle et de la gestion de l'eau a constitué par le passé, et constitue encore aujourd'hui, un enjeu majeur pour les pays de la région avec la présence de fleuves importants: le Nil (l'Égypte et le Soudan), l'Euphrate (Turquie,

Syrie, Irak) et le Tigre (Irak, Turquie). La rareté de cette ressource a engendré déjà plusieurs conflits ou tensions entre les États qui se partagent les principaux cours d'eau : entre l'Égypte et le Soudan qui se partagent le Nil ; entre la Turquie, la Syrie et l'Irak traversés par le Tigre et l'Euphrate ; entre Palestiniens et Israéliens ; et entre Israël, qui a annexé les hauts plateaux syriens du Golan (considérés comme un château d'eau), et la Syrie. Aujourd'hui, comme le souligne le Programme des Nations Unies pour le développement (PNUD, 2002, p. 47), cette région est particulièrement marquée par un

Figure 13.2.
Les grands ensembles du relief

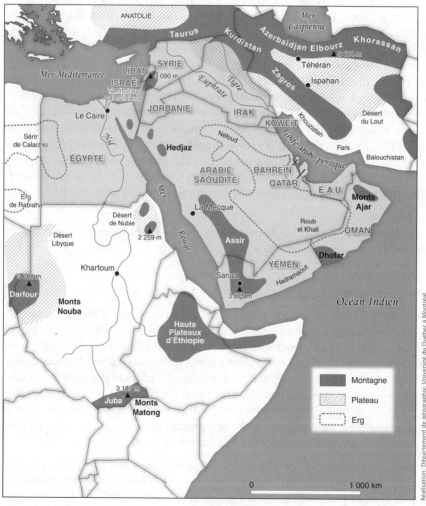

Source : Fabriès-Verfaillie (1998).

«stress hydrique aigu». Selon la Banque mondiale, 15 des 22 pays se situant au-dessous du seuil de pauvreté hydrique (celui-ci étant défini comme la disponibilité en eau de moins de 1 000 m³ par personne et par an) se trouvent en Afrique du Nord et au Moyen-Orient. Par ailleurs, avec la croissance démographique importante, les besoins augmentent alors que la ressource s'épuise. En Israël et dans les territoires palestiniens par exemple, on constate une baisse du niveau d'eau de la mer Morte (Israël, Cisjordanie et Jordanie) et du lac de Tibériade, et l'infiltration de l'eau de mer dans les nappes phréatiques à Gaza (territoire palestinien) (Lacoste, 2003).

Enfin, on ne peut passer sous silence les richesses du sous-sol, inégalement réparties entre les pays de la région. Cette région est productrice et exportatrice de pétrole et de gaz depuis sa mise en exploitation dans les années 1930. La présence de cette ressource constitue certes un enjeu géoéconomique et géopolitique aux dimensions mondiales mais aussi régionales. On se rappellera que l'Irak, à l'été 1990, avait revendiqué sa souveraineté sur le pays voisin, le Koweït, qui dispose d'importantes ressources en hydrocarbures. Une coalition de pays occidentaux et arabes, avec les États-Unis en tête, est alors intervenue, forçant le retrait irakien du Koweït et détruisant une partie des équipements et infrastructures de l'Irak.

Un retour à l'histoire et à la politique est nécessaire pour comprendre cette région qui peut parfois apparaître complexe et difficile à saisir.

13.2.3. Population et développement

Le peuplement remonte à une période lointaine sur les côtes méditerranéennes et en Mésopotamie (traversée par deux grands fleuves, le Tigre et l'Euphrate). Des territoires ont été sédentarisés et transformés par l'agriculture, ainsi que par la mise en place d'une organisation politique de l'espace. Selon Fabriès-Verfaillie (1998), la population est répartie en «archipels de peuplement, c'est-à-dire selon une concentration ponctuelle, dans des zones depuis longtemps attractives et isolées par un fort gradient de décroissance des densités [...] formant ainsi une bande étroite, discontinue et urbanisée, où les conditions sont favorables à l'implantation humaine».

Assez tôt dans son développement, le Moyen-Orient s'est urbanisé. Des recherches archéologiques notent la présence de villes anciennes. Jéricho, aujourd'hui située dans les territoires palestiniens, remonte au VIIe millénaire avant J.-C. (Bairoch, 1985). Cités-États ou villes-forteresses se sont construites pour capter le surplus des populations agricoles et pour résister aux pressions récurrentes des populations nomades. Peu à peu le secteur rural a été subordonné aux besoins des ensembles urbains où le pouvoir s'est concentré. Généralement, les villes se sont contentées d'être des lieux de captation du surplus social plutôt que de se constituer en espaces de production, d'où le paradoxe d'une région fortement urbanisée mais faiblement industrialisée.

L'urbanisation s'est accélérée dans la deuxième moitié du xxe siècle. En 1950, seulement un quart des habitants de la région étaient concentrés dans les villes. Cinquante ans plus tard, plus de la moitié de la population totale de la région est urbaine. Aujourd'hui, on trouve de grandes concentrations autour de métropoles (Bagdad, Damas, Alep, Beyrouth, Bagdad, Basra, Amman, Gaza, Jérusalem) ou de villes secondaires qui agissent comme marchés régionaux et centres de services. Cette urbanisation rapide s'est produite le plus souvent au détriment de l'environnement (diminution de la superficie de terres arables, dégradation des terres et de la qualité de l'habitat). D'ailleurs, comme le souligne Mutin (2001, p. 59): «C'est aussi une région où le bilan agricole suscite des inquiétudes et où la question de l'équilibre entre les hommes et la maîtrise de la production agricole se pose en termes de plus en plus inquiétants. La menace de la dépendance alimentaire est bien réelle.»

Sur le plan démographique, cette région, dont la population est estimée à 372,9 millions en 2010 si on y inclut l'Égypte ainsi que l'Iran et la Turquie, soit seulement 5,41 % de la population mondiale, comprend des variations qui distinguent les pays. Le Moyen-Orient arabe compte, pour sa part, 224,2 millions d'habitants. À elle seule par exemple, la population de l'Égypte compte 80,4 millions d'habitants (2010) alors que celle du Bahreïn, à l'autre extrémité, comprend seulement 1,3 million d'habitants. La moyenne de la croissance démographique se situe à 3 % par an, mais au cours des 50 dernières années, la population des Émirats arabes unis s'est multipliée par 36 alors que celle du Liban a crû de 2,4 fois.

Malgré certaines différences en matière d'espérance de vie à la naissance et d'indice de fécondité, cette région du monde a en commun le poids important de sa jeunesse. En effet, la pyramide des âges indique que plus d'un tiers des habitants de cette région ont 14 ans et moins[1]. Ce phénomène s'explique en grande partie par des taux de fécondité relativement élevés, bien que, dans l'ensemble, ils aient connu une progressive diminution. En 1980, ce taux se situait à 6,2 enfants par femme alors qu'en 1998, il atteignait 3,6. Mais encore ici, les comportements démographiques varient d'un pays à l'autre. L'Arabie Saoudite, par exemple, possède un indice synthétique de fécondité de 5,17, celui du Yémen atteint 7,60 alors que celui du Liban est de 2,1. Bien que la famille soit encore considérée comme une valeur culturelle fondamentale au Moyen-Orient, certains gouvernements ont introduit des mesures liées au contrôle des naissances qui influencent le taux de croissance démographique. Dans certaines sociétés arabes du Moyen-Orient, l'arrivée progressive des femmes sur le marché du travail et l'urbanisation entraînent également des changements sur le plan des comportements démographiques.

---

1. Population Reference Bureau, Population trends and challenges in Middle East and North Africa, <http://www.prb.org/Publications/PolicyBriefs/PopulationTrendsandChallenges intheMiddleEastandNorthAfrica.aspx>.

Tableau 13.1.
Données de base du Moyen-Orient

Pays	Superficie en km²	Population (millions) 2010	Population en zone urbaine (%) 2010	Densité de population par hab./km² 2010	Espérance de vie à la naissance (années)	IDH 2007	PIB en milliards de dollars américains 2009	PIB/habitant (PPA) 2009
Moyen-Orient	7 285 681	372,9	76	51	74	–	2 419,3	–
Arabie Saoudite	2 149 690	29,2	81	14	76	0,843	369,7	20 600
Bahreïn	741	1,3	100	1 807	75	0,895	20,2	38 800
Égypte	1 001 450	80,4	43	80	72	0,703	188,0	6 000
Émirats arabes unis	83 600	5,4	83	64	76	0,903	230,0	38 900
Iran	1 648 195	75,1	69	46	71	0,782	330,5	12 500
Irak	438 317	31,5	67	72	70	ND	65,8	3 800
Israël	22 072	7,6	92	342	81	0,935	194,8	28 400
Jordanie	89 342	6,5	83	73	80	0,770	22,9	5 200
Koweït	17 818	3,1	98	175	78	0,916	111,3	52 800
Liban	10 400	4,3	87	409	74	0,803	33,6	13 200
Oman	309 500	3,1	72	10	74	0,781	53,4	25 000
Qatar	11 586	1,7	100	152	75	0,910	99,6	119 500
Syrie	185 180	22,5	54	122	74	0,742	52,5	4 600
Territoires palestiniens	6 260	4,0	83	672	75	0,737	6,6	2 900
Turquie	783 562	73,6	76	94	72	0,806	615,3	11 400
Yémen	527 968	23,6	29	45	63	0,575	25,1	2 500

ND = Non disponible.

Sources : PNUD (2009); CIA *World Factbook* (2010) et Population Référence Bureau (2010).

Par ailleurs, il importe de considérer que le régime démographique, liés à des facteurs économiques et sociaux, pose un certain nombre de défis aux différents gouvernements arabes qui doivent répondre aux aspirations des jeunes afin d'assurer leur futur. Bien que le taux de scolarité ait progressé de façon importante, l'accès à l'éducation, à la formation et à l'emploi posent des défis importants à des États dont les économies sont relativement peu performantes et peu productives. Comme le souligne le rapport du PNUD (2002, p. 4)[2] : « La performance des pays par rapport à certaines variables macroéconomiques fondamentales continue à être inadéquate, notamment en termes d'emploi, d'épargne, de productivité et d'exportations non pétrolières. » Rappelons ici que l'économie d'un bon nombre des pays de cette région repose sur la ressource des hydrocarbures, qui constituent 70 % des exportations. La dépendance de la région à l'égard de cette ressource, la faible diversification des économies et le taux de productivité relativement bas demeurent des obstacles à la croissance économique de la région, dont le taux de chômage moyen se situe à 12 %[3]. Enfin, ajoutons à ce portrait l'effet des bouleversements politiques, des conflits militaires et des sanctions et embargos qui ont grandement affecté les économies de la région. Pour reprendre les termes du rapport du PNUD (2002, p. 2): « L'impact direct des guerres se manifeste par le ralentissement de la croissance, les dégâts subis au plan des infrastructures, une fracture sociale accrue et la stagnation du secteur public. »

Combinés, ces différents facteurs expliquent en partie la présence encore très importante de la pauvreté (24,4 % de la population, selon la Banque mondiale, vit avec moins de deux dollars par jour) considérée par le PNUD, avec les inégalités, comme l'obstacle majeur du développement et de l'avenir de la région. En effet, alors que certains pays affichent des PIB en parité de pouvoir d'achat (PPA) comparables à ceux de pays riches de la planète, comme le Koweït (52 800 $), le Qatar (119 500 $) et les Émirats arabes unis (38 900 $), d'autres demeurent des pays assez pauvres, comme le Yémen (2 500 $). Toutefois, nombre de pays comme le Liban, la Jordanie et autrefois l'Irak se situent entre ces deux pôles. Par ailleurs, s'il existe des disparités socioéconomiques importantes entre les différents pays de la région, on les retrouve aussi au sein même de ces pays. En effet, bien que certains États, notamment ceux du Golfe, possèdent une richesse importante, cela ne signifie pas qu'ils aient adopté un système favorisant la redistribution de la richesse. D'ailleurs, l'une des principales formes de redistribution de revenus dans la région repose sur les transferts d'argent de travailleurs qui ont quitté leur pays pour occuper un emploi dans d'autres pays de la région, principalement les pays du Golfe. Cette dualité socioéconomique distancie les classes

---

2. Les données utilisées ici sont notamment tirées du *Rapport arabe sur le développement humain. Créer des opportunités pour les générations futures*, 2002, publié par le PNND et faisant état de 22 pays arabes, c'est-à-dire les pays arabes du Moyen-Orient et du Golfe, mais également ceux de l'Afrique du Nord.

3. IMF Regional Economic Outlook, 24 octobre 2010, <http://www.imf.org/external/np/sec/pr/2010/pr10395.htm>.

dirigeantes du reste de la population. Elle est également source de mécontentements, voire de contestation de la légitimité des dirigeants. Elle constitue enfin un terreau fertile qui favorise la montée des mouvements islamistes.

13.2.4. Pluralité ethnolinguistique et religieuse des populations

Selon Corm (1992), la diversité ethnique du Moyen-Orient a été accentuée par les structures décentralisées des entités étatiques qui se sont succédé dans l'histoire et où les diverses communautés conservaient beaucoup d'autonomie par rapport à l'État central. Parmi les différentes populations du Moyen-Orient arabe, incluant l'Égypte, les Arabes constituent la majorité. Au sein de cette population (arabe, turque ou persane) subsistent d'importantes minorités ethnolinguistiques, dont celle des Kurdes (25 à 30 millions), répartie entre l'Iran, l'Irak, la Syrie et la Turquie, et celle des Arméniens, présente au Liban et en Syrie. La situation particulière des Juifs israéliens, par ailleurs, fait en sorte que leur situation est différente de celle des autres minorités.

Figure 13.3.
Les groupes religieux dans le Moyen-Orient arabe

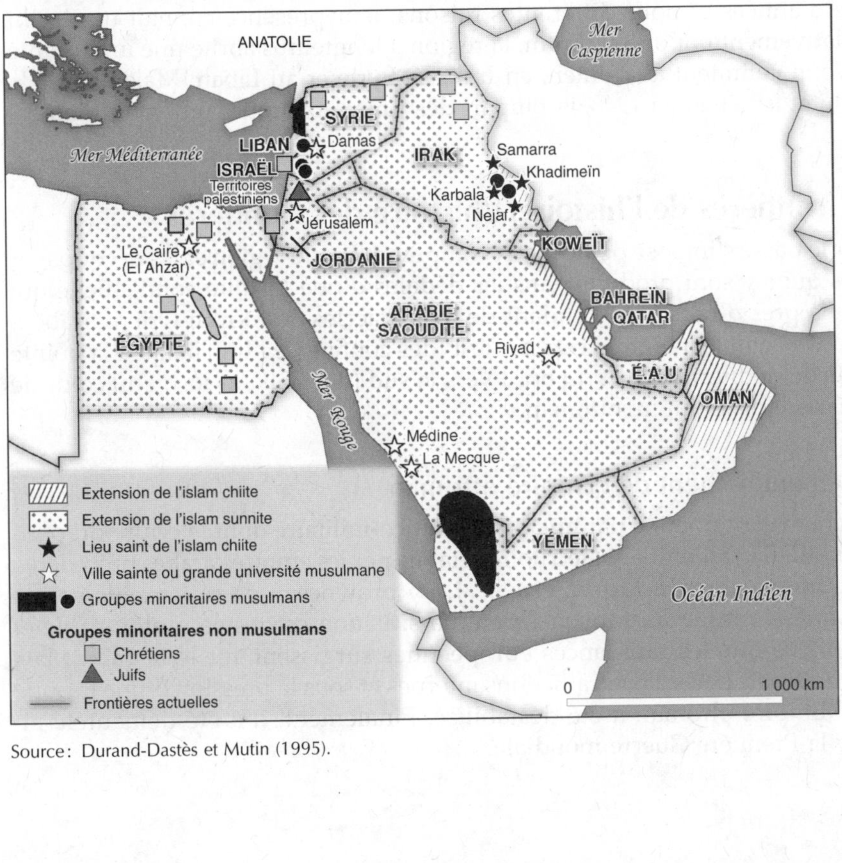

Réalisation: Département de géographie, Université du Québec à Montréal

Source: Durand-Dastès et Mutin (1995).

L'une des complexités de cette région du monde relève de la diversité religieuse de sa population et plus particulièrement de l'histoire de cette diversité. L'islam a en effet joué à partir du VIIᵉ siècle (après J.-C.) un rôle déterminant pour « construire » le Moyen-Orient et, aujourd'hui, la majorité de la population de cette région est musulmane. Mais cette réalité recouvre une diversité importante, surtout si l'on considère que les musulmans appartiennent à plusieurs branches de l'islam. À la majorité sunnite (près de 80 % parmi les pays arabes de la région) s'ajoute l'importante minorité chiite, qu'on estime à quelque 25 millions de personnes dans les pays de la région. Ils sont principalement concentrés en Irak, à Bahreïn et au Liban. Les chiites constituent un groupe qui s'est séparé dès le VIIᵉ siècle, en contestant la succession de Mahomet. Comme le rappelle Mutin (2001, p. 21), le fondement du conflit entre ces deux grandes branches de l'islam repose sur la question de l'*imamat*, c'est-à-dire de l'autorité légitime dans l'islam : « un sujet de controverse théologique, mais avec le temps ce différend religieux, théologique, s'est mué en différends politiques, sociaux, culturels ». Issus du chiisme, on retrouve également les Druzes, surtout présents au Liban et en Israël, et les Alaouites en Syrie. Parallèlement à la majorité musulmane, des populations importantes appartiennent à la tradition chrétienne (divisée entre onze Églises) au Liban, en Syrie, en Irak, en Palestine et en Égypte. Toutefois, comme le souligne Mutin (2001, p. 24) : « Il est difficile d'évaluer avec précision l'effectif chrétien, les États ayant tendance à minimiser leurs effectifs et les communautés [chrétiennes] à les gonfler ! » Depuis une cinquantaine d'années et pour différentes raisons, leur présence connaît un déclin progressif relativement important. Enfin, la région a longtemps abrité une importante minorité juive, notamment au Yémen, en Irak, en Syrie et au Liban. Mais depuis la création de l'État israélien en 1948, la plupart des Juifs sépharades ont rejoint Israël.

13.3. Les frontières de l'histoire/L'histoire des frontières

Un retour sur le passé s'impose pour mieux comprendre cette région et les découpages des frontières qui s'y sont produits dans les dédales d'une histoire conflictuelle qui perdure depuis près d'un siècle. Pendant de longs siècles, le Moyen-Orient arabe a fait partie d'un ensemble intégré d'est en ouest (des confins de l'Iran jusqu'à la pointe occidentale de la Méditerranée) et du nord vers le sud (des Balkans jusqu'au cœur de l'Afrique saharienne) : l'Empire ottoman.

13.3.1. Le démantèlement de l'Empire ottoman

L'Empire ottoman était dominé par une caste politico-militaire dont le centre du pouvoir était Istanbul. Il avait unifié les territoires établis par les empires arabes précédents (abbasside et ommayade) du Moyen-Orient. Les « provinces » de cet empire étaient relativement autonomes et au Moyen-Orient, la situation est restée plutôt stable et paisible jusqu'à ce que les puissances européennes surgissent sur le terrain. Mais progressivement miné par ses contradictions internes et sous la pression d'une Europe renaissante, l'Empire ottoman a été déstabilisé. Finalement, il a été démantelé au lendemain de la Première Guerre mondiale.

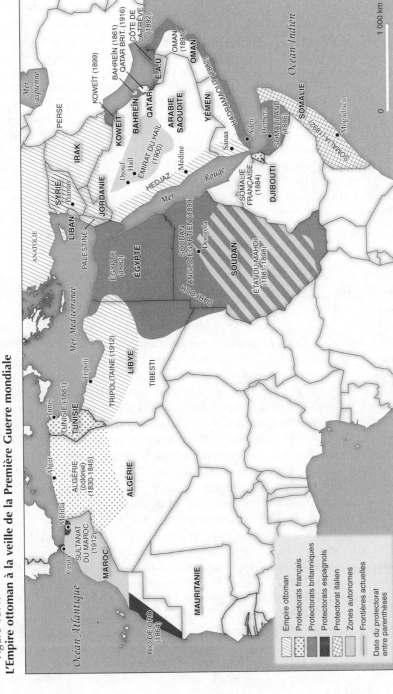

Figure 13.4.
L'Empire ottoman à la veille de la Première Guerre mondiale

Source : Boustani et Fargues (1990).

À l'époque, deux grandes puissances coloniales, la France et la Grande-Bretagne entreprirent de négocier le partage du Moyen-Orient et, en 1916, un accord dit de «Sykes-Picot» (du nom des négociateurs britannique et français) était signé. La refonte politique de la région, entérinée par la suite par la Conférence de la Paix en 1919, a eu pour effet de «remodeler complètement cette région en créant des États qui n'avaient jamais existé à partir du démembrement autoritaire et arbitraire de l'Empire ottoman» (Chagnollaud et Souiah, 2004, p. 9). En pratique, la Grande-Bretagne a pu exercer sa domination sur un vaste territoire qu'elle a segmenté entre des États fabriqués de toutes pièces et qui sont devenus l'Irak, la Jordanie, la Palestine ainsi que ceux de la péninsule arabe. La France a acquis le contrôle de ce qui devint le Liban et la Syrie. De manière générale, les populations n'acceptèrent pas le remplacement de la tutelle ottomane par celle des puissances européennes et, dès 1920, différentes révoltes ont éclaté contre ce qui était perçu comme une appropriation coloniale. Le marquage arbitraire des frontières (qui séparaient des territoires et des populations autrefois unifiés sous l'Empire ottoman entre des États distincts) a exacerbé les tensions et mis en place certaines conditions propices aux conflits.

13.3.2. La question palestinienne

Parallèlement au découpage colonial, la Grande-Bretagne entreprit (à la suite de la Déclaration Balfour de 1917) de mettre en place un «foyer national pour le peuple juif» sur ce qui avait été une province de l'Empire ottoman. Celle-ci, peuplée majoritairement d'Arabes, abritait également une petite population juive. Selon Morris (2003, p. 18), «à la veille du premier afflux de Juifs européens, la population de Palestine atteignait 457 000 personnes – quelque 400 000 musulmans, entre 13 000 et 20 000 juifs et 42 000 chrétiens (la plupart orthodoxes grecs)». Cette décision de la Grande-Bretagne, dont les conséquences allaient être énormes, fut prise sous la pression de mouvements issus des communautés juives européennes, dans la foulée du mouvement sioniste créé par Theodor Herzl lors du premier congrès sioniste tenu à Bâle en 1897 (Encel et Thual, 2004, p. 362-363). Au-delà des considérations liées à la «question juive» (Rodinson, 1997), l'empire britannique estimait que le projet sioniste pourrait consolider son emprise en enclavant au cœur de la région un État peuplé d'Européens. Mais rapidement, ce projet suscita de nombreuses crises. La population arabe, très majoritaire, réclamait l'indépendance des Britanniques tout en refusant la colonisation juive-européenne. En 1936, une Intifada (insurrection) confrontait le pouvoir colonial (Morris, 2003). Entre-temps, dans le sillon de la Deuxième Guerre mondiale, l'histoire s'est mise à basculer. Les survivants de l'Holocauste se sont mis à affluer vers la Palestine. Avec l'appui des puissances victorieuses d'Hitler, le mouvement sioniste a pu, après une première guerre israélo-arabe, imposer l'indépendance de l'État d'Israël proclamée en 1948. Les combats ont provoqué le départ forcé de centaines de milliers de Palestiniens qui se sont alors réfugiés dans les pays arabes de la région (Vidal et Algazy, 2002). Entre 1947 et 1948, entre 700 000 et 900 000 Palestiniens ont fui leur terre natale. À peine vingt ans plus tard, la guerre des Six Jours en 1967 provoquait le départ d'environ

250 000 autres Palestiniens. Aujourd'hui, selon l'URWA (Agence des Nations Unies des réfugiés palestiniens), il y aurait plus de sept millions de réfugiés palestiniens dans le monde (il s'agit ici des réfugiés et de leur descendance), dont une grande partie est établie en Jordanie, au Liban, en Syrie, en Irak, en Égypte, dans d'autres pays arabes, d'Europe et des Amériques. Près de cinq millions de ces réfugiés sont enregistrés auprès de l'UNWRA. Bien que la Résolution 194 des Nations Unies stipule le droit au retour des réfugiés palestiniens, l'État d'Israël continue de s'y opposer. Cette question a constitué l'un des enjeux les plus épineux des négociations israélo-palestiniennes.

13.3.3. Échec du projet panarabiste?

Le projet politique qui a historiquement mis de l'avant une perspective d'intégration régionale au Moyen-Orient a été le panarabisme. Il a inspiré un projet de réunification d'une région définie par l'«arabité», dont la langue arabe demeure le socle, et qui, prétend-il, inclut l'histoire, la culture et la géographie qui ont forgé à travers les siècles une identité arabe multiforme. L'expérience égyptienne avec Gamal Abdel Nasser demeure emblématique à cet égard (Anouar, 1970). Avec le parti Baas en Syrie («résurgence» en arabe), le nassérisme a proposé de réunifier la «nation arabe» et de la «moderniser» autour d'un projet de développement économique et social. Pendant quelques décennies, les couches sociales exclues (pauvres urbains, paysans, minorités nationales) se sont reconnues dans ce projet, qui fut également intégré par les partis de gauche contents d'endosser les réformes sociales associées à ce projet de développement (redistribution partielle des terres, création d'un secteur public moderne, nationalisation de certaines industries, développement des systèmes publics d'éducation et de santé, etc.). Le mouvement aboutit en 1958 à l'union de la Syrie et de l'Égypte sous le nom de République arabe unie.

Mais rapidement, le rêve a dû affronter la réalité. La Syrie dirigée par le Baas a quitté l'Égypte nassérienne dès 1961. L'autoritarisme des nouvelles élites s'est confronté aux aspirations démocratiques des peuples qui réclamaient l'unité de la région, mais aussi une structure reconnaissant la diversité sociale, ethnolinguistique et politique. Parallèlement, des conflits multiples se sont envenimés, principalement entre les pays de la région et l'État israélien. Progressivement, le projet panarabe s'est disloqué. Selon S. Amin (2003): «Le populisme d'origine n'a plus de réalité. Le complexe militaro-mercantile est engagé dans un *"infitah"* inavoué (ouverture économique) mais visible aux yeux de l'opinion populaire. La légitimité et la crédibilité du projet sociétaire d'origine et du discours panarabe qui l'accompagne sont de ce fait largement érodées.»

Malgré cette évolution négative, décréter l'enterrement définitif du panarabisme pourrait s'avérer prématuré. Les logiques transversales et régionales qui avaient porté le projet (développement économique, modernisation, ouverture négociée sur le monde, etc.) restent aujourd'hui encore vivantes. Sans compter la persistance d'une identité culturelle arabe qui demeure, pour la majorité des populations en question, le référentiel de base.

13.3.4. Conflits en cascade

Le déclin du nationalisme arabe a également été le résultat de l'incapacité des nouveaux États postcoloniaux à s'insérer dans le jeu des forces mondiales dans la période qu'on a appelée la guerre froide. Les États-Unis, qui n'avaient pas de passé colonial dans la région, ont fait irruption dans les années 1960 (ils étaient déjà implantés en Arabie Saoudite riche de ressources de pétrole et de gaz). Ils ont alors érigé une relation privilégiée avec l'État israélien dans une stratégie duale, d'une part, pour affaiblir les États arabes nationalistes et, d'autre part, pour réduire les ardeurs de l'Union soviétique qui misait sur une alliance avec ces États. Tout au long des années 1970, la question des ressources pétrolières a pris de l'ampleur. Après la guerre de 1973, des pays producteurs de pétrole (regroupés au sein de l'OPEP) ont décrété un boycott des États-Unis, déclenchant ainsi le «choc pétrolier» qui a déstabilisé l'économie mondiale pendant quelques années. Le Moyen-Orient arabe a alors connu une certaine prospérité provoquée par l'afflux des «pétrodollars». Par la suite, divers conflits se sont envenimés dans la région. Au Liban, une violente guerre civile de 1975 à 1990 a cassé le pays en deux. De sérieux conflits ont également éclaté entre l'Irak, appuyé par les pays du Golfe, et l'Iran, secoué par une révolution islamiste à partir de 1979 (Chaliand, 2004). Dans les territoires occupés par Israël en Cisjordanie et dans la bande de Gaza éclatait, en 1987, une nouvelle Intifada, mieux connue sous le nom de la «révolte des pierres».

13.4. Anciens et nouveaux enjeux

De 1990 jusqu'à aujourd'hui, le Moyen-Orient a continué de s'embraser. L'ensemble des indicateurs sociaux et économiques confirment que la crise s'est généralisée. Deux enjeux majeurs ont catalysé ces contradictions: la Palestine et l'Irak.

13.4.1. L'enjeu israélo-palestinien

L'occupation israélienne des territoires arabes demeure une épine, sorte de corps étranger au cœur de la région. Comme le souligne le *Rapport arabe sur le développement humain du PNUD* (2002, p. 1-2):

> L'occupation illégale, par Israël, de territoires arabes est désignée comme l'un des obstacles les plus profonds à la sécurité et au progrès dans la région, que ce soit d'un point de vue géographique (son influence s'étendant sur l'ensemble de la région), temporel (puisqu'elle dure depuis plusieurs décennies) ou développemental (vu l'effet qu'elle a sur presque tous les aspects du développement humain et de la sécurité humaine, de manière directe, pour des millions de personnes, et indirecte, pour d'autres).

À la suite de la guerre des Six jours, l'État d'Israël allait poursuivre son expansion territoriale en occupant militairement la bande de Gaza, la Cisjordanie, une partie du Sinaï égyptien, les plateaux du Golan syrien, et en annexant Jérusalem-Est, la partie arabe de la ville qui, de 1948 à 1967, avait été placée sous tutelle jordanienne. Pour les dirigeants israéliens, cela visait d'abord à assurer une «profondeur militaire et stratégique» pour protéger Israël contre ses voisins arabes (Dieckhoff, 1989). Mais au-delà de cet objectif, l'occupation de ces territoires allait permettre aux dirigeants israéliens d'imposer par une présence démographique le contrôle sur ces territoires, leurs habitants et leurs ressources et de les aménager en fonction des besoins de l'État d'Israël et de la population juive. La présence des colons juifs allait aussi justifier la mise en place d'un système de quadrillage des territoires pour mieux contrôler la population palestinienne. C'est ainsi qu'à peine la guerre des Six Jours terminée, les dirigeants israéliens commençaient à concrétiser la présence juive dans les territoires occupés en confisquant des terres et en construisant des colonies de peuplement. Ces dernières peuvent être vues comme des villes-dortoirs accueillant exclusivement les Juifs d'Israël. Précisons ici qu'en 1948, lors de la création de l'État d'Israël, une partie des habitants palestiniens est restée au sein de la Palestine mandataire devenue Israël. Aujourd'hui, on estime que les «Arabes israéliens» (ils sont appelés ainsi par les Israéliens car ils ont la citoyenneté d'Israël), représentent 20% de la population totale israélienne. Ces Palestiniens vivent dans l'État d'Israël, notamment dans la région de la Galilée, et sont traités comme des citoyens de seconde classe dans la mesure où des droits accordés aux citoyens juifs israéliens leur sont refusés. Par exemple, un certain nombre de professions leur sont interdites ou sont d'un accès pour eux très difficile, de même que l'accès à la propriété dans les colonies de peuplement.

La colonisation des territoires palestiniens visait à marquer *de facto* des frontières ou des zones dites «tampons» pour séparer le territoire occupé par Israël et les pays arabes voisins. Un bon nombre de colonies ont été implantées dans la vallée du Jourdain pour délimiter une frontière avec la Jordanie, la Syrie et l'Irak. La même logique a prévalu au nord et au sud de Gaza, ainsi qu'au Golan. D'autres ont été construites à Jérusalem-Est et à l'extérieur de Jérusalem, dans la région que les dirigeants israéliens nomment le Grand Jérusalem métropolitain, pour établir un corridor rejoignant Jéricho afin d'assurer la connexion avec la vallée du Jourdain. Les colonies ont été implantées à la fois selon des considérations stratégiques et militaires (souvent sur le haut des collines afin de pouvoir surveiller les villes et villages palestiniens avoisinants), et parfois pour des raisons «religieuses» car, outre l'État d'Israël, des groupes religieux ont également pris des initiatives en s'installant dans les territoires palestiniens, visant à forcer leur gouvernement à reconnaître et à officialiser ces colonies, souvent situées près de sites religieux juifs.

Les négociations entre Israël et l'Organisation de libération de la Palestine (OLP), amorcées en 1993 et connues sous le nom de processus d'Oslo, reposaient sur le principe d'échange de territoires contre la paix. Initiées sous le parrainage des États-Unis et de la Russie, les négociations bilatérales (entre Israël et l'OLP) et multilatérales (les pays arabes de la région dont la Jordanie et l'Égypte, et d'autres pays de la communauté internationale dont l'Union européenne et le Canada) devaient aboutir à un règlement final du conflit israélo-palestinien. Outre ce grand principe, la finalité du processus était élaborée dans des termes suffisamment généraux pour permettre à chacun des protagonistes d'atteindre ses objectifs. Pour l'État d'Israël, il s'agissait d'obtenir une légitimité internationale qui passe par la normalisation de ses relations avec les pays arabes voisins et les Palestiniens. Certains leaders israéliens, dont Shimon Peres, ancien dirigeant du Parti travailliste, et une partie de la bourgeoisie israélienne, ont sérieusement envisagé la création d'un *New Middle East*, soit la constitution d'un bloc économique régional constitué par le biais d'accords de libre-échange, et au sein duquel Israël posséderait le savoir-faire, les pays arabes du Golfe, les capitaux, et la Jordanie, l'Égypte et les territoires palestiniens, la main-d'œuvre à bon marché. Ce projet, qui visait un meilleur positionnement de la région dans une économie mondialisée, nécessitait certains compromis de la part des dirigeants israéliens, dont la reconnaissance d'une autonomie accordée aux Palestiniens. L'autonomie en question n'était pas synonyme de souveraineté, ni de la reconnaissance d'un État-nation indépendant comme le revendiquent les Palestiniens.

Malgré des tensions interpalestiniennes, le grand rêve demeure celui d'une Palestine indépendante sur les territoires de la Cisjordanie et de la bande de Gaza avec Jérusalem-Est comme capitale, et c'est pour ce rêve que sont prêts à se battre les habitants des territoires occupés et ceux de la diaspora palestinienne. Dès lors, les négociations autour des principaux enjeux du conflit israélo-palestinien ont échoué, notamment sur la question des frontières et des ressources, de Jérusalem, des réfugiés palestiniens et de la souveraineté. Par ailleurs, durant la période de 1993 à 2000, l'État d'Israël, malgré son engagement à geler ses activités liées à la construction de colonies de peuplement, n'a cessé de construire de nouvelles unités de logement à Jérusalem-Est, en Cisjordanie et à Gaza. Selon l'organisation israélienne de droits humains B'Tselem, 120 colonies de peuplement ont été construites avec l'autorisation du ministère israélien de l'Intérieur sur des terres palestiniennes de 1967 à 2010, ce à quoi il faut ajouter une centaine de colonies construites à l'initiative de colons israéliens sans l'autorisation du ministère mais avec l'appui financier du gouvernement d'Israël. À Jérusalem-Est, partie de la ville annexée par la force par Israël en 1967, 12 colonies ont été érigées sans compter l'implantation d'enclaves habitées par des colons israéliens au cœur même de quartiers palestiniens. Au total, 666 100 Israéliens vivent sur des terres de Jérusalem-Est et du reste de la Cisjordanie, occupées illégalement en vertu du droit international. En effet, selon l'Institut de Jérusalem pour les études israéliennes 478 000 colons vivent en Cisjordanie et 188 100 dans les colonies de Jérusalem-Est. Malgré de nombreuses condamnations des Nations Unies, et de vaines tentatives de divers gouvernements étrangers, dont les États-Unis, pour convaincre Israël de cesser la colonisation en territoires palestiniens, les gouvernements israéliens, peu importe le parti au pouvoir, ont tous maintenu leurs efforts en vue de poursuivre et de consolider leur présence en Cisjordanie. Ce que certains chercheurs qualifient de politique des faits accomplis a contribué à accroître le taux de croissance de la population de colons (excluant Jérusalem-Est), qui est le triple de celui de la population israélienne qui vit à l'intérieur de l'État d'Israël.

En 2005, le gouvernement israélien de l'époque décidait de façon unilatérale de démanteler 16 colonies établies et évacuait les 9 000 colons qui habitaient dans la bande de Gaza depuis 1967. Mais la même année, il avait encouragé l'établissement de 12 000 nouveaux colons juifs en Cisjordanie, si bien que, malgré le démantèlement des colonies de la bande de Gaza, l'année 2005 connaissait un gain net de colons juifs israéliens (Antonius, 2006). Toutefois, il maintenait son contrôle sur les frontières entre Gaza et l'Égypte et les accès liant cette étroite bande de terre à Israël. À la suite des élections législatives palestiniennes de 2006 qui ont mené à la victoire du Hamas dans la bande de Gaza, Israël durcit davantage son contrôle sur ce territoire où vivent 1 106 000 Palestiniens, imposant un blocus quasi total, ce qui a amené les organisations de droits humains palestiniennes, israéliennes et étrangères à parler de crise humanitaire. En 2009, les autorités israéliennes lançaient une vaste opération militaire contre la bande de Gaza, entraînant la mort de plus d'un millier de personnes de tout âge.

On comprend maintenant l'efficacité de la politique israélienne de « fait accompli » qui, par la transformation démographique et territoriale de la Cisjordanie et de Jérusalem-Est, a imposé une nouvelle réalité sur le terrain.

L'échec du processus d'Oslo a entraîné des conséquences dévastatrices pour les Palestiniens et les Israéliens : les territoires palestiniens ont été fragmentés en différentes zones coupées les unes des autres, ce qui entrave la mobilité des personnes et des biens ; le début d'une seconde Intifada, une nouvelle vague d'attentats en Israël ont mené à la construction d'un mur dit de séparation en territoire cisjordanien long de 703 km et ont replongé ces deux peuples dans une dynamique meurtrière. La destruction d'une partie des infrastructures palestiniennes en Cisjordanie et à Jérusalem-Est en 2006, la victoire du Hamas à Gaza et l'opération israélienne Plomb durci contre la bande de Gaza à la fin de l'année 2008, ont entraîné une grave détérioration des conditions de vie de la population palestinienne, et en particulier de celle de Gaza. Enfin, du côté israélien, l'échec d'Oslo a entraîné l'affaiblissement du camp pacifiste et contribué à la montée en popularité de la droite israélienne au pouvoir depuis cette période.

13.4.2. L'enjeu irakien

Le deuxième enjeu qui a canalisé les conflits au Moyen-Orient, en ce qui concerne aussi bien les relations entre les pays qui le composent que les rapports de la région avec le reste du monde, et sur lequel nous porterons notre attention est celui de l'Irak. Ce pays est depuis longtemps un important centre politique et économique du Moyen-Orient arabe. Après une éclipse prolongée sous le coup des invasions mongoles du XIIIe siècle et comme zone marginale sous l'Empire ottoman, l'Irak est réapparue sur la carte géopolitique au XXe siècle lors du découpage de la région orchestré par Londres et Paris. Des révoltes se sont succédé jusqu'à la révolution de 1958 pour déboucher finalement sur la prise du pouvoir par les généraux baathistes (1968), dont Saddam Hussein (au pouvoir en 1979). Une féroce dictature s'est alors érigée avec l'appui des grandes puissances. Dans un premier temps, le régime a procédé à une rapide modernisation du pays. Dans un deuxième temps, il a tenté de devenir la puissance régionale, notamment en faisant obstacle à l'Iran. Tout cela a abouti à une dérive dictatoriale et militariste et à une crise économique et politique sans précédent, à la fin des années 1980. Pour fuir en avant, Saddam Hussein a alors fait basculer le jeu géopolitique en envahissant le Koweït. Mais le processus lui a échappé puisque les États-Unis, appuyés par une vaste coalition, se sont retournés contre leur ancien allié. Saddam Hussein, isolé et encerclé, a alors présidé à une longue descente aux enfers renforcée par un embargo très dommageable endossé par l'ONU. Jusqu'en 2003, le conflit a perduré entre le gouvernement irakien et les États-Unis.

À la suite des événements du 11 septembre 2001, le président Bush a décidé de passer à une action que lui suggéraient depuis quelque temps les «néoconservateurs» étasuniens. En mars 2003, Washington a déclenché la guerre en Irak prétextant les dangers potentiels que Saddam Hussein représentait pour la région et pour le monde. Au départ, la mise en place de l'occupation s'est déroulée facilement, d'autant plus qu'une partie importante de la population, tout en restant méfiante face aux intentions étasuniennes, fut soulagée par la fin d'une dictature impitoyable et sectaire, qui décimait depuis des décennies la majorité chiite ainsi que les dissidents politiques de tout ordre. Mais rapidement, la «libération» de l'Irak est devenue chaotique. Jusqu'à la fin de la décennie, le pays a été ruiné par une occupation dévastatrice durant laquelle des milliers d'Irakiens ont été tués, chassés, emprisonnés (sans compter plus de 2 000 militaires étasuniens). Par la suite, la situation a évolué avec l'élection de gouvernements irakiens en 2005 et 2010, ce qui n'a cependant pas mené à l'arrêt des violences, qui continuent à la fois sous la forme d'actions contre les forces d'occupation étasuniennes et sous la forme d'affrontements intercommunautaires.

13.5. La montée des islamistes

Les groupes islamistes ont une longue histoire dans la région, mais ils sont apparus au centre de la scène politique depuis quelques années dans le sillon des crises sociales et politiques. Ils constituent aujourd'hui dans la plupart des pays de la région une opposition bien organisée, ancrée dans certains secteurs de la population. Hamas en Palestine, Hezbollah au Liban, sont des forces militaires redoutées mais aussi des pôles politiques qui menacent les régimes en place. Reste à voir si les islamistes pourront résister à l'offensive étasunienne déclenchée contre eux depuis le 11 septembre 2001. Le dispositif répressif mis en place un peu partout dans le monde n'est sans doute pas suffisant pour arrêter les militants les plus déterminés, mais il contribue à couper les groupes les plus radicaux de leur base sociale.

Face à la crise sociale et politique au Moyen-Orient, une crise des valeurs et des représentations s'est développée de laquelle ont ré-émergé les courants islamistes longtemps «dormants», tels les Frères Musulmans par exemple. Le processus a été encouragé par la dynamique géopolitique de la région où les États-Unis, pour affaiblir les nationalistes alliés à l'ex-URSS, les ont appuyés fortement. Mais en 1979, la donne a changé avec la révolution iranienne dominée par un chef politico-religieux, l'ayatollah Khomeiny. Les islamistes, sous l'impulsion iranienne, se sont refaits une image pour proposer la reconstitution de la grande «Oummah» (communauté) islamique dans tous les pays musulmans. Selon des analystes, l'émergence de ces mouvements se réclamant de l'Islam exprime une révolte «contre la modernité inachevée, tronquée et trompeuse et donc qui est légitime contre un système qui n'a rien à offrir aux peuples en question» (Amin, 2003). C'est également un refus des élites modernisatrices et autoritaires, souvent corrompues, qui ont perdu leur légitimité dans le sillon des conflits internes et externes et de leur incapacité à améliorer la vie des populations qu'elles prétendaient gouverner.

Bien que qualifié d'islamiste, ce projet est politique et non religieux, porté par des forces politiques (par ailleurs assez diversifiées). Il trouve ses bases sociales au sein de couches moyennes «déclassées». La donne a été bousculée avec les attentats perpétrés par une branche militante de l'Islam politique à New York et Washington en septembre 2001. Le conflit qui existait déjà entre le projet islamiste et la politique étasunienne a été exacerbé faisant de la région un immense champ de bataille, une «guerre des civilisations» selon les «néoconservateurs» étasuniens et qui ont influencé fortement l'administration étasunienne durant la période où George W. Bush a été au pouvoir (2000-2008). Cependant, il faut considérer la persistance de la force d'attraction de l'Islam politique sur les populations, en particulier les jeunes. Le fait que les islamistes fonctionnent en réseaux décentralisés déployés dans les États et même à l'échelle régionale et internationale leur donne une grande force stratégique.

Plusieurs s'interrogent sur la stratégie à long terme des États-Unis dans la région, alors qu'ils se montrent déterminés à forcer des «changements de régime» et même à imposer une «reconfiguration» qui redessinerait la carte politique de la région, quitte à faire «éclater» des États jugés trop récalcitrants. Les États-Unis (l'Union européenne et d'autres puissances comme la Russie sont relativement exclues) proposent une restructuration politique et économique de la région avec comme fondement l'établissement de régimes alliés ou inféodés. L'invasion de l'Irak a été une étape importante dans ce projet, qui inclut également diverses mesures pour faire basculer les régimes en Iran, en Syrie et même chez des alliés traditionnels comme l'Arabie Saoudite. Devant tout cela, les diverses administrations étasuniennes depuis au moins une vingtaine d'années ont espérer une véritable «refonte» (réingénierie) du Moyen-Orient, en éliminant les courants opposés à leur domination (de gauche ou islamistes). Mais en fin de compte, ce «rêve» s'est confronté à la réalité et à la fin de la présidence de George W. Bush, les milieux influents devant l'échec notamment en Irak ont conclu que ce projet n'était pas réaliste. Lors de l'élection de Barak Obama (2008), les États-Unis ont tenté de modifier leur politique en diminuant la conflictualité avec les nations et communautés arabes. Cependant, ils n'ont pas dévié des objectifs fondamentaux de la politique étasunienne dans la région, notamment le soutien indéfectible à l'État d'Israel.

13.6. Conclusion : une région en miettes

Une aire géopolitique et culturelle traversée par une histoire et une langue communes est aujourd'hui en miettes avec peu d'espoir de se reconstituer, du moins à court terme. Les défaites militaires enregistrées par les États arabes, les contradictions sociales, communautaires et politiques à l'intérieur des États et entre les États, puis finalement la réorganisation du monde autour d'une seule superpuissance après l'implosion de l'URSS, ont été autant de facteurs qui ont transformé le Moyen-Orient arabe en une constellation de conflits. Selon Corm (2003) : « La région de ce fait traverse l'une des périodes les plus sombres de son histoire et continue d'être un casse-tête géopolitique pour toutes les puissances externes qui considèrent avoir des intérêts vitaux. »

À l'origine de cette multiplication des conflits, il y a certes le poids de la géopolitique, c'est-à-dire de l'insertion particulière du Moyen-Orient dans un monde « mondialisé ». Selon S. Amin (2003) :

> De par son extraordinaire richesse pétrolière, vitale pour l'économie de la triade dominante (États-Unis, Europe, Japon), le Moyen-Orient continue à occuper une position singulière dans la géopolitique mondiale et dans la géostratégie militaire hégémoniste des États-Unis. [...] La région constitue dans le découpage géomilitaire américain qui couvre la planète entière une zone considérée comme étant de première priorité, c'est-à-dire une zone où les États-Unis se sont octroyés le « droit » d'intervention militaire.

Il serait par contre mal avisé d'expliquer le blocage du Moyen-Orient arabe uniquement par ses relations externes avec le reste du monde. Celui-ci est également lié à un sérieux problème de gouvernance et à un grave déficit démocratique. Ce problème est flagrant dans les pays occupés comme l'Irak et la Palestine, mais il se traduit également par la domination des structures étatiques par des groupes minoritaires, ce qui provoque l'exclusion des populations et la répression des droits. Le problème est quasi universel, qu'il s'agisse d'États aux structures archaïques, liés aux intérêts étasuniens, ou qu'il s'agisse d'États « modernisateurs » issus des élites nationalistes arabes. Celles-ci, malgré leur promesse de libérer le Moyen-Orient, ont reproduit l'autoritarisme. Tel fut le cas avec le « nassérisme » et le « baathisme » qui ont provoqué des transformations sociales et économiques importantes, mais qui ont figé l'espace politique en associant le pouvoir personnalisé d'hommes de guerre (plus ou moins hiérarchisé et centralisé) à celui des hommes du commerce et des chefs religieux (Amin, 2003). Les trois dimensions ne sont pas simplement juxtaposées, elles sont véritablement fusionnées dans une seule réalité du pouvoir.

Dans cette ère de mondialisation et de constitution de grands blocs régionaux (l'Union européenne, l'ALÉNA), le Moyen-Orient arabe n'émerge pas comme un pôle régional cohérent et dynamique. Le problème de l'intégration est d'autant plus complexe qu'il survient au moment où le Moyen-Orient est encore en train de « digérer » le traumatisme de l'éclatement survenu il y a 100 ans. Comme l'affirme Corm (2003), «depuis la fin de l'Empire ottoman, ces sociétés n'ont pas réussi à trouver un cadre d'existence politique satisfaisant dans l'ordre interne de chacune des sociétés et dans l'ordre régional et international». Est-ce que cela veut dire pour autant que la région est condamnée à rester confinée au rôle de fournisseur de pétrole dans le cadre actuel de la mondialisation et, encore plus, à l'extérieur des grandes luttes pour la démocratie, la paix et le progrès social?

Le paysage serait totalement fermé s'il ne se développait pas, dans les interstices de l'impasse actuelle, le début d'une relève politique, souvent réprimée par les régimes en place, mais également menacée par les courants islamistes qui cherchent à s'imposer à la tête de la résistance anti-étasunienne. Cette relève est hétéroclite et composée de diverses forces politiques et sociales pour lesquelles la lutte pour le progrès au Moyen-Orient arabe, qui suppose la rupture des liens de dépendance envers des puissances extérieures, passe par la lutte pour la démocratie.

Un printemps arabe?

Pendant que s'accumulaient dans les replis de la société arabe des aspirations au changement, des manifestations d'une ampleur sans précédent ont éclaté au début de 2011, d'abord en Tunisie et en Algérie, puis dans plusieurs pays du Moyen-Orient dont l'Égypte, où s'est constituée une alliance inédite entre classes moyennes urbaines (surtout les jeunes) et secteurs populaires. Des mobilisations semblables, quoique moins imposantes, ont eu lieu au Yémen, en Jordanie, dans les territoires palestiniens occupés et ailleurs. Les revendications sont diverses mais tournent autour de trois grands thèmes: la démocratisation des institutions, au-delà des processus formels mais vidés de sens par des régimes autocrates; la lutte contre les inégalités sociales et pour l'amélioration de la vie et du travail des plus grandes masses; et finalement une politique extérieure plus indépendante par rapport aux États-Unis, y compris sur des questions «chaudes» comme le conflit israélo-palestinien. Au moment d'écrire ces lignes (février 2011), il est encore trop tôt pour voir si ce mouvement démocratique, propulsé par de vastes coalitions civiques et l'utilisation créative des nouvelles technologies de l'information, va continuer son essor et donner naissance à de nouvelles gouvernances car au-delà de la résilience des couches au pouvoir et de leurs puissants dispositifs sécuritaires, il y a l'interférence des puissances, notamment des États-Unis, certes inconfortables devant la prédation et la corruption des élites, mais craintifs devant la possibilité d'alternatives politiques qui pourraient éventuellement contester leur domination dans la région.

Bibliographie

ALTERNATIVES SUD (2005). *Palestine : mémoire et perspectives*, Louvain-la-Neuve, Centre Tricontinental, vol. 12, n° 5/1.

ANTONIUS, R. (2006). « La victoire du Hamas et l'absence d'un véritable processus de paix », *Le Devoir*, 31 janvier.

AMIN, S. (2003). *Le monde arabe, enjeux sociaux, perspectives méditerranéennes*, Paris, L'Harmattan.

ANOUAR, A. (1970). *La pensée politique arabe contemporaine*, Paris, Seuil.

BADIE, B. (1995). *La fin des territoires : essai sur le désordre international et sur l'utilité sociale du respect*, Paris, Fayard.

BAIROCH, P. (1985). *De Jéricho à Mexico. Villes et économie dans l'histoire*, Paris, Gallimard.

BARON, O. (1996). *Le nationalisme arabe*, Paris, Payot.

BEAUD, M. (1989). *L'économie mondiale dans les années 80*, Paris, La Découverte.

BOUSTANI, R. et P. FARGUES (1990). *Atlas du monde arabe : géopolitique et société*, Paris, Bordas.

KAHOUES, F. (2002). « *Monde arabe : le développement en panne* », <www.arabesques.org>, consulté le 11 août 2005.

CARRÉ, O. (1996). *Le nationalisme arabe*, Paris, Petite bibliothèque Payot.

CHAGNOLLAUD, J.-P. et S. SOUIAH (2004). *Les frontières au Moyen-Orient*, Paris, L'Harmattan.

CHALIAND, Gérard. (2004). *D'une guerre d'Irak à l'autre 1991-2004*, Paris, Métailié.

CENTRAL INTELLIGENCE AGENCY (CIA) (2010). *The World Factbook*, <www.cia.gov/library/publications/the-world-factbook/index.html>, consulté le 21 septembre 2010.

CORM, G. (1992). *Conflits et identités au Moyen-Orient (1919-1991)*, Paris, Arcantere.

CORM, G. (2003). *Le Proche-Orient éclaté 1956-2003*, Paris, Gallimard.

DARWICH, D. (non-daté). « Le monde arabe loin du compte », *Al-Ahram Hebdo*, <hebdo.ahram.org.eg/arab/ahram/2005/4/27/enqu0.htm>, consulté le 16 août 2005.

DEBIÉ, F. et S. FOUET (2001). *La paix en miettes. Israël/Palestine, 1993-2000*, Paris, Presses Universitaires de France.

DE KONINCK, R. (1999). *Le monde à la carte*, Québec, Presses Inter Universitaires.

DIECKHOFF, A. (1989). *Les espaces d'Israël*, Paris, Presses de la fondation nationale des sciences politiques.

DOLFUS, O. (2001). *La mondialisation*, Paris, Presses de Sciences Po.

DURAND-DASTÈS, F. et G. MUTIN (1995). *Afrique du Nord, Moyen-Orient, Monde indien*, Paris, Belin-Reclus.

ENCEL, F. et F. THUAL (2004). *Géopolitique d'Israël. Dictionnaire pour sortir des fantasmes*, Paris, Seuil.

ENDERLIN, C. (2002). *Le rêve brisé. Histoire de l'échec du processus de paix au Proche-Orient 1995-2002*, Paris, Fayard.

FABRIÈS-VERFAILLIE, M. (1998). *L'Afrique du Nord et le Moyen-Orient dans le nouvel espace mondial*, Paris, Presses Universitaires de France.

FARJANI, N., Programme des Nations Unies pour le développement et Fonds arabe de développement économique et social (2002). *Rapport arabe sur le développement humain. Créer des opportunités pour les générations futures*, New York, ONU.

. HOURANI, A. (1992). *A History of the Arab Peoples*, New York, Warner Books.

KEPEL, G. (2000). *Jihad. Expansion et déclin de l'islamisme*, Paris, Gallimard.

LACOSTE, Y. (2003). *L'eau dans le monde : les batailles pour la vie*, Paris, Larousse.

LAÏDI, Z. (1998). *Géopolitique du sens*, Paris, Desclée de Brouwer.

MORRIS, B. (2003). *Victimes. Histoire revisitée du conflit arabo-sioniste*, Bruxelles, Éditions Complexes.

MUTIN, G. (2001). *Géopolitique du monde arabe*, Paris, Ellipses.

PNUD (2009). *Rapport mondial sur le développement humain 2009*, Paris, PNUD/Economica.

POPULATION REFERENCE BUREAU (2010). *World Population Data Sheet*.

PROGRAMME DES NATIONS UNIES POUR LE DÉVELOPPEMENT (2002). *Rapport arabe sur le développement humain*, New York, ONU.

PROGRAMME DES NATIONS UNIES POUR LE DÉVELOPPEMENT (2005). *Rapport mondial sur le développement humain*, New York, ONU.

RODINSON, M. (1997). *Peuple juif ou problème juif ?*, Paris, La Découverte.

RODINSON, M. (2002). *Les Arabes*, Paris, Presses Universitaires de France, coll. «Quadrige».

SAÏD, E. (1980). *L'Orientalisme, l'Orient créé par l'Occident*, Paris, Seuil.

SANLAVILLE, P. (2000). *Le Moyen-Orient arabe. Le milieu et l'homme*, Paris, Armand Colin.

TOURAINE, A. (2005). *Un nouveau paradigme, pour comprendre le monde d'aujourd'hui*, Paris, Fayard.

VIDAL, D. et J. ALGAZY (2002). *Le péché originel d'Israël. L'expulsion des Palestiniens revisitée par les « nouveaux historiens » israéliens*, Paris, Les Éditions de l'Atelier.

CAPSULE 13A

L'EAU
Une ressource convoitée au Moyen-Orient

Frédéric Lasserre

On parle beaucoup de possibles guerres de l'eau au XXIe siècle, en particulier au Moyen-Orient. Il est vrai que de nombreuses disputes opposent les États de cette région au sujet du partage de la ressource en eau; des conflits existent aussi à l'intérieur même de ces États, comme en Iran au sujet de la construction d'ouvrages visant le transfert massif d'eau d'une région à l'autre. Ces disputes internationales opposent des États voisins au sujet du partage des eaux de surface (fleuves), mais aussi de l'utilisation des eaux des aquifères. Ainsi, un litige oppose la Jordanie à l'Arabie Saoudite, la première accusant la seconde de surpomper l'aquifère transfrontalier de Disi, ce qui a pour effet d'épuiser prématurément la précieuse ressource.

Trois principaux conflits sont abordés dans ce texte: la question du partage des eaux du Tigre et de l'Euphrate, qui oppose Irak, Syrie et Turquie; la gestion des eaux du bassin du Jourdain, qui divise Israël et ses voisins arabes, Palestine, Liban, Jordanie et Syrie; et enfin, la question du partage du bassin du Nil. Pourquoi toutes ces disputes au sujet de l'eau dans cette région? Qu'ont-elles en commun? C'est que l'eau y est relativement rare: elle constitue une ressource précieuse qu'il convient de gérer judicieusement. Qui plus est, sa disponibilité varie au cours de l'année: pour en bénéficier, il faut construire des canaux et des barrages. Ainsi, la mobilisation de la ressource ne peut se faire que moyennant un effort d'aménagement des cours d'eau; ces aménagements peuvent avoir comme effet la diminution des volumes disponibles en aval, suscitant des conflits. De plus, l'eau est aussi un outil géopolitique, qui attise parfois ces mêmes conflits.

UNE RÉGION ARIDE

Il convient de rappeler que la région qui nous intéresse ici est située en milieu désertique (Égypte) ou aride: les précipitations y sont globalement très faibles, moins de 300 mm par an en moyenne, à l'exception de quelques régions, comme la Turquie, le nord de l'Irak et l'ouest de l'Iran et, dans une moindre mesure, quelques petites régions du Liban et du nord d'Israël, comme le plateau du Golan, et ce, grâce au relief montagneux qui favorise les précipitations.

Or, avec de si faibles précipitations, l'agriculture pluviale est impossible; même dans les régions mieux dotées, mentionnées ci-dessus, la grande variabilité inter-annuelle de celles-ci et les fortes chaleurs constituent des contraintes à la pratique de l'agriculture. À l'exception de rares espèces végétales, il faut donc recourir à l'irrigation pour produire, afin d'éviter le risque de voir les cultures détruites.

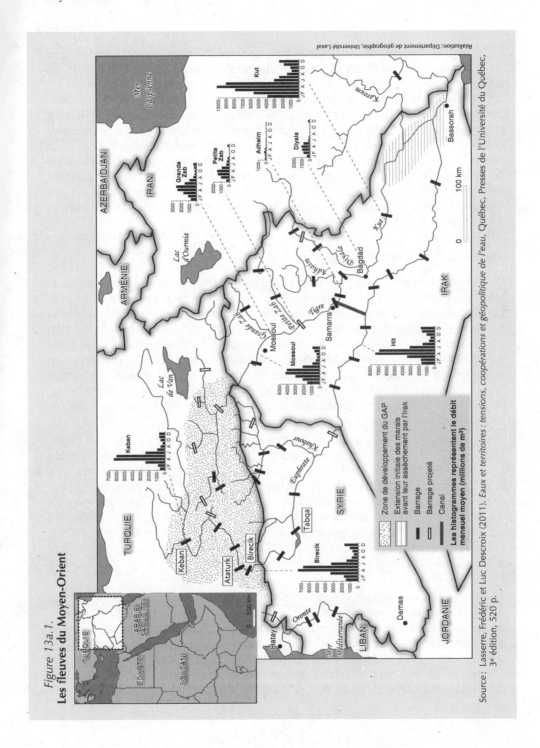

Figure 13a.1.
Les fleuves du Moyen-Orient

Réalisation : Département de géographie, Université Laval

Source : Lasserre, Frédéric et Luc Descroix (2011). *Eaux et territoires : tensions, coopérations et géopolitique de l'eau*, Québec, Presses de l'Université du Québec, 3e édition, 520 p.

De plus, la saisonnalité des précipitations ne correspond pas toujours aux besoins de l'agriculture : en Israël, au Liban et en Jordanie, il pleut de novembre à mars, ce qui ne correspond pas à la période de croissance des plantes. Dans le bassin du Nil, l'essentiel de l'eau, apportée en Éthiopie par les moussons de l'océan Indien, s'écoule d'août à octobre, laissant peu d'eau au cours des mois subséquents pour la croissance des cultures. Dans le Croissant fertile, l'Euphrate et le Tigre connaissent leurs crues au printemps, avec la fonte des neiges des montagnes du Taurus et du plateau anatolien : 42 % du débit annuel de l'Euphrate s'écoule en avril et mai ; 53 % du débit du Tigre s'écoule de mars à mai ; ces crues sont trop tardives pour les récoltes d'hiver, trop précoces pour les cultures d'été. Il faut donc construire des digues pour se protéger des inondations et des réservoirs pour conserver cette eau pour le reste de l'année.

AMÉNAGER ET MAÎTRISER LA RESSOURCE

L'irrigation a longtemps été pratiquée en Égypte, et ce, dès l'époque pharaonique, ainsi que dans le Croissant fertile, ce qui a fait la richesse des civilisations sumérienne, babylonienne et assyrienne de l'Antiquité. La maîtrise de la ressource n'était pas aisée : en Égypte, si la crue annuelle était faible, les récoltes étaient compromises. Dans le Croissant fertile, l'irrigation excessive a souvent provoqué la salinisation des terres qui rend impossible la croissance des plantes. L'irrigation était subordonnée à l'entretien des infrastructures, canaux et ouvrages de dérivation. Lorsqu'au XIIIᵉ siècle, les Mongols de Gengis Khan envahissent le Croissant fertile, ils détruisent le réseau de canaux, provoquant une longue crise économique qui marque le déclin de la région.

Ce n'est qu'au XIXᵉ siècle que le développement de l'irrigation a repris. En Égypte, le vice-roi Méhémet Ali, virtuellement indépendant de la Turquie ottomane, se lance à partir de 1811 dans de grands travaux de développement agricole pour accroître la production de coton destiné à l'industrie textile et de denrées alimentaires pour une population en expansion rapide. Dans le Croissant fertile, les Turcs, au tournant du XXᵉ siècle, entreprennent la reconstruction des réseaux de canaux, entreprise poursuivie en Irak et en Syrie par les colonisateurs britanniques et français. En Palestine, avant l'indépendance d'Israël en 1948, les immigrants juifs commencent à développer l'irrigation systématique de leurs terres agricoles à partir du Jourdain et des aquifères.

Cet essor de l'agriculture irriguée répond à des objectifs économiques : il s'agit de nourrir une population en croissance et de satisfaire la demande d'industries naissantes. Les besoins en eau augmentent, plus tard, avec l'urbanisation de la population et le développement du tourisme – le touriste moyen consomme beaucoup plus d'eau que les habitants de ces pays. Mais l'agriculture est aussi un outil social et politique : elle permet de fixer les populations à la campagne et de freiner l'exode rural, voire de les sédentariser, comme en Arabie Saoudite. Elle permet aussi d'entretenir une certaine autosuffisance alimentaire, objectif né de la crainte de la plupart des pays de la région que la dépendance alimentaire induite par une population nombreuse ne soit utilisée à des fins belliqueuses. Enfin, l'agriculture permet de prendre possession du sol, stratégie de prise de contrôle du territoire encore pratiquée par Israël de nos jours. En Israël, l'agriculture représente 2% du PIB et emploie 2,3% de la population active (2007), pourtant ce secteur consomme 75% de l'eau disponible. La colonisation des territoires occupés de Cisjordanie se poursuit, en partie grâce à l'exploitation de nouvelles terres agricoles, tant il est vrai que l'agriculture est un puissant levier géopolitique.

DE GRANDS BARRAGES, CHACUN POUR SOI

Afin de contrer le décalage entre les précipitations (ou les crues) et les périodes de culture, des réservoirs ont été construits pour retenir l'eau lorsqu'elle est abondante, dans le but de pouvoir en disposer lors de la saison sèche. Toutefois, chaque État a voulu construire son système de réservoirs sur le cours des fleuves, alors qu'il aurait été parfois plus judicieux d'édifier de grands barrages ailleurs sur le bassin versant, en des endroits où l'évaporation aurait été moindre.

Ainsi, l'Égypte a décidé de bâtir le barrage d'Assouan, achevé en 1971. Mais celui-ci perd 11 à 14 milliards de m^3 d'eau par an en simple évaporation, soit 13% du débit du Nil (Lasserre, 2005)! De plus, le barrage bloque les sédiments qui, autrefois, fertilisaient le sol lors des crues, ce qui a pour conséquence de provoquer l'érosion des terres du delta et d'obliger l'Égypte à consacrer un tiers de l'électricité produite afin de fabriquer des engrais autrefois non nécessaires. Au début du XXe siècle, les ingénieurs britanniques avaient estimé qu'un grand réservoir aurait été beaucoup plus efficace sur le plateau éthiopien, vers 1 800 mètres d'altitude, où l'évaporation est moindre et où le barrage n'aurait pas bloqué les sédiments.

De la même façon, la Syrie et l'Irak ont construit leurs barrages, mais ont vigoureusement protesté lorsque la Turquie a entamé son propre programme de développement hydraulique, à partir de 1989, lequel réduit déjà, effectivement, le volume d'eau disponible pour la Syrie et l'Irak, situés en aval. Cette mise en valeur du Tigre et de l'Euphrate s'est faite chronologiquement d'aval en amont, ce qui explique que le programme turc ait eu un tel effet sur ses voisins.

Enfin, tant Israël que la Jordanie se sont efforcés, à la suite de l'échec du plan Johnston[1] de partage des eaux du bassin du Jourdain de 1953, de s'approprier unilatéralement le plus d'eau possible. Israël a construit l'Aqueduc national, qui dérive

---

1. Initiative diplomatique étasunienne, le plan Johnston, élaboré de 1953 à 1955, avait comme objectif de répartir les eaux du Jourdain entre les pays riverains, Israël et ses voisins arabes, en fonction des besoins prévus de chaque pays. Le plan a été accepté en 1955 par les négociateurs de tous les pays ; c'est au plan politique que le refus arabe s'est formulé.

75 % des eaux du Jourdain, tandis que la Jordanie a tracé le canal de Ghor occidental, qui ponctionne les eaux du Yarmouk, principal affluent du Jourdain. Israël, de plus, profite de l'annexion du Golan en 1981 et de l'occupation de la Cisjordanie depuis 1967 pour mobiliser les ressources en eau de ces territoires, de façon illégale en ce qui concerne la Cisjordanie[2].

D'autres approches ont été envisagées. En Arabie Saoudite, le gouvernement a décidé l'exploitation des grandes nappes aquifères d'eau fossile, c'est-à-dire infiltrée autrefois, à une époque où il y avait d'abondantes précipitations, mais qui ne se renouvelle plus. Cette eau non renouvelable a été employée pour irriguer des champs de blé en plein désert, donc pour faire pousser une céréale de faible valeur sous un climat non approprié, entraînant une surconsommation. En 1992, l'Arabie Saoudite était même devenue le 7e exportateur mondial de blé. Aujourd'hui, le blé est nettement moins cultivé, mais cette politique constituait un non-sens environnemental qui peut s'expliquer par le désir de Ryad de fixer les populations nomades par le biais de l'agriculture irriguée qui ne durera guère, compte tenu des usages excessifs pratiqués encore aujourd'hui.

L'Arabie Saoudite dispose aussi de beaucoup d'énergie pour développer le secteur du dessalement. En 1999, elle avait la plus importante capacité de production d'eau dessalée, soit 5,1 millions de m^3 par jour, loin devant les États-Unis avec 3,2 millions. La baisse rapide du coût de revient du dessalement depuis quinze ans, grâce à la création de la technique d'osmose inverse (microfiltration), permet d'envisager la multiplication des usines de dessalement dans la région. Mais cette technique sera toujours trop chère pour fournir l'eau nécessaire à l'agriculture.

UNE RESSOURCE SUREXPLOITÉE ÂPREMENT DISPUTÉE

À l'heure actuelle, les signes de la surexploitation de la ressource se multiplient. La mer Morte, à l'instar de la mer d'Aral, est en train de disparaître rapidement, car le Jourdain est trop pompé en amont. Elle a vu son niveau baisser de 24 mètres depuis 1990, une baisse qui accélère de près d'un mètre par an depuis quelques années, pour passer ainsi de 75 à 55 kilomètres de long. Les aquifères de Cisjordanie voient aussi leur niveau diminuer régulièrement, tandis que les aquifères de la côte, en Israël ou à Gaza, subissent des intrusions d'eau salée, car l'eau douce y est surpompée.

Dans le bassin du Nil, l'Égypte, qui avait développé des usages de l'eau peu soucieux d'économie pour son agriculture, voit avec inquiétude ses voisins d'amont concevoir des plans de mobilisation des eaux du Nil sur leur territoire, ce qui ne pourra que créer de vives tensions, car le Nil est déjà surutilisé : il lui arrive de

---

2. Le Golan a été formellement annexé par Israël en 1981 ; *de jure*, Israël peut donc exploiter ses eaux, ce qui ne veut pas dire que cette annexion soit légitime.

Figure 13a.2.
Barrages et projets de barrages, bassin du Nil

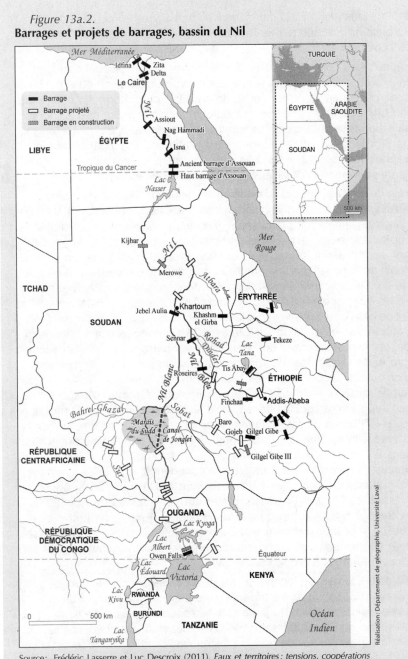

Source: Frédéric Lasserre et Luc Descroix (2011). *Eaux et territoires: tensions, coopérations et géopolitique de l'eau*, 3ᵉ édition, Québec, Presses de l'Université du Québec, 520 p.

s'assécher et de ne plus atteindre la mer. Quant au bassin de l'Euphrate et du Tigre, la somme des besoins affichés par la Turquie, la Syrie et l'Irak est supérieure au débit total des deux fleuves...

De fait, les politiques non durables de certains pays, qui exploitent rapidement leurs eaux fossiles ou décident de consacrer de forts volumes d'eau à l'agriculture pour des raisons politiques, sont porteuses de conflits futurs. Surtout, ce sont les ambitions des États de s'approprier les ressources unilatéralement et d'utiliser les volumes les plus grands possibles pour développer leur agriculture, qui sont à l'origine des conflits que l'on connaît actuellement au Moyen-Orient. Et ces ambitions sont rarement uniquement fondées sur un souci de développement, mais aussi, bien souvent, sur des projets de puissance et des rivalités géopolitiques avec les États voisins.

Ainsi, lorsque la Turquie a décidé d'exploiter les eaux du Tigre et de l'Euphrate, elle a mis de l'avant l'argument que puisque ces deux fleuves coulaient sur son territoire et qu'ils s'y alimentaient pour la plus grande part de leur débit, il était légitime qu'elle puisse, elle aussi, exploiter cette ressource – alors même que la Syrie et l'Irak avaient décidé de lui laisser une part très faible du débit. De façon sans doute contestable, la Turquie a estimé que l'eau équivaut au pétrole et qu'à ce titre, elle a autant le droit d'exploiter ses ressources hydriques que les pays arabes ont le droit d'exploiter leur pétrole. La Turquie a décidé de procéder unilatéralement à l'aménagement de ces fleuves, sans négocier un accord-cadre avec la Syrie et l'Irak. De plus, bien qu'elle s'en défende, la Turquie bénéficie désormais d'une arme technique de poids, car elle peut fermer les vannes de ses barrages et bloquer l'écoulement du Tigre et de l'Euphrate. La Turquie ne cherche pas, pour le moment, à recourir de façon ouverte à cette arme. En 1991, pendant la guerre du Golfe, Ankara avait profité de l'affaiblissement de l'Irak pour remplir le réservoir Atatürk; il ne s'agissait cependant pas d'un geste offensif, mais plutôt de la mise à profit politique de l'incapacité de Bagdad à répliquer à cette décision turque. De même, lors de la crise de 1998 avec la Syrie, elle s'est abstenue de couper l'eau – mais qui sait ce qui s'est dit dans les couloirs des ambassades Et, témoin du rôle stratégique que la Turquie entendait jouer grâce à son eau, elle a commencé, en 1987, à envisager des exportations massives d'eau des fleuves Seyhan et Ceyhan par un aqueduc vers la Syrie, Israël et l'Arabie Saoudite, projet qui est abandonné aujourd'hui. A contrario, la Syrie a refusé l'offre que lui avait faite la Turquie de négocier un règlement global de la gestion des eaux de l'Euphrate et de l'Oronte, parce qu'entreprendre une telle négociation équivaudrait à reconnaître la souveraineté turque sur le Hatay, province turque revendiquée par la Syrie.

Sur le bassin du Nil, l'Égypte a longtemps refusé toute négociation sur un partage des eaux du Nil avec l'Éthiopie, d'où pourtant proviennent 86 % des eaux du fleuve, en arguant qu'elle utilise depuis fort longtemps la ressource, ce qui lui conférerait des droits historiques que le droit international ne reconnaît absolument pas. De son côté, l'Éthiopie a, pendant de nombreuses décennies, cherché à faire reconnaître sa souveraineté absolue sur les eaux du Nil bleu, sous prétexte que le fleuve naissait

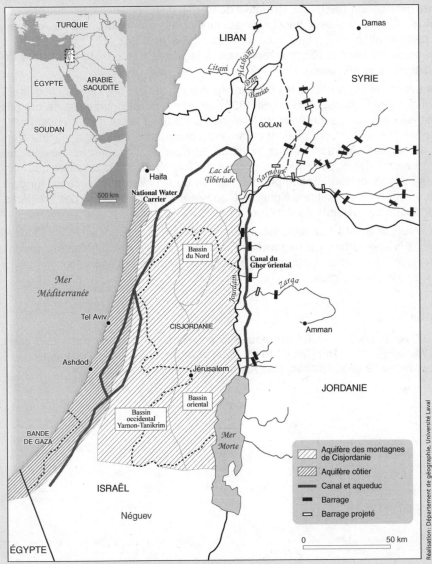

Figure 13a.3.
L'eau dans le bassin du Jourdain

TURQUIE

ÉGYPTE

ARABIE
SAOUDITE

SOUDAN

500 km

Damas

LIBAN

Litani

Hasbani

Dan

Banias

SYRIE

GOLAN

Yarmouk

Haifa

Lac de Tibériade

National Water Carrier

Mer
Méditerranée

Tel Aviv

Ashdod

Bassin du Nord

Canal du Ghor oriental

Zarqa

Jourdain

CISJORDANIE

Jérusalem

Amman

Bassin oriental

JORDANIE

Bassin occidental Yarnon-Tanikrim

Mer Morte

BANDE
DE GAZA

ISRAËL

Néguev

ÉGYPTE

	Aquifère des montagnes de Cisjordanie
	Aquifère côtier
	Canal et aqueduc
	Barrage
	Barrage projeté

0   50 km

Réalisation: Département de géographie, Université Laval

Source: Frédéric Lasserre et Luc Descroix (2011). *Eaux et territoires: tensions, coopérations et géopolitique de l'eau*, 3e édition, Québec, Presses de l'Université du Québec, 520 p.

sur son territoire. Il est réjouissant que, depuis 1999, les dix pays riverains du Nil, dont l'Égypte et l'Éthiopie, aient accepté de s'asseoir pour la première fois à une table de négociation commune, l'Initiative du Bassin du Nil (IBN). Certes, les progrès y sont lents, mais les deux principaux acteurs politiques ont accepté de moduler leurs revendications : l'Éthiopie reconnaît qu'elle ne peut pas faire ce qu'elle veut des eaux du Nil bleu et l'Égypte reconnaît la légitimité des projets éthiopiens de mobilisation de la ressource.

Dans le bassin du Jourdain, les délégations techniques des pays arabes et d'Israël avaient accepté le plan Johnston de 1953 : ce sont des raisons politiques qui ont conduit les deux camps à refuser de le signer. C'est dans le but de faire plier Israël que la Syrie et la Jordanie avaient entamé la construction d'un canal de transfert des eaux du haut Jourdain vers le Yarmouk. Et c'est pour assurer les besoins en eaux de ses colonies en territoires occupés (Cisjordanie et Gaza) ainsi que ses propres besoins en eau, très importants du fait du maintien d'un secteur agricole pourtant économiquement peu significatif, qu'Israël a pris possession des aquifères des territoires palestiniens pour s'en réserver 80 %.

On le voit, la question de l'eau est une source de fortes tensions au Moyen-Orient parce que la ressource y est relativement rare, que les besoins augmentent rapidement et que l'eau est un instrument géopolitique dans les relations conflictuelles entre les pays de la région.

BIBLIOGRAPHIE

LASSERRE, F. (2005). « L'Égypte peut-elle envisager un partage du Nil ? », dans F. LASSERRE et L. DESCROIX (dir.), *Eaux et territoires : tensions, coopérations et géopolitique de l'eau*, Québec, Presses de l'Université du Québec.

Capsule 13b

LE PÉTROLE AU MOYEN-ORIENT
Les flux et les blocages !

Sami Aoun

Il est une évidence que le pétrole du Moyen-Orient[1] est devenu, depuis le début du XXe siècle, un enjeu stratégique majeur. À l'échelle de la planète, la répartition géographique du pétrole est non uniforme. Or l'abondance des ressources pétrolières présentes dans cette région est un des facteurs ayant positionné le Moyen-Orient dans un arc de crises et de conflits. Les enjeux pétroliers sont exacerbés par l'aridité des terres et par le sous-peuplement qui limitent considérablement la consommation locale. Par exemple, en 2008[2], la consommation du pétrole au Moyen-Orient est de 306,9 millions de tonnes (Mt), comparativement à 1 076,6 Mt pour l'Amérique du Nord[3]. Ainsi, cette région se trouve-t-elle dans le collimateur des grandes puissances industrielles d'Europe, d'Asie et d'Amérique du Nord, dont le besoin en énergie ne cesse d'augmenter exponentiellement. Dès lors, il apparaît pertinent de s'intéresser aux jeux de pouvoir et d'intérêts de ces divers pays, producteurs et receveurs pour mieux cerner la situation actuelle du Moyen-Orient.

Dans la région, la rente pétrolière constitue la base du PIB des pays arabes exportateurs[4], ainsi que de certains autres pays, dont l'Iran. D'ailleurs, la production des pays moyen-orientaux représente environ 31,9 % de la production mondiale en 2008 (1 253,7 Mt, sur une production mondiale de 3 928,8 Mt)[5] et dépassera les 35 % en 2030, d'après les projections de WETO (World Energy, Technology and Climate Policy Outlook).

Le premier producteur est l'Arabie Saoudite avec 455,7 Mt (13,1 % de la production mondiale), suivie de l'Iran, avec 190,8 Mt (5,3 %), des Émirats arabes unis, avec 123,5 Mt (3,6 %) et du Koweït, 110 Mt (3,5 %). Par ailleurs, il est à noter que les réserves prouvées de pétrole des pays du Moyen-Orient représentent 59,9 % des réserves prouvées mondiales.

---

1. Le Moyen-Orient géopolitique actuel est composé de trois grands pays périphériques (Égypte, Iran et Turquie), des pays centraux du Croissant fertile (Irak, Israël, Jordanie, Liban et Syrie), ainsi que des États de la péninsule arabique (Arabie Saoudite, Bahreïn, Émirats arabes unis, Koweït, Oman, Qatar et Yémen).
2. D'après BP Statistical Review of World Energy, juin 2009.
3. Il est à noter que les chiffres pour la population du Moyen-Orient ne sont pas actualisés, mais on peut dire que la population de la région avoisine les 373 millions. Celle des États-Unis est de 310 millions (source : Population Reference Bureau, 2010).
4. Les pays arabes exportateurs de pétrole sont : l'Arabie Saoudite, le Koweït, les Émirats arabes unis, le Qatar, l'Algérie, l'Irak, la Libye, tous membres de l'OPEP, ainsi que le Bahreïn, l'Égypte et la Syrie. Il faut préciser que l'Algérie et la Libye ne font pas partie du Moyen-Orient mais du Maghreb arabe.
5. D'après BP Statistical Review of World Energy, juin 2009.

Figure 13b.1.
Les flux pétroliers du Moyen-Orient

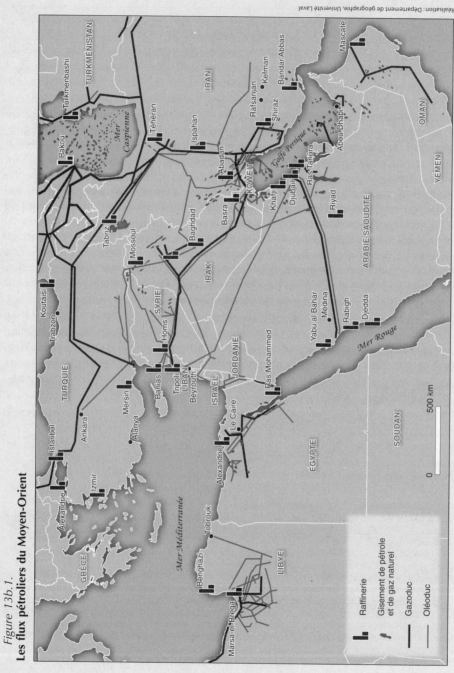

Réalisation : Département de géographie, Université Laval

Légende :
- Raffinerie
- Gisement de pétrole et de gaz naturel
- Gazoduc
- Oléoduc

Source : BP Statistical Review of World Energy, juin 2009.

D'autre part, il est utile de signaler la facilité de l'exportation du pétrole moyen-oriental ; cela est dû essentiellement à la position géographique médiane de la région, qui est située entre plusieurs détroits, et surtout à la proximité entre les puits pétroliers et les ports exportateurs. Enfin, le coût de production de ce pétrole est comparativement très faible. Par exemple, pour un pays comme l'Arabie Saoudite, le coût est estimé à 1 $ jusqu'à 2 $ le baril, contre 7 $ à 8 $ en mer du Nord, et peut atteindre 15 $ dans certaines régions ! La faible profondeur moyenne de ces puits joue aussi un rôle important dans ces coûts peu élevés, puisqu'on l'estime, dans la région à 2 300 mètres, comparativement à environ 7 300 mètres aux États-Unis.

LE PÉTROLE AU MOYEN-ORIENT : HISTOIRE D'UNE NOUVELLE MANNE !

L'espace moyen-oriental, favorisé par les hasards de la géologie, a retenu très tôt l'attention des puissances à la recherche de nouvelles sources énergétiques. Déjà au début du XXe siècle, les grands magnats anglo-saxons, soucieux de dépasser « le roi charbon » comme source d'énergie, ont décidé de maîtriser complètement la production, la transformation ainsi que la commercialisation du pétrole.

Faute de posséder et de maîtriser les moyens techniques et financiers nécessaires au fonctionnement de l'industrie pétrolière, les pouvoirs en place dans cette région, qu'on pourrait aisément qualifier de nouvel Eldorado pétrolier, ont vite cédé des licences et des contrats pour l'exploration et l'exploitation du pétrole aux grandes firmes pétrolières puissantes, qui ont accaparé les gisements pétroliers de la région. Maîtrisant la technologie de sondage et d'extraction, ces firmes telles la Anglo-Persian Oil Company (APOC) fondée en 1908 ou la Turkish Petroleum Company (à capitaux britanniques, néerlandais et allemands) devenue en 1929 l'Iraq Petroleum Company, vont imposer leurs diktats aux jeunes États[6] de la région, pour monopoliser la majeure partie des bénéfices.

Cela étant, c'est avec le premier conflit mondial que la position stratégique et, surtout, économique du Moyen-Orient est soulignée. En effet, lors de la guerre, l'approvisionnement en pétrole se révèle primordial pour les puissances belligérantes. La production du pétrole passe alors de 40 Mt en 1910 à 100 Mt en 1921. Le contrôle des ressources pétrolières s'est donc révélé capital, et cette tendance s'est accentuée pendant la Deuxième Guerre mondiale, au cours de laquelle les puissances alliées ont connu des difficultés de ravitaillement pour leurs engins de guerre, étant donné que l'Allemagne avait pris le contrôle des champs pétrolifères roumains à partir de 1916.

---

6. Le Moyen-Orient (l'Asie mineure), au XXe siècle, était divisé en vertu des accords Sykes-Picot de 1916. En vertu de ces accords, les pays arabes du Moyen-Orient sont partagés entre la Grande-Bretagne et la France sous forme de « mandats ». Conformément à la promesse Balfour (2 novembre 1917), la Palestine, placée sous mandat britannique et détachée de la Syrie, est ouverte à la colonisation juive.

À la fin du second conflit mondial, le golfe Persique (ou Arabo-Persique) devient la première région en termes de production pétrolière, la ressource étant toutefois largement exploitée par les mêmes grandes sociétés étrangères qui ont commencé les travaux de forage au début du XXᵉ siècle dans cette région. Cependant, il est à noter que cette situation va changer graduellement à partir des années 1950, époque où l'espace moyen-oriental connaît une vague de nationalisations dans ce secteur. Par exemple en 1951, le nouveau Premier ministre iranien, le Dr Mohammed Mossadeq, décide de nationaliser les champs de pétrole et les raffineries possédées par l'Anglo-Iranian Oil Company, et en 1972, le parti Baas irakien va nationaliser le pétrole exploité jusqu'à cette époque par l'Iraq Petroleum Company.

Par ailleurs, au cours de la guerre froide, l'enjeu entre les États-Unis et ses alliés du pacte de l'Atlantique, et l'Union soviétique et ses alliés du pacte de Varsovie, était la coupure des routes d'acheminement du pétrole. Le Moyen-Orient devient alors le théâtre privilégié de cette rivalité, et ses ressources pétrolières constituent une arme, parmi d'autres, de domination dans le jeu stratégique des grandes puissances. Cette importance s'est accentuée avec l'industrialisation rapide que le monde occidental a connue après la Deuxième Guerre mondiale (les trente glorieuses). Les besoins en énergie vont croître, poussant ainsi les grandes puissances à s'immiscer plus agressivement dans cette région.

Depuis la fin de la guerre froide, et l'émergence des États-Unis comme seule superpuissance, le pétrole, arabe en particulier, constitue le nerf de l'interventionnisme étasunien dans la région. Les États-Unis sont, en fait, exposés au risque permanent d'une interruption partielle des flux pétroliers, notamment en provenance du golfe Persique ou Arabo-Persique, du fait de la montée des vagues de contestation populaire contre leurs visées dans la région. C'est la raison pour laquelle cette partie du monde risque de rester pour longtemps le pilier de la politique énergétique des États-Unis et aussi de celle de l'Union européenne.

Au-delà de son importance géopolitique régionale, le potentiel pétrolier du Moyen-Orient est devenu un enjeu planétaire : le pétrole constitue en fait le nerf des relations Nord-Sud, entre les États nantis et les plus pauvres et une des clés dans la dynamique de ces relations. Les États occidentaux et le Japon sont les plus grands consommateurs de « l'or noir » et les pays dits « émergents » comme la Chine et l'Inde, qui connaissent une croissance économique très rapide ces dernières années, font montre d'un besoin considérable en pétrole.

En dépit des risques écologiques et de l'amplification des énergies alternatives, le pétrole gardera son rôle dominant dans l'approvisionnement mondial en énergie au XXIᵉ siècle (la baisse attendue des ressources pétrolières disponibles est une réalité, mais les prévisions donnent jusqu'au milieu du XXIᵉ siècle, pour que le monde manque de pétrole, et en attendant, ce dernier restera un enjeu important pour tous les protagonistes), non seulement pour les pays développés, mais aussi et surtout pour des économies telles que la Chine ou l'Inde, qui deviendront à moyen terme les principaux consommateurs de ce type de produit. Par exemple, les importations chinoises de pétrole ont atteint 178,8 Mt et celles de l'Inde, 127,7 Mt en 2008.

LE PÉTROLE AU MOYEN-ORIENT: LES CLIVAGES CULTURELS ET LES MESSAGES IDÉOLOGIQUES

Dans la péninsule arabique, la notion d'État sous sa forme actuelle est en relation avec l'exploitation du pétrole. En effet, les grandes sociétés pétrolières, en collaboration avec les puissances en présence dans l'espace moyen-oriental (en l'occurrence la Grande-Bretagne et la France), ont joué un rôle important dans la constitution des petits États et dans le maintien des systèmes politiques de la région, sans égard à leur nature despotique. Le tracé des frontières était basé sur l'exploitation du pétrole. L'or noir a constitué ainsi, dès le début du XXe siècle, le nerf de la politique colonialiste au Moyen-Orient.

Par ailleurs, il est à noter que l'effet sur la population, bédouine d'origine, des richesses rentières du pétrole a été si important que le clivage entre la vie traditionnelle et celle découlant de la modernité acquise par les rentes pétrolières demeure difficilement surmontable. Après un siècle de richesses accumulées, la modernité reste partielle et ne touche guère les domaines essentiels propres à ces sociétés (structures sociales, politiques, ordre tribalo-clanique, mentalité et éthique, conservatisme et traditionalisme, etc.). En dépit de cette cohabitation entre modernité et tradition (cette «schizophrénie» d'après une expression arabe courante), la manne pétrolière a servi certains pays, ceux de la péninsule arabique en particulier, favorisés par la nature, engendrant ainsi des répercussions au plan de la géopolitique régionale.

Ainsi, le clivage culturel dépasse le cadre national, pour être mis en exergue dans la relation entre bédouins riches et citadins pauvres, au niveau régional. L'Arabie Saoudite joue un rôle prépondérant dans le monde arabe, grâce à sa politique des dons distribués aux autres pays du monde arabo-musulman, ce qui lui a conféré une place importante au sein de la Ligue arabe et de l'OCI (Organisation de la conférence islamique). Ce rôle était d'ailleurs connu dans les années 1970 à 1990 sous l'appellation «l'ère saoudienne» sur l'échiquier du monde musulman, ce qui a induit de fortes tensions dans la région. Les rivalités sont très présentes entre les pays du Moyen-Orient. Les divergences dans le monde arabe sont fondamentalement politiques et relèvent parfois de l'idéologie; elles bloquent tout échange économique. La course au leadership régional est à l'ordre du jour surtout entre des pays tels que la Syrie, l'Arabie Saoudite, l'Iran et la Turquie. Dans ce climat de combats politiques qui frôlent parfois les conflits déclarés, l'Arabie Saoudite, grâce à la manne pétrolière, a tenté d'émerger en tant que pôle stratégique régional, en essayant de rallier à ses côtés les autres pays arabo-musulmans, par exemple en leur distribuant des dons monétaires, utiles pour leur économie. Cette politique a relativement réussi à l'Arabie Saoudite pendant les années 1970-1980, où elle a beaucoup influencé les décisions prises par la Ligue des États arabes et par l'Organisation de la conférence islamique.

Toutefois, l'imaginaire collectif des populations des autres pays pauvres de la région retient essentiellement le passé bédouin des pays nantis, et leur enrichissement soudain (en arabe, *al Taffrat*), estimant qu'ils ne le méritent guère. Ce sentiment d'amertume est accentué par l'exploitation par les pays riches des travailleurs des pays pauvres de la région, notamment ceux du golfe Arabo-Persique. Des économistes arabes ont critiqué les salaires dérisoires et le comportement discrétionnaire à l'égard des travailleurs immigrants. Par exemple l'impossibilité d'être naturalisé, ou même la difficulté de se déplacer sans l'accompagnement d'un tuteur. Les citoyens d'origine citadine, issus des villes culturellement occidentalisées ou semi-occidentalisées par rapport à la région (telles que Beyrouth, Damas, Alep, Le Caire, Alexandrie, etc.), contraints d'immigrer vers le Golfe, pour des raisons économiques ou de guerre civile, se voient obligés de composer avec un mode de vie et des valeurs inspirés par un conservatisme tribal et ethnique; conservatisme qu'ils estiment moyenâgeux mais qui structure très fortement les systèmes politiques en place et qui, jusqu'à présent, était largement accepté – voire soutenu – par les démocraties libérales, en premier lieu les États-Unis.

LA RESSOURCE PÉTROLIÈRE : UNE INEFFICACITÉ STRATÉGIQUE

Depuis la guerre d'Octobre ou du Yom Kippour en 1973, dans laquelle le pétrole a été utilisé plus ou moins efficacement, l'inconscient collectif des élites et de la population arabe retient que le pétrole peut être utilisé comme une arme économique contre Israël et les États-Unis, dans leurs efforts pour faire valoir leurs droits sur la terre en Palestine[7]. Toutefois, cette utilisation du pétrole à des fins stratégiques reste-t-elle toujours efficace après la fin de la guerre froide? Les circonstances historiques sont-elles les mêmes qu'en 1973?

La solidarité entre les régimes arabes se concrétise en 1973 à travers la décision d'utiliser le pétrole comme outil stratégique face à Israël et aux pays occidentaux qui le soutiennent. Encore faut-il signaler que cette initiative de la part du roi saoudien de l'époque, Fayçal, n'aurait pas eu autant de succès si le système international n'avait pas été bipolaire à l'époque. En effet, les deux grandes puissances menaient une guerre par procuration dans diverses régions du monde, dont celles du Moyen-Orient et du golfe Arabo-Persique. Et les Soviétiques soutenaient partiellement les pays arabes dans leur conflit face à Israël. Par exemple, au Conseil de sécurité de l'ONU, l'URSS n'utilisait pas de veto en faveur de l'État hébreux et elle aidait militairement plusieurs pays arabes : Irak, Syrie, Libye, Algérie, Yémen...

---

7. Il est utile de préciser qu'au-delà des clivages culturels internes, le pétrole a largement servi les causes arabes, et a remodelé à maintes reprises les politiques des pays (conservateurs ou progressistes), en dépit des échecs militaires répétés, essentiellement face à Israël. En effet, le pétrole s'est régulièrement trouvé au cœur des conflits du Moyen-Orient, à commencer par la nationalisation du canal de Suez, en 1956, par le président égyptien Nasser.

D'autre part, durant cette période, le pétrole du Moyen-Orient dominait le marché international, faute d'autres sources alternatives d'énergie. Ces dernières, telles que le nucléaire ou les énergies renouvelables (solaire, éolienne et marémotrice, etc.), ont commencé à être exploitées pour des besoins non militaires à partir des années 1950. Mais leur coût est plus élevé que le pétrole, surtout arabe, et celui-ci est donc resté la source préférée des pays industrialisés et des grandes entreprises pétrolières.

Ainsi, en 1973, la décision des pays arabes de limiter (voire d'interdire) le cheminement de leur pétrole vers les pays alliés d'Israël a influencé le cours des événements au Moyen-Orient et l'évolution des rapports de force entre les Arabes et les Israéliens. Néanmoins, les pays du Moyen-Orient ont perdu, avec la fin de la guerre froide et les actes terroristes du 11 septembre 2001, beaucoup de marge de manœuvre diplomatique. En sus, avec l'évolution des sciences et des techniques en matière d'énergie, le pétrole moyen-oriental a perdu de sa prépondérance. Les sources alternatives d'énergie gagnent du terrain. De plus, plusieurs champs pétrolifères ont été découverts dans d'autres régions du globe (Russie, Canada, Afrique, Mexique, etc.), tandis que les coûts d'extraction ont diminué dans d'autres champs déjà en exploitation.

LE PÉTROLE AU MOYEN-ORIENT FACE AU DÉSÉQUILIBRE STRUCTUREL DU SYSTÈME INTERNATIONAL

Paradoxalement, si les pays du Moyen-Orient décidaient éventuellement de jouer la carte de l'embargo, leurs économies rentières sombreraient dans le déficit budgétaire, ce qui serait catastrophique pour les pays pétroliers eux-mêmes et pour les pays non producteurs qui en dépendent dans la sphère arabe ou africaine en particulier.

Les calculs politico-idéologiques et l'utilisation de la manne pétrolière à des fins autres que le développement économique et le bien-être des citoyens, témoignent d'une vision étroite et d'une compréhension inadéquate de la situation économique internationale. En effet, en dépit des richesses affirmées de certains pays moyen-orientaux, le PIB de tous les États arabes (les principaux pays du Moyen-Orient) réunis n'était que de 1 347,1 milliards de dollars en 2007. En comparaison, le PIB du Canada s'élevait la même année à 1 329,9 milliards de dollars[8].

Ce paradoxe (d'un côté, le pays est riche par le pétrole, mais le PIB et le niveau de vie moyen ne reflètent pas cette richesse) est imputable au fait que les gouvernements des pays pétroliers du Moyen-Orient ont misé sur le seul pétrole dans toutes leurs tentatives de développement, leurs plans quinquennaux et leurs stratégies de projection[9]. L'économie, dans de tels pays, est tributaire de la manne pétrolière. Et l'erreur fondamentale (comme le soutient le penseur arabe Samir Amin dans ses différents ouvrages) réside dans l'absence de solutions alternatives pour le développement économique.

---

8. Rapport 2009 du PNUD sur le développement humain.
9. À l'exception des Émirats arabes unis et partiellement du Qatar.

Ainsi, la société en demeure une de consommation, sans possibilité de transition aux stades de la production. Du coup, des secteurs vitaux comme la santé, l'éducation, et même la résolution de questions sociales comme l'égalité des sexes et la participation politique, que la modernité exige, ne se développent guère rapidement. Le facteur humain est relégué au second plan : le Rapport du développement humain dans le monde arabe, publié par le PNUD en 2004, insiste sur le manque de liberté et de bonne gouvernance dans le monde arabe. De plus, l'indice de développement humain des pays arabes est de 0,719 en 2007. La même année l'IDH du Canada était de 0,966[10].

L'industrialisation dans les économies arabes reste faible, en général sans politique claire, et les industries pétrochimiques sont fortement freinées par les sociétés pétrolières, puis par le bloc européen qui protège ses marchés contre la concurrence. En fait, on peut parler d'un échec sensible de la modernisation économique et technique. En général, les chiffres faibles du développement humain et économique dans tous les domaines montrent bien les difficultés de la modernisation des pays du Moyen-Orient, en dépit de leurs richesses pétrolières.

Les économies nationales des pays pétroliers reposent entièrement sur cette rente pétrolière, qui représente plus de 50 % du budget de l'État (70 % pour l'Arabie Saoudite). Cette dépendance de la région à l'égard du pétrole a provoqué une grande instabilité macroéconomique. En fait, toute l'économie de l'État rentier arabe – qui repose sur les ventes d'hydrocarbures – ne fonctionne que pour recycler les revenus pétroliers, principalement par l'appareil étatique (déjà entre les mains des familles gouvernantes, constituant des bourgeoisies pétrolières). De plus, l'industrie de l'exploration reste monopolisée par les multinationales comme Exxon Mobil, BP Amoco, Chevron Texaco. Du coup, même le secteur clé de l'économie des États pétroliers reste tributaire d'une technologie échappant au contrôle national.

En dehors du pétrole, les pays pétroliers de la région produisent peu. La majorité de ces pays ont recours à l'importation pour satisfaire tous leurs besoins en produits pharmaceutiques, environ 90 % de leurs besoins en armement, plus de 80 % de leurs besoins alimentaires et autant dans le secteur de la confection (plus de 80 % des marchandises vendues sur place viennent de l'étranger).

Cela étant dit, il paraît clair que les dirigeants de ces pays ont édifié un système extrêmement fragile, dans lequel les dépenses publiques dépendent totalement des cours du baril de pétrole. Et en misant exclusivement sur l'argent du pétrole, les économies de ces pays n'ont jamais pu décoller. Par conséquent, on peut affirmer que les pays pétroliers du Moyen-Orient ne sont guère des pays riches ! Par exemple, le revenu par habitant en Arabie Saoudite a diminué de moitié en vingt ans, et il est aujourd'hui inférieur à celui d'un pays comme la Hongrie. Cette situation est aggravée par le chômage des jeunes Saoudiens. Ces derniers trouvent alors dans le radicalisme islamique une certaine réponse à leur situation socioéconomique.

---

10. Rapport 2009 du PNUD sur le développement humain.

BIBLIOGRAPHIE

BLIN, L. (1996). *Le pétrole du Golfe : guerre et paix au Moyen-Orient*, Paris, Maisonneuve et Larose.

BRZEZINSKI, Z. (1997). *Le grand échiquier : L'Amérique et le reste du monde*, Paris, Bayard.

CHATELUS, M. (2003). « Pétrole : mythe et réalité de l'hégémonie des États-Unis », *Politique étrangère*, vol. 3, nº 4.

CHAUTARD, S. (2007). *Géopolitique et pétrole*, Paris, Studyrama Perspectives.

LACOSTE, Y. (1995). *Dictionnaire de géopolitique*, Paris, Flammarion.

LEGAULT, A. (2007). *Pétrole, gaz et autres énergies – le petit traité*, Paris, TECHNIP.

NOËL, P. (2003). « La stratégie américaine de sécurité et le pétrole du Moyen-Orient », *Publications de l'Institut français des Relations internationales*, octobre.

NOËL, P. (2003). « États-Unis et Moyen-Orient : le pétrole ne fait pas la politique », *Revue Sociétal*, nº 42, 4e trimestre.

AFGHANISTAN
La guerre évidente, la paix introuvable

Pierre-Alain Clément

« *Comme je le répète depuis un moment, l'Afghanistan devient un merdier ingérable. Et nous n'avons aucun intérêt à nous y impliquer encore plus.* » C'est en ces termes peu galants que s'exprimait, en petit comité, le chef d'état-major des armées français, Jean-Louis Georgelin (Angeli, 2009). Nous sommes alors en mars 2008. On pourrait dire qu'il ne faisait que reprendre, avec le franc-parler propre aux militaires de l'armée de terre, la formule de Raymond Aron : « *Les partisans gagnent la guerre s'ils ne la perdent pas, et ceux qui se battent contre les partisans la perdent s'ils ne la gagnent pas.* » La deuxième guerre d'Afghanistan (depuis 2001), par sa longueur et l'impasse dans laquelle elle se trouve est de nature à faire revivre aux Américains les mauvais souvenirs du Vietnam ou de la Somalie. Cependant, le nombre de soldats américains tués, bien plus faible, s'il ne permet pas de prédire une défaite, laisse anticiper une sortie de conflit honteuse et incertaine.

Jusqu'au 11-Septembre, l'Afghanistan n'était pas réellement un problème pour les États-Unis. Certes, ce pays était, et l'est resté, le premier producteur d'opium dans le monde, donc à la source du trafic d'héroïne. En mars 2001, les talibans confirment leur réputation d'intégristes en détruisant les Bouddhas de Bamiyan. Mais l'Afghanistan restait surtout le symbole de la guerre de trop pour l'Union soviétique. Harassée par des guérilleros, les moujahiddines, celle-ci s'engagera dans une guerre longue et coûteuse qui finira d'achever sa machine économique affaiblie par la course à l'armement relancée par le président Reagan et par la politique de Mikhaïl Gorbatchev qui tenta de lancer des réformes économiques sans céder de réformes politiques.

Les enjeux actuels concernant l'Afghanistan sont le produit direct d'une suite d'évènements qui a débuté en 1979 avec l'invasion du pays par l'Union des républiques socialistes soviétiques (URSS). Instrumentalisé dans des conflits internationaux le dépassant (la rivalité États-Unis/URSS et Inde/Pakistan), miné par des conflits internes, l'Afghanistan connaît un état de guerre perpétuelle depuis plus de trente ans.

LE THÉÂTRE ACCIDENTÉ DE RIVALITÉS GÉOPOLITIQUES

Entrée en Afghanistan pour soutenir le gouvernement communiste arrivé un an plus tôt au pouvoir à la suite d'un coup d'État et déjà fortement contesté, l'URSS n'avait aucune intention de laisser une partie de son glacis sud-asiatique tomber dans l'escarcelle des États-Unis. En effet, ceux-ci soutenaient déjà le Pakistan contre l'Inde, chef de file des pays non alignés. L'Afghanistan redevenait l'instrument des grandes puissances, cette fois dans le cadre de la guerre froide. Cependant, la géographie hostile du pays rendit difficiles les multiples tentatives d'en prendre le contrôle depuis l'extérieur.

Pays montagneux et aride, l'Afghanistan reçoit peu de précipitations, qui s'évaporent rapidement. L'eau douce provient surtout de la fonte des neiges au printemps et des rivières et fleuves qui prennent leur source dans le massif de l'Hindou-Kousch, qui barre le pays suivant une diagonale nord-est/sud-ouest. La vie et les récoltes dépendent étroitement de ces précipitations hivernales. Le pays est ainsi soumis à des sécheresses régulièrement (1978-1980, 1998-2001), mais aussi à de brèves inondations lors du dégel. De nombreux tremblements de terre secouent le massif montagneux. Le climat, continental à semi-aride froid, produit une grande amplitude thermique, ce qui rend les hivers rigoureux et humides et les étés chauds et secs. Le relief alterne montagnes escarpées, vallées et hauts plateaux. Il s'ensuit une faible densité de population et une économie agricole de subsistance, pénalisée par l'archaïsme des moyens d'irrigation et l'abandon des projets soviétiques de modernisation (Dupaigne et Rossignol, 2002, p. 28-29). Les steppes au nord sont glacées et les plaines du Sud-Ouest sont désertiques. Ce n'est que dans la région de Jalalabad que l'amplitude thermique est réduite (presque jamais de gel), ce qui permet la culture des fruits ayant besoin d'un climat tempéré, comme les grenades, les melons et les raisins, mais aussi la canne à sucre et le maïs (Dupaigne et Rossignol, 2002, p. 27). Les autres productions sont le blé, base de l'alimentation, et l'élevage de moutons (dont le prisé astrakan) (Dupaigne et Rossignol, 2002, p. 34). En tout et pour tout, le pays n'est composé que de 12% de terres arables (*The World Factbook*). Cependant, la richesse du sous-sol afghan, en matières premières (hydrocarbures, minerai de fer, de cuivre et d'or) et en pierres précieuses et fines (émeraude, lapis-lazuli) (Dupaigne et Rossignol, 2002, p. 35-36), tout comme sa position de carrefour (comme c'était le cas au temps de la route de la soie), offre un potentiel de prospérité certain.

Ces âpres conditions géographiques ne sont certainement pas pour rien dans la rudesse de l'esprit afghan. Le relief rend naturellement tout projet de conquête et de contrôle du territoire particulièrement compliqué. «Peuple turbulent, fier, orgueilleux et susceptible, ombrageux, furieusement jaloux de son honneur et de son indépendance, les Pachtounes [l'ethnie dominante] ont combattu tous les envahisseurs successifs, au nom de leur liberté. Ils se jettent dans la guerre avec volupté, car le propre d'un homme est d'être un guerrier et de défendre l'honneur, l'indépendance et la liberté de sa famille, de son clan, de sa région et de son pays» (Dupaigne et Rossignol, 2002, p. 118). Cette vision romantique est certainement exagérée mais correspond aux descriptions traditionnelles de sociétés insulaires, comme les Corses, ou enclavées, ce qui est le cas des Afghans. D'une manière générale, les conquêtes, surtout à l'heure de l'État-nation, c'est-à-dire à une époque où la pratique impériale de l'extension territoriale est délégitimée, se heurtent à des résistances nationales particulièrement vigoureuses. En tout état de cause, les Afghans ont réussi à repousser leurs conquérants depuis la naissance de l'État-nation afghan, en 1747. Par trois fois, ils ont réussi à contenir les tentatives des Britanniques (1841-1842, 1879-1881 et 1919) de prendre contrôle du pays. Ceux-ci voulaient l'utiliser comme tampon contre la Russie dans le cadre du Grand Jeu, nom donné aux manœuvres anglaises et russes dans leur rivalité coloniale en Asie au XIXe siècle. Si les Afghans ont maintenu constamment leur volonté d'indépendance, au prix de nombreuses pertes face à des armées plus avancées technologiquement, ils sont restés dépendants de jeux géopolitiques qui les dépassaient. En effet, malgré des succès stratégiques certains, il a fallu attendre la troisième guerre pour que l'Afghanistan, indépendant en termes de politique interne, acquière une pleine souveraineté pour sa politique étrangère. Les Britanniques réaffirment la ligne Durand, frontière artificielle qui coupe les populations pachtounes entre l'Afghanistan et le Pakistan. Comme la plupart des frontières issues de la colonisation, celle-ci sera à l'origine de multiples complications pour le pays : difficultés pour Kaboul et Islamabad d'asseoir leur légitimité et d'insister sur l'inviolabilité des frontières vis-à-vis des Pachtounes, qui n'ont pas totalement abandonné l'idée d'être réunis, dans l'un des deux pays, voire d'obtenir le leur propre.

Quelles qu'en soient les raisons, la fierté est un repère majeur pour les Afghans. Preuve en est l'importance du code coutumier, le *pachtounwali*. Il se distingue des deux autres sources du droit en Afghanistan que sont, par ordre d'importance, le *fiqh* (droit musulman) de l'école hanafite[1] et le droit romano-germanique, importé par les puissances extérieures (URSS puis États-Unis depuis 2001). Le *pachtounwali* représente un système de justice privée, ce qui est le propre de ce qu'on appelle abusivement les « sociétés primitives » (Girard, 1972), par opposition aux deux autres sources du droit afghan. Ce code exige « l'honneur, l'hospitalité, la vengeance et la vendetta en cas d'offense » (Dupaigne et Rossignol, 2002, p. 116). Il est censé représenter une source de droit auxiliaire face aux deux autres sources, qui sont écrites et officielles. Il ne contredit d'ailleurs que marginalement le *fiqh*. Pourtant, son utilisation, au plan local, est préférée au *fiqh* ou au droit civil. Il permet notamment de régler les « rapports entre tribus, les mécanismes de prise de décision, et le règlement des conflits de toute nature (propriété et exploitation de la terre, crimes et délits, etc.) » (Dupaigne et Rossignol, 2002, p. 182). La famille victime d'un crime de sang est ainsi autorisée à demander réparation. Celle-ci peut prendre une forme pécuniaire. C'est en ce sens que Franck Ribere, spécialiste des questions de défense, propose que la coalition menée par les États-Unis s'attache à tenir compte des « dommages collatéraux » dans ces actions et qu'elle envisage de racheter littéralement ces fautes. Il poursuit en affirmant qu'en Afghanistan, « si vous vous rapprochez de votre ennemi dans le but de sauvegarder l'honneur de votre clan, personne

---

1. Comme le reste de l'Asie centrale, le Pakistan et le Proche-Orient (Turquie, Syrie, Jordanie, Égypte). L'école hanafite est réputée comme la plus « libérale » des quatre écoles du sunnisme.

ne vous considérera comme un traître, mais plutôt comme un homme habile » (Ribere, 2010, p. 62). L'intérêt est bien sûr de permettre à la coalition de retirer ses troupes et de s'assurer de la stabilité du pays en mettant en place des mécanismes de clientélismes. Si cette stratégie, qui est déjà pratiquée à petite échelle, pourrait se révéler utile à court terme, elle permet surtout de mettre le doigt sur le fait que pour les Afghans, la coalition n'a presque rien à offrir aux Afghans.

De la sorte, la Force internationale d'assistance, qui est censée gagner les « cœurs et les esprits » par les bienfaits naturels de la démocratie et du développement, a bien du mal à convaincre du bien-fondé de sa présence sur place. Il est assez clair que le scénario de l'invasion d'un peuple pour son bien est toujours difficile à prendre au sérieux. Dans l'histoire, cet argument a servi de prétexte à de multiples invasions à but peu philanthropique. En outre, apporter son modèle politique et économique à un pays dont on n'est proche ni culturellement, ni politiquement, ni économiquement relève au mieux de l'ingénuité, au pire de la vanité. De ces deux points de vue, l'intervention de 2001 avait le mérite de l'honnêteté : il s'agissait d'exercer des représailles contre le régime abritant le commanditaire d'un attentat considéré comme un acte d'agression. Et la mission initiale a parfaitement réussi : la coalition a renversé le régime des talibans en moins de temps qu'il n'en a fallu à la coalition de 1991 pour venir à bout de Saddam Hussein. Mais rien n'était prévu pour la suite, ce qui a conduit au bourbier actuel.

C'est ainsi que pour la population afghane[2] :

– les « institutions démocratiques » sont des institutions de prédation et d'irresponsabilité. Elles sont au mieux incompétentes, au pire corrompues. Le gouvernement mené par le président Karzaï a vu son contrôle sur le pays se circonscrire peu à peu à l'agglomération de Kaboul. Sa réputation de corrompu le devance, et dans les zones rurales, l'absence de soutien de la part du gouvernement est perçu comme un mépris de la part des gouvernants. La principale interaction avec l'élite correspond à des rapports de demandes de pots-de-vin. Le rapport avec les membres de la coalition sont eux aussi très ambigus : la population en attend beaucoup, mais s'en méfie tout autant. Ainsi, les deux tiers des individus interrogés par l'ICOS dans les provinces d'Helmand et de Kandahar déclarent que les forces étrangères ne respectent pas leur religion. Parallèlement, les procédures de réparation pour les dégâts causés par les combats sont longs et complexes, alors que beaucoup d'Afghans ne savent ni lire ni écrire. Enfin, la centralisation du nouveau régime accroît ce sentiment de négligence de la part du pouvoir envers sa population. La population se sent instrumentalisé par les protagonistes de la guerre (la FIAS [Force internationale d'assistance à la sécurité], le gouvernement

---

2. Les commentaires qui suivent s'appuient sur les difficultés mentionnées dans le rapport de l'International Council on Security and Development : *Afghanistan Transition: Dangers of a Summer Drawdown*, ICOS reports, février 2011, p. 20-25 (<http://www.icosgroup.net/modules/reports/afghanistan_dangers_drawdown>).

régulier, les talibans) : son allégeance est exigée par tous, mais ses attentes et souffrances sont ignorées. La guerre cause des fractures, y compris dans des communautés jusque-là unies, alors que la société afghane, en tant que société « tribale », fonctionne par cercles concentriques d'allégeance.

– la « prospérité économique » représente une régression d'une économie déjà précaire. L'aide internationale attend parfois des années avant d'atteindre sa destination. La principale préoccupation concerne les stocks de blé, aliment indispensable en Afghanistan. Les perspectives pour 2011 sont plus inquiétantes, l'ensemble du pays étant désormais menacé de famine. Il existe 400 000 déplacés en Afghanistan, qui s'ajoutent aux cinq millions de réfugiés afghans qui ont rejoint leur pays depuis 2002[3]. Malgré les efforts du Haut Commissariat pour les réfugiés et de ses partenaires locaux (ONG et divers ministères afghans), la dégradation de la situation sécuritaire depuis 2006 empêche l'ONU d'accéder à la moitié du territoire et à la majorité des déplacés. Le manque d'infrastructures et de planifications rend l'aide aux déplacés extrêmement difficile. La très faible création d'emploi et l'absence de services de base dans tous le pays empêchent ceux qui sont relocalisés de se réinstaller véritablement. L'ICOS rapporte que les autorités afghanes, lorsqu'elles sont informées de la présence de déplacés dans leur secteur, envoient la police pour les évacuer dans un autre secteur. En ce qui concerne leur réinstallation, elles réclament des pots-de-vin.

MOUJAHIDDINES CONTRE TALIBANS

Il est courant d'entendre que les États-Unis se retrouvent dans la position de l'arroseur arrosé en Afghanistan. Après avoir financé des guérilleros islamistes contre l'URSS, ceux-ci se retournent contre la main qui les nourrissait. En réalité, les combattants islamistes d'Afghanistan sont divisés en deux camps principaux : les moujahiddines et les talibans.

Dans les années 1980, des mouvements jihadistes ont été encouragés et financés par les États-Unis et l'Inter-Service Intelligence, les services secrets pakistanais, quoique avec une certaine déperdition entre Washington et les montagnes afghanes. Ces mouvements ont été jugés adéquats pour contrer l'URSS car ils représentaient l'expression d'une institution sociale qui avait été particulièrement persécutée par le régime communiste mais qui avait su résister. La résilience de la religion a été le secret de sa résurgence lors de la chute du bloc de l'Est, et ce phénomène a touché également le christianisme en Europe de l'Est. Ces militants de l'extérieur ont rejoint les rangs des moujahiddines « locaux », comme le commandant Massoud, tadjik lié

---

3. « Afghanistan », dans *Appel global 2011 - Actualisation,* Haut Commissariat des Nations unies pour les réfugiés, décembre 2010 (<http://www.unhcr.fr/ga11/index.html#/asia/pacific>).

au Parti de la renaissance islamique du Tadjikistan (orientation islamique nationaliste plus « libérale ») et Gulbuddin Hekmatyar, pachtoune lié au Pakistan et représentant de la branche radicale des moujahiddines (il sera plus tard allié aux talibans).

Pourtant, l'Asie centrale n'était pas prédestinée à abriter les jihadistes les plus radicaux. Le soufisme, branche mystique et considérée comme tolérante, est né en Asie centrale (Rashid, 2003, p. 10). Les jihadistes qui ont rejoint les moujahiddines ont donc importé, à travers la lutte contre l'Union soviétique, les idées déobandies et leurs adeptes en provenance du Pakistan (les talibans) et les idées wahhabites et leurs adeptes en provenance d'Arabie Saoudite (Oussama Ben Laden, Abdallah Azzam qui restait à Peshawar) (Rashid, 2003, p. 44-45). Une fois la chute de leur ennemi commun consommée, les divisions vont se creuser entre moujahiddines et talibans, pour mener à la division, en 1996, entre les talibans qui prennent le pouvoir (rejoint par les moujahiddines les plus radicaux, comme Gulbuddin Hekmatyar) et les mou-jahiddines qui formaient le Front uni islamique, aussi appelé Alliance du Nord (com-posée de nationalistes islamiques comme Ahmad Shah Massoud, Hamid Karzaï et d'anciens communistes, comme Rachid Dostom). Le Front sera dissous en octobre 2001.

En septembre 2001, les noms d'Al-Qaïda et d'Oussama Ben Laden émergent immédiatement comme commanditaire des attaques. Il a pris refuge, après son exil soudanais, auprès des talibans, dont le régime est au demeurant fort peu fréquen-table. Puisque des représailles sont attendues par tous, c'est donc l'Afghanistan qui subira le courroux des États-Unis. Pourtant, en Afghanistan, ces motivations ne sont pas nécessairement identifiées. L'ICOS affirme que seulement 8 % des sondés dans les provinces d'Helmand et de Kandahar connaissaient l'évènement appelé « le 11-Septembre ». En revanche, 40 % d'entre eux estimaient que la FIAS était en Afghanistan pour occuper et détruire leur pays ou détruire leur religion[4]. Dans ces conditions, nul doute que la lutte contre les talibans et le processus de reconstruction soient considérablement entravées.

Rapidement relégué au second plan après l'invasion de l'Iraq en 2003, le conflit en Afghanistan a bénéficié de bien moins de moyens. Les talibans, renversés en quelques semaines fin 2001, ont eu la possibilité de reconstituer leurs forces, notam-ment en établissant des bases arrières situées dans les Régions tribales fédéralement administrées et le Khyber Pakhtunkhwa (anciennement la Province de la Frontière-du-Nord-Ouest). Entre 2003 et 2005, les talibans passent à l'offensive. Depuis, les parties du pays qu'ils contrôlent ou dans lesquelles ils mènent des activités se sont étendues. Cette situation est en partie due à un choix stratégique des États-Unis. Car c'était en effet l'Irak qui représentait le pays clé aux yeux des néoconservateurs

---

4. Enquête menée en octobre 2010 par l'ICOS. *Cf. Afghanistan Transition: Dangers of a Summer Drawdown, op. cit.*, p. 21-22.

au pouvoir à Washington. Comme l'affirme Donald Rumsfeld l'après-midi même du 11 septembre 2001 : l'invasion de l'Irak devra initier un basculement successif de tous les pays du Moyen-Orient dans la démocratie[5].

Entre la mi-2010 et début 2011, les États-Unis ont procédé à un sursaut (*surge*), stratégie qui a précédé une amélioration sensible de la situation en Irak lorsqu'elle a été mise en place en 2007. Au-delà du lien encore contesté de causalité entre le sursaut et la baisse de la violence dans ce pays, les données de l'Iraq semblent paradoxalement plus favorables que celles de l'Afghanistan. Paradoxalement, l'issue de la « guerre de choix » permet d'être plus optimiste que l'issue de la « guerre de nécessité ». En effet, l'Iraq bénéficiait à la fin de la décennie d'un Premier ministre, Nouri Al-Maliki, chiite mais qui a su mener une politique échappant à la défense exclusive de sa communauté. Si l'État central répond mal aux exigences de la population, sa richesse pétrolière permet des rentrées de devises faciles et immédiates et en laisse espérer de bien plus importantes lorsque le potentiel d'exportation sera pleinement réalisé. De plus, le sentiment national irakien est particulièrement fort. Saddam Hussein a créé des institutions étatiques fortes ; la guerre Iran-Iraq et l'embargo américain des années 1990 ont unifié la population autour de leur chef. Ainsi, à l'heure actuelle, les chiites iraquiens ne peuvent être considérés comme de simples relais de l'Iran. Enfin, entre 2006 et 2008, les chefs des tribus sunnites iraquiennes se sont fédérées en Conseils de l'éveil. Ce mouvement a porté un coup décisif à Al-Qaïda en Mésopotamie et a marqué l'arrivée massive des sunnites sur la scène politique légale (Clement, Karagueuzian et Tourreille, 2009).

Par opposition, l'Afghanistan présente des caractéristiques bien moins favorables pour les États-Unis et leurs alliés. Le sentiment national afghan dépasse difficilement les allégeances ethno-religieuses. Les talibans pachtounes (afghans et pakistanais) et leur alliés (comme les ouzbeks du Mouvement islamique d'Ouzbékistan) dominent depuis 1996 la scène politique. Contrairement à l'Iraq, les jihadistes en Afghanistan ne sont pas des combattants étrangers venant se greffer à une guerre civile. Les meneurs du Front uni, rassemblant d'autres communautés (les Tadjiks partisans du commandant Massoud, les Ouzbeks partisans de Rachid Dostom et d'autres groupes hazaras et pachtounes), sont officiellement au pouvoir mais ne parviennent pas à insuffler un réel projet national face aux talibans et à leur alliés qui envisagent un projet internationaliste, rejetant des frontières divisant artificiellement les ethnies et les musulmans. Ils s'appuient sur le soutien de la FIAS contre les talibans, et craignent de se retrouver en position de faiblesse une fois les troupes étrangères parties. Mais cette alliance avec des forces avant tout considérées comme des occupants affaiblit leur crédibilité, de même que leur capacité à relancer la création d'emploi et de

---

5. The 9/11 Commission Report, *op. cit.*, p. 335.

richesses. Enfin, les jihadistes en Iraq ne peuvent pas réellement trouver de sanctuaire pour y installer leurs bases arrières dans les pays limitrophes. Par opposition, le Pakistan constitue pour les talibans une zone de repli naturelle et facilement défendable.

La situation actuelle de l'Afghanistan est critique, le gouvernement apparaissant comme plus faible et délégitimé chaque jour, tandis que les talibans, représentant une force profonde de la société, gagnent en crédibilité. La stratégie américaine a trop tardé à s'occuper de la construction d'institutions solides (formation de l'armée et de la police, minimisation de la corruption des gouvernants, établissement d'un pouvoir judiciaire authentique)[6] et d'une économie productive (la question de la production d'opium fut écartée dès le début, ce qui n'a fait que repousser le problème) (Mansfield, 2001). Les solutions envisagées sont extrêmement modestes. La frilosité de la population américaine pour les interventions impliquant guérilla et changement de régimes est une tendance historique (Tierney, 2006). Cette contrainte interne pousse le gouvernement à prévoir un retrait des troupes dans un délai relativement court (entre juillet 2011 et 2014). Cette politique est susceptible de réduire la violence avant l'échéance, comme ce fut le cas en Iraq, mais la stabilité du régime passé cette date est fragile. Le principal obstacle à la résolution du conflit réside dans l'attitude du Pakistan. Une part importante de sa politique depuis plusieurs décennies s'explique par son conflit avec l'Inde. Celle-ci étant proche de l'Union soviétique depuis les années 1970, Islamabad a longtemps cherché une alliance avec la Chine, et a encouragé, formé et financé la quasi-totalité des mouvements jihadistes de la région pour déstabiliser l'Inde (au Cachemire) et les pays d'Asie centrale (satellites de l'URSS puis de la Russie) (Rashid, 2003, p. 212-218). Au lendemain du 11-Septembre, le Pakistan a été sommé de s'aligner sur les États-Unis et leur «guerre contre le terrorisme», mais il reste confronté à ces mouvements jihadistes qui représentent des forces avec lesquelles il devra compter et négocier longtemps après que les derniers soldats américains auront quitté la région. Les relations entre les dirigeants pakistanais, en particulier les militaires et l'Inter-Services Intelligence, et les mouvements jihadistes, forment un mélange d'instrumentalisation cynique et de canalisation à bout de bras de forces difficilement contrôlables. À la fois victime et bourreau, le Pakistan représente aujourd'hui l'acteur clé d'une future stabilisation de l'Asie centrale et du Sud-Ouest et le terrain privilégié de l'expression jihadiste dans le monde.

---

6. Pour plus de détails, voir «Afghanistan: Exit vs Engagement», International Crisis Group Asia Briefing n° 115, 28 novembre 2011 (<http://www.crisisgroup.org/en/regions/asia/south-asia/afghanistan/B115-afghanistan-exit-vs-engagement.aspx>).

BIBLIOGRAPHIE

ANGELI, C. (2009). « La guerre dit enfin son nom », Le Canard enchaîné, 5 août.

CLÉMENT, P.-A., C. KARAGUEUZIAN et J. TOURREILLE (2009). « Les élections provinciales de 2009 : vers un renforcement de la démocratie en Iraq ? », Analyse stratégique Raoul-Dandurand, <http://www.dandurand.uqam.ca/uploads/files/publications/rflexions/elections_provinciales_irakiennes_.pdf>.

DUPAIGNE, B. et G. ROSSIGNOL (2002). Le Carrefour afghan, Paris, Gallimard, coll. « Folio ».

GIRARD, R. (1972) « Le sacrifice », La Violence et le Sacré, Paris, Grasset.

MANSFIELD, D. (2001) « The economic superiority of illicit drug production : Myth and reality – Opium poppy cultivation in Afghanistan », <http://www.davidmansfield.org/field_work.php>.

RASHID, A. (2003). Jihad: The Rise of Militant Islam in Central Asia, New York, Penguin.

RIBERE, F. (2010) « Afghanistan : la dette ». Defense et Sécurité internationale, n° 61. « Afghanistan », dans Appel global 2011 - Actualisation, Haut Commissariat des Nations unies pour les réfugiés, décembre 2010, <http://www.unhcr.fr/ga11/index.html#/asia/pacific>.

THE WORLD FACTBOOK, « Afghanistan », CIA, mise à jour du 11 février 2011.

TIERNEY, D. (2006) « Quagmire : Why the United States "Loses" against insurgencies ». Texte présenté à la conférence annuelle de l'International Studies Association, <http://www.allacademic.com/meta/p_mla_apa_research_citation/1/0/0/0/4/p100042_index.html>.

LES PROGRÈS ACCOMPLIS EN IRAK DEPUIS 2007 SONT-ILS DURABLES?

Julien Tourreille

À la une des médias de manière quasi quotidienne pendant des années, enjeu majeur de la campagne pour l'élection présidentielle aux États-Unis en 2008, l'Irak a très largement disparu du radar médiatique et de l'agenda politique américain depuis 2009. Deux facteurs expliquent ce désintérêt. D'une part, des sujets tels que la situation en Afghanistan, la réforme du système de santé américain ou plus récemment les soulèvements populaires dans les pays d'Afrique du Nord et du Moyen-Orient ont monopolisé l'attention. D'autre part, la sécurité, entendue essentiellement comme la diminution spectaculaire du nombre de soldats américains tués, s'est très nettement améliorée. Or, l'Irak demeure un volcan pouvant entrer en éruption à n'importe quel moment et le principal élément de stabilité, la présence de milliers de soldats américains, arrive à échéance le 31 décembre 2011. Les décisions qui seront prises à Washington et à Bagdad font ainsi de 2011 une année cruciale pour l'avenir de l'Irak, de même que pour la politique étrangère des États-Unis.

DES PROGRÈS LABORIEUX MAIS INDÉNIABLES

Les États-Unis et leurs alliés, principalement le Royaume-Uni, ont renversé le régime de Saddam Hussein en l'espace de quelques semaines en mars-avril 2003. Malgré ce succès initial, les forces de la coalition n'ont pas été en mesure d'assurer la stabilité de l'Irak. Elles se sont rapidement retrouvées confrontées à un mouvement insurrectionnel de grande ampleur, particulièrement meurtrier, et précipitant le pays au bord de la guerre civile. Les années 2004 à 2006 furent ainsi particulièrement sombres au point où l'intervention américaine en Irak fut largement comparée au bourbier vietnamien des années 1960-1970 (David, Prémont et Tourreille, 2008).

Or, depuis 2007, la sécurité en Irak a connu une amélioration notable. Ainsi, en 2010, le niveau de violence dans le pays avait diminué de 90% par rapport à 2006. Les attentats spectaculaires perpétrés par la branche d'Al-Qaïda en Irak n'ont certes pas complètement disparu, mais ils sont devenus plus sporadiques. Les tensions entre les différents groupes ethniques et religieux existent toujours, mais la spirale de la guerre civile a pour le moment été stoppée (Boot, 2011).

L'amélioration de la situation sécuritaire en Irak depuis le début de l'année 2007 résulte en bonne partie de l'adoption par les États-Unis d'une nouvelle stratégie. Annoncée par le président George W. Bush en janvier 2007, cette stratégie dite du « sursaut » (*The Surge*) consista en la mise en œuvre d'une nouvelle approche de la contre-insurrection par les forces armées américaines. Celles-ci ne se concentraient plus dans de vastes bases isolées à la périphérie des villes et à partir desquelles

elles menaient des attaques ponctuelles contre les insurgés. Elles se sont au contraire déployées en grand nombre dans les villes avec pour mission première de protéger la population, et non plus uniquement de détruire les groupes insurgés. Dans cette perspective, 30 000 soldats américains supplémentaires furent déployés en Irak, principalement à Bagdad, à partir de janvier 2007 (Ricks, 2009).

Figure 13d.1.
Irak – Estimation du nombre de civils tués par année depuis 2003

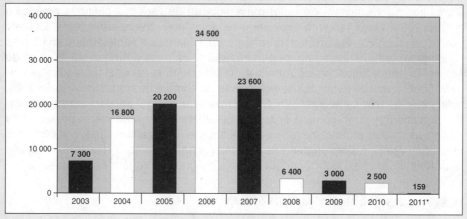

* L'année 2011 ne comprend que les morts du mois de janvier.

Source : Brookings Institution, Saban Center for Middle East Policy, *Irak Index*.

La stratégie du « sursaut » s'est également traduite par une révision des objectifs américains en Irak. En effet, pour les plus ardents partisans de l'intervention en 2003, en particulier les néo-conservateurs, l'instauration d'un régime démocratique après le renversement de Saddam Hussein devait servir de modèle et s'étendre à toute la région du « Grand Moyen-Orient ». À partir de 2007, l'ambition américaine est nettement revue à la baisse. Il ne s'agit plus de créer en Irak une démocratie exemplaire, mais de mettre en place les conditions d'un retrait américain honorable qui ne se traduirait pas par une replongée de l'Irak dans le chaos et la guerre civile.

La possibilité de réaliser cet objectif fut mise à l'épreuve au cours de l'année 2010 de deux façons. Premièrement, les forces américaines ont entamé un processus de retrait qui doit s'achever fin décembre 2011. Alors que le nombre de soldats présents en Irak est passé de 170 000 à environ 50 000 en l'espace de quelques mois, la situation sécuritaire ne s'est pas dégradée. Les progrès accomplis sur ce plan depuis 2007 semblent donc pouvoir s'inscrire dans la durée. Deuxièmement, les chefs politiques irakiens sont laborieusement parvenus à former un gouvernement après les élections législatives de mars 2010. Cette formation fut le résultat d'interminables négociations et de nombreux marchandages. Le parlement irakien n'a en effet approuvé le nouveau gouvernement que le 21 décembre 2010. Malgré les tensions et les animosités parfois vives entre les différentes factions qui le composent, cette période de négociations de neuf mois n'a pas donné lieu à des vagues de violence.

Si des progrès considérables ont été accomplis en Irak depuis 2007, la situation dans le pays reste cependant très précaire et incertaine. Les défis sécuritaires, politiques, économiques demeurent nombreux et les tensions au sein de la société irakienne peuvent encore engendrer une violence à grande échelle.

DES DÉFIS À RELEVER ET DES RISQUES À MAÎTRISER

L'amélioration de la sécurité en Irak depuis 2007 a permis d'importantes avancées politiques. Les risques d'un retour de la violence à grande échelle, que ce soit un coup d'État mené par des militaires, des assassinats de chefs politiques, ou encore une guerre civile restent toutefois élevés. Pour éviter un tel scénario, les Irakiens doivent encore régler des enjeux politiques délicats et relever des défis économiques et sociaux majeurs.

Les négociations conduisant à la formation de l'actuel gouvernement irakien ont été marquées par deux éléments qui constituent des obstacles potentiels au bon fonctionnement de celui-ci et plus largement à la stabilité politique en Irak. Premièrement, le gouvernement qui a été approuvé le 21 décembre 2010 est une coalition de factions antagonistes. Le parti du Premier ministre sortant Nouri Al-Maliki n'a en effet pas remporté les élections législatives de mars 2010. Mais comme les autres partis ont été incapables de trouver un terrain d'entente pour former un gouvernement, notamment le parti *Iraqyia* de Ilayd Alloui qui avait remporté le plus de sièges lors de l'élection, Maliki a réintégré ses fonctions. C'est ainsi qu'il se trouve à la tête d'un gouvernement de coalition auquel participent des partis dont l'objectif premier est de limiter son pouvoir, de faire contrepoids à son influence. Une nouvelle institution, le Conseil national pour les politiques stratégiques, a été créée dans cette perspective. Le périmètre d'action et les prérogatives de cette institution sont flous, mais elle devrait essentiellement encadrer le pouvoir décisionnel du Premier ministre (Hiltermann, 2010).

Deuxièmement, le leader chiite Moqtada Al-Sadr a vu son influence s'accroître au cours de l'année 2010. Son mouvement n'a remporté que 40 des 325 sièges en jeu lors des élections législatives, mais après trois ans de retrait en Iran, il est rentré en Irak en octobre 2010. Probablement sous la pression de ses alliés iraniens, il a alors appuyé les efforts de Nouri Al-Maliki pour l'obtention d'un second mandat à la tête du gouvernement irakien. Ce geste a permis à Maliki de nouer des accords avec d'autres formations politiques, en particulier celles représentant les Kurdes, et a consacré Moqatada Al-Sadr comme acteur incontournable dans le jeu politique irakien (Bazzi, 2011).

À la tête d'une milice dont la popularité et la crédibilité reposaient essentiellement sur son héritage familial (son père avait été victime de la répression des Chiites sous le régime de Saddam Hussein), longtemps considéré avec condescendance par les plus anciens chefs religieux chiites irakiens qui mettaient en avant sa faible autorité religieuse, Sadr s'est donc progressivement imposé comme une figure majeure du jeu politique irakien. Cette situation représente une menace sérieuse à la stabilité politique irakienne pour trois raisons essentielles. Tout d'abord, la milice de Moqtada Al-Sadr, l'Armée du Mehdi, fut responsable de nombreuses exactions contre les Sunnites au cours de la période 2004–2006. Organisés en véritables escadrons de la mort, ces miliciens ont mené des opérations de nettoyage ethnique dans les quartiers mixtes chiites-sunnites de Bagdad. Or, lors de son retour en Irak, le mandat d'arrêt, qui avait été lancé par les autorités irakiennes contre Sadr à cause des exactions mentionnées précédemment, a été abandonné. Si les États-Unis ne se sont pas opposés à ce geste (ni même au retour de Sadr), il apparaît cependant que cette décision a considérablement affecté la confiance de la population irakienne envers les autorités gouvernementales (Pollack, 2011). Ensuite, Moqtada Al-Sadr et ses partisans sont férocement anti-américains. Sadr a menacé de retirer son appui au nouveau gouvernement de Maliki si celui-ci demandait aux États-Unis de prolonger leur présence militaire. C'est pourquoi Maliki a signifié lors de la première conférence de presse de son second mandat qu'il ne jugeait pas nécessaire la présence de soldats américains en Irak après décembre 2011. Enfin, l'implantation locale et la popularité du mouvement de Sadr est un facteur non négligeable d'instabilité à plus ou moins long terme. Reproduisant en ce sens la stratégie du Hezbollah libanais (mouvement également appuyé par l'Iran), le mouvement de Sadr investit un territoire défini (le sud de l'Irak à majorité chiite) et se constitue en alternative crédible au pouvoir central de Bagdad aux yeux d'une population à laquelle il fournit des biens publics tels que la santé, l'éducation ou la sécurité.

La montée en puissance du mouvement de Moqtada Sadr n'est pas le seul défi de nature politique auquel est confronté le gouvernement irakien. Si les tensions religieuses entre Chiites et Sunnites se sont quelque peu apaisées depuis 2006, les divergences ethniques entre Arabes et Kurdes ne sont toujours pas réglées. En la matière, deux questions sont particulièrement sensibles. D'une part, la délimitation de la province kurde dans le nord de l'Irak est toujours sujette à divergences, en particulier autour des régions pétrolifères de Kirkuk et de Mossoul. D'autre part, Kurdes et Arabes ne s'accordent toujours pas sur la nature fédérale ou centralisée qui devrait présider à l'organisation du système politique du nouvel Irak.

L'économie constitue également une question délicate pour le gouvernement irakien. Au cours de son premier mandat, Nouri Al-Maliki a acquis une popularité certaine du fait de l'amélioration de la situation sécuritaire. Maintenant que le pays apparaît plus stable, la population irakienne attend du gouvernement qu'il fournisse les biens publics essentiels (en particulier l'eau et l'électricité dont l'approvisionnement à Bagdad même est encore largement déficient), qu'il relance l'économie et crée des emplois, qu'il lutte contre la corruption, le népotisme et le clientélisme. En la matière, les défis sont colossaux et les perspectives de réussite sont loin d'être évidentes.

En termes de PIB par habitant, l'Irak se place en effet au 158e rang mondial. Les infrastructures sont délabrées et l'ensemble des secteurs d'activité (agricole, industriel, services) sont dévastés (Ricks, 2010). La situation dans le secteur pétrolier est symptomatique. Le sous-sol irakien renferme des réserves prouvées de pétrole parmi les plus importantes au monde. Or, des décennies de mauvaise gestion, le manque d'investissements et les dégâts provoqués par les guerres ont profondément délabré l'infrastructure nécessaire à l'exploitation de cette ressource. Le port de Bassora, unique débouché maritime pour l'exportation, ne dispose pas des équipements nécessaires pour manœuvrer les pétroliers par forte houle. Les pipelines ne transportent plus qu'une fraction de leur capacité originelle. Les installations de forage ne sont pas en mesure de collecter le gaz naturel dont d'immenses quantités sont perdues et simplement brûlées. Dans ces conditions, la production pétrolière irakienne ne dépasse toujours pas les 2,5 millions de barils par jour, soit le niveau d'avant l'intervention américaine de 2003 (McArdle, 2011).

Plus largement, l'économie irakienne est dans son ensemble inefficace (McArdle, 2011). Par exemple, l'enregistrement d'une nouvelle société prend en moyenne 77 jours et coûte plus de 2 millions de dinars, soit environ 2 000 dollars, l'équivalent de plus d'une année de salaire. À titre de comparaison, ce processus prend 6 jours et coûte 675 dollars aux États-Unis. En termes d'emplois, l'économie irakienne devrait au moins en créer 250 000 par an afin d'absorber la seule arrivée de jeunes sur le marché du travail; ce qu'elle ne parvient pas à faire. Le taux de chômage est estimé à un peu plus de 15 %, mais il est probablement plus proche de 40 % (Ricks, 2010).

Alors même que la vague de contestation des régimes en place qui secoue le Moyen-Orient depuis le début de l'année 2011 se fait sentir jusqu'à Bagdad, l'État irakien ne semble pas en mesure de relever ces défis et de répondre aux attentes économiques et sociales de la population. D'une part, le gouvernement de coalition en place depuis décembre 2010 inclut des opposants et ennemis. Le risque est donc grand que l'action gouvernementale soit inefficace et paralysée du fait d'incessantes querelles entre factions. D'autre part, l'État irakien est frappé depuis 2009 par une sévère crise budgétaire. En manque de rentrées fiscales, le gouvernement a dû geler une grande partie des investissements dans les infrastructures pourtant indispensables à la relance de l'économie. Il éprouve même des difficultés à financer les forces de sécurité, tant le salaire des soldats et policiers que l'achat d'équipements (Cordesman, 2010).

Au-delà de la sécurité, le gouvernement irakien verra sa légitimité et son appui populaire déterminés par sa capacité à fournir les biens publics de base à la population et à créer de l'emploi. Or, pour remplir ces deux objectifs, il ne pourra pas compter sur une aide américaine illimitée. Le déficit budgétaire américain ne plaide pas en faveur d'une telle aide, mais surtout, après des années d'implication et les coûts humains et financiers de l'intervention, le climat politique aux États-Unis n'est pas à l'augmentation des dépenses en Irak.

QUELLE RELATION ENTRE LES ÉTATS-UNIS ET L'IRAK APRÈS 2011 ?

Conformément à l'accord sur la présence des troupes américaines en Irak signé entre le gouvernement irakien et l'administration Bush en 2008 et dans la lignée d'une des promesses phares de Barack Obama lors de la campagne pour l'élection présidentielle de 2008, l'intervention militaire américaine en Irak devrait s'achever fin décembre 2011. Une étape importante dans ce processus a été franchie fin août 2010 avec le départ des forces de combat. Or, fin de l'intervention ne signifie pas fin de la présence militaire américaine. Au-delà du 31 décembre 2011, des milliers de soldats américains devraient encore être présents en Irak et ce pays devrait rester un enjeu majeur de la politique étrangère des États-Unis.

Figure 13d.2.
Irak – Nombre de soldats américains tués

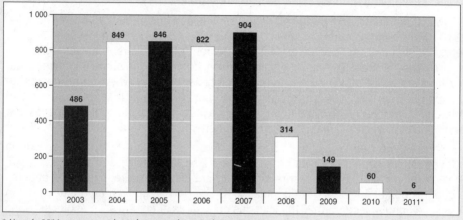

* L'année 2011 ne comprend que les morts du mois de janvier.
Source : Brookings Institution, Saban Center for Middle East Policy, *Irak Index.*

Le contexte politique interne tant en Irak qu'aux États-Unis ne facilite pas le maintien d'une présence militaire américaine conséquente au-delà de 2011. Il n'en demeure pas moins que les décideurs politiques et militaires à Bagdad autant qu'à Washington sont conscients que cette présence constitue encore la meilleure garantie de stabilité pour l'Irak. Dans cette perspective, il est probable que les États-Unis maintiennent environ 30 000 soldats en territoire irakien au-delà du 31 décembre 2011[1]. Ce nombre est en effet considéré par les planificateurs

---

1. Il convient cependant de souligner que, début 2011 au moment d'écrire ces lignes, les autorités irakiennes n'avaient pas encore entamé de négociations formelles pour renouveler ou prolonger l'accord de novembre 2008 régissant la présence des troupes américaines en Irak. Si de telles négociations devaient ne pas aboutir, les États-Unis n'auraient pas d'autre choix que de retirer l'ensemble de leurs soldats, ouvrant ainsi une période d'incertitude, avec tous les risques de dérives et de violence que cela peut susciter.

militaires américains comme le minimum requis pour pouvoir accomplir les quatre types de missions que ces soldats devraient se voir confier (Ricks, 2010; Dubik, 2011):

- Former, entraîner et superviser les forces de sécurité irakiennes.
- Maintenir la paix dans les régions les plus instables d'Irak.
- Protéger le territoire irakien contre des interventions extérieures.
- Lutter contre le terrorisme.

Si les militaires américains devraient être encore nombreux en Irak après 2011, ce n'est institutionnellement plus le département de la Défense qui sera le maître d'œuvre de la relation entre les États-Unis et l'Irak, mais le département d'État. Pour mener à bien cette délicate mission, le département d'État disposera d'une présence conséquente sur le terrain. En plus de l'ambassade à Bagdad, deux consulats (un à Irbil et un à Bassora) et deux antennes régionales de l'ambassade (une à Kirkuk et une à Mossoul) seront établis. Il bénéficiera également d'un budget conséquent, estimé à environ 6 milliards de dollars par an sur la période 2012-2017, dont 3 milliards seront consacrés à une aide militaire destinée à former et équiper les forces irakiennes (Cordesman, 2010).

L'importance de l'Irak comme enjeu de la politique étrangère des États-Unis ne se limite cependant pas à la seule présence militaire, ni à une question de maîtrise d'ouvrage bureaucratique de cette présence. Or, les objectifs stratégiques américains eu égard à l'Irak au-delà de 2011 demeurent flous et n'ont pas encore été clairement articulés par l'administration Obama. Les chercheurs de la *Brookings Institution*, centre de recherche réputé proche des Démocrates, en identifient toutefois trois:

1. Les États-Unis doivent éviter que l'Irak replonge dans la guerre civile.
2. L'Irak ne doit pas redevenir un pays menaçant pour ses voisins et créant une instabilité régionale.
3. L'Irak devrait idéalement devenir un allié prospère et solide des États-Unis dans cette région d'une importance stratégique considérable (Pollack, 2010).

La réalisation de ces objectifs implique un dialogue politique et diplomatique subtil et crucial entre Washington et Bagdad dans les mois qui viennent. En effet, l'intervention américaine en Irak en mars 2003 a suscité la controverse. L'occupation après le renversement de Saddam Hussein fut caractérisée par nombre d'erreurs et d'errements jusqu'à la mise en place de la stratégie du «sursaut» en janvier 2007. Si cette dernière stratégie a incontestablement contribué à améliorer la sécurité, l'enjeu pour les États-Unis est aujourd'hui d'élaborer un partenariat avec les autorités irakiennes afin que la diminution de la présence militaire américaine ne se traduise pas par un retour du chaos et de la guerre civile. Si les États-Unis devaient échouer dans l'élaboration de cette nouvelle relation, ils auraient alors perdu toute chance de gagner la guerre d'Irak et l'aventure lancée en 2003 deviendrait un échec majeur dont le sacrifice humain et financier aura été fait en pure perte.

*****

Alors que l'après-Saddam Hussein avait été totalement négligé par les plus ardents partisans de l'intervention américaine de 2003 au sein de l'administration Bush, les États-Unis ne se sont donné les moyens de stabiliser l'Irak qu'en 2007 avec l'adoption de la stratégie du «sursaut». Depuis, le niveau de violence en Irak a diminué, des avancées politiques notables, comme la constitution d'un nouveau gouvernement, ont été faites. Le devenir de la relation des États-Unis avec l'Irak reste encore à définir. Surtout, les Irakiens doivent encore surmonter de nombreux et délicats défis. La situation reste précaire et l'optimisme doit être mesuré. En effet, dans des pays comme l'Irak qui ont connu des niveaux extrêmes de violences intercommunautaires et des guerres civiles, les risques de rechute sont très élevés: dans 50% des cas, les violences à grande échelle ont repris au bout de cinq ans après une première accalmie (Walter, 2004; Mason, 2007). L'avenir de l'Irak reste donc largement incertain et imprévisible.

BIBLIOGRAPHIE

BAZZI, M. (2011). «What Sadr's return means for Iraq», *Cfr.org*, 6 janvier.

BOOT, M. (2011). «We Could Still 'Lose' Iraq», *The Los Angeles Times*, 13 février.

CORDESMAN, A. (2010). «Snatching Defeat: Shape and Fund the Future US Posture in Iraq or Lose the War», *CSIS.org*, 22 novembre.

DAVID, Ch.-Ph., K. PRÉMONT et J. TOURREILLE (2008). *L'erreur: l'échec américain en Irak cinq ans plus tard*, Québec, Éditions du Septentrion.

DUBIK, J. (2011) «The U.S. in Iraq Beyond 2011. A Diminishing but Still Vital Role», *Iraq Report 15*, Institute for the Study of War, février.

HILTERMANN, J. (2010). «Promise, Peril for Iraq's New Governement», *cfr.org*, 27 décembre.

MASON, D. (2007) «Sustaining the Peace after Civil War», *The Strategic Studies Institute, U.S. Army War College*, Carlisle, PA, décembre.

MCARDLE, M (2011). «When Freedom is Bad for Business», *The Atlantic*, mars.

POLLACK, K. (2011). «Baghdad's Bad Juju», *The National Interest*, 28 janvier.

POLLACK, K. *et al.* (2010). «Unfinished business: An american strategy for Iraq moving forward», *Analysis Paper n° 22*, The Brookings Institution, décembre 2010

RICKS, T. (2009). *The Gamble*, New York, The Penguin Press.

RICKS, T. (2010). *The Burden: America's Hard Choices in Post-Election Iraq*, CNAS Policy Brief, février.

WALTER, B. (2004) «Does conflict beget conflict? Explaining recurring civil war», *Journal of Peace Research*, vol. 41, n° 3.

Chapitre

14

L'AFRIQUE
Un continent mal parti[1] ?

Frédéric Lasserre

L'Afrique est le continent oublié. L'Amérique latine nous séduit, le Moyen-Orient ne cesse de faire la manchette des journaux, l'Asie prend son essor économique. Mais l'Afrique semble engluée dans un mal-développement depuis les indépendances des anciennes colonies européennes, dans les années 1960. Des clichés lui demeurent associés : démographie très forte, pauvreté permanente, États artificiels. Peut-on dresser un portrait plus réaliste de l'Afrique ? Quels sont les problèmes de l'organisation de l'espace et du développement en Afrique ?

---

1. René Dumont (1962). *L'Afrique noire est mal partie*, Paris, Seuil.

14.1. Une grande diversité culturelle

En Afrique sont parlées un tiers des langues du monde pour 14 % de sa population.
Les langues occidentales héritées de la colonisation européenne – français, anglais,
portugais, espagnol, afrikaans essentiellement –, souvent devenues langues officielles
des États issus des empires coloniaux, se superposent aux langues plus anciennement
parlées du continent. Celles-ci sont bien sûr de poids inégal, de quelques centaines de
locuteurs à plusieurs millions, comme l'arabe (150 millions) ou le swahili (58 millions).
Certaines sont purement locales, d'autres ont acquis un rôle de *lingua franca*, ou langue
d'échange : arabe, ouolof, dioula, haoussa, peul, amhara, swahili, même si elles n'ont
pas le statut de langue officielle, sauf l'arabe en Afrique du Nord.

La pénétration arabe, à partir du VIIe siècle après J.-C., est à l'origine de la
diffusion de l'islam en Afrique, selon trois itinéraires différents. La première route
correspond à celle suivie par les commerçants arabes le long de la côte orientale de
l'Afrique, dès 700 environ. La deuxième reprend, à partir du Xe siècle environ, les anciennes
routes commerciales transsahariennes, après la conversion des marchands qui les
contrôlaient. Le commerce transsaharien est à l'origine du développement de villes
majeures en dehors de la vallée du Nil (Égypte, Nubie) : Gao, Djenné, Tombouctou, à
partir du VIIe siècle. Enfin, la troisième route correspond aux courants d'échanges entre
Égypte et péninsule arabique par la corne de l'Afrique, qui ont consolidé la présence
de l'islam dans cette région après la chute des royaumes de Nubie, au XIVe siècle.

14.2. Le Sahara et les routes de l'or

Tout comme le sel, l'or constituait une marchandise prisée qui a été à l'origine de la
constitution de ces grandes routes commerciales transsahariennes. Il a fait la fortune
de la Nubie au IIe millénaire avant notre ère, puis la prospérité des Empires sahéliens
ou subsahariens : Ghana, Mali, Songhaï. C'est ce commerce que les Européens ont
voulu capter par la côte précisément nommée « de l'Or », futur Ghana moderne. Cet
or, surtout présent dans les alluvions du sud du Sahara, était au cœur d'un réseau
commercial transsaharien structuré en trois routes principales. Après l'arrivée de l'islam
au VIIIe siècle au nord de l'Afrique, et la prise de contrôle de ces réseaux par des
marchands musulmans, la pérennité des royaumes chrétiens de Nubie, sur le haut Nil,
constituait un obstacle majeur pour la route orientale. Au Moyen Âge et au début de
la Renaissance, les Européens s'étaient habitués à la disponibilité de l'or dans les places
marchandes du Maghreb, destination des routes occidentale et centrale. La chute du
dernier royaume nubien, au XVe siècle, permit à nouveau à la route orientale d'exporter
de grandes quantités d'or directement vers le Moyen-Orient et l'Asie, au détriment
des places marchandes de l'ouest du Maghreb. Cette brusque diminution de l'abondance de l'or maghrébin a stimulé l'intérêt des Européens pour l'origine de cet or et
a donc contribué à l'essor des voyages d'exploration des Portugais, puis des Espagnols
autour de l'Afrique, puis des voyages transatlantiques.

D'autres routes d'échange structuraient le continent : au XVIe siècle, fer, poisson, poteries, manioc transitaient par le Congo et l'Oubangui ; de nombreux foyers économiques maritimes, sur le golfe de Guinée, entretenaient avec leur intérieur des relations commerciales soutenues, échangeant poisson, cola, sel et produits vivriers.

14.3. Des frontières coloniales

L'Afrique a été l'objet d'une vaste entreprise de conquête européenne, essentiellement à partir de 1885, date de la signature du traité de Berlin : les espaces détenus par les puissances coloniales avant cette date, côte algérienne, côte sénégalaise (France), Côte-de-l'Or, Sierra Leone (Grande-Bretagne), comptoirs portugais sur les côtes angolaise et mozambicaine, représentaient des territoires de dimensions modestes. La colonisation de la quasi-totalité du continent, en l'espace d'une génération, a fondé la trame d'une organisation territoriale nouvelle. À ce découpage colonial rapide et hâtif (69 % des frontières ont été délimitées entre 1885 et 1909), on attribue souvent deux répercussions qui seraient la cause des maux actuels de l'Afrique : la division « artificielle » d'entités ethniques et une multiplication d'États trop petits, sans viabilité politique ni économique. Le recours répété à des lignes astronomiques ou rectilignes, notamment dans les régions arides (44 % de la longueur des frontières) et la partition fréquente de groupes linguistiques (187 groupes partagés par des frontières) militent apparemment pour ce cliché des frontières dites artificielles, héritage pesant des colonisateurs.

En réalité, ceux-ci ont rarement procédé aux découpages coloniaux sans raison, et l'exemple extrême des immenses lignes droites sahariennes ne découle que du désir de constituer des unités administratives dans des régions pastorales et nomades où, de toute façon, tout concept de frontière linéaire ne peut qu'être imposé. Si l'origine des frontières a été oubliée, cela ne veut pas dire qu'elle ne s'ancre pas dans des réalités africaines ; ainsi, la frontière entre Niger et Nigeria, coupant le groupe haoussa, sépare l'émirat précolonial de Sokoto d'autres émirats périphériques. *A contrario*, la Somalie, union de l'ensemble des groupes somalis (à l'exception de l'Ogaden éthiopien, objet de la guerre de 1977-1978), constituée après 1945 avec l'union de la Somalie italienne et du Somaliland britannique, a évolué vers un échec politique patent depuis 1991 : rassembler un peuple en un même territoire n'est pas le garant de la survie de cet État. Fondamentalement, le découpage selon des critères ethniques en Afrique se révélerait tout aussi subjectif que celui des colonisateurs, en donnant un illusoire sens absolu à des distinctions fluctuantes et souvent difficiles à cerner. « Si des frontières "posent problème" aujourd'hui, notamment celles qui sont d'origine exogène, c'est moins par ce qu'elles découpent que par ce qu'elles regroupent », explique Michel Foucher (1988). Enfin, les colonisateurs n'avaient pas l'intention de créer de futurs États, mais des unités administratives gérables et dotées de suffisamment de poids économique pour se financer elles-mêmes, autant que faire se pouvait. Lors des indépendances, rien n'a empêché la fusion d'ex-colonies en des États plus vastes, ce qui

aurait permis de gommer certaines frontières « artificielles » et de constituer des bases
territoriales économiquement plus fortes, comme les unions avortées entre Sénégal et
Gambie, Tunisie et Libye, ou projetées entre Sénégal et Mali, ou Kenya, Ouganda et
Tanzanie. Le choix de pérenniser la division issue de la colonisation fut celui de certaines élites africaines, soucieuses de préserver la prospérité de leur État ainsi que leurs
prérogatives politiques (Dubresson, Maréchal et Raison, 1994 ; Gonon et Lasserre, 2003).

14.4. Un déterminisme du milieu sur le peuplement ?

Avec environ 1 001,5 millions d'habitants en 2009, la densité moyenne africaine, environ
33 hab./km², est faible – en particulier en comparaison des valeurs asiatiques –, tout
en présentant de grandes disparités. En dehors de la vaste zone désertique du Sahara,
on retrouve ainsi deux zones de fort peuplement, séparées par une diagonale de faible
densité, du Soudan à la Namibie, en passant par le cœur du Congo, la République
centrafricaine, le Gabon et l'essentiel du Cameroun. Cette « diagonale du vide » ne
rassemble que 15 % de la population de l'Afrique ; l'essentiel de la population se concentre
sur la côte méditerranéenne, dans la partie subsaharienne de l'Afrique de l'Ouest, et
dans des foyers dispersés en Afrique de l'Est, vallée du Nil, Éthiopie centrale, région
des Grands Lacs.

Certains foyers de très fort peuplement se dégagent (figure 14.1). Le Nigeria,
avec une densité moyenne de 162 hab./km², regroupe la plus large part de la population de cette façade atlantique. Dans les régions de collines ou de montagnes de
l'Afrique de l'Est, des densités supérieures à 500 hab./km² sont observées au Kenya,
au Rwanda et Burundi, en Éthiopie. Au Rwanda, l'essentiel de l'œkoumène est concentré entre 1 200 et 2 800 mètres d'altitude, et les fortes densités rurales qu'on y trouve
sont souvent à l'origine de tensions relatives à la disponibilité des terres.

Comment peut-on expliquer la relativement faible population de l'Afrique,
surtout au sud du Sahara ? Les ponctions de la traite des esclaves, régulières depuis
de nombreux siècles, ont souvent été citées comme facteur explicatif. Le bilan chiffré
de la traite est démographiquement important pour l'Afrique noire. Le commerce des
esclaves est ancien : il est institué dès le VIIIe siècle. Du VIIIe au XIXe siècle inclusivement,
7,4 millions d'Africains auraient été livrés vers la Méditerranée, le monde arabe, et
1,4 million seraient morts pendant la traversée du Sahara. Puis, cinq millions d'esclaves
seraient partis par l'océan Indien, dont un tiers au XIXe siècle. La traite atlantique, du
XVe au XIXe siècle, aurait vu l'exportation de 11 millions de personnes. Ainsi, on enregistre au seul XIXe siècle, 6,2 millions de départs. Pour l'Afrique de l'Ouest, la traite
atlantique représentait sans doute une ponction de l'ordre de 2 à 3 % de la population,
soit plus que la croissance démographique. Les effets démographiques de la traite se
sont doublés d'effets sociaux et politiques, ce commerce n'ayant pu se perpétuer qu'avec
le relais de certains peuples africains qui livraient ainsi aux marchands européens ou
arabes leurs esclaves, instituant un ressentiment qui se perpétue encore de nos jours.

Figure 14.1.
Densité de population en Afrique

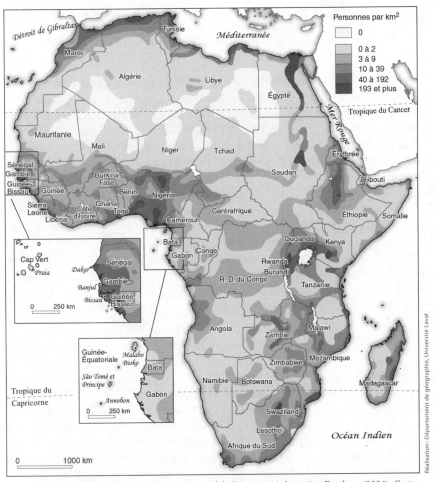

Sources : United Nations Environment Programme / Global Resource Information Database (2004) ; Center for International Earth Science Information Network (CIESIN).

Dans ces disparités de peuplement, on retrouve en partie la très nette répartition zonale de la végétation, avec les grands vides sahariens et du Namib. Cependant, les foyers de peuplement ne correspondent que très partiellement aux ressources hydriques, pourtant fondamentales pour des agricultures pluviales, prévalentes en Afrique : la géographie du peuplement ne recouvre donc pas celle des ressources en eau. L'Afrique du Nord a certes développé des densités côtières, fondées sur une maîtrise de l'irrigation, mais l'Afrique de l'Ouest présente deux foyers principaux, le premier sur les littoraux du golfe de Guinée jusqu'au Ghana, l'autre aux latitudes sahéliennes, avec entre les deux des gradients qui ne correspondent pas à la répartition des précipitations. L'Afrique centrale, très humide, est une zone de vide humain, parsemée d'îlots de peuplement, tandis que les collines du rift africain, les hauts plateaux ou les reliefs orientaux (Kivu, Burundi, Rwanda, Ouganda, Kenya, Éthiopie) et malgaches constituent souvent, mais pas toujours, des mondes pleins surplombant des piedmonts moins peuplés.

Les corrélations entre disponibilité en eau et peuplement sont parfois difficiles à lire. Ainsi, si les vallées du haut Nil, du Sénégal, du Niger, du Logone-Chari, dans des espaces sahéliens, portent de fortes densités (surtout en combinant cultures sous pluie et cultures de décrue ou irriguées), les vallées d'Afrique occidentale sont beaucoup moins peuplées, et très inégalement. Les hommes se sont rarement concentrés là où les pluies sont les plus abondantes, ou là où se trouve le meilleur potentiel agricole : on compte ainsi plus de 60 hab./km^2 en pays haoussa-peul (Nigeria) ou serer (Sénégal), alors que les espaces situés plus au sud sont beaucoup moins densément peuplés. À Madagascar, les côtes orientales reçoivent de fortes pluies, mais ce sont les hautes terres centrales qui portent les plus fortes densités. De même, le pays mossi du Burkina Faso (plus de 80 hab./km^2) s'est développé sur des sols médiocres ; les reliefs du nord du Togo, des monts Mandara (Cameroun), l'escarpement de Bandiagara (Mali) ont longtemps été plus peuplés que les basses terres environnantes. *A contrario*, des milieux réputés propices, comme les deltas intérieur et maritime du Niger, le haut Veld sud-africain, le delta du Zambèze, demeurent peu peuplés (Dubresson et Raison, 1998).

On a longtemps tiré argument de l'insalubrité de la grande forêt humide (équatoriale et tropicale) pour expliquer sa faible densité. Il est vrai que les maladies qui y sévissent – paludisme, trypanosomiase, fièvre jaune, bilharziose – constituent des sources de mortalité supplémentaires qui ont entravé le développement de fortes densités. La densité de la cuvette congolaise dépasse rarement 5 à 7 hab./km^2 ; mais, si la forêt humide en était la cause, comment expliquer les foyers de peuplement important des pays yoruba et ashanti (au sud des actuels Nigeria et Ghana), foyers anciens puisque sièges de structures politiques puissantes avant le XVIIIe siècle ? Ici encore, la faible population, plus que la conséquence du milieu et de ses contraintes, paraît plutôt en être la cause, comme en témoigne la présence de seuils de densité au-delà desquels l'incidence des maladies n'entrave plus la croissance de celle-ci.

14.5. Une faible productivité agricole

Il serait donc faux d'affirmer que les sociétés africaines n'ont jamais innové ou cherché des adaptations techniques pour maîtriser leur milieu. Certaines espèces cultivées allient une bonne adaptation à leur milieu et un intérêt alimentaire réel, comme l'ensète (semblable au bananier ; hauts plateaux éthiopiens), l'éléis (palmier à huile africain) ou le bananier plantain, lequel permet de fortes densités de population moyennant un travail assez léger, ce qui libère le cultivateur pour d'autres tâches productives. De même, la transformation du manioc amer, d'origine américaine, suppose un procédé complexe pour lequel les sociétés qui le cultivent ont innové. Enfin, l'histoire agricole du continent souligne tout autant des spécificités régionales que des mouvements importants de diffusion des techniques et des variétés : l'image d'une Afrique cloisonnée, formée de noyaux de peuplement isolés ne tient pas. La technique de production du manioc, en Afrique occidentale, en est un exemple, tout comme la rapide diffusion de plantes importées, igname asiatique et arachide à l'Ouest, maïs américain sur la façade orientale. *A contrario*, le fonio et le riz africain (*Oryza glaberrima*) sont demeurés des céréales de l'Afrique occidentale, l'éleusine est restée cantonnée dans l'Est et le tef, dans les hauts plateaux éthiopiens (Dubresson *et al.*, 1994).

14.5.1. Irrigation et maîtrise de l'eau

Si l'Afrique du Nord a développé l'irrigation (littoral maghrébin, vallée du Nil, oasis sahariennes : 28 % des terres arables), en revanche, celle-ci ne concerne que 4 % des terres arables du reste de l'Afrique (2009). On la trouvait traditionnellement à Madagascar et dans le Fouta Djalon, aux sources du Niger, puis, à partir du XIXᵉ siècle, au Soudan. C'est dire le potentiel de production de l'agriculture africaine, mais aussi le retard technique en la matière ou les enjeux d'accès à la ressource que pose le développement massif de l'irrigation. Les paysans africains ont développé d'autres techniques en culture pluviale pour retenir l'eau dans le sol, notamment la jachère biannuelle, le binage de surface à la houe, le maintien de pierres à la surface des parcelles, mais ces techniques ont souvent comme inconvénient de demander une très grande quantité de travail ou de réduire les rendements moyens. L'exploitation sylvicole traduit une autre forme d'adaptation : les forêts secondaires (issues d'une première coupe) sont souvent dominées par des arbres progressivement sélectionnés par les hommes. Pour l'observateur non averti, ces forêts paraissent naturelles, d'autant plus que les arbres exploités ne sont pas organisés en vergers, mais disséminés parmi d'autres (Bart, 2003).

Tableau 14.1.
Les principaux pays pratiquant l'irrigation en Afrique, 2004
(en milliers ha et % des surfaces agricoles utiles)

Égypte	Soudan	Afrique du Sud	Maroc	Madagascar
3 400	1 950	1 498	1 485	1 090
100 %	12 %	9,5 %	16,6 %	30,7 %
Algérie	**Libye**	**Tunisie**	**Nigeria**	**Somalie**
569	470	381	293	200
7 %	21,9 %	7,8 %	0,7 %	18,7 %

Source : FAO Stats (2009).

Puis l'agriculture de décrue, dans les lits majeurs des grands fleuves, tire profit des limons et de l'humidité des sols inondés par des crues régulières ; la productivité de tels systèmes agricoles est améliorée par des aménagements locaux, levées, cuvettes, fossés de rétention, dans les vallées du Sénégal, du Niger, de la Betsiboka (Madagascar), du Nil avant les premiers barrages au XIXe siècle.

L'irrigation a pris son essor surtout après la Deuxième Guerre mondiale, par le biais de développements hydroélectriques et agricoles en Afrique du Sud, au Zimbabwe (bas Veld), au Sénégal, à Madagascar, au Niger (barrage de Markala et lac Tchad). Elle commence plus récemment en Libye où la grande rivière artificielle (GRA) pompe les eaux fossiles du Sahara, s'étend au Maroc avec la construction d'une soixan-taine de grands réservoirs destinés à réguler près de 10 milliards de mètres cubes et à mettre en valeur de nombreux périmètres irrigués. L'édification de grands barrages-réservoirs sur les fleuves – Kariba (Zambie-Zimbabwe) et Cahora Bassa (Mozambique) sur le Zambèze ; Akosombo (Ghana) sur la Volta (réservoir de 9 000 km^2) ; Assouan (Égypte) sur le Nil (réservoir de 6 500 km^2) ; Inga (République démocratique du Congo) sur le Congo ; Katse (Lesotho), Kainji (Nigeria) sur le Niger ; Manantali sur le Bafing (au Mali) – a permis de produire de grandes quantités d'électricité (figure 14.2).

Le barrage de Cahora Bassa a une puissance installée de 2 000 MW ; le barrage d'Inga peut produire 25 milliards de kWh, soit l'équivalent de la production électrique française. Mais, si les barrages de la vallée du Nil ont permis de développer de vastes surfaces irriguées, on ne peut pas dégager un tel bilan positif pour les autres projets africains. L'irrigation reste peu développée. De plus, leurs incidences environnemen-tales sont majeures : profondes altérations des régimes hydrologiques (amortissement des crues et des étiages, lâchages importants) et sédimentologiques (érosion provoquée par les lâchages, blocage du transit sédimentaire, envasement du réservoir, érosion des deltas par diminution de la charge sédimentaire).

14.5.2. Une agriculture peu efficace

Aujourd'hui, l'agriculture africaine, surtout au sud du Sahara, demeure faiblement productive. Elle est divisée en deux secteurs qui demeurent cloisonnés, l'agriculture traditionnelle vivrière et les cultures de rente, destinées à l'exportation.

En Afrique du Nord, le secteur est plus productif et tourné vers l'exportation – essentiellement des fruits –, tandis que le secteur vivrier, grâce à la pratique ancienne de l'irrigation, maintient des rendements acceptables. En Afrique subsaharienne, en revanche, le secteur vivrier traditionnel (manioc, igname, banane plantain, riz, maïs, mil, sorgho, légumes divers) repose souvent sur des techniques peu productives : longues jachères, cultures sur brûlis, absence de fumure et d'irrigation, très faible mécanisation, faible utilisation de la traction animale, la houe restant souvent l'outil principal du paysan. En 1996, ce secteur consommait quatre fois moins d'engrais qu'en Amérique latine, huit fois moins qu'au Moyen-Orient et douze fois moins qu'en Asie.

Figure 14.2.
Relief, hydrographie et barrages de l'Afrique

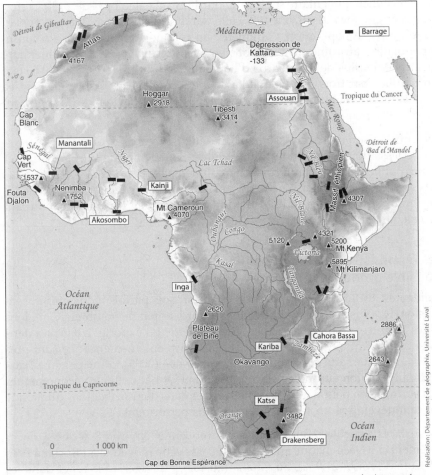

Sources : Bart (2003) ; F. Lasserre et L. Descroix (2005), *Eaux et territoires. Tensions, coopérations et géo-politique de l'eau*, Québec, Presses de l'Université du Québec ; Liangzhi You *et al., What Is the Irrigation Potential for Africa ?*, IFPRI Discussion Paper 00993, juin 2010, Washington, D.C.

De fait, les rendements sont faibles : le maïs, désormais la première céréale en Afrique (un tiers du tonnage des céréales produites en Afrique), affiche des rendements inférieurs de moitié à la moyenne mondiale (Chapuis et Brossard, 1997). L'élevage est également très extensif, seuls les troupeaux d'Afrique du Sud sont gérés selon des techniques modernes et font l'objet d'un commerce significatif hors du pays.

L'Afrique est, de fait, le plus agricole des continents et celui qui souffre du plus important déficit alimentaire. Au début des années 1960, elle subvenait à ses besoins, mais son déficit alimentaire se situe aujourd'hui aux alentours de 20 %. Certes, la production a augmenté : de 1970 à 1995, elle aurait crû d'environ 2 % par année ; dans le même temps, la population a augmenté au rythme annuel de 3 %. En conséquence, la population africaine (612 millions en 1996) recevait une aide alimentaire équivalente à celle de plus de 3 milliards d'habitants de l'Asie. De 1975 à 2005, cette aide a été multipliée par trois, tandis que l'aide à destination de l'Asie a été divisée par deux. De 1980 à 2000, la ration calorique moyenne dans les pays en développement a augmenté de 18 %, mais elle a baissé de 5 % en Afrique.

Une autre raison de l'accroissement du déficit alimentaire africain est l'occidentalisation croissante des habitudes alimentaires. Sous l'effet de l'urbanisation et des campagnes publicitaires des entreprises agroalimentaires occidentales, les produits traditionnels sont peu à peu délaissés, fragilisant davantage la situation financière des producteurs locaux, au profit de produits importés comme le blé, les volailles (pourtant produites localement aussi) et de divers produits transformés.

14.5.3. Des raisons structurelles et politiques à la faible productivité agricole

Certes, le milieu est difficile : aridité au nord et à l'est ; sols parfois médiocres et sensibles à l'érosion. De plus, les fortes subventions accordées par de nombreuses régions industrialisées à leurs exploitants agricoles leur permettent d'exporter à bas prix dans le monde, concurrençant ainsi les producteurs des pays en émergence : ce sont près de 73 milliards de dollars qui sont ainsi versés par année (2009), principalement aux États-Unis et dans l'Union européenne. Mais ces données naturelles ou économiques n'expliquent pas tout, on peut d'ailleurs les retrouver dans d'autres régions du monde qui ont pourtant développé un secteur agricole plus performant.

Les surfaces agricoles sont réduites. En moyenne, environ 8 % des surfaces sont effectivement cultivées chaque année. On dépasse cette moyenne au Burkina Faso (23,1 %), en Côte-d'Ivoire (21,9 %), au Ghana (30,4 %), au Nigeria (43 %) et dans les collines ou les plateaux d'Afrique de l'Est : Éthiopie (13,1 %), Malawi (30,6 %), Ouganda (32,8 %), Rwanda (56 %) et Burundi (52,6 %) (2008). Pourtant, le potentiel de production semble présent : la FAO estime que le Congo et la République centrafricaine pourraient nourrir une population vingt fois plus nombreuse, tandis que des experts israéliens estiment que l'Éthiopie aurait un potentiel agricole (moyennant irrigation) qui lui permettrait de nourrir l'ensemble du continent[2]. Les surfaces exploitées sont réduites et le nombre d'exploitants, important, augmente avec l'essor démographique, puisque le monde rural emploie encore la majorité de la population active : il en résulte la diminution progressive des surfaces de chaque exploitation, un frein supplémentaire

---

2. *Le Monde*, 15 décembre 1992.

à l'accroissement des rendements par les économies d'échelle. Ainsi, au Malawi, en 1969, 71 % de la population rurale possédait plus de 2 hectares ; cette proportion était de seulement 13 % en 1988. La taille moyenne d'une ferme au Cameroun et en Éthiopie était de 1,5 hectare en 1998, de 0,7 hectare au Malawi et de 0,5 hectare au Rwanda (PNUD, 1999). Pierre Gourou (1982) a montré que, dans des milieux tropicaux pluvieux semblables, en République démocratique du Congo, en Tanzanie et en Zambie, la densité de population rurale atteint 3 à 5 hab./km², alors que, de l'autre côté de l'océan Indien, en pays tamoul, « même les plateaux les moins doués dépassent 200 hab./km² » (cité par Chapuis et Brossard, 1997, p. 169).

La différence tient essentiellement aux techniques de production, d'organisation de l'espace, de mobilisation des ressources et d'encadrement des hommes. En pays tamoul, une irrigation très ancienne, des techniques intensives – fumure, plants à forts rendements –, une administration efficace ancienne – un cadastre vieux de dix siècles – et la propriété privée qui ne s'est pas maintenue au détriment de la coopération communautaire ont permis de développer une production importante capable de nourrir une population très dense. Au contraire, sur les plateaux africains au sud du Sahara, à quelques exceptions près comme chez les Bamilékés du Cameroun, des techniques rudimentaires, l'absence d'irrigation, une administration sommaire, une propriété restée collective et des réseaux d'échange restés locaux et une forte proportion des tâches agricoles dévolues aux femmes, qui sont aussi chargées de la gestion du foyer, ont contribué à maintenir une agriculture extensive qui ne permet que de faibles rendements.

Les politiques agricoles des gouvernements africains sont aussi en partie responsables de l'échec du secteur. Les gouvernements estimaient que le secteur agricole devait ravitailler les villes au plus faible coût, et ont donc fixé des prix à des niveaux décourageant les investissements productifs. L'investissement public, très faible, n'a souvent pas permis au secteur de se moderniser. Au Congo, il ne représentait en 1981 que 1,2 % des investissements totaux réalisés par l'État, alors que 40 % de la population travaillait dans ce secteur. La recherche agronomique et les fonds de l'aide publique internationale sont rarement orientés vers l'agriculture pluviale vivrière, mais bien plutôt vers les cultures de rente (café, cacao, coton, arachides, caoutchouc…), qui n'enrichissent que rarement les exploitants locaux et qui, surtout, demeurent très sensibles aux variations des cours. Entre 1950 et 1990, la Côte-d'Ivoire a massivement misé sur le café et le cacao ; les récoltes sont ainsi passées, respectivement de 55 000 à 250 000 tonnes et de 62 000 à 815 000 tonnes. Pour cela, deux tiers de la forêt primaire ivoirienne ont été défrichés. Mais en 1974, l'Afrique produisait encore près des deux tiers du cacao mondial, en 1990 un peu plus de la moitié seulement ; dans le même temps, sa part du café est tombée de 20 à 17 %, celle des arachides de 25 à 18 %, celle du caoutchouc naturel de 7 à 5 %. L'accroissement mondial des productions et l'entrée en scène de nouveaux producteurs, comme le Vietnam pour le café (deuxième producteur mondial) ou l'Indonésie pour le cacao (troisième producteur mondial), ont conduit à l'effondrement des cours à partir de 1980 (café : –40 % de 1986 à 1989 ; –66 % de 1997 à 2001), consécutif à une surabondance de l'offre et à la crise du secteur. Or le marasme du secteur agricole, qui emploie encore aujourd'hui près de 65 % de la population active, pèse lourdement sur les efforts de la croissance en freinant tout investissement et toute consommation importante de la majorité de la population.

L'exploitation des richesses naturelles, parfois fort abondantes, a parfois détourné les investisseurs, publics ou privés, du secteur agricole, comme au Nigeria. En 1968, l'agriculture représentait 55 % du PNB et assurait 65 % des recettes d'exportation. En 1980, après la mise en exploitation des gisements pétroliers, l'agriculture était tombée à 33 % du PNB et à 3 % des exportations, tandis que les importations céréalières absorbaient 20 % des recettes pétrolières. La politique de maintien d'un cours élevé de la monnaie a découragé les producteurs tandis que le gouvernement recourait délibérément aux importations au lieu d'investir dans le secteur agricole. En 1995, le déficit alimentaire nigérian se chiffrait à 1 milliard de dollars, mais à 1,9 milliard en 2007.

14.6. Une inquiétante érosion économique

L'échec des systèmes agricoles africains a contribué à appauvrir le continent : depuis une génération, l'Afrique subsaharienne est la seule région du monde qui ait vu son PIB par habitant diminuer. Le Ghana, dont le revenu *per capita* était, en 1960, comparable à celui de la Corée du Sud et trois fois supérieur à celui de l'Inde, était, en 2003, pratiquement rattrapé par l'Inde et distancé par la Corée désormais industrialisée, avec un revenu cinq fois supérieur au sien.

Alors que, dans le reste du tiers-monde, le PIB par habitant a sans cesse augmenté depuis 1900 (Bairoch, 1995), on constate qu'il a entamé un déclin en Afrique depuis 1973 environ, déclin de plus en plus rapide par ailleurs. À l'issue de la vague des indépendances, au début des années 1960, les économies des différentes ex-colonies ont souvent été prospères et leur croissance était supérieure à l'accroissement de la population (4,6 % en moyenne sur la période 1961-1973, contre un taux annuel de croissance démographique de 2,6 %). Certes, l'Afrique, encore peu avancée dans la transition démographique, connaissait encore de très forts taux de natalité alors que la mortalité chute rapidement, ce qui a contribué à l'explosion des populations ; mais par ailleurs, c'est le déclin de l'économie de rente qui explique le mieux cette érosion économique dont on ne voit pas encore l'issue. Au déclin de l'investissement, lourd de conséquences pour des économies très dépendantes de l'exportation de leurs matières premières, s'est ajouté celui de la productivité : de 1960 à 1987, le taux de croissance de la productivité globale, déjà faible par rapport à l'Amérique du Sud et surtout à l'Asie, a été nul (0,7 % de 1961 à 1973 ; −0,7 % de 1973 à 1987). Le taux d'épargne ayant chuté dans le même temps, le processus de constitution de capital productif s'est vu bloqué. Le secteur manufacturier n'a pas pu compenser l'échec des secteurs agricoles et miniers. Pourtant, il n'y avait pas de fatalité : entre 1965 et 1980, le taux de croissance de ce secteur était de 7,2 % par an dans l'Afrique subsaharienne ; il atteignait même 14,6 % au Nigeria.

L'Afrique n'est pas dépourvue d'atouts économiques, en particulier sur le plan des ressources naturelles, même si les cours mondiaux ont eu tendance à s'éroder pour bon nombre d'entre elles. L'Afrique ne représente que 2,5 % du commerce mondial, mais ses échanges équivalent à 67 % de son PNB en 2005 (monde : 54,2 %), indice à la fois de la très forte intégration de son économie aux circuits mondiaux, mais aussi de la faiblesse de ses secteurs autres que minier ou de cultures d'exportation. Or, le sous-sol recèle des gisements importants de pierres précieuses et de minerais industriels. Le Nigeria et le Gabon sont des producteurs de pétrole importants depuis plusieurs années, tandis que l'Angola, le Cameroun, le Soudan, le Tchad sont des nouveaux venus sur les marchés internationaux. L'Afrique est un fournisseur majeur de diamants, produits en République démocratique du Congo (RDC), au Botswana, en Afrique du Sud, mais aussi au Libéria, en Sierra Leone, où, malheureusement, ils alimentent les guerres civiles en permettant le financement des factions antagonistes : on estime ainsi que près de 80 % de la production de la RDC est écoulée en fraude sur les marchés internationaux. L'Afrique fournit 5 % du cuivre mondial, grâce à la Zambie, à la RDC et à l'Afrique du Sud, et 10 % de la bauxite, grâce à la Guinée (3e producteur mondial mais 1er pour les réserves). L'Afrique du Sud est encore le premier producteur mondial d'or (12,7 %) et de platine (80,2 %), et le deuxième de titane (19 %). L'Afrique produit aussi beaucoup de chrome (près de 45 % du total mondial, surtout en Afrique du Sud et au Zimbabwe), de cobalt (30 % du total mondial, en RDC et en Zambie), de manganèse (27 % de la production mondiale, en Afrique du Sud et au Gabon), mais aussi du minerai de fer (Afrique du Sud et Mauritanie), du nickel (en RDC), du coltan (columbite-tantalite, composant important des téléphones cellulaires et des microprocesseurs).

Le problème, c'est que le secteur extractif n'a eu que très peu d'effets industrialisants (transformation, outillage par exemple), Afrique du Sud et Zimbabwe mis à part. L'Afrique subsaharienne demeure un nain manufacturier : moins de 1 % de la production mondiale. Aucune politique d'industrialisation n'a semblé donner les prémisses d'un démarrage des investissements, les zones franches industrielles n'ayant donné que de très médiocres résultats (Dubresson et Raison, 1998). Les dépendances économiques demeurent inquiétantes, qu'il s'agisse des produits agricoles ou des minerais ou hydrocarbures. Grâce à la rapide hausse des prix pétroliers en 1973, le Nigeria a entamé une forte croissance, qui s'est muée en grave crise après le contre-choc de 1985, avec la baisse des cours, puisque 97 % des exportations provenaient du pétrole. Parmi les pays dépendant, pour leur balance commerciale, à plus de 50 % d'un ou deux produits exportés, mentionnons l'Angola (96 %, pétrole) et le Nigéria (pétrole, 90 %) ; le Cameroun (pétrole et café) ; l'Éthiopie (café) ; le Ghana (cacao) ; la Guinée (bauxite et alumine) ; le Kenya (café et thé) ; la Libye (pétrole) ; Madagascar (café et vanille) ; la Mauritanie (fer, phosphates) ; le Mozambique (noix de cajou et crevettes) ; le Niger (uranium) ; la Tanzanie (café et coton) ; la Zambie (cuivre, 68 %).

14.7. Une dynamique démographique très rapide

14.7.1. Le démarrage de l'expansion démographique de l'Afrique

L'Afrique subsaharienne aurait entamé sa transition démographique au lendemain de la Deuxième Guerre mondiale, avec une brusque chute de la mortalité. En effet, grâce à l'amélioration de l'hygiène et aux progrès de la médecine, l'espérance de vie à la naissance est passée de 37,8 ans en 1950 à 51,7 ans en 1985, mais ce niveau reste encore bien éloigné de celui des autres continents en développement. Parallèlement, de forts niveaux de natalité persistaient, voire augmentaient ; ils n'ont amorcé leur déclin que depuis peu, tandis que la chute de la mortalité se poursuit, en petite partie annulée par la persistance du fléau de la malaria et l'essor du sida. La croissance naturelle n'a donc pas encore atteint son maximum en Afrique, qui voit désormais sa population augmenter très rapidement.

Tableau 14.2.
Nombre moyen d'enfants par femme (fécondité), 1950-2005

Ensemble géographique	1950-1955	1965-1970	1980-1985	2000-2005
Afrique tropicale	6,03	6,31	6,66	6,22
Afrique australe	6,22	5,77	4,71	2,9
Chine	6,2	6	2,4	1,79
Asie du Sud	6,04	5,86	4,88	3,17
Amérique du Sud	5,66	5,21	3,79	2,43
Ensemble des pays en développement	6	5,81	4,19	2,89

Source : UN World Population Prospect, 2008.

Ainsi, pour la décennie 1950, le taux moyen d'accroissement naturel n'était que de 1,9 % en Afrique tropicale, contre 2,7 % en Amérique centrale, 2,3 % en Amérique du Sud et 2,1 % en Asie. Ce n'est que dans la décennie 1970 que le dynamisme démographique des autres continents en développement entame un déclin, tandis que s'emballe celui de l'Afrique.

Un certain clivage se dégage entre Afrique du Nord et Afrique subsaharienne. Du Maroc à l'Égypte, on observe l'établissement de régimes démographiques proches des régimes occidentaux modernes, avec une espérance de vie de l'ordre de 65 ans, de faibles taux de mortalité et des taux de natalité encore assez élevés, mais en décroissance. Les taux d'accroissement naturel peuvent être comparables à ceux observés ailleurs en Afrique, quoique en général inférieurs, mais le potentiel de croissance que permet la baisse de la mortalité est désormais du passé. En Afrique subsaharienne, la transition, entamée certes, est moins avancée et explique les taux de croissance naturelle rapides de 2,3 à 3 %, tout comme les forts taux de natalité et de mortalité.

Tableau 14.3.
Données démographiques pour les principaux États, 2010

Pays	Population, en millions d'habitants	Taux de natalité, (‰)	Taux de mortalité, (‰)	Accroissement naturel, (%)	Taux de mortalité infantile, (‰)	Fécondité
Afrique du Sud	49,9	21	12	0,	46	2,4
Algérie	36	23	5	1,8	28	2,3
Angola	19	42	17	2,5	118	5,8
Cameroun	20	37	14	2,3	87	4,7
République démocratique du Congo	67,8	47	17	2,9	114	6,4
Côte-d'Ivoire	22	37	14	2,4	97	4,9
Égypte	80,4	27	6	2,1	28	3
Éthiopie	85	39	12	2,7	77	5,4
Ghana	24	31	9	2,2	50	4
Kenya	40	37	10	2,7	52	4,6
Libye	6,5	23	4	1,9	18	2,7
Malawi	15,4	44	15	2,9	80	6
Maroc	31,9	21	6	1,5	31	2,4
Mozambique	23,4	40	16	2,3	90	5,1
Niger	15,9	52	17	3,5	108	7,4
Nigeria	158,3	42	17	2,4	75	5,7
Ouganda	33,8	47	13	3,4	76	6,5
Rwanda	10,4	42	14	2,9	102	5,4
Sénégal	12,5	39	11	2,8	58	4,9
Somalie	9,4	46	16	3	111	6,5
Soudan	43,2	33	11	2,2	81	4,5
Tanzanie	45	42	12	3	58	5,6
Tunisie	10,5	18	6	1,2	18	2,1
Zimbabwe	12,6	30	17	1,3	60	3,7

Source : Population Reference Bureau (2010).

14.7.2. Les conséquences du sida et des maladies tropicales

Le sida est un fléau qui affecte particulièrement l'Afrique. Plus de 79 % de la mortalité mondiale imputable au virus a lieu en Afrique subsaharienne ; les 19 pays avec le plus fort taux de prévalence en juin 2008 étaient en Afrique. Les pays les plus touchés se trouvent au sud du continent : en Namibie, en Afrique du Sud, au Lesotho, au Zimbabwe, un adulte sur quatre est séropositif ; au Botswana, au Swaziland, le taux monte à 38 %. Partout les taux grimpent, sauf en Ouganda, où une campagne systématique de prévention a fait chuter le taux de prévalence chez les adultes de 14 % en 1990 à 8 % en 2000, puis à 4 % en 2003[3]. La faiblesse des données statistiques oblige à prendre avec précaution toute analyse en ce domaine. On peut cependant observer qu'aux niveaux de prévalence qu'atteignent déjà les pays les plus touchés, l'espérance de vie statistique est amputée de plusieurs années. Au Botswana, elle est ainsi passée de 59 à 34 ans pour les hommes et de 63 à 35 ans pour les femmes de 1990 à 2005.

Le sida n'est pas la seule maladie à affecter le continent. La malaria, contre laquelle la médecine est encore impuissante à trouver un vaccin efficace, est encore une cause de mortalité importante en Afrique ; elle emporte chaque jour 3 000 enfants

Tableau 14.4.
Principales causes de mortalité, Afrique et monde, 2004

Afrique		Monde	
Nombre de décès (%)			**Nombre de décès (%)**
		Maladies cardiovasculaires	12,3
HIV/sida	17	Cancers	12
Infections respiratoires aiguës	12,7	Maladies cérébrovasculaires	9,7
Malaria	11,3	Infections respiratoires aiguës	7,2
Maladies cardiovasculaires	10,4	Maladies respiratoires chroniques	6,8
Complications postnatales	8,8	Complications postnatales	5,3
Diarrhées	7,3	HIV/sida	4,8
Rougeole	4,9	Diarrhées	4,0
Tuberculose	3,4	Tuberculose	3,0

Source : OMS WHO Global Infobase (2005).

---

3. Population Reference Bureau, 2003 ; Aryeetey-Attoh, 2003 ; *CIA World Factbook* 2005 - HIV / AIDS adult prevalence rate, 2008.

de moins de 5 ans et infecte 17 millions de personnes par an. La malaria, en régression partout dans le monde sauf en Afrique, est largement devenue une maladie du continent, puisque 90 % des personnes impaludées y vivent ; elle coûte à l'Afrique 12 milliards de dollars par an en perte de produit intérieur brut (UNICEF, 2004 ; UN Foundation, 2010).

14.7.3. Une croissance urbaine récente mais de forte ampleur

L'Afrique est un continent encore peu urbanisé, l'Afrique du Nord exceptée, où, au contraire, le fait urbain est ancien. Depuis les années 1950, le continent a connu une croissance urbaine extraordinaire. À cette époque, à l'exception de la côte méditerranéenne ou de l'Afrique australe minière, les villes n'avaient atteint que des tailles modestes : ainsi en était-il de Dakar, 250 000 habitants en 1950, de Nairobi (135 000 habitants) et d'Abidjan (70 000 habitants). Abidjan, avec 5 000 habitants en 1920 et 125 000 habitants en 1955, rassemblait 5,9 millions de personnes en 2009. Casablanca (Maroc) a bondi de 102 000 habitants en 1921 à 3,4 millions en 2009. Yaoundé (Cameroun), avec un taux de croissance annuel moyen de 7,3 %, est passé de 57 500 habitants en 1960 à 890 112 en 1997, puis 2 040 000 en 2009 (figure 14.3).

En 1920, le taux d'urbanisation n'était que de 2,5 % en Afrique subsaharienne ; en 1960, il n'était encore que de 5 % au Niger, de 6 % au Mali. Cependant, au cours des années 1960, la croissance moyenne annuelle des villes a été de plus de 7 % ; elle s'est maintenue à 4,4 % de 1950 à 2000 – soit plus qu'ailleurs dans le monde, l'Amérique latine n'ayant connu qu'une croissance de 3,5 % et l'Asie, de 3,4 %. À ce rythme, l'Afrique devrait devenir majoritairement urbaine vers 2025. Le tableau 14.5 ci-dessous souligne cependant les différences régionales : l'Afrique australe et du Nord se sont urbanisées beaucoup plus vite, alors que l'Afrique de l'Est et, dans une moindre mesure, l'Afrique centrale demeurent moins urbanisées que la moyenne du continent.

Tableau 14.5.
Évolution de la part de la population urbaine (en %)

Régions	1950	1975	2007	2015	2030
Afrique du Nord (Soudan compris)	24,7	38,6	50,9	55,7	63,3
Afrique occidentale	10,1	22,6	43,7	49	57,1
Afrique de l'Est	5,3	12,3	25,1	33,4	41,8
Afrique centrale	14,2	26,7	39	44	52,7
Afrique australe	38,2	44,1	45,6	63,7	70
Total Afrique	14,7	25,2	38,7	45,3	52,9
Population urbaine totale (millions)	32	102,0	373,4	600	787

Source : ONU, *The State of the African Cities Report 2008.*

Figure 14.3.
Villes et urbanisation en Afrique

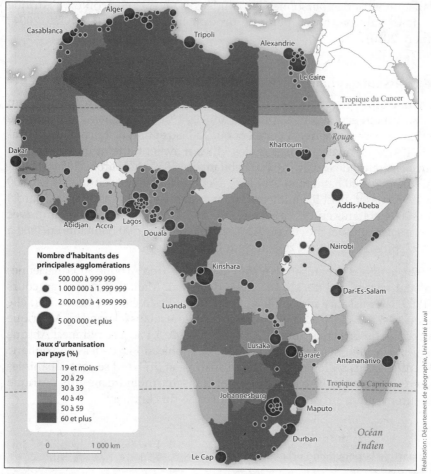

Source: Nations Online Project; PopulationData.net, 2009; Population Reference Bureau, *2010 World Population Data Sheet*, New York, 2010.

En Afrique subsaharienne, la croissance urbaine ne s'est en général pas faite au détriment des densités rurales; les campagnes demeurent souvent aussi peuplées qu'il y a 50 ans, même si l'exode rural a largement alimenté la croissance des villes: les départs des campagnes ont été en bonne partie compensés par l'accroissement naturel.

L'Afrique ne comptait aucune ville millionnaire en 1950. Les villes d'Afrique sont aujourd'hui devenues nettement plus importantes, même si le fait urbain, en particulier de la grande ville de plus d'un million d'habitants, n'est pas encore aussi répandu qu'en Asie ou en Amérique latine par exemple, avec cinq villes seulement

Tableau 14.6.
Principales agglomérations en Afrique, 2009 (en milliers d'habitants)

Agglomérations	Population en 1950	Population en 2009	Rapport 2009/1950
Le Caire (Égypte)	2 805,0	12 900	4,6
Lagos (Nigeria)	285,0	10 570	37,1
Kinshasa (République démocratique du Congo)	155,0	9 052	58,4
Khartoum (Soudan)	198,0	5 185	26,1
Le Cap (Afrique du Sud)	617,0	5 084	8,2
Luanda (Angola)	142,0	4 775	33,6
Alexandrie (Égypte)	1 038,0	4 421	4,3
Abidjan (Côte-d'Ivoire)	75,0	4 175	55,7
Johannesburg (Afrique du Sud)	1 720,0	3 618	2,1
Durban (Afrique du Sud)	602,0	3 512	5,8
Nairobi (Kenya)	137,0	3 363	24,5
Alger (Algérie)	480,0	3 285	6,8
Casablanca (Maroc)	681,0	3 267	4,8
Addis-Abeba (Éthiopie)	363,0	3 145	8,7
Dar-es-Salaam (Tanzanie)	46,9	3 092	65,9
Harare (Zimbabwe)	84,0	2 999	35,7
Dakar (Sénégal)	221,0	2 856	12,9
Accra (Ghana)	250,0	2 332	9,3
Douala (Cameroun)	101,0	2 024	20
Tripoli (Libye)	106,0	1 943	18,3
Antananarivo (Madagascar)	180,0	1 906	10,6
Lusaka (Zambie)	24,0	1 521	63,4

Sources : D'après *Géopolis*, cité par Dumont (2001, p. 58), et *Geohive*, modifié par l'auteur ; ONU, *The State of the African Cities Report 2008*.

de plus de cinq millions d'habitants en 2009, et 19 villes de deux à cinq millions d'habitants. Le Caire, Lagos, Abidjan, Accra, Dakar, Nairobi, Kinshasa, Douala, Alger, Le Cap sont des pôles urbains majeurs, mais les grandes villes demeurent relativement rares. Seules les 10 premières villes du continent figurent parmi les 100 plus grandes villes du monde. Cette faible taille relative des villes africaines n'empêche pas les réseaux urbains d'être déséquilibrés. La majorité des États souffrent de macrocéphalie, avec une ville largement prépondérante au détriment des autres au sein du territoire de l'État. Ainsi, 66,2 % des citadins guinéens résident à Conakry, 57 % des urbains congolais à Brazzaville, 62 % des citadins angolais à Luanda et 46 % des citadins sénégalais à Dakar. D'autres pays montrent un réseau urbain ainsi affecté par une polarisation majeure autour d'une seule grande ville : le Burkina Faso (Ouagadougou), la Sierra Leone (Freetown), la Somalie (Mogadiscio), la Zambie (Lusaka) et le Zimbabwe (Harare), toutes ces villes affichant des taux de polarisation supérieurs à 40 %.

14.8. Conclusion

Alors, l'Afrique noire est-elle mal partie, comme le craignait René Dumont dès 1962 ? Le tiers-monde n'existe plus, heureusement. L'Asie de l'Est et du Sud-Est, des portions d'Inde, une bonne partie de l'Amérique latine, sont entrées dans la voie du développement, et parfois devenues des concurrentes. L'Afrique constitue un anachronisme à cet égard. On y retrouve les mêmes plaies du sous-développement, inchangées ou aggravées, vingt ans après : maladie, pauvreté, corruption, faible distribution des richesses produites. De plus, avec la fin de la guerre froide, l'Afrique a perdu beaucoup de son intérêt stratégique (Cot, 2001). Mais elle dispose encore de richesses majeures et, surtout, de sa population : peut-être un jour dira-t-on de l'Afrique qu'elle s'est réveillée, comme on l'a dit de la Chine autrefois (Peyrefitte, 1973).

Bibliographie

ARYEETEY-ATTOH, S. (dir.) (2003). *Geography of Sub-Saharan Africa*, Upper Saddle River, Prentice Hall.

BAIROCH, P. (1995). *Mythes et paradoxes de l'histoire économique*, Paris, La Découverte.

BART, F. (dir.) (2003). *L'Afrique, continent pluriel*, Paris, CNED-SEDES.

CHAPUIS, R. et T. BROSSARD (1997). *Les quatre mondes du tiers-monde*, Paris, Armand Colin.

COT, J.-P. (2001). « La coopération franco-africaine en échec », *Le Monde diplomatique*, janvier.

DUBRESSON, A., J.-Y. MARÉCHAL et J.-P. RAISON (1994). *Les Afriques au sud du Sahara*, Paris, Belin/Reclus, coll. « Géographie universelle ».

DUBRESSON, A. et J.-P. RAISON (1998). *L'Afrique subsaharienne. Une géographie du changement*, Paris, Armand Colin.

DUMONT, G.-F. (2001). *Les populations du monde*, Paris, Armand Colin.

DUMONT, R. (1962). *L'Afrique noire est mal partie*, Paris, Seuil.

FOUCHER, M. (1988). *Fronts et frontières. Un tour du monde géopolitique*, Paris, Fayard.

GEOHIVE : <www.geohive.com/charts/city_million.php>.

GONON, E. et F. LASSERRE (2003). «Une critique de la notion de frontières artificielles à travers le cas de l'Asie centrale», *Cahiers de géographie du Québec*, vol. 47, nº 132, p. 433-461.

GOUROU, P. (1982). *Terres de Bonne espérance, le monde tropical*, Paris, Plon.

PEYREFITTE, A. (1973). *Quand la Chine s'éveillera*, Paris, Fayard.

PROGRAMME DES NATIONS UNIES POUR LE DÉVELOPPEMENT (1999). «L'Afrique subsaharienne peut-elle sortir du non-développement? I. L'inexorable enlisement», *Problèmes économiques*, nº 2621, 16 juin, p. 17-18.

POPULATION REFERENCE BUREAU (2003). *Fiche de données sur la population mondiale*.

POPULATION REFERENCE BUREAU (2004). *Fiche de données sur la population mondiale*.

UNICEF (2004). *Le paludisme : une des principales causes de décès et de pauvreté des enfants en Afrique*, New York.

PERSPECTIVES ET CONTRAINTES DE LA RECONSTRUCTION DE L'AFRIQUE DU SUD

Lambert Opula

J'ai eu le privilège de séjourner en Afrique du Sud au moment de la libération de Nelson Rolihlahla Mandela, le 11 février 1990. J'ai aussi été un témoin oculaire de la victoire électorale de l'African National Congress (ANC) lors du premier scrutin démocratique de l'histoire de ce pays organisé du 26 au 28 avril 1994. Ces événements ont certes été célébrés passionnément par les Noirs sud-africains comme l'accomplissement d'une prophétie, le *Nkosi sikelela Afrika*[1] (Dieu protège l'Afrique), mais aujourd'hui, un peu plus d'une décennie après, vers quel type de société les nouveaux acteurs conduisent-ils ce pays multiracial?

La cérémonie d'intronisation de Nelson Mandela comme premier président de la nouvelle Afrique du Sud a eu lieu le 10 mai 1994 à Pretoria, en présence de représentants de nombreux pays dont le vice-président étasunien, Al Gore, le prince Charles d'Angleterre, le président français, François Mitterrand, et le leader cubain, Fidel Castro. Lorsque fut entonné le *Nkosi sikelela Afrika*, l'ancien chant nationaliste devenu hymne national de la nouvelle Afrique du Sud, plusieurs personnes éclatèrent en sanglots à travers le pays en l'entendant jouer en public. Sous l'apartheid, de nombreuses familles avaient perdu un ou plusieurs de leurs membres, accusés d'être des communistes par la police secrète du seul fait d'avoir été surpris en train de chanter cet hymne nationaliste. Aujourd'hui, la nouvelle Afrique du Sud est fermement engagée dans la construction d'une société inclusive, la « Nation arc-en-ciel » (*Rainbow Nation*) symbolisée par un drapeau multicolore (Favennec, 1997).

Certes, la structure de l'économie sud-africaine post-apartheid se transforme progressivement en passant de sa base initiale, reposant sur les ressources naturelles, à une économie axée sur les services. Réintégrée dans l'économie mondiale à l'ère de la technologie, cette économie est la seule en Afrique subsaharienne à bénéficier de l'apport des services financiers, des infrastructures de pointe et de l'énergie fournie par d'abondantes ressources en charbon.

Le recensement de 2001 affichait quelques signes encourageants: la proportion de personnes instruites, le logement, le niveau de vie moyen et l'accès au téléphone, à l'automobile, aux équipements informatiques et ménagers, sont légèrement supérieurs à leurs niveaux de 1996. Mais le taux de criminalité dans le pays reste parmi les plus élevés du monde. Le taux de prévalence du VIH/sida y est de 18% en 2010.

---

1. Cela constitue le titre d'un chant patriotique qui a longtemps servi de chant de guerre des nationalistes sud-africains, et qui est devenu l'hymne national d'Afrique du Sud depuis l'entrée en fonction du premier gouvernement issu des élections démocratiques.

En conséquence, l'espérance de vie a baissé de 60 à 51,5 ans entre 2001 et 2010 (*Le Nouvel observateur,* 2011). Les investisseurs citent fréquemment la criminalité et la pandémie du VIH parmi les principaux obstacles à la croissance économique.

Si nombre des stigmates de l'apartheid sont encore visibles dans la société, la République d'Afrique du Sud a déjà parcouru un long chemin dans la voie de la construction d'une société post-apartheid. La RSA étant l'unique État au monde à avoir institutionnalisé le racisme et à l'avoir appliqué avec brutalité, c'est sur le terrain des problèmes les plus urgents qu'il faut relever les compromis issus de la confrontation entre les conquêtes des Noirs et l'instinct de conservation des Blancs.

LA RECONSTRUCTION SOCIOÉCONOMIQUE DE L'ESPACE POST-APARTHEID

À l'origine, les *bantoustans* étaient présentés comme des États indépendants créés dans le but de promouvoir des regroupements identitaires artificiels qui camouflaient un partage inégal de l'espace territorial national sur la base de l'appartenance raciale. La levée des restrictions à la mobilité de la population, par la constitution de transition en 1993, a précipité une recomposition du territoire. Il s'est opéré un redécoupage destiné à colmater les brèches héritées des politiques spatiales discriminatoires et contraignantes de l'apartheid.

Les territoires des quatre provinces mises en place dans le cadre du *Land Act* de 1913 dans les «terres blanches[2]» et ceux des neuf *bantoustans* délimités dans les années 1950 en «terres africaines» font tous aujourd'hui partie intégrante de neuf provinces interraciales. Les communautés locales s'accommodent dans ces nouveaux territoires où elles tendent à se redéfinir de manière inclusive à travers des revendications à caractère spatial, bien que les références raciales ne disparaissent pas si spontanément avec un redécoupage territorial.

Dans l'agglomération de Durban, par exemple, plus d'un quart de la population est d'origine indienne. La spécificité de la religion hindouiste a exercé une influence essentielle aussi bien dans la structuration des groupes urbains que dans l'appropriation de l'espace. L'opposition entre groupes s'apparente à un conflit frontalier qui oppose soit les membres des tribus africaines, soit des groupes sociaux comme les *squatters* et les fermiers au sujet de l'occupation illégale des terres, voire avec les bénéficiaires des projets de logements sociaux sur des terres occupées par des *squatters* dans les *townships.*

L'affranchissement des cultures non blanches de la domination des cultures anglaise et afrikaner a débouché sur une redéfinition identitaire. Des groupes intermédiaires comme les Indiens et les métis dénoncent la nouvelle politique de discrimination positive en faveur des Noirs comme une deuxième ère de partage inégal des privilèges publics. Ainsi, des émeutes survenues dans les quartiers métis de

---

2. Les anciennes provinces créées sur les terres blanches de l'Afrique du Sud coloniale sont : Le Cap, l'État libre d'Orange, le Transvaal et le Natal.

Johannesburg en 1997 ont-elles donné lieu, par exemple, à des compromis qui établissent des identités différentes à l'intérieur d'une même entité municipale dans un pays où le cadre de proximité a été structuré sur l'appartenance raciale. Cela inaugure une nouvelle politique de cohabitation intercommunautaire au sein de la Nation Arc-en-ciel.

La nouvelle politique de cohésion intergroupes débouche sur la construction des identités territoriales singulières : un groupe met une identité de l'avant pour revendiquer un droit particulier, même dans le cadre d'anciens territoires imposés. L'intégration des *bantoustans* dans les nouvelles provinces a permis à environ 18 millions de Noirs de retrouver la nationalité sud-africaine qui leur avait été enlevée. La ferveur de leur participation aux diverses élections est un indicateur de l'intime attachement de ces nouveaux Sud-Africains à la reterritorialisation des droits civiques.

Le processus de décloisonnement ne s'est pas réalisé sans heurts. À l'extrême droite, des forces sécessionnistes sont apparues très tôt après les élections. L'AWB (mouvement de résistance afrikaner dirigé par Eugène Terreblanche) réclame la création d'un État exclusivement afrikaner dans la région de Pretoria. Affaiblie, sa position est relayée par le Front de la liberté (Vryheidsfront, VF), dirigé par l'ancien chef d'état-major des Forces de défense sud-africaines (SADF), le général Constand Viljoen.

À l'extrême gauche, trois groupes dissidents combattent les positions conciliatrices de l'ANC, Winnie Madikizela Mandela, la présidente de la Ligue des Femmes de ce parti, préconise des politiques plus radicales en faveur des Noirs qui constituent toujours le gros des pauvres en Afrique du Sud. Sa position est soutenue par le Congrès panafricain (Pan Africanist Congress ou PAC), un parti radical qui a refusé toute négociation avec les responsables de l'apartheid en 1990, et par l'Organisation du peuple d'Azanie (Azania People's Organization, AZAPO), héritière du mouvement de la Conscience noire de Steve Biko, un leader nationaliste assassiné sous l'apartheid. Pour ces radicaux, le respect des acquis de la minorité blanche constitue une trahison envers les populations noires honteusement exploitées par les Blancs.

L'affaiblissement de l'influence des groupes radicaux permet de parier sur les chances de consolidation de la réconciliation pour laquelle la Commission Vérité, la reconstruction et le discours politiques postapartheid ont préparé le terrain. L'intégration des territoires sous une administration de la majorité noire s'est accompagnée de l'ouverture de l'espace politique. Des partis politiques autrefois ethniques ouvrent leurs portes aux membres d'autres groupes. Ainsi, des Africains adhèrent au Parti national, comme des Blancs et des membres de la tribu Zoulou intègrent l'ANC dominé par des membres de la tribu Xhosa.

LES OBSTACLES À LA NAISSANCE D'UN CAPITALISME NOIR

En Afrique du Sud, le contraste est toujours frappant entre, d'un côté, de vastes domaines fonciers réservés aux pâturages et aux cultures industrielles, quadrillés par des routes en excellent état, et, de l'autre, des familles noires qui occupent des parcelles minuscules. Au bout des pistes de terre, dans d'anciens *bantoustans* ou *homelands* récemment dépeuplés par l'exode rural, s'étendent des terres usées, érodées, demeurées sous l'emprise des chefs traditionnels. Dans cette nouvelle société, un pauvre a encore toutes les chances d'être un Noir, tandis qu'un riche a toutes les chances d'être un Blanc. La majorité noire a cependant pris conscience des possibilités que pourrait lui assurer le contrôle d'une économie nationale actuellement dominée par des intérêts extérieurs, mais la naissance d'un capitalisme noir ne se fait pas sans obstacles.

Dès son accession au pouvoir, en 1994, l'ANC s'est engagé à modifier un paysage où 60 000 fermiers blancs détenaient 87 % des terres cultivables alors que des millions de Noirs étaient parqués sur les 13 % restants. Néanmoins, le nouvel État de la majorité noire n'a pas pu rectifier rapidement les résultats des iniquités du passé. L'une des clauses du compromis politique passé entre l'ANC et le gouvernement du Parti national de Frederik de Klerk protège les acquis de la population blanche, et notamment des fermiers. Selon ce compromis, la réforme agraire doit être progressive et modérée.

Il demeure que, dans le domaine des affaires, la structure économique est dans une phase de transformation. La nouvelle Afrique du Sud a démantelé un filet législatif et réglementaire rigide qui excluait les Noirs de toutes les voies d'accumulation de la richesse. Ainsi, a-t-elle supprimé de nombreuses contraintes discriminatoires qui s'exerçaient sur les entrepreneurs noirs, notamment : l'interdiction de localiser son établissement en terres blanches, l'obligation de se limiter au seul secteur de commerce de détail avec une liste limitée de biens, la limitation quant à la taille d'une unique entreprise individuelle autorisée par personne et l'interdiction d'accès des Noirs au crédit bancaire (Marynczak, 1998).

Si hier les intérêts privés de la « bourgeoisie anglo-boers » étaient préservés par l'absence de la concurrence des milieux d'affaires noirs, la libéralisation des circuits d'accumulation du capital permet aujourd'hui à la classe moyenne noire de sortir de son ghetto de la grouillante *taxi industry* et de ses sanglantes guerres des chauffeurs de taxi[3] pour s'introduire progressivement dans d'autres filières de l'économie sud-africaine.

La levée des restrictions économiques a certes mis du temps à produire des effets dans le pays, mais elle a permis d'amorcer un processus de transfert d'entreprises aux membres de la naissante classe moyenne africaine dans le cadre du Black Economic Empowerment (BEE). S'inspirant de l'approche du mouvement Afrikaner Broederbond contre l'impérialisme britannique dans les années 1940, le BEE veut créer un capitalisme noir sud-africain.

---

3. Dans la région métropolitaine de Johannesburg, par exemple, deux grandes associations des chauffeurs de taxi se livrent une vive compétition qui se traduit régulièrement par des crises sanglantes, les *taxis wars*.

À son époque, Afrikaner Broederbond avait organisé des réseaux d'intérêts politiques et économiques des milieux tant urbains que ruraux, et créé les premières grandes sociétés ethniques d'assurance, comme SANLAM et SANTAM, ainsi que des banques comme la Volkskas et la Sasbank, ce qui avait permis l'accumulation d'une part importante du capital afrikaner.

Un certain parallélisme s'observe aujourd'hui entre le schéma afrikaner et la forme actuelle d'émergence du secteur privé noir sud-africain. Le Black Economic Empowerment a contribué à la création de nombreuses sociétés, surtout des sociétés d'assurance, telles que l'African Life, la Metropolitan Life, ainsi que des banques, notamment la Merchant & Investment Bank.

Au départ, les autorités espéraient développer une alternative pratique à la nationalisation des intérêts économiques de la minorité blanche, ce qui allait drainer suffisamment de capital pour le réinvestissement dans d'autres secteurs, notamment l'industrie. Des consortiums de *Black Business* apparaissent ici et là : conglomérats d'hommes d'affaires, de syndicats, d'églises, etc., qui s'identifient comme le New Africa Investment, le New Age Beverage, l'African Consolidated Investments, par exemple. Ces différents groupes cherchent à tisser des liens entre les *Black Businesses* et des groupes particuliers de capital de risque, notamment les Afro-Américains, les pétrodollars du monde arabe, etc.

Ce processus plutôt marginal ne constitue pas encore véritablement un pouvoir économique noir en Afrique du Sud. Au regard du degré de pauvreté dans la communauté noire, le niveau d'épargne drainé par ces milieux d'affaires est encore relativement faible, contrairement à la situation chez les Afrikaners où le capital issu des exploitations agricoles est important. Mais, si l'« indigénisation » de l'économie est lente, elle est certaine et suit des pistes différentes des transformations économiques vécues ailleurs en Afrique.

Comme dans le contexte d'Afrikaner Broederbond où la création de la classe moyenne afrikaner s'est nourrie de l'octroi de contrats gouvernementaux aux sociétés, ici on prône une association du capital nationaliste avec le capital étatique. De même, la mise en œuvre d'entreprises comme ISCOR (actuellement Mittal Steel Company), SASOL, ESKOM, et de l'Industrial Development Corporation avait permis aux élites afrikaners d'accéder aux facilités offertes par l'État à travers le maillage des conseils d'administration d'entreprises privées et publiques. Le ANC, qui a renoncé à la nationalisation des propriétés et entreprises détenues par la minorité blanche en acceptant le jeu du libre marché, s'est privé d'une voie possible d'accumulation ethnique de la richesse.

Le capitalisme afrikaner s'est construit en partie sur la base de l'exploitation d'une main-d'œuvre nombreuse et bon marché, rassemblée par les politiques coercitives de l'apartheid. Alors, l'ANC doit organiser le rattrapage économique d'une main-d'œuvre africaine plus nombreuse que les Afrikaners pauvres des années 1950. Néanmoins, les marchés de contrats publics de reconstruction et la priorité accordée aux Noirs dans l'embauche constituent un puissant moyen de redistribution des revenus pour réaliser une politique de discrimination positive en faveur de cette main-d'œuvre (*affirmative action ou Black economic empowerment*).

Deux ordres de clivage émergent déjà, le premier est générationnel, entre les commerçants de la vieille garde et la nouvelle génération des entrepreneurs qui se sont lancés en affaires après l'apartheid. La génération d'entrepreneurs des années 1960 s'est enrichie grâce aux restrictions sévères de l'apartheid, tandis que la génération post-apartheid, porteuses de diplômes techniques souvent obtenus à l'extérieur, notamment aux États-Unis et en Angleterre, est venue aux affaires après avoir transité par des entreprises privées. La seconde génération de gens d'affaires semble plus dynamique et accompagne la classe industrielle dans sa conquête des marchés d'exportation. Quinze ans après l'apartheid, le bilan de cette politique apparait mitigé. Un cinquième de la population blanche, soit un peu plus d'un million, a quitté le pays[4]. Il s'agit surtout de jeunes de 20 à 25 ans, qualifiés, lésés par les difficultés d'accès dues aux nouvelles lois sur l'emploi équitable et la politique de transformation raciale de l'économie. La pénurie relative de la main-d'œuvre qualifiée devient perceptible dans les secteurs de l'ingénierie, de la santé et de l'éducation. La classe moyenne noire préfère investir dans les quartiers huppés occupés autrefois par les Blancs, au lieu d'investir dans les townships (Jeune Afrique, 2006) pour aider les pauvres. L'émigration massive des Blancs tend à affecter le rythme de développement, ainsi, certaines entreprises se livrent-elles à la chasse aux cerveaux, notamment en Inde. Tout en redéfinissant la discrimination positive pour inciter les jeunes blancs émigrés à revenir au pays, les autorités tentent d'investir davantage dans l'enseignement des sciences.

À l'occasion de la Coupe du monde de soccer en 2010, l'Afrique du Sud a dépensé 6 milliards d'euros pour la construction des infrastructures considérables[5] et l'organisation des compétitions. Ces investissements ont créé plus de 20 000 emplois qui, selon le gouvernement sud-africain peuvent permettre aux travailleurs concernés d'acquérir des compétences susceptibles d'induire des effets sur l'économie à moyen et à long terme[6] (Thelliez, 2010).

CONCLUSION

Les transformations qui s'opèrent au sein de la société sud-africaine sont donc en train de générer un espace politique et social post-apartheid caractéristique d'une « Nation Arc-en-ciel ». Des transformations sociales peuvent être détectées au plan

---

4. Les principales destinations des jeunes blancs qualifiés étant la Grande-Bretagne, et plus particulièrement la région de Londres, l'Australie, la Nouvelle-Zélande, le Canada et les États-Unis. (Jeune Afrique, 2006).
5. Notamment des stades, des logements, des équipements de transport collectif, etc.
6. À court terme, les autorités projetaient l'incidence de la Coupe du monde 2010 sur le POIB à 0,54 %.

du rapport des sociétés sud-africaines au territoire, des rapports entre les différentes ethnies, de la manière dont elles s'approprient l'espace, et du rapport entre la nouvelle Afrique du Sud et le reste d'un continent africain où ce pays fait de plus en plus figure de puissance régionale. Mais les traces du passé constituent des obstacles majeurs à la stabilité nécessaire pour un développement viable de la société sud-africaine. L'autorité morale de Nelson Mandela a permis d'éviter les confrontations raciales violentes à plus d'une occasion. Mais il faudra que les compromis donnent des résultats visibles pour le peuple pour que la «Nation Arc-en-ciel» s'institutionnalise.

BIBLIOGRAPHIE

CLING, J.-P. (1998). *Afrique australe: intégration régionale et «ancrage» à l'Union européenne*, <www.cepii.fr/francgraph/publications/ecointern/rev74/rev74e.htm>.

DARBON, D. et M. FOUCHER (2001). *L'Afrique du Sud, puissance utile?*, Paris, Belin, coll. «Frontières».

FAVENNEC, G. (1997). *Le processus de démocratisation en Afrique du Sud*, <www.chez.com/bibelec/publications/international/asud.htm>.

JEUNE AFRIQUE (2006). *Les dysfonctionnement de la discrimination positive en Afrique du Sud*, octobre 30.

LE NOUVEL OBSERVATEUR (2011). *Atlaseco: Atlas économique et politique mondial*, 266 p.

MARYNCZAK, A. (1998). *Difficile émergence d'un capitalisme noir en Afrique du Sud*, <www.politique-africaine.com/numeros/pdf/056009.pdf>.

THELLIEZ, B. (2010). L'Afrique du Sud déjà satisfaite du bilan de l'organisation du Mondial, <http://www.mtm-news.com/l-afrique-du-sud-deja-satisfaite-du-bilan-de-l-organisation-du-mondial>.

LA RECONSTRUCTION AFRICAINE
Entre la modernité et les traditions.
Les leçons du Rwanda

Édith Mukakayumba

Les crises multiformes qui secouent aujourd'hui le continent africain, au moment où il célèbre 50 ans d'indépendance politique, soulèvent une multitude de questions qui demeurent sans réponses. Pensons d'abord à la Côte-d'Ivoire qui, au lendemain des dernières élections présidentielles[1], s'est retrouvée avec deux présidents. Deux présidents pour un même pays, pour un même fauteuil présidentiel : Laurent Gbagbo, le président sortant, et Alassane Ouattara, ancien Premier ministre. Comme pour ajouter à la confusion, ces deux présidents ont été reconnus et assermentés par les institutions du pays. « Alors que la commission électorale ivoirienne a donné Alassane Ouattara vainqueur de la présidentielle, cette annonce surprise a aussitôt été rejetée par le Conseil constitutionnel qui a proclamé Laurent Gbagbo gagnant », affirmait le *Courrier international* (2010) au lendemain des élections. Quatre mois plus tard, les deux présidents sont toujours en poste et chacun d'entre eux revendique la victoire. En attendant l'issue de cette situation, où la fiction se confond avec la réalité, le pays est livré au chaos. Et, servant de repères, les images du Rwanda de 1994 hantent de nouveau les esprits et font craindre le pire.

Incompréhensibles à première vue, et loin de constituer l'illustration des certitudes des afro-pessimistes qui verraient, dans les crises africaines en cours, la preuve d'une Afrique puérile (voir le discours prononcé par Sarkozy en juin 2007[2]), cette situation tragique témoigne du prix payé par un continent en quête d'une indépendance réelle, d'une voie qui serait la sienne. Cette Afrique dont, selon Diangitukwa (2011), « l'avenir [...] se joue en Côte-d'Ivoire » est celle qui se méfie des anciennes puissances coloniales auxquelles elle attribue des intentions belliqueuses et impérialistes, ayant pour finalité une « nouvelle forme de colonisation qui ne dit pas son nom » (*ibid.*). Cela expliquerait sans doute la tolérance, de la part des Africains, de ce qui paraît inacceptable aux yeux d'une communauté internationale qui se confond avec l'Occident, comme la justification du maintien en poste des dictateurs dont Mugabe est l'une des figures emblématiques. Cela expliquerait aussi le refus de la

---

1. Ces élections ont eu lieu le 28 novembre 2010.
2. D'une durée de 50 minutes, le discours rédigé par Henri Guaino et prononcé par le président Sarkozy à Dakar a suscité l'indignation en Afrique et ailleurs dans le monde. Doudou Diène, rapporteur spécial de l'ONU sur les formes contemporaines de racisme, de discrimination raciale, de xénophobie et de l'intolérance qui y est associée, a déclaré à la tribune de l'ONU que « dire que les Africains ne sont pas entrés dans l'Histoire est un stéréotype fondateur des discours racistes des XVIIe, XVIIIe et XIXe siècles ».

très grande majorité des pays africains de souscrire aux interventions de la Coalition internationale en train de faire la guerre à Kadhafi, conformément à la résolution 1973 du Conseil de sécurité des Nations Unies[3]. La demande adressée par l'Union africaine à la Coalition internationale contre Kadhafi de cesser les hostilités dès le lendemain des premières frappes aériennes de l'Opération «Aube de l'odyssée» et le nombre de protestations du public africain et non africain contre cette opération s'inscrirait dans la même logique (voir Jules, 2011).

Comment sortir de l'impasse? Une réponse à cette question exige de penser aux solutions grâce auxquelles une Afrique qui vit au rythme de la modernité, voire de la postmodernité, continuerait d'exister par ses traditions, du moins par celles d'entre elles qui ont fait leurs preuves dans la régulation des rapports sociaux et dans celle des rapports des sociétés aux territoires. À ce sujet, comme en témoigne Nadjaldongar (2008), entre autres, la reconstruction du Rwanda au lendemain du génocide de 1994 demeure la référence.

LES LEÇONS DU RWANDA

Rendu tristement célèbre en 1994 par un génocide qui a décimé une bonne partie de sa population, et par la catastrophe humanitaire qu'il a engendrée, soit un ensemble d'événements qualifiés unanimement par les médias internationaux des plus marquants de la fin du XXe siècle, le Rwanda a amorcé sa reconstruction à un rythme accéléré à première vue. Des signes extérieurs de cette remontée apparaissent dans plusieurs secteurs d'activité, notamment dans ceux de la construction, des infrastructures et du commerce. Cependant, selon de nombreux Rwandais, voire de nombreux observateurs étrangers en relation étroite avec les Rwandais, ces signes visibles masquent la lenteur sinon l'échec d'une autre reconstruction qui se rapporte aux bases sociales, notamment aux structures et aux institutions. D'après les propos de ces témoins privilégiés de la scène rwandaise, les structures et les institutions officielles mises en œuvre au lendemain du génocide pour jeter les bases de cette reconstruction n'ont guère donné les résultats escomptés et se trouvent aujourd'hui dans l'impasse. Dans le propos ci-après, nous reprenons quelques-uns des éléments relatifs à cette impasse et nous nous attardons sur deux des structures qui en témoignent: le Tribunal pénal international pour le Rwanda (TPIR) et les tribunaux *gacaca*, mis sur pied pour lutter contre l'impunité. Pour terminer, nous tentons de répondre à une question qui se pose face à cette impasse, à savoir quelles pourraient être les portes de sortie? En conclusion, nous rappelons à quel point les défis de la reconstruction nationale au Rwanda demeurent quasi entiers.

---

3. Adoptée le 19 mars 2011, cette résolution n'a été soutenue que par trois pays africains, dont un seul francophone.

LES INSTITUTIONS OFFICIELLES DANS L'IMPASSE

Dès le lendemain du génocide rwandais, l'une des conditions reconnues unanimement, aussi bien à l'échelle nationale qu'à l'échelle internationale, comme étant essentielle à la reconstruction nationale fut la lutte contre l'impunité. La priorité donnée à cette condition s'explique naturellement par l'ampleur des destructions sur les plans humain et social. Rappelons-en quelques chiffres. Entre le début d'avril et le début de juillet 1994, c'est-à-dire en moins de trois mois, au moins un million de Rwandais ont été massacrés par d'autres Rwandais. Pire encore, ces massacres n'étaient pas toujours l'œuvre des inconnus, mais bien des voisins, voire parfois des proches : parents ou amis. Plus de la moitié de la population rwandaise fuyant les massacres, obligée de quitter son lieu de résidence habituel, a dû survivre en errance pendant des mois, voire dans certains cas pendant des années, et dépendre entièrement de l'aide humanitaire d'origine internationale. Au moment le plus critique de la crise, au moins deux millions de Rwandais étaient réfugiés dans les pays limitrophes et environ le même nombre étaient devenus des réfugiés à l'intérieur même des frontières nationales ; 800 000 enfants étaient répertoriés sur la liste des enfants non accompagnés. L'importance du nombre de morts, de déplacés, d'enfants abandonnés et d'autres indicateurs de la crise dont la liste serait longue, explique la priorité donnée à l'une des conditions définies comme étant essentielle à la reconstruction nationale par les nouveaux dirigeants du Rwanda, de concert avec les acteurs de la communauté internationale : arrêter et traduire en justice les responsables du génocide. En effet, dès la fin de la pire période des massacres, en juillet 1994, les solutions envisagées pour répondre à cette condition soulevèrent bon nombre de questions, dont celles qui suivent ne sont qu'une illustration : comment procéder pour juger un nombre aussi impressionnant de coupables présumés (plus de 200 000 personnes) ? Sur quelles structures ou institutions s'appuyer pour procéder aux poursuites et aux procès ? Quelles ressources (financières et humaines) engager ? Où trouver ces ressources ? Etc. Aussi, est-ce dans la confusion que furent créées les structures de lutte contre l'impunité, le TPIR et les tribunaux *gacaca* aujourd'hui dans l'impasse.

Le Tribunal pénal international pour le Rwanda

L'un des moyens envisagés pour lutter contre l'impunité, perçu d'ailleurs par certains comme une panacée, fut la mise en place de l'institution onusienne connue sous la dénomination de Tribunal pénal international pour le Rwanda (TPIR), établi à Arusha, en Tanzanie, pays limitrophe du Rwanda. Cependant, les espoirs suscités par le TPIR furent mis à l'épreuve dès les premières années de son existence et il perdit vite toute crédibilité aux yeux de ceux qui y voyaient une institution de justice susceptible de contribuer à la réparation des rapports sociaux meurtris en même temps que des torts subis par les groupes humains décimés par les massacres (voir Margotton, 2009; Weyl, 2009; TPIR/Amnesty, sd). Parmi les raisons qui expliquent cette mise à l'épreuve, rappelons:

1. Les sommes exorbitantes consacrées à la mise sur pied du TPIR, aussi bien lors des travaux de construction que pour les frais d'opération et de gestion. Les critiques adressées au TPIR avaient d'autant plus de poids que la comparaison de ces sommes avec les maigres ressources consenties pour aider les victimes du génocide inspirait des sentiments d'injustice.

2. La lourdeur bureaucratique du TPIR et la lenteur des procès firent rapidement perdre tout espoir de les voir aboutir à des jugements le moindrement significatifs, au regard de la réparation des torts en question.

3. La corruption de certains membres du personnel du TPIR, qui a joué en faveur des prisonniers accusés de génocide.

4. L'écart entre le traitement des détenus au TPIR, présumés responsables du géno-cide mais qui ont bénéficié de soins conformes aux standards des Nations Unies, et l'absence de soins pour leurs présumées victimes qui ont été laissées pour compte, ce qui ne cessait de susciter des critiques quant au sens même du mot justice. L'un des exemples les plus fréquemment évoqués concernant cet écart est celui des soins médicaux prodigués aux prisonniers séropositifs du TPIR, qui bénéficiaient des trithérapies alors que leurs victimes présumées, les femmes infectées par le même virus suite aux viols subis pendant le génocide, ne pouvaient nullement en bénéficier. Pire encore, dans la plupart des cas, ces dernières avaient tout perdu pendant le génocide, y compris leurs proches et leurs biens matériels.

5. Perçu comme un Tribunal de vainqueurs, il ne s'est pas affranchi de l'opposition ethnique entre Hutu et Tutsi en réunissant les victimes dans un même combat face aux extrémistes (voir *Le Monde,* 2009).

Les tribunaux *gacaca*

C'est dans la confusion issue de l'impasse du TPIR que furent créés les tribunaux *gacaca*. Présentés et adoptés par les nouvelles autorités rwandaises comme une alternative permettant de surmonter l'impasse du TPIR, les tribunaux *gacaca*, une institution de justice traditionnelle rwandaise, ont-ils joué adéquatement leur rôle?

Dès leur mise en opération, les tribunaux *gacaca* ne tardèrent pas à montrer à leur tour bon nombre de limites qui leur firent perdre la crédibilité et la légitimité dont ils jouissaient dans la société traditionnelle. Le discrédit jeté sur ces tribunaux, encore méconnu par ceux qui y voient une alternative valable au TPIR, apparaît dans toutes sortes de commentaires et de «blagues de salon ou de la rue». L'une de ces blagues émises par des jeunes voyageant dans un taxi (en 2002), rapportée spontanément par un voyageur rwandais résidant au Canada et recueillie parmi les propos échan-gés lors d'une veillée rwandaise en décembre 2004, à Toronto, résume parfaitement le discrédit jeté sur les tribunaux *gacaca*. Selon cette blague, «ceux qui ont mis sur pied les *gacaca* ont procédé comme s'il y avait encore au Rwanda des *abapfasoni* [gens qui ont le sens de la morale] ». Une réflexion plus approfondie sur une telle blague pourrait faire ressortir de nombreux éléments intéressants concernant les acteurs qui participent aux tribunaux *gacaca* et, surtout, concernant les préalables au succès de ceux-ci. Mais, cette analyse n'étant pas l'objet de notre propos, nous nous contenterons de relever ci-après quelques-uns des reproches faits aux tribunaux *gacaca*.

Premièrement, les tribunaux *gacaca* ne procéderaient pas à un « vrai » jugement des coupables éventuels du génocide. Il suffit qu'un prisonnier reconnaisse qu'il a tué des gens pour qu'il soit remis en liberté et qu'il retourne sur sa colline d'origine, où, après avoir récupéré ses biens, il reprendra sa vie quotidienne dans les mêmes lieux où se trouvent aussi des personnes dont il a tué les proches et qui sont forcées de le côtoyer.

Deuxièmement, les tribunaux *gacaca* seraient devenus des lieux des dénonciations mensongères, où des procès arbitraires servent, non à la réconciliation mais à la recrudescence de la haine et de la méfiance (voir Fondation Hirondelle, 2006). Cela a pour effet de faire perdre l'espoir entretenu par les victimes du génocide ainsi que par l'ensemble du peuple rwandais, voire de la communauté internationale, de mettre fin à l'impunité et d'engager ainsi un processus de résolution de conflit qui ferait échec aux tentatives de vengeance.

Troisièmement, le nombre des *gacaca* en cours de fonctionnement, estimé à 1 000 en 2006, est resté en deçà des 11 000 prévus (Fondation Hirondelle, 2006).

Enfin, un nombre non négligeable de prisonniers, estimé à 20 000 en 2006 (Fondation Hirondelle), occasionnent des dépenses substantielles d'entretien dans un pays qui a cruellement besoin de ressources financières pour une reconstruction multidimensionnelle : reconstruction des infrastructures, appui aux personnes bouleversées par des drames, reconstruction des institutions.

L'échec des structures officielles mises en œuvre pour lutter contre l'impunité et, ce faisant, favoriser la réparation des liens sociaux montre à quel point la reconstruction nationale du Rwanda fait face à de nombreux obstacles. Les problèmes à surmonter restent quasi entiers dans bien des cas. Il serait même plus juste de constater qu'au lieu de résoudre les problèmes, les interventions médiatisées par ces structures en engendrent d'autres parfois plus complexes, ce qui hypothèque l'espoir d'une reconstruction nationale durable.

Y A-T-IL D'AUTRES PORTES DE SORTIE ?

Lorsqu'on observe de plus près la société rwandaise en action, on constate que sa reconstruction passe souvent par des voies auxquelles on ne prête pas attention, souvent basées sur le patrimoine culturel – patrimoine constitué des mythes fondateurs, des pratiques ancestrales et des structures traditionnelles – dont l'exploitation prend en compte et intègre les réalités d'un monde qui connaît de moins en moins de frontières.

Un mythe fondateur rassembleur

Selon l'un des mythes fondateurs du peuple rwandais, qui s'est affirmé avec vigueur au cours des dernières années, les Rwandais descendraient d'un ancêtre commun: Gihanga. Celui-ci aurait eu trois fils – Gatutsi, Gahutu et Gatwa – dont la différence historique procéderait des activités économiques pratiquées grâce aux biens et aux outils reçus en héritage, soit l'élevage pour les Tutsi, dont l'ancêtre aurait hérité d'une vache, l'agriculture pour les Hutu, dont l'ancêtre aurait hérité d'une houe, et la chasse et la cueillette pour les Twa, dont l'ancêtre aurait reçu des flèches pour héritage. Le retour de ce mythe suggère indirectement la nécessité de mettre un terme aux divisions et aux clivages ethniques entre les groupes de Rwandais, contrairement aux interprétations proposées par des ethnologues non rwandais, d'ailleurs largement contestés.

Des liens de fait grâce à une langue et une culture communes

Le fait que les Rwandais partagent une langue et une culture communes contribue à la reconstruction des liens, donc d'un tissu social ravagé, non seulement par le génocide et la crise humanitaire de 1994 mais aussi par des décennies de divisions, de polarisation et d'hostilités intergroupes tant entre les Rwandais dits «de l'intérieur» qu'entre ceux dits «de l'extérieur», cette dernière catégorie désignant les différents groupes de Rwandais condamnés à l'exil depuis 1959, dont bon nombre sont retournés dans leur pays après juillet 1994.

La thérapie par des outils traditionnels

Dans la vie quotidienne des Rwandais, les blagues et le rire, les arts, notamment la musique et la danse, le sens de la fête, jouent le rôle de catalyseurs d'émotions de tous genres. Dans le contexte de la reconstruction engagée après le génocide et la crise humanitaire de 1994, ces instruments réussissent à réduire le fossé créé par ces tragiques événements entre les personnes et les groupes et, ainsi, à créer des conditions favorables à la reconstruction sociale.

Le sens du religieux: un ciment à toute épreuve

La croyance traditionnelle rwandaise selon laquelle «Dieu passe la journée à se balader à travers le monde et c'est au Rwanda qu'il rentre se reposer la nuit» revêt tout son sens aujourd'hui pour de nombreux Rwandais réunis par la pratique religieuse. Quelle que soit la forme sous laquelle elle est vécue, celle-ci réunit les personnes et les groupes que les positions occupées et les rôles joués dans le génocide et dans la crise humanitaire devraient opposer.

Le retour des femmes dans les hauts lieux d'exercice du pouvoir

Au lendemain de la constitution du nouveau gouvernement, l'un des éléments qui a retenu l'attention et impressionné les observateurs internationaux est l'importance de la place qui y a été accordée aux femmes. Leur nombre dans la députation et au Conseil des ministres a battu tous les records connus à l'échelle planétaire. Incompréhensible à première vue, cette place primordiale accordée aux femmes au Rwanda trouverait son explication dans le retour aux sources car elle serait conforme aux pratiques traditionnelles, préeuropéennes, où le rôle crucial des femmes dans les prises de décision est reconnu et accepté. À cet égard aussi, c'est en se référant au patrimoine, consigné dans les proverbes et dans certaines pratiques qu'on retrouve l'explication. Rappelons-en quelques-uns. « *Umugore ni urugo* » (la femme, c'est le *rugo*, ce qui rappelle que la force de toute famille repose sur celle de la femme). « *Umwana ni nyina* » (l'enfant, c'est sa maman), ce qui rappelle l'importance capitale de la femme dans l'éducation des enfants et la transmission des valeurs. « *Umugore ni nyamhinga* », ce qui fait référence au rôle exercé par la femme dans la protection des droits de la personne. Il est important aussi de rappeler le rôle primordial reconnu dans la tradition rwandaise aux femmes dans l'exercice du pouvoir en hauts lieux, plus spécialement lors de la prise des décisions engageant la nation, dans la mesure où, à ce niveau aussi, c'est une femme, la reine mère – et non le roi – qui prend les principales décisions.

Ce survol des outils mis en œuvre pour la reconstruction du Rwanda rappelle à quel point la réalité vécue se trouve écartelée entre deux mondes : celui que l'on tente d'organiser selon les structures d'une modernité en crise et celui qui se fonde sur les structures d'une société traditionnelle qui, tant bien que mal, semblent donner des résultats palpables. Il semble bien que les défis de la reconstruction nationale du Rwanda ne pourront être relevés que par une formule métisse entre ces deux structures qui, pour le moment, opèrent en parallèle. Cela devrait être valable pour d'autres pays africains tiraillés entre une modernité mal intégrée et des traditions qui servent de rempart en contexte de reconstruction post-conflits.

BIBLIOGRAPHIE

BRAECKMAN, C. (1994). *Rwanda, histoire d'un génocide*, Paris, Fayard.

DIANGITUKWA, Fweley (2011). « L'avenir de l'Afrique francophone se joue en Côte d'Ivoire », <http://fweley.wordpress.com/2011/01/23/>.

FONDATION HIRONDELLE (2006). « Rwanda/gacaca : sévères critiques de l'Église catholique contre les procès gacacas au Rwanda », <http://fr.hirondellenews.com/content/view/4375/615/>.

JULES, Allain (2011). « Libye : "Aube de l'Odyssée" ou l'impérialisme », <http://mobile.agoravox.fr/tribune-libre/article/> visité le 22 mars 2011.

LE MONDE (2009). « Le bilan contrasté du Tribunal international sur le Rwanda », <http://www.lemonde.fr/> visité le 22 mars 2011.

MARGOTTON, Frédéric (2009). « Le Tribunal pénal international pour le Rwanda : un échec ou un modèle à suivre ? », <http://www.regardcritique.ulaval.ca/numeros_anterieurs/hiver_2009/>.

MUKAKAYUMBA, E. et J. LAMARRE (2010). «Les pièges de la démocratie à l'occidentale en Afrique», <http://www.cafesgeographiques.ca/images/>, consulté le 20 mars 2011.

MUKAKAYUMBA, E. (1995). «Rwanda: la violence faite aux femmes en contexte de conflit armé généralisé», *Recherches familiales*, vol. 8, n° 1, p. 145-154.

NADJALDONGAR, M. Kladoumadje (2008). «Leçons tirées de la reconstruction post-conflit au Rwanda», *Atelier régional sur le Post-conflit et le Développement (pour la formulation d'une politique régionale de reconstruction post-conflit)*, Abidjan, Club du Sahel et de l'Afrique de l'Ouest.

PRINCE, B. (2011). «Quand l'homme fort est une dame», <http://www.courrierinternational.com/article/2011/02/01/quand-l-homme-fort-est-une-dame>, consulté le 20 mars 2011.

SEHENE, B. (1998). *Le piège ethnique*, Paris, Éditions Dagerno.

TPIR/AMNESTY (s.d.). «Amnesty international deplore "l'échec du TPIR" à juger les crimes commis par toutes les parties», <http://mdrwi.org/rapports%20et%20doc/tpir%20justice%20internationale/ai%20et%20tpir.htm>.

VERDIER, R., E. DECAUX et J.-P. CHRÉTIEN (1995). *Rwanda, un génocide du XXe siècle*, Paris, L'Harmattan.

WEYL, F. (2009). «Un Tribunal international POUR le Rwanda?», <http://www.heritagetpirdefense.org/papers/Frederic_Weyl_Un_Tribunal_International_POUR_le_Rwanda.pdf>, consulté le 22 mars 2011.

Annexe

1

Tableau synthèse sur les données de base par pays et grande région

Pays	Superficie en km²	Population 2010 (millions)	Population urbaine (%)	Densité de population (hab./km²)	Espérance de vie (années)
Amérique du Nord					
Canada	9 984 670	34,1	80	3	81
États-Unis	9 826 675	309,6	79	32	78
Mexique	1 964 375	110,6	77	57	76
Amérique latine **(comprenant les Petites Antilles mais excluant le Mexique)**					
Antigua-et-Barbuda	443	0,1	31	205	75

Pays	Superficie en km²	Population 2010 (millions)	Population urbaine (%)	Densité de population (hab./km²)	Espérance de vie (années)
Antilles néerlandaises	800	0,2	92	255	76
Argentine	2 780 400	40,5	91	15	75
Bahamas	13 880	0,3	83	25	74
Barbade	430	0,3	38	637	74
Belize	22 966	0,3	51	15	73
Bolivie	1 098 581	10,4	65	9	66
Brésil	8 514 877	193,3	84	23	73
Chili	756 102	17,1	87	23	79
Colombie	1 138 914	45,5	75	40	74
Costa Rica	51 100	4,6	59	90	79
Cuba	110 860	11,2	75	101	78
Dominique	751	0,1	73	96	75
El Salvador	21 041	6,2	63	294	71
Équateur	283 561	14,2	65	50	75
Grenade	344	0,1	31	320	70
Guadeloupe	1 628	0,4	100	239	80
Guatemala	108 889	14,4	47	132	70
Guyana	214 969	0,8	28	4	66
Guyane française	83 534	0,2	81	3	78
Haïti	27 750	9,8	48	353	61
Honduras	112 090	7,6	50	68	72
Jamaïque	10 991	2,7	52	246	72
Martinique	1 128	0,4	89	368	80
Nicaragua	130 370	6,0	56	46	71
Panama	75 420	3,5	64	46	76
Paraguay	406 752	6,5	58	16	72
Pérou	1 285 216	29,5	76	23	73
Porto Rico	13 790	4,0	94	448	79

Pays	Superficie en km²	Population 2010 (millions)	Population urbaine (%)	Densité de population (hab./km²)	Espérance de vie (années)
République dominicaine	48 670	9,9	67	203	72
Saint-Kitts-et-Nevis	261	0,1	32	203	74
Sainte-Lucie	616	0,2	28	327	73
Saint-Vincent-et-les-Grenadines	389	0,1	40	276	72
Suriname	163 820	0,5	67	3	69
Trinité-et-Tobago	5 128	1,3	12	257	69
Uruguay	176 215	3,4	94	19	76
Venezuela	912 050	28,8	88	32	74
Union européenne					
Allemagne	357 022	81,6	73	229	80
Autriche	83 871	8,4	67	100	80
Belgique	30 528	10,8	99	354	80
Bulgarie	110 879	7,5	71	68	73
Chypre	9 251	1,1	62	118	79
Danemark	43 094	5,5	72	129	79
Espagne	505 370	47,1	77	93	81
Estonie	45 228	1,3	69	30	74
Finlande	338 145	5,4	65	16	80
France	551 500	63,0	77	114	81
Grèce	131 957	11,3	73	86	80
Hongrie	93 028	10,0	67	108	74
Irlande	70 273	4,5	60	64	79
Italie	301 340	60,5	68	201	82
Lettonie	64 589	2,2	68	35	73
Lituanie	65 300	3,3	67	51	72
Luxembourg	2 586	0,5	83	196	80
Malte	316	0,4	94	1 326	79
Pays-Bas	41 543	16,6	66	400	80

Pays	Superficie en km²	Population 2010 (millions)	Population urbaine (%)	Densité de population (hab./km²)	Espérance de vie (années)
Pologne	312 685	38,2	61	122	76
Portugal	92 090	10,7	55	116	79
République tchèque	78 867	10,5	74	133	77
Roumanie	238 391	21,5	55	90	73
Royaume-Uni	243 610	62,2	80	256	80
Slovaquie	49 035	5,4	55	111	75
Slovénie	20 273	2,1	50	101	79
Suède	450 295	9,4	84	21	81
Autres pays européens					
Albanie	28 748	3,2	49	112	75
Andorre	468	0,1	90	179	83
Bosnie-Herzégovine	51 197	3,8	46	75	75
Croatie	56 594	4,4	56	78	76
Îles Anglo-Normandes	194	0,2	31	804	79
Islande	103 000	0,3	93	3	81
Kosovo	10 887	2,3	ND	207	69
Liechtenstein	160	0,04	15	225	80
Macédoine	25 713	2,1	65	80	74
Monaco	2	0,04	100	35 835	90
Monténégro	13 812	0,6	64	46	74
Norvège	323 802	4,9	80	13	81
Saint-Marin	61	0,03	84	522	83
Serbie	77 474	7,3	58	94	74
Suisse	41 277	7,8	73	190	82
Ex-URSS (excluant les pays de l'UE)					
Arménie	29 743	3,1	64	104	72
Azerbaïdjan	86 600	9,0	54	104	72

Pays	Superficie en km²	Population 2010 (millions)	Population urbaine (%)	Densité de population (hab./km²)	Espérance de vie (années)
Biélorussie	207 600	9,5	74	46	70
Géorgie	69 700	4,6	53	67	74
Kazakhstan	2 724 900	16,3	54	6	69
Kirghizistan	199 951	5,3	35	27	68
Moldavie	33 851	4,1	41	122	70
Ouzbékistan	447 400	28,1	36	63	68
Russie	17 098 242	141,9	73	8	68
Tadjikistan	143 100	7,6	26	53	67
Turkménistan	488 100	5,2	47	11	65
Ukraine	603 550	45,9	69	76	68
Asie du Nord-Est					
Chine	9 596 961	1 338,1	47	140	74
Chine, Hong-Kong	1 104	7,0	100	6 410	83
Chine, Macao	28	0,5	100	20 731	82
Corée du Nord	120 538	22,8	60	189	63
Corée du Sud	99 720	48,9	82	491	80
Japon	377 915	127,4	86	337	83
Mongolie	1 564 116	2,8	61	2	67
Taïwan	35 980	23,2	78	644	79
Asie du Sud-Est					
Brunei	5 765	0,4	72	66	77
Cambodge	181 035	15,1	20	83	61
Indonésie	1 904 569	235,5	43	124	71
Laos	236 800	6,4	27	27	65
Malaisie	329 847	28,9	63	87	74
Myanmar (Birmanie)	676 578	53,4	31	79	58
Philippines	300 000	94,0	63	313	72
Singapour	697	5,1	100	7 526	81

Pays	Superficie en km²	Population 2010 (millions)	Population urbaine (%)	Densité de population (hab./km²)	Espérance de vie (années)
Thaïlande	513 120	68,1	31	133	69
Timor oriental	14 874	1,2	22	77	61
Vietnam	331 210	88,9	28	268	74
Asie du Sud					
Afghanistan	652 230	29,1	22	45	44
Bangladesh	143 998	164,4	25	1 142	66
Bhoutan	38 394	0,7	32	15	68
Inde	3 287 263	1 188,8	29	362	64
Maldives	298	0,3	35	1 070	73
Népal	147 181	28,0	17	191	64
Pakistan	796 095	184,8	35	232	66
Sri Lanka	65 610	20,7	15	315	74
Océanie					
Australie	7 741 220	22,4	82	3	81
Fédération des États de Micronésie	702	0,1	22	158	68
Fidji	18 274	0,9	51	47	68
Guam	544	0,2	93	344	79
Îles Marshall	181	0,1	68	298	66
Îles Salomon	28 896	0,5	17	19	62
Kiribati	811	0,1	44	139	61
Nauru	21	0,01	100	507	56
Nouvelle-Calédonie	18 575	0,3	58	14	76
Nouvelle-Zélande	267 710	4,4	86	16	80
Palaos	459	0,02	78	45	69
Papouasie–Nouvelle-Guinée	462 840	6,8	13	15	59
Polynésie française	4 167	0,3	53	68	74
Samoa	2 831	0,2	22	68	73

Pays	Superficie en km²	Population 2010 (millions)	Population urbaine (%)	Densité de population (hab./km²)	Espérance de vie (années)
Tonga	747	0,1	23	139	70
Tuvalu	26	0,01	47	376	64
Vanuatu	12 189	0,2	24	20	67
Moyen-Orient (incluant la Turquie et l'Iran mais excluant l'Égypte)					
Arabie Saoudite	2 149 690	29,2	81	14	76
Bahreïn	741	1,3	100	1 807	75
Émirats arabes unis	83 600	5,4	83	64	77
Irak	438 317	31,5	67	72	67
Iran	1 648 195	75,1	69	46	71
Israël	22 072	7,6	92	342	81
Jordanie	89 342	6,5	83	73	73
Koweït	17 818	3,1	98	175	78
Liban	10 400	4,3	87	409	72
Oman	309 500	3,1	72	10	72
Qatar	11 586	1,7	100	152	76
Syrie	185 180	22,5	54	122	74
Territoires palestiniens	6 220	4,0	83	672	72
Turquie	783 562	73,6	76	94	72
Yémen	527 968	23,6	29	45	63
Afrique					
Afrique du Sud	1 219 090	49,9	52	41	55
Algérie	2 381 741	36,0	63	15	72
Angola	1 246 700	19,0	57	15	47
Bénin	112 622	9,8	41	87	59
Botswana	581 730	1,8	60	3	55
Burkina Faso	274 200	16,2	23	59	53
Burundi	27 830	8,5	10	306	50

Pays	Superficie en km²	Population 2010 (millions)	Population urbaine (%)	Densité de population (hab./km²)	Espérance de vie (années)
Cameroun	475 440	20,0	53	42	51
Cap-Vert	4 033	0,5	61	128	73
Comores	2 235	0,7	28	309	64
Congo	342 000	3,9	60	12	53
République démocratique du Congo	2 344 858	67,8	33	29	48
Côte-d'Ivoire	322 463	22,0	50	68	52
Djibouti	23 200	0,9	76	38	55
Égypte	1 001 450	80,4	43	80	72
Érythrée	117 600	5,2	21	44	59
Éthiopie	1 104 300	85,0	16	77	55
Gabon	267 667	1,5	84	6	60
Gambie	11 295	1,8	54	155	55
Ghana	238 533	24,0	48	101	60
Guinée	245 857	10,8	28	44	57
Guinée équatoriale	28 051	0,7	39	25	49
Guinée-Bissau	36 125	1,6	30	46	46
Kenya	580 367	40,0	18	69	57
Lesotho	30 355	1,9	23	63	41
Libéria	111 369	4,1	58	37	56
Libye	1 759 540	6,5	77	4	74
Madagascar	587 041	20,1	31	34	60
Malawi	118 484	15,4	14	130	49
Mali	1 240 192	15,2	33	12	51
Maroc	446 550	31,9	57	71	71
Maurice	2 040	1,3	42	628	73
Mauritanie	1 030 700	3,4	40	3	57
Mayotte	374	0,2	28	545	74

Pays	Superficie en km²	Population 2010 (millions)	Population urbaine (%)	Densité de population (hab./km²)	Espérance de vie (années)
Mozambique	799 380	23,4	31	29	48
Namibie	824 292	2,2	35	3	61
Niger	1 267 000	15,9	20	13	48
Nigeria	923 768	158,3	47	171	47
Ouganda	241 038	33,8	13	140	52
République centrafricaine	622 984	4,8	38	8	49
Réunion	2 504	0,8	92	333	78
Rwanda	26 338	10,4	17	395	51
Sahara occidental	266 000	0,5	81	2	60
Sâo Tomé e Principe	964	0,2	58	170	66
Sénégal	196 722	12,5	41	64	55
Seychelles	455	0,1	53	193	73
Sierra Leone	71 740	5,8	36	81	47
Somalie	637 657	9,4	34	15	49
Soudan	2 505 813	43,2	38	17	58
Swaziland	17 364	1,2	22	69	46
Tanzanie	947,300	45,0	25	48	55
Tchad	1 284 000	11,5	27	9	49
Togo	56 785	6,8	40	119	61
Tunisie	163 610	10,5	66	64	74
Zambie	752 618	13,3	37	18	42
Zimbabwe	390 757	12,6	37	32	43

Sources : Population Reference Bureau (*World Population Data Sheet 2010*), l'Institut national de la statistique et des études économiques <http://www.insee.fr> et *CIA World Factbook* <https://www.cia.gov/library/publications/the-world-factbook/>, consultées en octobre 2010.

Annexe
2

Tableau synthèse
sur les données socioéconomiques
par pays et grande région

Pays	IDH 2007	Alphabétisation (% des 15 ans et +) 1999-2007[a]	PIB en 2009 (Estimation)		Répartition du revenu	
			Milliards de dollars américains réels	Taux de croissance	PIB/ habitant $US Parité de pouvoir d'achat	Concentré par le 10 % les plus riches (en %)	Indice de Gini*
			Amérique du Nord				
Canada	0,966	99,0[b]	1 336	(–)2,5	38 200	24,8	32,6
États-Unis	0,956	99,0[b]	14 260,0	(–)2,6	46 000	29,9	40,8

| Pays | IDH 2007 | Alphabé-tisation (% des 15 ans et +) 1999-2007[a] | PIB en 2009 (Estimation) | | Répartition du revenu | |
			Milliards de dollars américains réels	Taux de croissance	PIB/ habitant $US Parité de pouvoir d'achat	Concentré par le 10 % les plus riches (en %)	Indice de Gini*
Mexique	0,854	92,8	1 017,0	(−)6,5	13 200	37,9	48,1
Amérique latine **(comprenant les Petites Antilles mais excluant le Mexique)**							
Antigua-et-Barbuda	0,868	99,0	1,2	(−)6,7	17 800	ND	ND
Antilles néerlandaises	ND	96,7[b]	ND	1,0[c]	16 000[c]	ND	ND
Argentine	0,866	97,6	310,1	(−)2,8	13 400	37,3	50,0
Bahamas	0,856	95,6[b]	7,3	(−)3,9	29 700	ND	ND
Barbade	0,903	99,7[d]	3,6	(−)5,6	17 700	ND	ND
Belize	0,772	75,1	1,3	(−)0,9	8 300	ND	ND
Bolivie	0,729	90,7	17,6	3,3	4 700	44,1	58,2
Brésil	0,813	90,0	1 574,0	(−)0,2	10 100	43,0	55,0
Chili	0,878	96,5	161,8	(−)1,7	14 600	41,7	52,0
Colombie	0,807	92,7	228,8	0,1	9 200	45,9	58,5
Costa Rica	0,854	95,9	29,3	(−)1,5	10 900	35,5	47,2
Cuba	0,863	99,8	56,0	1,4	9 700	ND	ND
Dominique	0,814	88,0	0,4	(−)0,3	10 200	ND	ND
El Salvador	0,747	82,0	21,1	(−)3,1	7 200	37,0	49,7
Équateur	0,806	91,0	57,3	(−)0,8	7 500	43,3	54,4
Grenade	0,813	96,0	0,6	(−)7,7	10 300	ND	ND
Guadeloupe	ND	90,0[b]	ND	ND	7 900[q]	ND	ND
Guatemala	0,704	73,2	37,3	0,6	5 100	42,4	53,7
Guyana	0,729	91,8[d]	2,0	2,3	6 500	34,0	44,6
Guyane française	ND	83,0[b]	ND	ND	8 300[q]	ND	ND
Haïti	0,532	62,1	6,6	2,9	1 300	47,8	59,5
Honduras	0,732	83,6	14,3	(−)2,1	4 100	42,2	55,3

Pays	IDH 2007	Alphabé-tisation (% des 15 ans et +) 1999-2007[a]	Milliards de dollars américains réels	Taux de croissance	PIB/habitant $US Parité de pouvoir d'achat	Concentré par le 10 % les plus riches (en %)	Indice de Gini*
				PIB en 2009 (Estimation)		Répartition du revenu	
Jamaïque	0,766	86,0	11,9	(–)2,8	8 400	35,6	45,5
Martinique	ND	97,7[b]	ND	ND	14 400[q]	ND	ND
Nicaragua	0,699	78,0	6,2	(–)2,4	2 800	41,8	52,3
Panama	0,840	93,4	24,7	2,4	12 100	41,4	54,9
Paraguay	0,761	94,6	14,7	(–)3,4	4 600	42,3	53,2
Pérou	0,806	89,6	126,8	0,9	8 500	37,9	49,6
Porto Rico	ND	94,1[d]	86,9	(–)3,7	17 100	ND	ND
République dominicaine	0,777	89,1	46,7	2,5	8 300	38,7	50,0
Saint-Kitts-et-Nevis	0,838	97,8	0,6	(–)5,5	14 700	ND	ND
Sainte-Lucie	0,821	94,8	1,0	(–)5,2	10 900	32,5	42,6
Saint-Vincent-et-Grenadines	0,772	88,1	0,6	(–)2,5	10 200	ND	ND
Suriname	0,769	90,4	3,0	2,0	9 500	40,0	52,9
Trinité-et-Tobago	0,837	98,7	20,4	(–)3,2	21 300	29,9	40,3
Uruguay	0,865	97,9	31,5	1,9	12 600	34,8	46,2
Venezuela	0,844	95,2	337,3	(–)3,3	13 000	32,7	43,4
Union européenne							
Allemagne	0,947	99,0[b]	3 353,0	(–)4,9	34 100	22,1	28,3
Autriche	0,955	98,0[b]	381,9	(–)3,4	39 200	23,0	29,1
Belgique	0,953	99,0[b]	470,4	(–)2,7	36 800	28,1	33,0
Bulgarie	0,840	98,3	47,1	(–)5,0	12 500	23,8	29,2
Chypre	0,914	97,7	23,6	(–)1,5	21 000	ND	ND
Danemark	0,955	99,0[b]	309,3	(–)4,7	36 000	21,3	24,7
Espagne	0,555	97,9	1 464,0	(–)3,6	33 600	26,6	34,7

Pays	IDH 2007	Alphabé-tisation (% des 15 ans et +) 1999-2007[a]	Milliards de dollars américains réels	Taux de croissance	PIB en 2009 (Estimation)	Répartition du revenu	
					PIB/ habitant $US Parité de pouvoir d'achat	Concentré par le 10 % les plus riches (en %)	Indice de Gini*
Estonie	0,883	99,8	19,1	(–)14,1	18 500	27,7	36,0
Finlande	0,959	100,0[e]	238,1	(–)8,1	34 100	22,6	26,9
France	0,961	99,0[b]	2 097	(–)2,5	32 600	25,1	32,7
Grèce	0,942	97,1	330,8	(–)2,0	31 000	26,0	34,3
Hongrie	0,879	98,9	129,4	(–)6,3	18 800	24,1	30,0
Irlande	0,965	99,0[b]	227,8	(–)7,6	41 000	27,2	34,3
Italie	0,951	98,9	2 118,0	(–)5,1	29 900	26,8	36,0
Lettonie	0,866	99,8	26,25	(–)18	14 400	27,4	35,7
Lituanie	0,870	99,7	37,3	(–)15	15 500	27,4	35,8
Luxembourg	0,960	100,0[e]	51,7	(–)3,4	79 600	23,8	30,8
Malte	0,902	92,4	8,0	(–)1,8	24 300	ND	ND
Pays-Bas	0,964	99,0[b]	794,8	(–)3,9	39 500	22,9	30,9
Pologne	0,880	99,3	430,2	1,7	17 900	27,2	34,9
Portugal	0,909	94,9	227,9	(–)2,7	21 700	29,8	38,5
République tchèque	0,903	99,0[b]	194,8	(–)4,2	24 900	22,7	25,8
Roumanie	0,837	97,6	161,5	(–)7,1	11 500	25,3	31,5
Royaume-Uni	0,947	99,0[b]	2 184,0	(–)4,9	34 800	28,5	36,0
Slovaquie	0,880	99,6[f]	88,2	(–)4,7	21 100	20,8	25,8
Slovénie	0,929	99,7	49,2	(–)7,8	27 700	24,6	31,2
Suède	0,963	99,0[b]	405,4	(–)5,1	36 600	22,2	25,0
Autres pays européens							
Albanie	0,818	99,0	12,2	4,2	6 400	25,9	33,0
Andorre	0,934	100,0	ND	2,6	44 900	ND	ND
Bosnie-Herzégovine	0,812	96,7	17,1	(–)3,4	6 400	27,4	35,8

Pays	IDH 2007	Alphabé-tisation (% des 15 ans et +) 1999-2007[a]	Milliards de dollars américains réels	Taux de croissance	PIB en 2009 (Estimation) PIB/ habitant $US Parité de pouvoir d'achat	Répartition du revenu Concentré par le 10% les plus riches (en%)	Indice de Gini*
Croatie	0,871	98,7	63,2	(–)5,8	17 500	23,1	29,0
Îles Anglo-Normandes	ND	ND	ND	ND	40 000[q]	ND	ND
Islande	0,969	99,0[b]	12,1	(–)6,5	39 600	ND	ND
Kosovo	ND	91,9	3,2[g]	ND	2 500[g]	ND	ND
Liechtenstein	0,951	100,0	4,6[g]	3,1[g]	122 100[g]	ND	ND
Macédoine	0,817	97,0	9,2	(–)1,8	9 100	29,5	39,0
Monaco	ND	99,0[b]	ND	ND	30 000[h]	ND	ND
Montenegro	0,834	96,4[i]	4,1	(–)6,1	9 800	ND	ND
Norvège	0,971	100,0	383	(–)1,5	57 400	23,4	25,8
Saint-Marin	ND	96,0	1,0[c]	4,3[g]	41 900[g]	ND	ND
Serbie	0,826	96,4[i]	42,9	(–)2,9	10 600	ND	ND
Suisse	0,960	99,0[b]	494,6	(–)1,5	41 400	25,9	33,7
Ex-URSS (sans les pays de l'UE)							
Arménie	0,789	99,5	8,7	(–)14,4	5 500	28,9	33,8
Azerbaïdjan	0,787	99,5	43,1	9,3	10 400	17,5	36,5
Biélorussie	0,826	99,7	49,0	0,2	12 500	22,0	27,9
Géorgie	0,778	100,0	10,7	(–)6,7	4 400	30,6	40,8
Kazakhstan	0,804	99,6	109,3	1,0	11 800	25,9	33,9
Kirghizistan	0,710	99,3	4,6	2,3	2 200	25,9	32,9
Moldavie	0,720	99,2	5,4	(–)7,7	2 300	28,2	35,6
Ouzbékistan	0,710	96,9	32,8	8,1	2 800	29,5	36,7
Russie	0,817	99,5	1 255,0	(–)7,9	15 100	28,4	37,5
Tadjikistan	0,688	99,6	5,0	3,4	1 900	26,4	33,6
Turkménistan	0,739	99,5	31,9	6,1	6 700	31,8	40,8

| Pays | IDH 2007 | Alphabé-tisation (% des 15 ans et +) 1999-2007[a] | PIB en 2009 (Estimation) | | Répartition du revenu | |
			Milliards de dollars américains réels	Taux de croissance	PIB/ habitant $US Parité de pouvoir d'achat	Concentré par le 10 % les plus riches (en %)	Indice de Gini*
Ukraine	0,796	99,7	116,2	(–)15,0	6 300	22,5	28,2
Asie du Nord-Est							
Chine	0,772	93,3	4 909,0	9,1	6 600	31,4	41,5
Chine, Hong-Kong	0,944	93,5[d]	210,7	(–)2,8	36 800	34,9	43,4
Chine, Macao	ND	91,3	22,1	1,0	33 000	ND	ND
Corée du Nord	ND	99,0	27,8	3,7	1 900	ND	ND
Corée du Sud	0,937	97,9[d]	832,5	0,2	28 100	22,5	31,6
Japon	0,960	99,0[d]	5 068	(–)5,3	32 700	21,7	24,9
Mongolie	0,727	97,3	4,2	(–)1	3 100	24,9	33,0
Taïwan	ND	96,1[b]	379,0	(–)1,9	32 000	ND	ND
Asie du Sud-Est							
Brunei	0,920	94,9	10,6	0,5	51 200	ND	ND
Cambodge	0,593	76,3	10,8	(–)1,5	1 900	34,2	40,7
Indonésie	0,734	92,0	539,4	4,5	4 000	32,3	39,4
Laos	0,619	72,7	5,6	6,5	2 100	27,0	32,6
Malaisie	0,829	91,9	191,5	(–)1,7	14 900	28,5	37,9
Myanmar (Birmanie)	0,586	89,9	27,6	1,8	1 100	ND	ND
Philippines	0,751	93,4	161	0,9	3 300	33,9	44,0
Singapour	0,944	94,4	177,1	(–)1,3	52 200	32,8	42,5
Thaïlande	0,783	94,1	263,9	(–)2,2	8 200	33,7	42,5
Timor oriental	0,489	50,1	0,6	7,5	2 400	31,3	39,5
Vietnam	0,725	90,3	92,4	5,2	2 900	29,8	37,8
Asie du Sud							
Afghanistan	0,352	28,0	14,0	22,5	1 000	ND	ND

Pays	IDH 2007	Alphabé-tisation (% des 15 ans et +) 1999-2007[a]	PIB en 2009 (Estimation)			Répartition du revenu	
			Milliards de dollars américains réels	Taux de croissance	PIB/ habitant $US Parité de pouvoir d'achat	Concentré par le 10 % les plus riches (en %)	Indice de Gini*
Bangladesh	0,543	53,5	94,5	5,6	1 500	26,6	31,0
Bhoutan	0,619	52,8	1,3	5,7	4 700	37,6	46,8
Inde	0,612	66,0	1 236,0[b]	7,4	3 100	31,1	36,8
Maldives	0,771	97,0	1,4	(–)3,0	4 300	ND	ND
Népal	0,553	56,5	12,6	4,7	1 200	40,4	47,3
Pakistan	0,572	54,2	166,5	4,2	2 500	26,5	31,2
Sri Lanka	0,759	90,8	41,3	3,5	4 500	33,3	41,1
Océanie							
Australie	0,970	99,0[b]	997,2	1,3	40 000	25,4	35,2
Fédération des États de Micronésie	ND	89,0[j]	238,1[k]	ND	2 200[k]	ND	ND
Fidji	0,741	93,7[b]	3,1	(–)2,5	3 900	ND	ND
Guam	ND	99,0[j]	2,8[l]	ND	15 000[m]	ND	ND
Îles Marshall	ND	93,7[j]	161,7[k]	(–)0,3[k]	2 500[k]	ND	ND
Îles Salomon	0,610	76,6	0,7	(–)2,3	2 500	ND	ND
Kiribati	ND	ND	0,1	(–)0,7	6 100	ND	ND
Nauru	ND	ND	ND	ND	5 000[m]	ND	ND
Nouvelle-Calédonie	ND	96,2[j]	3,3[b]	ND	15 000[b]	ND	ND
Nouvelle-Zélande	0,950	99,0[b]	117,8	(–)1,6	27 400	27,8	36,2
Palaos	ND	92,0[j]	0,2[k]	ND	8 100[k]	ND	ND
Papouasie–Nouvelle-Guinée	0,541	57,8	7,9	4,5	2 300	40,9	50,9
Polynésie française	ND	98,0[j]	6,1[c]	ND	18 000[c]	ND	ND
Samoa	0,771	98,7	0,6	(–)0,8	5 400	ND	ND

Pays	IDH 2007	Alphabé-tisation (% des 15 ans et +) 1999-2007[a]	PIB en 2009 (Estimation)			Répartition du revenu	
			Milliards de dollars américains réels	Taux de croissance	PIB/ habitant $US Parité de pouvoir d'achat	Concentré par le 10% les plus riches (en %)	Indice de Gini*
Tonga	0,768	99,2	0,3	(−)0,5	6 300	ND	ND
Tuvalu	ND	ND	0,01[n]	ND	1 600[n]	ND	ND
Vanuatu	0,693	78,1	0,6	3,8	5 300	ND	ND
Moyen-Orient **(avec la Turquie et l'Iran mais sans l'Égypte)**							
Arabie Saoudite	0,843	85,0[o]	369,7	0,1	20 600	ND	ND
Bahreïn	0,895	88,8[o]	20,2	3,1	38 800	ND	ND
Émirats arabes unis	0,903	90,0	230,0	(−)2,7	38 900	ND	ND
Irak	ND	74,1	65,8	4,5	3 800	ND	ND
Iran	0,782	82,3	330,5	1,5	12 500	29,6	38,3
Israël	0,935	97,1	194,8	0,2	28 400	28,8	39,2
Jordanie	0,770	91,1	22,9	2,4	5 200	30,7	37,7
Koweït	0,916	94,5	111,3	(−)1,7	52 800	ND	ND
Liban	0,803	89,6	33,6	6,9	13 200	ND	ND
Oman	0,846	84,4[o]	53,4	2,0	25 000	ND	ND
Qatar	0,910	93,1	83,9	9,5	119 500	ND	ND
Syrie	0,742	83,1	52,5	5,0	4 600	ND	ND
Territoires palestiniens	0,737	92,4[f]	6,6[k]	2,3[k]	2 900[k]	ND	ND
Turquie	0,806	88,7	615,3	(−)5,6	11 400	33,2	43,2
Yémen	0,575	58,9[o]	25,1	3,8	2 500	30,8	37,7
Afrique							
Afrique du Sud	0,683	88,0[o]	287,2	(−)1,8	10 300	44,9	57,8
Algérie	0,754	75,4[o]	140,8	2,2	7 100	26,9	35,3
Angola	0,564	67,4	68,8	(−)0,3	8 400	44,7	58,6
Bénin	0,492	40,5[o]	6,7	2,7	1 500	31,0	38,6

Pays	IDH 2007	Alphabé-tisation (% des 15 ans et +) 1999-2007[a]	PIB en 2009 (Estimation)		PIB/habitant $US Parité de pouvoir d'achat	Répartition du revenu	
			Milliards de dollars américains réels	Taux de croissance		Concentré par le 10% les plus riches (en%)	Indice de Gini*
Botswana	0,694	82,9[o]	11,6	(−)5,4	12 800	51,2	61,0
Burkina Faso	0,389	28,7	8,1	3,2	1 200	32,4	39,6
Burundi	0,394	59,3	1,3	3,5	300	28,0	33,3
Cameroun	0,523	67,9	22,2	0,9	2 300	35,5	44,6
Cap-Vert	0,708	83,8[o]	1,8	1,8	3 600	40,6	50,5
Comores	0,576	75,1[o]	0,5	1,8	1 000	55,2	64,3
Congo	0,601	81,1[o]	9,5	7,6	3 900	37,1	47,3
République démocratique du Congo	0,389	67,2	11,1	2,0	300	34,7	44,4
Côte-d'Ivoire	0,484	48,7	22,5	3,8	1 700	39,6	48,4
Djibouti	0,520	67,9[b]	N1,0	5,0	2 700	30,9	40,0
Égypte	0,703	66,4	188,0	4,7	6 000	27,6	32,1
Érythrée	0,472	64,2[o]	1,9	3,6	700	ND	ND
Éthiopie	0,414	35,9	32,3	8,7	900	25,6	29,8
Gabon	0,755	86,2[o]	11,0	(−)1,1	14 000	32,7	41,5
Gambie	0,456	40,1[b]	0,7	5,2	1 400	36,9	47,3
Ghana	0,526	65,0[o]	15,5	3,5	1 500	32,8	42,8
Guinée	0,435	29,5	4,4	(−)3,5	1 000	34,4	43,3
Guinée équatoriale	0,719	87,0	12,2	5,3	37 500	ND	ND
Guinée-Bissau	0,396	64,6[o]	0,8	3,0	1 100	28,0	35,5
Kenya	0,541	73,6	32,7	2,6	1 600	37,8	47,7
Lesotho	0,514	82,2	1,6	1,6	1 600	39,4	52,5
Libéria	0,442	55,5[o]	0,9	4,6	400	30,1	52,6
Libye	0,847	86,8[o]	60,4	(−)0,4	13 400	ND	ND
Madagascar	0,543	70,7	8,6	(−)1,0	1 000	41,5	47,2

Pays	IDH 2007	Alphabé-tisation (% des 15 ans et +) 1999-2007[a]	PIB en 2009 (Estimation)			Répartition du revenu	
			Milliards de dollars américains réels	Taux de croissance	PIB/ habitant $US Parité de pouvoir d'achat	Concentré par le 10% les plus riches (en%)	Indice de Gini*
Malawi	0,493	71,8[o]	4,6	7,6	800	31,9	39,0
Mali	0,371	26,2	9,0	4,4	1 200	30,5	39,0
Maroc	0,654	55,6[o]	90,8	4,9	4 700	33,2	40,9
Maurice	0,804	87,4[o]	8,8	3,1	13 000	ND	ND
Mauritanie	0,520	55,8[o]	3,0	(–)1,2	2 000	29,6	39,0
Mayotte	ND	ND	ND	ND	4 900[m]	ND	ND
Mozambique	0,402	44,4[o]	9,8	6,3	900	39,2	47,1
Namibie	0,686	88,0[o]	9,5	(–)0,8	6 600	65,0	74,3
Niger	0,340	28,7	5,3	(–)1,2	700	35,7	43,9
Nigeria	0,511	72,0[o]	173,4	6,1	2 300	32,4	42,9
Ouganda	0,514	73,6[o]	15,7	5,3	1 200	34,1	42,6
République centrafricaine	0,369	48,6	2,0	1,7	700	33,0	43,6
Réunion	ND	88,9[qb]	ND	ND	6 200[m]	ND	ND
Rwanda	0,460	64,9	5,2	4,5	1 000	37,8	46,7
Sahara occidental	ND	ND	ND	ND	2 500[g]	ND	ND
Sâo Tomé e Principe	0,651	87,9	0,2	4,0	1 700	ND	ND
Sénégal	0,464	41,9	12,7	1,7	1 600	30,1	39,2
Seychelles	0,845	91,8	0,8	(–)3,5	20 800	ND	ND
Sierra Leone	0,365	38,1[o]	1,9	4,0	900	33,6	42,5
Somalie	ND	37,8[l]	2,7	2,6	600	ND	ND
Soudan	0,531	60,9	54,7	4,2	2 300	ND	ND
Swaziland	0,572	79,6	3,0	0,4	4 400	40,8	50,7
Tanzanie	0,530	72,3[o]	22,3	6,0	1 400	27,0	34,6
Tchad	0,392	31,8[o]	6,9	5,3	1 900	30,8	39,8

Pays	IDH 2007	Alphabé-tisation (% des 15 ans et +) 1999-2007[a]	PIB en 2009 (Estimation)			Répartition du revenu	
			Milliards de dollars américains réels	Taux de croissance	PIB/ habitant $US Parité de pouvoir d'achat	Concentré par le 10% les plus riches (en%)	Indice de Gini*
Togo	0,499	53,2	2,9	3,1	900	27,1	34,4
Tunisie	0,769	77,7[o]	40,2	3,0	8 200	31,6	40,8
Zambie	0,481	70,6[o]	13,0	6,3	1 600	38,9	50,7
Zimbabwe	ND	90,7[b]	4,4[p]	(–)1,3	100	40,3	50,1

* L'indice de Gini est une mesure du degré d'inégalité de distribution des revenus dans une société donnée. Il varie de 0 à 100, où 0 représente l'égalité parfaite (tous ont le même revenu) et 100 l'inégalité absolue (une seule personne concentre tout le revenu disponible).

ND : Non disponible.

a) Les données se réfèrent à des estimations de l'alphabétisation nationale issues de recensements et d'enquêtes réalisés entre 1999 et 2007 ou par des estimations de l'Institut statistique de l'UNESCO effectuées à partir du modèle de projection de l'alphabétisation par tranche d'âge.

b) Ces données sont des estimations provenant du *CIA World Factbook* et se réfèrent à 2003.

c) Ces données se rapportent à 2004.

d) Ces données sont des estimations provenant du *CIA World Factbook* et se réfèrent à 2002.

e) Ces données sont des estimations provenant du *CIA World Factbook* et se réfèrent à 2000.

f) Ces données sont des estimations provenant du *CIA World Factbook* et se réfèrent à 2004.

g) Ces données se rapportent à 2007.

h) Ces données se rapportent à 2006.

i) Les données se réfèrent à la Serbie et au Monténégro avant leur séparation de 2006. Elles n'incluent pas le Kosovo.

j) Ces données se réfèrent à une année antérieure à 1999.

k) Ces données se rapportent à 2008.

l) Ces données se rapportent à 2001.

m) Ces données se rapportent à 2005.

n) Ces données se rapportent à 2002.

o) Ces données se rapportent à des estimations de l'Institut de statistique de l'UNESCO pour l'année 2009.

p) L'abandon du dollar zimbabwéen en 2009 rend les statistiques du PIB hautement imprécises.

q) Ces données se rapportent à 2003.

Sources : Pour les données sur l'indicateur du développement humain (IDH), l'alphabétisation et la concentration du revenu, *Rapport mondial sur le développement humain* (2009) ; pour les données sur le produit intérieur brut (PIB), *CIA World Factbook* <https://www.cia.gov/library/publications/the-world-factbook/>, consulté en octobre 2010.

Index de lieux

Index des auteurs cités

Les auteurs

Affeltranger, Bastien : Diplômé en gestion (ESC Lille) et en géographie (DESS, Sorbonne ; DEA, Nanterre), Bastien Affeltranger a obtenu son doctorat en géographie à l'Université Laval et travaille comme chercheur à l'Institut national de l'environnement industriel et des risques (INERIS). Son champ d'intérêt porte sur la coopération technique dans les bassins versants internationaux et les conditions de circulation des données hydro-météorologiques. Courriel : Bastien.affeltranger@ineris.fr

Aoun, Sami : Ph.D., Professeur titulaire à l'École de politique appliquée de l'Université de Sherbrooke et membre de l'Observatoire sur le Moyen-Orient et l'Afrique du Nord (OMAN) à la Chaire Raoul-Dandurand-UQAM. Il publie sur les enjeux et les conflits de l'espace moyen-oriental. Courriel : Sami.Aoun@USherbrooke.ca

Barrette, Nathalie : Détentrice d'un doctorat en géographie à l'Université du Québec à Montréal, professeure au Département de géographie de l'Université Laval et membre associée au Centre d'études nordiques de l'Université Laval, Mme Barrette est spécialisée en climatologie et en modélisation climatique. Courriel : Nathalie.barrette@ggr.ulaval.ca

Beaudet, Pierre : Détenteur d'un doctorat en sociologie, Pierre Beaudet est professeur à l'École de développement international et de mondialisation à l'Université d'Ottawa. Membre fondateur d'Alternatives-International (un réseau d'ONG dans neuf pays), il est également éditeur des *Nouveaux cahiers du socialisme*. Ses publications récentes : *Introduction au développement international* (2008), *Qui aide qui – Une brève histoire de la solidarité internationale au Québec* (2009). Courriel : Pierre.Beaudet@uottawa.ca

Bédard, Mario : Professeur agrégé de géographie à l'Université du Québec à Montréal, détenteur d'un doctorat en épistémologie de la géographie et spécialiste de géographie culturelle, Mario Bédard poursuit des recherches sur le sens du lieu, la vocation identitaire du paysage, la géosymbolique et l'interculturalisme. Il explore ces thématiques depuis 1993 à diverses échelles et dans des travaux qui portent sur le Québec, le Canada et l'Europe. Courriel : bedard.mario@uqam.ca

Blondy, Caroline : Caroline Blondy est professeure agrégée de géographie à l'Université de La Rochelle. Elle a soutenu en novembre 2010 une thèse de doctorat de géographie intitulée *Les territoires touristiques polynésiens : une lecture géographique de la participation de la société locale au système touristique*. Elle étudie le tourisme avec une approche géographique systémique, en s'intéressant notamment aux jeux d'acteurs, à la mise en tourisme des lieux et à leurs trajectoires, à l'interaction tourisme et sociétés locales et aux questions de coprésence dans les lieux touristiques. Courriel : cblondy@univ-lr.fr

Boyer, Alexandre : Économiste de formation, A. Boyer a fait une maîtrise en sciences économiques internationales en échange inter-universitaire à l'Université Concordia et une maîtrise en géographie économique au Département de géographie de l'UQAM. Il a rédigé un mémoire portant sur les impacts socioéconomiques locaux de la fermeture de l'usine GM de Boisbriand. Courriel : biggnou@yahoo.fr

Clément, Pierre-Alain : Titulaire du diplôme de Sciences Po Paris (master Affaires publiques) et du master recherche Sécurité internationale et Défense (Lyon III Jean-Moulin), Pierre-Alain Clément est doctorant à l'UQAM, chercheur à la chaire Raoul-Dandurand depuis septembre 2008. Il a auparavant été chercheur associé au Centre d'études et de Recherche de l'école militaire (2006-2007) à Paris. Ses travaux portent sur la géopolitique du Moyen-Orient, le terrorisme islamiste et le contre-terrorisme, et l'armement. Courriel : clement.pierre-alain@courrier.uqam.ca

Decoudras, Pierre-Marie : Pierre-Marie Decoudras est géographe, professeur des universités à l'Université de la Réunion. Il a été membre du laboratoire IRIDIP (Institut de recherches interdisciplinaires sur le Pacifique insulaire et le Pacifique) où il travaillait plus spécialement en géographie sociale et culturelle. Les mots clés de sa recherche sont : communautés insulaires, territoires, tourisme, développement local. En 2005, il a dirigé un numéro spécial de la revue *Les Cahiers d'Outre-Mer* sur la Polynésie française (n° 230). Courriel : pierre.decoudras@upf.pf

De Koninck, Rodolphe : Rodolphe De Koninck enseigne la géographie à l'Université de Montréal. Il y détient également la Chaire de recherches du Canada en études asiatiques. Ses travaux concernent en priorité les enjeux agricoles et environnementaux en Asie du Sud-Est et, par extension, en Chine et en Inde. Membre de la Société royale du Canada, il est l'auteur de 15 livres et de plus de 250 autres publications scientifiques, articles, notes, comptes rendus. Courriel : rodolphe.de.koninck@umontreal.ca

Droulers, Martine: Géographe brésilianiste, directrice de recherche au Centre de recherche et de documentation sur l'Amérique latine (CREDAL-CNRS) de l'Université de Paris III, les champs d'intérêts de Mme Droulers s'articulent autour de la dynamique territoriale du Brésil privilégiant les analyses géohistorique, géopolitique et géoéconomique. Elle est l'auteure d'ouvrages sur le sujet et dirige des thèses en particulier sur les thèmes du développement durable en Amazonie et des biocarburants. Courriel: droulers@univ-paris3.fr

Facon, Isabelle: Maître de recherche à la Fondation pour la recherche stratégique et Maître de conférences à l'École polytechnique, Isabelle Facon s'intéresse à la Russie et à l'espace ex-soviétique, en particulier dans les dimensions stratégiques et de sécurité. Courriel: i.facon@frstrategie.org

Fontan, Jean-Marc: Détenteur d'un doctorat en sociologie de l'Université de Montréal, Jean-Marc Fontan est professeur titulaire de sociologie à l'Université du Québec à Montréal (UQAM). Il est spécialisé dans le domaine de l'anthropologie économique et de la sociologie du développement. Actif dans le domaine du transfert des connaissances depuis plus d'une vingtaine d'années, il dirige un nouveau dispositif d'intervention liant production des connaissances à croisement des savoirs et des pratiques au sein de l'Incubateur universitaire Parole d'excluEs (<http://www.parole-dexclues.qc.ca/>). Courriel: fontan.jean-marc@uqam.ca

Forest, Patrick: Patrick Forest est chercheur postdoctoral au Département de géographie à l'Université McGill. Il a également été Fellow au John Sloan Dickey Center for International Understanding à Dartmouth College (États-Unis). Il est détenteur d'un doctorat en études internationales de l'Institut québécois des hautes études internationales. Courriel: patrick.forest@mcgill.ca

Gonon, Emmanuel: Détenteur d'un doctorat en géographie, Emmanuel Gonon est directeur des programmes à l'Observatoire européen de géopolitique (OEG) et spécialiste des questions relatives à la géopolitique de l'Himalaya. Courriel: emmanuel.gonon@gmail.com

Hervouet, Gérard: Professeur titulaire au Département de science politique de l'Université Laval, M. Hervouet est directeur du programme Paix et Sécurité internationale, président du Canadian Consortium on Asia Pacific Security et membre de l'Institut québécois des hautes études internationales. Courriel: Gerard.hervouet@pol.ulaval.ca

Jouve, Bernard: Bernard Jouve est décédé en 2009. Il était directeur du laboratoire Recherches interdisciplinaires Ville, Espace, Société de l'École nationale des travaux publics de l'État (UMR CNRS 5600). Titulaire d'un doctorat en urbanisme/aménagement, il travaillait sur la gouvernance territoriale dans une perspective comparée. Parmi ses travaux, on peut signaler: *Les métropoles au défi de la diversité culturelle* (2006), co-dirigé avec A. Gagnon, et « La démocratie en métropoles », *Revue française de science politique*, vol. 55, no 2 (2005).

Klein, Juan-Luis : Détenteur d'un doctorat en géographie de l'Université Laval, Juan-Luis Klein est professeur titulaire au Département de géographie de l'Université du Québec à Montréal et, depuis 2009, directeur du Centre de recherche sur les innovations sociales (CRISES). Ses enseignements portent sur la globalisation, la géographie socioéconomique et le développement local. Ses projets de recherche actuels portent sur les initiatives territoriales de lutte contre la pauvreté et l'exclusion, la cohésion sociale en milieu urbain et le développement par l'initiative locale. Courriel : klein.juan-luis@uqam.ca

Laliberté, André : Professeur titulaire à l'École d'études politiques de l'Université d'Ottawa, il a écrit sur les relations entre les deux rives du détroit de Taïwan, le processus de démocratisation à Taïwan. Ses recherches portent sur les questions identitaires dans le monde chinois. Courriel : alaliber@uottawa.ca

Lamarre, Jules : Jules Lamarre est diplômé en économie (B.A., Université Laval) et en géographie (M.A., Université Laval et Ph.D., Université McGill). À titre de chargé de cours, il a enseigné la géographie durant plusieurs années principalement à l'Université du Québec à Rimouski ainsi qu'à l'Université Concordia. Plus récemment, il a coordonné un projet du CRDI et un projet de l'ACDI qui l'ont amené à s'intéresser à la question de la lutte contre la pauvreté, notamment au Vietnam. Courriel : jlamarre@cafesgeographiques.ca

Lasserre, Frédéric : A travaillé à l'Observatoire européen de géopolitique (OEG, Lyon) sur les transformations de l'Europe centrale et orientale, puis, après un séjour au Japon comme correspondant d'*Hérodote*, comme conseiller en affaires internationales au ministère québécois de l'Industrie et du Commerce, Frédéric Lasserre est aujourd'hui directeur de projet chez ArcticNet. Il est également professeur au Département de géographie de l'Université Laval (Québec), chercheur à l'Institut québécois des hautes études internationales (IQHEI) où il dirige l'Observatoire de recherches internationales sur l'eau (ORIE), et chercheur associé à la Chaire Raoul-Dandurand en Études stratégiques et diplomatiques (Université du Québec à Montréal) ainsi qu'à l'OEG. Courriel : Frederic.lasserre@ggr.ulaval.ca

Lasserre, Jean-Claude : Professeur émérite de l'Université Lumière Lyon II, il a travaillé dans le domaine de la géographie des transports successivement à l'Université de Montréal puis au Laboratoire d'économie des transports (LET) de Lyon. Jean-Claude Lasserre a publié en 1980 *Le Saint-Laurent, grande porte de l'Amérique*. Courriel : jean-claude.lasserre6@wanadoo.fr

Latendresse, Anne : Détentrice d'un doctorat en Études urbaines de l'UQAM, Anne Latendresse est professeure au Département de géographie de l'UQAM. Dans le cadre de sa thèse de doctorat, elle s'est intéressée au processus de déstructuration-restructuration de Jérusalem-Est et à la dynamique locale palestinienne dans le contexte du conflit binational israélo-palestinien. Elle a résidé au Proche-Orient de 1994 à 1997 et a assuré le suivi de différents projets de développement en Égypte, au Liban et en Jordanie. Courriel : latendresse.anne@uqam.ca

Le Bel, Pierre-Mathieu : Pierre-Mathieu Le Bel a obtenu une maîtrise en géographie à l'Université du Québec à Montréal et complété un doctorat en géographie sociale et culturelle à l'Université d'Ottawa. Il s'intéresse présentement aux mouvements urbains dans le contexte de grands événements et de grands projets urbains. Il est chargé de cours à l'Université du Québec à Montréal. Courriel : pmlebel@gmail.com

Lebigre, Jean-Michel : Depuis 1999, il est professeur à l'Université de la Nouvelle-Calédonie, dont il est vice-président. Il avait auparavant enseigné la géographie dans diverses universités de la zone intertropicale (Phnom Penh au Cambodge, Bukavu au Zaïre, Libreville au Gabon, Tuléar à Madagascar) et poursuivi sa carrière à l'Université Michel-de-Montaigne – Bordeaux 111, de 1991 à 1999. Après avoir fait une thèse de 3e cycle de géographie rurale sur une grande plaine sucrière d'Haïti (1974), il s'est spécialisé en biogéographie et dans l'étude des milieux, principalement les littoraux à mangroves, avec une thèse de doctorat d'État en 1990. Courriel : lebigre@univ-nc.nc

Lefebvre, Sylvain : Professeur au Département de géographie de l'UQAM et détenteur d'un doctorat en Études urbaines de l'UQAM, S. Lefebvre assure des recherches autour des problématiques de la mondialisation économique et politique, des enjeux urbains en matière de développement international, de la recomposition des espaces industriels et économiques métropolitains, du développement régional et des impacts des activités festives dans le processus de développement économique. Il enseigne l'analyse de l'environnement international, la géographie du sous-développement et les enjeux économiques et politiques de l'aménagement du territoire et de l'urbanisme. Il participe à plusieurs dossiers d'évaluation de projets d'envergure dans la région métropolitaine de Montréal. Courriel : lefebvre.sylvain@uqam.ca

Manzagol, Claude : Décédé en 2008, Claude Manzagol était professeur émérite de l'Université de Montréal. Auteur de nombreux travaux sur la dynamique spatiale des activités économiques, la ville et l'aménagement du territoire. Il a publié *La mondialisation, données, mécanismes et enjeux* (Armand Colin) et était membre de la Société royale du Canada.

Merceron, François : Agrégé de Géographie, titulaire d'un DEA de géographie. Champs d'intérêt : géographie économique et organisation de l'espace en Polynésie française et en Océanie. Publications récentes : *Tahiti, destination archipels*, Gallimard, 1995 ; *Centres et périphéries dans le Pacifique sud*, Éditions du CTRDP de Papeete, 2000 ; *La Polynésie française à la recherche d'un développement durable*, Éditions du Ministère de L'Outre-Mer, 2003. Courriel : markus@mail.pf

Mukakayumba, Édith : Édith Mukakayumba a fait ses études de premier cycle à l'Université nationale du Rwanda. L'Université Laval lui a décerné les diplômes de maîtrise et de doctorat en géographie. Première rwandaise à être investie du titre de Ph.D., elle a enseigné dans plusieurs universités du Québec à divers titres. Avec Jules Lamarre, elle a fondé la Maison de la géographie de Montréal où elle participe à l'organisation de débats, de conférences et de colloques. Courriel : emukakayumba@cafesgeographiques.ca

Opula, Lambert : Licencié en géographie de l'Université de Lubumbashi, en République démocratique du Congo, Lambert Opula a étudié la planification de développement à l'Université de Witswatersrand, à Johannesburg. Détenteur d'une maîtrise en géographie de l'Université Laval et d'un doctorat en études urbaines de l'Université du Québec à Montréal, il œuvre au Comité d'adaptation de la main-d'œuvre immigrante (CAMO-PI), une instance de la Commission des partenaires du marché du travail du Québec (CPMT). Il dirige le comité de publication de la revue *Focus Intégration*, publiée par cette organisation. Courriel : opula.l_concept@yahoo.fr

Paquin-Boutin, Marie-Pierre : Marie-Pierre Paquin-Boutin a complété en 2004 une maîtrise en géographie portant sur la gouvernance urbaine à Montevideo en Uruguay à l'Université du Québec à Montréal. Courriel : mpaquinboutin@yahoo.ca

Roche, Yann : Yann Roche est professeur au Département de géographie de l'Université du Québec à Montréal depuis 1997. Ses champs d'expertise et d'intérêt couvrent la cartographie, l'analyse spatiale et les outils géomatiques, plus particulièrement leur application en environnement et en gestion des ressources naturelles. Il travaille principalement sur l'Asie du Sud-Est (Vietnam et Laos) et vient de terminer un projet d'évaluation et de gestion des ressources forestières dans le nord du Laos. Il collabore actuellement avec des universités vietnamiennes sur des projets d'écotourisme et d'application des outils géomatiques à l'analyse spatiale de l'évolution des mangroves dans le golfe du Tonkin. Courriel : roche.yann@uqam.ca

Saura, Bruno : Politologue et anthropologue de formation, Bruno Saura est maître de conférences en civilisation à l'Université de Polynésie française depuis 1993. Ses travaux portent sur les rapports politiques, religieux et ethniques dans la Polynésie française d'aujourd'hui, ainsi que sur la tradition orale des îles Sous-le-Vent. Il a publié en 2005 *Huahine aux temps anciens* (Cahier du Patrimoine, Service de la Culture de la Polynésie française) portant sur les légendes et la toponymie de cette île. Courriel : brunosaura@yahoo.fr

Schroeder, Jacques : Professeur titulaire au Département de géographie de l'UQAM, Jacques Schroeder est détenteur d'un doctorat en géographie de l'Université d'Ottawa. Ses enseignements couvrent les principaux aspects de la géomorphologie, de la géographie physique appliquée et de l'épistémologie en géographie. Sur le plan de la recherche, ses travaux concernent les problèmes liés aux écoulements en milieu fissuré (du karst aux glaciers), l'étude intégrée du paysage par le biais du concept de « patrimoine », l'épistémologie de la géographie dans le cadre de l'histoire des idées, la vulgarisation scientifique et son appropriation citoyenne (entrevues et chroniques radio et télé, réalisation de vidéogrammes pour les chaînes éducatives, animation de colloques destinés aux bénévoles, etc.). Pour une biographie détaillée, on peut consulter le *Canadian Who's Who*. Courriel : schroeder.jacques@uqam.ca

Segui Pons, Joana Maria : Détentrice d'un doctorat en géographie et professeure titulaire (*Catedrática*) de géographie humaine de l'Université des îles Baléares (Palma, Majorque), elle a été membre du conseil exécutif national de la Asociación de Géografos Españoles et du bureau de la Commission de la Société d'information de l'Union géographique internationale. Ses sujets de recherche prioritaires sont les systèmes de transports, les transports et le tourisme, et les réseaux d'information. Elle est auteure ou co-auteure d'une douzaine de livres, dont *Geografia General dels Països Catalans* (1993), ainsi que de nombreux articles et chapitres dans des ouvrages collectifs. Courriel : joana.segui-pons@uib.es

Toureille, Julien : Julien Toureille est directeur adjoint de l'Observatoire sur les États-Unis de la Chaire Raoul-Dandurand en études stratégiques et diplomatiques, candidat au doctorat en science politique et chargé de cours à l'UQAM. Ses principaux intérêts de recherche sont les stratégies militaires américaines dans les guerres irrégulières et les dynamiques électorales américaines. Il a notamment publié avec Charles-Philippe David et Karine Prémont, *L'Erreur. L'échec américain en Irak cinq ans plus tard*, Septentrion, 2008. Courriel : tourreillej@gmail.com

Eaux et territoires – 3ᵉ *édition*
Tension, coopérations
et géopolitique de l'eau
Frédéric Lasserre et Luc Descroix
2011, ISBN 2-7605-2602-0, 520 pages

Penser les territoires
En hommage à Georges Benko
Sous la direction de Paul Cary et André Joyal
2010, ISBN 978-2-7605-2591-7, 384 pages

Passages et mers arctiques
Géopolitique d'une région en mutation
Sous la direction de Frédéric Lasserre
2010, ISBN 978-2-7605-2561-0, 516 pages

La classe créative selon Richard Florida
Un paradigme urbain plausible ?
Sous la direction de Rémy Tremblay
et Diane-Gabrielle Tremblay
2010, ISBN 978-2-7605-2509-2, 258 pages

Géographie de l'Amérique latine
Une culture de l'incertitude
Nathalie Gravel
2009, ISBN 978-2-7605-2409-5, 372 pages

Une seule terre à cultiver
Les défis agricoles et alimentaires mondiaux
Sous la direction de Jean-François Rousseau
et Olivier Durand
2009, ISBN 978-2-7605-2434-7, 166 pages

Le paysage
Un projet politique
Mario Bédard
2009, ISBN 978-2-7605-2361-6, 372 pages

La logique sociale
du développement territorial
Frank Moulaert et Jacques Nussbaumer
2008, ISBN 978-2-7605-1373-0, 174 pages

Politiques de l'eau
Grands principes et réalités locales
Sous la direction de
Alexandre Brun et Frédéric Lasserre
2006, ISBN 2-7605-1457-9, 436 pages

Le monde dans tous ses États
Une approche géographique
Sous la direction de Juan-Luis Klein
et Frédéric Lasserre
2006, ISBN 2-7605-1453-6, 586 pages

Les poids du monde
Évolution des hégémonies planétaires
Rodolphe De Koninck
et Jean-François Rousseau
2006, ISBN 2-7605-1436-6, 240 pages

Des flux et des territoires
Vers un monde sans États ?
Sous la direction de
Bernard Jouve et Yann Roche
2006, ISBN 2-7605-1410-2, 402 pages

Transferts massifs d'eau
Outils de développement
ou instruments de pouvoir?
Sous la direction de Frédéric Lasserre
2005, ISBN 2-7605-1379-3, 610 pages

La ville autrement
Sous la direction de Pierre Delorme
2005, ISBN 2-7605-1342-4, 300 pages

Mouvements sociaux
et changements institutionnels
L'action collective à l'ère
de la mondialisation
Sous la direction de Louis Guay,
Pierre Hamel et Jean-Guy Vaillancourt
2005, ISBN 2-7605-1341-6, 438 pages

Démocraties métropolitaines
Transformations de l'État et politiques
urbaines au Canada, en France
et en Grande-Bretagne
Sous la direction de
Bernard Jouve et Philip Booth
2004, ISBN 2-7605-1236-3, 356 pages

Reconversion économique
et développement territorial
Sous la direction de Jean-Marc Fontan,
Juan-Luis Klein et Benoît Lévesque
2003, ISBN 2-7605-1244-4, 360 pages

Le territoire pensé
Géographie des
représentations territoriales
Sous la direction de Frédéric Lasserre
et Aline Lechaume
2003, ISBN 2-7605-1224-X, 346 pages

Sports et villes
Enjeux économiques et socioculturels
Sous la direction de Sylvain Lefebvre
2003, ISBN 2-7605-1210-X, 254 pages

▶